KB136941

고문진보 후집 1

역주
譯註

고문진보 후집 1

성백효·이영준·박민희 역

한국인문고전연구소

차 례

《古文眞寶後集 1》

卷 1

卷 2

卷 3

卷 4

卷 5

간행사

성백효 선생의 역저인 《고문진보》 후집이 드디어 책으로 나오게 되었다. 본인이 그토록 고대하던 중국의 명문장 《고문진보》가 소주까지 완역되었고, 여기에 겸하여 작자 소개와 작품 소개 등을 갖춘 완벽한 《고문진보》가 이제 비로소 세상에 나오게 된 것이다.

본인은 뒤늦게 한문공부를 시작하였는바, 처음에는 《논어》를 혼자서 공부하기 위해 《논어》 번역본을 이책 저책 구입하여 보았다. 그러나 기본 실력이 없는 본인으로서는 해석이 각기 다르고 부연 설명 역시 역자마다 상이하여 갈피를 잡지 못하다가 성백효 선생이 번역한 《논어집주》를 보고 비로소 어느 정도 학문의 방향을 정하였다. 이를 계기로 선생을 알게 되어 직접 강의를 듣고 한문공부를 시작한 지 어언 15년이 넘었으며 사단법인 해동경사연구소를 설립하여 이사장을 맡아온 지 10년이 넘었다.

해동경사연구소를 설립할 당시 선생의 사유(思惟)가 담긴 사서(四書)·삼경(三經)을 주석과 함께 재번역하는 것이 우리의 목표였다. 그 결과 《부안설 사서집주》가 완간되었고 《최신판 사서집주》 역시 출간되었다. 본인은 사서를 강습하는 여가에 《고문진보》의 몇 편을 직접 강의로 듣기도 하고 번역본을 보기도 하였다. 그러나 여기에서 만족하지 않고 4년 전에 우리의 모임인 구인회(求仁會)에서 《고문진보》 강독을 시작하여 3년에 걸쳐 후집 10권을 동학들과 함께 완독하고 이제는 전집까지 완독하였다. 당시에는 번역본이 미처 나오지 않았고 시간 내기도 여의치 않아 아쉽게도 소자쌍행(小字雙行)으로 되어 있는 소주(小註)는 읽지 못했지만 주옥 같은 고문을 읽은 것은 참으로 노년의 즐거움이 아닐 수 없었다.

본인은 지금과 같은 완벽한 역본을 선생에게 부탁한 지 오래이다. 특히 지난번의 번역본은 국한문을 혼용한 관계로 한자의 음을 읽는 데 어려움이 있었다. 이제는 한자를 괄호 안에 넣어 한자를 잘 모르는 사람도 쉽게 읽을 수 있게 되었다. 동양고전을 더욱 알기 쉽게 번역함으로써 더 많은 사람들이 우리의 전통사상과 문화의 뿌리를 공부할 수 있게 된 것이다.

본인은 사서 말고는《고문진보》가 인생의 바른 길을 가르쳐주는 최고의 동양고전이라고 확신한다. 이제는 선생도 많이 노쇠하였고, 본인 역시 칠십이 가까워온다. 일모도원(日暮道遠)이라고 할까, 선생이 노쇠하기 전에 계획했던 여러 책들이 끝마무리 되어야 할 것이다. 몇 년 동안 선생의 사서 강의를 녹화한 영상이 현재 마무리 편집단계에 있다. 그리고《춘추좌씨전》과《고문진보후집》의 녹화를 끝마치고《주역전의(周易傳義)》를 촬영하고 있다. 다만 이들 녹화물을 편집해야 하는데 제대로 후원하지 못하는 것이 늘 죄송할 따름이다.

서기 2021년 1월

해동경사연구소 이사장 권오춘(權五春)

이 책에 대하여

본서는 《상설고문진보대전(詳說古文眞寶大全)》 후집(後集) 10편과 《문장궤범(文章軌範)》 7편 및 각 문장의 앞뒤에 있는 소서(小序)와 비평(批評)을 역주(譯註)한 것이다.

《고문진보(古文眞寶)》는 문자 그대로 가장 보배로운 글만을 정선(精選)한 것이다. 이 때문에 우리 선인(先人)들이 사서(四書)·삼경(三經) 이외에 이 《고문진보》를 가장 많이 읽었던 것이다. 《문장궤범》 또한 송(宋)나라 첩산(疊山) 사방득(謝枋得)이 엮고 평을 가한 것으로 문장의 올바른 법식을 배울 수 있는 좋은 책으로 꼽힌다.

《고문진보》는 원래 전집(前集)과 후집(後集)으로 나누어져 있는바, 전집은 고시(古詩), 후집은 고문(古文)으로 엮어져 있으며, 전집은 일반적인 율시(律詩)나 절구(絕句)보다는 고체시(古體詩, 고풍(古風))가 대부분이다. 그러나 이 《고문진보》는 편자(編者)가 분명치 않으며 판본이 각기 달라 통일성이 없는 것이 사실이다. 또한 원본이 모두 중국에서 만들어졌음에도 불구하고 청대(淸代) 이후 중국에는 별로 유행되지 않은 반면, 우리나라와 일본에서 크게 유행하였다.

현재 가장 오래된 것으로 알려진 판본은 원나라 지정(至正 26년(1366)에 정본(鄭本(자 사문(士文))의 서문이 붙은 것이다. 이 판본의 서문에서는 《고문진보》가 오래 전부터 있었으며 임정(林楨(자 이정(以正))이 주석과 교정을 가하였음을 밝히고 있다. 그리고 명나라 홍치(弘治) 15년(1502)에 청려재(靑藜齋)가 쓴 《중간고문진보(重刊古文眞寶)》 발문(跋文)에는 이 책을 송나라 황견(黃堅)이 지었다고 밝힌 바 있다. 하지만 황견에 대해서는 알려진 것이 전혀 없다. 이외에도 여러 본이 있으며, 《고문대전(古文大全)》이란 이름의 판본도 있다.

그러나 위에서 소개한 본은 대부분 전집과 후집이 각각 10권씩 엮어진 것으로 중국이나 일본에서 유행한 것들이며, 우리나라에는 별도의 판본이 있었으니, 바로 이 책의 대본(臺本)인 《상설고문진보대전》이다. 이 책은 전집이 12권으로 엮어져 있으며, 후집은 타본(他本)과 같이 10권으로 되어 있으나 문체별로 되어 있지 않고 저자의 시대별로 엮어져 있으며, 분량이 타본에 비하여 거의 배나 많은 것이 특징이다.

이 판본은 서문이나 발문이 없어 유입 시기와 간행 경위가 자세하지 않으나 송백정(宋伯貞)이 음역(音譯)하고 유담(劉惔)이 교정(校訂)하였다는 기록이 있으며, 고려(高麗) 말기 전녹생(田祿生)의 《야은일고(埜隱逸稿)》에 그가 "중국에서 《고문진보》를 구입, 산삭(刪削)을 가하여 합포(合浦)에서 처음 간행하였다."는 기록이 있는바, 이 대본의 원본인 것으로 추측된다. 왜냐하면 우리나라에는 이 《상설고문진보대전》만이 현존하기 때문이다. (〈대전(大全)〉이란 표시가 있으므로 명나라 성조(成祖) 때 만들어진 〈영락대전본(永樂大全本)〉이라 하기도 하나 확실치 않다.) 그리고 특히 주목할 것은 본서(本書) 10권 〈태극도설(太極圖說)〉 뒤에 붙인 신안(新安) 진력(陳櫟)의 글이다.

이제 고문(古文)을 뽑으면서 〈태극도설〉과 〈서명(西銘)〉 두 편으로써 끝을 맺음이 어찌 뜻이 없겠는가? 문장과 도리는 실로 두 가지가 아니니, 배우는 자가 한(韓)·류(柳)·구(歐)·소(蘇)의 사장(詞章)의 글을 말미암아 나아가 주(周)·정(程)·장(張)·주(朱)의 글로써 순수하게 되기를 바라서이다. 도리로써 연원(淵源)을 깊게 하고 사장으로써 기골(氣骨)을 건장하게 한다면 문장이 이에 병폐가 없을 것이니, 이는 내가 이 책을 차례로 엮은 깊은 뜻이다.……신안 진력은 삼가 쓰다.

〔今選古文而終之以太極西銘二篇 豈無意者 蓋文章道理 實非二致 欲學者由韓柳歐蘇詞章之文 進而粹之以周程張朱理學之文也 以道理深其淵源 以詞章壯其氣骨 文於是乎無弊矣 此愚銓次之深意也……新安陳櫟謹書〕

발문 성격의 이 글은 진력이 직접 이 책을 편집하고 비평을 가하였음을 입증하는 귀중한 자료라고 보여진다. 진력은 휴영(休寧) 사람으로 자(字)가 수옹(壽翁)이고 호(號)가 정우(定宇)이며 만년(晩年)에는 동고노인(東皐老人)이라 칭하였다. 그는 주자학파(朱子學派)로 송나라가 멸망하자 은거하여 후학을 양성하고 저술에 힘써 《상서집전찬록(尙書集傳纂錄)》·《역조통략(歷朝通略)》·《정우집(定宇集)》 등의 저서를 남긴 인물이다.

이상을 종합해 볼 때 《고문진보》의 원작자(原作者)는 황견이거나 또는 다른 인물일 것이며, 진력(陳櫟) 등 여러 사람에 의하여 보완(補完)되고 개조(改造)됨으로써 체재(體裁)와 편차(編次)가 다른 판본이 유행하게 되었으며, 주자학을 신봉한 우리나라에서는 전녹생이 이 판본을 구입 간행(刊行)한 이후 그대로 사용해 오지 않았나 추측된다.

이 《상설고문진보대전》 후집은 전집과 달리 문체별로 엮지 않아 전집과 후집의 체제가 맞지 않을 뿐만 아니라 간혹 잘못된 주석도 보이며, 소서(小序)에 보이는 진정관(陳靜觀)이나 낭엽(郎曄) 등이 어떤 인물인지 밝혀져 있지 않다. 또한 맨 앞에 실려있는 〈이소경(離騷經)〉이나 〈어부사(漁父辭)〉·〈조굴원부(弔屈原賦)〉 등의 사부(辭賦)는 일반 산문과 다르므로 후집에 혼입한 것은 체제상 문제가 있다는 비판이 없지 않다. 그러나 이 책은 완정(完整)함의 여부를 떠나 진(秦)·한(漢) 이후 송대(宋代)에 이르기까지 역대의 명문(名文)이 총망라되었으며, 특히 그 분량이 타본에 비하여 월등이 많다는 점에서 큰 의의가 있다 하겠다.

《문장궤범》의 편자인 사첩산(謝疊山) 역시 주자학파(朱子學派)로 송나라가 망하자, 절의를 지켜 순절한 인물이다. 이 《문장궤범》은 원래 《상설고문진보대전》에 부록되었던 것을 함께 역간(譯刊)한 것인데, 대본에 이것을 부록하게 된 내력을 다음과 같이 밝히고 있다.

> 《고문진보》와 《문장궤범》은 세상에 함께 유행하는 글이다. 《문장궤범》은 모두 일곱 편이니, '후(侯)·왕(王)·장(將)·상(相)·유(有)·종(種)·호(乎)'라는 일곱 글자를 가지고 편명(篇名)을 삼았다. 그 글이 모두 69편인데 42편은 《고문진보》 안에 수록되어 있으므로 그 나머지 27편을 이제 《고문진보》의 끝에 붙여 간행하였다.
> 〔眞寶軌範 世間竝行之事也 軌範凡七篇 以侯王將相有種乎七字爲號 其文共六十九篇而四十二則眞寶中已錄 故其餘二十七篇 今附刊於眞寶之末〕

다만 여기에 부록된 《문장궤범》은 원제목이 《첩산선생비점문장궤범대전(疊山先生批點文章軌範大全)》인바, 내용을 축약한 것이 많으므로 본서는 원본을 대조하여 최대한 원전대로 수록하였음을 밝혀 둔다.

다시 강조하거니와 여기에서 말한 고문(古文)은 단순히 옛글이란 뜻이 아니라, 당(唐) · 송대(宋代)에 크게 성행했던 선진(先秦)이나 한대(漢代)의 문체(文體)로 쓴 고문을 이른다. 즉 이 고문은 위(魏) · 진(晉), 남북조시대(南北朝時代)에 성행하던 사륙변려문(四六騈儷文)과 대칭되는 것으로, 한유(韓愈)를 비롯한 당 · 송대 팔대가의 문장이 이에 해당한다. (물론《고문진보》중에 변려문(騈儷文)이 전혀 없는 것은 아니다.) 이러한 뜻을 미루어 엄밀히 말하면《고문진보》는 고문을 수록한 후집만이 명실상부한《고문진보》이며, 전집은 고시(古詩)라 칭하는 것이 타당하리라고 본다. 또한《고문진보》라 함은 이 후집을 일컫는 것으로 보편화되어 있다.

본인은 17세 때에 처음《고문진보》를 읽고 그 아름다운 문장에 심취했었다. 하지만 워낙 문체가 다양하고 내용이 어려워 뜻을 제대로 알지 못하였다. 특히《이소경(離騷經)》은 하도 난삽하여 읽을 엄두조차 내지 못하였다. 그러다가 1980년 민족문화추진회 국역연수원(國譯研修院)에서 강의를 맡으면서 본격적으로 공부하게 되었다. 사실 당시에는 번역본도 별로 없었고 참고할 만한 주석서도 없어 무척 애를 태웠다. 본인은 물론이요, '어떤 책을 참고해야 하느냐?' 고 묻는 학생들의 질문에도 대답할 길이 없었다. 그리하여 국역연수원에서 강의하시는 몇몇 선생님들과 본서를 번역하기로 계획하고, 본인은 서둘러 번역에 착수하여 2백 매 정도의 원고를 작성하였다. 그러나 그후 번역에 자신이 없어 중단한 채 10여 년 동안 그대로 방치해 놓았다. 그동안《고문진보》강의도 여러 차례 하였고 기회 있을 때마다 선생님들께 질문도 하였다. 이에 힘을 얻어 지난번 사서집주(四書集註)가 완역됨에 따라 다시 작업을 계속하여 수정에 수정을 거듭한 끝에 1994년 처음으로 출간하게 되었다.

그후 25년이란 세월이 흘렀다. 당시에는 여러 사정으로 소주(小註)를 빼고 번역하였는데 이에 대해 아쉬움을 표하는 독자들이 적지 않았으며 작자 소개와 작품 소개가 부족하다는 지적도 있었다. 10년 전 마침내 수정 재판본을 내기로 계획하고 작자 소개와 작품 소개는 고려대학교 박사과정을 수료한 이영준(李泳俊) 군에게 맡기고 본인은 소주와 주석을 추가하는 데 집중하기로 하였다. 그러나 처음에 작업 범위를 크게 잡는 바람에 작업할수록 수정할 것이 많아져, 시일을 너무 지체하였다. 그리하여 5년만에야 비로소 출간을 앞두게 되었다. 마지막이라는 생각에 최대한 정성을 쏟았으나 여전히 미흡한 점이 많으리라고 생각된다. 독자들의 이해를 구한다.

인문학이 극도로 쇠퇴하고 한글 전용으로 한자를 읽지 못하는 사람들이 점점 많아지는 이때 동양고전의 명맥은 그야말로 풍전등화(風前燈火)의 위기에 처하였다. 또한 원로 한학자들이 모두 세상을 떠나시고 젊은 세대들이 제대로 대를 잇지 못하는 상황에 이 책이 동호인들에게 읽혀져 동양고전의 가치를 인식하고 단절되어가는 맥을 이었으면 하는 바람이 간절하지 않을 수 없다. 끝으로 박사 논문도 미뤄가면서 작자 소개와 작품 소개에 온 힘을 다해준 이영준(李泳俊) 군과 주석과 교정, 조언을 아끼지 않은 신영주(辛泳周) 교수와 신상후(申相厚) 교수, 박민희(朴民喜) 연구원에게 깊이 감사드리며, 이 책을 아름답게 출판해준 한국인문고전연구소에도 고마운 뜻을 표한다.

서기 2021년 1월에

후학 성백효(成百曉)는 한양의 백악산 아래 해동경사연구소에서 쓰다

卷 1

이소경離騷經

굴원屈原 평平

• 작가소개

굴원(屈原, B.C.340?~B.C.278)은 전국(戰國)시대 초(楚)나라 사람으로 이름은 평(平), 자는 원(原)이다. 성(姓)은 미(羋)로 초(楚)나라 왕족이다. 학식이 뛰어나 일찍이 회왕(懷王)의 좌도(左徒)와 삼려대부(三閭大夫)의 직임을 맡아 정사를 담당하였으나 정적들과 충돌하여 회왕에게서 멀어졌다. 《이소(離騷)》는 그 울분을 노래한 것이다. 그는 제(齊)나라와 동맹하여 진(秦)나라에 대항해야 한다는 합종파(合縱派)였는데, 연횡파(連衡派)인 진(秦)나라의 장의(張儀)와 내통한 정적과 왕의 애첩 때문에 뜻을 이루지 못하였다. 회왕이 진나라에서 객사하자, 경양왕(頃襄王)이 즉위하고 막내인 자란(子蘭)이 영윤(令尹)이 되었다. 굴원은 아버지를 객사하게 한 자란을 비난하다가 당시 상관대부(上官大夫) 근상(靳尙) 등의 참소를 입고, 장강(長江) 이남으로 추방되어 20여 년의 유배생활을 보냈는데, 경양왕 21년(B.C.278)에 초나라의 수도 영(郢)이 진(秦)나라에게 공격당하자, 미래에 대한 절망감으로 멱라수(汨羅水)에 투신자살하였다. 그의 작품은 한부(漢賦)에 커다란 영향을 주었고, 이후의 문학사에서도 높이 평가되고 있다.

• 작품개요

초사(楚辭)의 대표적 작품으로, '이(離)'는 걸림(빠짐), '소(騷)'는 우사(憂思)의 뜻으로 '이소'는 곧 걱정에 빠져 지은 글을 의미하며, '경(經)'은 후인(後人)들이 높여 붙인 것이다. 후세에는 시부(詩賦)의 작자(作者)들이 대부분 우국충정(憂國衷情)이나 자신의 불우한 환경을 읊는다 하여, 시인(詩人)

을 소인(騷人)·소객(騷客)으로 부르기도 한다. 〈이소경〉은 굴원의 우국충정이 잘 나타난 작품이며 사(辭)·부(賦)의 원조이다. 사·부는 고대에 발생한 성질이 비슷하면서도 완전히 같지는 않은 두 종류의 문체로, 관련성이 있으면서도 구별되는 점이 있다. 사(辭)는 전국시대 중기에 초나라에서 처음 지어진 문체의 명칭이다. 이는 애국시인인 굴원이 초나라의 민가(民歌)를 기초로 해서 가공 개조한 것으로 초나라의 지방색을 강하게 띠고 있기 때문에 '초사'라고 부르며, 굴원의 이 〈이소〉가 이 문체의 특징을 잘 표현하였으므로 '소(騷)'라 약칭하기도 한다. 또 굴원의 작품이 후대의 부(賦)를 낳은 모체인 한편, 넓은 의미의 '부'에 포괄되므로 '부'라고 부르기도 한다. 그리하여 굴원의 작품들을 '굴부(屈賦)'라고도 칭한다. 한편 '부'는 사부를 총괄하는 개념이기도 하다. 사와 부는 운문으로 되어 있는 것이 특징이다. '사(辭)'는 본래 '사(詞)'의 가차자(假借字)이다. 사는 선진(先秦) 시대로부터 지어지기 시작하여 여러 문인들이 지어왔는데, 한 무제(漢武帝)의 〈추풍사(秋風辭)〉와 도연명(陶淵明)의 〈귀거래사(歸去來辭)〉가 대표적이다. 사는 선진 시대부터 이미 정형화되어 후대에는 기껏해야 '혜(兮)' 자를 생략하는 정도의 변화에 그쳐서 기본적인 구식(句式)과 풍격(風格)은 큰 변화가 없었다. 《사기(史記)》 권84 〈굴원열전(屈原列傳)〉에 "굴평은 임금이 총명하지 못한 것과 참소하는 말이 밝은 이치를 가리는 것과 사악한 말이 공정한 말을 해치는 것과 방정한 사람이 세상에 수용되지 못하는 것을 가슴 아프게 생각하였다. 그러므로 근심하고 침울하여 〈이소〉를 지었으니, 이소라는 것은 근심에 걸린 것이다.〔屈平疾王聽之不聰也 讒諂之蔽明也 邪曲之害公也 方正之不容也 故憂愁幽思而作離騷 離騷者 猶離憂也〕"라고 하였고, 또 "국풍은 색을 좋아하면서도 음란한 지경에는 이르지 않았고, 소아는 원망을 하면서도 어지러운 지경에는 이르지 않았는데, 〈이소〉의 경우는 국풍과 소아 두 가지를 겸했다고 이를 만하다.〔國風好色而不淫 小雅怨誹而不亂 若離騷者 可謂兼之矣〕"라고 하여 〈이소경〉의 전체적인 분위기에 대해 설명하였다.

〈이소경〉은 내용이 워낙 난해하므로 주자(朱子)의 《초사집주(楚辭集注)》 중 이에 대한 주설(註說)을 그대로 실어 독자들의 이해를 돕게 하였다.

篇題小註·· 離는 遭也요 擾動曰騷니 後人尊名之爲經이라

'이(離)'는 걸림(빠짐)이고, 소란함을 '소(騷)'라고 하니, 후인(後人)들이 이 글을 높여 '경(經)'이라 이름하였다.

··· 離 걸릴 리 騷 근심 소

朱文公曰 原은 名平이니 與楚同姓이라【顓頊後熊繹, 事周成王, 封楚子. 至楚武王, 生子瑕, 受屈爲卿, 因以爲氏.】 仕於懷王하여 爲三閭大夫[1]러니【掌王族昭屈景三姓.】 上官大夫와 及靳(근)尙이 妬毀之하니 王이 疏原이라 原이 被讒憂煩하여 乃作離騷호되 上述唐, 虞, 三后之制하고 下序桀, 紂, 羿(예), 澆(요)之敗[2]하여 冀君覺悟하여 反於正道而還己也하니라 時에 秦使張儀로 詐懷王하여 誘與會武關이어늘 諫王勿行호되 弗聽而往이라가 爲所脅歸하여 卒以客死[3]하고 襄王立에 復用讒하여 遷原江南하니 原이 復作九歌, 天問, 九章, 遠遊, 卜居, 漁父等篇하여 冀伸己志하여 以悟君心이로되 終不見省하니 不忍見其宗國將亡하여 遂自沈汨(멱)羅淵死하니라【今潭州寧鄕縣.】

淮南王安[4]曰 國風[5]은 好色而不淫하고 小雅는 怨誹而不亂하니 若離騷者는 可謂兼之矣라 蟬蛻(선탈)於濁穢之中하여 以浮游塵埃之外하니 推此志也인댄 雖與日月爭光이라도 可也니라 宋景文公[6]【祁】曰 離騷는 爲詞賦之祖니 後人爲之면 如至方不能加矩요 至圓不能過規矣라하니라

---

1 三閭大夫: 전국시대 초(楚)나라의 관명(官名)으로, 왕족(王族)인 소씨(昭氏)·굴씨(屈氏)·경씨(景氏)의 세 집안의 계보(系譜)와 인재등용을 맡았다.

2 下序桀, 紂, 羿, 澆之敗: 걸(桀)은 하(夏)나라의 마지막 임금인 걸왕(桀王)이고 주(紂)는 은(殷)나라의 마지막 임금인 주왕(紂王)이다. 걸왕과 주왕은 백성들에게 가혹한 정치를 베풀고 여색에 빠져 지내다가 각각 탕왕(湯王)과 무왕(武王)에 의해 멸망당하였다. 예(羿)는 유궁(有窮)의 임금으로 활을 잘 쏘았는데, 하(夏)나라가 쇠약해지자 하후(夏后)를 죽이고 왕위를 찬탈하였다가 뒤에 한착(寒浞)에 의해 죽음을 당한 인물이고, 요(澆)는 한착이 예를 죽이고 왕위를 찬탈한 다음 그의 아내를 취하여 낳은 아들이다. 요는 하후상(夏后相)을 죽였는데 뒤에 소강(少康)에게 멸망하였다.

3 時……卒以客死: 진(秦)나라가 제(齊)나라를 정벌하고자 하였으나, 초(楚)나라와 합종(合從)하여 친한 것을 염려해서 장의(張儀)로 하여금 초왕을 설득하게 하였다. 이에 진나라와 초나라의 경계인 무관(武關)에서 동맹을 맺게 되었는데, 초회왕은 참석해서는 안 된다는 굴원의 간언을 듣지 않고 참석했다가 진나라에 억류되어 3년 만에 죽었다.《史記 卷84 屈原列傳》《史記 卷70 張儀列傳》

4 淮南王安: 회남왕(淮南王) 유안(劉安)으로 한 고조(漢高祖)의 손자이며 아버지의 봉작을 이어 회남왕에 봉해졌고, 문재(文才)가 있어《회남자(淮南子)》를 편찬하였다. 신선술(神仙術)에 능하여 무제(武帝)의 신임을 받았으나 반역을 꾀하다가 발각되어 자살하였다.《太平廣記 神仙 劉安》

5 國風:《시경》문체(文體)의 하나이다. 당시 각국의 민요 따위를 모은 것으로 주남(周南)·소남(召南)과 십삼열국풍(十三列國風)을 합하여 모두 15개 국(國)으로 되어 있다.《시경》은 문장의 내용과 체재에 따라 육의(六義)로 구분하는데, 육의란, 풍(風)·아(雅)·송(頌)의 삼경(三經)과 흥(興)·부(賦)·비(比)의 삼위(三緯)를 이르는바, 풍·아·송은 시의 내용과 성질을 말하고, 흥·부·비는 시의 체재와 서술방식을 말한다. 또한 풍·소아(小雅)·대아(大雅)를 정(正)·변(變)으로 구분하여, 주남·소남을 정풍(正風), 패풍(邶風) 이하 십삼열국풍을 변풍(變風)이라 하며, 소아는〈녹명(鹿鳴)〉부터〈청청자아(菁菁者莪)〉까지를 정소아(正小雅),〈유월(六月)〉부터〈하초불황(何草不黃)〉까지를 변소아(變小雅)라 하고, 대아는〈문왕(文王)〉부터〈권아(卷阿)〉까지를 정대아(正大雅),〈민로(民勞)〉부터〈소민(召旻)〉까지를 변대아(變大雅)라 한다.

6 宋景文公: 송상(宋庠)의 아우 송기(宋祁)로, 자는 자경(子京)이고, 경문은 그의 시호이다. 형제가 함께 유명해 이송(二宋)으로 불렸다. 국자감 직강(國子監直講), 태상 박사(太常博士), 지제고(知制誥), 한림학사(翰林學士) 등을 역임하였으며 사관수찬(史館修撰)이 되어《당서(唐書)》를 편찬하였다.《宋史 卷284 宋庠列傳》

… 閭 마을 려 靳 아낄 근 妬 질투할 투 讒 참소할 참 桀 횃대 걸 紂 끈 주 羿 사람이름 예 澆 흐릴 요 詐 속일 사 襄 오를 양 悟 깨우칠 오 汨 물이름 멱 誹 비방할 비 蟬 매미 선 蛻 허물벗을 세(태) 濁 흐릴 탁 穢 더러울 예 埃 티끌 애 矩 곡척 구 規 그림쇠 규

주문공(朱文公, 주희(朱熹))이 말씀하였다.

"굴원(屈原)은 이름이 평(平)이니, 초(楚)나라와 동성(同姓)이었다.【전욱(顓頊)의 후손인 웅역(熊繹)이 주(周)나라 성왕(成王)을 섬겨 초자(楚子)로 봉해졌다. 초나라 무왕(武王)에 이르러 아들 하(瑕)를 낳았는데 굴(屈) 땅을 받아 경(卿)이 되고 인하여 씨(氏)로 삼았다.】회왕(懷王)에게 벼슬하여 삼려대부(三閭大夫)가 되었었는데,【왕족인 소씨(昭氏)·굴씨(屈氏)·경씨(景氏)의 세 집안을 관장하였다.】상관대부(上官大夫)와 근상(靳尙)이 질투하여 훼방하자, 회왕이 굴원을 소원히 하였다. 굴원은 참소를 받고는 근심하고 번민하여 마침내 〈이소경〉을 지었는데, 위로는 당(唐, 요(堯))·우(虞, 순(舜))와 하(夏)·상(商)·주(周) 삼대(三代) 임금의 훌륭한 제도를 서술하고, 아래로는 걸왕(桀王)과 주왕(紂王), 예(羿)와 요(澆)의 실패한 사실을 서술하여, 군주가 깨달아 정도(正道)로 돌아와 자신을 다시 등용해 주기를 기대하였다. 이때 진(秦)나라는 장의(張儀)로 하여금 회왕을 속여 함께 무관(武關)에서 맹약을 맺자고 유인하였는데, 굴원은 회왕에게 가지 말라고 간하였으나 회왕은 듣지 않고 갔다가 강제로 진나라로 잡혀가서 끝내 객사(客死)하였다. 양왕(襄王)이 즉위함에 또다시 간신들의 참소하는 말을 듣고 굴원을 강남(江南) 지방으로 귀양보냈다. 이에 굴원은 다시 〈구가(九歌)〉·〈천문(天問)〉·〈구장(九章)〉·〈원유(遠遊)〉·〈복거(卜居)〉·〈어부(漁父)〉 등의 글을 지어 자신의 뜻을 펴서 군주의 마음을 깨우치기를 바랐으나 양왕이 끝내 살펴주지 않자, 종국(宗國, 조국(祖國))이 장차 망하는 것을 차마 보지 못하여 마침내 스스로 멱라(汨羅)의 깊은 못에 빠져 죽었다.【지금의 담주(潭州) 영향현(寧鄕縣)이다.】

회남왕(淮南王) 유안(劉安)이 말하기를 '국풍(國風)은 여색(女色)을 좋아하였으나 음탕하지 않고, 소아(小雅)는 원망하고 비방하였으나 어지럽지 않은데, 〈이소경〉은 이 두 가지를 겸했다고 이를 만하다. 매미가 혼탁하고 더러운 가운데에서 껍질을 벗듯이 하여 진세(塵世)의 밖을 떠돌아다녔으니, 이러한 뜻을 미루어 본다면 비록 일월(日月)과 빛을 다툰다고 평하더라도 괜찮을 것이다.' 하였다. 송경문공(宋景文公)【송기(宋祁)이다.】은 말하기를 '〈이소〉는 사부(詞賦)의 조종(祖宗)이니, 후인(後人)들이 사부를 지을 경우, 비유하건대 〈이소〉는 지극히 방정(方正)함이 구(矩, 곡척(曲尺))와 같아 이를 넘을 수 없고, 지극히 둥긂이 규(規, 그림쇠)와 같아 이를 넘을 수 없는 것과 같다.' 하였다."

【朱曰 原之爲人은 其志行이 雖或過於中庸하여 而不可以爲法이나 然皆出於忠君愛國之誠하고 原之爲書는 其辭旨雖或流於跌宕(질탕)怪神怨懟激發하여 而不可以爲訓이나 然皆生於繾綣惻怛不能自已之至意라 雖其不知學於北方以求周公, 仲尼之道하고 而獨馳騁於變風, 變雅之末流라 以故로 醇儒莊士或羞稱之라 然이나 使世之放臣, 屛子, 怨妻, 去婦로 抆淚謳吟於下어든 而所天者幸而聽之면 則於彼此之間에 天性, 民彝之善이 豈不足以交有所發

跌 방종할 질 宕 방탕할 탕 懟 원망할 대 繾 곡진할 견 綣 곡진할 권 怛 슬플 달 騁 달릴 빙
醇 순수할 순 抆 닦을 문 淚 눈물 루 謳 노래할 구 彝 떳떳할 이

하여 而增夫三綱, 五常之重이리오 此予所以每有味於其言하여 而不敢直以詞人之賦視之也로라 然이나 原著此詞에 說者多失其趣하여 使原之所爲壹鬱而不得申於當年者로 又晦昧而不見白於後世라 予於是에 定爲集註하니 庶幾讀者得見古人於千載之上이요 而死者可作이면 又足以知千載之下에 有知我者하여 而不恨於來者之不聞也리라 嗚呼悕矣라 是豈易與俗人言哉아

【주자(朱子)가 말씀하였다. "굴원의 사람됨은 그 뜻과 행실이 비록 중용(中庸)에 지나쳐 법이 될 수 없으나 모두 군주에게 충성하고 나라를 사랑하는 정성에서 나왔고, 굴원이 지은 글은 그 말한 내용이 비록 질탕하고 괴이하고 신비하며 원망하고 격발함에 흘러 가르침이 될 수 없으나 모두 연연해하고 측달(惻怛)하여 스스로 그만둘 수 없는 지극한 생각에서 나왔다. 그는 북방(北方)에서 배우지 못하여 주공(周公)과 중니(仲尼)의 도(道)를 구할 줄 모르고, 단지 변풍(變風)과 변아(變雅)의 말류(末流)에 치달렸다. 이 때문에 순수한 유자(儒者)와 장엄한 선비들은 혹 그를 말하는 것을 부끄러워한다. 그러나 세상에 추방당한 신하와 버림받은 자식, 원망하는 아내와 쫓겨난 부인들로 하여금 아래에서 눈물을 닦고 슬피 읊게 하여, 하늘로 섬기는 분(군주와 부모와 남편)이 다행히 들어주면 피차의 사이에 천성(天性)과 민이(民彝, 사람의 양심)의 선(善)함이 어찌 서로 발명하는 바가 있어 삼강(三綱)과 오상(五常)의 중함을 더하지 않겠는가. 나는 이 때문에 매양 그의 말(글)에 재미를 두어, 감히 단지 문인의 부(賦)로만 보지 않는 것이다.

그러나 굴원이 이 글을 지었는데, 해설하는 자가 대부분 그 뜻을 잃어 굴원이 일울(壹鬱, 답답함)하여 당시에 펴지 못한 것들로 하여금 또다시 숨겨지고 어두워져 후세에 드러나지 못하게 한다. 나는 이에 집주(集註)를 정하여 만들었으니, 행여 독자들이 천 년 전의 고인(古人)을 얻어 보고, 죽은 자(굴원)가 살아나올 수 있다면 또 천 년 뒤에서 자신을 알아주는 자가 있음을 알아서 후세에 자신의 이름이 알려지지 않음을 한하지 않을 것이다. 아! 슬프다. 이 어찌 속인들과 쉽게 말할 수 있겠는가."

○ 又曰 原之詞其寓情草木하고 託意男女하여 以極遊觀之適者는 變風之流也요 其敍事陳情하고 感今懷古하여 以不忘乎君臣之義者는 變雅之類也며 至語(冥)〔宴〕[7]婚而越禮하고 攄怨憤而失中하여는 則又風雅之再變矣요 其語祀神歌舞之盛은 則幾乎頌이로되 而其變이 又有甚焉이라 其爲賦則如騷經首章之云也요 比則香草惡物之類也요 興則託物興詞하여 初不

7 (冥)〔宴〕: 저본(底本)에는 '명(冥)'으로 되어 있으나 《주자대전(朱子大全)》 〈초사집주(楚辭集注)〉에 의거하여 '연(宴)'으로 바로잡았다.

··· 悕 슬퍼할 희 攄 펼 터

取義하니 如沅芷澧蘭으로 以興思公子而未敢言之屬也라 然이나 詩는 興多而比, 賦少하고 騷則興少而比, 賦多하니 必辨此而後에 詞義可尋也니라】

○또 말씀하였다. "굴원의 글에 초목(草木)에 정(情)을 붙이고 남녀에 뜻을 가탁하여 놀고 구경함의 좋음을 지극히 말한 것은 변풍(變風)의 무리(부류)이며, 일을 서술하고 심정을 말하며 지금에 감동하고 옛것을 그리워하여 군신(君臣)의 의(義)를 잊지 않은 것은 변아(變雅)의 무리이며, 혼인을 말하면서 예(禮)를 넘고 원망과 울분을 펴면서 중도(中道)를 잃은 것은 또 풍(風)·아(雅)가 다시 변한 것이요, 신(神)에게 제사하고 가무(歌舞)의 성대함을 말한 것은 송(頌)에 가까운데 그 변함이 더욱 심하다. 그리고 부(賦)는 〈이소경〉의 수장(首章)에 말한 내용과 같은 것이요, 비(比)는 향초와 나쁜 물건 따위이며, 흥(興)은 물건에 가탁하여 말(글)을 일으켜서 애당초 뜻을 취하지 않았으니, 예컨대 〈구가(九歌)〉에 원수(沅水)의 지초(芷草)와 예수(澧水)의 난초로써 '공자(公子)를 그리워하나 감히 말하지 못한다.'는 내용을 흥한 따위이다. 그러나 《시경(詩經)》은 흥이 많고 비와 부가 적은 반면, 〈이소〉는 흥이 적고 비와 부가 많으니, 반드시 이것을 구분한 뒤에야 글의 뜻을 살필 수 있을 것이다."】

· **原文**

帝高陽之苗裔兮여	고양제(高陽帝)의 묘예(苗裔, 후손)이니
朕皇考曰伯庸이라	나의 황고(皇考, 선친)는 자(字)가 백용(伯庸)이시네.
攝提貞于孟陬兮여	섭제(攝提, 인년(寅年))의 맹추(孟陬, 정월)
惟庚寅吾以降이라	경인일(庚寅日)에 나는 탄강(誕降)하였네.

此章은 賦也라 德合天地를 稱帝라 高陽은 顓頊有天下之號也라 顓頊之後에 有熊繹者事周成王하여 封爲楚子하여 居於丹陽이러니 傳國至熊通하여 始僭稱王하고 徙都於郢하니 是爲武王이라 生子瑕하니 受屈爲卿하고 因以爲氏하니라 苗裔는 遠孫也라 苗者는 草之莖葉이니 根所生也요 裔者는 衣裾之末이니 衣之餘也라 故로 以爲遠末子孫之稱也라 朕은 我也니 古者에 上下通稱之하니라 皇은 美也요 父死稱考라 伯庸은 字也라 屈原自道호되 本與君共祖하고 世有令名하여 以至於己하니 是恩深而義厚也라 攝提는 星名[8]이니 隨斗柄以指十二

8 攝提 星名: 섭제는 28수(宿) 가운데 항수(亢宿)에 속하는바 모두 여섯 개의 별인데, 대각성(大角星) 양 옆에 자리하였으니 왼쪽의 세 별을 좌섭제(左攝提), 오른쪽의 세 별을 우섭제(右攝提)라 한다. 그러나 왕일(王逸)의 주에는 섭제격(攝提

··· 沅 물이름 원 芷 향풀 지 澧 물이름 례 裔 후손 예 朕 나 짐 陬 정월 추 顓 어리석을 전
頊 별이름 욱 繹 실마리 역 僭 참담할 참 郢 땅이름 영 瑕 옥티 하 莖 줄기 경 裾 옷깃 거

辰者也라 貞은 正也라 孟은 始也요 陬는 隅也니 正月爲陬라 蓋是月孟春에 昏時斗柄指寅하여 在東北隅라 故以爲名也라 降은 下也라 原又自言호되 此月庚寅之日에 己始下母體而生也라

이 장(章)은 부(賦)이다. 덕(德)이 천지(天地)에 배합함을 '제(帝)'라 한다. '고양(高陽)'은 전욱(顓頊)이 천하를 소유한 칭호이다. 전욱의 후손에 웅역(熊繹)이라는 자가 주(周)나라의 성왕(成王)을 섬겨 초자(楚子)로 봉해져서 단양(丹陽)에 거주하였는데, 나라를 전하여 웅통(熊通)에 이르러 비로소 왕을 참칭하고 영(郢)으로 도읍을 옮기니, 이가 무왕(武王)이다. 아들 하(瑕)를 낳았는데 굴(屈) 땅을 받아 경(卿)이 되고 인하여 씨(氏)로 삼았다. '묘예(苗裔)'는 먼 후손이다. '묘(苗)'는 풀의 줄기와 잎이니 뿌리에서 나온 것이고, '예(裔)'는 옷깃의 끝이니 옷의 나머지(끝자락)이다. 그러므로 묘예를 먼 자손의 칭호로 삼은 것이다. '짐(朕)'은 나이니, 옛날에는 상하가 통칭하였다. '황(皇)'은 아름다움이요, 아버지가 죽으면 '고(考)'라고 칭한다. 백용(伯庸)은 자(字)이다. 굴원(屈原)이 스스로 말하기를 "본래 군주와 조상이 같고 대대로 훌륭한 명성이 있어 나에게 이르렀으니, 이는 은혜가 깊고 의(義)가 후(厚)한 것이다." 하였다. '섭제(攝提)'는 별 이름이니, 북두성 자루를 따라 12신(辰, 방위)을 가리키는 것이다. '정(貞)'은 바로이다. '맹(孟)'은 처음이고 '추(陬)'는 귀퉁이이니, 정월을 '추'라 한다. 이달 맹춘(孟春, 정월)의 날이 어두울 때에 북두성 자루가 인방(寅方)을 가리켜 동북쪽 귀퉁이에 있으므로 정월을 맹추라 이름한 것이다. '강(降)'은 내려옴이다. 굴원이 스스로 말하기를 "이달 경인일(庚寅日)에 내가 비로소 어머니 몸에서 내려와 탄생했다." 하였다.

皇覽揆余于初度兮여	황고(皇考)께서는 나를 초도(初度, 초기)에 헤아리시고
肇錫予以嘉名하니	비로소 나에게 아름다운 이름 지어주셨으니
名余曰正則兮여	이름을 정칙(正則)이라 하고
字余曰靈均이라	자를 영균(靈均)이라 하셨네.

賦也라 皇은 皇考也라 覽은 觀也요 揆는 度(탁)也라 初度之度는 猶言時節也라 肇는 始也요 錫은 賜也요 嘉는 善也라 正은 平也요 則은 法也요 靈은 神也요 均은 調也라 高平曰原이라

格)의 약칭으로 "태세가 인방(寅方)에 있는 것을 섭제격이라 한다.〔太歲在寅曰攝提格〕"라고 풀이하였다.

••• 隅 귀퉁이 우 覽 볼 람 揆 헤아릴 규 肇 비로소 조 錫 줄 석

故로 名平而字原也라 正則, 靈均은 各釋其義하여 以爲美稱耳라 禮曰 子生三月이면 父親名之하고 二十則使賓友冠而字之라하니 故로 字雖朋友之職이나 亦父命也라

부(賦)이다. '황(皇)'은 황고(皇考)이다. '람(覽)'은 봄이고, '규(揆)'는 헤아림이다. 초도(初度)의 '도(度)'는 시절이라는 말과 같다. '조(肇)'는 비로소이고, '석(錫)'은 줆이고, '가(嘉)'는 아름다움이다. '정(正)'은 평함이고, '칙(則)'은 법이고, '영(靈)'은 신령스러움이고, '균(均)'은 고름이다. 높고 평평한 것을 '원(原)'이라 한다. 그러므로 이름을 '평(平)'이라 하고 자를 '원'이라 한 것이다. 정칙(正則)과 영균(靈均)은 각각 그(이름과 자) 뜻을 해석하여 아름다운 칭호로 삼은 것이다. 《예기(禮記)》〈곡례(曲禮)〉에 "아들이 태어난 지 3개월이 되면 아버지가 직접 이름을 지어주고, 스무 살이 되면 빈(賓)과 붕우(朋友)로 하여금 관(冠)을 씌우고 자를 지어주게 한다." 하였다. 그러므로 자는 비록 붕우의 직분에 지어주는 것이나 또한 아버지의 명령인 것이다.

紛吾旣有此內美兮여	나는 이미 안에 아름다움을 간직하였고
又重之以脩能이라	또다시 뛰어난 재능을 겸하였네.
扈江離與辟芷兮여	강리(江離)와 벽지(辟芷)를 몸에 두르고
紉秋蘭以爲佩라	가을의 난초 엮어서 허리에 찼다오.

賦而比[9]也라 紛은 盛貌라 生得日月之良은 是天賦我美質於內也라 重은 再也니 非輕重之重이라 脩는 長也요 能은 才也라 能는 獸名이니 熊屬이니 多力이라 故로 有絶人之才者를 謂之能라 扈는 被也라 離는 香草니 生於江中이라 故로 曰江離라 說文曰 蘼蕪也라하고 郭璞曰 似水薺라하니라 辟은 幽也라 芷亦香草니 生於幽僻之處라 紉은 續也라 蘭亦香草니 至秋乃芳이라 本草云 蘭은 與澤蘭相似하니 生水傍하며 紫莖赤節이요 高四五尺이라 綠葉光潤하고 尖長有岐하며 陰小紫하고 花紅白色而香하며 五六月盛이라 佩는 飾也라 記曰 佩帨茝(세채)蘭이라하니 則蘭芷之類를 古人蓋以爲佩也라

부이비(賦而比)이다. '분(紛)'은 성한 모양이다. 태어날 때에 일월(日月)의 좋음을 얻었으니 이

9 賦而比: 부(賦)는 있는 그대로 읊는 것이고 비(比)는 비유하여 읊는 것으로, 앞부분은 부(賦)이고 뒷부분은 비(比)임을 말한 것이다. 또한 뒤에는 '비이부(比而賦)'가 보이는데, 이는 반대로 앞부분은 비이고 뒷부분은 부인 것이다.

紛 성할 분 重 거듭할 중 修 길, 착할 수 扈 입을 호 辟 궁벽할 벽 芷 향풀 지
紉 꿰맬 닌 佩 찰 패 蘼 향초 미 璞 옥덩이 박 薺 냉이 제 帨 수건 세 茝 향초 채

는 하늘이 나에게 아름다운 자질을 안에 부여한 것이다. '중(重)'은 두 번(거듭)이니, 경중(輕重)의 '중'자가 아니다. '수(脩)'는 긴 것이고, '능(能)'은 재주이다. '능(能)'은 짐승의 이름이니, 곰의 등속으로 힘이 세므로 남보다 뛰어난 재주가 있는 자를 '능'이라 이른다. '호(扈)'는 입음이다. '리(離)'는 향초이니, 강 가운데서 자라므로 강리(江離)라 하였다. 《설문(說文)》에는 "미무(蘼蕪)이다." 하였고, 곽박(郭璞)은 "수제(水薺)와 비슷하다." 하였다. '벽(辟)'은 그윽함이다. '지(芷)' 또한 향초이니, 그윽(깊숙)하고 궁벽한 곳에서 자란다. '인(紉)'은 이음이다. '난(蘭)' 또한 향초이니, 가을에 이르러 꽃이 피어 향기롭다. 《본초(本草)》에 "난(蘭)은 택란(澤蘭)과 유사하니, 물가에 자라며 줄기가 자색(紫色)이고 마디가 붉으며 높이가 4~5척(尺)이다. 푸른 잎이 빛나고 윤택하며 뾰족하고 길고 갈라져 있으며 옅은 자주색이고 꽃은 홍백색인데 향기로우며 5~6월에 성(盛)하다." 하였다. '패(佩)'는 꾸밈이다. 《예기》 〈내칙(內則)〉에 "수건과 채란(茝蘭)을 찬다." 하였으니, 난(蘭)과 지(芷)의 종류를 옛사람들은 모두 패물로 삼았다.

汩(골)余若將不及兮여	내 장차 미치지 못할 듯이 여기노니
恐年歲之不吾與라	연세(세월)가 나를 기다려주지 않을까 두렵노라.
朝搴阰之木蘭兮여	아침에는 비산(阰山)의 목란(木蘭)을 캐오고
夕攬洲之宿莽[10]라	저녁에는 물가의 숙무(宿莽)를 채취하노라.

賦而比也라 汩은 水流去疾之貌라 言己之汲汲自修를 常若不及者는 恐年歲不待我而過去也일새라 搴은 拔取也라 阰는 山名이라 木蘭은 木名이니 本草云 皮似桂而香하고 狀如楠하며 樹高數仞이요 去皮不死라하니라 攬은 采也라 水中可居者曰洲라 草冬生不死者를 楚人名曰宿莽라 言所采取 皆芳香久固之物이니 以比所行者 皆忠善長久之道也라

부이비(賦而比)이다. '골(汩)'은 물이 빨리 흘러가는 모양이다. 자신이 급급히 스스로 수행하기를 항상 미치지 못할 듯이 여김은 세월이 나를 기다려주지 않고 지나갈까 두려워하기 때문임을 말한 것이다. '건(搴)'은 뽑아 취함이다. '비(阰)'는 산 이름이다. '목란(木蘭)'은 나무 이름이니, 《본초》에 "껍질은 계수나무와 같은데 향기롭고 모양은 남(楠)나무와 같으며, 나무 높이

---

10 夕攬洲之宿莽: 람(攬)은 타본(他本)에는 람(攬)으로 되어 있으며 람(擥)으로 표기된 것도 있으나 세 자가 동자(同字)이므로 주자(朱子)의 집주본(集註本)을 그대로 따랐음을 밝혀둔다.

汩 흐를 골 搴 뽑을 건 阰 산이름 비, 언덕 피 攬 잡을 람 莽 풀 무 楠 녹나무 남 仞 길 인

가 몇 길이고 껍질을 벗겨도 죽지 않는다." 하였다. '람(擥)'은 채취함이다. 물 가운데 살 수 있는 곳을 '주(洲)'라 한다. 풀이 겨울에도 죽지 않고 살아있는 것을 초(楚)나라 사람들은 '숙무(宿莽)'라 한다. 채취한 것이 모두 향기롭고 오래가는 물건임을 말하였으니, 이로써 행하는 바가 모두 충선(忠善)하고 장구한 도(道)임을 비유한 것이다.

日月忽其不淹兮여	세월이 흘러가 머물지 않음이여!
春與秋其代序라	봄과 가을의 절서(節序)가 바뀌었네.
惟草木之零落兮여	초목의 잎이 모두 떨어지니,
恐美人之遲暮라	미인(군주)을 늦게 만날까 두렵네.

賦而比也라 淹은 久也요 代는 更(경)也요 序는 次也라 零落은 皆墜也니 草曰零이요 木曰落이라 美人은 謂美好之婦人이니 蓋託詞而寄意於君也라 遲는 晚也라 此承上章하여 言己但知朝夕修潔而不知歲月之不留러니 至此에 乃念草木之零落하고 而恐美人之遲暮하여 將不得及其盛年而遇之하니 以比臣子之心이 唯恐其君之遲暮하여 將不得及其盛時而事之也라

부이비(賦而比)이다. '엄(淹)'은 오램이고, '대(代)'는 바뀜이고, '서(序)'는 차례(절서)이다. '영(零)'과 '락(落)'은 모두 떨어짐이니, 풀이 시드는 것을 '영'이라 하고 나뭇잎이 떨어지는 것을 '락'이라 한다. '미인'은 아름다운 부인을 이르니, 가탁하는 말로 임금에게 뜻을 붙인 것이다. '지(遲)'는 늦음이다. 이는 위 장(章)을 이어서 말하기를 "자기는 다만 조석으로 몸을 닦고 결백하게 할 줄만 알고 세월이 머물지 않음을 알지 못하였는데, 이에 이르러 초목이 영락함을 생각하고 미인(군주)이 늦어서 (늙어서) 장차 그 성년에 미쳐 만나지 못할까 두려워한다."라고 하였으니, 이로써 신자(臣子)의 마음이 행여 그 군주를 늦게 만나 장차 그 성할(젊을) 때에 미쳐 섬기지 못할까 두려워함을 비유한 것이다.

不撫壯而棄穢兮여	장성할 때에 더러움을 버리지 못함이여
何不改乎此度오	어찌하여 이 버릇 고치지 않는가.
乘騏驥以馳騁兮여	기기(騏驥, 준마)를 타고 길을 달림이여!
來吾道(導)夫先路호리라	오시면 내 앞장서서 길을 인도하리라.

淹 오랠 엄 零 떨어질 령 遲 더딜 지 更 바꿀 경 墜 떨어질 추 穢 더러울 예 騏 얼룩말 기
驥 준마 기 騁 달릴 빙 道 인도할 도

賦而比也라 三十曰壯이라 棄는 去也라 草荒曰穢니 以比惡行이요 騏驥는 駿馬니 以比賢智라 言君何不及此年德壯盛之時하여 棄去惡行하여 改此惑誤之度하고 而乘駿馬以來隨我오 則我當爲君前導하여 以入聖王之道也라 自汨余至此三章은 同用一韻하고 意亦相承이라

부이비(賦而比)이다. 30세를 '장(壯)'이라 한다. '기(棄)'는 버림이다. 풀이 황폐해짐을 '예(穢)'라 하니 악행을 비유하였고, '기기(騏驥)'는 준마이니 현지(賢智)를 비유하였다. 군주가 어찌하여 이 나이와 덕(德)이 장성할 때에 미쳐서 악행을 버려 이 미혹(迷惑)되고 잘못된 일을 고치고 준마를 타고 와서 나를 따르지 않는가. 〈만일 악행을 고치고 나를 따른다면〉 내 마땅히 군주의 전도(前導, 길잡이)가 되어 성왕(聖王)의 도(道)에 들어가겠다고 말한 것이다. 골여(汨余)로부터 여기까지의 세 장(章)은 똑같이 한 운자(韻字)를 사용하였고, 의미 또한 서로 이어진다.

昔三后之純粹兮여	옛날 삼후(三后, 삼왕)의 순수하심이여!
固衆芳之所在로다	진실로 뭇 향기로움 간직하고 계셨네.
雜申椒與菌桂兮여	신초(申椒)와 균계(菌桂)가 섞여 있으니
豈維紉夫蕙茝(채)리오	어찌 혜초와 채초만 차겠는가.

賦而比也라 后는 君也니 三后는 謂禹, 湯, 文王也라 至美曰純이요 齊同曰粹라 衆芳은 喩群賢이라 言三王所以有純美之德은 以衆賢輔之也라 雜은 非一也라 椒는 木實之香者라 申은 或地名, 或其美名耳라 桂는 木名이니 本草云 花白葉黃이요 正圓如竹이라하니라 蕙는 草名이라 本草云 薰草也니 生下濕地하니 麻葉而芳莖이요 赤花而黑實이며 氣如蘼蕪하니 可以已癘라하고 陳藏器[11]云 卽苓陵香也라하니라 言雜用衆賢以致治요 非獨專任一二人而已也라

부이비(賦而比)이다. '후(后)'는 군주이니, '삼후(三后)'는 우왕(禹王)·탕왕(湯王)·문왕(文王)을 이른다. 지극히 아름다움을 '순(純)'이라 하고, 한결같고 똑같음을 '수(粹)'라 한다. '중방(衆芳)'은 뭇 현자(賢者)를 비유한 것이다. 삼왕(三王)이 순수하고 아름다운 덕을 소유한 까닭은 여러 현자들이 보필했기 때문임을 말한 것이다. '잡(雜)'은 하나가 아닌 것이다. '초(椒)'는 나무

11 陳藏器: 당나라 사람으로 의학가(醫學家)이다. 《신농본초경(神農本草經)》에 빠진 부분이 많다는 것을 알고 이를 보충하여 《본초습유(本草拾遺)》 10권을 지었다.

… 韻 조서 운 后 임금 후 椒 산초 초 菌 버섯 균 蕙 난초 혜 茝 향초 채 薰 향내 훈 濕 젖을 습 癘 염병 려 苓 도꼬마리 령

열매 중에 향기로운 것이다. '신(申)'은 혹은 지명이거나, 혹은 그 아름다움의 명칭일 것이다. '계(桂)'는 나무 이름이니 《본초》에 "꽃은 희고 잎은 누르며 〈줄기가〉 바르고 둥글어 대나무와 같다." 하였다. '혜(蕙)'는 풀 이름이다. 《본초》에 "혜는 향기나는 풀이니, 하습한 땅에 자라는데, 삼〔麻〕 잎에 줄기가 향기롭고 붉은 꽃에 검은 열매가 달렸으며 향기가 미무(蘼蕪)와 같으니, 염병을 고칠 수 있다." 하였고, 진장기(陳藏器)는 "바로 영릉향(苓陵香)이다." 하였다. 여러 현자를 섞어 등용하여 훌륭한 정치를 이룩한 것이요, 오로지 한두 사람에게 맡길 뿐만이 아님을 말한 것이다.

彼堯舜之耿介兮여	저 요(堯)·순(舜)의 밝고 훌륭하심이여!
旣遵道而得路라	이미 도를 따라 바른 길 얻으셨는데.
何桀紂之昌披兮여	어찌하여 걸(桀)·주(紂)는 허리띠도 매지 않고
夫唯捷徑以窘步오	좁은 길로 황급히 걸어가는가.

賦而比也라 耿은 光也요 介는 大也요 遵은 循也라 昌披는 衣不帶之貌라 捷은 邪出也요 徑은 小路也라 窘은 急也라 桀, 紂之亂이 若被衣不帶者는 獨以不由正道하여 而所行蹙迫耳라

부이비(賦而比)이다. '경(耿)'은 빛남이고, '개(介)'는 큼(훌륭함)이고, '준(遵)'은 따름이다. '창피(昌披)'는 옷에 띠를 매지 않은 모양이다. '첩(捷)'은 샛길로 나감이고, '경(徑)'은 작은 길이다. '군(窘)'은 급함이다. 걸(桀)·주(紂)의 혼란함이 마치 옷을 입고 띠를 띠지 않음과 같은 것은 홀로 정도(正道)를 따르지 않아 행하는 바가 위축되고 급박하기 때문이다.

惟黨人之偷(투)樂兮여	당인(黨人, 붕당을 하는 소인)은 구차히 즐거워함 생각하니
路幽昧以險隘라	길이 어둡고 험하고 좁구나.
豈余身之憚殃兮여	어찌 내 한 몸의 재앙을 꺼리겠는가.
恐皇輿之敗績이라	황여(皇輿, 군자의 수레)가 패적(敗績, 실패)할까 두렵노라.

賦而比也라 惟는 思念也라 黨은 朋也라 偷는 苟且也라 幽昧는 不明也라 險은 臨危也요 隘는 履狹也라 憚은 難也요 殃은 咎也요 皇은 君也요 績은 功也라 君車宜安行於大中至正之道어늘 而當幽昧險隘之地면 則敗績矣라 故로 我欲諫爭者는 非難身之被殃咎也요 但恐君國傾

耿 밝을 경 介 클 개 披 파헤칠 피 捷 지름길 첩 窘 군색할 군 蹙 위축될 축 迫 급할 박
偷 구차할 투 隘 좁을 애 憚 꺼릴 탄 殃 재앙 앙 績 공 적 狹 좁을 협

危하여 以敗先王之功耳라

부이비(賦而比)이다. '유(惟)'는 사념함이다. '당(黨)'은 붕당이다. '투(偷)'는 구차함이다. '유매(幽昧)'는 밝지 못함이다. '험(險)'은 위험에 임함이고, '애(隘)'는 좁은 길을 밟는 것이다. '탄(憚)'은 어렵게 여김이고, '앙(殃)'은 허물이고, '황(皇)'은 군주(君主)이고, '적(績)'은 공적이다. 군주의 수레는 마땅히 대중지정(大中至正)한 길을 편안히 가야 하는데, 어둡고 험하고 좁은 땅을 당하면 실패한다. 그러므로 내가 간쟁하고자 하는 까닭은 몸이 재앙을 입음을 어렵게 여겨서가 아니요, 다만 군주와 나라가 기울고 위태로워서 선왕(先王)의 공을 패할까 염려해서인 것이다.

忽奔走以先後兮여	분주히 달려 앞뒤로 나아가서
及前王之踵武라	옛 성왕(聖王)의 발자취 따르려 하였는데
荃(전)不揆余之中情兮여	전초(荃草, 군주)는 내 마음 헤아리지 않고
反信讒而齌(제)怒라	도리어 참소하는 말 믿고 노여워하시네.

比而賦也라 踵은 足跟(근)也요 武는 迹也니 追前人者는 但見其跟之跡耳라 言所以奔走以趨君之所鄕(向)하여 而或出其前하고 或追其後하여 以相道(導)之者는 欲其有以躡先王之遺迹也라 荃은 與蓀同이라 陶隱居[12]云 冬間溪側에 有名溪蓀者하니 根形氣色이 極似石上菖蒲而葉無脊이라하니 蓋亦香草라 故로 時人이 以爲彼此相謂之通稱하니 此又借以寓意於君也라 齌는 炊餔疾也라

부이비(賦而比)이다. '종(踵)'은 발뒤꿈치이고 '무(武)'는 발자취이니, 앞사람을 따라가는 자는 다만 그 뒤꿈치의 발자취를 볼 뿐이다. 분주히 달려 군주의 향하는 바를 따라가서 혹 그 앞으로 나가기도 하고 혹 그 뒤를 따르기도 하여 서로 인도하는 까닭은 선왕의 유적(遺跡)을 따르고자 해서임을 말한 것이다. '전(荃)'은 '전(蓀)'과 같다. 도은거(陶隱居)가 말하기를 "겨울

---

12 陶隱居: 남북조(南北朝) 시대 말릉(秣陵) 사람인 도홍경(陶弘景)이다. 도홍경은 만 권의 서적을 읽어 학식이 뛰어났으며, 글씨를 잘 쓰고 거문고를 잘 탔다. 도술을 좋아하였는데, 뒤에 벼슬을 버리고 구곡산(句曲山)에 은거한 채 지내니, 사람들이 산중재상(山中宰相)이라고 불렀다. 주요 저서로 《진고(眞誥)》, 《등진은결(登眞隱訣)》, 《본초경집주(本草經集注)》 등이 있다. 《南史 卷76 陶弘景列傳》

踵 따를 종 武 발자취 무 荃 향풀, 임금 전 齌 세찰 제 跟 발꿈치 근 躡 밟을 섭
蓀 창포 손 菖 창포 창 蒲 창포 포 脊 등마루 척 炊 밥 지을 취 餔 먹을 포

철 시냇가에 계전(溪荃)이라는 것이 있는데, 뿌리 모양과 향기와 색깔이 돌 위에 자라는 창포와 매우 비슷하나 잎에 등갈기가 없다." 하였으니, 전(荃) 또한 향초이다. 그러므로 당시 사람들이 피차를 서로 이르는 통칭으로 삼았으니, 여기에서는 또다시 빌려서 군주에게 뜻을 붙인 것이다. '제(齌)'는 밥을 짓는 불길이 세찬 것이다.

余固知謇謇之爲患兮나	내 진실로 충언(忠言)이 화가 될 줄 알지만
忍而不能舍也로라	차마 그만 둘 수 없노라.
指九天以爲正兮여	구천(九天)을 가리켜 질정하노니,
夫唯靈脩之故也로다	오직 영수(靈脩, 군주) 때문이라오.

賦而比也라 謇謇은 難於言也니 直詞進諫은 己所難言이요 而君亦難聽이라 故로 其言之出에 有不易者하여 如謇吃(흘)然也라 舍는 止也라 言己知忠言謇謇하여 必爲身患이나 然中心不能自止而不言也라 九天[13]은 天有九重也라 正은 平也라 靈脩는 言其有明智而善修飾이니 蓋婦悅其夫之稱이니 亦託詞以寓意於君也라 此는 又上指九天하고 告語神明하여 使平正之호되 明非爲身謀及爲他人之計요 但以君之恩深而義重이라 是以로 不能自已耳라

부이비(賦而比)이다. '건건(謇謇)'은 말하기를 어려워하는 것이니, 곧은 말로 간언(諫言)을 올림은 자기도 말하기 어려운 것이요 군주 또한 들어주기가 어렵다. 그러므로 그 말을 낼 적에 쉽게 하지 않음이 있어서 마치 더듬는 것과 같은 것이다. '사(舍)'는 그침이다. 내 충언(忠言)이 말하기 어려워 반드시 몸의 화가 될 줄을 알고 있으나 중심에 스스로 그만두어 말하지 않을 수 없음을 말한 것이다. '구천(九天)'은 하늘에 아홉 겹이 있다 한다. '정(正)'은 평함이다. '영수(靈脩)'는 밝은 지혜가 있고 수식을 잘함을 말하니, 부인이 그 남편을 좋아하는 칭호인데, 또한 가탁하여 말해서 군주에게 뜻을 붙인 것이다. 이는 또 위로는 구천을 가리키고 신명에게 말하여 평정(平正, 질정)하게 하되 자신을 위한 계책이나 또는 타인을 위한 계책이 아니요, 다만 군주의 은혜가 깊고 의(義)가 중한 까닭에 스스로 그칠 수 없어서임을 밝힌 것이다.

---

13 九天: 옛 사람들이 하늘에 아홉 층이 있다고 하여 하늘을 '구중천(九重天)'이라고 하였다. 《회남자(淮南子)》 〈천문훈(天文訓)〉에 "하늘에는 아홉 겹이 있고 사람에게는 아홉 구멍이 있다.〔天有九重 人亦有九竅〕" 하였다.

··· 謇 곧을 건 吃 어눌할 흘 寓 붙일 우 羌 어조사 강

曰黃昏以爲期兮여	황혼에 만나자고 약속하였건만
羌中道而改路라	중도에 길을 바꾸었네.

比也라 曰者는 敍其始約之言也라 黃昏者는 古人親迎之期니 儀禮所謂初昏也라 羌은 楚人發語端之詞니 猶言卿何爲也[14]라 中道而改路면 則女將行而見棄니 正君臣之契已合而復離之比也라 洪說이 雖有據[15]나 然安知非王逸以前에 此下已脫兩句邪아 更詳之니라

비(比)이다. '왈(曰)'은 그 처음 약속한 말을 서술한 것이다. '황혼(黃昏)'은 옛사람들이 친영(親迎)하던 시기이니, 《의례(儀禮)》〈사혼례(士昏禮)〉에 이른바 '초혼(初昏)'이라는 것이다. '강(羌)'은 초나라 사람들이 발어할 때 첫 번째의 말이니, '경하위야(卿何爲也)'라는 말과 같다. 중도에 길을 바꾸면 여자가 장차 시집을 가려다가 버림을 받은 것이니, 이는 바로 군신의 교분이 합하였다가 다시 헤어짐의 비유이다. 홍씨(洪氏, 홍흥조(洪興祖))의 말이 비록 근거가 있으나 왕일(王逸) 이전에 이 아래에 이미 두 글귀가 빠져 있던 것이 아님을 어찌 장담하겠는가. 다시 살펴보아야 할 것이다.

初旣與余成言兮여	처음에 이미 나와 약속한 말을 이루었건만
後悔遁而有他라	뒤에는 뉘우치고 떠나 딴마음 품으셨네.
余旣不難夫離別兮여	내 이별하기는 어렵지 않지만
傷靈脩之數(삭)化라	영수께서 자주 변하심 서글프네.

比也라 成言은 謂成其要約之言也라 悔는 改也요 遁은 移也라 近曰離요 遠曰別이라 言我非難與君離別也요 但傷君志數(삭)變易하여 無常操也라

비(比)이다. '성언(成言)'은 그 요약(要約, 약속)한 말을 이룸을 말한다. '회(悔)'는 고침이고, '둔(遁)'은 옮김이다. 가까운 곳으로 떠남을 '이(離)'라 하고, 먼 곳으로 떠남을 '별(別)'이라 한

14 卿何爲也: '그대는 무엇을 하느냐'고 묻는 말로 보이는데 출전은 자세하지 않다.

15 洪說雖有據: 홍설(洪說)은 《초사보주(楚辭補註)》를 지은 홍흥조(洪興祖)의 말을 가리킨다. 일본(一本)에는 위의 '曰黃昏以爲期兮 羌中道而改路' 두 구가 빠져 있는바, 홍흥조는 왕일(王逸)의 주(註)에 강(羌)자를 여기에서 풀이하지 않고 다음의 '羌內恕己以量人兮'에서 풀이하였음을 들어 이 두 구는 후인(後人)들이 붙여 넣은 것이라고 주장하였다.

··· 契 합할 계 遁 도망할 둔 數 자주 삭

다. 내 군주와 이별함을 어렵게 여기는 것이 아니요, 다만 군주의 뜻이 자주 바뀌어 일정한 지조가 없음을 서글퍼할 뿐이다.

余旣滋蘭之九畹(원)兮여	내 이미 난초를 구원(九畹)에 심었고
又樹蕙之百畝라	또다시 혜초를 백무(百畝)에 심었노라.
畦留夷與揭車兮여	유이(留夷)와 게거(揭車)의 향초를 두둑에 심고
雜杜衡(蘅)與芳芷라	두형(杜蘅)과 방지(芳芷)도 섞어 심었노라.

比也라 滋는 蒔也라 畹은 十二畝니 或曰 三十畝也라 樹는 種也라 六尺爲步요 步百爲畝라 畦는 隴種也라 留夷, 揭車는 皆芳草라 杜蘅은 似葵而香하고 葉似馬蹄라 故로 俗云 馬蹄香也라 言已種蒔衆香하고 修行仁義하여 以自潔飾하여 朝夕不倦也라

비(比)이다. '자(滋)'는 심음이다. '원(畹)'은 12무(畝)이니, 혹자는 30무(畝)라 한다. '수(樹)'는 심음이다. 6척을 '보(步)'라 하고, 100보(步)를 '무(畝)'라 한다. '휴(畦)'는 밭두둑에 심는 것이다. '유이(留夷)'와 '게거(揭車)'는 다 향초이다. '두형(杜蘅)'은 아욱과 비슷한데 향기롭고 잎은 말발굽과 비슷하다. 그러므로 세속에서는 '마제향(馬蹄香)'이라 부른다. 자기가 여러 향초들을 심고 인의(仁義)를 수행하여 스스로 깨끗이 하고 근신해서 아침저녁으로 게을리하지 않음을 말한 것이다.

冀枝葉之峻茂兮여	가지와 잎이 무성하기를 바라며
願竢時乎吾將刈호리라	때 되면 장차 베어 들이려 하였네.
雖萎絶其亦何傷兮여	시들어 잎이 떨어진들 어찌 해로우랴마는
哀衆芳之蕪穢라	뭇 향초들이 버려짐 서글퍼라.

比也라 冀는 幸也요 峻은 長也요 刈는 穫也요 萎는 病也요 絶은 落也라 言此衆芳雖病而落이나 何能傷於我乎아 但傷善道不行하여 如香草之蕪穢耳라

비(比)이다. '기(冀)'는 바람이고, '준(峻)'은 긺이고, '예(刈)'는 수확함이고, '위(萎)'는 병듦이고, '절(絶)'은 떨어짐이다. 이는 여러 향초가 비록 병들어 잎이 떨어졌으나 어찌 나에게 해(害)

滋 심을 자 畹 밭두둑 완 畝 밭두둑 무(묘) 揭 들 게 蘅 족두리풀 형 蒔 심을 시 隴 밭두둑 롱 芳 향기로울 방 葵 해바라기 규 蹄 발굽 제 倦 게으를 권 冀 바랄 기 峻 클 준 竢 기다릴 사 刈 벨 예 萎 시들 위

로우랴마는 다만 선도(善道)가 행해지지 못하여 향초가 황폐해짐과 같음을 서글퍼할 뿐임을 말한 것이다.

衆皆競進以貪婪(람)兮여	사람들은 모두 다투어 재물을 탐해서
憑不厭乎求索이라	가득히 구함을 싫어하지 않네.
羌內恕己以量人兮여	안으로 자기 마음 미루어 남을 헤아리며
各興心而嫉妬라	각기 마음을 일으켜 질투하네.

賦也라 竝逐曰競이라 愛財曰貪이요 愛食曰婪이라 憑은 滿也니 楚人謂滿曰憑이라 以心揆心爲恕라 量은 度(탁)也요 興은 生也라 害賢爲嫉이요 害色爲妬라 言在位之人이 心皆貪婪하여 內以其志로 量度他人하여 謂與己不同이면 則各生嫉妬之心也라

부(賦)이다. 함께 쫓는 것을 '경(競)'이라 한다. 재물을 좋아함을 '탐(貪)'이라 하고, 음식을 좋아함을 '남(婪)'이라 한다. '빙(憑)'은 가득함이니, 초나라 사람들은 가득함을 '빙'이라 한다. 내 마음으로 남의 마음을 헤아림을 '서(恕)'라 한다. '양(量)'은 헤아림이요, '흥(興)'은 만들어 냄이다. 현자를 해침을 '질(嫉)'이라 하고, 여색을 해침을 '투(妬)'라 한다. 지위에 있는 사람들이 마음이 모두 탐욕스러워서 안으로 자기의 뜻으로써 다른 사람을 헤아려 자기와 같지 않으면 각기 질투하는 마음을 냄을 말한 것이다.

忽馳騖以追逐兮여	갑자기 말달려 쫓고 있으나
非余心之所急이라	내 마음에는 절실한 것 아니네.
老冉冉其將至兮여	늙음이 점점 이르려 하니
恐脩名之不立이라	훌륭한 명성 세우지 못할까 두렵네.

賦也라 騖는 亂馳也라 冉冉은 漸也라 脩名은 長名이니 或曰 修潔之名也라

부(賦)이다. '무(騖)'는 어지럽게 달리는 것이다. '염염(冉冉)'은 점점이다. '수명(脩名)'은 장구한 이름(명성)이니, 혹자는 고상하고 깨끗한 명칭이라 한다.

… 競 다툴 경 婪 탐할 람 憑 가득할 빙 厭 싫어할 염 忽 갑자기 홀 騖 달릴 무 冉 점점 염 墜 떨어질 추 餐 먹을 찬 姱 아름다울 과

朝飮木蘭之墜露兮여　　아침에는 목란(木蘭)에서 떨어지는 이슬 마시고
夕餐秋菊之落英이라　　저녁에는 가을 국화에서 떨어지는 꽃잎 먹노라.
苟余情其信姱以練要兮인댄　　진실로 내 마음 성실하고 정결하다면
長顑頷(함함)亦何傷이리오　　오랫동안 굶주린들 어찌 나쁘겠는가.

比也라 英은 華也라 飮露, 餐華는 言動以香潔自潤澤也라 苟는 誠也요 信은 實也라 練要는 言所修精練하고 所守要約也라 顑頷은 食不飽而面黃之貌라

비(比)이다. '영(英)'은 꽃이다. 이슬을 마시고 꽃을 먹음은 언제나[動] 향기와 깨끗함으로써 스스로 윤택하게 함을 말한 것이다. '구(苟)'는 진실로이고, '신(信)'은 성실함이다. '연요(練要)'는 수양하는 바가 정련하고 지키는 바가 요약함을 말한 것이다. '함함(顑頷)'은 음식을 배불리 먹지 못하여 얼굴이 누래진 모양이다.

擥木根以結茝兮여　　나무 뿌리를 캐어 채초를 묶고
貫薜荔(벽려)之落蘂(예)라　　벽려에서 떨어진 꽃술을 꿰차며
矯菌桂以紉蕙兮여　　균계(菌桂)를 들어 혜초(蕙草)를 묶고
索(삭)胡繩之纚(사)纚라　　호승(胡繩, 향초)으로 새끼꼬아 늘어뜨리네.

比也라 薜荔는 香草也니 緣木而生이라 蘂는 花蕚이니 鬚粉蘂蘂然者也라 矯는 擧也라 胡繩亦香草니 有莖葉하여 可作繩索이라 纚纚는 索好貌라

비(比)이다. '벽려(薜荔)'는 향초이니, 나무에 붙어 자란다. '예(蘂)'는 꽃술이니, 꽃수염과 꽃가루가 예예(늘어짐)한 것이다. '교(矯)'는 듦이다. '호승(胡繩)' 또한 향초이니, 줄기와 잎이 있어 노끈과 새끼줄을 만들 수 있다. '사사(纚纚)'는 새끼줄이 아름다운 모양이다.

謇吾法夫前修兮여　　아! 내 전수(前修, 선현)들을 본받으려 함이여
非世俗之所服이라　　세속 사람들이 행하는 바가 아니네.
雖不周於今之人兮나　　비록 지금 사람들과는 합하지 않지만
願依彭咸之遺則호리라　　원컨대 팽함(彭咸)의 남긴 법칙 따르리라.

顑 주릴 함 頷 주릴 함 擥 채취할 람 薜 줄사철나무 벽 荔 향풀 려 蘂 꽃술 예 矯 들 교
索 새끼꼴 삭 纚 연이을 사 緣 올라갈 연 蕚 꽃받침 악 彭 성 팽

賦也라 謇은 難詞也라 前修는 謂前代修德之人이라 周는 合也라 彭咸은 殷賢大夫니 諫其君이라가 不聽에 自投水而死하니라 遺는 餘也요 則은 法也라

부(賦)이다. '건(謇)'은 어려워하는 말이다. '전수(前修)'는 전대(前代)에 덕을 닦은 사람이다. '주(周)'는 합함이다. 팽함(彭咸)은 은(殷)나라의 어진 대부이니, 군주에게 간하였으나 듣지 않자 스스로 물에 투신하여 죽었다. '유(遺)'는 남음이고, '칙(則)'은 법이다.

長太息以掩涕兮여	장탄식하고 눈물을 닦으며
哀民生之多艱이라	민생의 어려움 많음을 서글퍼하노라.
余雖好修姱以鞿羈兮여	내 수행과 아름다움 좋아하여 방종하지 않으나
謇朝誶(수)而夕替라	아침에 충언을 하였다가 저녁에 쫓겨났네.

賦也라 掩涕는 猶抆淚也니 哀此民生遭亂世而多難也라 修姱는 謂修潔而美好라 鞿羈는 以馬自喻니 韁在口曰鞿요 革絡頭曰羈니 言自繩束하여 不放縱也라 誶는 諫也니 詩曰 誶予不顧라하니 今詩作訊이요 註에 告也라하니라 替는 廢也라

부(賦)이다. '엄체(掩涕)'는 문루(抆淚, 눈물을 닦음)와 같으니, 이 민생이 난세를 만나 어려움이 많음을 서글퍼한 것이다. '수과(修姱)'는 고상하고 깨끗하여 아름다움을 이른다. '기기(鞿羈)'는 말[馬]로써 자신을 비유한 것이니, 고삐가 말의 입에 있는 것을 '기(鞿)'라 하고 가죽끈으로 말의 머리를 묶은 것을 '기(羈)'라 하니, 스스로 속박하여 방종하지 않음을 말한 것이다. '수(誶)'는 간함이니, 《시경(詩經)》에 "간하여도 돌아보지 않는다." 하였는데, 지금 《시경》 〈진풍(陳風) 묘문(墓門)〉에는 신(訊)으로 되어 있고 주(註)에는 "고함이다." 하였다. '체(替)'는 폐함이다.

旣替余以蕙纕兮여	이미 나를 버리면서 혜초띠를 주고
又申之以攬茝라	또 채초를 취하여 거듭 주시네.
亦余心之所善兮여	그래도 내 마음에 좋아하는 바이니
雖九死其猶未悔호리라	비록 아홉 번 죽어도 후회하지 않으리라.

賦而比也라 纕은 佩帶也라 申은 重也라 此는 言君之廢我에 以蕙茝爲賜而遣之하여 如待放

… 艱 어려울 간 姱 아름다울 과 鞿 고삐 기 羈 얽맬 기 誶 간할 수 替 버려질 체
韁 고삐 강 絡 묶을 락 訊 물을 신 蕙 혜초 혜 纕 패옥띠 양 申 거듭 신 攬 잡을 람
茝 향초 채 玦 패옥 결

之臣을 予之以玦[16]然後去也라 然이나 二物芬芳하여 乃余心之所善이니 幸而得之면 則雖九死而不悔어든 況但廢替而已乎아

부이비(賦而比)이다. '양(纕)'은 패옥(佩玉)의 띠이다. '신(申)'은 거듭함이다. 이는 군주가 나를 폐출할 적에 혜초와 채초를 주어 보내어 마치 추방하는 신하를 대하기를 결(玦)을 준 뒤에 떠나게 함과 같이 함을 말한 것이다. 그러나 두 물건이 향기로워 바로 내 마음에 좋게 여기는 바이니, 다행히 이것을 얻었으면 비록 아홉 번 죽더라도 후회하지 않을 터인데, 하물며 단지 폐출을 당할 뿐임에랴.

怨靈脩之浩蕩兮여	영수가 사려(思慮) 없음을 원망하노니
終不察夫民心이라	끝내 사람의 마음 살펴주지 못하시네.
衆女嫉余之蛾眉兮여	뭇 여인들은 나의 아름다움 질투하여
謠諑(요착)謂余以善淫이라	내가 음란한 짓을 잘한다고 험담하네.

比也라 浩蕩은 無思慮貌라 民은 謂衆人也라 蛾眉는 謂眉之美好如蠶蛾之眉也라 爾雅云 徒歌를 謂之謠라하니라 方言云 楚南謂愬爲諑이라하니라

비(比)이다. '호탕(浩蕩)'은 사려가 없는 모양이다. '민(民)'은 중인을 이른다. '아미(蛾眉)'는 눈썹의 아름다움이 누에나방의 눈썹과 같음을 말한다. 《이아(爾雅)》〈석악(釋樂)〉에 "단지 노래만을 부르는 것을 '요(謠)'라 한다." 하였다. 《방언(方言)》에 "초나라 남쪽 지방에서는 참소함을 '착(諑)'이라 한다." 하였다.

固時俗之工巧兮여	실로 세속의 사람들은 교묘하기도 해
偭規矩而改錯(조)라	바른 법을 어기고 다시 만들어 놓네.
背繩墨以追曲兮여	먹줄(곧은 것)을 저버리고 굽은 것을 따르며
競周容以爲度라	다투어 남의 뜻 맞추면서 법도라 하네.

16 玦: '결(玦)'은 옥패(玉佩)로, 고리[環]와 같은데 터진 틈이 있다. 《순자(荀子)》〈대략(大略)〉에 "임금이 조정을 떠나는 신하에 대해 용서하지 않고 결별하는 뜻을 보일 때에는 한쪽이 떨어진 패옥을 보내고, 다시 조정으로 불러들일 때에는 고리가 완전히 이어진 옥환을 보낸다.[絶人以玦 反絶以環]"라는 말이 보인다.

蛾 나비 아 謠 동요 요 諑 참소할 착 蠶 누에 잠 愬 참소할 소 偭 등질 면 錯 둘 조 繩 먹줄 승

比也라 偭은 背也라 規는 所運以爲圓之器也요 矩는 所擬以爲方之器니 今曲尺也라 錯는 置也라 繩墨은 引繩彈墨以取直者니 今墨斗繩이 是也라 追는 猶隨也니 言舍直而隨曲也라 競은 爭也요 周는 合也요 度는 法也니 言爭以苟合求容爲常法也라 洪曰 偭規矩而改錯者는 反常而妄作이요 背繩墨以追曲者는 枉道以從時라하니라

비(比)이다. '면(偭)'은 등짐(저버림)이다. '규(規)'는 움직여(돌려) 원형을 만드는 기구이고, '구(矩)'는 대고서 네모진 것을 만드는 기구이니, 지금의 곡척(曲尺)이다. '조(錯)'는 만들어 놓음이다. '승묵(繩墨)'은 노끈을 잡아당기고 먹줄을 튕겨서 곧게 하는 것이니, 지금의 묵두승(墨斗繩, 먹통줄)이 이것이다. '추(追)'는 '수(隨)'와 같으니, 곧음을 버리고 굽음을 따름을 말한다. '경(競)'은 다툼이고 '주(周)'는 합함이고 '도(度)'는 법이니, 다투어 구차히 영합하여 용납함을 구함을 떳떳한 법으로 삼음을 말한 것이다. 홍씨(洪氏)가 말하기를 "규구를 저버리고 다시 만들어 놓은 것은 상도(常道)에 상반되게 함부로 행동함이요, 승묵을 버리고 굽은 것을 따름은 도(道)를 굽혀 시속을 따르는 것이다." 하였다.

忳(돈)鬱邑余侘傺(차제)兮여	시름겨워 내 멍청히 서 있으니
吾獨窮困乎此時也로라	나 홀로 이 시대에 곤궁을 겪고 있네.
寧溘死以流亡兮여	차라리 훌쩍 죽어 없어져 버릴지언정
余不忍爲此態也로라	나는 차마 이런 짓은 하지 못하노라.

賦也라 忳은 憂貌라 侘傺는 失志貌라 侘는 猶堂堂也요 又立也며 傺는 住也니 楚人語也라 溘은 奄也니 言我寧奄然而死언정 不忍爲此邪淫之態也라

부(賦)이다. '돈(忳)'은 근심하는 모양이다. '차제(侘傺)'는 실의한 모양이다. '차(侘)'는 당당과 같고 또 서있는 것이며 '제(傺)'는 머무름이니, 차제는 초나라 사람의 말이다. '합(溘)'은 문득(갑자기)이니, 내 차라리 문득 죽을지언정 이 간사하고 음탕한 태도를 할 수 없음을 말한 것이다.

鷙(지)鳥之不群兮여	사나운 새는 떼지어 다니지 않는 법
自前世而固然이라	예로부터 실로 그러하였네.
何方圜(원)之能周兮여	어찌 모난 것과 둥근 것이 합해지겠는가.

擬 비길 의 彈 튕길 탄 忳 근심할 돈 侘 실심할 차 傺 실심할 제 寧 차라리 녕
溘 문득 합 鷙 사나울 지 圜 둥근 환

夫孰異道而相安가	누군들 도(道)를 달리하고 서로 편안하랴.

比也라 鷙는 執也니 謂鳥之能執伏衆鳥者니 鷹鸇(응전)之類也라 不群은 言其執志剛厲하여 居常特處하여 不與衆鳥爲群也라 周는 合也라 員(圓)鑿(조)方枘(예)不能相合은 以其異道라 故로 不能相安이니 賢者之居亂世에 亦猶是也라

비(比)이다. '지(鷙)'는 잡음이니 새 중에 여러 새들을 잡아 굴복시키는 자를 이르니, 매와 새매 따위이다. '불군(不群)'은 그 뜻을 잡음이 강하고 엄해서 평소에 항상 홀로 처하여 뭇 새와 떼를 짓지 않음을 말한 것이다. '주(周)'는 합함이다. 둥근 끌구멍과 네모진 나무가 서로 합하지 않음은 도(道)가 다르기 때문이다. 그러므로 서로 편안하지 못하니, 현자가 난세에 거함도 이와 같은 것이다.

屈心而抑志兮여	마음을 굽히고 뜻을 억제하여
忍尤而攘詬(양구)라	허물을 참으며 치욕을 물리치네.
伏淸白以死直兮여	청백함을 지니고 정직함에 죽음은
固前聖之所厚라	실로 옛 성현들이 좋게 여기신 바이네.

賦也라 抑은 按也요 尤는 過也요 攘은 除也요 詬는 恥也라 言與世已不同矣면 則可屈心而抑志하여 雖或見尤於人이라도 亦當一切隱忍而不與之校요 雖所遭者 或有恥辱이라도 亦當以理解遣하여 若攘却之而不受於懷라 蓋寧伏淸白而死於直道면 尙足爲前聖之所厚니 如比干諫死로되 而武王封其墓하고 孔子稱其仁也[17]라 自怨靈脩以下로 至此五章이 一意니 爲下章回車復路起하니라

부(賦)이다. '억(抑)'은 억누름이고, '우(尤)'는 허물이고, '양(攘)'은 제거함이고, '구(詬)'는 치

17 比干諫死……孔子稱其仁也 : 비간은 상(商)나라의 충신으로 상나라 주왕(紂王)의 포학하고 방탕함을 직간하였는데, 주왕이 노하여 말하기를 "내가 듣건대 성인의 심장에는 일곱 개의 구멍이 있다고 한다."라고 하고 마침내 비간을 죽여 배를 갈라 그 심장을 보았다. 뒤에 무왕(武王)이 상나라를 멸망한 뒤에 비간의 무덤을 찾아 봉분하여 표창하였다. 공자께서 은나라의 미자(微子), 기자(箕子), 비간에 대해 평하시기를 "은(殷)나라에 세 인자(仁者)가 있었다." 하였다.《史記 卷3 殷本紀》《論語 微子》

鷹 매 응 鸇 새매 전 鑿 둥근구멍 조 枘 네모진자루 예 攘 물리칠 양 詬 꾸짖을 구
按 누를 안 校 따질 교 遭 만날 조 却 물리칠 각

욕이다. 세상과 더불어 이미 같지 않으면 마음을 굽히고 뜻을 억제하여 비록 혹 남에게 허물(질책)을 당하더라도 또한 마땅히 일체 숨기고 참아서 더불어 따지지 말 것이요, 비록 만나는 바에 혹 치욕이 있더라도 또한 마땅히 이치로써 마음을 풀어(달래) 보내어서 마치 물리치듯 하여 가슴속에 받아들이지 말아야 함을 말한 것이다. 차라리 청백함에 편안히 처하여 정직한 도(道)에 죽으면 오히려 전성(前聖)이 후하게 여기신 바가 되니, 마치 비간(比干)이 간하다가 죽었으나 무왕(武王)이 그의 묘를 봉분해주고 공자(孔子)가 그의 인(仁)을 칭찬한 것과 같은 것이다.

'원령수(怨靈脩)' 이하로부터 여기까지의 다섯 장은 똑같은 뜻이니, 아랫장의 '수레를 돌려 옛길로 돌아간다.'는 글의 기두(起頭)를 삼은 것이다.

悔相道之不察兮여	길을 잘 살피지 못한 것을 후회하며
延佇乎吾將反호리라	오랫동안 기다리다가 내 이제 돌아가리라.
回朕車以復(복)路兮여	나의 수레 돌려 길을 되찾음이여
及行迷之未遠이라	길을 잃음이 멀지 않아라.

比也라 悔는 追恨也요 察은 明審也라 延은 引頸也요 佇는 跂立也라 回는 旋轉也요 迷는 惑誤也라 言旣至於此矣에야 乃始追悔前日相視道路未能明審하여 而輕犯世患하고 遂引頸跂立하며 而將旋轉吾車하여 以復於昔來之路하니 庶幾猶得及此惑誤未遠之時하여 覺悟而還歸也라

비(比)이다. '회(悔)'는 뒤늦게 한함이고, '찰(察)'은 밝게 살핌이다. '연(延)'은 목을 늘임이고, '저(佇)'는 발돋움하고 서는 것이다. '회(回)'는 돌림이고, '미(迷)'는 미혹되고 그릇됨이다. 이미 여기에 이르러서야 비로소 지난날 도로를 살펴봄에 밝게 살피지 못하여 세상의 화를 경솔히 범한 것을 추회(追悔)하고, 마침내 목을 늘이고 발돋움하고 서서 장차 내 수레를 돌려서 옛날 왔던 길로 돌아가려 하니, 행여 이 미혹되고 그릇됨이 멀지 않은 때에 미쳐서 깨우쳐 돌아갔으면 한 것이다.

步余馬於蘭皐兮여	난초 핀 언덕에 내 말을 거닐게 하고
馳椒丘且焉止息호리라	산초(山椒) 언덕을 달리며 또 여기에서 쉬리라.

… 延 맞이할 연 佇 기다릴 저 頸 목 경 跂 발돋움할 기 旋 돌 선 皐 언덕 고 椒 산초 초 尤 허물 우

進不入以離尤兮여	나아갔다 들어가지도 못하고 허물만 입었으니
退將復脩吾初服호리라	물러나 다시 나의 처음의 옷(행실)을 닦으리라.

比也라 步는 徐行也라 澤曲曰皐니 其中有蘭故로 曰蘭皐요 丘上有椒故로 曰椒丘라 徐步馳走而遂止息호되 必依椒蘭하여 不忘芳香以自清潔하니 所謂回朕車以復路也라 進既不入以離尤면 則亦退而復修吾初服耳라

비(比)이다. '보(步)'는 서서히 감이다. 물의 구비를 '고(皐)'라 하니, 이 가운데 난초가 있으므로 '난고(蘭皐)'라 한 것이고, 언덕 위에 산초(山椒)가 있으므로 '초구(椒丘)'라 한 것이다. 서서히 걷고 말을 달려 마침내 멈추되 반드시 산초와 난초에 의지하여 향기롭게 해서 스스로 청결히 할 것을 잊지 않으니, 이른바 '내 수레를 돌려 옛길로 돌아간다.'는 것이다. 나아갔으나 이미 들어가지 못하고서 허물을 입었다면 또한 물러가서 내 처음의 일(행실)을 닦을 뿐이다.

製芰(기)荷以爲衣兮여	마름과 연잎을 마름질해 저고리 만들고
集芙蓉以爲裳이라	연꽃을 모아 치마를 만들리라.
不吾知其亦已兮여	나를 알아주지 않아도 또한 그만이니
苟余情其信芳이라	진실로 내 마음 참으로 꽃다우네.

比也라 製는 裁也라 芰는 蔆也니 生水中하니 葉浮水上하고 花黃白色이며 實紫色이요 兩頭銳者也라 荷는 蓮葉也요 芙蓉은 蓮花也라 本草云 蓮은 其葉名荷요 其花未發爲菡萏(함담)이요 已發爲芙蓉이라하니라 上曰衣요 下曰裳이니 言被服益潔하고 修善益明也니 此與下章은 卽所謂修吾初服也라

비(比)이다. '제(製)'는 마름질함이다. '기(芰)'는 연꽃이니 물 가운데에서 자라는데, 잎은 물 위에 떠있고 꽃은 황백색이며 열매는 자주색이고 양끝이 뾰족하다. '하(荷)'는 연꽃잎이고, '부용(芙蓉)'은 연꽃이다. 《본초》에 "연(蓮)은 그 잎을 '하(荷)'라 하고, 그 꽃이 아직 피지 않은 것을 '함담'이라 하고, 이미 꽃이 핀 것을 '부용'이라 한다." 하였다. 웃옷을 '의(衣)'라 하고 아래옷을 '상(裳)'이라 하니, 옷을 입기를 더욱 깨끗이 하고 선(善)을 닦기를 더욱 밝게 함을 말하였다. 이 장과 아랫장은 곧 이른바 '나의 처음의 옷을 닦는다.'는 것이다.

芰 새발마름 기 荷 연꽃 하 芙 연꽃 부 蓉 연꽃 용 裳 치마 상 蔆 마름 릉 菡 연꽃 함
萏 연꽃 담

高余冠之岌岌兮여	높다란 내 관(冠) 더욱 높게 쓰고
長余佩之陸離로라	늘어진 내 패옥 더욱 늘어뜨리노라.
芳與澤其雜糅兮여	향기와 윤택함이 함께 섞여 있으니
唯昭質其猶未虧라	홀로 그 밝은 바탕 이지러짐 없노라.

賦也라 岌岌은 高貌라 佩는 玉佩也라 陸離는 美好分散之貌라 芳은 謂以香物爲衣裳이요 澤은 謂玉佩有潤澤也라 糅亦雜也라 唯는 獨也요 照는 明也니 言獨此光明之質이 有退藏而無虧缺하니 所謂道行則兼善天下하고 不用則獨善其身也[18]라

부(賦)이다. '급급(岌岌)'은 높은 모양이다. '패(佩)'는 패옥이다. '육리(陸離)'는 아름다움이 분산되는 모양이다. '방(芳)'은 향기나는 물건으로 의상을 만듦을 이르고, '택(澤)'은 패옥에 윤택함이 있음을 이른다. '유(糅)' 또한 섞임이다. '유(唯)'는 홀로이고 '조(照)'는 밝음이니, 홀로 이 광명한 자질은 물러가 감춤이 있고 이지러짐이 없음을 말하였으니, 이른바 '도가 행해지면 겸하여 천하를 선(善)하게 하고 쓰여지지 않으면 홀로 그 몸을 선하게 한다.'는 것이다.

忽反顧以遊目兮여	갑자기 되돌아 사방을 둘러보고는
將往觀乎四荒호리라	장차 사방의 끝까지 구경하려 하네.
佩繽紛其繁飾兮여	패물은 성하게 꾸며져 있고
芳菲菲其彌章이라	향기는 물씬물씬 더욱 풍기누나.

比也라 荒은 遠也라 繽紛은 盛貌라 繁은 衆也라 菲菲는 猶勃勃이니 芳香貌也라 章은 明也라 言雖已回車反服이나 而猶未能頓忘此世라 故로 復反顧而將往觀乎四方絕遠之國하여 庶幾一遇賢君하여 以行其道하여 佩服愈盛而明하고 志意愈修而潔也라

비(比)이다. '황(荒)'은 멂이다. '빈분(繽紛)'은 성한 모양이다. '번(繁)'은 많음이다. '비비(菲菲)'는 발발(勃勃, 성함)과 같으니, 향기로운 모양이다. '장(章)'은 밝음이다. 비록 이미 수레를

18 道行則兼善天下 不用則獨善其身也 : 《맹자》〈진심 상(盡心上)〉에 "곤궁하면 홀로 그 몸을 선하게 하고 영달하면 천하를 함께 선하게 한다.〔窮則獨善其身 達則兼善天下〕"라고 보인다.

岌 높을 급 糅 섞일 유 虧 이지러질 휴 缺 이지러질 결 繽 성할 빈 菲 성할 비
彌 더욱 미 勃 일어날 발 頓 급할 돈

돌리고 처음 옷을 되입었으나 아직도 이 세상을 잊지 못하므로 다시 뒤돌아보고 사방 아득히 먼 나라로 가보아 행여 한번 현군을 만나 그 도(道)를 행할까 해서 패복(佩服)이 더욱 성하여 밝고 의지가 더욱 닦여 깨끗해짐을 말한 것이다.

民生各有所樂(요)兮여	사람은 저마다 즐기는 바가 있는데
余獨好修以爲常이라	나만이 청백함 좋아하여 상도(常道)로 여기네.
雖體解吾猶未變兮여	비록 몸이 찢겨져도 나는 변치 않으리니
豈余心之可懲가	어찌 내 마음을 고치겠는가.

賦也라 言人生이 各隨氣習하여 有所好樂(요)하여 或邪, 或正, 或淸, 或濁하여 種種不同이나 而我獨好修潔以爲常하니 雖以此獲罪於世하여 至於屠戮支解라도 終不懲創而悔改也라 自悔相道로 至此五章은 又承上文淸白以死直之意하여 而下爲女嬃詈予起也라

부(賦)이다. 인생이 각기 기습(氣習)에 따라 좋아하는 바가 있어 혹 사악하고 혹 바르며 혹 맑고 혹 탁하여 종종 똑같지 않으나 내 홀로 고상하고 깨끗함을 좋아하여 상도(常道)로 삼으니, 비록 이 때문에 세상에 죄를 얻어 도륙을 당해서 사지가 찢김에 이르더라도 끝내 이것을 징계하여 뉘우치거나 고치지 않을 것임을 말한 것이다.

'회상도(悔相道)'로부터 여기까지의 다섯 장은 또 윗글의 '청백히 하여 정직함에 죽는다.'는 뜻을 이어서 아래의 '여수(女嬃)가 자기를 꾸짖는다.'는 글의 기두(起頭)를 삼은 것이다.

女嬃之嬋媛(선원)兮여	누님인 여수(女嬃)는 연연(걱정)하며
申申其詈(이)予라	서서히 나를 타이르시네.
曰鯀(곤)婞直以亡身兮여	곤(鯀)은 강직함으로써 몸을 망쳐
終然殀乎羽之野라	끝내 우산(羽山)의 들판에서 요절하였는데,

賦也라 女嬃는 屈原姊也라 嬋媛은 眷戀牽持之意요 申申은 舒緩貌也라 曰은 記女嬃之詞也라 鯀은 堯臣也라 帝繫曰 顓頊後五世而生鯀이라하니라 婞은 狠也라 蚤(早)死曰殀라 言堯使鯀治洪水어늘 婞狠自用하고 不順堯命하니 乃殛之羽山하여 死於中野라 女嬃以屈原剛直太過하여 恐亦將如鯀之遇禍也라

懲 징계할 징 屠 죽일 도 戮 죽일 륙 嬃 시녀 수 詈 꾸짖을 리 嬋 예쁠 선 媛 예쁜계집 원
鯀 이름 곤 狠 사나울 한 殀 일찍죽을 요 眷 사랑할 권 婞 고집스러울 행 殛 귀양갈 극

부(賦)이다. 여수(女媭)는 굴원(屈原)의 누이이다. '선원(嬋媛)'은 연연하고 붙잡는 뜻이고, '신신(申申)'은 느슨하여 느린 모양이다. '왈(曰)'은 여수의 말을 기록한 것이다. 곤(鯀)은 요(堯) 임금의 신하이다. 《제왕세계(帝王世繫)》에 "전욱(顓頊)의 뒤 5세(世)에 곤을 낳았다." 하였다. '행(婞)'은 사나움(고집스러움)이다. 일찍 죽음을 '요(殀)'라 한다. 요 임금이 곤으로 하여금 홍수를 다스리게 하였는데, 곤은 고집세고 사나워 자기 의견을 쓰고 요 임금의 명령에 순종하지 않으니, 순(舜) 임금이 마침내 그를 우산(羽山)에 귀양 보내어 들 가운데서 죽게 함을 말한 것이다. 여수는 굴원이 강직함이 너무 지나쳐서 또한 장차 곤처럼 화를 당할까 두려워한 것이다.

汝何博謇而好修兮여	네 어이 해박하고 충직하고 수행을 좋아해
紛獨有此姱(과)節고	홀로 이 아름다운 정절 지녔는가.
薋菉葹(자록시)以盈室兮여	납가새, 조개풀, 도꼬마리가 집안에 가득한데
判獨離而不服이라	구별하여 멀리하고 더불지 않는구나.

賦而比也라 此亦女媭言也라 博謇은 謂廣博而忠直이라 紛은 盛貌요 姱節은 姱美之節也라 薋는 蒺藜也요 菉은 王芻也요 葹는 枲耳也니 三物皆惡草니 以比讒佞이라 盈室은 喩滿朝也라 判은 別也라 言衆人皆佩此惡草어늘 汝何獨判然離別하여 不與衆同也오하니라

부이비(賦而比)이다. 이 또한 여수의 말이다. '박건(博謇)'은 넓고 충직함을 이른다. '분(紛)'은 성한 모양이고, '과절(姱節)'은 아름다운 지절(志節)이다. '자(薋)'는 질려(蒺藜, 납가새)이고, '녹(菉)'은 왕추(王芻, 조개풀)이고, '시(葹)'는 시이(枲耳, 도꼬마리)이니, 세 물건은 모두 나쁜 풀로, 참소하고 간사한 자를 비유한 것이다. '영실(盈室)'은 조정에 가득함을 비유한 것이다. '판(判)'은 구별됨이다. '중인(衆人)들은 다 나쁜 풀을 차고 있는데, 네 어찌 홀로 판연히 그들과 동떨어져서 무리와 함께하지 않는가?' 하고 말한 것이다.

衆不可戶說(세)兮여	사람들 집집마다 찾아가 설명해 줄 수 없으니
孰云察余之中情고	누가 나의 속마음을 살펴 주겠는가.
世竝擧而好朋兮여	세상 사람들은 서로 어울려 무리짓기 좋아하니
夫何煢(경)獨而不余聽고	어찌하여 외로운 나를 가엾게 여겨 내 말을 듣지 않는가?

… 謇 바른말할 건 姱 아름다울 과 薋 납가새 자 菉 녹죽 록 葹 도꼬마리 시 蒺 납가새 질 藜 납가새 려 芻 꼴 추 枲 모시 시 說 달랠 세 煢 외로울 경

賦也라 朋은 黨也요 煢은 孤也라 屈原이 外困群佞하고 內被姊詈라 故로 言衆人不可戶戶而說(세)니 必不能察己之中情이라 況世人이 又方竝爲朋黨하니 何能哀我煢獨而見聽乎아 하니 爲下章就舜陳辭起라

부(賦)이다. '붕(朋)'은 붕당(朋黨)이고, '경(煢)'은 외로움이다. 굴원이 밖으로는 여러 간신들에게 곤욕을 당하고 안으로는 누이의 꾸중을 들었다. 그러므로 '중인(衆人)들을 일일이 집집마다 찾아가서 설득할 수가 없으니, 반드시 나의 중정(中情, 중심)을 헤아리지 못할 것이라며, 말한 것이다. 더구나 세상 사람들은 또 막 모두 붕당을 하고 있으니, 어찌 나의 외로움을 가엾게 여겨서 내 말을 들어주겠는가.'라고 말한 것이니, 이는 아랫장에 '순 임금에게 나아가 말씀을 올린다.'는 글의 기두를 삼은 것이다.

依前聖以節中兮여	옛 성인을 따라 중도(中道)를 지키다가
喟憑心而歷茲라	탄식하며 분노가 가득하여 이곳을 지나가네.
濟沅, 湘以南征兮여	원수(沅水)와 상수(湘水) 건너 남쪽으로 가서
就重華而敶(陳)詞라	중화(重華, 순 임금)께 나아가 말씀을 사뢰네.

賦而比也라 節은 度也요 喟는 歎也라 憑은 滿也니 恚(에)盛貌라 左傳, 列子, 天問에 皆云 憑怒是也[19]라 歷은 經歷之意라 沅, 湘은 皆水名이니 沅水는 出象郡鐔(심)城西하여 東注江하여 合洞庭中하고 湘水는 出帝舜葬東하여 入洞庭下라 重華는 舜號也라 帝繫曰 瞽叟生重華하니 是爲帝舜이라 葬於九疑山하니 在沅, 湘之南이라하니라 洪曰 天下明德이 皆自虞帝始하니 其於君臣之際에 詳矣라 屈原이 以世莫能察己之志라 故로 欲就之而陳詞하니 如下文所云也라

부이비(賦而比)이다. '절(節)'은 법도이고, '위(喟)'는 탄식함이다. '빙(憑)'은 분노함이니, 크게

19 左傳……憑怒是也 : 《춘추좌씨전》 노 소공(魯昭公) 5년에 오자(吳子)가 그 아우 궐유(蹶由)를 보내어 초나라 군대에게 음식을 나누어 주어 위로하였는데, 초왕이 궐유를 죽여 흔고(釁鼓 피를 받아 군고(軍鼓)에 바름)하려 하였다. 이에 궐유가 "지금 왕께서는 크게 노하시어 모질게 사신을 잡아 흔고하려 하시니, 오나라는 대비할 바를 알 것입니다.〔今君奮焉震電馮怒 虐執使臣 將以釁鼓 則吳知所備矣〕" 하였다. 《열자》에는 '빙노(憑怒)'라는 말이 보이지 않으니, 《열자》 〈주 목왕(周穆王)〉과 〈설부(說符)〉에 나오는 '대노(大怒)'를 착각한 듯하다. 《초사(楚辭)》 〈천문(天問)〉에 "강회가 크게 노하니 땅이 무슨 까닭으로 동쪽으로 기울었는가.〔康回憑怒 墬何故以東南傾〕"라고 보인다. 빙(馮)과 빙(憑)은 서로 통한다.

佞 아첨할 령 喟 한숨쉴 위 憑 성낼 빙 沅 물이름 원 湘 물이름 상 敶 베풀 진 恚 성낼 에
鐔 칼 심 虞 나라이름 우

노여워하는 모양이다. 《춘추좌씨전(春秋左氏傳)》과 《열자(列子)》와 〈천문(天問)〉에 모두 '빙노(憑怒)'라 한 것이 이것이다. '역(歷)'은 경력(지나감)의 뜻이다. '원(沅)'과 '상(湘)'은 모두 물 이름이니, 원수(沅水)는 상군(象郡) 심성(鐔城) 서쪽에서 발원하여 동쪽으로 양자강으로 주입하여 동정호(洞庭湖) 가운데에서 합류하며, 상수(湘水)는 제순(帝舜)을 장사지낸 곳의 동쪽에서 발원하여 동정호 아래로 들어간다. 중화(重華)는 순(舜) 임금의 호이다. 《제왕세계(帝王世繫)》에 "고수(瞽叟)가 중화를 낳으니, 이가 제순(帝舜)이다. 구의산(九疑山)에 장사지냈으니, 원수와 상수의 남쪽에 있다." 하였다.

홍씨(洪氏)는 말하였다. "천하의 명덕(明德)이 모두 우제(虞帝)로부터 시작되었으니, 그 군신(君臣)의 즈음에 상세히 나타난다. 굴원은 세상에서 자신의 뜻을 살펴주는 이가 없으므로 순 임금에게 나아가서 말씀을 사뢰고자 하였으니, 아래 글에 말한 바와 같은 것이다."

啓九辯與九歌兮여	계(啓)는 구변(九辯)과 구가(九歌)를 지었는데
夏康娛以自縱이라	하나라 태강(太康)은 즐거워하여 스스로 방종했습니다.
不顧難以圖後兮여	환난을 돌아보아 후일을 도모하지 않았으므로
五子用失乎家衖(巷)이라	다섯 형제가 이 때문에 나라와 집을 잃었습니다.

自此以下는 皆比而賦也라 啓는 禹子也라 九辯, 九歌는 禹樂也라 言禹平治水土하여 以有天下어시늘 啓能承先志하여 纘敍其業이라 故로 九州之物이 皆有辯數하고 九功之德[20]이 皆有次序而可歌也라 夏康은 啓子太康也라 娛는 樂也요 縱은 放也요 圖는 謀也라 五子는 太康昆弟五人也라 家衖은 宮中之道니 所謂永巷也라 太康이 以逸豫滅厥德하여 盤游無度하여 田於洛南하여 十旬弗反이어늘 有窮后羿 距之於河[21]하니 而五子用此하여 亦失其家衖하

---

20 九功之德: '구공(九功)'은 수(水)·화(火)·금(金)·목(木)·사(土)·곡(穀)의 육부(六府)와 정덕(正德)·이용(利用)·후생(厚生)의 세 가지 일이 잘 이루어짐을 뜻한다. 《서경(書經)》 〈우서(虞書) 대우모(大禹謨)〉에 "수·화·금·목·토와 곡식이 잘 닦여지며, 정덕(正德 덕을 바룸)과 이용(利用 씀을 이롭게 함)과 후생(厚生 삶을 좋게 함)이 조화로워 아홉 가지 공(功)이 펴져서 아홉 가지 펴진 것을 노래로 읊거든 경계하고 깨우쳐서 아름답게 여기며 독책하여 두렵게 하며 권면하되 구가(九歌)로 하시어 무너지지 않게 하소서.〔水火金木土穀惟修 正德利用厚生惟和 九功惟敍 九敍惟歌 戒之用休 董之用威 勸之以九歌 俾勿壞〕"라고 보인다.

21 太康……距之於河: 《서경》 〈하서(夏書) 오자지가(五子之歌)〉에 "태강(太康)이 군주의 자리만 차지하여 안일과 향락으로 그 덕(德)을 멸하자 백성들이 모두 배반하였는데, 마침내 놀이에 즐기기를 한도 없이 하여 낙수(洛水)의 밖으로 사냥가서 10순(旬) 동안이나 돌아오지 않았다. 유궁(有窮)의 임금인 예(羿)가 백성들이 참아내지 못함을 틈타 황하에서 막았다.〔太康尸位 以逸豫滅厥德 黎民咸貳 乃盤遊無度 畋于有洛之表 十旬弗反 有窮后羿 因民弗忍 距于河〕"라고 보인다.

… 縱 방종할 종 衖 시골 항 纘 이을 찬 昆 형 곤 豫 즐길 예 盤 즐길 반 距 막을 거

니 言國破而家亡也라 事見尙書大禹謨及五子之歌하니라 此는 爲舜言之라 故로 所言이 皆舜以後事也라

이로부터 이하는 모두 비이부(比而賦)이다. 계(啓)는 우왕(禹王)의 아들이다. 구변(九辯)과 구가(九歌)는 우왕의 음악이다. 우왕이 수토(水土)를 고르게 다스려서 천하를 소유하셨는데, 계(啓)가 능히 선친(先親)의 뜻을 받들어서 그 업을 이어 폈으므로 구주(九州)의 물건이 다 분명한 숫자가 있고 구공(九功)의 덕(德)이 다 차서가 있어 노래할 만함을 말한 것이다. 하강(夏康)은 계의 아들 태강(太康)이다. '오(娛)'는 즐김이고, '종(縱)'은 방종함이고, '도(圖)'는 도모함이다. 오자(五子)는 태강의 형제 다섯 사람이다. '가항(家衖)'은 궁중의 길이니, 이른바 영항(永巷)이라는 것이다. 태강은 안일과 즐거움으로써 그 덕(德)을 멸하여 편안히 놀고 법도가 없어서 낙수(洛水) 남쪽으로 사냥 가서 10순(旬) 동안이나 돌아오지 않았다. 이에 유궁(有窮)의 임금인 예(羿)가 그를 황하(黃河)에서 막았다. 오자가 이 때문에 또한 그 가항을 잃게 되었으니, 나라가 파괴되고 집안이 망함을 말한 것이다. 이 사실이 《상서(尙書)》 〈대우모(大禹謨)〉와 〈오자지가(五子之歌)〉에 보인다. 이는 모두 순 임금에게 말한 것이므로 말한 내용이 모두 순 임금 이후의 일이다.

羿(예)淫遊以佚畋(전)兮여	예(羿)는 방탕하게 놀며 사냥에 빠져
又好射(석)夫封狐라	큰 여우 쏘아 잡기를 좋아하였습니다.
固亂流其鮮終兮여	실로 어지러운 무리들은 좋은 끝이 드물다더니
浞(착)又貪夫厥家라	착(浞)은 또 예(羿)의 아내를 넘보았습니다.

羿는 有窮之君이니 夏時諸侯也라 封은 大也라 浞은 寒浞이니 羿相也라 婦를 謂之家라 言羿因夏衰亂하여 代之爲政할새 娛樂畋獵하여 不恤民事하고 信任寒浞하여 使爲國相이러니 羿畋將歸어늘 浞이 使家臣逢蒙으로 射而殺之하고 貪取其家하여 以爲己妻라 羿以亂得政하여 身卽滅亡이라 故로 曰亂流鮮終也라하니라

예(羿)는 유궁국(有窮國)의 군주이니, 하(夏)나라 때의 제후이다. '봉(封)'은 큼이다. '착(浞)'은 한착(寒浞)이니, 예의 정승이다. 부인을 '가(家)'라 이른다. 예가 하나라의 쇠란(衰亂)함을 틈타 대신하여 정사를 할 적에 사냥을 즐거워하여 백성의 일을 근심하지 않고 한착을 신임하여 국

··· 羿 사람이름 예 佚 편안할 일 畋 사냥 전 封 클 봉 狐 여우 호 浞 이름 착

상(國相)을 삼았는데, 예가 사냥하다가 장차 돌아오려 하자, 한착이 가신(家臣) 봉몽(逢蒙)으로 하여금 그를 쏘아 죽이고는 그 부인을 탐하여 취해서 자기의 아내로 삼았음을 말한 것이다. 예는 난으로써 정권을 얻어 몸이 곧 멸망을 당하였다. 그러므로 어지러운 무리들은 좋은 끝이 드물다고 말한 것이다.

澆(요)身被服强圉(어)兮여	요(澆)는 몸에 굳센 힘 간직하고는
縱欲而不忍이라	욕심대로 방종하고 참을 줄을 몰랐습니다.
日康娛而自忘兮여	날마다 편안히 즐기고 스스로 근심을 잊어
厥首用夫顚隕이라	그의 목은 이 때문에 잘렸습니다.

澆는 寒浞子也라 强圉는 多力也라 言浞取羿妻而生澆러니 强梁多力하고 縱放其慾하여 不能自忍也라 康은 安也라 自上而下曰顚이요 隕은 墜也라 言旣滅殺夏后相하고 安居無憂하여 日作淫樂하여 忘其過惡이라가 卒爲相子少康所誅하니라 此二章事는 竝見左傳襄公四年, 哀公(五)[元]年[22]하니라

요(澆)는 한착(寒浞)의 아들이다. '강어(强圉)'는 힘이 많은 것이다. 한착이 예의 아내를 취하여 요를 낳았는데 강하고 억세어 힘이 많고 욕심대로 방종하여 스스로 참지 못하였음을 말한 것이다. '강(康)'은 편안함이다. 위에서 아래로 뒹구는 것을 '전(顚)'이라 하며, '운(隕)'은 떨어짐이다. 요(澆)가 이미 하후(夏后) 상(相)을 멸하여 죽이고 편안히 거처하면서 근심이 없어 날마다 음탕함과 향락을 일으켜 자신의 잘못과 악행을 잊고 있다가 끝내 상(相)의 아들 소강(少康)에게 죽임을 당함을 말한 것이다. 이 두 장의 일은 모두《춘추좌씨전》양공(襄公) 4년과 애

---

22 竝見左傳襄公四年, 哀公(五)[元]年:《춘추좌씨전》양공(襄公) 4년에 위강(魏絳)이 진 도공(晉悼公)에게 "한착(寒浞)은 예(羿)의 처첩(妻妾)을 취해 요(澆)와 희(豷)를 낳았습니다. 그는 사악하고 간사한 속임수를 믿고서 백성들에게 덕은 베풀지 않고, 요에게 군대를 거느리고 가서 침관씨(斟灌氏)와 침심씨(斟鄩氏)를 쳐서 없애게 하였습니다."라고 아뢴 말이 보인다. 소강(少康)은 상(相)의 유복자로, 한착을 죽여 아비의 원수를 갚고 하나라를 중흥시킨 임금이다. 애공(哀公) 원년에 오왕(吳王) 부차(夫差)가 월(越)나라로 쳐들어가 포로가 된 월왕(越王) 구천(句踐)의 화친을 허락하려 하자, 오원(伍員)이 간하기를 "옛날에 과국(過國)의 요(澆)가 침관씨를 죽이고서 침심씨를 공격하여 하후(夏后) 상(相)을 멸망시켰습니다. 이때 상의 아내 후민(后緡)이 임신 중이었는데 수챗구멍으로 도망쳐 나와 잉(仍)나라로 가서 소강을 낳았습니다. 뒤에 소강이 잉나라의 목정(牧正)이 되자 요를 해독으로 여겨 철저히 경계하니, 요는 소강을 잡아오게 하였습니다. 그러자 소강은 우(虞)나라로 도망가서 그 위해(危害)를 면하였습니다."라고 보인다. 저본에는 '애공 5년(哀公五年)'으로 되어 있으나, 전거를 확인하여 '오(五)'를 '원(元)'으로 바로잡았다.

공(哀公) 원년에 보인다.

夏桀之常違兮여	하나라 걸왕(桀王)은 늘 상도(常道)를 어기더니
乃遂焉而逢殃이라	끝내는 재앙을 만났고,
后辛之菹醢(저해)兮여	후신(后辛, 주왕)은 충신을 죽여 젓을 담았는데
殷宗用之不長이라	은나라 종사(宗祀)는 이에 오래가지 못했습니다.

違는 背也니 言背道也라 逢殃은 爲湯所放也라 后辛은 卽紂也라 藏菜曰菹요 肉醬曰醢라 紂爲無道하여 殺比干하고 醢梅伯이어늘 武王誅之하시니 殷宗遂絕하여 不得長久也라

'위(違)'는 위배함이니, 도(道)를 위배함을 말한다. '봉앙(逢殃)'은 탕왕(湯王)에게 추방을 당한 것이다. '후신(后辛)'은 곧 주왕(紂王)이다. 채소를 담근 것을 '저(菹, 김치)'라 하고, 육장을 '해(醢)'라 한다. 주왕이 무도한 짓을 하여 비간(比干)을 살해하고 매백(梅伯)을 죽여 젓 담자, 무왕(武王)이 주벌하였다. 이 때문에 은나라 종사(宗祀)가 마침내 끊어져서 장구하지 못하였다.

湯, 禹儼而祗敬兮여	탕왕(湯王)과 우왕(禹王)은 두려워하고 공경하였고
周論道而莫差라	주나라는 도를 논하여 어그러짐이 없었습니다.
擧賢才而授能兮여	현재를 등용하고 유능한 자에게 직책을 맡겼으며
循繩墨而不頗라	법도를 따라 치우침이 없었습니다.

儼은 畏也라 祗亦敬也라 周는 周家也라 差는 過也라 言殷湯, 夏禹, 周之文王受命之君이 皆畏天敬賢하고 講論道義하여 無有過差하며 又擧賢才하여 遵法度而無偏頗라 故로 能獲神人之助하여 子孫蒙其福祐가 如下章也라

'엄(儼)'은 두려워함이다. '지(祗)' 또한 공경함이다. '주(周)'는 주(周)나라 왕가(王家)이다. '차(差)'는 허물이다. 은나라의 탕왕(湯王)과 하나라의 우왕(禹王)과 주나라의 문왕(文王) 등 천명(天命)을 받은 군주가 모두 하늘을 두려워하고 현자(賢者)를 존경하였으며 도의(道義)를 강론하여 과차(過差)가 없었으며, 또 현명한 자와 재주 있는 자를 등용하여 법도를 따르고 편벽됨이 없었음을 말한 것이다. 그러므로 능히 신(神)과 사람의 도움을 얻어 자손들이 그 복과 도움

菹 김치 저 醢 젓갈 해 紂 고삐 주 醬 간장 장 祗 공경할 지 偏 편벽될 편 頗 편벽될 파
獲 얻을 획 祐 도울 우

을 얻었으니, 아랫장에 말한 바와 같은 것이다.

皇天無私阿兮여	하늘은 사사로움과 아부함이 없어
覽民德焉錯輔라	사람의 덕을 살펴 도움을 내리십니다.
夫維聖哲之茂行兮여	성철(聖哲)한 군주는 덕행을 많이 쌓았기에
苟得用此下土라	실로 이 천하를 얻어 운용하였던 것입니다.

竊愛爲私요 所私爲阿라 錯는 置也요 輔는 佐也니 猶言惟德是輔[23]也라 言皇天神明하여 無所私阿하사 觀民之德하여 有聖賢者면 則置其輔助之力하여 而立以爲君也라 哲은 智也요 茂는 盛也요 苟는 誠也라 下土는 謂天下也라 言聖哲之人이 有甚盛之行이라 故로 能有此下土而用之也라

남몰래 사랑함을 '사(私)'라 하고 사사로이 아부함을 '아(阿)'라 한다. '조(錯)'는 둠이다. '보(輔)'는 도움이니, 〈조보(錯輔)는〉 '유덕시보(惟德是輔, 덕이 있는 사람을 돕는다)'라는 말과 같다. 황천(皇天)이 신명스러워 사사로이 사랑하고 아부하는 바가 없어서 백성의 덕을 관찰하여 성현(聖賢)인 자가 있으면 그 보조하는 힘을 두어서 세워 군주로 삼음을 말한 것이다. '철(哲)'은 지혜이고, '무(茂)'는 성함이고, '구(苟)'는 진실로이다. '하토(下土)'는 천하를 이른다. 성철(聖哲)한 사람(군주)이 매우 훌륭한 행실이 있으므로 능히 하토(下土)를 소유하여 운용함을 말한 것이다.

瞻前而顧後兮여	앞시대의 시비를 살펴보고 뒷시대의 성패를 돌아보면
相觀民之計極하니	사람들의 계책이 궁극함을 볼 수 있습니다.
夫孰非義而可用兮며	그 누가 의(義)가 아니고서 쓸 수 있으며
孰非善而可服이리오	그 누가 선(善)이 아니고서 행할 수 있었습니까?

瞻은 臨視也요 顧는 還(선)視也라 相觀은 重言之也라 計는 謀也요 極은 窮也라 前은 謂往昔

---

23 惟德是輔: 《서경》 〈주서(周書) 채중지명(蔡仲之命)〉에 "황천은 친한 사람이 없어 덕(德)이 있는 사람을 도와주시며, 민심(民心)은 일정함이 없어 은혜롭게 하는 이를 그리워한다.〔皇天無親 惟德是輔 民心無常 惟惠之懷〕"라고 보인다.

··· 阿 아첨할 아 錯 둘 조 瞻 볼 첨 相 볼 상 服 행할 복

之是非요 後는 謂將來之成敗라 服은 事也라 言瞻前顧後하면 則人事之變이 盡矣라 故로 見民之計謀가 於是爲極하니 而知唯義爲可用이요 唯善爲可行也라

'첨(瞻)'은 임하여 (굽어) 봄이고, '고(顧)'는 돌아봄이다. '상관(相觀)'은 거듭 말한 것이다. '계(計)'는 꾀함(계책)이고, '극(極)'은 궁극함이다. '전(前)'은 옛날의 시비(是非)를 이르고, '후(後)'는 장래의 성패를 이른다. '복(服)'은 일함이다. 앞을 살펴보고 뒤를 돌아보면 인사의 변함이 다 드러난다. 그러므로 백성(사람)들의 계책이 이에 궁극함을 볼 수 있으니, 오직 의(義)만이 쓸 수 있고 오직 선(善)만이 행할 수 있음을 알게 된다.

阽余身而危死兮여	내 몸이 위태로워 죽게 된다 해도
覽余初其猶未悔라	내 처음 뜻 지키며 후회하지 않으렵니다.
不量鑿(조)而正枘(예)兮여	구멍을 살펴보지 않고 쐐기(자루)를 바로 넣으려다가
固前修以菹醢라	전수(前修, 선현)들이 젓담겨졌던 것입니다.

阽은 臨危也니 言近邊而欲墮也라 危死는 言幾死也라 鑿(조)는 穿孔也요 枘는 刻木端이니 所以入鑿者也라 正은 謂審其正而納之也라 此承上章言호되 惟善爲可行이로되 而前修乃有以此而至於菹醢하여 若龍逢, 梅伯者라 然이나 亦不敢以爲悔也라

'점(阽)'은 위태로움에 임한 것이니, 가에 가까이 하여 떨어지려고 함을 말한 것이다. '위사(危死)'는 거의 죽게 됨을 말한 것이다. '조(鑿)'는 구멍을 팜이고, '예(枘)'는 나무를 깎은 끝이니, 끌 구멍 속에 들어가는 것이다. '정(正)'은 그 바름을 살펴서 구멍에 넣는 것이다. 이는 윗 장을 이어 말하기를 '오직 선(善)만이 행할 수 있으나 전수(前修)들이 마침내 이 때문에 김치 담겨지고 젓 담겨짐에 이르러 관용방(關龍逢)과 매백(梅伯)과 같은 자가 있다. 그러나 또한 감히 후회하지 않겠다.'라고 한 것이다.

曾歔欷(허희)余鬱邑兮여	거듭 슬피 울며 내 마음 답답해하며
哀朕時之不當이라	내가 좋은 때를 만나지 못하였음을 슬퍼하노라.
攬茹蕙以掩涕兮여	부드러운 혜초 취해 눈물을 닦으니
霑余襟之浪浪이라	눈물이 주르르 내 옷깃을 적시누나.

阽 위태할 점 鑿 둥근구멍 조 枘 네모진자루 예 穿 뚫을 천 歔 한숨쉴 허 欷 한숨쉴 희
鬱 답답할 울 邑 답답할 읍 茹 부드러운 여 掩 가릴 엄 涕 눈물 체 霑 젖을 점 襟 옷깃 금

曾은 累也라 歔欷는 哀泣之聲也라 鬱邑은 憂也라 哀時不當者는 自哀生不當擧賢之時하여 而値菹醢之世也라 茹는 柔耎(연)也라 霑은 濡也라 衣(眥)를 謂之襟이라 浪浪은 流貌라 言心悲泣下로되 而猶引取柔耎香草하여 以自掩拭이요 不以悲故로 失仁義之則(칙)也라

'증(曾)'은 여러 번이다. '허희(歔欷)'는 슬피 우는 소리이다. '울읍(鬱邑)'은 근심이다. '내가 좋은 때를 만나지 못하였음을 슬퍼한다.'는 것은 태어남이 현자를 등용하는 때를 만나지 못하여 김치 담겨지고 젓 담겨지는 세상을 만났음을 스스로 서글퍼한 것이다. '여(茹)'는 유연함이다. '점(霑)'은 젖음이다. 교령(交領, 우임(右衽)한 부분)을 '금(襟)'이라 이른다. '낭랑(浪浪)'은 흐르는 모양이다. 마음이 슬퍼져 눈물이 흘러내리나 오히려 유연한 향초를 취하여 스스로 가리우고 눈물을 닦고, 슬픈 연유로 인하여 인의(仁義)의 법칙을 잃지 않음을 말한 것이다.

跪敷衽以陳辭兮여	꿇어앉아 옷자락 펼치고 말씀 올리니
耿吾旣得此中正이라	분명하게 내 이미 정도(正道)를 얻었구나.
駟玉虯(규)以乘鷖(예)兮여	네 마리 옥규(玉虯)가 끄는 수레 타고 봉황에 올라타
溘埃(합애)風余上征호리라	갑자기 먼지와 바람 만나 하늘로 올라가노라.

敷는 布也요 衽은 裳際也라 耿은 明也라 有角曰龍이요 無角曰虯라 鷖는 鳳類니 身有五采라 溘은 奄忽也요 埃는 塵也라 征은 行也라 此는 言跪而敷衽하여 以陳如上之詞於舜而耿然自覺하니 吾心이 已得此中正之道하여 上與天通하여 無所間隔이라 所以埃風忽起어늘 而余遂乘龍跨鳳하여 以上征也라 然이나 此以下는 多假託之詞요 非實有是物與是事也라

'부(敷)'는 폄이고, '임(衽)'은 치맛난이다. '경(耿)'은 밝음이다. 뿔이 있는 것을 '용(龍)'이라 하고, 뿔이 없는 것을 '규(虯)'라 한다. '예(鷖)'는 봉황의 종류이니, 몸에 오채(五采)가 있다. '합(溘)'은 갑자기이고, '애(埃)'는 먼지이다. '정(征)'은 감이다. 이는 무릎 꿇고 옷자락을 펼치고서 위와 같은 말씀을 순(舜) 임금에게 아뢰고 경연(耿然, 분명히)히 스스로 깨달으니, 내 마음이 이미 이 중정(中正)한 도를 얻어서 위로 하늘과 통하여 간격이 없었기 때문에 먼지와 바람이 갑자기 일어나자, 내 마침내 용을 타고 봉황을 타고서 위로 올라감을 말한 것이다. 그러나 이 이하는 가탁한 말이 많고 실제로 이러한 물건과 이러한 일이 있는 것은 아니다.

値 만날 치 耎 부드러울 연 濡 젖을 유 眥 옷깃포개질 제(자) 拭 닦을 식 跪 꿇어앉을 궤 敷 펼 부 駟 말네필 사 虯 뿔없는용 규 鷖 봉황 예 溘 문득 합 埃 먼지 애 奄 문득 엄 隔 막힐 격 跨 걸터앉을 고(과)

朝發軔於蒼梧兮여	아침에 창오(蒼梧)에서 수레를 출발시켜
夕余至乎縣圃라	저녁에 내가 현포(縣圃)에 이르렀네.
欲少留此靈瑣兮여	이 신령스러운 문에 잠시 머물고자 하나
日忽忽其將暮라	해는 어느새 저물려 하네.

軔은 楮(지)車木也니 將行則發之라 蒼梧는 舜所葬也라 縣圃는 在崑崙之上이라 靈은 神也라 瑣는 門鏤也니 文如連瑣하니 以靑畵(화)之일새 則曰靑瑣라

'인(軔)'은 수레에 거는 나무이니, 장차 길을 가게 되면 열어 놓는다. '창오(蒼梧)'는 순 임금을 장례한 곳이다. '현포(縣圃)'는 곤륜산 위에 있다. '영(靈)'은 신령스러움이다. '쇄(瑣)'는 문의 누금(鏤金, 조각한 쇠)이니, 무늬가 연결한 자물쇠와 같은바, 청색으로 그렸기 때문에 '청쇄(靑瑣)'라 한다.

吾令羲和弭節兮여	내가 희(羲)와 화(和)에게 해지는 속도 늦추게 하고
望崦嵫(엄자)而勿迫이라	엄자산 바라보며 가까이 가지 못하게 하네.
路曼曼其脩遠兮여	길은 아득히 멀고도 멀지만
吾將上下而求索호리라	내 장차 오르내리며 현군(賢君)을 찾으리라.

羲·和는 堯時主四時之官이니 賓日, 餞日者也라 弭는 按也, 止也니 按節은 徐步也라 崦嵫는 日所入之山也라 迫은 附近也라 曼曼은 遠貌라 脩는 長也라 求索은 求賢君也라 言欲令羲·和按節徐行하여 望日所入之山하고 且勿附近이니 冀及日之未莫(暮)하여 而遇賢君也라

희(羲)와 화(和)는 요 임금 때 사시(四時)를 주관하던 관원이니, 해를 맞이하고 해를 전송하는 자이다. '미(弭)'는 누름이고 그침이니, '안절(按節)'은 서서히 걷는 것이다. '엄자(崦嵫)'는 해가 들어가는 산이다. '박(迫)'은 가까이 붙음이다. '만만(曼曼)'은 먼 모양이다. '수(脩)'는 긺이다. '구색(求索)'은 현명한 군주를 구함이다. 희·화로 하여금 서서히 걸어서 해가 들어가는 산을 바라보고 또 가까이 붙지 말게 하고자 하니, 해가 저물기 전에 현명한 군주를 만나기를 바람을 말한 것이다.

軔 바퀴고임나무 인 圃 채전 포 瑣 자질구레할 쇄 楮 버틸 지 崑 뫼 곤 崙 뫼 륜 鏤 새길 루
弭 그칠 미 崦 해지는산이름 엄 嵫 해지는산이름 자 曼 멀 만 餞 전별할 전

飮余馬於咸池兮여 — 내 말 함지(咸池)에서 물 먹이고
摠余轡乎扶桑이라 — 내 말 부상(扶桑)에다 고삐 매어 두네.
折若木以拂日兮여 — 약목(若木)을 꺾어 해가 지지 못하게 하고
聊逍遙以相羊(徜徉)이라 — 우선 한가로이 소요하며 노니노라.

咸池는 日浴處也라 摠은 結也라 扶桑은 木名이니 日出其下也라 若木은 亦木名이니 在崑崙西極하니 其華光照下地라 拂은 擊也라 聊는 且也라 逍遙, 相羊은 皆遊也라

'함지(咸池)'는 해가 목욕하는 곳이다. '총(摠)'은 맺음이다.(묶어놓음이다.) '부상(扶桑)'은 나무 이름이니, 해가 이 아래에서 나온다. '약목(若木)' 또한 나무 이름이니, 곤륜산 서쪽 끝에 있는 바, 햇빛이 그 아래 땅을 비춘다. '불(拂)'은 침이다. '요(聊)'는 우선이다. '소요(逍遙)'와 '상양(相羊)'은 모두 노니는 것이다.

前望舒使先驅兮여 — 앞에는 망서(望舒)로 길잡이를 삼고
後飛廉使奔屬이라 — 뒤에는 비렴(飛廉)에게 따라오게 하네.
鸞皇(凰)爲余先戒兮여 — 난새와 봉황은 날 위해 앞에서 경계하고
雷師告余以未具라 — 뇌사(雷師)는 나에게 미비한 점 일러주네.

望舒는 月御也요 飛廉은 風伯也라 屬은 連也라 鸞은 鳳之佐也요 皇은 雌鳳也라 雷師는 豐隆也라

'망서(望舒)'는 달을 모시는 자이고, '비렴(飛廉)'은 풍백(風伯, 풍신(風神))이다. '속(屬)'은 연함이다. '난(鸞)'은 봉황의 보좌이고, '황(皇)'은 암컷 봉황이다. '뇌사(雷師)'는 풍륭(豐隆, 뇌신(雷神))이다.

吾令鳳鳥飛騰兮여 — 내 봉황새로 하여금 날아오르게 하여
繼之以日夜라 — 밤낮으로 계속하게 하네.
飄風屯其相離兮여 — 회오리바람 모였다가 흩어지더니
帥(솔)雲霓而來御라 — 구름과 무지개 몰고 와서 맞이하네.

摠 잡을 총 轡 고삐 비 逍 거닐 소 遙 거닐 요 徜 노닐 상 徉 노닐 양 鸞 난새 란 雌 암컷 자 騰 오를 등 飄 나부낄 표 屯 모일 둔 帥 거느릴 솔 霓 무지개 예 御 맞이할 어

鳳은 靈鳥也니 山海經云 丹穴之山에 有鳥焉하니 其狀如鷄요 五彩而文하니 曰鳳鳥라 是鳥也 飮食則自歌自舞하니 見(현)則天下太康寧이라하니라 飄風은 回風也라 屯은 聚也라 霓는 虹屬이니 陰陽交會之氣也라 郭璞云 雄曰虹이니 謂明盛者요 雌曰蜺(예)니 謂暗微者라하니 雲薄漏日하여 日照雨點이면 則生也라 御는 迎也라

'봉(鳳)'은 신령스런 새이니, 《산해경(山海經)》〈남산경(南山經)〉에 "단혈(丹穴)의 산에 새가 있는데 그 모양은 닭과 같고 오채에 무늬가 있으니, 봉조(鳳鳥)라 한다. 이 새는 음식을 먹게 되면 스스로 노래하고 스스로 춤추는데, 이 새가 나타나면 천하가 크게 편안하다." 하였다. '표풍(飄風)'은 회오리바람이다. '둔(屯)'은 모임이다. '예(霓)'는 무지개의 등속이니, 음과 양이 서로 사귀는 기운이다. 곽박(郭璞)은 말하기를 "숫무지개를 '홍(虹)'이라 하니 밝고 성한 것이요, 암무지개를 '예(蜺)'라 하니 어둡고 작은 것을 이른다." 하였으니, 구름이 엷아져 햇빛이 새어 비가 내리는 곳에 해가 비추면 이것이 생긴다. '어(御)'는 맞이함이다.

紛總總其離合兮여	총총히 흩어지고 모여들곤 하며
斑陸離其上下라	어지러이 갈라지고 오르락내리락하네.
吾令帝閽開關兮여	천제(天帝)의 문지기에게 문 열라 하였으나
依閶闔而望予라	천문(天門)에 기대어 나를 바라보기만 할 뿐이네.

紛은 盛多貌라 總總은 聚貌요 斑은 亂貌라 帝는 謂天帝也라 閽은 謂主以昏閉門之隷也라 閶闔은 天門也라 令帝閽開關하여 將入見帝하여 更敶(陳)己志러니 而閽不肯開하고 反倚其門하여 望而拒我하여 使不得入하니 蓋求大君而不遇之比也라

'분(紛)'은 성하고 많은 모양이다. '총총(總總)'은 모인 모양이고, '반(斑)'은 어지러운 모양이다. '제(帝)'는 천제(天帝)를 이른다. '혼(閽)'은 날이 어둘 때에 문을 닫는 것을 맡은 하인을 이른다. '창합(閶闔)'은 천문(天門, 하늘의 문)이다. 천제의 문지기로 하여금 관문(關門)을 열게 하여 장차 들어가 천제를 뵙고 다시 자신의 뜻을 사뢰려 하였는데, 문지기는 문을 열어주려 하지 않고 도리어 그 문에 기대어 나를 바라보면서 거절하여 들어오지 못하게 하니, 이는 대군(大君)을 구하나 만나지 못함의 비유이다.

虹 무지개 홍 璞 옥덩이 박 蜺 무지개 예 斑 아롱질 반 閽 문지기 혼 閶 하늘문 창 闔 문지방 합 隷 종 례 倚 기댈 의

時曖曖其將罷兮여	때는 어둑어둑 날이 저물려 하는데
結幽蘭而延佇로다	그윽한 난초 묶어놓고 우두커니 기다리노라.
世溷(혼)濁而不分兮여	세상은 혼탁하고 분별 없어
好蔽美而嫉妬로다	아름다움 은폐하고 질투하기 좋아하네.

曖曖는 昏昧貌라 罷는 極也라 結幽蘭而延佇는 言以芳香自潔而無所趨向也라 溷은 亂也라 旣不得入天門以見上帝일새 於是에 歎息世之溷濁而嫉妬하니 蓋其意若曰 不意天門之下亦復如此라 於是에 去而他適也라

'애애(曖曖)'는 어두운 모양이다. '파(罷)'는 다함이다. '유란(幽蘭)을 묶어놓고 우두커니 기다린다.'는 것은 방향(芳香)으로써 스스로 깨끗이 하고 〈딴 데로〉 추향하는 바가 없음을 말한 것이다. '혼(溷)'은 어지러움이다. 이미 천문(天門)에 들어가서 천제를 뵈올 수 없으므로 이에 세상이 혼탁하여 서로 질투함을 탄식하였으니, 그 뜻은 대략 천문의 아래도 다시 이와 같을 줄을 알지 못하니, 이에 떠나 다른 곳으로 가려 한다는 것이다.

朝吾將濟於白水兮여	나는 아침에 백수(白水)를 건너려고
登閬風而緤(설)馬로라	낭풍(閬風)에 올라 말을 멍에하였네.
忽反顧以流涕兮여	문득 되돌아보며 눈물 흘리니
哀高丘之無女로라	높은 언덕에 신녀(神女)가 없음 슬퍼하네.

淮南子에 言白水는 出崑崙之山이라하니라 閬風은 山上也라 女는 神女니 蓋以比賢君也라 於此에 又無所遇라 故로 下章에 欲遊春宮求虙(복)妃하여 見佚女, 留二姚하니 皆求賢君之意也라

《회남자(淮南子)》에 "백수(白水)는 곤륜산에서 나온다." 하였다. '낭풍(閬風)'은 곤륜산 위이다. '여(女)'는 신녀(神女)이니, 현명한 군주를 비유한 것이다. 여기에서 또 만난 바가 없으므로 아랫장에 춘궁(春宮)에 놀며 복비(虙妃)를 찾아서 일녀(佚女)를 만나보고 두 요씨(姚氏)를 머물게 하고자 하였으니, 이는 모두 현명한 군주를 구하는 뜻이다.

曖 희미할 애 罷 파할 파 溷 흐릴 혼 適 갈 적 閬 산이름 랑 緤 맬 설 涕 눈물 체
虙 엎드릴 복 佚 예쁠 일 姚 성 요

溘吾遊此春宮兮여	어느덧 나는 춘궁(春宮)에서 노닐며
折瓊(경)枝以繼佩라	경지(瓊枝) 꺾어 패물로 삼았네.
及榮華之未落兮여	꽃잎이 시들기 전에
相下女之可詒(이)라	이것을 선사할 하녀(下女) 찾아야겠네.

溘은 奄也라 春宮은 東方靑帝舍也라 繼는 續也라 榮華는 喩顔色也라 落은 墮也요 相은 視也라 下女는 謂神女之侍女也라 詒는 遺也라 游春宮, 折瓊枝는 正欲及榮華之未落하여 而因下女하여 以通意於神妃也라

'합(溘)'은 문득이다. '춘궁(春宮)'은 동방 청제(東方靑帝)의 집이다. '계(繼)'는 이음이다. '영화(榮華, 꽃)'는 안색의 아름다움을 비유한 것이다. '낙(落)'은 떨어짐이고, '상(相)'은 봄이다. '하녀(下女)'는 신녀(神女)의 시녀를 이른다. '이(詒)'는 줌이다. 춘궁에 놀면서 경지(瓊枝, 옥처럼 아름다운 가지)를 꺾음은 바로 영화가 아직 시들지 않았을 때에 미쳐서 하녀를 인하여 신비(神妃)에게 뜻을 통하고자 해서이다.

吾令豐隆乘雲兮여	풍륭(豐隆)으로 하여금 구름 타고 가서
求虙妃之所在라	복비(虙妃)가 있는 곳 찾게 하였네.
解佩纕以結言兮여	패옥의 띠 풀어 약속으로 삼고
吾令蹇脩以爲理라	건수(蹇脩)로 하여금 중매를 서게 하였네.

豐隆은 雷師라 虙妃는 伏羲氏女니 溺洛水而死하여 遂爲河神하니라 纕은 佩帶也라 蹇脩는 人名이라 理는 爲媒以通詞理也라 蓋雷迅疾而威震하여 求無不獲이라 故로 欲使之求神女之所在하여 而令蹇脩로 致佩纕以爲理하니 則蹇脩는 似是下女之能爲媒者나 然亦未有考也라

'풍륭(豐隆)'은 뇌사(雷師)이다. '복비(虙妃)'는 복희씨(伏羲氏)의 딸이니, 낙수(洛水)에 빠져 죽어서 마침내 하신(河神)이 되었다. '양(纕)'은 패옥(佩玉)의 띠이다. '건수(蹇修)'는 사람의 이름이다. '이(理)'는 중매가 되어서 말의 조리를 통하는 것이다. 우레는 빠르고 위엄스러워서 구하면 얻지 못함이 없다. 그러므로 우레로 하여금 신녀(神女)의 소재를 찾게 하고서 건수로 하

溘 문득 합 折 꺾을 절 瓊 붉은옥 경 詒 줄 이 奄 문득 엄 纕 띠 양 蹇 절룩거릴 건
溺 빠질 닉 迅 빠를 신 媒 중매 매

여금 패옥의 띠를 주어 말하게 하고자 하였으니, 건수는 이 하녀 중에 중매를 잘하는 자인 듯하나 또한 상고할 바가 있지 않다.

紛總總其離合兮여	총총히 흩어졌다 합하였다 하더니
忽緯繣(위홰)其難遷이라	갑자기 어긋나니 그 뜻 바꾸기 어렵네.
夕歸次於窮石兮여	저녁에 돌아와 궁석산(窮石山)에 머물고
朝濯髮乎洧盤이라	아침에 유반강(洧盤江)에서 머리를 감노라.

緯繣는 乖戾也라 遷은 移也라 言蹇脩旣持其佩帶以通言이러니 而讒人이 復毁敗之하여 令其意一合一離하여 遂以乖戾而見距絕하여 其意難移也라 次는 舍也라 窮石은 山名이니 在張掖하니 卽后羿之國也라 洧盤은 水名이라

'위홰(緯繣)'는 괴려(乖戾, 어긋남)이다. '천(遷)'은 옮김이다. 건수가 이미 그 패옥의 띠를 가지고서 말을 통하였는데, 참소하는 사람이 다시 훼방하고 실패하게 해서 그 뜻이 한번 합하고 한번 갈라져 마침내 어긋나서 거절을 당하여 그 뜻이 바꾸기 어려움을 말한 것이다. '차(次)'는 머무름이다. '궁석(窮石)'은 산 이름으로 장액군(張掖郡)에 있으니, 바로 후예(后羿)의 나라이다. '유반(洧盤)'은 물 이름이다.

保厥美以驕傲兮여	그 아름다움을 믿고는 교만하여
日康娛以淫遊라	날마다 편안히 놀며 지나치게 즐기네.
雖信美而無禮兮여	실로 아름답기는 해도 예의가 없으니
來違棄而改求라	버려두고 다시 찾아보리라.

倨簡曰驕요 侮慢曰傲라 康은 安也요 違는 去也라 言虙妃驕傲淫遊하여 雖美而不循禮法이라 故로 棄去而改求也라

거만하고 간략함을 '교(驕)'라 하고, 업신여기고 태만함을 '오(傲)'라 한다. '강(康)'은 편안함이고, '위(違)'는 떠남이다. 복비(虙妃)가 교만하고 오만하고 지나치게 즐겨서 비록 아름다우나 예법을 따르지 않으므로 그녀를 버리고 다른 여인을 찾으리라고 말한 것이다.

緯 어긋날 위 繣 어그러질 홰 次 머무를 차 濯 씻을 탁 洧 물이름 유 距 막을 거 掖 길 액

覽相觀於四極兮여	사방 끝까지 다 둘러 본 다음
周流乎天余乃下라	내 하늘을 주류하고 땅으로 내려왔네.
望瑤臺之偃蹇兮여	높다란 요대(瑤臺)를 바라보니
見有娀(융)之佚女라	유융씨(有娀氏)의 미녀가 보이네.

四極은 四方極遠之地라 瑤는 玉之美者라 偃蹇은 高貌라 有娀은 國名이요 佚은 美也니 謂帝嚳之妃契(설)母簡狄也니 事見(현)商頌[24]하니라 呂氏春秋曰 有娀氏有美女일새 爲建高臺而飮食(임사)之라하니라

'사극(四極)'은 사방의 지극히 먼 지역이다. '요(瑤)'는 아름다운 옥이다. '언건(偃蹇)'은 높은 모양이다. '유융(有娀)'은 나라의 이름이고 '일(佚)'은 아름다움이니, 제곡씨(帝嚳氏)의 비(妃)이며 설(契)의 어머니인 간적(簡狄)을 이르니, 이 사실은《시경(詩經)》〈상송(商頌)〉에 보인다.《여씨춘추(呂氏春秋)》에 "유융씨가 아름다운 딸이 있으므로 높은 누대를 만들고 음식을 먹였다." 하였다.

吾令鴆(짐)爲媒兮여	내가 짐새에게 중매를 부탁하였으나
鴆告余以不好라	짐새는 나를 좋지 않다고 얘기하였네.
雄鳩之鳴逝兮여	웅구(雄鳩)가 울며 날아가지만
余猶惡(오)其佻巧라	나는 그 경박한 말재주 싫어하네.

鴆은 惡鳥也라 羽有毒하여 可殺人하니 以喩讒佞賊害人也라 告予以不好者는 其性讒賊하여 不肯爲媒하고 而反間我也라 雄鳩는 鶻鳩也니 似山鵲而小하고 短尾青黑色이요 多聲이라 佻는 輕也요 巧는 利也라 又使雄鳩銜命而往이나 然其性이 輕佻巧利하고 多語言而無要實하여 復不可信用也라

---

24 有娀……事見商頌:《시경》〈상송 현조(玄鳥)〉에 "하늘이 현조(玄鳥, 제비)에게 명하사 내려와 상나라를 탄생시켜, 넓디넓은 은나라 땅에 거주하게 하셨다.〔天命玄鳥 降而生商 宅殷土芒芒〕" 하였는데, 주자의《집전(集傳)》에 "고신씨(高辛氏)의 비(妃)이며, 유융씨(有娀氏)의 따님인 간적(簡狄)이 교매(郊禖)에 기도할 적에 제비가 알을 떨어뜨려 주므로 간적이 이 제비 알을 삼키고서 설(契)을 낳았는데, 그 후세에 마침내 유상씨(有商氏, 상나라)가 되어 천하를 소유하였다.〔高辛氏之妃有娀氏女簡狄 祈于郊禖 燕遺卵 簡狄呑之而生契 其後世 遂爲有商氏 以有天下〕" 하였다.

··· 瑤 구슬 요 偃 누울 언 娀 나라이름 융 佚 예쁠 일 嚳 임금이름 곡 鴆 짐새 짐 鳩 비둘기 구
佻 경박할 조 鶻 송골매 골 鵲 까치 작 銜 받들 함

'짐(鴆)'은 나쁜 새이다. 깃털에 독이 있어서 사람을 죽일 수 있으니, 참소하고 간사하여 남을 해치는 사람을 비유한 것이다. '나를 좋지 않다고 고(告)한다.'는 것은 그 성질이 참소하고 해치기를 좋아해서 나를 위해 중매하려 하지 않고 도리어 나를 이간질하는 것이다. '웅구(雄鳩)'는 골구(鶻鳩)이니, 산까치와 비슷한데 작고 꼬리가 짧으며 청흑색이고 소리를 많이 지른다. '조(佻)'는 경박함이고, '교(巧)'는 빠름이다. 또 웅구로 하여금 명을 받아 가지고 가게 하였으나 그 성질이 경박하고 빠르며 말을 많이 하고 실제가 없어서 다시 신용할 수 없는 것이다.

心猶豫而狐疑兮여	마음에 머뭇머뭇 호의(狐疑)에 빠지니
欲自適而不可라	직접 가려 해도 할 수가 없네.
鳳皇旣受詒兮여	봉황새가 이미 예물을 받아갔다 하니
恐高辛之先我라	고신씨(高辛氏)가 나보다 먼저할까 두려워라.

猶는 犬子也니 人將犬行에 犬好豫하여 在人前이라가 待人不得하면 又來迎候라 故로 謂不決曰猶豫라 狐多疑而善聽하여 河冰始合이면 狐聽其下하여 不聞水聲이라야 乃敢過라 故로 人過河冰者는 要須狐行然後敢渡하니 因謂多疑者爲狐疑라 高辛은 帝嚳有天下之號也라 言以鴆, 鳩皆不可使라 故로 中心疑惑하여 意欲自往이나 而於禮有不可者요 鳳皇이 又已受高辛之詒而來求之라 故로 恐簡狄先爲嚳所得也라

'유(猶)'는 개의 새끼(강아지)이니, 사람이 개를 데리고 갈 적에 개는 미리 가기를 좋아하여 사람의 앞에 있다가 사람을 기다려도 오지 않으면 또다시 와서 맞이한다. 그러므로 결단하지 못함을 일러 '유예(猶豫)'라 한다. 여우는 의심이 많고 듣기를 잘하여 하수에 얼음이 처음 얼면 여우가 그 밑에서 물소리를 들어보아 물소리가 들리지 않아야 지나간다. 그러므로 사람이 하수의 얼음을 지나갈 경우 여우가 가기를 기다린 뒤에 감히 건너가니, 이 때문에 의심이 많은 자를 일러 '호의(狐疑)'라 한다. 고신(高辛)은 제곡(帝嚳)이 천하를 소유한 칭호이다. 짐새와 웅구를 모두 부릴 수 없으므로 중심(中心)에 의혹하여 마음속에 내가 직접 가고자 하나 예(禮)에 불가하고, 봉황이 또 이미 고신씨의 선물을 받고 와서 구하였으므로 간적(簡狄)을 제곡이 먼저 얻을까 두려워함을 말한 것이다.

欲遠集而無所止兮여	멀리 떠나가려 해도 갈 곳이 없으니

••• 猶 개새끼 유 豫 미리 예 狐 여우 호 適 갈 적 詒 줄 이 候 기다릴 후

聊浮游以逍遙라	애오라지 떠돌며 노닐 뿐.
及少康之未家兮여	소강(少康)이 아직 장가들기 전에
留有虞之二姚(요)라	유우의 두 요씨(姚氏)를 붙잡아 보리라.

少康은 夏后相之子也라 有虞는 國名이라 姚는 姓이니 舜後也라 以二女妻少康하니 事見左傳[25]하니라 言旣失簡狄일새 欲適遠方이로되 又無所向이라 故로 願及少康未娶於有虞之時하여 留此二姚也라

'소강(少康)'은 하후(夏后) 상(相)의 아들이다. '유우(有虞)'는 나라 이름이다. 요(姚)는 성(姓)이니, 순(舜) 임금의 후손이다. 두 딸을 소강에게 시집보냈으니, 이 사실이 《춘추좌씨전》에 보인다. 이미 간적(簡狄)을 잃었으므로 먼 지방으로 가고자 하나 또 향할 곳이 없으므로 소강이 유우에게 장가들지 않았을 때에 미쳐서 이 두 요씨를 붙잡아 두기를 원함을 말한 것이다.

理弱而媒拙兮여	논리가 약하고 중매쟁이가 말재주 없어
恐導言之不固라	말해줌이 확실하지 못할까 두렵네.
世溷濁而嫉賢兮여	세상은 혼탁하여 현인(賢人)을 질투해
好蔽美而稱惡이라	아름다움 가리고 추악함 말하길 좋아하네.

弱은 劣也요 拙은 鈍也라 恐道理弱於少康而媒又無巧辭也니 蓋不待其不合이요 而已自知其必無所成矣라 故로 再言世之溷濁而嫉賢蔽美하니 蓋以爲雖四方之遠이나 而其風俗之不美가 無以異於中州也라

'약(弱)'은 부족함이고, '졸(拙)'은 둔함이다. 도리가 소강(小康)보다 약하며 중매가 또 말을 잘하지 못할까 두려워하였으니, 그 합하지 않음을 기다리지 않고서도 이미 스스로 반드시 이루어지지 못할 줄을 안 것이다. 그러므로 다시 세상이 혼탁하여 현자를 미워하고 아름다움을

---

25 以二女妻少康 事見左傳: 《춘추좌씨전》 애공(哀公) 원년(元年)에 "소강이 요(澆)를 피해 우(虞)나라로 도망가서 우나라의 포정(庖正)이 되었는데, 우나라의 임금 사(思)는 두 딸을 그의 아내로 주고 우나라 땅인 륜읍(綸邑)을 봉읍(封邑)으로 주었다. 이에 소강은 백성들에게 은덕을 베풀고 요의 과국(過國)과 희(豷)의 과국(戈國)을 멸망시키고서 하나라의 옛 제도를 잃지 않았다."라고 보인다.

聊 애오라지 료 逍 노닐 소 遙 노닐 요 姚 성 요 媒 중매 매 拙 졸렬할 졸 溷 흐릴 혼
劣 용렬할 렬 鈍 둔할 둔

은폐한다고 말하였으니, 비록 사방의 먼 곳이라 하더라도 그 풍속의 아름답지 않음이 중주(中州, 중국)와 다를 것이 없다고 여긴 것이다.

閨中旣以邃(수)遠兮여	규중은 깊고도 머니
哲王又不寤라	명철한 왕 또한 깨닫지 못하시네.
懷朕情而不發兮여	내 진정 속에 품어두고 말하지 못하니
余焉能忍而與此終古리오	내 어찌 끝내 참고 종고토록 지낼 수 있으랴.

小門을 謂之閨라 邃는 深也요 哲은 智也요 寤는 覺也라 終古者는 古之所終이니 謂來日之無窮也라 閨中深遠은 蓋言虙妃之屬을 不可求也요 哲王不寤는 蓋言上帝不能察司閽壅蔽之罪也라 言此하여 以比上無明王하고 下無賢伯(패)하여 使我懷忠信之情하고 不得發用하니 安能久與此閽亂嫉妬之俗으로 終古而居乎아 意欲復去也라

작은 문을 '규(閨)'라 이른다. '수(邃)'는 깊음이고, '철(哲)'은 지혜이고, '오(寤)'는 깨달음이다. '종고(終古)'란 옛날이 마치는 바이니, 내일의 무궁함을 말한다. 규중(閨中)이 심원함은 복비(虙妃)의 등속을 구할 수 없음을 말한 것이고, 철왕(哲王)이 깨닫지 못함은 상제(上帝, 천제)가 사혼(司閽, 문지기)이 옹폐하는 죄를 살피지 못함을 말한 것이다. 이것을 말하여 위에 현명한 왕이 없고 아래에 어진 패자(伯者)가 없어서 나로 하여금 충신(忠信)의 마음을 품고도 발용하지 못하게 함을 비유하였으니, 어찌 오랫동안 이 혼란하고 질투하는 풍속과 더불어 종고토록 함께 거(居)하겠는가. 이는 마음에 다시 떠나가고자 한 것이다.

索藑茅以筳篿(정전)兮여	경모초(藑茅草)와 가는 대나무로 산가지를 삼아
命靈氛爲余占之라	영분(靈氛)에게 명하여 날 위해 점치게 하네.
曰兩美其必合兮여	두 아름다운 사람 반드시 합할 것이나
孰信修而慕之리오	누가 너의 참되게 수행함을 믿고서 사모하겠는가.

索은 取也라 藑茅는 靈草也라 筳은 小折竹也라 楚人名結草折竹以卜曰篿이라 靈雰은 古明占吉凶者라 兩美는 蓋以男女俱美로 比君臣俱賢也라 言兩美終雖必合이나 然楚國에 孰有能信汝之修潔而慕之者아 宜以時去也라

閨 문지방 규 邃 깊을 수 寤 잠깰 오 壅 막을 옹 伯 으뜸 패 閽 어두울 혼 藑 경모풀 경 茅 띠 모 筳 점대 정 篿 점대 전 氛 재앙 분

'색(索)'은 취함이다. '경모(藑茅)'는 영초(靈草)이다. '정(筳)'은 작게 잘라놓은 대나무이다. 초나라 사람들은 풀을 묶고 대나무를 잘라 점치는 것을 이름하여 '전(篿)'이라 한다. '영분(靈氛)'은 옛날에 길흉을 분명하게 점친 자이다. '두 아름다움'은 남자와 여자가 모두 아름다움으로써 군주와 신하가 모두 어짊을 비유한 것이다. 두 아름다운 사람은 마침내 반드시 합할 것이나 초나라에 누가 능히 너의(나의) 고상하고 깨끗함을 믿어서 사모할 자가 있겠는가, 마땅히 때를 보아 떠나가야 한다고 말한 것이다.

思九州之博大兮여	구주(九州)가 광대함을 생각하니
豈惟是其有女리오	어찌 이곳에만 미녀(美女)가 있겠는가.
曰勉遠逝而無狐疑兮여	또 이르기를 힘써 멀리 가고 의심치 말 것이니
孰求美而釋女리오	아름다움을 구한다면 어찌 당신을 버리겠는가.

此亦靈氛之詞라 美女以比賢君하고 求美以比求賢夫라 言天下之大하니 非獨楚有美女라 但當遠逝而無疑니 豈有美女求賢夫而舍汝者乎아

이 또한 영분의 말이다. 미녀로써 현명한 군주를 비유하고 아름다운 사람을 구함으로써 어진 남편을 구함을 비유한 것이다. 천하가 매우 크니, 홀로 초나라에만 미녀가 있는 것은 아니나, 다만 멀리 떠나고 의심하지 말지니, 어찌 미녀가 훌륭한 남편을 구하면서 그대를 버리는 자가 있겠느냐고 말한 것이다.

何所獨無芳草兮여	세상 어느 곳인들 향초가 없으랴마는
爾何懷乎故宇오	당신은 어찌 옛 살던 곳만 그리워하는가.
世幽昧以眩曜兮여	세상이 어둡고 현란하니
孰云察余之善惡고	뉘라서 나의 옳고 그름 살펴줄까.

何所獨無芳草는 卽上章豈惟是其有女之意라 又申言之而勉其行하니 亦靈氛之言也라 眩은 目無主也라 世幽昧而莫能察己以下는 乃原自念之詞니 言雖往而亦將無所合也라

'하소독무방초(何所獨無芳草)'는 곧 위 장의 '어찌 이곳에만 미녀가 있겠느냐.'라는 뜻이다.

釋 버릴 석 眩 현혹할 현 曜 빛날 요

또 거듭 말하고 그 떠나갈 것을 권면하였으니, 이 또한 영분의 말이다. '현(眩)'은 눈에 초점이 없는 것이다. '세상이 어두워서 자신을 살펴주지 못한다.'는 이하는 바로 굴원이 스스로 사념(思念)한 말이니, 비록 다른 곳으로 가더라도 또한 장차 합할 곳이 없음을 말한 것이다.

民好惡(오)其不同兮여	사람마다 좋아하고 싫어함 똑같지 않지만
惟此黨人其獨異라	이 당인(黨人)들은 유독 특별하다네.
戶服艾(애)以盈要(腰)兮여	집집마다 쑥을 허리에 가득히 차고는
謂幽蘭其不可佩라	그윽한 난초는 찰 수 없다고 말하네.

黨은 朋也라 言人性固有不同이나 而黨人爲尤甚也라 艾는 白蒿니 非芳草也어늘 服之滿腰하고 而反謂蘭爲臭惡而不可佩라하니 言其親愛讒人而憎遠忠直也라

'당(黨)'은 붕당이다. 사람의 성품은 진실로 똑같지 않음이 있으나 당인(黨人, 붕당하는 사람)들은 더욱 심함을 말한 것이다. '애(艾)'는 흰쑥이니, 향기나는 풀이 아닌데 이것을 허리에 가득히 차고는 도리어 난초를 냄새가 나쁘다 하여 찰 수 없다고 하니, 참소하는 사람을 친애하고 충직한 이를 미워하여 멀리함을 말한 것이다.

覽察草木其猶未得兮여	초목을 살핌도 올바름을 얻지 못하는데
豈珵美之能當고	어찌 정옥(珵玉)의 아름다움 분별하겠는가.
蘇糞壤以充幃兮여	분뇨로 향주머니 가득 채우고는
謂申椒其不芳이로다	신초(申椒)는 향기롭지 못하다고 말하네.

珵은 美玉也니 相玉書에 言珵大六寸이요 其耀自照라하니라 言時人觀草木에도 尙不能別其香臭하니 豈能知玉之美惡所當乎아 蘇는 取也라 史記에 樵蘇後爨이라하니 謂取草也라 幃를 謂之幐(등)이니 卽香囊也라 亦言其近小人而遠君子也라 自念之詞止此라

'정(珵)'은 아름다운 옥이니, 옥을 감상(감별)하는 책에 "정은 크기가 6촌이고 그 빛이 스스로 환하게 비춘다." 하였다. 당시 사람들이 초목을 봄에도 오히려 그 향내가 나고 악취가 나는 것을 구별하지 못하니, 어찌 옥의 아름다운 것과 나쁜 것의 마땅한 바를 알겠느냐고 말한

… 艾 쑥 애 要 허리 요 蒿 쑥 호 憎 미워할 증 珵 아름다운옥 정 蘇 나무할 소 糞 똥 분
幃 향주머니 위 樵 나무할 초 爨 밥지을 찬 幐 향주머니 등 囊 주머니 낭

것이다. '소(蘇)'는 취함이다. 《사기(史記)》〈회음후열전(淮陰侯列傳)〉에 "나무 섶을 벤 뒤에 밥을 짓는다." 하였으니, 풀을 취함을 이른다. '위(幃)'를 '등(縢)'이라 이르니, 곧 향낭(香囊, 향주머니)이다. 또한 소인을 가까이 하고 군자를 멀리함을 말한 것이다. 스스로 사념하는 말은 여기까지이다.

欲從靈氛之吉占兮여	영분의 길점(吉占)을 따르고자 하나
心猶豫而狐疑라	마음에 망설여 호의(狐疑)를 하네.
巫咸將夕降兮여	무함(巫咸)이 저녁에 내려올 것이니
懷椒糈(서)而要之라	산초(山椒)와 정미(精米) 품고 가 맞이하여 점치려 하네.

巫咸은 古神巫也니 當殷中宗之世라 降은 下也라 椒는 香物이니 所以降神이요 糈는 精米니 所以享神이라 又敍其事하여 言巫咸將以日夕從天而下하리니 願懷椒糈而要之하여 使占此吉凶也라

'무함(巫咸)'은 옛날의 신령스러운 무당이니, 은(殷)나라 중종(中宗)의 세대에 해당된다. '강(降)'은 내림이다. '초(椒)'는 향기 나는 물건이니 신(神)을 내려오게 하는 것이고, '서(糈)'는 깨끗한 쌀이니 신에게 제향하는 것이다. 또 이 일을 서술하여, 무함이 장차 날이 저물 때 하늘로부터 내려올 것이니, 원컨대 산초와 깨끗한 쌀을 품고 가서 그를 맞이하여 이 길흉을 점치게 하려 한다고 말한 것이다.

百神翳其備降兮여	백신(百神)을 거느리고 햇빛 가리며 내려오니
九疑繽其竝迎이라	구의산(九疑山)의 신령들 함께 나와 맞이하네.
皇剡剡其揚靈兮여	백신들 번쩍번쩍 신령스러움 발현하여
告余以吉故라	나에게 길한 점괘 말해주네.

翳는 蔽也라 繽은 盛貌라 九疑는 在零陵, 蒼梧之間이라 疑는 似也니 山有九峯하여 其形相似하여 遊者疑焉이라 故로 曰九疑也라 言巫咸旣將百神하고 蔽日來下어늘 舜又使九疑之神으로 紛然來迎已也라 皇은 謂百神이라 剡剡은 光也요 揚靈은 發其光靈也라

··· 糈 양식 서 翳 가릴 예 繽 성할 빈 剡 번쩍일 염

'예(翳)'는 가림이다. '빈(繽)'은 성한 모양이다. '구의(九疑)'는 영릉군(零陵郡)과 창오군(蒼梧郡)의 사이에 있다. '의(疑)'는 유사함이니, 산에 아홉 개의 봉우리가 있는데 그 모양이 서로 비슷하여 유람하는 자가 의심하므로 '구의'라 이름하였다. 무함(巫咸)이 장차 백신(百神)을 거느리고 해를 가리고 내려오려 하였는데, 순 임금은 또 구의산의 산신으로 하여금 분분히 와서 자기를 맞이하게 함을 말한 것이다. '황(皇)'은 온갖 신을 이른다. '염염(剡剡)'은 빛남이고, '양령(揚靈)'은 그 광령(光靈, 은택)을 발현함이다.

曰勉陞降以上下兮여	이르기를 열심히 위아래를 오르내리며
求榘矱(구확)之所同이라	법도가 똑같은 이를 찾으시오.
湯, 禹儼而求合兮여	탕왕과 우왕은 공경히 법도에 맞는 자를 찾아
摯, 咎繇(구요)而能調라	지(摯)와 구요(咎繇)가 조화를 이루었네.

曰은 記巫咸語也라 陞降上下는 陞而上天하고 下而至地也라 榘는 與矩同하니 所以爲方之器也요 矱은 度(도)也니 所以度(탁)長短者也라 摯는 伊尹名이요 咎繇는 舜士師라 言陞降上下하여 而求賢君與我皆能合乎此法者하여 如湯之得伊尹, 禹之得咎繇라야 始能調和而必合也라

'왈(曰)'은 무함의 말을 기록한 것이다. '승강상하(陞降上下)'는 올라가서 하늘에 오르고 내려와서 땅에 이름이다. '규(榘)'는 '규(規)'와 같으니 둥근 것을 만드는 기구이고, '확(矱)'은 '도(度, 자)'이니 길고 짧음을 재는 것이다. '지(摯)'는 이윤(伊尹)의 이름이고, '구요(咎繇, 고요(皐陶))'는 순 임금의 사사(士師, 법관)이다. 상하로 오르내려 현군(賢君)과 내가 모두 이 법도에 합할 것을 구하여 탕왕이 이윤을 얻고 우왕이 구요를 얻듯이 하여야 비로소 조화를 이루어 반드시 합할 수 있음을 말한 것이다.

苟中情其好修兮여	진실로 마음속에 수행을 좋아한다면
又何必用夫行媒리오	또 어찌 반드시 중매를 필요로 하겠는가.
說(열)操築於傅巖兮여	부열(傅說)이 부암에서 담을 쌓고 있었는데
武丁用而不疑라	무정이 등용하고 의심하지 않았다오.

陞 오를 승 降 내릴 강 榘 곡척 구 矱 법도 확 摯 도타울 지 繇 말미암을 유(요)

行媒는 喻左右之先容也라 言誠心好善이면 則精感神明하여 賢君이 自當擧而用之리니 不必須左右薦達也라 說은 傅說也라 傅巖은 地名이라 武丁은 殷之高宗也라 言傅說이 抱道懷德하고 而遭遇刑罰하여 操築作於傅巖이러니 武丁이 思相賢者하여 夢得聖人하고 以其形像求之하여 因得傅說하고 登以爲公하니 道用大興하여 爲殷高宗也라 孔安國曰 傅氏之巖은 在虞, 虢(괵)之界하니 通道所經에 有澗水壞道하여 常使胥靡刑人으로 築護此道하니 說이 賢而隱하여 代胥靡築之하여 以供食也라하니라

'행매(行媒)'는 좌우(左右)에서 일에 앞서 먼저 추천함을 비유한 것이다. 성심으로 선(善)을 좋아하면 정성이 신명을 감동하게 하여 현군(賢君)이 스스로 마땅히 나를 들어 쓸 것이니, 굳이 좌우가 추천하여 줄 것이 없음을 말한 것이다. '열(說)'은 부열(傅說)이다. '부암(傅巖)'은 지명이다. '무정(武丁)'은 은나라의 고종(高宗)이다. 부열이 도(道)를 간직하고 덕(德)을 품고서 형벌을 만나 축판(築板, 담장을 쌓는 판자)을 잡고 부암에서 부역하였는데, 무정이 어진 자를 정승으로 삼을 것을 생각하여, 꿈에 성인(聖人)을 얻고 그 형상을 그려가지고 찾아서 부열을 얻고는 그를 등용하여 공(公)으로 삼으니, 도가 이 때문에 크게 일어나서 은나라의 고종(高宗)이 됨을 말한 것이다. 공안국(孔安國)이 말하기를 "부씨(傅氏)의 바위는 우(虞)나라와 괵(虢)나라의 경계에 있었으니, 큰길이 경유하는 곳에 시냇물에 의해 무너진 길이 있어서 항상 형벌을 받은 서미(胥靡, 죄인)로 하여금 이 길을 메꾸고 관리하게 하였는데, 부열이 어질면서 은둔하여 서미를 대신해서 길을 내어 양식을 공급했다." 하였다.

呂望之鼓刀兮여 — 여망(呂望)은 칼을 두드리는 백정이었지만
遭周文而得擧라 — 주(周)나라 문왕(文王)을 만나 천거되었고,
甯(영)戚之謳謌(歌)兮여 — 영척(甯戚)은 노래를 부르다가
齊桓聞以該輔라 — 제나라 환공(桓公)이 듣고는 보필로 삼았다오.

呂望은 太公也라 亦姓姜氏니 從其封姓故로 曰呂也라 鼓는 鳴也라 太公避紂하여 居東海之濱이러니 聞文王作하고 興而往歸之할새 至於朝歌하여 道窮困하니 因自鼓刀而屠하고 遂西釣於渭濱이러니 文王이 夢得聖人하고 於是出獵而遇之하여 遂載以歸하여 用以爲師하고 言吾先公이 望子久矣라하여 因號爲太公望하니라 該는 備也라 甯戚은 衛人이니 修德不用일새 退而商賈하여 宿齊東門外러니 桓公이 夜出에 甯戚이 方飯牛라가 叩角而商歌曰 南山粲하

喻 비유할 유 虢 나라이름 괵 澗 시내 간 胥 서로 서 靡 쓰러질 미 鼓 두드릴 고 遭 만날 조
甯 편안 녕 謌 노래 가 該 갖출 해 濱 물가 빈 釣 낚시 조 獵 사냥 렵 粲 빛날 찬

고 白石爛이로다 生不遭堯與舜禪하여 短布單衣適至骭(한)이로다 從昏飯牛薄(迫)夜半하니 長夜漫漫何時旦고하니 桓公이 聞之하고 曰 異哉라 歌者여 非常人也라하고 命後車載之하여 用爲客卿하여 備輔佐也라

'여망(呂望)'은 태공(太公)이다. 또한 성이 강씨(姜氏)이니, 그의 봉(封)한 성을 따랐으므로 '여(呂)'라 한 것이다. '고(鼓)'는 울림이다. 태공이 주왕(紂王)을 피해 동해의 가에 살고 있었는데 문왕(文王)이 일어났다는 말을 듣고 흥기하여 가서 문왕에게 귀의하려 할 적에 조가(朝歌)에 이르러 도중에 곤궁하니, 인하여 스스로 칼을 두드리면서 짐승을 잡고 마침내 서쪽 위수(渭水)가에서 낚시질을 하였다. 이때 문왕은 꿈에 성인(聖人)을 얻고 이에 사냥하러 나갔다가 그를 만나고서 마침내 수레에 태우고 돌아와서 등용하여 스승을 삼고, 말하기를 "우리 선공(先公, 고공단보(古公亶父))께서 그대를 바란 지 오래이다." 하고, 인하여 '태공망(太公望)'이라 호(號)하였다.

'해(該)'는 구비함이다. '영척(甯戚)'은 위(衛)나라 사람이니 덕을 닦았으나 등용되지 못하였으므로 물러나 장사를 하면서 제(齊)나라 동문 밖에서 머물고 있었는데, 환공(桓公)이 밤에 외출할 적에 영척이 소에게 여물을 먹이다가 소의 뿔을 두드리며 상성(商聲)으로 노래하기를 "남산이 빛나고 백석(白石)이 찬란하도다. 내 태어나기를 요 임금과 순 임금이 선위(禪位)할 때를 만나지 못해서 짧은 삼베 홑옷이 정강이에 이르도다. 어두울 때부터 소에게 여물을 먹여 한밤중에 이르니, 긴긴밤 길고 길어 언제나 새벽이 되려는가." 하였다. 환공은 그 말을 듣고 말하기를 "이상하다. 저 노래하는 자여! 보통 사람이 아니다." 하고, 뒷 수레에 태우도록 명해서 객경(客卿)으로 등용하여 보좌하는 재상으로 삼았다.

及年歲之未晏兮여	아직 나이가 늦지 않았고
時亦猶其未央이라	시기 또한 다하지 않았소.
恐鵜鴂(제결)之先鳴兮여	왜가리들이 먼저 울어
使夫百草爲之不芳이라	온갖 풀들 꽃답지 못할까 두렵소.

晏은 晩也라 央은 盡也라 鵜鴂은 鳥名이니 卽詩所謂七月鳴鵙(격)者니 蓋鴂鵙聲相近하고 又其聲惡하여 陰氛至則先鳴而草死也라 巫咸之言은 止此하니 亦勉原하여 使及此身未老, 時未過而速行之意라 鵜鴂先鳴으로 以比時一過則事愈變而愈不可爲也라

爛 빛날 란 骭 정강이뼈 한 漫 길 만 晏 늦을 안 央 다할 앙 鵜 두견새 제 鴂 백로 결 鵙 왜가리 격 氛 재앙 분 愈 더할 유

'안(晏)'은 늦음이다. '앙(央)'은 다함이다. '제결(鶗鴂)'은 새 이름이니, 《시경(詩經)》〈빈풍(豳風) 칠월(七月)〉에 이른바 '7월에 왜가리가 운다.'는 것이니, '결(鴂)'과 '격(鵙)'은 음이 서로 비슷하고 또 그 우는 소리가 나빠서 음기(陰氣)가 이르면 또 먼저 우는데, 〈이 새가 울면 가을이 되어〉 풀이 죽는다.

무함의 말은 여기에서 끝났으니, 또한 굴원을 권면하여 몸이 늙지 않고 때가 지나가기 전에 미쳐 빨리 떠나가게 한 뜻이다. 제결이 먼저 우는 것으로써 때가 한번 지나가면 일이 더욱 변해서 더욱 할 수 없음을 비유한 것이다.

何瓊佩之偃蹇兮여	경옥(瓊玉)의 내 패옥은 얼마나 훌륭한가.
衆薆然而蔽之라	그런데도 뭇사람들은 깊이 가리고 있네.
惟此黨人之不諒兮여	이 당인들은 믿을 수 없으니
恐嫉妬而折之라	질투하여 이것을 꺾어버릴까 두렵네.

此下至終篇은 又原自序之詞라 偃蹇은 衆盛貌라 言我所佩瓊玉德美之盛하니 蓋以自況也라 薆亦蔽之盛也라 諒은 信也요 折은 毁敗也라

이 이하로 끝 편까지는 또 굴원이 스스로 서술한 말이다. '언건(偃蹇)'은 많고 성한 모양이다. 내 차고 있는 경옥(瓊玉)의 덕의 아름다움이 성함을 말하였으니, 이로써 자신을 비유한 것이다. '애(薆)' 또한 가리기를 많이 한 것이다. '양(諒)'은 믿음이고, '절(折)'은 훼패(毁敗)이다.

時繽紛以變易兮여	시절이 혼란하게 바뀌니
又何可以淹留리오	또 어찌 오래도록 머물 수 있으랴.
蘭芷變而不芳兮여	난초와 지초는 변하여 향기를 잃고
荃蕙化而爲茅라	전초와 혜초는 변하여 띠풀이 되었네.

繽紛은 亂也라 不可淹留는 宜速去也라 茅는 惡草니 以喩不肖라 補曰 上云謂幽蘭其不可佩는 以幽蘭之別於艾也요 謂申椒其不芳은 以申椒之別於糞壤也러니 今曰 蘭芷不芳, 荃蕙爲茅라하니 則更與之俱化矣라 當是時也하여 守死而不變者는 楚國에 一人而已니 屈子是也라

… 薆 우거질 애 諒 믿을 량 況 비유할 황 繽 어지러울 빈 淹 오랠 엄 荃 향풀 전 肖 어질 초

'빈분(繽紛)'은 어지러움이다. '엄유(淹留)할 수 없다.'는 것은 마땅히 빨리 떠나가야 하는 것이다. '모(茅, 띠풀)'는 나쁜 풀이니, 불초(不肖)함을 비유한 것이다. 〈홍흥조(洪興祖)의〉《초사보주(楚辭補注)》에 "위에 유란(幽蘭)을 찰 수 없다고 말한 것은 유란이 쑥과 구별되기 때문이요, 신초(申椒)를 향기롭지 않다고 이른 것은 신초가 분양(糞壤)과 구별되기 때문이었는데, 이제 난초와 지초가 향기롭지 않고 전초와 혜초가 띠풀이 되었다고 하였으니, 이들도 또 더불어 함께 변한 것이다. 이때를 당하여 죽음으로 지키고 변치 않는 자는 초나라에 한 사람뿐이었으니, 굴자(屈子)가 바로 그 사람이다." 하였다.

何昔日之芳草兮여	어찌하여 옛날엔 향기롭던 풀들이
今直爲此蕭艾也오	지금은 다만 이처럼 쑥덤불이 되었는가.
豈其有他故兮리오	그 어찌 다른 까닭이 있겠는가.
莫好修之害也로다	수행을 좋아한 해로움보다 더함이 없네.

蕭艾는 賤草니 亦以喩不肖라 世亂俗薄하여 士無常守하여 乃小人害之어늘 而以爲莫如好修之害者는 何哉오 蓋由君子好修而小人嫉之하여 使不容於當世라 故로 中材以下 莫不變化而從俗하니 則是其所以致此者는 反無有如好修之爲害也라 東漢之亡에 議者以爲黨錮諸賢之罪[26]라하니 蓋反其詞以深悲之니 正屈原之意也라

'소애(蕭艾)'는 천한 풀이니, 또한 불초함을 비유하였다. 세상이 어지럽고 풍속이 야박해져서 선비가 떳떳한 지조가 없어 소인(小人)들이 해치는데, '수행을 좋아한 해로움보다 더함이 없다.'라고 말함은 어째서인가? 군자가 수행을 좋아하는데 소인들이 질시하여 당세에 용납되지 못하였다. 그러므로 중재(中材) 이하는 모두 변화하여 세속을 따르니, 이렇게 된 까닭은 도리어 수행을 좋아하는 것만큼 해로운 것이 없기 때문이다. 동한(東漢)이 망할 때에 의론하는 자들이 이르기를 '당고(黨錮)의 여러 현자(賢者)들의 죄'라 하였으니, 그 말을 뒤집어서 깊이

---

26 東漢之亡 議者以爲黨錮諸賢之罪: 동한(東漢)은 후한(後漢)을 가리키며, 당고(黨錮)는 환제(桓帝)와 영제(靈帝) 때에 두 차례에 걸쳐 환관(宦官)들이 당시의 명사(名士)들을 붕당(朋黨)을 한다고 지목하여 죽이거나 금고(禁錮)시켜 벼슬길에서 완전히 배제시킨 일을 가리킨다. 당고의 제현(諸賢)은 이응(李膺)과 범방(范滂) 등으로 이에 연좌되어 수백 명이 죽고 수천 명이 금고 당하였는바, 이로 인해 민심이 이반하여 황건적(黃巾賊)이 일어나고 큰 혼란에 빠져 후한은 결국 망하였다. 이에 의론하는 자들이 '이것은 붕당으로 몰린 제현들의 죄이다.'라고 하였으니, 이는 허물을 돌릴 데가 없어 말을 뒤집어서 환관이나 군주를 책하지 않고 도리어 당고에 걸린 제현들의 죄라고 한 것이다.《後漢書 卷97 黨錮列傳》

··· 直 다만 직 蕭 쑥 소 艾 쑥 애 錮 막을 고

슬퍼한 것이니, 이는 바로 굴원의 뜻이다.

余以蘭爲可恃兮여	나는 난초가 믿을 만하다고 여겼는데
羌無實而容長이라	성실치 못하고 모양만 아름답네.
委厥美以從俗兮여	그 아름다움 버리고 세속을 따라
苟得列乎衆芳이라	구차스럽게 뭇 꽃 사이에 끼어 있네.

此는 卽上章蘭芷變而不芳之意라 容長은 謂徒有外好耳라 委는 棄也니 詳見下章하니라

이는 바로 위 장의 난초와 지초가 변하여 향기롭지 않다는 뜻이다. '용장(容長)'은 한갓 외모만 아름다울 뿐임을 이른 것이다. '위(委)'는 버림이니, 자세한 내용은 아랫장에 보인다.

椒專佞以慢慆(도)兮여	산초(山椒)는 오로지 아첨하고 오만하며
榝(살)又欲充夫佩幃라	악취가 나는 수유(茱萸)는 또 향주머니에 가득 채우려 하네.
旣干進而務入兮여	이미 나아감을 구하여 들어감을 힘쓰니
又何芳之能祗(지)오	또 어찌 향기로움 잘 지키겠는가.

慆는 淫也니 書曰 無卽慆淫이라하니라 榝은 茱萸(수유)也라 幃는 盛香之囊也라 椒亦芳烈之物이어늘 而今亦變爲邪佞하고 茱萸는 固爲臭物이어늘 而今又欲滿於香囊하니 蓋但知求進而務入於君이면 則又何能復敬守其芬芳之節乎아

'도(慆)'는 음탕함이니, 《서경(書經)》 〈상서(商書) 탕고(湯誥)〉에 "도음(慆淫)에 나가지 말라." 하였다. '살(榝)'은 오수유(吳茱萸)이다. '위(幃)'는 향료를 담는 주머니이다. '초(椒)' 또한 향기로운 물건인데 이제 또한 변하여 사녕(邪佞)이 되었고, 오수유는 진실로 악취가 나는 물건인데 이제 또 향주머니에 가득 채우려 하니, 다만 등용됨을 구할 줄만 알아 임금에게 들어가기를 힘쓰면 또 어찌 그 분방한 절개를 공경히 지키겠는가.

固時俗之流從兮여	실로 시속 따라 흐르다보면
又孰能無變化리오	또 뉘라서 변치 않을손가.

恃 믿을 시 佞 말잘할 녕 慢 거만할 만 慆 방자할 도 榝 산앵도 살 幃 향주머니 위
祗 공경할 지 茱 산수유 수 萸 산수유 유

覽椒, 蘭其若茲兮여	산초와 난초를 보아도 이와 같으니
又況揭車與江離리오	하물며 게거(揭車)와 강리(江離)는 어떠하겠는가.

流從은 言隨從上化를 如水之流也라 揭車, 江離는 雖亦香草나 然不若椒, 蘭之盛이어늘 今椒, 蘭旣如此면 則二者를 從可知矣라

'유종(流從)'은 마치 물이 흐르듯 윗사람을 따라 교화됨을 말한 것이다. '게거(揭車)'와 '강리(江離)'는 비록 향초이나 또한 산초와 난초처럼 성하지는 못한데, 이제 산초와 난초가 이미 이와 같다면 게거와 강리 두 가지를 따라서 알 수 있는 것이다.

惟茲佩之可貴兮여	오직 내 경패(瓊珮)만이 귀하건만
委厥美而歷茲라	그 아름다움 버림받아 이에 이르렀네.
芳菲菲而難虧(휴)兮여	향기가 가득하여 줄어들기 어려우니
芬至今猶未沬이라	향내음 지금도 그침이 없다네.

委, 歷은 皆已見(현)上하니라 虧는 損減也요 沬은 昏暗也라 言瓊珮有可貴之質이어늘 而能不挾其美以取世資하여 委而棄之하여 以至於此라 然이나 其芬芳은 實不可得而減損昏暗이니 此는 原之自況也라 然上章에 譏蘭旣有委厥美之文矣요 此美瓊佩하여 又以爲言者는 蓋彼는 眞棄其美之實以從俗이요 此則棄其美之利以徇道니 其事固不同也라 故로 彼雖苟得一時之勢나 而惡名不滅이요 此雖失其一時之利나 而芬芳久存하니 二者之間은 正有志者所當明辨而勇決也니라

'위(委)'와 '역(歷)'은 모두 이미 위에 보인다. '휴(虧)'는 줄어듦이고, '말(沬)'은 어두움이다. 경패(瓊珮)는 귀하게 여길 만한 자질이 있으나 그 아름다움을 자랑하여 세상에 쓰이지 못하고 버림을 당하여 이에 이른 것이다. 그러나 그 향기로움은 실로 줄어들거나 어두워질 수 없으니, 이는 굴원이 자신을 비유한 것이다. 그러나 윗장에 난초를 비난하여 그 아름다움을 버렸다는 글이 있고, 여기에서 다시 경패를 찬미하여 또 이렇게 말한 것은, 저것(난초)은 그 아름다움의 실제를 참으로 버려서 세속을 따른 것이고 이것(경옥)은 그 아름다움의 이로움을 버려서 도(道)를 따른 것이니, 그 일이 진실로 똑같지 않다. 그러므로 저것은 비록 진실로 한때의

… 揭 들 게 委 버릴 위 菲 성할 비 虧 어지러질 휴 芬 향기 분 沬 그칠 말 挾 믿을 협

세력을 얻었으나 악명이 없어지지 않고, 이것은 비록 그 한때의 이로움을 잃었으나 향기로움이 오래 남아 있는 것이니, 두 가지의 사이는 바로 뜻이 있는 자가 마땅히 밝게 분변하고 용맹히 결단해야 할 바이다.

和調度以自娛兮여	조화로운 법도에 맞춰 스스로 즐기면서
聊浮游而求女라	잠시 떠돌며 미녀를 구하리라.
及余飾之方壯兮여	나의 장식물이 한창 아름다울 때에
周流觀乎上下호리라	두루 돌아다니며 위아래를 살펴보리라.

調는 猶今人言格調之調라 度는 法度也라 言我和此調度以自娛하고 而遂浮游以求女하니 如前所言虙妃, 佚女, 二姚之屬이니 意猶在於求君也라 余飾은 謂瓊珮及前章冠服之盛이라 方壯은 亦巫咸所謂年未晏, 時未央之意라 周流上下는 卽靈氛所謂遠逝요 巫咸所謂陞降上下也라

'조(調)'는 지금 사람들이 말하는 격조(格調)라는 '조(調)'와 같다. '도(度)'는 법도이다. 내 이 조도(調度, 격조)를 조화하여 스스로 즐기고 마침내 부유(浮游)하여(떠돌아다녀) 미녀를 구하니, 이는 앞에서 말한 복비(虙妃)와 일녀(佚女)와 두 요씨(姚氏) 따위와 같은 것이니, 뜻이 아직도 군주를 구함에 있는 것이다. '여식(余飾)'은 경패(瓊珮) 및 앞장에서 말한 관(冠)과 의복의 성함을 말한다. '방장(方壯)'은 또한 무함이 말한 '나이가 늦지 않고 때가 다하지 않았다'는 뜻이다. '상하(上下)에 주류한다.'는 것은 바로 영분이 말한 '멀리 떠나가라'는 것이요, 무함이 말한 '상하에 오르내린다.'는 것이다.

靈氛既告余以吉占兮여	영분이 이미 나에게 길점(吉占)을 알렸으니
歷吉日乎吾將行호리라	길일을 택하여 내 장차 길을 떠나리라.
折瓊枝以爲羞兮여	경옥(瓊玉) 가지를 꺾어 음식을 만들고
精瓊爢以爲粻이라	경옥 가루를 도정(擣精)하여 양식을 만드노라.

歷은 遍數而實選也라 精은 細米也라 瓊枝, 瓊爢는 皆謂物之珍者라 羞는 進也니 以牲及禽獸之肉으로 致滋味而進之也라 粻은 糧也라

聊 애오라지 료 飾 꾸밀 식 姚 성 요 瓊 붉은옥 경 珮 찰 패 羞 음식, 올릴 수 爢 가루 미
粻 양식 장 糧 양식 량

'역(歷)'은 두루 세어보고 실제로 뽑는 것이다. '정(精)'은 가늘게(곱게) 대낀 쌀이다. '경지(瓊枝)'와 '경미(瓊靡)'는 다 진귀한 물건을 이른다. '수(羞)'는 올림이니, 희생과 금수의 고기를 가지고 맛을 지극히 하여 올리는 것이다. '장(粻)'은 양식이다.

爲余駕飛龍兮여	나를 위해 비룡(飛龍)에게 수레를 끌라 하고
雜瑤象以爲車라	옥돌과 상아를 섞어 수레를 꾸몄네.
何離心之可同兮여	어찌 갈라진 마음 하나가 될까
吾將遠逝以自疏호리라	내 장차 멀리 떠나 스스로 멀어지리라.

象은 象牙也니 雜用象玉하여 以飾其車也라 離心은 謂上下無與己同心者也라 自疏則禍害不能相及矣리라

'상(象)'은 상아이니, 상아와 옥을 섞어 사용하여 그 수레를 꾸민 것이다. '이심(離心)'은 상하로 자기와 마음을 함께하는 자가 없음을 이른다. 스스로 소원히 하면 화환(禍患)이 서로 미치지 않으리라.

邅(전)吾道夫崐崘兮여	나의 길을 돌려 곤륜산으로 향하는데
路脩遠以周流라	갈 길이 멀고 멀어 두루 돌아가네.
揚雲霓(예)之晻藹(암애)兮여	구름과 무지개 그린 깃발 해를 가리고
鳴玉鸞之啾啾라	옥란의 방울소리 딸랑딸랑 울리네.

邅은 轉也라 後漢書注云 崐崘은 在肅州酒泉縣西南地之中也라하니라 雲霓는 蓋以爲旌旗也라 藹는 陰貌라 鸞은 鈴之著(착)於衡者라 啾啾는 鳴聲也라

'전(邅)'은 도는 것이다. 《후한서(後漢書)》〈명제기(明帝紀)〉의 주(注)에 "곤륜산은 숙주(肅州) 주천현(酒泉縣) 서남 지역 가운데 있다." 하였다. '운예(雲霓)'는 구름과 무지개를 그려 정기(旌旗)를 만든 것이다. '애(藹)'는 그늘진 모양이다. '난(鸞)'은 방울을 형(衡, 멍에)에 매단 것이다. '추추(啾啾)'는 울리는 소리이다.

駕 멍에할 가 邅 굴릴, 쫓을 전 脩 길 수 霓 무지개 예 晻 어두울 암 藹 흐릴 애
鸞 방울 란 啾 두런거릴 추 旌 깃발 정 鈴 방울 령 著 붙을 착 衡 가로댄멍에 형

朝發軔於天津兮여　　　아침에 천진(天津)을 출발하여
夕余至乎西極이라　　　저녁에 내 서쪽 끝에 이르렀네.
鳳皇翼其承旂兮여　　　봉황새 공손히 깃발을 받들고
高翺翔之翼翼이라　　　높이 날며 가지런히 따라오네.

天津은 析木之津이니 謂箕宿, 斗星之間이니 漢津也라 蓋箕北, 斗南은 天河所經이요 而日, 月, 五星이 於此往來라 故로 謂之津이라 又有天津九星하니 在虛, 危北하여 橫河中하니 卽津梁所渡也라 翼은 敬也라 周禮에 交龍爲旂라하니 凡旂屬을 皆建於車後也라 一上一下曰翺요 直刺(자)不動曰翔이라 翼翼은 和也라

'천진(天津)'은 석목(析木, 별 이름)의 나루로, 기수(箕宿)와 남두성(南斗星)의 사이를 이르니, 한진(漢津, 은하수의 나루터)이다. 기수의 북쪽, 남두성의 남쪽은 하늘의 은하수가 지나가는 곳이고, 해와 달과 오성(五星)이 여기에 왕래한다. 그러므로 나루터라 이른 것이다. 또 천진의 구성(九星)이 있는데 허수(虛宿)와 위수(危宿) 북쪽에 있어서 은하수 가운데를 가로지르니, 바로 나루의 교량으로 건너가는 곳이다. '익(翼)'은 공경함이다. 《주례(周禮)》〈춘관 종백(春官宗伯)〉에 "용 두 마리를 그린 것을 기(旂)라 한다." 하였으니, 무릇 기(旂)의 등속을 다 수레의 뒤에 꽂는다. 한번 올라가고 한번 내려감을 '고(翺)'라 하고, 날개를 곧게 펼치고 움직이지 않는 것을 '상(翔)'이라 한다. '익익(翼翼)'은 화함이다.

忽吾行此流沙兮여　　　순식간에 나는 이 사막을 지나가고
遵赤水而容與라　　　적수(赤水)를 따라 천천히 노니네.
麾蛟龍以梁津兮여　　　교룡(蛟龍)을 지휘하여 나루터에 다리를 놓고
詔西皇使涉予호리라　　　서황(西皇)에게 고하여 나를 건너게 하였네.

流沙는 見禹貢하니 今西海居延澤이 是也라 沈括云 嘗過無定河活沙하니 履之에 百步皆動하여 如行幕上이요 或陷則人馬車駝以百千數無孑(혈)遺者하니 或謂此卽流沙也라하니라 遵은 循也라 赤水는 出崐崙東南陬하여 入南海라 容與는 遊戲貌라 以手敎曰麾라 以蛟龍爲

軔 바퀴고임나무 인　旂 용그린기 기　翺 날 고　翔 날 상　麾 지휘할 휘　蛟 뿔없는용 교
梁 다리 량　駝 낙타 타　孑 반쪽 혈　戲 희롱할 희

橋於津上하여 而乘之以渡하니 猶言比鼉黿(타원)以爲梁也[27]라 詔는 告也라 西皇은 帝少皞(호)也니 少皞以金德王하니 白精之君[28]이라故로 曰西皇이라

'유사(流沙)'는 《서경(書經)》〈하서(夏書) 우공(禹貢)〉에 보이니, 지금 서해의 거연택(居延澤)이 이곳이다. 심괄(沈括)이 말하기를 "일찍이 무정하(無定河)의 활사(活沙)를 지나가보니, 밟으면 백 보 이내가 모두 움직여 마치 천막 위를 지나가는 것과 같고, 혹 모래 속에 빠지면 사람과 말과 수레와 낙타가 백 마리이든 천 마리이든 모두 남김없이 빠져 들어가니, 혹자는 이것을 곧 유사라 한다." 하였다. '준(遵)'은 따름이다. '적수(赤水)'는 곤륜산 동남쪽에서 발원하여 남해로 들어간다. '용여(容與)'는 유희하는 모양이다. 손으로 직접 가리키는(지시하는) 것을 '휘(麾)'라 한다. 교룡(蛟龍)으로써 나루터 위에 다리를 놓아 타고서 건너가니, 자라를 나란히 하여 교량을 만들었다는 말과 같은 것이다. '조(詔)'는 아룀이다. '서황(西皇)'은 황제인 소호(少皞)이니, 소호는 금덕(金德)으로 왕노릇 하였으니, 백정(白精)의 군주이다. 그러므로 서황이라 한 것이다.

路脩遠以多艱兮여	길이 멀고 멀어 어려움 많으니
騰衆車使徑路待[29]라	수레들 앞세워 지름길에서 기다리게 하네.
路不周以左轉兮여	불주산(不周山)으로 가 왼쪽으로 돌고
指西海以爲期라	서해를 가리키며 만나자고 기약하네.

不周는 山名이니 山海經에 西北海之外에 有山而不合하니 名曰不周라하니라 指는 語也요 期는 會也라 言已使語衆車하여 使由徑路하여 先過而相待하니 我當自不周山而左行하여 俱

27 比鼉黿以爲梁也: 《죽서기년(竹書紀年)》〈주 목왕(周穆王)〉에 "대군을 크게 일으켜 동쪽으로 구강(九江)에 이르러 자라를 가설(架設)해서 다리를 만들어 마침내 월(越)나라를 치고 우(紆)에 이르니, 형인(荊人)이 와서 공물을 바쳤다.〔大起九師 東至于九江 架黿鼉以爲梁 遂伐越 至于紆 荊人來貢〕"라고 보인다.

28 西皇……白精之君: 서황은 백정지제(白精之帝)라고도 하는데, 서방(西方)을 맡은 신이다. 봄을 맡은 신은 창정(蒼精), 여름을 맡은 신은 적정(赤精), 겨울을 맡은 신은 흑정(黑精)이다. 서방은 오행(五行)에 있어서는 금(金)이 되고, 오색(五色)에 있어서는 백색이 된다. 소호(少皞)는 소호(少昊)로도 표기하는바, 황제(黃帝)의 아들인 소호 금천씨(小昊金天氏)인데, 금덕(金德)으로 왕노릇을 하였다 한다.

29 騰衆車徑路待: 타본(他本)에는 '로(路)' 자가 '대(待)' 자 밑에 있으며, 구두(句讀) 역시 '로' 자를 하구(下句)로 연결하여 '騰衆車使徑 待路不周以左轉兮'로 읽는다. 저본 역시 타본과 같이 구두가 표시되어 있으나, 여기서는 주자의 집주본(集註本)을 그대로 따랐음을 밝혀둔다.

鼉 악어 타 黿 큰자라 원 皞 깨끗하고밝을 호 艱 어려운 간 騰 날아오를 등
徑 지름길 경

會西海之上也라

'불주(不周)'는 산 이름이니, 《산해경(山海經)》 〈대황서경(大荒西經)〉에 "서북해의 밖에 산이 있는데 하도 넓어서 합하지 못하니, 이름을 불주라 한다." 하였다. '지(指)'는 말함이고, '기(期)'는 모임이다. 이미 여러 수레에 말하여 경로(徑路, 지름길)를 따라 먼저 지나가 서로 기다리게 하였으니, 내 마땅히 불주산으로부터 왼쪽으로 가서 서해의 위에서 함께 만나겠다고 말한 것이다.

屯余車其千乘兮여	나의 수레 천 대나 모아놓고
齊玉軑(대)而竝馳라	옥 수레바퀴 나란히 하고 달리네.
駕八龍之蜿(완)蜿兮[30]여	꿈틀대는 여덟 마리 용을 멍에하고
載雲旗之委蛇(이)라	펄럭이는 구름 깃발 꽂고 가네.

屯은 聚也라 軑는 輨也니 轂內之金也니 一云轄(할)也라 蜿蜿은 龍貌라 雲旗는 以雲爲旗也라

'둔(屯)'은 모임이다. '대(軑)'는 관(輨)이니 곡(轂) 안의 쇠로, 일설에는 걸쇠라 한다. '원원(蜿蜿)'은 용의 꿈틀대는 모양이다. '운기(雲旗)'는 구름 모양을 그려 기(旗)를 만든 것이다.

抑志而弭節兮여	뜻을 억제하고 절(節, 깃발)을 만들어 천천히 가려 해도
神高馳之邈邈이라	정신이 높이 치달려 아득해지네.
奏九歌而舞韶兮여	구가(九歌)를 연주하고 소무(韶舞)를 추며
聊假日以媮樂이라	잠시 틈을 내어 즐겁게 놀아보세.

言雖按節徐行이나 然神猶高馳하여 邈邈然而逾遠하여 不可得而制也라 九歌는 九德之歌[31]

---

30 駕八龍之蜿蜿兮: 왕일(王逸)의 주(註)에 "여덟 마리의 용(龍)을 탔다는 것은 자신의 덕(德)이 용과 같아 팔방(八方)을 제어할 수 있음을 말한 것이요, 구름 모양의 깃발을 꽂고 간다는 것은 자신의 덕이 운우(雲雨)와 같아 만물(萬物)을 적셔줌을 말한 것이다." 하였다.

31 九歌 九德之歌: '구덕(九德)'은 구공(九功)의 덕(德)으로 수(水)·화(火)·금(金)·목(木)·사(土)·곡(穀)의 육부(六府)와 정덕(正德)·이용(利用)·후생(厚生)의 삼사(三事)가 잘 이루어지는 것을 가리키는바, 자세한 내용은 위의 '구공지덕(九

軑 바퀴통감김쇠 대 蜿 꿈틀거릴 원(완) 蛇 늘어질 이 輨 바퀴통끝휘감쇠 관 轂 바퀴통 곡
轄 걸쇠 할 邈 멀 막 韶 풍류이름 소 媮 즐길 유

니 禹樂也요 韶는 九韶之舞[32]니 舜樂也라 假는 借也라 顔師古云 此는 言遭遇幽厄에 中心愁悶하니 假延日月하여 苟爲娛樂耳라

비록 깃발을 잡고 서행을 하나 정신(精神)은 오히려 높이 달려 아득하게 더욱 멀어서 제어할 수가 없음을 말한 것이다. '구가(九歌)'는 구덕(九德)의 노래이니 우왕(禹王)의 음악이고, '소(韶)'는 구소(九韶)의 춤이니 순 임금의 음악이다. '가(假)'는 빌림이다. 안사고(顔師古)가 말하기를 "이는 유액(幽厄)을 만남에 중심이 근심하고 고민하니, 일월(日月, 세월)을 잠시 연장하여 그럭저럭 즐길 뿐임을 말한 것이다." 하였다.

陟陞皇之赫戲兮여	눈부시게 빛나는 하늘에 올라와서
忽臨睨(예)夫舊鄕이라	문득 저 아래에 있는 옛 고향을 바라보네.
僕夫悲余馬懷兮여	마부는 슬퍼하고 내 말은 고국을 그리워해
蜷局顧而不行이라	머뭇머뭇 뒤돌아보며 나아가지 못하네.

皇은 皇天也라 赫戲는 光明貌라 睨는 旁視也라 舊鄕은 楚國也라 僕은 御也요 懷는 思也라 蜷局은 詰曲不行貌라 屈原이 託爲此行이나 而終無所詣하여 周流上下而反於楚焉하니 亦仁之至而義之盡也라

'황(皇)'은 황천(皇天)이다. '혁희(赫戲)'는 광명한 모양이다. '예(睨)'는 옆으로 봄이다. '구향(舊鄕)'은 초나라이다. '복(僕)'은 마부(馬夫)이고, '회(懷)'는 생각함이다. '권국(蜷局)'은 굽어서 가지 못하는 모양이다. 굴원이 가고자 하나 끝내 이를 곳이 없어서 상하를 주류(周流)하다가 끝내 초나라로 돌아옴을 가탁하여 말하였으니, 또한 인(仁)이 지극하고 의(義)가 극진한 것이다.

亂曰	난사(亂辭, 결사(結辭))는 다음과 같다.

功之德)' 역주에 보인다.

32 九韶之舞: 순제(舜帝)의 음악에 따라 춤을 추는 것으로, '구소(九韶)'는 구소(九招)로 쓰기도 하는바, 《서경(書經)》〈우서(虞書) 순전(舜典)〉에 "소소(簫韶)가 아홉 번 끝났다.〔簫韶九成〕" 하였으므로 구소라 이름했다 한다.

厄 재앙 액 陟 오를 척 睨 흘겨볼 예 蜷 굽을 권 局 굽힐 국 旁 곁 방 詰 굽을 힐
亂 결론지을 란

亂者는 樂節之名이니 國語云 其輯之亂이라하니 輯은 成也라 凡作篇章에 旣成이면 撮其大要하여 以爲亂辭也라 史記曰 關雎之亂이 以爲風始[33]라하고 禮曰 旣奏以文하고 又亂以武라하니라

'난(亂)'은 악절(樂節)의 이름이니, 《국어(國語)》〈노어 하(魯語下)〉에 "그 완성하여 끝마친다." 하였으니, '집(輯)'은 이룸이다. 무릇 편장(篇章)을 지을 적에 이미 완성되면 그 대요를 뽑아서 난사(亂辭)를 만든다. 《사기(史記)》〈공자세가(孔子世家)〉에 "〈관저(關雎)〉의 난(亂)이 풍(風)의 시작이 된다." 하였고, 《예기》〈악기(樂記)〉에는 "문(文)으로 연주하고 무(武)로써 끝낸다." 하였다.

已矣哉라	아서라!
國無人莫我知兮여	나라에 사람 없어 날 알아주는 이 없으니
又何懷乎故都오	또 어찌 고향을 그리워하는가.
旣莫足與爲美政兮여	이미 아름다운 정사를 펼 수 없다면
吾將從彭咸之所居호리라	내 장차 팽함(彭咸)의 사는 곳으로 가리라.

賦也라 已矣는 絕望之詞라 無人은 謂無賢人也라 故都는 楚國也라 言時君不足與共行美政이라 故로 我將自沈하여 以從彭咸之所居也라

부이다. '이의(已矣)'는 절망하는 말이다. '무인(無人)'은 현인(賢人)이 없음을 말한다. '고도(故都)'는 초나라이다. 당시 군주가 더불어 아름다운 정사를 행할 수 없었으므로 내 장차 스스로 물에 빠져서 팽함(彭咸)의 사는 곳을 따르겠다고 말한 것이다.

---

33 關雎之亂 以爲風始: '관저(關雎)'는《시경(詩經)》주남(周南)의 수편(首篇)이며 '풍(風)'은 육의(六義)의 하나이다. 풍(風)·아(雅)·송(頌)을 삼경(三經)이라 하고 흥(興)·부(賦)·비(比)를 삼위(三緯)라 하며 이를 합하여 육의(六義)라 하는바, 풍·아·송은 시(詩)의 내용과 성질을 말하고 흥·부·비는 시의 체재와 서술 방식을 이른다. 특히 풍은 남녀간의 애정을 읊은 민요가 주류를 이루고 있는데, 〈관저〉는 국풍(國風) 주남의 첫 번째에 있으므로 '풍의 시작이 된다.'라고 말한 것이다.

… 輯 모을 집 撮 뽑을 촬 雎 징경이 저 已 그칠 이 彭 성 팽 咸 모두 함

어부사漁父辭

굴원屈原

• 작품개요

어부는 물고기를 잡는 자로 '부(父)'는 늙은 남자에 대한 경칭이다. 그리하여 '어보'로 읽기도 한다. 주자(朱子)는 《초사집주(楚辭集註)》에서 당시의 은둔한 선비라고 하였는데, 후대에는 이로 인해 은사(隱士)를 어부라고 칭하는 경우도 없지 않다. 이 편은 〈복거(卜居)〉와 쌍벽을 이루는 작품으로, 〈복거〉는 어두운 정치 상황을 보여주는 데에 치중되어 있고, 〈어부사〉는 자기 자신의 현실과 타협하지 않는 고결함을 보여주고 있다.

이 작품의 작자에 대해서는 논란이 있다. 주희(朱熹), 홍흥조(洪興祖), 왕부지(王夫之) 등은 굴원이 직접 지은 작품으로 주장하였으나 모순(茅盾), 곽말약(郭沫若), 채정천(蔡靖泉) 등은 굴원의 제자인 송옥(宋玉)이나 전국 시기의 초나라 사람이 지은 것으로 보았다. 특히 최술(崔述)은 《고고속설(考古續說)》에서 "이 글은 가탁하여 지은 글로 문인(文人)들이 으레 쓰는 수단이다. 그렇다면 굴원이 지은 것이 아니다." 하였다. 그러나 주희의 집주(集註)는 이 작품을 굴원이 가공(架空)한 이야기로 보았는바, 일종의 우언(寓言) 성질을 띤 고사(故事)라 하는 것이 타당하겠다.

이 글은 몸가짐을 고결하게 하여 세상과 타협하지 않는 굴원과 세파를 따라 보조를 맞출 것을 권하는 어부의 두 가지 사상의 대비를 통해 굴원의 성품을 잘 드러내고 있으며, 그가 끝내 멱라수에 투신자살한 이유를 알 수 있는 작품으로 《사기(史記)》의 〈굴원가생열전(屈原賈生列傳)〉에도 수록되어 있다. 작중(作中)에서 어부는 굴원에게 세상과 함께 어우러져서 지낼 것을 권유하지만 굴원은 자기의 고결한 절조를 절대 버릴 수 없다고 강조하는데, 어부와 굴원이 대화를 주고 받는 문답의 형식과 양자의 의견이 일치하지 않는 대비의 수법을 사용하여 두 가지 대립된 인생관을 보여주고 있는 것이 이 글의 특징이다.

篇題小註‥ 此篇은 乃屈原所作이라 漁父는 蓋亦當時隱遁之士니 或曰亦原之設詞耳라

이 편은 바로 굴원이 지은 것이다. 어부(漁父)는 또한 당시에 은둔한 선비일 것이다. 혹자는 말하기를 "이 또한 굴원이 가설한 말이다."라고 하였다.

○ 迂云 漁父는 蓋古巢 · 由之流[34]요 荷蕢丈人[35]之屬이라 或曰 亦原託之也라

우재(迂齋, 누방(樓昉))가 말하였다. "어부는 옛날 소부(巢父)와 허유(許由)의 무리이며, 하궤장인(荷蕢丈人)의 등속이다. 혹자는 말하기를 '또한 굴원이 가설한 말이다.'라고 하였다."

- **原文**

屈原이 既放에 游於江潭하여 行吟澤畔할새 顔色憔悴하고 形容枯槁러니 漁父見而問之曰 子非三閭大夫與아 何故至於斯오 屈原曰 擧世皆濁이어늘 我獨淸하고 衆人皆醉어늘 我獨醒이라 是以見放이로라【與, 史作歟. 至於斯, 作而至此. 擧世, 一作世人. 皆, 史作混. 我上, 一有而字, 下句同. 放下, 一有爾字.】

굴원(屈原)이 쫓겨나 강담(江潭)에서 노닐어 못가를 거닐면서 시(詩)를 읊조릴 적에 안색(顔色)이 초췌하고 형용(形容)이 삐쩍 말라 생기가 없었다. 어부(漁父)가 그를 보고 묻기를 "그대는 삼려대부(三閭大夫)가 아닌가? 어쩌다가 이 지경에 이르렀는가?" 하자, 굴원이 대답하기를 "온 세상이 모두 흐린데 나만이 홀로 깨끗하고, 온 세상이 모두 취하였는데 나만이 홀로 깨어 있으니, 이 때문에 추방을 당했노라." 하였다.【'여(與)'는 《사기(史記)》에 '여(歟)'로 되어 있고 '지어사(至於斯)'는 '이지차(而至此)'로 되어있다. '거세(擧世)'는 일본(一本)에는 '세인(世人)'으로 되어 있고, '개(皆)'는 《사기》에 '혼(混)'으로 되어있다. '아(我)' 자 위에 일본에는 '이(而)' 자가 있으니, 아래 구(句)도 같다. '방(放)' 자 아래에 일본에는 '이(爾)' 자가 있다.】

---

34 巢由之流: 소유(巢由)는 소부(巢父)와 허유(許由)를 가리키는데, 이들은 고대의 은사(隱士)로 요(堯) 임금이 이들에게 천하를 선양하려 하였으나 모두 받지 않았다 한다.

35 荷蕢丈人: 곡식 따위를 담는 삼태기를 멘 장인(丈人, 노인)이란 뜻으로 춘추시대의 은자(隱者)이나 성명은 전하지 않는다. 《논어(論語)》 〈미자(微子)〉에 "자로(子路)가 공자를 수행하다가 뒤에 떨어져 있었는데, 지팡이로 삼태기를 메고 가는 장인을 만났다."라고 보인다.

漁 물고기잡을 어 遁 숨을 둔 巢 깃들일 소 荷 멜 하 蕢 삼태기 궤 潭 못 담 憔 파리할 초 悴 파리할 췌 槁 마를 고 醒 깰 성

漁父曰 聖人은 不凝滯於物하여 而能與世推移하나니 世人皆濁이어든 何不淈(굴)其泥而揚其波하며 衆人皆醉어든 何不餔其糟而歠(철)其釃하고 何故深思高擧하여 自令放爲오【餔, 食也. 歠, 飮也. 糟·釃, 皆酒滓也. 以水齊糟曰釃, 薄酒也.】

어부가 말하였다.

"성인(聖人)은 사물에 막히거나 얽매이지 않고 세상을 따라 변하여 옮겨가니, 세상 사람들이 모두 탁하거든 어찌하여 그 진흙을 휘젓고 그 흙탕물을 일으키지 않으며, 여러 사람들이 모두 취하였거든 어찌하여 그 술지게미를 먹고 그 맛없는 술을 마시지 않고, 무슨 연고로 깊이 생각하고 고상하게 행동하여 스스로 추방을 당하게 한단 말인가."【'포(餔)'는 먹음이고 '철(歠)'은 마심이다. '조(糟)'와 '리(釃)'는 모두 술지게미이다. 물을 술지게미에 섞은 것을 '리(釃)'라고 하니, 박주(薄酒, 맛이 없는 술)이다.】

屈原曰 吾聞之하니 新沐者는 必彈冠하고 新浴者는 必振衣라하니 安能以身之察察로 受物之汶汶者乎아【察察, 潔白色. 汶汶, 沾辱也. 振, 音正. 汶, 音問.】寧赴湘流하여 葬於江魚之腹中이언정 安能以皓皓之白으로 而蒙世俗之塵埃乎아【湘, 史作常, 音長. 葬上, 史有而字. 於, 史作乎. 一無之字. 中下, 史有耳字. 皓皓, 一作皎皎. 一無而字. 塵埃, 史作温蠖. 若從諸本, 則埃叶衣字, 作於支反, 若從史, 則白叶蒲各反, 蠖於郭反而二字自相叶矣. ○温蠖, 猶惛憒也.】

이에 굴원이 대답하였다.

"내가 들으니, '새로 머리를 감은 자는 반드시 갓을 털어서 쓰고, 새로 몸을 씻은 자는 반드시 옷을 털어서 입는다.' 한다. 어찌 깨끗한 몸으로 남의 더러움을 받는단 말인가.【'찰찰(察察)'은 결백한 색깔이고 '문문(汶汶)'은 점욕(沾辱, 오점)이다. '진(振)'은 음이 정(正)이고 '문(汶)'은 음이 문(問)이다.】내 차라리 소상강(瀟湘江) 강물에 달려들어서 강 물고기의 뱃속에 장사지낼지언정 어찌 희디흰 결백한 몸으로 세속의 먼지를 뒤집어쓴단 말인가."【'상(湘)'은 《사기》에 '상(常)'으로 되어 있으니, 음이 장(長)이다. '장(葬)' 자 위에 《사기》에는 '이(而)' 자가 있다. '어(於)'는 《사기》에 '호(乎)'로 되어 있다. 일본(一本)에는 '지(之)' 자가 없다. '중(中)' 자 아래에 《사기》에는 '이(耳)' 자가 있다. '호호(皓皓)'는 일본에는 '교교(皎皎)'로 되어 있고, 일본에는 '이(而)' 자가 없다. '진애(塵埃)'는 《사기》에 '온확(温蠖)'으로 되어 있다. 만약 제본(諸本)을 따르면 '애(埃)'는 '의(衣)' 자와 협운(叶韻)이 되어 어(於)·지(支)의 반절(反切)

滯 막힐 체 淈 흐릴 굴 泥 진흙 니 餔 먹을 포 糟 지게미 조 歠 마실 철 釃 맑은술 리
沐 머리감을 목 彈 탄 탄 汶 더러울 문 皓 흴 호 埃 먼지 애

이고, 만약《사기》를 따르면 '백(白)'은 협운으로 포(蒲)·각(各)의 반절이고, '확(蠖)'은 어(於)·곽(郭)의 반절이어서 두 글자가 절로 서로 협운이 된다. ○ '온확(溫蠖)'은 혼궤(惛憒, 혼미하고 몽롱함)와 같다.】

漁父莞爾而笑하고 鼓枻(예)而去하여 乃歌曰 滄浪之水淸兮어든 可以濯吾纓이요 滄浪之水濁兮어든 可以濯吾足이로다 遂去하여 不復與言하니라【莞, 胡板反. 枻, 一作曳, 一無乃字. 吾, 一作我, 下句同. 濁, 叶, 竹六反. ○ 莞, 微笑貌, 鼓枻, 扣船舷也. 滄浪之水, 卽漢水之下流也, 見禹貢. 纓, 冠索也.】

이에 어부가 빙그레 웃고는 뱃전을 두드리고 떠나가면서 다음과 같이 노래하였다.
"창랑(滄浪)의 물이 맑으면 내 갓끈을 씻고 창랑의 물이 흐리면 내 발을 씻으리라."
그는 마침내 떠나가서 다시는 그와 더불어 말하지 못하였다.【'완(莞)'은 호(胡)·판(板)의 반절이다. '예(枻)'는 일본에는 '예(曳)'로 되어 있고, 일본에는 '내(乃)' 자가 없다. '오(吾)'는 일본에는 '아(我)' 자로 되어 있으니, 아래 구도 같다. '탁(濁)'은 협운으로 죽(竹)·육(六)의 반절이다. ○ '완(莞)'은 미소 짓는 모습이고, '고예(鼓枻)'는 뱃전을 두드리는 것이다. 창랑(滄浪)의 물은 바로 한수(漢水)의 하류이니,《서경(書經)》〈하서(夏書) 우공(禹貢)〉에 보인다. '영(纓)'은 갓의 끈이다.】

··· 莞 웃을 완 枻 노 예 滄 찰 창 纓 갓끈 영

상진황축객서上秦皇逐客書

이사李斯

• 작가소개

이사(李斯, ?~B.C.208)는 전국시대 말기 초(楚)나라 상채(上蔡) 사람으로 한비(韓非)와 함께 순자(荀子, 순경(荀卿), 순황(荀況))에게 수학하였다. 처음에 승상(丞相) 여불위(呂不韋)의 사인(舍人)이 되었는데, 뒤에 중국을 통일할 방도를 가지고 진왕(秦王) 영정(嬴政, 시황제)을 설득하여 객경(客卿)이 되었다. '객경'이란 외국인이 진나라에 와서 벼슬하여 경(卿)의 지위에 오름을 이른다. 시황제가 6국(國)을 통일한 뒤에는 봉건제(封建制)를 폐지하고 군현제(郡縣制)를 시행하여 승상으로 승진하였고, 민간에서 보유한 시서(詩書) 및 백가(百家)의 책을 불태우고 이에 반대하는 선비들을 묻어 죽여 소위 '분서갱유(焚書坑儒)'를 자행하였다. 시황제가 죽은 후 환관 조고(趙高)와 공모하여 막내아들 호해(胡亥)를 2세 황제로 옹립하고 시황제의 장자 부소(扶蘇)와 장군 몽염(蒙恬)을 자살하게 하였는데, 얼마 후 조고의 참소로 투옥되어 요참형(腰斬刑)을 당하고 삼족(三族)이 멸하였으며 진나라는 곧 멸망하였다. 이사는 서법(書法)에도 뛰어나 진예(秦隸)를 만들고 많은 비문이 그의 손에서 나왔다.

• 작품개요

이 글은 〈간축객서(諫逐客書)〉라고 약칭하기도 하는바, 시황제 10년(B.C.237)에 이사가 시황제에게 올린 주의문(奏議文)이다. 이때 진나라와 국경을 접하고 있던 한(韓)나라는 진나라의 강성함을 두려워하여 정국(鄭國)을 진나라에 파견해서 간첩 활동을 하도록 하였다. 정국은 수리사업을 일으켜 진나라의 재정을 소모시켜 진나라가 한나라를 공격할 여력이 없게 만들려 하였다. 그런데 이 일이 발각되자, 객경이 중용되어 자신들의 권세가 약화된 종실대신(宗室大臣)들이 이 틈을 타서 진왕에게 객경을 몰아낼 것을 주청하였다. 이에 이사 역시 쫓겨나게 되자, 진왕에게 이 글을 써 올렸다.

이 글의 주된 수사법은 '비유(比喩)'로, 작품 전체가 비유로 구성되어 있다고 말할 수 있다. 또한 문장의 짜임새에 곡절과 변화가 많고 일정한 순서가 있으며, 문단 간의 연결이 매우 뛰어나다. 작자는 고금의 인물과 사례를 열거하는데 그 중에 역대의 객경들이 진나라의 부강을 위해 세운 큰 업적과 진왕의 눈앞에 바쳐진 제후국들의 음악과 여인, 보물에 이르기까지 크고 작은 일들을 들어 진나라에서 생산된 물건이어야만 한다는 주장의 잘못을 논파하였다. 또 대우(對偶)와 배비(排比)를 많이 사용하고 반복 논증하여 독자를 강하게 설득하였다. 객경을 쫓아내는 것은 반드시 진나라의 위태로움을 초치할 것임을 지적하였기에 결국 진왕으로 하여금 축객령을 거두어들이게 하였고 이사 역시 본래의 직위를 회복하게 되었다.

전문은 네 단락으로 구성되어 있다. 첫 번째 단락에서는 역사적 사실을 가지고 객경이 진나라에 대해서 매우 큰 공헌을 하였음을 밝혔는데, 축객의 잘못됨을 논증하기 위해 그 논거를 제시하고 있다. 두 번째 단락에서는 진나라 산물이 아닌 것들에 대해 진왕이 매우 좋아하면서 사람에 대해서만은 다른 태도를 취하고 있음이 옳지 않다고 지적하였다. 세 번째 단락에서는 객경들을 몰아서 쫓아내는 것이 적국에게 유리하고 진나라에 불리함을 논술하고 있다. 가장 마지막 단락에서는 글 전체를 수습하면서 축객이 진나라의 안위와 직결되고 있다는 것을 한층 더 강조하고 있다.

篇題小註·· 迂齋云 此는 先秦古書也라 中間兩三節이 一反一覆하고 一起一伏하여 略加轉換數介字로되 而精神愈出하고 意思愈明하여 無限曲折變態하니 誰謂文章之妙不在虛字助詞乎아

우재(迂齋)가 말하였다. "이는 선진(先秦)의 고문(古文, 옛 글)이다. 중간에 두세 절(節)은 한번은 반쯤 뒤치고 한번은 완전히 뒤치며 한번은 높이고 한번은 낮추어, 대략 몇 글자를 바꾸어 놓았을 뿐인데도 정신이 더욱 새롭고 의사가 더욱 분명하여 무한한 곡절과 변태(變態)가 있으니, 문장의 묘함이 허자(虛字)와 조사(助詞)에 있지 않다고 그 누가 말하겠는가."

○ 秦始皇十年에 宗室大臣이 議曰 諸侯人來仕者는 皆爲其主遊間耳니 宜一切逐之하소서 하니 客卿楚人李斯亦在逐中이라 行且上此書어늘 乃召斯하여 復其官하고 除逐客之令하다 此篇은 反覆言客之有功於秦하니 援秦旣往之明効하여 以爲事實호되 而擧輕明重하여 卽珍寶

服玩聲色之事以證之하니 文亦奇矣라 斯謂客何負於秦이나 然秦卒相斯어늘 斯乃附趙高하여 殺扶蘇하고 立胡亥하여 卒使秦喪天下[36]하니 是秦無負於客이로되 而客眞有負於秦이 大矣라 且韓非亦客于秦耳[37]라 秦王이 悅之未用이러니 斯乃譖之하여 以爲非終於爲韓이요 計不爲秦也라하니 己以客逐이면 則以書爭之하고 非以客來면 則以讒殺之하니 斯眞傾險不忠之人哉인저 或曰 今選古文에 卽以此篇으로 次於楚辭하니 其文雖美나 如其人何오 曰 不可以其人廢其文也라 且以離騷壓卷하여 以忠臣爲萬世勸也하고 以此書次之하여 以姦臣爲萬世戒也하니 勸戒昭然이라 讀古文而首明此 豈無小補云이리오

진 시황(秦始皇) 10년(B.C.237)에 종실(宗室)의 대신들이 의론하기를 "제후국의 사람으로서 진나라에 와서 벼슬하는 자들은 모두 자기 나라의 군주를 위하여 유세(遊說)하며 이간질할 뿐이니, 마땅히 일체 축출하여야 합니다." 하였는데, 이때 객경(客卿)인 초(楚)나라 사람 이사(李斯)도 쫓겨나는 사람 속에 들어 있었다. 그는 길을 떠나면서 한편으로 이 글을 올렸는데, 시황은 마침내 이사를 불러 그의 관직을 회복시키고 객경을 축출하는 명령을 철회하였다.

이 편은 객이 진나라에 공이 있음을 반복하여 말하였는데, 진나라의 이미 지나간 분명한 효험을 원용(援用)하여 사실로 삼았는바, 가벼운 것을 들어 중한 것을 밝혀서 귀한 보물과 복식과 완호(玩好), 음악과 여색의 일을 가지고 증명하였으니, 글이 또한 기이하다.

이사는 "객이 어찌 진나라를 저버렸겠습니까?"라고 말하였다. 그러나 진나라는 끝내 이사를 정승으로 삼았는데, 이사는 마침내 조고(趙高)에게 붙어 장자(長子)인 부소(扶蘇)를 죽이고 호해(胡亥)를 세워 끝내 진나라로 하여금 천하를 잃게 하였으니, 진나라는 객을 저버린 일이 없었으나 객은 진실로 진나라를 크게 저버린 것이다. 그리고 한비(韓非) 또한 진나라의 객이었는데, 진왕(秦王)이 그를 좋아하였으나 아직 등용하지 않았다. 이사는 마침내 그를 참소하여 "한비는 끝내 한(韓)나라를 위할

---

36 斯乃附趙高……卒使秦喪天下: 부소(扶蘇)는 시황제의 큰 아들로 성품이 인자하고 원만하여 시황제의 분서갱유를 반대하다가 시황제의 노여움을 사고 쫓겨나 당시 장성을 쌓던 장군 몽염(蒙恬)의 군대를 감독하였다. 시황제 37년(B.C.210)에 시황제가 동쪽을 순행하다가 병이 위독해지자 장자 부소에게 후사(後事)를 위임하는 조서(詔書)를 남기고 죽었다. 이때 시황제를 수행했던 이사(李斯)와 조고(趙高)는 변란(變亂)이 있을까 염려하여 시황제의 유언을 감추고, 온량거(轀輬車, 냉동 장치)에 시신을 안치하고 썩는 냄새를 감추기 위하여 소금에 절인 어물을 함께 실어서 함양으로 운구하였다. 이어서 시황제의 조서를 위조하여 부소와 장군 몽염을 함께 사사(賜死)하고, 호해를 세워 이세 황제(二世皇帝)로 옹립하였다. 이후 조고의 농간으로 인해 진나라는 얼마 안 있어 멸망하였다.《史記 卷6 秦始皇本紀》

37 韓非亦客于秦耳: 한비(韓非)는 전국시대 한(韓)나라의 공자이며 고대 법가사상의 집대성자로《한비자(韓非子)》의 저자이다. 이사와 함께 순자(荀子)에게서 수학하였다. 당시 진(秦)나라가 수시로 한나라를 공격하자, 한비가 진나라에 사신을 가게 되었다. 시황제가 한비를 좋아하였으나 이사의 모함으로 결국 죽임을 당하였다.

··· 援 당길 원 玩 완미할, 노리개 완 譖 참소할 참 傾 기울 경 壓 누를 압

것이요 계책을 세워 진나라를 위하지 않을 것입니다." 하였다. 자신이 객경으로서 쫓겨나게 되면 글로써 간쟁하고, 한비가 객으로 오면 참소하는 말로 죽였으니, 이사는 참으로 경험(傾險, 속이고 음험함)하고 불충(不忠)한 사람일 것이다.

혹자는 말하기를 "이제 고문(古文)을 뽑으면서 곧 이 편을 《초사(楚辭)》 다음에 차례하였으니, 그 문장은 비록 아름다우나 사람이 악함에 어쩌겠는가?" 하기에, 나는 다음과 같이 대답하였다. "그 사람이 악하다 하여 그 글까지 버려서는 안 된다. 또 〈이소〉를 책머리에 두어 충신으로써 만대에 권면(勸勉)하고, 이 편을 다음에 놓아 간신으로써 만대에 경계하였으니, 권면과 경계가 분명하다. 고문을 읽으면서 먼저 이것을 안다면 어찌 작은 도움이 없겠는가."

• **原文**

臣聞吏議逐客[38]이라하니 竊以爲過矣라하노이다 昔者에 繆(穆)公[39]은 求士하여【不引前代他國事, 只說秦事.】 西取由余於戎하고 東得百里奚於宛하고 迎蹇叔於宋하고 來丕豹, 公孫支於晉[40]하니 此五子者는 不產於秦이로되 而繆公用之하여 幷國二十하여 遂霸西戎하니이다

신은 듣건대, 관리들이 객(客)을 축출할 것을 의론한다 하니, 저는 이것을 잘못이라고 여깁

---

38 臣聞吏議逐客: 《고문관지(古文觀止)》 등에는 이 앞에 "진나라 종실 대신들이 모두 진왕에게 말하기를 '제후국의 사람으로서 와서 진나라를 섬기는 자들은 대저 자기 나라 군주를 위해 진나라에서 유세하고 이간질할 뿐이니, 일체 축출할 것을 청합니다.' 하였다. 의론하여 이사 또한 축출하는 가운데에 들어 있으니, 이사는 마침내 글을 올렸다.〔秦宗室大臣皆言秦王曰 諸侯人來事秦者 大抵爲其主 游間於秦耳 請一切逐客 斯議亦在逐中 斯乃上書曰〕"라는 동기의 글이 실려 있다.

39 繆公: 목공(穆公)으로도 표기하는바, 이름이 임호(任好)로 재위(在位) 기간이 39년(B.C.659~B.C.621)이었다. 유명한 인물을 등용하여 춘추시대 오패(五霸)의 하나가 되었으나 그가 죽을 적에 자거씨(子車氏)의 세 아들을 순장(殉葬)하는 잘못을 저질렀다 하여 시호를 목공(繆公)으로 쓰기도 하였다. '목(繆)'은 나쁜 시호인바, 이사가 목공의 업적을 찬양하면서 나쁜 시호를 쓸 리가 없다.

40 西取由余於戎……來丕豹公孫支於晉: 유여(由余)는 진(晉)나라 사람으로 서융(西戎)에 망명해 있었는데, 서융에서 사신으로 오자 목공은 그를 서융과 이간질시키고 등용해서 융족(戎族)을 멸망시키고 서융의 패자가 되었다. 백리해(百里奚)는 초(楚)나라 사람으로 우(虞)나라에서 벼슬하다가 우나라가 망하자 초나라에 포로가 되어 있었는데, 목공의 주선으로 정승이 된 지 7년 만에 진나라가 패자가 되었다. 건숙(蹇叔)은 진(秦)나라 사람으로 송(宋)나라에 가 있었는데, 백리해의 천거로 상대부(上大夫)가 되었다. 비표(丕豹)는 《춘추좌씨전(春秋左氏傳)》에는 비표(丕豹)로 표기되어있는바, 진(晉)나라의 대부(大夫)인 비정(丕鄭)의 아들로 아버지가 진 혜공(晉惠公)에게 살해당하자 진(秦)나라로 망명하였다. 공손지(公孫支)는 공손지(公孫枝)로도 표기하는바, 진(秦)나라 사람으로 처음에는 진(晉)나라에 가 있었으나 뒤에 진나라로 돌아와 등용되었다.

… 竊 훔칠 절 繆 나쁜시호 목 穆 화목할 목 奚 어찌 해 宛 굽을 완 蹇 절룩거릴 건 丕 클 비
豹 표범 표 霸 으뜸 패

니다. 옛적에 목공(穆公)은 인재를 구하여【전대의 타국의 일을 인용하지 않고 다만 진(秦)나라의 일을 말하였다.】서쪽으로 유여(由余)를 융(戎)에서 취하고, 동쪽으로 백리해(百里奚)를 완읍(宛邑)에서 얻었으며, 건숙(蹇叔)을 송(宋)나라에서 맞이하고, 비표(丕豹)와 공손지(公孫支)를 진(晉)나라에서 오게 하였으니, 이 다섯 사람은 진(秦)나라에서 출생하지 않았으나 목공이 이들을 등용하여 20개국을 겸병(兼幷)함으로써 마침내 서융(西戎)에서 패자(霸者)가 되었습니다.

孝公은 用商鞅之法[41]하여 移風易俗하여 民以殷盛하고 國以富强하며 百姓樂用하고 諸侯親服하여 獲楚, 魏之師하고 擧地千里하여 至今治强하니이다

효공(孝公)은 상앙(商鞅)의 법을 써서 풍속을 변혁시켜 백성들이 이 때문에 번성하고 나라가 이 때문에 부강해졌으며, 백성들이 〈국가를 위해〉 쓰이기를 좋아하고 제후들이 가까이 하고 복종하였습니다. 그리하여 초(楚), 위(魏)의 군대를 사로잡고 땅을 천 리나 점령하여 지금까지도 나라가 잘 다스려지고 강성합니다.

惠王은 用張儀之計하여 拔三川之地하고 西幷巴, 蜀하고 北收上郡하고 南取漢中하며 包九夷하고 制鄢(언), 郢(영)[42]하며 東據成皐之險하고 割膏腴之壤하여 遂散六國之從[43]하여 使之西面事秦하여 功施(이)到今하니이다

41 孝公用商鞅之法: 효공은 목공의 15세손으로 이름이 거량(渠梁)인데, 재위 기간이 24년(B.C.361~B.C.338)이었다. 상앙(商鞅, B.C.390~B.C.338)은 위(衛)나라 사람으로 성(姓)이 공손(公孫)이고 이름이 앙(鞅)인데, 뒤에 상(商)·오(於)의 땅에 봉해졌으므로 상앙 또는 상군(商君)이라 칭하였으며, 위앙(衛鞅)으로도 불렸다. 상앙은 형명가(刑名家)로, 효공에게 등용되어 개혁을 단행한 지 10년에 법치국가를 만들고 부국강병을 이룩하였으나, 효공이 죽자 진나라에서 죽임을 당하였다.

42 惠王……制鄢, 郢: 혜왕은 혜문왕(惠文王)으로 이름이 사(駟)인데, 재위 기간이 27년(B.C.337~B.C.311)이었다. 효공(孝公)의 아들인데 즉위 13년에 왕을 참칭(僭稱)하였다. 장의(張儀, ?~B.C.309)는 위(魏)나라 사람으로 소진(蘇秦)과 함께 귀곡자(鬼谷子)에게 수학하였는데, 혜왕에게 등용되어 정승이 되고 위나라를 압박하여 상군(上郡)을 바치게 하였으며, 육국(六國)의 합종(合從)을 와해시키고 초(楚)나라의 한중(漢中) 땅을 점령하였다. 삼천(三川)의 땅은 현재 하남성(河南省)의 황하(黃河)·낙하(洛河)·이하(伊河) 세 물이 흐르는 유역이며, 파(巴)·촉(蜀)은 옛날 사천성(四川省)에 있었던 나라로 파는 지금의 중경(重慶)이고 촉은 지금의 사천성 지역인데 진나라는 이곳에 파군(巴郡)과 촉군(蜀郡)을 설치하였다. 상군(上郡)은 지금의 섬서성(陝西省) 북부 지역이며, 구이(九夷)는 많은 이민족을 가리키고, 언(鄢)과 영(郢)은 모두 초나라 땅으로 지금의 호북성(湖北省) 일대인바, 영은 초나라의 수도였다.

43 六國之從: 육국은 당시 칠웅(七雄)에서 진(秦)나라를 제외한 강대국으로 초(楚)·연(燕)·제(齊)·한(韓)·위(魏)·조(趙)이다. 합종은 합종(合縱)으로도 표기하는바, 이들 여섯 나라가 연합하여 종대(縱隊)가 되어 진나라에 항거함을 이르며, 이와 반대로 연횡(連衡)은 이들 여섯 나라가 연합하여 횡대가 되어 진나라를 섬김을 이른다.

··· 鞅 고삐 앙 殷 성할 은 蜀 나라이름 촉 鄢 땅이름 언 郢 초나라서울 영 腴 기름질 유 施 미칠 이

혜왕(惠王)은 장의(張儀)의 계책을 사용하여 삼천(三川)의 땅을 점령하고 서쪽으로는 파(巴)·촉(蜀)의 땅을 겸병하였으며, 북쪽으로는 상군(上郡)을 거두어들이고, 남쪽으로는 한중(漢中)을 취하였으며, 구이(九夷, 수많은 이적(夷狄))를 포괄하고 언(鄢)·영(郢)을 제압하였으며, 동쪽으로는 성고(成皐)의 험한 지형을 점거하고 기름진 땅을 할양받아 마침내 육국(六國)의 종약(從約)을 해산시켜 그들로 하여금 서쪽을 향해 진나라를 섬기게 하여 공(功)이 지금까지 이어지고 있습니다.

昭王은 得范雎하여 廢穰侯, 逐華陽하여 彊公室, 杜私門[44]하며 蠶食諸侯하여 使秦成帝業하시니 此四君者는 皆以客之功하시니 由此觀之컨대 客何負於秦哉잇가【結得斬截, 正說已盡, 又反說.】向使四君이 却客而不內(納)하고 疎士而不用이런들 是는 使國無富利之實이요 而秦無彊大之名也리이다

소왕(昭王)은 범수(范雎)를 얻어 양후(穰侯, 위염(魏冉))를 폐출하고 화양군(華陽君, 미융(羋戎))을 축출하여 공실(公室)을 강화시키고 사문(私門)을 막았으며 제후들을 잠식(蠶食)하여 진나라로 하여금 황제의 기업(基業)을 이룩하게 하였습니다.

이 네 군주는 모두 객들의 공(功)으로 성공하셨으니, 이로써 본다면 객들이 언제 진나라를 저버렸습니까.【끝맺음이 참절(斬截, 준엄)하니, 정설(正說, 바르게 말함)이 이미 끝나자 또 반설(反說, 뒤집어 반대로 말함)을 하였다.】

그때에 가령 네 군주가 객을 물리치고 받아들이지 않으며 선비를 물리치고 쓰지 않았더라면 이는 국가로 하여금 부강해지고 이로워지는 실상이 없었을 것이요, 진나라로 하여금 강대(彊大)하다는 명성이 없게 하였을 것입니다.

---

44 昭王……杜私門: 소왕(昭王)은 혜왕의 아들인 소양왕(昭襄王)으로 이름이 직(稷)인데, 재위 기간이 56년(B.C.306~B.C.251)이었다. 범수(范雎, ?~B.C.225)는 위(魏)나라 사람으로 진나라에 들어가 원교근공책(遠交近攻策)으로 소왕을 설득해서 정승이 되어 왕권을 강화하였다. 범수는 우리나라에서 오랫동안 이렇게 읽어왔으나 범저(范雎)로 읽는 것이 옳다 한다. 양후(穰侯)는 바로 위염(魏冉)으로 소양왕의 어머니인 선태후(宣太后)의 아비가 다른 아우인데, 정승이 되어 양(穰) 땅에 봉해졌으므로 이렇게 칭한 것이다. 화양군(華陽君)은 이름이 미융(羋戎)으로 선태후의 아비가 같은 아우인데, 화양에 봉해졌으므로 이렇게 칭한 것이다. 위염과 미융은 선태후의 총애와 세력을 등에 업고 권력을 전횡하였으나 범수의 계책으로 모두 실각하였다. 공실(公室)은 왕실을 가리키고 사문(私門)은 권신의 가문을 이르는바, 바로 위에서 말한 위염과 미융 등을 가리킨 것이다.

… 范 성범 雎 흘겨볼 수 穰 풍년 양 蠶 누에 잠 向 지난번 향 却 물리칠 각

今陛下致昆山之玉하고 有隨, 和之寶하고 垂明月之珠하고 服太阿之劍하고 乘纖離之馬하고 建翠鳳之旗하고 樹靈鼉(타)之鼓[45]하시니 此數寶者는 秦不生一焉이어늘【擧輕明重, 與五子者不産於秦 同一句法.】而陛下說(열)之는 何也잇고 必秦國之所生然後에 可인댄【上面節, 只是順說, 又倒說, 有無限精神.】則是夜光之璧이 不飾朝廷이요 犀, 象之器 不爲玩好요 鄭, 衛之女 不充後宮이요 而駿良駃騠(결제) 不實外廏요 江南金, 錫이 不爲用이요 西蜀丹靑이 不爲采며 所以飾後宮, 充下陳하고 娛心意, 說耳目者가 必出於秦然後에 可인댄【將上面, 反說一兩項, 又倒一倒, 不覺重疊, 愈覺精采.】則是宛珠之簪과 傅璣之珥와 阿縞之衣[46]와 錦繡之飾이 不進於前이요 而隨俗雅化하여 佳冶窈窕趙女 不立於側也리이다

지금 폐하께서는 곤산(崑山)의 옥(玉)을 가져오시고 수후(隨侯)의 구슬과 화씨(和氏)의 보배를 소유하시며, 명월주(明月珠)를 드리우고 태아(太阿)라는 검(劍)을 차시며, 섬리(纖離)라는 말을 타시고 취봉(翠鳳)으로 만든 기(旗)를 꽂으시며, 영타(靈鼉)의 북을 세워놓고 계십니다. 이 몇 가지 보물은 진나라에서는 하나도 생산되지 않는데도【가벼운 것을 들어 중한 것을 밝혔으니, '다섯 사람이 진나라에서 태어나지 않았다.'는 것과 동일한 구법(句法)이다.】 폐하께서 좋아하시는 것은 어째서입니까.

반드시 진나라에서 생산된 것이어야 한다면【윗절은 다만 순히 말하였고, 또다시 거꾸로 말하여 무한한 정채(精采)가 있다.】 야광주(夜光珠)가 조정에 꾸며지지 못할 것이요, 서각(犀角)과 상아(象牙)로 만든 기물(器物)이 완호품이 되지 못할 것이며, 정(鄭) · 위(衛)의 미녀들이 후궁(後宮)에

---

45 致昆山之玉……樹靈鼉之鼓: 곤산(昆山)은 곤륜산(崑崙山)으로 이곳에서 옥(玉)이 많이 생산된다. 수(隨), 화(和)는 수후(隨侯)의 진주(眞珠)와 변화(卞和)의 벽옥(璧玉)인데, 전설에 수나라 임금이 뱀을 살려주자 그 뱀이 보답으로 진주를 주었다 한다. 변화는 초(楚)나라 사람으로 형산(荊山)에서 박옥(璞玉, 옥덩이)을 얻었는데, 여기에서 좋은 옥이 나왔으므로 그의 이름을 따서 화씨벽(和氏璧)이라 하였는바, 뒤에 진(秦)나라에 들어가 황제의 옥새가 되었다. 원문의 '명월지주(明月之珠)'는 달처럼 광채가 나는 진주이며, '태아(太阿)'는 보검(寶劍)의 이름이고, '섬리(纖離)'는 옛날 명마(名馬)의 이름이다. '취봉지기(翠鳳之旗)'는 푸른 깃털로 만든 봉황새 모양의 깃발이며, '영타지고(靈鼉之鼓)'는 악어가죽으로 만든 북인데 옛날 악어를 신령스러운 물건이라 하여 '영(靈)' 자를 붙인 것이다.

46 充下陳……阿縞之衣: '정위지녀(鄭衛之女)'는 정나라와 위나라의 여자로 이들 지역에는 예로부터 음탕한 음악이 유행하였는바, 여기에서는 외국의 미녀를 가리킨 것이다. 아래에 보이는 조녀(趙女)도 이와 같다. '결제(駃騠)'는 북적(北狄)에서 나오는 명마(名馬)이며, '단청(丹靑)'은 단청에 사용하는 주사(朱砂)와 공청(空靑)이다. '하진(下陳)'은 뒤의 열(列)이란 뜻으로 시첩(侍妾)을 가리킨다. '완주지잠(宛珠之簪)'은 완읍(宛邑)에서 나오는 주옥으로 꾸민 화잠(花簪)이며 '부기지이(傅璣之珥)'는 부(傅)는 부(附)와 통하고 기(璣)는 작은 옥으로, 작은 옥을 단 귀고리옥을 가리킨다. '아호(阿縞)'는 제(齊)나라 동아(東阿)에서 생산되는 흰 비단이다.

纖 고울 섬 翠 비취 취 鼉 악어 타 犀 무소 서 駃 준마 결 騠 준마 제 廏 마구간 구
宛 땅이름 완 簪 비녀 잠 璣 구슬 기 珥 귀고리 이 縞 명주 호 窈 암전할 요
窕 암전할 조 側 곁 측

채워지지 못할 것이요, 준마(駿馬)인 결제(駃騠)가 바깥 마굿간에 채워지지 못할 것이며, 강남(江南)지방에서 나오는 금과 주석이 쓰이지 못하고 서촉(西蜀)에서 나오는 단청(丹靑)이 채색으로 쓰이지 못할 것입니다.

후궁을 꾸미고 하진(下陳, 시첩(侍妾))을 채워 마음과 뜻을 즐겁게 하고 눈과 귀를 기쁘게 하는 것이 반드시 진나라에서 나온 것이어야 한다면【상면을 가지고 한두 조항을 뒤집어 말하고, 또 뒤집고 한 번 뒤집어 중첩됨을 깨닫지 못하니, 더욱 정채로움을 깨닫게 한다.】 완읍(宛邑)에서 나오는 구슬로 만든 비녀와 부기(傅璣)로 만든 귀걸이와 아(阿)땅에서 생산되는 흰 비단으로 만든 옷과 금박(金箔)과 수놓은 비단으로 만든 장식이 앞에 나오지 못할 것이며, 풍속(유행)을 따라 우아하게 변화해서 곱게 단장한 예쁜 조(趙) 지방의 미녀가 곁에 서있지 못할 것입니다.

夫擊甕叩缶하고 彈箏搏髀(탄쟁박비)하여 而歌呼嗚嗚하여 快耳目者는 眞秦之聲也요 鄭, 衛桑間과 韶虞, 象武者[47]는 異國之樂也니이다【以韶虞與鄭 · 衛竝說, 此戰國之習.】 今棄擊甕叩缶而就鄭, 衛하며 退彈箏而取韶虞하니 若是者는 何也오 快意當前하여 適觀而已矣니이다【人才滿前, 適用而已矣.】 今取人則不然하여 不問可否하며 不論曲直하고 非秦者去하며 爲客者逐하니 然則是所重者는 在乎色樂珠玉이요 而所輕者는 在乎人民也니 此非所以跨海內, 制諸侯之術也니이다【說(세)始皇之辭.】

저 동이를 치고 질장구를 두드리며 쟁(箏)을 타고 넓적다리를 치면서 오오(嗚嗚)를 불러서 이목(耳目)을 상쾌하게 하는 것은 참으로 진나라의 음악이요, 정(鄭)나라와 위(衛)나라의 상간(桑間)과 소우(韶虞)와 상무(象武)는 다른 나라의 음악입니다.【소우(韶虞)와 정(鄭) · 위(衛)를 가지고 나란히 말하였으니, 이는 전국시대의 습관이다.】 지금 동이를 치고 질장구를 두드리는 것을 버리고 정나라와 위나라의 음악으로 나아가며, 쟁(箏)을 타는 것을 물리치고 소우(韶虞)를 취하니, 이와 같이 하는 것은 어째서입니까? 눈앞에서 마음을 상쾌하게 하여 보기에 적합하기 때문일 뿐입니다.【인재가 목전에 가득하면 적합하게 쓸 뿐이다.】

그런데 이제 인재를 취하는 것은 그렇지 않아서 가부(可否)를 묻지 않고 곡직(曲直)을 논하

47 鄭衛桑間 韶虞象武者: '상간(桑間)'은 위(衛)나라의 복수(濮水) 가에 있던 지명으로, 이곳에서 망국(亡國)의 음악이 나왔으므로 음탕한 음악을 비유하는 말로 쓰인다. 정(鄭) · 위(衛) 두 나라는 풍속이 음란하여 음악 역시 남녀간의 애정을 읊은 것이 많다. 소우(韶虞)는 순 임금의 음악이고 상무(象武)는 주 무왕(周武王)의 음악인데, 이 두 음악은 아악(雅樂)의 대표로 알려져 있다.

··· 甕 동이 옹 叩 두드릴 고 缶 질장구 부 箏 피리 쟁 搏 칠 박 髀 넓적다리 비 韶 풍류이름 소 跨 차지할 과

지 않고, 진나라 태생이 아닌 자는 제거하며 객이 된 자는 축출하니, 그렇다면 소중히 여기는 것은 색(色)과 음악(音樂)과 주옥(珠玉)에 있고 가벼이 여기는 것은 인민(人民, 인재)에 있는 것이니, 이는 해내(海內)를 차지하고 제후를 제어할 수 있는 방법이 아닙니다.【시황을 설득한 말이다.】

臣聞地廣者粟多하고 國大者人衆하고 兵强則士勇이라하니 是以로 泰山은 不讓土壤[48]故로 能成其大하고 河海는 不擇細流故로 能就其深하고 王者는 不却衆庶故로 能明其德이니이다 是以로 地無四方하고 民無異國하여 四時充美하고 鬼神降福하나니 此五帝, 三王[49]之所以無敵也니이다 今乃棄黔首[50]하여 以資敵國하고 卻賓客하여 以業諸侯하여【秦若不用, 必歸他國.】使天下之士로 退而不敢西向하여 裹足不入秦하니 此所謂藉寇兵而齎(재)盜糧者也니이다

신(臣)이 듣건대, 땅이 넓으면 생산되는 곡식이 많고 나라가 크면 인민이 많고 병력이 강하면 군사가 용감하다 하였습니다. 그러므로 태산(泰山)은 작은 흙덩이도 사양하지 않기 때문에 그 큼을 이루고, 하해(河海)는 작은 물도 가리지 않고 받아주기 때문에 그 깊음을 이루고, 왕자(王者)는 백성들을 물리치지 않기 때문에 그 덕(德)을 밝힐 수 있는 것입니다. 이 때문에 〈사방이 모두 왕의 땅이므로〉 땅은 사방에 한계가 없고 〈온 천하가 왕의 나라이므로〉 백성들은 이국(異國)이 없어서 사시(四時)에 아름다운 물건을 채우고 귀신이 복을 내리는 것이니, 이것이 오제(五帝)와 삼왕(三王)이 천하에 대적할 자가 없었던 이유입니다.

그런데 이제 〈왕께서는〉 마침내 검수(黔首, 백성)를 버려 적국을 도와주고, 빈객(賓客)을 물리쳐서 제후들에게 공업(功業)을 이루게 하여,【진(秦)나라에서 만약 쓰지 않으면 반드시 타국으로 돌아갈 것이다.】 천하의 선비들로 하여금 뒤로 물러나 감히 서쪽을 향하지 못하여 발을 싸매고 진나라로 들어오지 못하게 하시니, 이는 이른바 적에게 병기를 빌려주고 도적에게 양식을 갖다준다는 것입니다.

---

48 不讓土壤: 저본인 《상설고문진보(詳說古文眞寶)》에는 '불사토양(不辭土壤)'으로 되어 있으나 《통감절요(通鑑節要)》 〈후진기(後秦紀)〉와 《사기(史記)》 〈이사열전(李斯列傳)〉 등 다른 본에는 '사(辭)'가 '양(讓)'으로 되어 있으므로 고쳤음을 밝혀둔다.

49 五帝三王: '오제(五帝)'는 소호(少昊)·전욱(顓頊)·제곡(帝嚳)·제요(帝堯)·제순(帝舜)의 다섯 임금으로, 소호 대신 황제(黃帝)를 넣기도 하며, '삼왕(三王)'은 하(夏)의 우왕(禹王), 상(商)의 탕왕(湯王), 주(周)의 문왕(文王)·무왕(武王)이다.

50 黔首: 원래 검은 머리의 젊은 백성을 가리켰으나 후세에는 일반 백성을 가리키는 말로 사용하였다.

••• 粟 곡식 속 黔 검을 검 卻 물리칠 각 裹 쌀 과 藉 빌릴 자 寇 도적 구 齎 보낼 재

夫物不產於秦이로되 可寶者多하고 士不產於秦이로되 願忠者衆이어늘 今逐客以資敵國하고 損民以益讐하여 內自虛而外樹怨於諸侯하니 求國無危라도 不可得也리이다【末無求之之語, 唯以危語恐之, 此乃戰國遊說家數.】

물건이 진나라에서 생산되지 않았으나 보물로 여길 만한 것이 많고, 선비가 진나라에서 태어나지 않았으나 충성하기를 원하는 자가 많습니다. 그런데 이제 객을 축출하여 적국에 도와주고 백성을 버려 원수의 나라에 보태주어, 안으로는 스스로 비게 하고 밖으로는 제후들에게 원망을 심으니, 나라가 위태로움이 없기를 바라나 될 수 없을 것입니다.【끝에는 요구하는 말이 없고 오직 위태로운 말로 공갈을 하였으니, 이는 바로 전국시대 유세가의 술수이다.】

··· 讐 원수 수 樹 심을 수

추풍사秋風辭

한 무제漢武帝 유철劉徹

• 작가소개

한 무제(漢武帝, B.C.156~B.C.87)는 이름이 유철(劉徹)로, 자는 체(彘)이다. 전한(前漢) 경제(景帝) 유계(劉啓)의 아들로 기원전 4년(B.C.153)에 교동군왕(膠東郡王)에 봉해졌으며, 기원전 7년(B.C.150)에 태자에 책봉되었다. 경제가 후원(後元) 3년(B.C.141) 정월에 붕어하자 그 뒤를 이어 전한의 제7대 황제로 즉위하였다. 무제는 60년 가까이 재위하면서 정치, 경제, 문화 등 다양한 방면에서 수많은 치적을 쌓아 한(漢)나라의 국운을 흥기시켰는데, 그중에서도 특히 손에 꼽히는 업적은 동중서(董仲舒)의 '백가를 파출하고 유학만을 높여야 한다.〔罷黜百家 獨尊儒術〕'라는 주장을 받아들여서 태학(太學)을 건립하고 경술과(經術科)를 설행한 것과 국경 확장 사업을 벌여 흉노(匈奴), 월남(越南), 위만 조선(衛滿朝鮮) 등을 정벌하고 실크로드를 개척한 것이라고 할 수 있겠다. 그러나 무리한 정벌로 인하여 백성이 받게 된 폐해 역시 적지 않았고, 나중에는 사치를 좋아하며 방사(方士)와 방술(方術)을 신봉하다가 궁중에서 무고(巫蠱)의 변(變)[51]까지 일어나게 되었다. 후원 2년(B.C.87)에 오작

---

51 무고(巫蠱)의 변(變) : '무고(巫蠱)'란 일종의 저주행위로, 항아리나 그릇에 여러 마리의 독충(毒蟲)을 넣은 다음 서로 잡아먹게 하여 끝까지 남아있는 한 마리인 '고(蠱)'를 이용하여 다른 사람을 저주해 해치는 물건으로 삼는 것을 가리킨다. '무고의 변'은 무제 정화(征和) 원년(B.C.92)에 발생한 사건이다. 당시 무제의 병세가 위독해졌는데 태자 유거(劉據)와 사이가 좋지 못하였던 강충(江充)이 무제의 사후에 태자에게 처형을 당할까 두려워서 무제에게 "상께서 앓으시는 병환은 무고가 빌미가 되었습니다."라고 아뢰었다. 이에 무제가 강충에게 무고와 관련된 옥사(獄事)를 담당해 처리하도록 하자 강충이 태자의 궁(宮)에서 동목인(桐木人) 등을 찾아서 태자를 겁박하였으나 태자는 오히려 강충을 죽인 뒤에 군사를 일으켜 저항하였다. 결국 태자는 패하여 남쪽으로 도망가 자결하였다. 뒤에 무제가 태자에게 다른 의도가 없었음을 깨닫고 이 사건을 다시 조사하여 태자를 무함(誣陷)한 자들을 주살하거나 멸족시켰다. 또한 태자의 억울한 죽음을 불쌍하게 여겨서 사자궁(思子宮)을 짓고 호현(湖縣)에 귀래망사지대(歸來望思之臺)를 세웠으며, '여(戾)'라는 시호를 내렸다.

궁(五柞宮)에서 70세를 일기로 붕어하였다. 시호는 효무황제(孝武皇帝), 묘호는 세종(世宗)으로 무릉(茂陵)에 안장되었다.

• 작품개요

악부(樂府)의 잡가(雜歌) 가요의 하나이다. 이 글은 한 무제가 하동(河東) 지방에 행차하여 후토(后土)에게 제사하고 여러 신하들과 잔치하면서 읊은 것이다. 악부는 시체(詩體)의 이름으로 처음에는 악부라는 관서(官署)에서 채택, 또는 제작된 시가(詩歌)를 가리켰는데, 위(魏)·진(晉) 시대부터 악곡에 넣어 연주할 수 있는 시와 악부의 옛 제목을 모방한 작품까지도 모두 악부라 칭하였으며, 뒤에는 송대(宋代) 이후 사(詞)와 산곡(散曲)·극곡(劇曲)까지도 악곡에 맞출 수 있으면 또한 악부라 칭하였다. 한나라 혜제(惠帝) 때에 이미 악부 령(樂府令)이 있었는데, 무제가 교사(郊社)의 예(禮)를 정하여 처음으로 악부를 세워 궁정(宮廷)과 순행(巡行)·제사에 사용하는 음악을 관장하게 하고 겸하여 민간의 가사 가운데 악곡에 맞출 수 있는 것까지 채택한 다음 이연년(李延年)을 협률도위(協律都尉)로 삼은 데에서 악부라는 관서가 시작된 것이다.

이 작품의 내용과 구성은 《초사》 중 '구가(九歌)'에 보이는 신녀(神女)를 제사 지낸 노래의 영향을 받은 것으로 보인다. '가인(佳人)'이란 단어는 본래 《초사》에서 남녀 모두에 사용되었다. 하지만 한 무제 때에는 서왕모(西王母)나 기타 선녀와 관련된 전설이 많았고, 당시 한 무제의 행차 역시 선녀에 관한 신앙 때문이었던 점으로 보아 여기에서는 선녀로 보는 것이 타당할 듯하다. 구설(舊說)에는 군신(群臣)의 미덕을 '가인'에 비유한 것으로 보기도 하였으나 이는 지나치게 도덕적인 해석이라고 하겠다. 이 〈추풍사〉는 시상과 형식적인 측면에서 한 고조의 〈대풍가〉와 비슷하다.

篇題小註‥ 休齋云 詩變而爲騷하고 騷變而爲辭하니 皆可歌也요 辭則兼詩騷之聲而尤簡邃焉者라 漢武帝因祠后土於汾陰하고 作秋風辭하니 一章凡三易韻하여 其節短하고 其聲哀하니 此辭之權輿乎인저

휴재(休齋, 진지유(陳知柔))가 말하였다. "시(詩《시경》)가 변하여 소(騷)가 되고 소가 변하여 사(辭)가 되었으니, 이들은 모두 노래로 부를 수 있다. 사는 시와 소의 소리(음률)를 겸하였는데, 더욱 간결하고 깊다."

한 무제는 분음(汾陰, 분수의 남쪽)에서 후토(后土)에게 제사하고 〈추풍사〉를 지었는데, 한 장(章)은 무

… 邃 깊을 수 祠 제사 사 汾 물이름 분 權 저울추 권 輿 수레 여 幸 행차할 행 欣 기쁠 흔
燕 잔치 연 雁 기러기 안 泛 뜰 범 樓 다락 루

릇 세 번 운(韻)을 바꾸어 절(節, 리듬)이 짧고 소리가 애처로우니, 이는 사(辭)의 권여(權輿, 시초)이다.

• 原文

上이 行幸河東하여 祠后土하고 顧視帝京하고 欣然하여 中流에 與群臣飮燕할새 上歡甚하여 乃自作秋風辭하니

상(上, 황제)이 하동(河東)에 행차하여 후토(后土)에 제사하고는 제경(帝京, 장안(長安))을 돌아보고 흔쾌하여, 중류(中流)에 배를 띄워놓고 여러 신하들과 술을 마시고 잔치하였다. 이때 상은 몹시 기뻐서 마침내 스스로 추풍사(秋風辭)를 지었다.

曰 秋風起兮白雲飛하니 草木黃落兮雁南歸로다【禮記: "季秋之月, 草木黃落, 鴻雁來賓."】蘭有秀兮菊有芳하니 懷佳人兮不能忘이로다【佳人, 謂群臣也. ○此二韻一叶.】泛樓船兮濟汾河하니【應劭漢書注: "作大船上施樓, 號曰樓船."】橫中流兮揚素波로다【列女傳津吏女歌曰: "水揚波兮杳冥冥."[52]】簫鼓鳴兮發棹歌하니【發棹而歌.】歡樂極兮哀情多로다【列女傳陶答子妻曰: "樂極哀生."[53]】少壯幾時兮奈老何오【古長歌行: "少壯不努力, 老大徒傷悲." ○六韻一叶, 錯雜成章, 楚詞之體也.】

사(辭)는 다음과 같다. 曰

추풍이 일고 백운(白雲)이 나니 秋風起兮白雲飛
초목은 시들어 떨어지고 기러기는 남쪽으로 돌아오도다 草木黃落兮雁南歸

【《예기(禮記)》〈월령(月令)〉에 "계추(季秋, 9월)의 달에 풀과 나무의 잎이 누렇게 되어 떨어지고 기러기가

---

52 列女傳……水揚波兮杳冥冥: 조간자(趙簡子)가 황하(黃河)를 건너려 하는데, 나룻터의 아전[津吏]이 취하여 건널 수 없었다. 조간자가 노하여 그를 죽이려 하니, 그의 딸이 아비를 대신하여 삿대를 잡아 배를 건너 주며 부른 노래이다.

53 列女傳……樂極哀生: 도답자(陶答子)가 도(陶)를 다스린 지 3년이 지나도 명성은 얻지 못하고 집안의 재력(財力)만 세 배로 늘어나자 그 처가 여러 번 간하였으나 듣지 않았다. 5년 뒤에 집으로 돌아와 쉬는데 가족들이 다 축하하였으나 그 처만 아이를 안고 울자, 시어머니가 크게 노하였다. 이때 그 처가 한 말인데, 《열녀전》 저본에는 빠져 있으나 《문선(文選)》 주에 도답자 처의 말로 인용되었다.

손님으로 찾아온다." 하였다.】

난초는 꽃이 피고 국화는 향기로우니　　蘭有秀兮菊有芳

아름다운 분을 그리워하여 잊을 수 없도다　　懷佳人兮不能忘

【'가인(佳人)'은 신하들을 이른다. ○두 운에 하나는 협운(叶韻)이다.】

누선(樓船)을 띄워 분하(汾河)를 건너가니　　泛樓船兮濟汾河

【응소(應劭)의 《전한서(前漢書)》 주(注)에 "큰 배를 만들고 위에 누를 설치한 것을 이름하여 누선(樓船)이라 한다." 하였다.】

중류를 가로지르며 흰 물결 날리도다　　橫中流兮揚素波

【《열녀전(列女傳)》 〈조진여연(趙津女娟)〉에 진리(津吏, 나루나 교량을 담당한 관리)인 딸의 노래에 "물이 물결을 드날리니 아득히 적막하여라." 하였다.】

퉁소소리와 북소리 울리고 뱃노래를 부르니　　簫鼓鳴兮發棹歌

【노를 저으면서 노래하는 것이다.】

환락이 지극함에 슬픈 마음 많도다　　歡樂極兮哀情多

【《열녀전》 〈도답자처(陶答子妻)〉에 "즐거움이 극에 달하면 반드시 슬픔이 생겨난다." 하였다.】

젊을 때가 얼마나 되는가. 늙음을 어이하리　　少壯幾時兮奈老何

【옛 〈장가행(長歌行)〉에 "젊었을 때 노력하지 않으면 늙어서 공연히 슬픔에 잠기리라." 하였다. ○여섯 운에 하나는 협운(叶韻)이어서 뒤섞어 문장을 이루었으니, 초사(楚詞)의 체이다.】

과진론過秦論

가의賈誼

• 작가소개

가의(賈誼, B.C.200~B.C.168)는 낙양(洛陽) 사람으로 전한(前漢) 문제(文帝) 때의 저명한 정치가이자 문학가이다. 18세에 명성이 알려져 하남수(河南守) 오공(吳公)의 천거로 20여 세에 문제의 부름을 받아 박사(博士)가 되자, 개혁을 단행하려 하였다. 그러나 23세 때 주발(周勃) 등 당시 대신들의 반대로 장사왕(長沙王)의 태부(太傅)로 좌천되었다. 4년 뒤 문제의 막내아들인 양왕(梁王)의 태부가 되었으나 왕이 낙마하여 급사하자, 이를 서글퍼한 나머지 1년 후 33세의 나이로 죽었다. 저서에 《신서(新書)》 10권이 있으며, 주요 저작은 산문과 사부(辭賦) 두 부류인데, 산문은 〈과진론(過秦論)〉·〈논적저소(論積貯疏)〉·〈진정사소(陳政事疏)〉 등이 유명하고, 사부는 〈조굴원부(吊屈原賦)〉·〈복조부(鵩鳥賦)〉가 가장 유명하다.

• 작품개요

이 작품은 천하를 통일한 진(秦)나라가 쉽게 멸망한 이유를 말한 논설문(論說文)이다. 논설문은 설리적(說理的)인 문장으로 고대 산문의 대종(大宗)인데, 논설류(論說類), 또는 논변류(論辨類)라 하였다.

한나라 문제(文帝)가 가의의 재주에 대해 듣고 그를 불러 박사로 삼았는데, 그때 가의가 이 글을 지어 문제에게 바쳤다. 육국(六國)을 멸하고 주(周)나라에 이어 천하를 지배했지만, 고작 2대에 그친 진나라의 흥망성쇠를 논한 가의의 〈과진론〉은 상, 중, 하 세편으로 나뉘는데 이 글은 상편에 해당한다. 가의의 《신서》에는 본래 '논' 자가 없고 《문선》에서 '논' 자를 더 붙인 뒤에 통상 '과진론'으로 일컬어진다. '과진'이란 바로 진나라의 과실에 대해 논한다는 뜻으로, 이는 한나라에 역사적 감계(鑑戒)를 제공하기 위해 지어진 작품이다.

특히, 작품의 말미에서는 각 제후국들이 역량을 모은 것이 진나라를 훨씬 능가하였는데도 결과는 진나라가 각 제후국들을 멸망시켰고, 봉기한 진승(陳勝)의 인물과 역량이 제후국들보다 훨씬 못하였는데도 결과는 진승 등의 봉기한 군대가 진나라를 멸망시킨 사실을 언급하고, 이를 통해 진나라가 인의(仁義)를 시행하지 않고 공수(攻守)의 형세가 달랐기 때문임을 설파하였는바, 이 작품 전체의 핵심이 되는 부분이다. 작품 전반에 걸쳐 포치(布置)가 근엄하고 문채(文彩)가 부려(富麗)하며, 본문의 대비(對比) 효과가 매우 강렬하다.

篇題小註‥ 全篇이 皆陳靜觀[54]批라

전편(全篇)이 모두 진정관(陳靜觀)의 비평이다.

○ 此篇은 論秦能取天下在據關中하고 失天下在恃關中하니 此是一篇大意라 文如百萬之軍이 鼓譟赴敵에 而行(항)陣部曲整然하니 前日據關中엔 便有取天下之勢러니 後來恃關中하여 乃不思守天下之道하니라

이 편은 진나라가 천하를 취한 것은 관중(關中)을 점거함에 있었고 천하를 잃은 것은 관중을 믿음에 있음을 논하였으니, 이것이 이 한 편의 대의(大意)이다. 문장이 마치 백만 군대가 북을 치고 함성을 지르며 적에게 달려드는데 항진(行陣)과 부곡(部曲, 대오)이 질서정연한 것과 같으니, 지난날 관중을 점거하였을 때에는 곧 천하를 취할 형세가 있었는데, 후래에는 관중을 믿고서 마침내 천하를 지킬 방도를 생각하지 않았다.

---

54 陳靜觀: 진의중(陳宜中)으로 송나라 말기 영가(永嘉) 사람이며 자는 여권(與權)이다. 어려서 집이 가난하였으나 태학(太學)에 들어가 문예(文譽)가 있었는데, 황용(黃鏞) 등과 글을 올려 간신 정대전(丁大全)을 공격하자, 정대전이 노하여 건창군(建昌軍)으로 유배보냈다. 경정(景定) 3년(1262)에 정시(庭試)에 제 2인으로 급제하여 소흥부 추관(紹興府推官)에 임명되었다. 원(元)나라가 쳐들어와 남송(南宋)이 멸망할 때 지금의 월남(越南, 베트남)에 있던 점성(占城)으로 가서 군대를 빌려 원나라에 대항하려 하였으나 이루지 못하였다. 점성이 원나라에 점령되자 다시 섬라(暹羅, 태국)로 달아나 그곳에서 생을 마쳤다.《宋史 卷418 陳宜中列傳》

··· 批 비평할 비 譟 시끄러울 조 赴 달려갈 부

• **原文**

秦孝公이 據殽, 函之固하고 擁雍州之地하여【古人文字, 第一句, 便道主意, 人看不覺.】君臣固守而窺周室하여 有席捲天下, 包擧宇內, 囊括四海, 幷呑八荒之心이라 當是時也하여 商君[55]佐之하여 內立法度하여 務耕織하고 修守戰之備하며 外連衡(橫)而鬪諸侯라 於是에 秦人이 拱手而取西河[56]之外라【要看拱手 · 南取 · 西擧 · 東割 · 北收字, 見其攻取順易, 秖緣據關中.】

진(秦)나라의 효공(孝公)이 효산(殽山)과 함곡관(函谷關)의 험고한 요새를 점거하고 옹주(雍州)의 땅을 차지하여【고인의 문자는 첫 번째 구에 바로 주된 뜻을 말하는데, 사람들은 보아도 깨닫지 못한다.】군주와 신하가 굳게 지키면서 주(周)나라 왕실을 엿보아 천하를 석권하고 우주 안을 온통 차지하며 사해를 주머니 속에 넣고 팔황(八荒, 팔방(八方))을 병탄하려는 마음을 가지고 있었다.

이때를 당하여 상군(商君, 상앙(商鞅))이 그를 보좌하여 안으로는 법도를 세워 밭갈이와 베 짜는 것을 힘쓰고 수비와 전투의 대비를 닦으며, 밖으로는 연횡(連衡)을 하여 제후들끼리 싸우게 하였다. 이에 진나라 사람들은 팔짱을 끼고서 서하(西河) 밖의 땅을 취하였다.【공수(拱手), 남취(南取), 서거(西擧), 동할(東割), 북수(北收)라는 글자를 잘 보아야 하니, 공격하고 취함이 순탄하고 쉬었던 것이 오직 관중(關中)을 점거함에 연유하였음을 알 수 있다.】

孝公旣沒에 惠文, 武, 昭襄이 蒙故業, 因遺策하여【蒙字, 因字, 當看見得攻取之易, 亦秖是承襲關中險要, 無他技巧. 後始皇奮餘烈, 意一同.】南取漢中하고 西擧巴蜀하고 東割膏腴之地하고 北收要害之郡하니 諸侯恐懼하여 會盟而謀弱秦하여 不愛珍器重寶肥饒之地하고 以致天下之士하여 合從締交하여【應連衡字.】相與爲一이라 當此之時하여【此段, 與後陳涉處, 相照應.】齊有孟嘗하고【田文】趙有平原하고【趙勝】楚有春申하고【黃歇】魏有

---

55 商君: 전국시대 위(衛)나라 사람으로 성은 공손(公孫)이고 이름은 앙(鞅)이다. 뒤에 상(商)에 봉해졌으므로 상앙(商鞅)이라 하였다. 진나라의 효공(孝公)을 섬기면서 법령을 변경해서 부국강병책을 단행하여 진나라가 통일하는 기틀을 마련하였는데, 효공 사후에 반대파의 원한으로 극형(極刑)에 처해졌다.

56 西河: 위나라 고을로 지금의 섬서성(陝西省) 대려현(大荔縣), 의천현(宜川縣) 등의 지역인데 황하 서쪽에 있기 때문에 서하라고 하였다. 주 현왕(周顯王) 29년(B.C.340)에 상앙이 위군(魏軍)을 무찌르자, 위나라가 서하의 땅을 진나라에게 나누어 바쳤다.

··· 饒 비옥할 요 締 맺을 체

信陵[57]하니 此四君者는 皆明智而忠信하고 寬厚而愛人하며 尊賢重士하여 約從離衡하여【應前從衡.】兼韓, 魏, 燕, 趙, [齊, 楚,][58]宋, 衛中山之衆이라

효공이 별세한 다음 혜문왕(惠文王)·무왕(武王)·소양왕(昭襄王)은 선대의 기업(基業)을 이어받고 물려준 계책을 이용하여【'몽(蒙)' 자, '인(因)' 자에서 마땅히 공격하고 취함의 쉬움이 또한 다만 관중의 험한 요새를 이어받았을 뿐 별다른 기교가 없음을 볼 수 있다. 뒤의 '시황제가 남긴 공열을 떨쳤다.'는 것도 뜻이 이와 같다.】남쪽으로 한중(漢中)을 취하고 서쪽으로 파(巴)·촉(蜀)을 점령하였으며 동쪽으로 기름진 땅을 할양받고 북쪽으로 요충지의 고을을 거둬들이니, 제후들이 두려워해서 회맹(會盟)하여 진나라를 약화시킬 것을 도모하였다. 그리하여 진귀한 기물과 소중한 보배와 비옥한 땅을 아끼지 않고 천하의 선비들을 초치(招致)하여 합종(合從)을 체결해서【'연횡(連衡)'이라는 글자와 응한다.】서로 더불어 하나가 되었다.

이때를 당하여【이 단락은 뒤의 진섭(陳涉)의 부분과 서로 조응한다.】제(齊)나라에는 맹상군(孟嘗君)이 있었고,【전문(田文)이다.】조(趙)나라에는 평원군(平原君)이 있었고,【조승(趙勝)이다.】, 초(楚)나라에는 춘신군(春申君)이 있었고,【황헐(黃歇)이다.】위(魏)나라에는 신릉군(信陵君)이 있었으니,【공자 무기(公子無忌)이다.】이 네 군들은 모두 밝고 지혜로우며 충성스럽고 성실하며 관후하고 사람을 사랑하며 현자(賢者)를 높이고 선비들을 소중히 여겨 합종(合從)을 약속하고 연횡(連衡)을 와해시켜【앞의 '종횡(從衡)'과 응한다.】한(韓)·위(魏)·연(燕)·조(趙)·제(齊)·초(楚)·송(宋)·위(衛)·중산(中山)의 병력을 겸하였다.

於是에 六國之士에 有甯越, 徐尚, 蘇秦, 杜赫之屬[59]이 爲之謀하고 齊明, 周最, 陳

---

57 齊有孟嘗……魏有信陵: 맹상군은 전문(田文)의 봉호로 제(齊)나라 위왕(威王)의 손자이고 전영(田嬰)의 아들인데, 선비를 길러 식객이 항상 3천 명이었고, 평원군은 조승(趙勝)의 봉호로 조(趙)나라 무령왕(武靈王)의 아들인데, 혜문왕(惠文王)과 효성왕(孝成王)의 재상이 되어 평원(平原)에 봉해졌다. 춘신군은 황헐(黃歇)의 봉호로 초나라에서 20여 년 동안 재상이 되어 춘신(春申)에 봉해졌고, 신릉군은 무기(無忌)의 봉호로 위나라 소왕(昭王)의 소자(少子)이며 어진 선비들을 예우하였다. 이 네 사람은 모두 재상의 지위에 있으면서 선비들을 좋아하여 항상 문하에 식객이 3천여 명이나 있었다고 한다.

58 〔齊, 楚〕: 저본에는 없으나《문장변체휘선(文章辨體彙選)》에 의거하여 보충하였다.

59 有甯越……杜赫之屬: 영월(甯越)은 조(趙)나라 중모(中牟) 사람으로, 농사일에 고달파 벗에게 이 고통에서 벗어날 방법을 물었는데 벗이 30년만 공부하면 될 것이라고 하자, 쉬지 않고 공부하여 15년 만에 주 위공(周威公)의 스승이 되었다고 한다. 서상(徐尚)은 송(宋)나라 사람인데 자세하지 않고, 소진(蘇秦)은 동주 낙양 사람으로 귀곡자(鬼谷子)에게 수학하였으며 합종책(合從策)을 가지고 육국(六國)의 군주에게 유세하였다. 두혁(杜赫)은 주(周)나라 사람으로 일찍이 천하를 안정시키는 것을 가지고 주(周)나라 소문군(昭文君)에게 유세하였다.

殽 안주 효 函 상자 함 擁 낄 옹 窺 엿볼 규 捲 말 권 囊 주머니 낭 括 묶을 괄 荒 멀 황
拱 손모을 공 巴 땅이름 파 腴 기름질 유

軫, 召(昭)滑, 樓緩, 翟景, 蘇厲, 樂毅之徒[60] 通其意하고 吳起, 孫臏, 帶佗, 兒(예)良, 王廖, 田忌, 廉頗, 趙奢之朋[61]이 制其兵이라 嘗以什倍之地와 百萬之(軍)[衆][62]으로 仰關而攻秦호되【秖看此.】 秦人이 開關延敵이어든 九國之師 遁逃而不敢進하니 秦無亡矢遺鏃之費요 而天下諸侯已困矣라

이에 육국(六國)의 선비 중에 영월(甯越)·서상(徐尙)·소진(蘇秦)·두혁(杜赫) 등이 계책을 세우고, 제명(齊明)·주최(周最)·진진(陳軫)·소활(昭滑)·누완(樓緩)·적경(翟景)·소려(蘇厲)·악의(樂毅)의 무리가 의견을 통하고, 오기(吳起)·손빈(孫臏)·대타(帶佗)·예량(兒良)·왕료(王廖)·전기(田忌)·염파(廉頗)·조사(趙奢)의 무리가 그 군대를 통제하였다. 일찍이 진나라보다 10배나 되는 땅과 백만의 대군으로 함곡관을 올려다보고 진나라를 공격하였으나【다만 이를 보아야 한다.】 진나라 사람들이 관문을 열고 적을 맞아 싸우면 9개국의 군대가 도망하고 감히 전진하지 못하니, 진나라는 화살을 잃고 화살촉을 유실하는 낭비가 없으면서 천하의 제후들이 이미 곤궁해졌다.

於是에 從散約敗하여【應前從約字.】 爭割地而賂秦하니 秦有餘力而制其弊하여 追亡逐北(배)하여 伏尸百萬하고 流血漂鹵(櫓)하여 因利乘便하여 宰制天下하여 分裂河山하니 彊國은 請伏하고 弱國은 入朝라 施(이)及孝文王, 莊襄王하여는 享國日淺하고

---

60 齊明……樂毅之徒: 제명(齊明)은 동주(東周)의 신하이고, 주최(周最)는 주나라의 공자로 진(秦)나라에서 벼슬하였다. 진진(陳軫)은 유세가로 장의(張儀)와 함께 진 혜왕(秦惠王)을 섬겨 총애를 다투었고, 소활(昭滑)은 초나라 사람으로 일찍이 왕명을 받고 월(越)나라에 갔었다. 누완(樓緩)은 위(魏)나라의 정승으로 뒤에 진나라의 정승이 되었고, 소려(蘇厲)는 소진의 아우로 제나라에서 벼슬하였으며, 악의(樂毅)는 연 소왕(燕昭王) 때의 장군으로 훌륭한 인품을 지니고 전술에도 뛰어났다. 적경(翟景)은 자세하지 않다.

61 吳起……趙奢之朋: 오기(吳起)는 전국시대 위(衛)나라 사람으로 병법에 달통하여 손무(孫武)와 함께 손오(孫吳)로 일컬어진다. 손빈(孫臏)은 병법가인 손무의 후손으로 방연(龐涓)과 함께 귀곡자(鬼谷子)에게 병법을 배웠는데, 위(魏)나라 장수가 된 방연이 손빈의 재주를 시기하여 발이 잘리고 묵형(墨刑)을 가하는 수모를 주었다. 훗날 손빈은 제(齊)나라로 탈출한 후 군대를 지휘하여 방연을 마릉(馬陵)에서 대패시켰다. 대타(帶佗)는 초나라의 장수이고, 예량(兒良)과 왕료(王廖)는 용병(用兵)을 잘하였다. 전기(田忌)는 제나라의 공족(公族)으로 위왕(威王) 때 장수가 되어 위(魏)나라를 정벌할 때 3번 싸워 모두 이겼으며, 일찍이 손빈을 제나라 왕에게 추천하였다. 염파(廉頗)는 조(趙)나라의 명장으로 혜문왕(惠文王) 때에 제나라를 정벌하여 크게 격파시키고 상경(上卿)에 제수되었다. 조사(趙奢) 또한 조나라 장수로 진나라를 공격하여 공을 세우고 마복군(馬服君)에 봉해졌다.

62 (軍)[衆]: 저본에는 '군(軍)'으로 되어 있으나, 《사기(史記)》, 《예문유취(藝文類聚)》에는 '사(師)'로 되어 있고 《문선(文選)》에는 '중(衆)'으로 되어 있는바, 《문선》을 따라 '중(衆)'으로 번역하였다.

軫 수레뒤턱나무 진 滑 미끄러울 활 翟 성 책(적) 毅 굳셀 의 臏 정강이뼈 빈 佗 다를 타
兒 성 예 廖 사람이름 료 頗 자못 파 延 맞이할 연 遁 도망갈 둔 鏃 살촉 촉

國家亡(무)事하니라

이에 합종이 와해되고 약속이 무너져【앞의 '종약(從約)'이라는 글자와 응한다.】 다투어 땅을 떼어 진나라에 바치니, 진나라는 여력(餘力)이 있어 그 피폐함을 제압하여 도망하고 패주하는 제후국의 군대를 추격해서, 엎어진 시체가 백만이나 되고 피가 흘러 방패가 떠다녔다. 유리한 형세에 의지하여 천하를 쪼개어 산하(山河)를 이리저리 찢어 나누니, 〈제후국 중에〉 강한 나라는 복종하기를 청하고 약한 나라는 진나라에 들어와 조회(朝會)하였다. 효문왕(孝文王)과 장양왕(莊襄王)에 미쳐서는 나라를 누린 것이 일천(日淺)하고 국가에 아무 일이 없었다.

及至始皇하여 奮六世之餘烈[63]하여【此句, 便是蒙故業之意, 但奮字較精神.】 振長策而馭宇內하여 呑二周而亡諸侯[64]하고 履至尊而制六合하여 執敲扑(고복)以鞭笞天下하니 威振四海라 南取百粤(越)之地[65]하여 以爲桂林, 象郡하니 百粤之君이 俛(부)首係頸하여 委命下吏라 迺使蒙恬[66]으로 北築長城而守藩籬하여 却匈奴七百餘里하니 胡人이 不敢南下而牧馬하며 士不敢彎弓而報怨이라【從第一句, 寫到此, 秖是一意一氣說來.】

그러다가 시황제(始皇帝)에 이르러서는 6세가 남긴 공렬(功烈)을 떨쳐【이 구(句)는 바로 '고업을 이어받았다[蒙故業]'는 뜻이니, 다만 '분(奮)' 자에 비교적 정채(精彩)가 있다.】 긴 채찍(훌륭한 계책의 비유)을 휘둘러 우주 안을 제어해서 이주(二周, 동주(東周)·서주(西周))를 병탄(竝呑)하고 제후들을 멸망시키고 지존(至尊)의 자리에 올라 육합(六合, 온천하)을 제어하여 채찍을 잡고서 천하를 종아

---

63 六世之餘烈 : 6세는 효공(孝公), 혜문왕(惠文王), 무왕(武王), 소양왕(昭襄王), 효문왕(孝文王), 장양왕(莊襄王)이다.

64 呑二周而亡諸侯: 소양왕 52년(B.C.255)에 서주를 멸망시키고 장양왕 원년(B.C.249)에 동주를 멸망시켰으니, 시황제 때의 일은 아니다. 시황제 17년(B.C.232)에 한(韓)나라를, 19년에 조(趙)나라를, 23년에 위(魏)나라를, 24년에 초(楚)나라를, 25년에 연(燕)나라를, 26년에 제(齊)나라를 멸망시켰다.

65 南取百粤(越)之地: 백월(百越)이라고도 하는데, 옛날에 월족(越族)이 살았던 곳으로 그 종족이 하나가 아니었기 때문에 백월이라고 하였다. 진 시황 44년(B.C.214)에 백월을 점령하고 계림군과 상군을 두었다.

66 蒙恬: 진(秦)나라의 장군으로, 몽무(蒙武)의 아들이다. 진나라가 제(齊)나라를 멸망시킬 때 큰 공을 세웠고, 흉노를 정벌할 때에도 활약이 컸으며, 만리장성의 축성을 맡았다. 시황제가 죽자 환관 조고(趙高)와 승상 이사(李斯)의 흉계로 투옥되어 자살했는데, 죽을 때 탄식하여 말하기를, "나의 죄는 죽어 마땅하다. 임조(臨洮)에서 요동(遼東)에 이르기까지 만여 리의 장성을 구축했으니, 어찌 지맥(地脈)을 끊어 놓지 않았겠는가. 이것이 바로 나의 죄이다." 하였다.《史記 卷88 蒙恬列傳》

賂 뇌물 뢰 逐 쫓을 축 北 패하여달아날 배 漂 뜰 표 鹵 방패 로 馭 제어할 어
呑 삼킬 탄 敲 매 고 扑 칠 복 鞭 채직 편 笞 볼기칠 태 俛 숙일 부 係 맬 계
頸 목 경 迺 이에 내 恬 편안할 념 彎 당길 만

리치고 볼기치니, 위엄이 사해에 떨쳐졌다. 남쪽으로는 백월(百越)의 땅을 점령하여 계림군(桂林郡)과 상군(象郡)을 만드니, 백월의 군주들이 머리를 숙이고 목에 끈을 매고서 진나라의 낮은 관리에게 목숨을 맡겼다.

이에 몽념(蒙恬)으로 하여금 북쪽으로 만리장성(萬里長城)을 쌓아 번리(藩籬, 국경)를 지키게 하여 흉노(匈奴)를 7백여 리나 퇴각시키니, 오랑캐 사람들이 감히 남쪽으로 내려와 말을 기르지 못하고, 오랑캐 군사들이 감히 활을 당겨 원한을 갚지 못하였다.【제 1구(句)로부터 여기까지 써온 것은 다만 한 뜻과 한 기운으로 말하였다.】

於是에 廢先王之道하고 焚百家之言하여 以愚黔首하며 墮(隳)名城, 殺豪俊하고 收天下之兵하여 聚之咸陽하여 銷鋒鍉(소봉적)하여 鑄以爲金人十二하여 以弱天下之民이라 然後에 踐華爲城하고 因河爲池하여 據億丈之城하고 臨不測之淵하여 以爲固하며 良將勁弩 守要害之處하고 信臣精卒이 陳利兵而誰何하니 天下已定이라 始皇之心이 自以爲關中[67]之固는 金城千里니 子孫帝王萬世之業也러니라【此數句, 絕好. 天下未定, 可用關中以攻, 天下已定, 豈可恃關中以守.】

이에 선왕의 도(道)를 버리고 백가(百家)의 글을 불태워 백성들을 어리석게 만들며, 유명한 성(城)을 허물고 호걸들을 죽이며 천하의 병기를 거두어다가 도성인 함양(咸陽)에 모아 칼날을 녹여서 주조하여 금인(金人) 12개를 만들어 천하의 백성들을 약하게 만들었다. 그런 뒤에 화산(華山)을 밟아 성을 만들고 황하(黃河)를 따라 못(해자)을 만들어 억 길의 높은 성을 점거하고 헤아릴 수 없이 깊은 계곡에 임하여 이로써 견고함을 삼았으며, 훌륭한 장수와 강한 궁로(弓弩)부대가 요해처를 지키고, 신임하는 신하와 정예병(精銳兵)들이 예리한 병기를 들고 수하(誰何, 통행인을 검문)하니, 천하가 이미 평정되었다.

시황은 마음속에 스스로 생각하기를 관중(關中)의 견고함은 금성(金城, 철옹성) 천 리이니, 자손들이 제왕의 지위를 만세토록 누릴 수 있는 기업이라고 여겼다.【이 몇 구(句)는 매우 좋다. 천하가 평정되기 전에는 관중을 이용하여 공격하였는데, 천하가 이미 평정된 뒤에는 어찌 관중을 믿어 지킬 수 있겠는가.】

---

67 關中: 진(秦)나라의 도성인 함양(咸陽) 일대의 분지로, 동쪽엔 함곡관(函谷關), 남쪽엔 무관(武關), 서쪽엔 산관(散關), 북쪽엔 소관(蕭關)이 있는데, 네 관의 가운데에 있어 관중이라 한다.

••• 黔 검을 검 隳 무너질 휴 銷 녹일 소 鋒 칼끝 봉 鍉 살촉 적 勁 굳셀 경 弩 쇠뇌 노

始皇旣沒에 餘威震于殊俗이라【應威(震)[振][68]四海.】 然而陳涉[69]은 甕牖(옹유)繩樞之子요【此段下語, 與廢先王之道以下, 相應.】 甿隷(맹예)之人而遷徙之徒也라 材能이 不及中庸이요【與愚黔首句應.】 非有仲尼, 墨翟之賢과 陶朱, 猗頓(의돈)之富[70]요 躡足行伍之間하고 俛起阡陌之中하여 率疲散之卒하고 將數百之衆하여【與收兵聚咸陽應.】 轉而攻秦할새 斬木爲兵하고 揭竿爲旗하니【與銷鋒鍉句應.】 天下雲會而響應하고 贏粮(영량)而景(影)從하여【與守要害陳利兵句應.】 山東豪傑이【與殺豪俊句應.】 遂竝起而亡秦族矣라

시황이 별세한 뒤에도 남은 위엄이 풍속이 다른 오랑캐 지역에까지 떨쳐졌다.【'위엄이 사해에 떨쳐졌다〔威振四海〕'는 것과 응한다.】 그러나 진섭(陳涉, 진승(陳勝))은 깨진 옹기로 창문을 내고 노끈으로 문지도리를 만든 가난한 집안의 자식이요,【이 단락에서 글을 쓴 것은 '선왕의 도를 폐했다〔廢先王之道〕'는 이하와 서로 응한다.】 남의 집 종살이하는 천한 사람으로 이리저리 옮겨 다니는 무리였다. 그의 재능은 중용(中庸, 중등(中等))에 미치지 못하였고【'백성들을 어리석게 만들었다〔愚黔首〕'는 구와 응한다.】 중니(仲尼)와 묵적(墨翟)의 어짊과 도주공(陶朱公, 범려(范蠡))이나 의돈(猗頓)의 부유한 재산도 없었고, 졸병의 사이에서 출발하고 천맥(阡陌, 밭두둑)의 가운데에서 비굴한 신분을 떨치고 일어나, 피폐하고 흩어진 군사들을 이끌고 수백 명의 무리를 거느리고서【'병기를 거두어 함양에 모았다〔收兵聚咸陽〕'는 구와 응한다.】 전전하며 진나라를 공격할 적에 나무를 베어 병기를 만들고 대나무를 들어 깃대를 만드니,【'칼날을 녹였다〔銷鋒鍉〕'는 구와 응한다.】 천하가 구름처

68 (震)〔振〕: 저본에는 '진(震)'으로 되어 있으나 본문에 의거하여 '진(振)'으로 바로잡아 번역하였다.

69 陳涉: 진(秦)나라 양성(陽城) 사람으로 이름은 승(勝)이고 섭은 그의 자이다. 진나라 이세(二世) 때에 진승이 어양(漁陽)으로 수자리를 가다가 큰 비가 와서 기한 안에 당도하지 못해 참형(斬刑)을 당하게 되었다. 이에 오광(吳廣)과 함께 반기를 들고 일어나면서 "지금은 도망가도 죽고 거사를 도모해도 죽을 것이니, 이러나저러나 죽을 바에야 거사하는 것이 낫다."라고 하고는 지휘관인 도위(都尉)를 죽이고 군대를 일으켜 진나라에 대항하니, 진나라의 학정(虐政)에 시달리던 백성들이 크게 동조하였다.《史記 卷48 陳涉世家》

70 陶朱猗頓之富: 춘추시대에 거부(巨富)를 이룬 사람들로, 도주공은 월왕(越王) 구천(句踐)의 신하 범려(范蠡)이다. 범려가 구천을 도와 오(吳)나라를 멸망시킨 뒤에 상장군(上將軍)이 되었는데, 대명(大名) 아래에는 오래 머물 수 없다고 생각하고 떠날 것을 결심한 뒤 친구인 대부 문종(文種)에게 편지를 보내 "나는 새가 모두 잡히면 좋은 활은 거두어 보관하게 되고 교활한 토끼가 모두 죽으면 사냥개는 삶아지는 법이다. 월왕은 목이 길고 새의 부리와 같은 입을 가졌으니 환난은 함께 할 수 있지만 즐거움은 함께할 수 없는 사람이다. 그대는 어찌 떠나지 않는가.〔蜚鳥盡 良弓藏 狡兎死 走狗烹 越王爲人 長頸鳥喙 可與共患難 不可與共樂 子何不去〕"라고 하였다. 범려는 구천에게 하직 인사를 올린 뒤에 보물들을 싸서 곧장 배를 타고 떠나 제(齊)나라로 갔는데, 제나라에서 치이자피(鴟夷子皮)로 이름을 바꾸고 수십만 거금의 부자가 되었다. 의돈은 도주공에게 부유하게 될 수 있는 방법을 물어 목축업으로 거부가 된 사람이다.《史記 卷41 越王勾踐世家》《史記 卷129 貨殖列傳》

··· 甕 항아리 옹 牖 들창 유 甿 백성 맹 隷 노예 예 猗 어조사 의 躡 밟을 섭 俛 숙일 부
阡 밭두둑 천 陌 밭두둑 맥 竿 장대 간 響 메아리 향 贏 쌀 영 粮 양식 량

럼 모여들어 메아리처럼 호응하며, 양식을 싸 짊어지고 그림자처럼 따라서【'요해처를 지키고 예리한 병기를 진열했다〔守要害 陳利兵〕'는 구와 응한다.】 산동(山東) 지방의 호걸들이【'호걸을 죽였다〔殺豪俊〕'는 구와 응한다.】 마침내 모두 일어나 진나라 일족을 멸망시켰다.

且天下非小弱也요 雍州之地와 崤函之固 自若也며【再就關中, 拈出天下非小弱一句, 最精神. 謂前日秖有一介關中, 無不可攻, 今以天下之全, 關中又依舊在我, 却不可守, 此是如何?[71]】陳涉之位 不尊於齊, 楚, 燕, 趙, 韓, 魏, 宋, 衛, 中山之君이요 鉏耰棘矜(서우극근)이 不敵於鉤戟, 長鎩이요【有他三疊起難意來, 文如層巒疊翠, 飛濤沃雪.】適(謫)戍之衆이 不亢(抗)於九國之師요 深謀遠慮, 行軍用兵之道 非及曩時之士也언마는 然而成敗異變하고 功業相反은 何也오 試使山東之國이【看今作文字說到何也, 此是難了. 秖是面應將去無緣, 又再拈起, 反覆難一難, 又再喚醒前意, 說一番, 最是精神中之精神處.】與陳涉으로 度(탁)長絜大하고 比權量力이면 則不可同年而語矣라

또 진나라의 천하가 작아지고 약해진 것이 아니요, 옹주의 땅과 효산과 함곡관의 견고함이 옛 그대로였으며,【다시 관중을 가지고 '천하가 작아지고 약해진 것이 아니다.'는 한 구를 끄집어냈으니, 가장 정채롭다. 전일에는 오직 하나의 관중을 가지고 있었으나 공격할 수 없는 것이 없었는데, 지금 천하의 온전함에 관중은 또 예전처럼 자신에게 있었는데도 지킬 수 없었으니, 이는 어째서인가?】 진섭의 지위가 제·초·연·조·한·위·송·위·중산의 군주보다 높지 못하였고, 호미와 괭이, 창(농기구)과 창자루가 갈고리창과 긴 창을 대적하지 못하고,【세 문장을 두어서 논란하는 뜻을 일으켰으니, 문장이 층층의 봉우리와 몇 겹의 푸른 산과 같으며 치솟는 파도와 쏟아지는 눈발과 같다.】 죄를 짓고 수자리 살던 무리들이 9국의 군대를 대항하지 못하며, 깊은 계책과 원대한 생각과 행군하고 용병(用兵)하는 방법이 그 당시의 인재에 미치지 못하였건만 그런데도 성패에 이변이 생기고 공업이 상반됨은 어째서인가? 한번 가령 산동의 나라들이【살펴보건대, 지금 문자를 지어 '어째서인가〔何也〕'라고 말하였으니, 이것은 논란한 것이다. 다만 직접 대응할 길이 없어서 또다시 제기하여 한 번 논란한 것을 반복해서 논란하고 또다시 앞의 뜻을 환기하여 한번 말하였으니, 정채(精采)가 나는 가운데 가장 정채가 나는 부분이다.】 진섭과 함께 장단(長短)을 헤아리고 대소(大小)를 재며 권세를 견주고 힘을 헤아린다면 동년(同年)으로 말할 수 없을 것이다.

---

71 此是如何: 저본에는 '此是如何以'로 되어 있으나 문맥을 살펴 '以' 자를 빼고 번역하였다.

崤 산이름 효 鉏 호미 서 耰 괭이 우 棘 창 극 矜 자루 근 鉤 갈고리 구 戟 창 극
鎩 창 새(살) 謫 귀양갈 적 曩 지난번 낭 絜 잴 혈

然이나 秦以區區之地로 致萬乘之權하여 招(교)八州而朝同列[72]이 百有餘年矣라 然後에 以六合爲家하고 崤函爲宮이러니【得之之難如此.】一夫作難에 而七廟[73]墮(隳)하고【失之之易如此.】身死人手하여 爲天下笑者는 何也오 仁誼(義)不施하고 而攻守之勢異也일새니라【迂齋[74]曰: "自首至尾. 結在此一句. 最文字之妙."】

그러나 진나라는 보잘 것 없는 옹주 땅을 가지고 만승 천자(萬乘天子)의 권세를 이룩하여 8주(州)를 점령하고 동렬(同列)들에게 조회 받은 지가 백여 년이나 되었다. 그런 뒤에 육합(六合)을 집으로 삼고 효산과 함곡관을 궁궐로 삼았는데,【얻기 어려움이 이와 같은 것이다.】한 필부(匹夫, 진섭)가 난을 일으킴에 칠묘(七廟)가 무너지고【잃기 쉬움이 이와 같은 것이다.】몸이 남의 손에 죽어서 천하의 웃음거리가 된 것은 어째서인가? 인의(仁義)를 베풀지 않고, 공격과 수비의 형세가 달랐기 때문이었다.【우재(迂齋)가 말하였다. "처음부터 끝까지 맺음이 이 한 구에 있으니, 문자의 가장 묘한 부분이다."】

---

72 招八州而朝同列: '팔주(八州)'는 중국(中國)은 옛날 옹주(雍州)·연주(兗州)·기주(冀州)·청주(青州)·서주(徐州)·예주(豫州)·유주(幽州)·양주(揚州)·형주(荊州)의 구주(九州)로 되어 있었는바, 이중에 진(秦)나라의 옹주(雍州) 지역을 제외한 나머지 주를 가리킨 것이며, 동렬(同列)은 당시 육국(六國)이 진나라와 함께 모두 제후국이었으므로 말한 것이다.

73 七廟: 옛날 천자(天子)는 삼소(三昭)·삼목(三穆)에 시조(始祖)의 사당을 합하여 모두 7개의 사당을 모셨으므로, 천자의 종묘(宗廟)를 가리킨 것이다.

74 迂齋: 남송(南宋) 때의 사람인 누방(樓昉)의 호이다. 자는 양숙(暘叔)이며 운현(鄞縣) 사람으로 어렸을 적에 여조겸(呂祖謙, 1137~1181)에게 수학(受學)하였다.

··· 招 들 교 墮 무너뜨릴 휴 誼 옳을 의

조굴원부弔屈原賦

가의賈誼

• 작품개요

이 작품은 망국(亡國)의 참상을 차마 보지 못하여 멱라수(汨羅水)에 빠져죽은 굴원(屈原)을 조문한 부(賦)이다. 망자를 애도하는 조제문(弔祭文)의 일반적인 형식으로는 동파(東坡) 소식(蘇軾)의 〈제구양공문(祭歐陽公文)〉이 대표적인 것이라고 하겠다. 이 글은 사부(辭賦)의 형식을 빌려 굴원의 죽음을 애도하면서도 초(楚)나라를 떠나가지 못하고 멱라수에 투신자살한 것을 비판한 것이 특징이라 할 것이다.

《사기(史記)》 권84 〈가의열전(賈誼列傳)〉에 의하면, 가의는 한 문제(漢文帝) 때 낙양(洛陽) 사람으로 문명(文名)이 높아 22세 때 문제(文帝)가 불러서 박사(博士)를 삼고 그 뒤 태중대부(太中大夫)에 제수하여 정삭(正朔)을 고치고 복색(服色)을 바꾸며, 법도(法度)를 제정하고 예악(禮樂)을 일으키는 등 많은 일을 했다. 이런 공(功)으로 문제가 그를 공경(公卿)에 앉히려 하자 강후(絳侯)인 주발(周勃)·관영(灌嬰) 등의 참소를 입어 끝내는 장사왕(長沙王)의 태부(太傅)로 좌천당하였다. 이 글은 바로 그가 장사로 가면서 상수(湘水)를 건널 적에 지은 것으로, 굴원을 애처로워하고 자신의 처지를 슬퍼하여 자신을 굴원에 빗대며 비분강개한 뜻을 담아내었다.

篇題小註·· 迂齋云 誼謫長沙하여 不得意일새 投書弔屈原하고 而因以自諭라 然이나 譏議時人이 太分明하니 其才甚高하고 其志甚大나 而量亦狹矣니라

우재(迂齋)가 말하였다. "가의(賈誼)가 장사왕(長沙王) 태부(太傅)로 좌천되어 뜻을 얻지 못하자, 〈멱라수(汨羅水)에〉 글을 던져 굴원을 조문하고 인하여 자신을 비유하였다. 그러나 당시 사람들을 기롱하고 비평함이 너무 분명하니, 그는 재주가 심히 높고 뜻이 심히 컸으나 국량은 좁았다."

○ 誼弔屈原而惜其不早去하니 善矣라 然이나 已之傅長沙, 傅梁은 可以遠讒毁而安之以俟矣어늘 未幾에 自傷以死하니 曷不以其所以惜屈原者로 自廣哉아 然이나 誼之文은 當爲西漢[75] 第一이니라

가의는 굴원을 조문하면서 굴원이 일찍 떠나가지 않았음을 애석히 여겼으니, 매우 좋다. 그러나 자신이 장사왕(長沙王)의 태부(太傅)가 되고 양왕(梁王)의 태부가 되었으면 〈조정의〉 참소와 비방을 멀리하여 편안히 여기고 기다릴 수 있었는데, 얼마 되지 않아 스스로 서글퍼하여 죽고 말았다. 어찌 자기가 굴원을 애석히 여긴 것으로써 스스로 마음을 편안하고 너그럽게 갖지 않았는가. 그러나 가의의 문장은 마땅히 서한(西漢)의 제일이 될 것이다.

• **原文**

恭承嘉惠兮여 竢罪長沙[76]러니 仄聞屈原兮여 自湛汨羅(멱라)로다 造托湘流兮여 敬弔先生이라 遭世罔極兮여 迺殞厥身하니 烏虖哀哉兮여 逢時不祥이로다 鸞鳳伏竄兮여 鴟鴞翺翔이요 闒茸(탑용)尊顯兮여 讒諛得志며 賢聖逆曳(예)兮여 方正倒植

75 西漢: 전한(前漢)을 가리키는바, 동한(東漢)인 후한(後漢)과 대칭되는 말이다. 전한을 일으킨 고조(高祖) 유방(劉邦)은 서쪽인 장안(長安)에 도읍하였는데 뒤에 왕망(王莽)이 외척의 세력으로 제위(帝位)를 찬탈, 신(新)나라를 세웠으나 광무제(光武帝) 유수(劉秀)에게 곧 멸망하였다. 그리하여 한나라를 전·후로 나누어 전한·후한이라 하는데, 광무제는 동쪽인 낙양(洛陽)에 도읍하였으므로 전한을 서한 또는 서경(西京)이라 하고, 후한을 동한 또는 동경(東京)이라 하였다. 이 시대에는 가의(賈誼)를 비롯해 사마천(司馬遷), 사마상여(司馬相如)와 양웅(揚雄) 등 훌륭한 문인이 많았는데, 이들의 고졸하고 담박한 문장을 흠모하여 당(唐)나라와 송(宋)나라 때 고문부흥운동이 일어났다.

76 竢罪長沙: '사죄(竢罪)'는 대죄(待罪)와 같은 말로 자신이 어느 관직(官職)에 봉직함을 겸칭하는 말인데, 이때 가의(賈誼)가 장사왕(長沙王) 태부(太傅)로 있었기 때문에 이렇게 말한 것이다.

··· 謫 귀양갈 적 讒 참소할 참 毁 훼방할 훼 竢 기다릴 사 仄 기울 측 湛 빠질 침
遭 만날 조 殞 죽을 운 鸞 난새 란 竄 숨을 찬 鴟 올빼미 치 鴞 올빼미 효 闒 용렬한 탑
茸 용렬할 용 諛 아첨할 유 曳 끌 예 植 세울 치

(치)로다 謂隨, 夷溷兮여 謂跖(척), 蹻(교)廉[77]이요 莫邪(야)[78]爲鈍兮여 鉛刀爲銛이로다 于嗟默默生之亡(무)故兮여 斡(알)棄周鼎하고 寶康瓠兮[79]로다 騰駕罷(피)牛하고 驂蹇驢(건려)兮여 驥垂兩耳하고 服鹽車兮로다 章甫薦屨[80]하니 漸不可久兮로다 嗟苦先生이여 獨離此咎兮로다

아름다운 은혜를 공손히 받들어 장사(長沙)에서 죄를 기다리고 있었는데
恭承嘉惠兮 竢罪長沙

엎드려 듣건대 굴원(屈原)이 스스로 멱라수(汨羅水)에 빠져죽었다 하였다
仄聞屈原兮 自湛汨羅

나아가 흐르는 소상강에 의탁하여 공경히 선생을 조문하노라 造托湘流兮 敬弔先生

망극(罔極)한 세상을 만나 마침내 그 몸을 죽였으니 遭世罔極兮 迺殞厥身

아! 애처로워라 상서롭지 못한 시대를 만났도다 烏虖哀哉兮 逢時不祥

난새와 봉황새는 몸을 숨기고 올빼미는 활개를 치며 鸞鳳伏竄兮 鴟鴞翱翔

못난 자들이 존귀해지고 아첨하는 자들이 뜻을 얻으며 闒茸尊顯兮 讒諛得志

성현(聖賢)이 거꾸로 끌려 다니고 방정(方正)한 자가 도치(倒置)되었도다
賢聖逆曳兮 方正倒植

변수(卞隨)와 백이(伯夷)를 혼탁하다 이르며 도척(盜蹠)과 장교(莊蹻)를 청렴하다 이르도다
謂隨夷溷兮 謂跖蹻廉

명검(名劍)인 막야(莫邪)를 무디다 하며 납칼을 날카롭다 하도다 莫邪爲鈍兮 鉛刀爲銛

---

77 謂隨, 夷溷兮 謂跖, 蹻廉: '수(隨)'는 변수(卞隨)로 탕왕(湯王)이 천하를 물려주려 하였으나 받지 않은 인물이고, '이(夷)'는 백이(伯夷)로 주 무왕(周武王)이 은(殷)나라를 멸망시켰을 때 이에 반대하여 주나라 녹봉을 먹지 않고 아우 숙제(叔齊)와 함께 수양산(首陽山)에서 고사리를 캐 먹다가 굶어 죽은 인물이다. '척(跖)'은 도척(盜跖)으로 《장자》〈도척〉에 의하면 유하혜(柳下惠)의 아우로 도적 떼 9천 명을 거느리고 천하를 횡행하면서 포악한 짓을 일삼았다고 한다. '장교(莊蹻)'는 초(楚)나라의 대도(大盜)이다.

78 莫邪: 고대 보검의 이름이다. 막야는 춘추시대 검을 잘 주조하던 오(吳)나라 간장(干將)의 아내로, 간장이 오왕 합려(闔閭)를 위해 검을 주조하였는데 쇳물이 내려오지 않자, 막야가 용광로에 몸을 던져 쇳물이 흘러나오게 하여 양검(陽劍)과 음검(陰劍)을 이루었는데, 이 두 검을 각각 간장, 막야라고 이름하였다.《吳越春秋 卷4 闔閭內傳》

79 斡棄周鼎 寶康瓠兮: '주정'은 하나라 우(禹) 임금이 구주(九州)의 상징으로 9개의 솥을 만들어 주대까지 국보로 전해왔다. '강호'는 깨진 바가지나 호리병으로, 재능이 용렬한 사람이나 쓸모없는 물건을 뜻한다.

80 章甫薦屨: '장보'는 유자(儒者)가 쓰는 관이다. 머리에 써야할 장보관을 신에 깔았으니, 현인이 소인 아래에 있음을 의미한다.

溷 흐릴 혼 跖 사람이름 척 蹻 이름 교 銛 날카로울 섬 斡 돌 알 瓠 박 호 罷 파괴할 피 蹇 절 걸 驢 나귀 려 驥 준마 기 屨 신 구 離 걸릴 리

아! 뜻을 얻지 못하고 선생이 까닭없이 화를 당함이여 于嗟默默生之亡故兮
주(周)나라의 보정(寶鼎)을 굴려 버리고 강호(康瓠)를 보배로 삼도다 斡棄周鼎 寶康瓠兮
파리한 소를 멍에하여 타고 절름거리는 나귀를 참마(驂馬)로 삼으니 騰駕罷牛 驂蹇驢兮
기마(驥馬)는 두 귀를 늘어뜨리고 소금 수레를 끌도다 驥垂兩耳 服鹽車兮
장보관(章甫冠)을 신에 깔았으니, 이 나쁜 세상에 오래 있지 못하리로다 章甫薦屨 漸不可久兮
아! 선생이여. 홀로 이 허물(화)에 걸렸도다 嗟苦先生 獨離此咎兮

誶(쇄)曰 已矣라 國其莫吾知兮여 子獨壹鬱其誰語오 鳳縹縹其高逝兮여 夫固自引而遠去며 襲九淵之神龍兮[81]여 沕(물)淵潛以自珍이라 偭蟂獺(면교달)以隱處兮여 夫豈從蝦與蛭螾이리오 所貴聖之神德兮여【自此以下, 惜原不早去而罹讒毁也.】遠濁世而自臧이라 使麒麟可係而羈兮인댄 豈云異夫犬羊이리오 般紛紛其離此郵(尤)兮여 亦夫子之故也로다 歷九州而相其君兮여 何必懷此都也오 鳳凰翔于千仞兮여 覽德輝而下之로다 見細德之險微兮여 遙增擊而去之로다 彼尋常[82]之汙瀆(와독)兮여 豈容呑舟之魚리오 橫江湖之鱣鯨(전경)兮여 固將制於螻蟻(루의)로다

다음과 같이 결론지어 말한다.

어쩔 수 없다. 나라에 나를 알아주는 이가 없음이여 已矣 國其莫吾知兮
그대 홀로 답답해하니 그 누구에게 말할까 子獨壹鬱其誰語
봉황새가 훨훨 높이 날아감이여 鳳縹縹其高逝兮
진실로 스스로 몸을 이끌어 멀리 떠나가도다 夫固自引而遠去
구연(九淵)에 깊이 숨어있는 신룡(神龍)이여 襲九淵之神龍兮
못 속에 잠겨 스스로 진중(珍重)히 하도다 沕淵潛以自珍
교달과 수달(水獺)을 피해 숨어 삶이여 偭蟂獺以隱處兮

81 襲九淵之神龍: '습(襲)'은 중습(重襲)으로 겹겹이 싸여있음을 뜻하며, '구연'은 물이 아홉 번 도는 깊은 못인바, 구(九)는 매우 많음을 의미한다. '신룡(神龍)'은 변화가 무궁무진한 신묘한 용(龍)을 가리킨다.

82 尋常: '심(尋)'은 8척(尺)이며 '상(常)'은 이의 곱절인 16척(尺)인바, 길이가 그리 길지 않으므로 별로 대단치 않은 물건이나 일을 가리킨다.

··· 誶 결론지을 쇄 縹 휘날릴 표 沕 아득할 물 偭 등질 면 蟂 교달벌레 교 獺 수달 달
蝦 새우 하 蛭 거머리 질 螾 지렁이 인 羈 굴레기 輝 빛날 휘 汙 웅덩이 오 瀆 도랑 독
鱄 전어 전 鯨 고래 경 螻 땅강아지 루 蟻 개미 의

어찌 새우와 거머리와 지렁이를 따르리오	夫豈從蝦與蛭螾
성인의 신덕(神德)을 귀중히 여김은	所貴聖之神德兮

【이로부터 이하는 굴원이 일찍 떠나가지 않아 참소를 받음을 애석해 한 것이다.】

혼탁한 세상을 멀리하여 스스로 선하게 하려 함이로다	遠濁世而自臧
가령 기린을 옭아매어 묶어놓을진댄	使麒麟可係而羈兮
어찌 개와 양과 다르겠는가	豈云異夫犬羊
분분(紛紛)히 이런 허물에 걸림이여	般紛紛其離此郵兮
또한 부자(夫子)의 잘못이로다	亦夫子之故也
구주(九州)를 지나 그 군주를 살펴볼 것이니	歷九州而相其君兮
하필 이 도읍을 그리워하였는가	何必懷此都也
봉황이 천 길 높이 날이여	鳳凰翔于千仞兮
덕이 빛나는 곳을 보고서 내려앉도다	覽德輝而下之
세덕(細德, 부덕(不德))의 험하고 미미함을 보고는	見細德之險微兮
멀리 나래를 쳐 떠나가도다	遙增擊而去之
저 심상한 도랑이야	彼尋常之汙瀆兮
어찌 배를 삼킬 만한 물고기를 용납하겠는가	豈容呑舟之魚
강호(江湖)를 가로지르는 전어(鱣魚)와 고래도	橫江湖之鱣鯨兮
진실로 장차 땅강아지와 개미에게 제재를 당하리로다	固將制於螻螘

성주득현신송聖主得賢臣頌

왕포王褒 자연子淵

• 작가소개

왕포(王褒, ?~B.C.61)는 자가 자연(子淵)으로 사천(四川) 자주(資州) 사람이다. 그가 활동한 시기는 주로 선제(宣帝) 때에 집중되어 있다. 선제가 사부(辭賦)를 좋아하여 유향(劉向)·장자교(張子僑)·화룡(華龍)·유포(柳褒) 등의 문사(文士)들을 초빙하여 금마문(金馬門)에 대조(待詔)하게 하였는데, 그도 이때 익주 자사(益州刺史) 왕양(王襄)의 천거로 도성에 들어가 선제의 명을 받들고 이 〈성주득현신송(聖主得賢臣頌)〉을 지어 올렸다. 그는 사부를 잘하여 〈감천(甘泉)〉, 〈통소(洞簫)〉 등 16편의 부(賦)가 있어 양운(揚雲, 양웅(揚雄))과 '연운(淵雲)'으로 병칭된다. 뒤에 선제가 익주에 금마벽계(金馬碧鷄)의 신(神)이 있다는 말을 듣고 그를 앞서 보내어 제사하게 하였는데, 도중에 병사(病死)하였다.

• 작품개요

이 글은 본래 《한서(漢書)》 권64 〈왕포열전(王褒列傳)〉에 실려 있는 것으로, 전한(前漢) 선제(宣帝)가 왕포의 일재(逸才)에 대해 듣고서 그를 궁으로 불렀을 적에 지어 바친 것이다. 주된 내용은, 성주(聖主)와 현신(賢臣)이 서로 도와 지치(至治)를 이룸을 논하였는바, 성주는 반드시 현신를 얻어 공업을 이루고 걸출한 선비 역시 명주(明主)를 의뢰하여 그 덕을 드러냄을 밝혔다. 다만 황명(皇命)을 받들어 지었기 때문에 선제의 성덕(聖德)을 칭송하는데 치중되어 있으므로 제목을 '송(頌)'이라 한 것으로, 변려문의 형식을 띠고 있다.

글의 제목을 통해서도 알 수 있듯이 성주가 현신을 얻으면 정사가 잘 다스려짐을 객관적으로 표현하였지만, 실은 선제의 치세를 은근히 찬양하고 있다. 아울러 군주가 가져야 할 중요한 마음가짐을 제시함으로써 선제에게 경계와 교훈을 주고 있다. 주목할 만한 점은 글의 말미에서 언급한 '무위(無爲)'이다. 얼핏보면 '무위자연'의 노장(老莊) 철학을 이상으로 삼고 있는 것처럼 보이지만 노장처럼 정치를 부정적으로 보는 것은 결코 아니다. 오히려 이는 현신을 얻는 일에 애쓴 결과로서의 '무위지치(無爲之治)'인 것이다.

선제가 이 글을 보고 왕포를 높이 평가하여 그를 대조(待詔)하게 하였던 일로 말미암아 이 글이 세상에서 더욱 회자(膾炙)되었다.

篇題小註‥ 此篇起句有策體라 蓋前漢王褒는 字子淵이니 本蜀人이라 爲漢宣帝徵召하여 詔爲此頌하니 起四句는 設譬自敍라 第一節은 且謙辭敍應詔之意요 第二節은 勉宣帝審己正統이요 第三節은 方論賢者國家之器用이요 第四節은 論聖主得賢臣之功이요 第五節은 論人臣之遭遇요 第六節은 總論臣主相得之美라 時에 上이 頗好神仙이라 故로 末段에 不取彭祖, 喬, 松之事하니라

이 편의 기두(起頭)의 구(句)에는 책문(策文)의 체제가 있다. 전한(前漢)의 왕포(王褒)는 자가 자연(子淵)인데 본래 촉(蜀) 지방 사람으로 한 선제(漢宣帝)의 부름을 받고 조명(詔命)에 따라 이 송(頌)을 지었으니, 기두의 네 구는 비유를 하여 자신을 서술하였다. 제 1절은 우선 겸사로 조명에 응한 뜻을 서술하였고, 제 2절은 선제에게 몸을 살피고 통기(統紀)를 바로잡을 것을 권면하였고, 제 3절은 현자(賢者)가 국가의 기용(器用)임을 비로소 논하였고, 제 4절은 성주(聖主)가 현신(賢臣)을 얻은 공(功 효험)을 논하였고, 제 5절은 인신(人臣)의 조우(遭遇)를 논하였고, 제 6절은 신하와 군주가 서로 만난 아름다움을 총론하였다. 이때 상(上, 선제)이 자못 신선술(神仙術)을 좋아하였으므로 말미에 신선인 팽조(彭祖)와 왕자교(王子喬)·적송자(赤松子)의 일을 취하지 않은 것이다.

• **原文**

夫荷旃被毳(취)者는 難與道純綿之麗密이요【荷, 負也, 旃, 氈也, 被, 服也, 純綿, 繒帛也. 言夷狄服旃服毛者, 則難與論繒帛之麗密也.】羹藜含糗(갱려함구)者는 不足與論太牢之滋味

… 褒 칭찬할 포 頌 칭송할 송 譬 비유할 비 荷 멜 하 旃 모직물 전 毳 모직물 취 藜 명아주 려 糗 마른밥 구(후) 牢 희생 뢰

라【藜, 野菜. 含, 食也. 糗, 麥飯也, 太牢[83], 牛也. 言人食藜羹糗飯者, 不足與論太牢之滋味也. 此二句, 謂賤者不足言貴.】 今臣이 僻在西蜀하여 生於窮巷之中하고 長於蓬茨之下하여【蓬茨, 所以覆屋者.】 無有游觀廣覽之知(智)하고 顧有至愚極陋之累하오니 不足以塞(색)厚望, 應明旨로이다 雖然이나 敢不略陳其愚心하여 而抒情素리잇가【言雖不足充厚望, 敢不述愚心而申情素也.】

거친 모포를 걸치고 털옷을 입는 자와는 함께 순면(생사로 만든 비단)의 곱고 치밀함을 말하기 어렵고,【'하(荷)'는 멤이고, '전(旃)'은 굵은 모포이고, '피(被)'는 입음이고, '순면(純綿)'은 비단이다. 굵은 모포를 걸치고 털옷을 입는 이적(夷狄)과는 함께 비단의 곱고 치밀함을 말하기 어려움을 말한 것이다.】 콩잎국을 먹고 보리밥을 먹는 자와는 더불어 태뢰(太牢, 소고기)의 자미(滋味)를 논할 수 없습니다.【'여(藜, 콩잎)'는 들에서 나는 풀이다. '함(含)'은 먹음이다. '구(糗)'는 보리밥이고, '태뢰(太牢)'는 소고기이다. 콩잎국과 보리밥을 먹는 자와는 태뢰의 좋은 맛을 논할 수 없음을 말한 것이다. 이 두 구는 천한 자와는 함께 귀함을 말할 수 없음을 이른 것이다.】

이제 신은 궁벽하게 서촉(西蜀)에 있어 궁벽한 마을 가운데에서 태어나고 쑥대 지붕 밑에서 자라나,【'봉자(蓬茨)'는 쑥대를 엮어 지붕을 덮는 것이다.】 세상을 두루 돌아다녀 구경하거나 널리 본 지혜가 없고, 다만 지극히 어리석고 지극히 비루한 누(累)만 있으니, 폐하의 두터운 기대를 채우고 밝은 뜻에 부응할 수 없습니다. 그러나 감히 어리석은 마음을 간략히 아뢰어 평소에 먹었던 마음을 펴지 않을 수 있겠습니까.【비록 두터운 기대를 충족시킬 수는 없으나 감히 어리석은 마음을 기술하여 평소에 먹었던 마음을 펴지 않을 수 없음을 말한 것이다.】

記曰【爲此頌之記也.】 恭惟春秋法에 五始之要는 在乎審己正統而已니이다【五始, 謂元年·春·王·正月·公卽位也. 元者, 氣之始, 春者, 四時之始, 王者, 受命之始, 正月者, 正令之始, 公卽位者, 一國之先也. 此五者, 在乎君王審己而行之, 正位以統理天下而已.】 夫賢者는 國家之器用也니 所任賢則趨舍省(생)而功施普하고 器用利則用力少而就效衆이라 故로 工人之用鈍器也엔 勞筋苦骨하여 終日矻(굴)矻이라가 及至巧冶鑄干將之樸하여 淸水

---

83 太牢: 소와 양·돼지의 희생으로 가장 성대한 찬을 이르는바, 제수(祭需)나 예찬(禮饌)에 사용하였는데, 여기서는 특히 소를 가리킨 것이다.

··· 蓬 쑥 봉 茨 띠 자 塞 막힐 색 抒 펼 서 普 넓을 보 筋 힘줄 근 矻 힘써일할 굴
冶 쇠주조할 야 樸 질박할 박 淬 담글 쉬

淬(쉬)其鋒하고 越砥斂其鍔(악)하여는【干將,[84] 劍名. 樸, 劍未理也. 淬, 燒刃令熱, 漬於水中. 鋒, 刃也. 越砥, 磨石名也. 斂, 謂磨也. 鍔, 刃也. 良冶, 鑄劍人也.】 水斷蛟龍하고 陸剸犀革하여 忽若篲氾(수범)塵塗하나니【氾, 猶掃也. 言以利劍斬斷蛟犀, 忽若以篲掃於路塵, 言甚易也. 若國用賢臣, 化惡反善, 自如此也.】 如此則使離婁督繩하고【離婁, 古明目人.】 公輸削墨이면【公輸, 古之巧匠.】 雖崇臺五層이 延袤(무)百丈이라도 而不溷(혼)者는 工用相得也일새니이다【言巧拙之理. 且使上之所述, 則更使明目者正繩, 巧工者度(탁)墨, 雖高臺五層, 長廣百丈, 而規矩不亂者, 工用之相得故也, 國不亂者, 得賢之效也.】

기록합니다.【이 송(頌)의 기록을 지은 것이다.】 공손히 생각하건대, 《춘추(春秋)》의 법에 〈오시(五始)란 것이 있으니〉 오시의 요점은 군주가 자기 몸을 살피고 통기(統紀)를 바로잡음에 있습니다.【'오시(五始)'는 원년(元年), 봄, 왕(王), 정월, 공즉위(公卽位) 다섯 가지를 말한다. 원(元)은 기운의 시작이고, 봄은 사시(四時)의 시작이고, 왕은 수명(受命)의 시작이고, 정월은 정령(正令, 정교(政敎))을 펴는 시작이고, 공즉위는 한 나라의 시작이다. 이 다섯 가지는 군왕이 자신의 몸을 살펴 행하고 지위를 바르게 하여 천하를 다스림에 달려있을 뿐이다.】

저 현자(賢者)는 국가의 기용(器用, 기물)이니, 등용한 사람이 어질면 추사(趨捨, 인재의 취사선택)가 생략되면서도 공(功)의 베풀어짐이 넓어지고, 연장이 예리하면 힘씀이 적으면서도 이루어진 효과가 많습니다. 그러므로 공인(工人)들이 무딘 연장을 쓸 때에는 근골(筋骨)을 수고롭게 하여 종일토록 애를 쓰다가 솜씨 좋은 대장장이가 명검(名劍)인 간장(干將)의 바탕을 주조하여 맑은 물로 칼날을 담금질하고 월지(越砥)라는 숫돌로 칼날을 갈게 되면【'간장(干將)'은 검의 이름이다. '박(樸)'은 검을 주조하여 아직 다듬지 않은 것이다. '쉬(淬)'는 칼날을 불에 넣어 뜨겁게 하였다가 물속에 담금질하는 것이다. '봉(鋒)'은 칼날이다. '월지(越砥)'는 숫돌의 이름이다. '렴(斂)'은 숫돌에 가는 것을 이른다. '악(鍔)'은 칼날이다. '교야(巧冶)'는 검을 잘 주조하는 사람이다.】 수중(水中)에서는 교룡(蛟龍)을 베고 육지에서는 무소가죽을 자를 수 있어 마치 빗자루로 먼지가 나는 길을 쓰는 것처럼 쉽게 합니다.【'범(氾)'은 소(掃, 씀)와 같다. 예리한 검을 가지고 교룡과 무소를 벰은 빠름이 마치 빗자루로 먼지 나는 길을 쓰는 것과 같음을 말한 것이니, 매우 쉬움을 말한 것이다. 만약 나라에서 어진 신하를 등용하면

---

84 干將: 명검으로, 《오월춘추(吳越春秋)》〈합려내전(闔閭內傳)〉에 "간장은 오(吳)나라 사람으로 오왕 합려(闔閭)를 위해 검을 주조할 적에 그의 처 막야(莫邪)가 머리털과 손톱을 잘라 화로에 넣어 담금질을 해서 완성하고는, 양검(陽劍)을 간장(干將), 음검(陰劍)을 막야(莫邪)라 했다." 하였는바, 기록에 약간의 차이가 있다.

… 鍔 칼날 악 剸 끊을 단 篲 비 수 袤 길이 무 溷 어지러울 혼

악한 사람을 변화시켜 선한 사람으로 되돌림이 절로 이와 같은 것이다.】

이와 같을 경우 이루(離婁)로 하여금 먹줄을 감독하게 하고【이루는 옛날 눈이 밝은 사람이다.】 공수자(公輸子)로 하여금 먹줄에 따라 나무를 깎게 하면【공수자는 옛날 공교한 장인이다.】 비록 높은 누대가 5층이 되고 너비와 길이가 백 길에 뻗어있더라도 규구(規矩)가 어지럽지 않으니, 이는 목수와 연장이 서로 맞기 때문입니다.【공교하고 졸렬한 이치를 말하였다. 가령 위에서 기술한 바와 같다면, 다시 눈이 밝은 자로 하여금 먹줄을 바르게 하고 공교한 장인으로 하여금 먹줄에 따라 재어 깎게 하면 비록 5층이나 되는 높은 누대가 너비와 길이가 백 길이 되더라도 규구가 어지럽지 않으니, 이것은 목수의 기예와 연장이 서로 맞기 때문이요, 나라가 혼란하지 않은 것은 어진 신하를 얻은 효과이다.】

庸人之御駑馬엔 亦傷吻(문)敝策而不進於行하여 胸喘膚汗하여 人極馬倦이라가【言人駕劣馬，則傷馬，空勞鞭杖而不進行，胷喘而膚汗，人亦極困，馬亦病倦，不肖之人理國，卽勞下人，繁國法，國旣亂矣，身亦危矣.】及至駕齧膝(설슬), 參(驂)乘旦[85]하여 王良執靶하고 韓哀附輿[86]하여는【齧膝・乘旦，良馬名，王良・韓哀，古善御者．靶，轡也.】縱騁馳騖를 忽如景(影)靡하고【靡，沒也．言良馬良御縱騁奔馳，忽如景之疾沒.】過都越國을 蹶(궐)如歷塊하여【言過都國，疾如行歷一小塊之間.】追奔電하고 逐遺風하여 周流八極하여 萬里一息하나니 何其遼哉오 人馬相得也일새니이다【言此良馬良御，何期遠哉? 此人馬相得之勢也．使聖王得賢臣而用之，亦如此也．○已上，論賢者國家之器用.】

용렬한 사람이 노둔한 말을 부릴 적에는 또한 말의 입술을 상하게 하고 채찍이 해지도록 채찍질해도 앞으로 나아가지 못하여 가슴이 헐떡거리고 피부에는 땀이 흘러 사람도 피로가 극에 달하고 말도 지치다가【사람이 노둔한 말을 타면 말을 상하게 하여 부질없이 수고롭게 채찍을 쳐도 앞으로 나아가지 못해서 가슴이 헐떡거리고 피부에 땀이 흘러 사람도 지극히 피로하고 말도 지치게 되니, 불초한 사람이 나라를 다스리면 아랫사람을 수고롭게 하고 국법을 번잡하게 하여 나라가 어지럽고 자신 또한 위태로움을 말한 것이다.】 명마(名馬)인 설슬(齧膝)을 멍에하고 승단(乘旦)을 참마(驂馬)로 삼고는 〈이

---

85 參乘旦: '승단(乘旦)'은 명마(名馬)의 이름이다. '참(驂)'은 곁말로 옛날 수레 하나에 4필의 말을 멍에하였는바, 가운데에 있는 두 말을 복마(服馬)라 하고 양쪽 가에 있는 말을 참마(驂馬)라 하였다.

86 王良執靶 韓哀附輿: 왕량은 춘추시대에 말을 잘 몰기로 이름난 사람으로, 《논형(論衡)》 〈솔성(率性)〉에 "왕량이 말을 몰면 말이 노둔하지 않고, 요(堯)·순(舜)이 정치를 하면 백성들이 어리석지 않다." 하였다. 한애는 옛날 말을 부리는 기술을 발명한 사람으로, 《삼국지(三國志)》 〈촉지(蜀志)〉에 "한애가 고삐를 잡고서 명성을 떨쳤다." 하였다.

··· 吻 입술 문 胸 가슴 흉 喘 헐떡거리 천 齧 깨물 설 靶 고삐 파 騖 달릴 무 蹶 달릴 궐 遼 멀 요

름난 마부인〉 왕량(王良)이 고삐를 잡고 한애(韓哀)가 수레에 붙어 있으면【'설슬(齧膝)'과 '승단(乘旦)'은 좋은 말의 이름이고, '왕량(王良)'과 '한애(韓哀)'는 옛날에 말을 잘 몰던 사람이다. '파(靶)'는 고삐이다.】 마음대로 달려 빠르기가 마치 그림자가 지나가는 것과 같으며【'미(靡)'는 없어짐(스쳐감)이다. 좋은 말과 훌륭한 마부가 마음대로 달리기를 마치 그림자가 빨리 지나가는 것과 같음을 말한 것이다.】 도읍을 지나고 서울을 지나감에 빠름이 흙덩이를 지나가는 것처럼 빨라서【국도(國都, 서울)을 지나가는 것이 하나의 작은 흙덩이를 지나가는 것처럼 빠름을 말한 것이다.】 달리는 번개를 쫓고 스쳐 가는 바람을 쫓아 팔극(八極, 팔방의 끝)을 주류하여 만 리를 순식간에 갈 수 있으니, 어찌면 그리도 멀리 갈 수 있겠습니까? 사람과 말이 서로 만났기 때문입니다.【이 좋은 말과 훌륭한 마부가 어찌 멀리 가기를 기약하였겠는가? 이는 사람과 말이 서로 만난 형세임을 말한 것이다. 가령 성왕(聖王)이 어진 신하를 얻어 쓰면 또한 이와 같은 것이다. ○이상은 현자가 국가의 기용(器用)임을 논한 것이다.】

故로 服絺綌(치격)之涼者는 不苦盛暑之鬱燠(울욱)하고 襲狐貉(호학)之暖者는 不憂至寒之凄愴하나니 何則고 有其具者는 易其備일새니이다【服葛衣之涼, 不苦盛暑之熱, 衣狐裘之暖, 不憂至寒之甚者, 蓋有其具而易爲備也. 故國有賢臣, 亦無憂也.】 賢人, 君子는 亦聖王之所以易海內라 是以로 嘔喩受之하여 開寬裕之路하여 以延天下之英俊이니이다【嘔喩, 喜悅貌. 受, 謂用賢臣也.】 夫竭智附賢者는 必建仁策하고 索遠求士者는 必樹伯(霸)迹이라 昔周公이 躬吐握之勞[87]故로 有圄空之隆하고【周公吐握以禮賢士, 故能太平, 囹圄空虛.】 齊桓이 設庭燎之禮故로 有匡合之功하니【桓公好賢, 公必夙興, 設庭燎之火, 以禮見之, 故能匡輔周室, 會合諸侯.】 由此觀之하면 君人者는 勤於求賢이요 而逸於得人이니이다【以上, 論聖主得賢臣之功.】

그러므로 갈포의 시원한 옷을 입은 자는 여름의 찌는 듯한 무더위를 괴로워하지 않고, 여우와 담비의 따뜻한 갖옷을 껴입은 자는 한겨울의 추위를 근심하지 않습니다. 어째서이겠습니까? 그 도구가 있는 자는 대비하기가 쉽기 때문입니다.【시원한 갈포옷을 입으면 찌는 듯한 무더위를 괴로워하지 않고, 따뜻한 여우갖옷을 입으면 한겨울의 추위를 근심하지 않으니, 이는 그 도구를 가지고 있어 대비하기가 쉽기 때문이다. 이 때문에 나라에 현신(賢臣)이 있으면 또한 근심이 없는 것이다.】

---

87 吐握之勞 : '토악(吐握)'은 '토포악발(吐哺握髮)'의 줄임말로, 주공(周公)은 현사(賢士)들을 만나기에 급급하여 한 번 밥을 먹을 때에도 세 번이나 먹던 밥을 뱉고 한 번 머리를 감을 때에도 세 번이나 풀어 트린 머리를 그대로 쥐고 나와 접견(接見)했다 한다.《史記 卷33 魯周公世家》

絺 고은갈포 치 綌 굵은갈포 격 燠 따뜻할 욱 貉 담비 학 嘔 기뻐할 후 握 쥘 악 圄 감옥 어 燎 화톳불 료 匡 바로잡을 광

현인과 군자는 또한 성왕(聖王)이 해내(海內)를 다스리는 도구입니다. 이 때문에 성주(聖主)는 다정하게 받아주어 너그러운 길을 열어주어서 천하의 영재와 준걸스러운 사람을 맞이합니다.【'구유(嘔喩)'는 기뻐하는 모양이다. '수(受)'는 현신을 받아들여 씀을 이른다.】

저 지혜를 다하여 어진 이를 따르게 하는 자(군주)는 반드시 훌륭한 계책을 세우고, 먼 곳까지 찾아다니며 선비를 구하는 자는 반드시 패자(霸者)의 자취를 세웁니다. 옛날에 주공(周公)은 토포악발(吐哺握髮)의 수고로움을 몸소 하였기 때문에 감옥이 비는 융성한 정치를 이룩하였고,【주공(周公)이 밥을 먹을 적에 먹던 밥을 뱉고 머리감을 적에 머리칼을 쥐고서 어진 선비를 예우하였기 때문에 태평하여 감옥이 텅 비게 된 것이다.】 제 환공(齊桓公)은 정료(庭燎)의 예(禮)를 베풀었기 때문에 광합(匡合)의 공을 세웠으니,【환공(桓公)이 어진 선비를 좋아하여, 공이 반드시 일찍 일어나 뜰에 횃불을 밝혀 예(禮)로써 현자를 만났기 때문에 주실(周室)을 바로잡고 제후를 회합할 수 있었다.】 이로 말미암아 보건대, 인군(人君)은 어진 이를 구하는데 수고롭고 사람을 얻고 나면 편안하게 됩니다.【이상은 성주(聖主)가 어진 신하를 얻은 공효를 논한 것이다.】

人臣亦然하니 昔賢者之未遭遇也엔 圖事揆策則君不用其謀하고 陳見悃誠則上不然其信하여 進仕不得施效하고 斥逐又非其愆이라 是故로 伊尹이 勤於鼎俎하고 太公이 困於鼓刀하고 百里自鬻(육)하고 甯子飯牛는 離此患也러니【伊尹未遇, 勤勞於調鼎俎. 太公未遇, 困於屠牛鼓刀. 百里奚爲晉虜而賣之, 秦以五羖皮贖之. 甯戚未逢桓公, 而於齊門飯牛, 四賢皆罹此不遇之患.】 及至遇明君, 遭聖主也하여는 運籌合上意하고 諫諍則見聽하여 進退에 得關其忠하고 任職에 得行其術하여【關, 猶用也.】 去卑辱奧渫(오설)而升本朝하고 離蔬釋蹻(석갹)而享膏粱하며【言賢人旣遇聖主, 榮以職位, 惠以祿食. 故去卑辱幽汙之事, 以升用於朝, 離去蔬食, 釋去蹻履, 而食滋味, 衣朝服也.】 剖符錫壤하여 而光祖考하고 傳之子孫하여 以資說(세)士니이다【以上, 論人臣之遭遇.】

인신(人臣) 또한 그러하니, 옛날에 현자가 성군(聖君)을 만나지 못했을 때에는 일을 도모하고 계책을 헤아리면 군주가 그 계책을 써주지 않고, 진실한 정성을 개진하여 보이면 윗사람이 그 신(信, 말)을 믿지 않아서, 나아가 벼슬함에 공효(功效)를 베풀지 못하고, 배척과 축출을 당하는 것이 또 그의 잘못이 아닙니다. 그러므로 이윤(伊尹)은 솥과 도마(요리)에 수고로웠고, 태공(太公, 여망(呂望))은 백정 노릇을 하는데 곤궁하였으며, 백리해(百里奚)는 스스로 팔려갔고, 영자(甯子, 영척(甯戚))는 소를 먹였으니, 이것은 이러한 근심(환란)에 걸린 것입니다.【이윤(伊尹)

··· 揆 헤아릴 규 悃 정성 곤 愆 허물 건 俎 도마 조 鬻 팔 육 諍 간할 쟁 奧 깊을 오
渫 더러울 설 蹻 짚신 갹

이 훌륭한 임금을 만나지 못했을 적에는 솥과 도마에서 고기를 요리함에 수고로웠고, 태공(太公)이 훌륭한 임금을 만나지 못했을 적에는 소를 도살하고 칼을 두드리는 데에 곤궁하였으며, 백리해(百里奚)는 진(晉)나라의 포로가 되어 팔려갔었는데 진(秦)나라가 다섯 장의 양가죽으로 속량(贖良)해 주었고, 영척(甯戚)은 환공(桓公)을 만나지 못했을 적에 제나라 성문에서 소를 먹였으니, 네 현인은 모두 이 불우한 근심에 걸린 것이다.】

그러다가 명군(明君)을 만나고 성주(聖主)를 만나게 되어서는 계책을 세우면 윗사람의 뜻에 합하고 간쟁(諫諍)하면 들어줌을 받아서 나아가거나 물러남에 그 충성을 받아주며 직책을 맡음에 그 계책을 시행합니다.【'관(關)'은 용(用)과 같다.】 그리하여 비천함과 모욕, 어둠과 더러움을 버리고 본조(本朝, 조정)로 올라가며, 거친 음식을 버리고 짚신을 벗고서 고량진미를 누리며,【현인이 이미 성주를 만나면 높은 직위로써 영화롭게 해주고 녹봉으로써 은혜롭게 해준다. 이 때문에 욕되고 어둡고 더러운 일을 버리고 조정에 오르며, 거친 음식을 버리고 짚신을 벗고서 고량진미를 먹고 조복(朝服)을 입음을 말한 것이다.】 인부(印符)를 쪼개어(나누어) 받고 봉토를 하사받아 조(祖)·고(考)를 빛내고 자손에게 물려주어 유세(遊說)하는 선비들의 자료(이야깃거리)가 됩니다.【이상은 신하가 훌륭한 군주를 만남을 논한 것이다.】

故로 世必有聖知(智)之君而後에 有賢明之臣이라 故로 虎嘯而風洌하고 龍興而致雲하며【喻君之所以感召其臣.】 蟋蟀(실솔)俟秋吟하고 蜉蝣出以陰이니이다【喻賢人待明君而後仕.】易曰 飛龍在天에 利見大人이라하고 詩曰 思皇多士 生此王國이라하니 故로 世平主聖이면 俊乂(예)[88]將自至라 若堯, 舜, 禹, 湯, 文, 武之君이 獲稷, 契(설), 皐陶(고요), 伊尹, 呂望之臣하여 明明在朝하고 穆穆布列하여 聚精會神하여 相得益章하니 雖伯牙操遞鍾하고 逢門子彎烏號라도 猶未足以喻其意也라【伯牙操琴, 逢門子彎弓, 其音韻合和, 弓矢必中, 必未足以喻君臣之意也. 遞鍾, 琴名, 烏號, 弓名.】故로 聖主는 必待賢臣而弘功業하고 俊士는 亦俟明主以顯其德이니이다 上下俱欲하여 歡然交欣하여 千載一會하여 論說無疑하면 翼乎如鴻毛遇順風하고 沛乎若巨魚縱大壑하리니 其得意如此면 則胡禁不止며 曷令不行이리오 化溢四表하고 橫被無窮하여 遐夷貢獻하고 萬祥必臻이니이다

그러므로 세상에 반드시 성스럽고 지혜로운 군주가 있은 뒤에야 현명한 신하가 있는 것입

88 俊乂: 모두 재주와 덕이 뛰어난 사람으로 1,000명 중에 뛰어난 자를 준(俊), 100명 중에 뛰어난 자를 예(乂)라 한다.

嘯 휘파람불 소 洌 세찰 렬 蟋 귀뚜라미 실 蟀 귀뚜라미 솔 蜉 하루살이 부 蝣 하루살이 유
乂 준걸 예 遞 번갈아 체 彎 당길 만 沛 성할 패 壑 골짜기 학 溢 넘칠 일 遐 멀 하
臻 이를 진

니다. 이 때문에 범이 포효하면 바람이 거세지고 용이 일어나면 구름이 일며,【군주가 그 신하를 감동시켜 부름을 비유한 것이다.】 귀뚜라미는 가을을 기다려 울고 하루살이는 날이 흐릴 때에 나오는 것입니다.【현인이 현명한 군주를 기다린 뒤에 벼슬함을 비유한 것이다.】

《주역(周易)》〈건괘(乾卦) 구오(九五) 효사(爻辭)〉에 "나는 용(龍)이 하늘에 있으매 대인(大人)을 만나봄이 이롭다." 하였고, 《시경(詩經)》〈대아(大雅) 문왕(文王)〉에 "훌륭한 많은 선비가 이 왕국(王國)에 태어났다." 하였습니다. 그러므로 세상이 태평하고 군주가 성스러우면 준예(俊乂)가 장차 스스로 이르는 것입니다. 요(堯)·순(舜)·우(禹)·탕(湯)·문왕(文王)·무왕(武王)과 같은 군주가 직(稷)·설(契)·고요(皐陶)·이윤(伊尹)·여망(呂望)과 같은 신하를 얻어서 〈임금이〉 밝고 밝게 조정에 있고, 〈신하들이〉 목목(穆穆)하게 조정에 늘어서서 정신을 모아 서로 뜻이 맞음이 더욱 드러나니, 비록 백아(伯牙)가 체종금(遞鍾琴)을 잡고 봉문자(逢門子)가 오호궁(烏號弓)을 당기더라도 오히려 그 〈서로 부합하는〉 뜻을 다 비유할 수가 없습니다.【백아(伯牙)가 체종(遞鍾)이라는 거문고를 잡고 봉문자(逢門子)가 오호(烏號)라는 활을 당김에 그 음운이 조화롭고 화살이 반드시 적중하더라도 군신의 뜻이 화합함을 비유할 수는 없는 것이다. '체종'은 거문고의 이름이고, '오호'는 활의 이름이다.】

그러므로 성주(聖主)는 반드시 현신(賢臣)을 기다려 공업(功業)을 넓히고, 준사(俊士) 또한 명주(明主)를 기다려 그 덕을 드러내는 것입니다. 윗사람과 아랫사람이 모두 원하여(좋아하여) 환연(歡然)히 서로 기뻐해서 천 년에 한 번 만나 임금과 신하가 논설함에 의심이 없으면 마치 기러기 털이 순풍을 만나 나는 듯하고 큰 고기가 큰 강물에 노는 듯하리니, 뜻을 얻음이 이와 같다면 무엇을 금한들 그쳐지지 않겠으며, 무엇을 명령한들 행해지지 않겠습니까. 교화가 사방에 넘치고 무궁한 곳에까지 널리 입혀져 먼 오랑캐가 조공을 바치며 온갖 상서가 반드시 이를 것입니다.

是以로 聖主는 不偏窺望而視已明하고 不殫傾耳而聽已聰하여 恩從祥風翱하고 德與和氣游하여 太平之責이 塞하고 優游之望이 得이니 遵遊自然之勢하고 恬淡無爲之場하여 休徵自至하고 壽考無疆하여 雍容垂拱하여 永永萬年이니이다 何必偃仰屈伸을 若彭祖하고 呴噓呼吸을 如喬, 松하여 眇然絕俗離世哉[89]리오【何必羨於彭祖八百

89 何必偃仰屈伸……眇然絕俗離世哉: '언앙굴신(偃仰屈伸)'은 몸을 굽혔다 폈다 하는 것이고 '후허호흡(呴噓呼吸)'은 숨을 들이마시고 내뿜는 것으로, 건강을 위한 도인술(導引術)을 이른다. 《열선전(列仙傳)》〈팽조(彭祖)〉에 의하면 팽조는

偏 치우칠 편 窺 엿볼 규 翱 날 고 恬 편안할 염 休 아름다울 휴 疆 끝 강 呴 불 후
噓 내불 허 眇 아득할 묘

壽, 喬, 松千年之仙? 言不足尙也.】 詩曰 濟濟多士여 文王以寧이라하니【詩, 文王之篇云. 濟濟, 威儀之盛貌, 多士, 衆賢也. 有濟濟之賢以佐文王, 此文王之所以安寧. ○以上, 論臣主之相得如此. 引援毛詩證結, 尤有斷案.】 蓋信乎以寧也니이다

그러므로 성주는 두루 엿보고 바라보지 않아도 보는 것이 이미 밝고, 귀를 다 기울이지 않아도 듣는 것이 이미 밝아서 은혜가 상서로운 바람을 따라 높이 날고 덕이 온화한 기운과 더불어 노닐어서, 세상을 태평하게 다스려야 할 책임이 완수되고 한가로이 노닐려는 바람이 얻어지는 것이니, 자연의 세를 따라 노닐고 무위(無爲)의 경지에 담박(淡泊)하여, 아름다운 징조가 저절로 이르고 만수무강해서, 온화하게 옷을 드리우고 팔짱을 끼고서 만년토록 오래오래 사는 것입니다. 어찌 굳이 고개를 숙였다 올렸다 하고 굴신(屈伸)함을 팽조(彭祖)와 같이 하며 후허(煦嘘)와 호흡(呼吸)을 왕자교(王子喬)와 적송자(赤松子)처럼 하여 아득히 속세를 떠나야만 하겠습니까.【어찌 굳이 8백 세의 장수를 누린 팽조(彭祖)와 천 년을 산 신선 왕자교와 적송자를 부러워하겠는가. 숭상할 것이 못됨을 말한 것이다.】

《시경》에 이르기를 "제제(濟濟)한 많은 선비여! 문왕이 이 때문에 편안하다." 하였으니,【시는 〈문왕(文王)〉편이다. '제제'는 위의가 성대한 모양이고, '다사(多士)'는 현인이 많은 것이다. 많은 현인들이 있어 문왕을 보좌하니, 문왕이 이 때문에 편안하신 것이다. ○이상은 신하와 임금이 서로 만남이 이와 같음을 논한 것이다. 《시경》을 원용하여 증명해서 맺었으니, 더욱 단안(斷案)이 있다.】〈임금은〉 진실로 이들 때문에 편안한 것입니다.

전욱(顓頊)의 손자로 하(夏)나라와 은(殷)나라에 걸쳐 800년을 살았다고 한다. '교송(喬松)'은 주 영왕(周靈王)의 태자 왕자교(王子喬)와 신선 적송자(赤松子)를 가리킨다.

낙지론樂志論

중장통仲長統 공리公理

• 작가소개

중장통(仲長統, 180~220)은 자(字)가 공리(公理)로, 후한(後漢) 산양(山陽) 사람이다. 어려서부터 학문을 좋아하였으며 여러 책을 두루 섭렵해 문장이 뛰어났다. 직언을 서슴지 않고 작은 일에 구속되지 않아 당시 사람들이 '광생(狂生)'이라 불렀다. 주(州)와 군(郡)에서 기용하려 했지만 병을 핑계로 나아가지 않았다. 저서에는 정치서인 《창언(昌言)》 34편을 지었다고 하나 일부만 전해진다.

• 작품개요

이 작품은 제목에서 '논(論)'이라고 표방하였지만 실제로는 논변하는 글은 아니며 선비가 재정적 여유를 누리면서 은거하는 즐거움에 대해 설파한 것이다. 전택의 아름다움과 한가로운 산속에서 자연과 벗하며 살아가는 모습, 노자(老子)의 현묘한 도(道)를 추구하는 생활을 그려내고 있어, 자신의 뜻을 즐기면서 조정에 출사하기를 원하지 않았던 중장통의 사상이 잘 나타나 있는바, 그의 문장력과 인생관이 가장 잘 드러난 작품이라 하겠다.

전편(全篇)은 대체적으로 간결하고 수식이 적은 단문으로, 고사(故事)를 인용한 구가 몇 군데 있지만 과도한 것은 아니다. 그러나 내용이 너무 호사(豪奢)하여 안빈낙도(安貧樂道)하는 일반적인 은사들의 고결한 태도가 없는 것이 흠이라 하겠다.

篇題小註‥ 後漢仲長統은 字公理니 少好學하고 性倜儻(척당)敢言하며 不矜小節이라 每州郡命召면 輒稱疾不就하고 常以爲凡遊帝王者는 欲以立身揚名耳나 而名不常存하고 人生易滅하니 優游偃仰하여 固以自娛其志라 故로 爲之著論云이라

후한(後漢)의 중장통(仲長統)은 자가 공리(公理)인데, 어려서부터 학문을 좋아하였고 성품이 드높아 과감히 말하였으며 작은 예절을 따지지 않았다. 매양 주군(州郡)에서 명하여 부르면 그때마다 병을 칭탁하고 나아가지 않았으며, 항상 말하기를 "무릇 제왕(帝王)을 따라 노는(벼슬하는) 자들은 입신양명(立身揚名)하고자 해서이나, 이름은 항상 보존되지 못하고 인생은 죽어 없어지기 쉬우니, 한가히 놀며 자유롭게 기거(起居)하여 진실로 그 뜻을 스스로 즐길 뿐이다." 하였다. 그러므로 이 논을 지은 것이다.

• **原文**

使居有良田廣宅이 背山臨流하여 溝池環匝(잡)하고 竹木周布하며 場圃築前하고 果園樹後라 舟車足以代步涉之難하고 使令이 足以息四體之役하며 養親에 有兼珍之膳하고 妻孥無苦身之勞하며 良朋萃止면 則陳酒肴以娛之하고 嘉時吉日이면 則烹羔豚以奉之라 躕躇畦苑(주저휴원)하고 遊戲平林하며 濯清水, 追凉風하고 釣游鯉, 弋高鴻하며 風於舞雩之下하고 詠歸高堂之上이라【雩, 祭旱之名, 爲壇而舞其上, 以祈雨焉. ○論語: "曾點曰: '春服旣成, 冠者五六人, 童子六七人, 浴乎沂, 風乎舞雩, 詠而歸.'"】安神閨房하여 思老氏之玄虛하고 呼吸精和하여 求至人之彷佛이라【老子曰: "玄之又玄 虛其心, 實其腹."[90] 呼吸, 謂咽氣養性也. 莊子曰: "(噓呴)[吹呴][91]呼吸, 吐故納新." 又曰: "至人無己也."】

내가 거주하는 곳에는 좋은 토지와 넓은 집이 산을 등지고 물가에 임하여 도랑과 연못이 빙 둘러 있고 대나무와 나무들이 두루 벌려 있으며, 장포(場圃, 채전(菜田))가 앞에 마련되어 있고 과원(果園, 과수원)이 뒤에 심겨져 있다. 배와 수레가 길을 걷고 물을 건너는 어려움을 대신하

---

90 老子曰……實其腹: 《도덕경》 제1장에 "현묘하고 현묘하니 모든 현묘함의 문이다.[玄之又玄 衆妙之門]" 하였고, 제3장에 "성인의 다스림은 마음을 비우고 배를 채운다.[聖人治 虛其心 實其腹]" 하였다.

91 (噓呴)[吹呴]: 저본에는 '허후(噓呴)'로 되어 있으나 《장자》 〈각의(刻意)〉에 의거하여 '취구(吹呴)'로 바로잡았다.

倜 기개있을 척 儻 기개있을 당 矜 자랑할 긍 輒 번번이 첩 匝 두를 잡 圃 채전 포
膳 반찬 선 孥 처자 노 肴 안주 효 烹 삶을 팽 躕 머뭇거릴 주 躇 머뭇거릴 저 畦 밭두둑 휴
鯉 잉어 리 弋 주살 익 雩 기우제 우 閨 안방 규 彷 비슷할 방 佛 비슷할 불

고, 사령(使令)들이 사지(四肢)의 노역을 쉬게 한다. 어버이를 봉양함에 진미(珍味)를 겸한 반찬이 있고 처자들은 몸을 괴롭게 하는 수고로움이 없으며, 좋은 벗이 모이면 술과 안주를 베풀어 즐기고 좋은 시절이나 길한 날이면 염소와 돼지를 삶아 받들어 올린다.

밭두둑과 동산을 거닐고 숲 속에서 유희(遊戲)하며 맑은 물에 씻고 시원한 바람을 좇으며 물 속에서 노는 잉어를 낚시질하고 하늘 높이 나는 기러기를 쏘아 잡으며, 무우(舞雩)의 아래에서 바람 쐬고 고당(高堂)의 위로 시를 읊으며 돌아온다.【'우(雩)'는 가뭄에 지내는 제사 이름이니, 단(壇)을 만들고 그 위에서 춤을 추며 기우제를 지낸다. ○《논어(論語)》〈선진(先進)〉에 "증점(曾點)이 말하였다. '봄옷이 이미 이루어지면 관(冠)을 쓴 어른 5~6명과 동자(童子) 6~7명과 기수(沂水)에서 목욕하고서 무우(舞雩)에서 바람 쐬고 시 읊고 돌아오겠다.' 하였다."】

규방(閨房)에서 정신을 편안히 하여 노씨(老氏, 노자(老子))의 현허(玄虛)한 도(道)를 생각하고, 정화(精和, 맑은 기운)를 호흡하여 지인(至人)과 방불하기를 구한다.【노자《도덕경》에 "현묘하고 또 현묘하여 그 마음을 비우고 그 배를 채운다." 하였다. '호흡(呼吸)'은 숨을 삼켜 성명(性命, 목숨)을 기름을 이른다.《장자》〈각의(刻意)〉에 "숨을 내쉬고 들이마시면서 호흡하여 옛 기운을 토해내고 새 기운을 들인다." 하였고,〈소요유(逍遙遊)〉에 또 "지인(至人)은 기(己, 자기에 대한 사심)가 없다." 하였다.】

與達者數子로 論道講書하여 俯仰二儀하고 錯綜人物하며 彈南風之雅操하고 發淸商之妙曲이라【家語: "舜彈五絃之琴, 造南風之詩,[92] 曰: '南風之薰兮, 可以解吾民之慍兮. 南風之時兮, 可以阜吾民之財[兮].'" ○三禮圖曰: "琴本五絃, 曰宮·商·角·徵(치)·羽, 文王增二, 曰少宮·少商, 音最淸也."】逍遙一世之上하고 睥睨(비예)天地之間하여 不受當時之責하고 永保性命之期하니 如是면 則可以凌霄漢하여 出宇宙之外矣니 豈羨夫入帝王之門哉아

이치를 통달한 자 몇 사람과 도를 논하고 책을 강하여 이의(二儀, 하늘과 땅)를 굽어보고 우러러보고 고금의 인물들을 착종(錯綜)하며, 남풍(南風)의 고상한 곡조를 타고 청상(淸商)의 묘한 곡(曲)을 발한다.【《공자가어(孔子家語)》〈변악해(辯樂解)〉에 "순 임금이 오현금을 타면서 남풍시(南風詩)를 지으니, 여기에 이르기를 '남풍의 훈훈함이여, 우리 백성들의 노여움을 풀 수 있도다. 남풍이 제때 붊이여,

92 南風之詩: '남풍(南風)'은 훈훈한 바람인바, 옛날 순(舜) 임금이 오현금(五絃琴)으로 천하가 태평하고 백성들이 부유함을 노래하였다. 이 때문에 천하가 태평함을 구가(謳歌)하는 시(詩)나 곡조를 가리키게 되었다.

··· 彈 탄알 탄 睥 엿볼 비 睨 엿볼 예 凌 능멸할 릉 霄 하늘 소 羨 부러워할 선

우리 백성들의 재물을 많게 할 수 있도다.' 했다." 하였다. ○《삼례도(三禮圖)》에 말하였다. "거문고는 본래 다섯줄로 궁(宮) · 상(商) · 각(角) · 치(徵) · 우(羽)였는데, 문왕이 두 줄을 더하니 '소궁(少宮)'과 '소상(少商)'으로 음이 가장 맑다."】

그리하여 한 세상 위에 소요(逍遙)하고 천지 간을 하찮게 보아 당시의 책임을 떠받지 않고 성명(性命, 생명)의 기한을 길이 보존한다. 이와 같다면 운한(雲漢, 하늘의 은하수)을 넘어 우주의 밖에 초탈할 수 있을 것이니, 어찌 제왕(帝王)의 문에 들어감을 부러워하겠는가.

출사표出師表

제갈량諸葛亮 공명孔明

• 작가소개

제갈량(諸葛亮, 181~234)의 자는 공명(孔明), 시호는 충무후(忠武侯)이며, 산동(山東) 낭야(琅琊) 사람이다. 후한 말기 전란을 피하여 양양(襄陽)의 융중(隆中)에 은거하였는데, 명성이 높아 와룡(臥龍)선생으로 불렸다. 소설인 《연의삼국지(演義三國志)》를 통하여 잘 알려진 인물로, 유비(劉備)로부터 삼고초려(三顧草廬)의 초빙을 받은 뒤에 삼분천하(三分天下)를 이룩하고 천하통일을 위하여 북벌(北伐)을 하다가 오장원(五丈原)에서 병사하였다. 그의 뛰어난 지모와 정치적 수단은 후세의 큰 귀감이 되고 있다.

• 작품개요

이 작품은 촉한(蜀漢)의 승상(丞相) 제갈량(諸葛亮)이 건흥(建興) 5년(227) 북벌을 하기 위해 출병을 앞두고 후주(後主) 유선(劉禪)에게 올린 표문(表文)이다. 표문은 신하가 군주에게 올리는 글이다. 제갈량은 다음해인 건흥 6년(228) 다시 출병하면서 올린 〈출사표〉가 있으므로 이를 구별하기 위하여 앞의 것을 '전출사표', 뒤의 것을 '후출사표'라 하는바, 이는 동파(東坡) 소식(蘇軾)의 〈적벽부(赤壁賦)〉를 '전적벽부', '후적벽부'라고 칭하는 것과 같다.

제갈량은 본래 문장가가 아님에도 불구하고 그가 지은 〈출사표〉는 저명한 문학작품이 되었다. 이에 대해 송대의 대문호 소식(蘇軾)은 〈낙전선생문집서(樂全先生文集敍)〉에서 "제갈공명은 문장가로 자처하지 않았으나, 사물을 열어주고 인사(人事)를 이룬 자질과 명(名)·실(實)을 널리 종합한 뜻이 저절로 언어〔文字〕에 드러났으며, 〈출사표〉에 이르러는 간결하면서도 곡진하고 정직하면서도 늘어놓지 않았으니, 훌륭하다. 그의 문장이여! 《서경》의 〈이훈〉·〈열명〉과 서로 표리가 되니, 진(秦)·한(漢) 이래에 '임금을 섬기는 것을 기쁨으로 삼는 자'가 이를 수 있는 바가 아니다.〔諸葛孔明不以文章自名 而開物成務之姿 綜練名實之意 自見於言語 至出師表 簡而盡 直而不肆 大哉言乎 與伊訓說命相表裏 非秦漢以來以事君爲悅者所能至也〕"라고 평가한 적이 있다.

작품 전체가 800자도 되지 않는 짧은 문장이지만 소박하고 기이함이 없으며, 내정(內政)에 주력함을 강조하는 것이 주된 내용이다. 전반부에서는 후주에게 조정의 문제에 대해 직접적으로 진간(進諫)하였고, 후반부에서는 자신의 뜻을 진술하였는데, 이는 모두 '선도(善道)를 자문하고 바른 말을 받아들이는 것〔諮諏善道 察納雅言〕'에 기반을 둔 것이다. 작문 중에 모두 열 세 곳에서 '선제(先帝)'를 언급하고, 아울러 '의(宜)', '불의(不宜)', '성의(誠宜)' 등을 반복적으로 사용함으로써 정성스러움과 간절함을 한층 더하였다.

篇題小註‥ 陳靜觀云 前段起處는 便提先帝中道崩殂하고 後面은 又繼以深追先帝遺詔하며 後段은 提起先帝臨崩에 寄臣以大事하고 後面은 又繼以不效어든 告先帝之靈하니 此最是感激痛苦懇切處라 蓋緣先帝臨崩에 祇分付後主, 孔明兩人하니 今日에 如何忘得이리오

진정관(陳靜觀)이 말하였다. "앞 단락의 첫 부분은 곧 선제(先帝, 유비(劉備))가 중도에 붕조(崩殂, 승하)함을 제기하였고 후면에는 또 선제의 유조(遺詔)를 깊이 추념하라는 것으로 이었으며, 뒷 단락에는 선제가 붕조할 때에 신(臣)에게 대사(大事)를 부탁하였음을 제기하였고 후면에는 또 효험이 없거든 선제의 영령(英靈)에게 고하라는 것으로 이었으니, 이것이 가장 감격스럽고 고통(애통)스럽고 간절한 부분이다. 선제가 붕조할 때에 오직 후주(後主, 유선(劉禪))와 공명(孔明) 두 사람에게 분부하였으니, 두 사람이 오늘날 어찌 이것을 잊을 수 있겠는가?"

○ 大槩後主此時에 自有危急存亡之懼하여 付天下於無復可爲者矣라 故로 孔明此篇이 專謂事勢固是如此나 然坐待其弊면 如先帝付託何오하니라 故로 前一段은 專是提撕後主精神하여 使盡興隆漢室之道하고 後一段은 專是感激하여 自任以興復漢室之功이라 大槩終篇之意는 歸重後主身上意重하니 若後主裏面에 不自振刷면 孔明獨力在外나 亦理會不得이니 此意良可哀也니라

••• 崩 죽을 붕 殂 죽을 조 寄 맡길 기 懇 간곡할 간 祇 다만 지 撕 끌 시 刷 씻을 쇄(솰)

대개 후주(後主)가 이때 스스로 나라가 위급하여 존망이 달려있다고 생각하는 두려움이 있어 천하를 다시 어쩔 수 없는 지경에 맡겨두고 있었다. 그러므로 공명의 이 편은 오로지 "사세가 진실로 이와 같으나 가만히 앉아서 피폐하기를 기다린다면 선제의 부탁을 어찌겠습니까?"라고 한 것이다. 그러므로 앞의 한 단락은 오로지 후주의 정신을 일깨워 한실(漢室)을 흥륭(興隆)하는 도리를 다하게 하였고, 뒤의 한 단락은 오로지 감격하여 한실을 흥복(興復)하는 공효로써 자임(自任)한 것이다.

대개 끝 편의 뜻은 후주의 신상에 중함을 돌린 뜻이 많으니, 만약 후주가 내면에 스스로 진작하고 쇄신하지 않는다면 공명이 홀로 힘쓰며 밖에 있으나 또한 이회(理會, 성공)할 수가 없는 것이다. 이 뜻이 진실로 애처로울 만하다.

○ 段段提先帝兩字하니 蓋謂臣惟念及先帝면 所以不敢辭興復之責이니 後主倘念及先帝면 亦如何不自念興隆之道리오 前輩謂讀此表에 不隕淚者는 是眞無人心이라하니 仔細看來하면 孔明之志 眞可隕英雄之淚於千載之下者라 蓋此時事勢 以孔明之(志)〔智〕[93]로 豈不知其不可爲리오마는 獨以草廬驅馳之許를 難食言也요 臨崩大事之屬이 尙在耳也하니 務北伐以報先帝는 孔明惟盡吾心而已라 雖然이나 孔明之師出矣로되 亦必後主能追先帝遺詔하여 事事振刷否乎아 若孔明旣行之後에 宮, 府之事를 不能必後主施行之審이요 臣下賢否를 不能必後主用舍之精이면 則孔明外焉興復之志雖勤이나 後主內焉興隆之志全靡하니 天下事亦終付之無可奈何而已라 故로 臨行一疏 述吾今日所以不敢不北伐之由하여 勉後主今日所以不可自菲薄之意하니 務使後主專以興隆漢室爲心하고 孔明專以興復漢室爲責하여 求相與以濟危急存亡之會로되 而實有所不能必者라 故로 終之曰 願陛下託臣以討賊之效라하고 而又繼之曰 不效어든 告先帝之靈이라하고 又曰 陛下亦宜自謀라하고 繼之曰 追先帝之遺詔라하니 孔明此謀는 亦是〔不〕[94]負先帝之遺詔하여 其責을 皆有所不可逃者라 幾行斷簡에 萬古淒涼하니 此吾所以有感於不隕淚無人心之說也로라

단락마다 '선제(先帝)'라는 두 글자를 제기(提起)하였으니, "신(臣)의 생각이 선제에게 미치면 감히 흥복(興復)의 책임을 사양할 수 없는바, 후주께서도 만일 선제를 생각하신다면 또한 어찌 흥륭(興隆)할 방법을 스스로 생각하지 않겠습니까."라고 한 것이다. 선배들이 이르기를 "이 〈출사표〉를 읽으면

---

93 (志)〔智〕: 저본에는 '지(志)'로 되어 있으나 문리에 의거하여 '지(智)'로 바로잡았다.

94 〔不〕: 저본에는 없으나 문맥을 살펴 '불(不)' 자를 보충하여 번역하였다.

··· 段 조각 단 倘 혹시 당 隕 떨어질 운 淚 눈물 루 仔 자세할 자 廬 집 려 靡 쓰러질 미 菲 박할 비

서 눈물을 흘리지 않는 자는 참으로 사람의 마음이 없는 자이다." 하였으니, 자세히 읽어보면 공명의 뜻은 참으로 영웅의 눈물을 천 년 뒤에도 떨구게 한다.

공명의 지혜로 이때의 사세가 어떻게 할 수 없다는 것을 어찌 몰랐겠는가마는, 다만 초려(草廬)에서 〈선제에게〉 말을 몰고 달리기를 허락한 것을 식언(食言)하기 어려웠고, 선제가 붕조할 때에 대사를 부탁한 것이 아직도 귀에 남아있었기 때문이었으니, 북벌(北伐)을 힘써서 선제에게 보답하는 일에 공명은 오직 이 마음을 다할 뿐이었다. 그러나 공명의 군대가 출동한다 하더라도 후주가 반드시 선제의 유조(遺詔)를 추념하여 일마다 진작하고 쇄신할 것인지 기필할 수 있는가? 만일 공명이 이미 출동한 뒤에 후주가 궁중(宮中)과 부중(府中)의 일을 시행함에 밝게 살필 지 기필하지 못하고, 후주가 신하의 어질고 어질지 못함을 쓰고 버림에 정밀하게 할 지를 기필하지 못한다면, 공명이 밖에서 흥복하려는 뜻이 비록 간절하더라도 후주가 안에서 흥륭하려는 뜻이 전혀 없으니, 천하의 일은 또한 끝내 어쩔 수 없는 지경에 처할 뿐이다.

그러므로 출동에 앞서 올린 이 상소문에 자신이 오늘날 북벌하지 않을 수 없는 이유를 말하여, 후주가 금일에 스스로 비박(菲薄)해서는 안 되는 뜻을 권면한 것이다. 그리하여 힘써서 후주로 하여금 오로지 한실(漢室)을 흥륭하는 것으로 마음을 삼게 하고, 공명은 오로지 한실을 흥복하는 것을 책임으로 삼아, 서로 함께 위급존망의 기회를 구제할 것을 바랐으나 실로 기필할 수 없는 점이 있었다. 그러므로 맨 끝에 말하기를 "폐하께서는 신에게 역적을 토벌하는 공효(功效)를 맡기소서."라고 하였고, 다시 뒤이어 말하기를 "효험이 없거든 선제의 영령(英靈)에 고하소서."라고 하였고, 또 말하기를 "폐하께서도 마땅히 스스로 도모하소서."라고 하였고, 뒤이어 "선제의 유조(遺詔)를 추념하소서."라고 하였으니, 공명의 이 계책은 또한 선제의 유조를 저버리지 못하여 그 책임을 모두 도피할 수 없었기 때문이었다. 몇 줄 안 되는 끊긴 간편(簡篇)에 만고(萬古)가 처량하니, 이 때문에 내가 '이 〈출사표〉를 읽으면서 눈물을 흘리지 않으면 사람의 마음이 없다.'는 말에 큰 느낌이 있는 것이다.

• **原文**

先帝[95]創業未半에 而中道崩殂하시고 今天下三分에 益州疲弊[96]하니 此誠危急存

95　先帝 : 돌아가신 황제란 뜻으로, 촉한(蜀漢)을 건국한 소열제(昭烈帝) 유비(劉備)를 가리킨다. 이와 상대하여 유비의 아들 유선(劉禪)을 후주(後主)라 하였다.

96　今天下三分 益州疲弊 : 당시 천하가 조비(曹丕)의 위(魏), 손권(孫權)의 오(吳), 유선(劉禪)의 촉(蜀)으로 삼분된 것을 말한다. 익주는 사천성(四川省) 성도부(成都府)의 지명이다.

••• 創 만들 창 疲 피곤할 피 衛 지킬 위 懈 게으를 해

亡之秋也니이다 然이나 侍衛之臣이 不懈於內하고 忠志之士 忘身於外者는 蓋追先帝之殊遇하여 欲報之於陛下也니이다 誠宜開張聖聽하사 以光先帝遺德하시고 恢弘志士之氣요 不宜妄自菲薄하여 引喩失義[97]하여 以塞忠諫之路也니이다【此時, 別人猶不懈, 猶忘身以追先帝殊遇, 後主却如何妄自菲薄, 不思先帝之遺德.】

선제(先帝)께서 창업을 절반도 이루기 전에 중도에 붕조(崩殂, 승하)하시고, 이제 천하가 셋으로 나뉘었는데 우리 익주(益州)가 피폐하니, 이는 진실로 국가가 위급하여 존재하느냐 멸망하느냐 하는 시기입니다. 그러나 시위(侍衛)하는 신하들이 안(조정)에서 게을리하지 않고, 충성스러운 뜻을 가지고 있는 군사들이 밖(외지)에서 자기 몸을 잊고 있는 것은 선제의 특별한 대우를 추모하여 이것을 폐하에게 보답하고자 해서입니다.

폐하께서는 진실로 성청(聖聽, 군주의 귀)을 열고 펴시어 선제의 유덕(遺德)을 빛내시고 지사(志士)들의 사기를 넓히실 것이요. 망령되이 스스로 비박(菲薄, 자신을 하찮게 여김)하여 비유함에 본의(本義)를 잃어 충간(忠諫)하는 길을 막아서는 안될 것입니다.【이때에 다른 사람들도 오히려 게을리하지 않아 몸을 잊고서 선제(先帝)의 특별한 대우를 추념하니, 후주(後主)가 어찌 망령되이 스스로 하찮게 여겨서 선제의 유덕을 생각하지 않을 수 있겠는가.】

宮中, 府中이 俱爲一體니 陟罰臧否를 不宜異同이라 若有作奸犯科와 及爲忠善者어든 宜付有司하여 論其刑賞하여 以昭陛下平明之理요 不宜偏私하여 使內外異法也니이다

궁중(宮中)과 부중(府中, 승상부)이 함께 일체가 되어야 하니, 잘하는 사람을 승진시키고 잘못하는 사람을 벌주는 것을 달리(차별)해서는 안됩니다. 만일 부정한 일을 저질러 죄과를 범한 자와 충선(忠善)한 일을 한 자가 있으면 마땅히 유사(有司, 담당관)에게 맡겨서 형벌과 상을 논하여 폐하의 공평하고 분명하신 다스림을 밝혀야 할 것이요, 편벽되고 사사로이 하여 내(內, 궁중), 외(外, 부중)로 하여금 법을 달리해서는 안 될 것입니다.

侍中侍郎郭攸之, 費褘, 董允等은【攸之·褘, 侍中, 允, 黃門侍郎.】 此皆良實하여 志慮

97 引喩失義: 잘못된 비유를 들어 올바른 의의를 잃는 것이다.

… 恢 넓을 회 菲 박할 비 喩 비유할 유 陟 올릴 척 臧 착할 장 奸 죄 간 攸 바 유
褘 제복이름 위 董 성 동

忠純이라 是以로 先帝簡拔하사 以遺陛下하시니 愚以爲宮中之事는 事無大小히 悉以咨之然後施行하시면 必能裨補闕漏하여 有所廣益하리이다 將軍向(상)寵은 性行淑均하고 曉暢軍事하여 試用於昔日에 先帝稱之曰能이라하시니 是以로 衆議擧寵爲督하니 愚以爲營中之事는 事無大小히 悉以咨之하시면 必能使行陣和睦하고 優劣得所也리이다【此三節, 竝是提撕後主闒冗(탑용)不振之精神. 故曰開張聖聽, 曰光遺德, 曰恢弘, 曰不宜妄自菲薄, 曰昭平明之治, 曰必能使和睦, 得所, 皆是勉以有爲.】

시중(侍中)과 시랑(侍郎)인 곽유지(郭攸之), 비위(費禕), 동윤(董允) 등은【곽유지와 비위는 시중(侍中)이고, 동윤은 황문 시랑(黃門侍郎)이었다.】 모두 어질고 성실하여 지려(志慮)가 충성스럽고 순수합니다(아름답습니다). 이 때문에 선제께서 선발하시어 폐하에게 물려주셨으니, 어리석은 신은 생각하건대 궁중의 일은 대소를 막론하고 모두 그들에게 자문하신 연후에 시행하시면 반드시 폐하의 궐루(闕漏, 부족한 점)를 보충하여 넓히고 유익하게 하는 바가 있을 것입니다.

장군 상총(向寵)은 성품과 행실이 착하고 공평하며 군사(軍事)를 잘 알아 옛날 시용(試用)함에 선제께서 그를 "능하다."라고 칭찬하셨습니다. 이 때문에 중의(衆議)로 상총을 천거하여 도독(都督)으로 삼았으니, 어리석은 신은 생각하건대 영중(營中)의 일은 대소를 막론하고 모두 그에게 자문하신다면 반드시 항진(行陣)이 화목하고 인물(人物)의 우열(優劣)이 제자리를 얻을 것입니다.【이 세 절은 모두 후주의 침체하고 나약하여 떨치지 못하는 정신을 일으켰다. 그러므로 말하기를 '성상의 귀를 열고 펴시라.' 하였고, '유덕을 빛내라.' 하였고, '지사(志士)들의 사기를 넓히라.' 하였고, '망령되이 스스로 하찮게 여겨서는 안 된다.' 하였고, '공평하고 분명한 정치를 밝히라.' 하였고, '반드시 화목하고 인물의 우열이 제자리를 얻게 될 것이다.' 하였으니, 모두 훌륭한 일을 할 수 있도록 권면한 것이다.】

親賢臣, 遠小人은 此先漢所以興隆也요 親小人, 遠賢臣은 此後漢所以傾頹也라 先帝在時에 每與臣論此事에 未嘗不歎息痛恨於桓, 靈也니이다 侍中尙書, 長史, 參軍은 此悉貞亮死節之臣이니 願陛下親之信之하시면 則漢室之隆을 可計日而待也리이다【意謂能親信君子, 便會興隆, 何危急存亡之有? 一篇, 有兩大段, 此段, 專勉後主以興隆漢室之事, 後段, 專自任以興復漢室之責.】

현신(賢臣)을 가까이 하고 소인을 멀리함은 이는 선한(先漢, 한(漢)의 선대(先代))이 융성했던 이유요, 소인을 가까이 하고 현신을 멀리함은 이는 후한(後漢, 한의 후대(後代))이 기울고 패망한 원

… 裨 도울 비 闕 빠질 궐 漏 물샐 루 尙 성 상 曉 밝을 효 暢 통할 창 劣 용렬할 렬
頹 무너질 퇴 亮 신실할 량

인입니다. 선제께서 생존해 계실 적에 매양 신과 이 일을 논할 적마다 일찍이 환제(桓帝)와 영제(靈帝)에 대하여 탄식하고 통한하지 않으신 적이 없었습니다.

시중 상서(侍中尙書)인 진진(陳震)과 장사(長史)인 장예(張裔)와 참군(參軍)인 장완(蔣琬)은 모두 곧고 성실하여 충절에 죽을 수 있는 신하들이니, 원컨대 폐하께서 이들을 가까이 하시고 신임하시면 한실(漢室)의 융성함을 날짜를 꼽아 기다릴 수 있을 것입니다.【'능히 군자를 친근히 하고 믿으면 곧 흥륭할 수 있으니, 어찌 위급함과 존망함이 있겠는가?' 라고 여긴 것이다. 한 편에 두 개의 큰 단락이 있으니, 이 단락은 오로지 후주에게 한실(漢室)을 흥륭하는 일을 권면하였고, 뒷 단락은 오로지 한실을 흥복하는 책임을 스스로 자임하였다.】

臣本布衣로 躬耕南陽하여 苟全性命於亂世하고 不求聞達於諸侯러니 先帝不以臣卑鄙하시고 猥自枉屈하사 三顧臣於草廬之中하시고 咨臣以當世之事하시니 由是感激하여 遂許先帝以驅馳러니 後値傾覆하여 受任於敗軍之際하고 奉命於危難之間이 爾來二十有一年矣니이다

신은 본래 포의(布衣, 평민)로서 몸소 남양(南陽) 땅에서 농사를 지어 난세에 구차하게 성명(性命, 생명)을 보존하려 하였고 제후들에게 알려지거나 영달하기를 구하지 않았습니다. 선제께서는 신을 비루하다고 여기지 않으시고 외람되이 직접 왕림하시어 초려(草廬) 가운데로 세 번이나 신을 찾아주시고 신에게 당시의 일을 자문하시니, 신은 이 때문에 감격하여 마침내 선제께 구치(驅馳, 국사에 분주함)할 것을 허락했습니다. 그 후 경복(傾覆)을 만나 패군(敗軍)한 즈음에 임무를 맡고 위란(危亂)한 사이(때)에 명령을 받든 지가 21년이 되었습니다.

先帝知臣謹愼이라 故로 臨崩에 寄臣以大事也하시니 受命以來로 夙夜憂嘆하여 恐託付不效하여 以傷先帝之明이라 故로 五月渡瀘(로)[98]하여 深入不毛러니 今南方已定하고 兵甲已足하니 當奬率三軍하고 北定中原하여 庶竭駑鈍하여 攘除姦凶하고 興

---

98 五月渡瀘: 노수(瀘水)에 대하여 이현(李賢)은 다음과 같이 말하였다. "노수는 일명 약수(若水)이다. 모우(旄牛)의 변방 밖에서 발원하여 장강으로 들어가니, 지금의 수주(巂州) 남쪽에 있는데, 특별히 장독(瘴毒)이 있어 3월과 4월에 이 물을 건너가면 반드시 죽고, 5월 이후에 길을 가는 자는 폐해를 입지 않는다. 그러므로 제갈량의 〈출사표〉에 '5월에 노수를 건너갔다.' 하였으니 그 고생함을 말한 것이다."《資治通鑑綱目訓義 14下》 이현은 당(唐)나라 장회태자(章懷太子)로, 《후한서》에 주를 달았다.

… 鄙 더러울 비 猥 외람될 외 瀘 물이름 로 駑 둔할 노 鈍 둔할 둔 攘 물리칠 양

復漢室하여 還于舊都가 此臣所以報先帝而忠陛下之職分也니이다

선제께서는 신의 근신(謹愼)함을 아셨기 때문에 붕조하실 적에 임하여 신에게 대사(大事)를 맡기시니, 신은 명령을 받은 이래로 밤낮으로 걱정하고 탄식하여, 부탁하신 것을 효험을 내지 못해서 선제의 밝음을 손상시킬까 두려워하였습니다. 그러므로 5월에 노수(瀘水)를 건너 깊이 불모지에 쳐들어갔습니다. 이제 남방(南方, 남만(南蠻))이 이미 평정되었고 병기와 갑옷도 이미 풍족하니, 마땅히 삼군(三軍)을 장려하여 거느리고 북쪽으로 중원(中原)을 평정해야 합니다. 바라건대 저의 노둔한 재주를 다해서 간흉(姦兇)을 제거하고 한실을 흥복시켜 옛 도읍으로 돌아가고자 하니, 이것이 신이 선제에게 보답하고 폐하에게 충성하는 직분입니다.

至於斟酌損益하여 進盡忠言은 則攸之, 禕, 允之任也니【眞西山曰："當時有此數人, 故孔明得以專討賊之任, 所謂張仲孝友也."[99] ○靜觀曰："旣自任了, 依舊倚重在此, 此是孔明深識治體. 此事, 正與興復相關, 所以不效治臣, 併當及攸之・禕・允."】願陛下託臣以討賊興復之效하사 不效則治臣之罪하여 以告先帝之靈하시고 [若無興德之言則][100] 責攸之, 禕, 允等之咎하사 以彰其慢하시며 陛下亦宜自謀하사 以諮諏善道하고 察納雅言하여 深追先帝遺詔하소서 臣不勝受恩感激하오니 今當遠離에 臨表涕泣하여 不知所云이로소이다.【孔明此時之意, 只謂今日事勢, 雖是如此, 皆受先帝之託. 後主先帝之子, 孔明受先帝之託, 攸之・禕・允, 亦先帝之簡拔, 只得大家協力, 以求無負先帝付託之意. 蓋孔明所任, 亦只可任討賊興復事, 裏面須是後主自謀始得, 全靠孔明, 不可.】

참작하여 손익(損益, 가감(加減))해서 충언(忠言)을 다 아뢰는 것으로 말하면 곽유지・비위・동윤 등의 책임이니,【진서산(眞西山, 신덕수(眞德秀))이 말하였다. "당시에 이 몇 사람이 있었으므로 공명(孔明)이 역적을 토벌하는 임무를 전담할 수 있었으니, 이른바 장중(張仲)이 효도하고 우애한다는 것이다."

---

99 所謂張仲孝友也 : 《시경》〈소아(小雅) 유월(六月)〉에 "누가 이 자리에 있는가 하면, 효도하고 우애하는 장중이로다.〔侯誰在矣 張仲孝友〕" 하였는데, 이 시는 주 선왕(周宣王) 때에 윤길보(尹吉甫)가 왕명을 받들고 북쪽 오랑캐를 쳐서 공을 세우고 돌아오자, 시인이 기뻐하여 이 노래를 부른 것이다. 장중은 곧 윤길보의 친구로, 윤길보의 어짊을 말하고 그의 훌륭한 벗까지 나란히 언급한 것이다.

100 〔若無興德之言則〕: 이 내용은 저본에는 없고, 주자(朱子)의 《자치통감강목(資治通鑑綱目)》에도 〈출사표〉 전문이 실려 있는데 이 내용이 빠져 있으나, 《문장궤범(文章軌範)》에 의거하여 보충하였다.

斟 잔질할 짐(침) 酌 잔질할 작 彰 드러날 창 諮 물을 자 諏 물을 추 雅 바를 아 涕 눈물 체 泣 울 읍

○진정관(陳靜觀)이 말하였다. "이미 자임을 하였으나 예전처럼 의지하고 중하게 여김이 이들에게 있었으니, 이는 공명이 정치하는 체통을 깊이 안 것이다. 이 일은 바로 흥복(興復)과 서로 관련되니, 이 때문에 효험이 없으면 신(臣, 자신)의 죄를 다스리고 아울러 마땅히 곽유지와 비위와 동윤에까지 미치게 한 것이다."】 원컨대 폐하께서는 신에게 역적을 토벌하여 한실을 흥복하는 효험을 맡기시어, 효험이 없거든 신의 죄를 다스려 선제의 영령(英靈)에게 고하시고, 〈만일 덕을 일으키는 말이 없거든〉 곽유지 · 비위 · 동윤 등의 허물을 책하시어 그들의 태만함을 드러내시며, 폐하께서도 또한 스스로 도모하시어 선도(善道)를 자문하시고 바른 말을 받아들이시어 선제의 유조(遺詔)를 깊이 추념하소서.

신은 국가에서 받은 은혜에 감격함을 감당하지 못하겠습니다. 이제 멀리 떠나야 하니, 표문(表文)을 대함에 눈물이 흘러 아뢸 바를 알지 못하겠습니다.【공명의 이때의 뜻은 다만 생각하기를 "금일의 사세는 비록 이와 같으나 모두 선제의 부탁을 받았다. 후주는 선제의 아들이고, 공명은 선제의 부탁을 받았고, 곽유지와 비위와 동윤 또한 선제가 선발한 자들이니, 다만 모두가 협력하여 선제의 부탁한 뜻을 저버리지 않고자 해야 한다." 한 것이다. 공명이 책임진 것 또한 역적을 토벌하여 흥복하는 일을 자임했을 뿐이니, 이면에는 모름지기 후주가 스스로 도모하여야 비로소 되고, 온전히 공명에게 의지해서는 안 되는 것이다.】

篇末小註·· 右는 蜀漢丞相諸葛武侯亮孔明이 臨出師伐魏時에 所上後主之表也라 孔明이 初隱南陽하여 無意斯世러니 昭烈이 以帝室之冑로 三顧之하여 有成湯待伊尹意度[101]라 孔明이 感激하여 起而輔之러니 不幸昭烈崩殂에 託孔明以輔後主興漢室이나 而後主之才 庸弱殊甚하니 孔明이 不敢負昭烈之託하고 盡忠竭力하여 慷慨出師하여 以興復之責自任하고 而以興復之本으로 責之後主라 故로 臨行拜表에 忠愛激切하여 有不可以言語形容盡者하니 陳靜觀之批에 盡之矣라 而猶有當提掇者하니 宮府一體是也니 宮은 謂天子宮中이요 府는 謂丞相府라 周公이 作周禮에 以冢宰統宮寺(시)하시니 宮府一體也니 前漢에 此意猶有存者라 鄧通은 文帝弄臣이로되 丞相申屠嘉 得召而欲斬之[102]러니 宣帝以後엔 體統浸壞하여 近習之權이 重於

101 有成湯待伊尹意度: 이윤은 이름이 지(摯)로 유신(有莘)의 들에서 농사지으며 요(堯)·순(舜)의 도(道)를 좋아하였는데, 성탕(成湯)이 이윤에 대한 소문을 듣고 세 번이나 사람을 보내어 초빙하였다. 이에 이윤은 천하의 중임(重任)으로써 자임(自任)하여 명재상이 되어 포악한 하(夏)나라의 걸왕(桀王)을 토벌하고 상(商)나라 왕조를 일으켰다.《孟子 萬章上》

102 鄧通……得召而欲斬之: 등통은 한 문제(漢文帝) 때의 행신(幸臣, 총애하는 환관)이다. 승상 신도가(申屠嘉)가 조정에 들어갔을 때 등통이 문제의 총애를 믿고 태만하자, 신도가가 문제에게 아뢰기를 "폐하께서 신하들을 사랑하시면 그들을 부귀하게 해 주면 됐지, 조정의 예(禮)에 관해서는 엄숙히 하지 않을 수 없습니다."라고 하였다. 신도가가 승상부로 나

··· 冑 맏아들 주 慷 슬퍼할 강 慨 슬퍼할 개 掇 주울 철 冢 맏 총 鄧 나라이름 등
弄 희롱할 롱 浸 점점 침

宰相하고 後漢은 卒以宮寺亡하니 宮府不一體故也라 孔明이 深識治體故로 慮及此라 其後孔明旣沒에 所薦忠賢蔣琬, 費禕, 董允이 相繼秉政하여 皆能確守此意하여 後主猶賴以存이러니 諸賢皆沒에 陳祗進而嬖倖黃皓用事하여 後主遂亡[103]하니 惟不能遵宮府一體之戒하여 以至於此니 哀哉라 蘇東坡曰 孔明은 不以文章自名이로되 而出師一表 與伊訓, 說(열)命으로 相爲表裏[104]라하고 朱文公曰 胡致堂[105]이 議論英發하고 人物偉然이라 向嘗侍之坐하니 見其數杯後에 每歌孔明出師表라하시니 前輩於此篇에 尊尙如此하니 豈苟然哉아

이상은 촉한(蜀漢)의 승상(丞相)인 제갈무후(諸葛武侯) 량(亮) 공명(孔明)이 군대를 출동하여 위(魏)나라를 정벌할 때를 임해서 후주에게 올린 표문(表文)이다. 공명은 처음에 남양(南陽)에 은둔하여 이 세상에 뜻이 없었는데, 소열(昭烈, 유비)이 한(漢)나라 황실의 후손으로 삼고초려(三顧草廬)를 하여, 성탕(成湯)이 이윤(伊尹)을 대하는 뜻과 태도가 있었다. 공명은 이에 감동하여 일어나 보필하였는데, 불행히 소열이 일찍 붕조하면서 공명에게 후주를 보필하여 한실을 흥복할 것을 부탁하였다. 그러나 후주의 재주가 용렬하고 나약함이 너무 심하였다. 공명은 감히 소열의 부탁을 저버리지 못하여 충성을 다하고 힘을 다해서, 강개하여 군대를 출동시켜 흥복의 책임을 자임(自任)하면서 흥복의 근본을 후주에게 책하였다. 그러므로 출동에 임하여 표문(表文)을 올림에 충애(忠愛)가 격절(激切)하여 언어로써 다 형용할 수 없는 것이 있었으니, 진정관(陳靜觀)의 비평에 이를 다 말하였다.

그러나 아직도 마땅히 제기해야 할 점이 있으니, '궁부일체(宮府一體)'가 그것이다. 궁(宮)은 천자

와서 격문(檄文)으로 등통을 불러 목을 베려고 하자, 등통이 머리를 조아려 피가 났으나 풀어 주지 않았다. 문제는 승상이 등통에게 곤욕을 치르게 했을 것이라고 여기고서 승상에게 사과하기를 "등통은 나의 농신(弄臣)이니, 그대가 그를 놓아 달라."라고 하여, 겨우 등통의 목숨을 부지하게 되었다.《前漢書 卷42 申屠嘉傳》

103 陳祗進而嬖倖黃皓用事 後主遂亡: 진지는 후주(後主) 유선(劉禪)의 총신(寵臣)으로 동윤(董允)의 뒤를 이어 시중(侍中)에 올랐다가 환관인 황호(黃皓)와 결탁하였는데, 이때부터 황호는 정사에 참여하여 권병(權柄)을 쥐고 휘둘렀다. 이들은 위로는 황제의 뜻을 받고 아래로는 환관이나 소인들과 사귀었는데, 후주에게 총애를 받아 당시 대장군이었던 강유(姜維)보다도 실권이 컸다. 군대를 파견하여 위(魏)나라의 침공을 막으라는 강유의 건의가 받아들여지지 않게 하여 촉나라의 멸망을 재촉하였다.《三國志 蜀志》

104 出師一表……相爲表裏: 〈이훈(伊訓)〉과 〈열명(說命)〉은 《서경》의 편명으로, 〈이훈〉은 이윤(伊尹)이 태갑(太甲)에게 현인(賢人)을 가까이하고 관부(官府)의 기강을 바로잡되 덕치(德治)를 중심에 두라고 당부한 내용이고, 〈열명〉은 부열(傅說)이 정승이 되어 고종(高宗)에게 현인을 임용하고 간언을 받아들이며 예(禮)를 간소화할 것을 당부한 내용이다. 이는 제갈량이 군대를 출동하면서 선제(先帝)의 뜻을 추념하며 후주에게 상벌을 공평히 시행하고 현신(賢臣)을 가까이하라고 당부한 〈출사표〉의 내용과 대의가 통한다.

105 胡致堂: 송대의 학자인 호인(胡寅)으로 자는 명중(明仲)이며, 치당은 그의 호이다. 호안국(胡安國)의 조카로 그의 양자가 되었으며, 양시(楊時)에게 수학하였다. 저서로는 《독사관견(讀史管見)》, 《논어상설(論語詳說)》, 《비연집(斐然集)》 13권 등이 있다.

••• 蔣 성 장 琬 옥 완 嬖 사랑할 폐 倖 총애할 행 皓 흴 호 杯 술잔 배

의 궁중을 이르고 부(府)는 승상부(丞相府)를 이른다. 주공(周公)이 《주례(周禮)》를 지을 적에 총재(冢宰)로써 궁시(宮寺, 궁중의 내시)를 통솔하게 하였으니, 이것이 바로 '궁부일체'이다. 전한(前漢) 시대에도 이 뜻이 아직 남아 있었다. 그리하여 등통(鄧通)은 문제(文帝)의 총애하는 신하였는데 승상(丞相)인 신도가(申屠嘉)가 불러다가 목을 베려 하였었다. 그런데 선제(宣帝) 이후로는 체통(體統)이 점점 무너져 근습(近習, 군주가 친애하는 내시)의 권세가 재상보다 중하였고, 후한은 마침내 궁시 때문에 나라가 망하였으니, 이는 궁부일체(궁중과 부중이 일체)가 되지 못한 때문이었다. 공명은 정치의 체통을 깊이 알았다. 그러므로 생각이 이에 미쳤던 것이다.

그 후 공명이 이미 죽고 추천한 충현(忠賢)인 장완(蔣琬)·비위(費禕)·동윤(董允)이 서로 이어 정권을 잡았는데, 이들은 모두 이 뜻을 확고하게 지켰으므로 후주는 그래도 이들을 의뢰하여 보존하였었다. 그러다가 제현(諸賢)들이 다 별세하고 진지(陳祗)가 등용됨에 환관(宦官)으로 총애 받던 황호(黃皓)가 용사(用事, 권력을 행사)하여 후주가 마침내 망했으니, 이는 궁부일체의 경계를 따르지 못하여 이에 이른 것이다. 아! 슬프다.

소동파(蘇東坡)가 말하기를 "공명은 문장으로 자처하지 않았으나 〈출사표(出師表)〉 하나는 《서경(書經)》 상서(商書)의 〈이훈(伊訓)〉·〈열명(說命)〉과 서로 표리(表裏)가 된다." 하였으며, 주문공(朱文公, 주자)이 말씀하기를 "호치당(胡致堂, 호인(胡寅))은 의론이 영발(英發)하고 인물이 위대하였는데, 지난번에 일찍이 모시고 앉았을 때에 보니, 술 몇 잔을 마신 뒤에는 매양 공명의 〈출사표〉를 노래했다." 하였다. 선배들이 이 편을 높이고 숭상함이 이와 같았으니, 어찌 구차히 그러하였겠는가.

후출사표後出師表

제갈량諸葛亮

• 작품개요

이는 〈전출사표〉를 올린 다음 해에 쓴 것으로, 기껏해야 익주(益州) 한 주(州)를 차지하고 있는 촉한은 각각 12주와 4주를 차지하고 있는 위나라와 오나라 같은 대국을 앉아서 대처할 것이 아니라, 나아가서 허점을 찔러야 한다는 것을 강조하고 있다.

〈전출사표〉는 《삼국지(三國志)》와 《자치통감(資治通鑑)》 등에도 거의 전문이 실려 있으나, 〈후출사표〉는 보이지 않으므로 일부에서는 위작으로 보는 사람도 없지 않다. 그러나 끝부분의 '신은 몸을 굽히고 수고로움을 다하여 죽은 뒤에야 그만둘 것입니다.〔臣鞠躬盡瘁 死而後已〕'와 '성공과 실패, 유리함과 불리함에 대하여는 신의 지혜로 미리 예측할 수 있는 바가 아닙니다.〔至於成敗利鈍 非臣之明所能逆覩也〕'라는 구는 사람들이 자주 인용하는 문장이다.

• **原文**

先帝慮漢賊不兩立하고【漢謂昭烈, 賊謂曹操.】 王業不偏安이라【天下一統, 則四方無虞, 三分割據, 則戰守多難, 今漢都于蜀, 則僻守一隅, 豈能安乎?】 故로 託臣以討賊也하시니 以先帝之明으로 量臣之才에 固知臣伐賊이 才弱敵强也니이다 然이나 不伐賊이면 王業亦亡하리니【魏賊是被而難,[106] 據中原, 地大兵强, 必有幷蜀之勢故云.】 惟坐而待亡으론 孰與伐之리오 是故로 託臣而弗疑也하시니이다

---

106 魏賊是被而難 : 오탈(誤脫)자가 있는 듯하다.

••• 慮 염려할 려 偏 치우칠 편

선제(先帝)께서는 한(漢)나라와 적(賊)은 양립할 수 없고【'한(漢)'은 소열(昭烈)을 이르고, '적(賊)'은 조조(曹操)를 이른다.】 왕업(王業)이 한쪽 구석인 촉도(蜀都)에서 편안할 수 없음을 염려하셨습니다.【천하가 통일되면 사방이 근심이 없고 삼분하여 할거하면 전쟁과 수비에 어려움이 많은데, 지금 한나라가 촉(蜀) 땅에 도읍하여, 편벽되게 한 귀퉁이를 지키고 있으니, 어찌 편안할 수 있겠는가.】 이 때문에 신에게 적을 토벌할 것을 부탁하셨으니, 선제의 밝으신 지혜로 신의 재주를 헤아리심에 진실로 신이 적을 토벌하는 것이 신의 재주가 약하고 적이 강하다는 것을 아셨습니다. 그러나 적을 토벌하지 않으면 왕업이 또한 망할 것이니,【역적인 위나라는 …… 중원을 점령하고 있어서 영토가 크고 병력이 강하여 반드시 촉을 병탄할 형세가 있으므로 말한 것이다.】 앉아서 망하기를 기다리는 것이 어찌 적을 토벌하는 것만 하겠습니까. 이 때문에 신에게 부탁하고 의심하지 않으신 것입니다.

臣受命之日에 寢不安席하고 食不甘味하여 思惟北征이면【北討曹操.】 宜先入南이라 故로 五月渡瀘하여 深入不毛하여【詳見前篇.】 幷日而食하니 臣非不自惜也로되 顧王業不可得偏安於蜀都라 故로 冒危難하여 以奉先帝之遺意어늘 而議者謂爲非計라하니이다 今賊이 適疲於西하고【疲, 困也. 後主五年, 亮攻祁山, 南安·天水·安定三郡, 皆叛魏應亮, 關中響震.】 又務於東하니【曹休東與吳陸遜戰于石亭, 大敗.】 兵法에 乘勞라하니 此進趨之時也라 謹陳其事如左하노이다

신은 명을 받은 날부터 잠자리에 누워도 잠자리가 편안하지 않고 밥을 먹어도 입맛이 달지 않았습니다. 생각하기에 북쪽으로 정벌하려면【북쪽으로 조조를 토벌하는 것이다.】 마땅히 먼저 남쪽 지방을 쳐들어가야 할 것입니다. 그러므로 5월에 노수(瀘水)를 건너 깊이 불모지에 쳐들어가서【자세한 것은 전편에 보인다.】〈일이 많아 끼니를 굶어〉 하루 걸러 밥을 먹었습니다. 신이 제 자신을 아끼지 않는 것이 아니지만 왕업은 한쪽 구석인 촉도(蜀都)에서 편안할 수 없기 때문에 위난(危難)을 무릅쓰고 선제의 유의(遺意)를 받든 것인데, 의론하는 자들은 이것을 '좋은 계책이 아니다.'라고 합니다.

지금 적이 마침 서쪽에서 피폐하였고,【'피(疲)'는 곤궁함이다. 후주(後主) 5년(227)에 제갈량이 기산(祁山)을 공격하자, 남안(南安), 천수(天水), 안정(安定) 세 군이 모두 위나라를 배반하고 제갈량에게 응하여 관중이 진동하였다.】 또 동쪽에서 일(전쟁)을 벌이고 있습니다.【조휴(曹休)가 동쪽으로 오(吳)나라 육손(陸遜)과 석정(石亭)에서 싸워 대패하였다.】 병법에 '적의 피로한 틈을 타라.'라고 하였으니, 지금 이야말로 진격할 시기입니다. 삼가 그 일을 아래와 같이 아룁니다.

··· 瀘 물이름 로 冒 무릅쓸 모 適 마침 적 疲 피곤할 피 趨 달려갈 추

高帝明竝日月하시고 謀臣淵深이나 然涉險被創하여 危然後安이어늘 今陛下未及高帝하시고 謀臣不如良,【張子房名, 封留侯.】平[107]이로되【姓陳, 佐高帝, 定天下, 後相文帝.】而欲以長策取勝하여 坐定天下하시니 此는 臣之未解一也니이다

고제(高帝, 유방(劉邦))께서는 밝음이 일월(日月)과 같으셨고 모신(謀臣)들은 지혜가 못과 같이 깊었으나 위험을 겪고 상처를 입어 위태로운 뒤에야 편안하였습니다. 그런데 지금 폐하께서는 〈밝음이〉 고제에 미치지 못하시고 모신들의 지혜도 장량(張良)【장자방(張子房)의 이름이니, 유후(留侯)에 봉하였다.】과 진평(陳平)【진평은 성이 진(陳)이니, 고제(高帝)를 보좌하여 천하를 평정하고 뒤에 문제(文帝)를 도왔다.】만 못하면서 장구한 계책으로 승리를 취하여 앉아서 천하를 평정하고자 하시니, 이것은 신이 이해할 수 없는 점의 첫 번째입니다.

劉繇, 王朗은【皆當時名士, 各據州郡, 能談王霸, 後盡爲孫策所據. 故亮以譏當時坐談之士.】各據州郡하여【劉繇, 字正禮, 據曲阿. 王朗, 字景興, 守魏郡.】論安言計에 動引聖人이로되 群疑滿腹하고 衆難塞胸하여 今歲不戰하고 明年不征이라가 使孫策[108]坐大하여【孫策, 乃孫權兄.】遂幷江東케하니 此는 臣之未解二也니이다

유요(劉繇)와 왕랑(王朗)은【이들은 모두 당시의 명사인데 각기 주군(州郡)을 점거하여 왕도와 패도를 말하는 데는 능하였으나 뒤에 모두 손책(孫策)에게 점거 당하였다. 그러므로 제갈량이 당시에 앉아서 말만 하는 선비들을 비판한 것이다.】각각 주군(州郡)을 차지하고는【유유(劉繇)는 자가 정례(正禮)이니 곡아(曲阿)를 점거하였고, 왕랑(王朗)은 자가 경흥(景興)이니 위군(魏郡)을 맡고 있었다.】〈하루 빨리 정벌하지 않고〉 안위(安危)를 논하고 계책을 말할 때에 걸핏하면 성인(聖人)의 일을 인용하였으나 온갖 의심이 뱃속에 가득하고 많은 어려움이 가슴에 꽉 차 있어 올해도 싸우지 않고 내년에도 정벌하지 않다가 손책(孫策)으로 하여금 가만히 앉아서 강대(强大)함을 이루어【손책(孫策)은 바로 손

---

107 良平 : 양평(良平)은 한 고조(漢高祖, 고제)의 모신(謀臣)인 장량(張良)과 진평(陳平)을 합칭한 말이다. 장량의 자는 자방(子房)이고 유후(留侯)에 봉해졌는바, 지모가 뛰어나 고제가 천하를 통일하도록 적극 돕고 소하(蕭何), 한신(韓信)과 함께 개국삼걸(開國三傑)로 알려진 인물이다. 진평은 고제를 보좌하여, 여섯 번 기이한 계책을 내었다. 이후 장량과 진평은 지모가 뛰어난 인물의 대명사로 쓰이게 되었다.

108 孫策 : 오(吳)나라 손견(孫堅)의 장자이며 손권(孫權)의 형이다. 손견이 죽자 남은 병력을 몰아 각처에서 승전하여 마침내 강동(江東) 지방을 평정하였다.

… 竝 아우를 병 淵 깊을 연 創 상처 창 繇 말미암을 유 朗 밝을 랑 胸 가슴 흉

권(孫權)의 형이다.】 마침내 강동(江東)을 겸병하게 하였으니, 이것은 신이 이해할 수 없는 점의 두 번째입니다.

曹操智計 殊絕於人하여 其用兵也 髣髴孫, 吳[109]니이다 然이나 困於南陽하고【操與張繡, 戰於宛, 爲流矢所中. 宛卽南陽縣名.】 險於烏巢하고【袁紹拒操於官渡, 紹輜重萬餘, 在故市烏巢. 時曹公糧少, 議欲還許避之.】 危於祁連하고【西域國名.】 偪於黎陽하고【黎陽, 屬河朔, 袁譚據之. 曹公用兵吳 · 蜀, 譚兵逼迫其後.】 幾敗北山하고【卽伯山也. 夏侯淵敗, 曹公爭漢中, 運米北山下數千萬囊, 趙雲遇之, 乃入營閉門. 曹公引去, 雲雷鼓震天, 以大弩射之, 曹公軍, 驚駭蹂踐, 墮漢水中.】 殆死潼關하여【曹操討馬超 · 韓遂於潼關, 操將北渡, 與許褚留南岸繼後, 超將步騎萬餘人, 來奔操軍, 矢下如雨. 褚白操云: "賊來多." 乃扶上船, 微褚幾危.】 然後僞定一時爾[110]어늘【時暫平定.】 況臣才弱而欲以不危而定之하니 此는 臣之未解三也니이다

조조는 지모와 계략이 보통사람보다 크게 뛰어나 그 용병(用兵)하는 것이 손무(孫武) · 오기(吳起)와 방불하였습니다. 그러나 남양(南陽)에서 곤궁을 당하고,【조조가 장수(張繡)와 완현(宛縣)에서 싸울 적에 유시(流矢)에 맞았으니, 완현은 바로 남양(南陽)의 현 이름이다.】 오소(烏巢)에서 위험을 겪고,【원소(袁紹)가 조조를 관도(官渡)에서 막을 적에 원소의 치중거(輜重車) 만여 대가 옛 시장인 오소(烏巢)에 있었다. 이때 조공(曹公, 조조)이 군량이 적었으므로 허창(許昌)으로 돌아가 피하고자 의론하였다.】 기련(祁連)【서역(西域)의 국명이다.】에서 위태롭고, 여양(黎陽)에서 핍박을 당하고,【여양은 하삭(河朔, 하북)에 속하니, 원담(袁譚)이 이곳을 점거하였다. 조공(조조)이 오나라와 촉한에 용병할 적에 원담의 군대가 그 뒤를 압박하였다.】 북산(北山)에서 패할 뻔하고,【북산은 바로 백산(伯山)이다. 하후연(夏侯淵)이 패하자 조공이 한중을 다투어 북산 아래로 쌀 수천만 포대를 운반하였는데, 조운(趙雲)이 이를 만나자 마침내 진영

---

109 孫吳: 춘추시대 제(齊)나라 손무(孫武)와 전국시대 위(衛)나라 오기(吳起)의 병칭으로, 병법가(兵法家)의 대표적 인물이다.

110 困於南陽……然後僞定一時爾: 이 부분은 《자치통감(資治通鑑)》 호삼성(胡三省)의 주(註)에 다음과 같이 보인다. "'남양에서 곤궁을 당하였다.'는 것은 양(穰) 땅을 공격하여 장소(張繡)에게 패한 일을 이르고, '오소에서 위험을 겪었다.'는 것은 원소(袁紹)의 장수 순우경(淳于瓊)을 공격할 때를 이른다. '여양에서 핍박을 당하였다.'는 것은 원담(袁譚)의 형제를 공격할 때를 이르고, '북산(백산(伯山))에서 패할 뻔하였다.'는 것은 백랑산(白狼山)에서 오환(烏桓)과 싸울 때를 이른다. '동관에서 죽을 뻔했다.'는 것은 마소(馬超)와 싸울 때를 이르고, '기련에서 위태로웠다.'는 것은 마땅히 상고해 보아야 하는데, 혹자는 '원상(袁尙)을 기산(祁山)에서 포위했을 때를 이른다.' 하였다.〔困於南陽 謂攻穰爲張繡所敗也 險於烏巢 謂攻袁紹將淳于瓊時也 偪於黎陽 謂攻袁譚兄弟時也 幾敗北山 謂與烏桓戰于白狼山時也 殆死潼關 謂與馬超戰時也 危於祁連 當考 或曰圍袁尙於祁山時也〕"

••• 髣 비슷할 방 髴 비슷할 불 祁 성할 기 偪 핍박할 핍 黎 검을 려 殆 거의 태
潼 물이름 동

으로 들어가 문을 닫았다. 조공의 군대가 떠나가자 조운이 북을 쳐서 소리가 하늘을 진동하고 큰 쇠뇌로 쏘니, 조공의 군대가 놀라고 두려워 허둥대다가 짓밟혀 한수(漢水) 가운데로 떨어졌다.】 동관(潼關)에서 죽을 뻔한 뒤에야【조조가 마초(馬超)와 한수(韓遂)를 동관(潼關)에서 토벌할 적에 조조가 장차 북쪽으로 황하를 건너가려고 하면서 허저(許褚)와 함께 남안(南岸)에 남아 뒤를 끊었는데, 마초가 보병과 기병 만여 명을 거느리고 조조의 군대로 달려오면서 화살을 빗발처럼 쏘아댔다. 허저가 조조에게 아뢰기를 "적이 많이 옵니다." 하고는 마침내 조조를 부축하여 배에 오르게 하니, 허저가 아니었으면 조조는 거의 위태로울 뻔하였다.】 임시로 한때를 평정할 수 있었는데,【이때 잠시 평정되었다.】 하물며 신은 재주도 약하면서 위태롭지 않고 천하를 평정하려 하니, 이것은 신이 이해할 수 없는 점의 세 번째입니다.

曹操五攻昌霸不下하고【昌霸, 地名, 未詳所出.】 四越巢湖不成하고【魏以合肥爲重鎭, 其東南, 巢湖在焉. 孫權圍合肥, 魏自渦入淮, 出肥水, 軍合肥者數(삭)矣.】 任用李服而李服圖之하고 委任夏侯而夏侯敗亡[111]하니【操降張魯, 留夏侯淵屯守北還, 後先主擊之, 淵授首.】先帝每稱操爲能이나 猶有此失이어든 況臣駑下가 何能必勝이리오 此는 臣之未解四也니이다

조조는 다섯 번 창패(昌霸)를 공격하였으나 함락시키지 못하였고,【창패(昌霸)는 지명이니, 이 내용이 어디에 나오는 지는 자세하지 않다.】 네 번 소호(巢湖)를 넘어갔으나 성공하지 못하였으며,【위나라는 합비(合肥)를 중요한 진으로 삼았으니, 그 동남쪽에 소호가 있다. 손권이 합비를 포위하였을 적에 위나라가 와수(渦水)로부터 회수(淮水)로 들어와서 비수(肥水)로 나와 합비에 주둔하기를 여러 번 하였다.】 이복(李服)을 임용하였는데 이복이 〈조조를 칠 것을〉 도모하였고, 하후연(夏侯淵)을 위임하였는데 하후연이 패망하였으니,【조조가 장로(張魯)를 항복시키고 하후연을 남겨두어 한중(漢中)에 주둔시켜 지키게 하고는 북쪽으로 돌아갔는데, 뒤에 선주(先主, 유비)가 공격하니, 하후연이 패하여 머리를 바쳤다.】 선제께서는 매양 조조를 '능하다'라고 칭찬하셨는데도, 오히려 이러한 실수가 있었습니다. 하물며 재주가 노둔하고 낮은 신이 어찌 필승을 기약할 수 있겠습니까. 이것은 신이 이해할 수

---

111 曹操五攻昌霸不下……委任夏侯而夏侯敗亡 : 이 부분은 《자치통감》 호삼성의 주에 다음과 같이 보인다. "창패(昌霸)는 창희(昌俙)이니, 조조가 여러 번 공격하였으나 항복시키지 못하다가 뒤에 우금(于禁)에게 명하여 공격해서 참수하게 하였다. '네 번 소호를 넘어갔으나 성공하지 못했다.'는 것은 손권(孫權)을 공격함을 이른다. 이복(李服)은 아마도 왕복(王服)인 듯하니, 동승(董承)과 함께 조조를 죽이려고 도모하다가 죽임을 당하였다. 하후(夏侯)는 하후연(夏侯淵)이니, 한중(漢中)을 지키다가 선주(先主, 유비(劉備))에게 패한 것을 이른다.[昌霸, 昌俙也, 操累攻不下, 後命于禁擊斬之. 四越巢湖不成, 謂攻孫權也. 李服, 蓋王服也, 與董承謀殺操被誅. 夏侯, 謂夏侯淵, 守漢中, 爲先主所敗也.]" 창패는 주에는 지명이라 하였으나 《자치통감》의 주에는 인명으로 창희(昌俙)라 하였다. 그러나 창패와 창희는 모두 자세하지 않다.

없는 점의 네 번째입니다.

自臣到漢中으로【章武五年,[112] 北駐漢中.】中間朞年耳니이다 然이나 喪趙雲, 陽群, 馬玉, 閻芝, 丁立, 白壽, 劉郃, 鄧銅等과【喪, 謂死亡也. 自趙雲而下凡八人.】及曲長, 屯將七十餘人과 突將, 無前, 賨叟(종수), 靑羌, 散騎, 武騎[113] 一千餘人하니【夷稅曰賨. 亮南征南中, 旣平, 皆卽其渠率(수)而用之, 賨叟·靑羌, 皆此屬也. 散騎·武騎, 皆騎兵. 以上, 乃計其士卒物故也.】此皆數十年之內의 所糾合四方之精銳요 非一州之所有니 若復數年이면 則損三分之二也리니 當何以圖敵이리오 此는 臣之未解五也니이다

신이 한중(漢中)에 도착한 이후로【장무(章武) 5년에 북쪽으로 한중(漢中)에 주둔하였다.】그간 1주년이 되었습니다. 그러나 조운(趙雲)·양군(陽群)·마옥(馬玉)·염지(閻芝)·정립(丁立)·백수(白壽)·유합(劉郃)·등동(鄧銅) 등과【'상(喪)'은 사망을 이르니, 조운 이하 모두 여덟 사람이다.】곡장(曲長)·둔장(屯將) 70여 명과 돌격장(突擊將)·무전(無前)·종수(賨叟)·청강(靑羌)·산기(散騎)·무기(武騎) 1천여 명을 상실하였습니다.【오랑캐의 세금을 '종(賨)'이라 한다. 제갈량이 남쪽으로 남중(南中)을 정벌하여 평정한 다음 그 추장들을 모두 데려다가 등용하니, 종수(賨叟)와 청강(靑羌)이 모두 이 등속이다. '산기(散騎)'와 '무기(武騎)'는 모두 기병이다. 이상은 바로 그 사졸의 물고(物故, 사망)를 계산한 것이다.】이들은 모두 수십 년 동안 사방에서 규합해온 정예들이요, 익주(益州) 한 고을의 소유가 아닙니다. 만일 다시 몇 년이 지나면 3분의 2를 손실할 것이니, 마땅히 무엇으로써 적을 도모하겠습니까. 이것은 신이 이해할 수 없는 점의 다섯 번째입니다.

今民窮兵疲라도 而事不可息이니 事不可息이면 則住與行이 勞費正等이어늘【雖三國竝立, 籍民爲兵, 悉師攻守, 住則有守城之勞, 行則有戰伐之苦, 而糧食·財用皆不可闕. 若不伐賊, 必須嚴守, 是住與行, 勞費同也.】而不及蚤圖之하고 欲以一州之地로 與賊持久하니 此는 臣之未解六也니이다

---

112 章武五年: 장무(章武) 연간은 221~222년으로 2년 밖에 없었는바, 5년은 잘못된 것으로 보인다.

113 曲長……武騎: '곡장(曲長)'은 부곡(部曲) 즉 항오(行伍, 졸병)의 장(長)이고 '둔장(屯將)'은 주둔군의 장수이며, '돌장(突將)'은 돌격부대의 장수이고 '무전(無前)'은 앞을 가로막는 자가 없다는 뜻으로 부대의 명칭인바, 역시 그 장수를 가리킨 것이며, '종수(賨叟)'는 남만(南蠻) 출신의 장(長)이고 '청강(靑羌)'은 서강(西羌) 출신의 장(長)이다. '산기(散騎)'와 '무기(武騎)'는 기병부대의 명칭으로 역시 그 지휘관을 가리킨 것이다.

··· 朞 돌 기 閻 마을 염 芝 영지 지 郃 고을이름 합 賨 공물 종 叟 늙은이 수 羌 오랑캐 강
蚤 일찍 조

지금 백성들이 곤궁하고 군사들이 지쳐 있으나 〈위(魏)나라를 정벌하는〉 일은 중지할 수가 없으니, 이 일이 중지할 수 없는 것이라면 군대를 주둔시키는 것과 군대를 출동하여 행군하는 것은 노력과 비용이 서로 맞먹습니다.【비록 삼국이 병립하고 있으나 백성들을 장부에 올려 병사를 만들고 병력을 총동원하여 공격하고 수비하여야 하니, 주둔하면 성을 지키는 수고로움이 있고, 출동하면 전쟁하고 정벌하는 고통이 있어서 이에 대한 양식과 재용(財用)을 모두 빠트릴 수 없다. 만일 적을 정벌하지 않으면 반드시 엄하게 수비해야 하니, 이는 주둔을 하거나 출동을 하거나 수고로움과 비용이 똑같은 것이다.】〈이럴 바에는 차라리 적을 빨리 도모해야 하는데도〉 빨리 적을 도모하지 않고 한 주(州)의 땅을 가지고 적과 지구전을 벌이고자 하니, 이것은 신이 이해할 수 없는 점의 여섯 번째입니다.

夫難平【或作難乎者非.】者는 事也라 昔에 先帝敗軍於楚하시니【先主十二年, 劉琮降, 先主乃將其衆, 過襄陽, 荊州人多歸之, 比到襄陽, 衆十餘萬. 曹公曰: "江陵有軍實." 恐先主據之. 乃追之, 先主棄妻子, 與諸葛亮·張飛等數十騎去. 曹公大獲其人衆輜重, 濟沔遁去.】當此時하여 曹操拊手하여 謂天下已定이러니 然이나 後에 先帝東連吳越하고【及到夏口, 遣亮結好孫權, 權據江東, 國號吳, 其地亦屬越所.】西取巴蜀하며【十九年, 先主進圍成都, 劉璋降, 遂領益州牧.】擧兵北征에【北征曹操.】夏侯授首하니【斬夏侯淵.】此操之失計요 而漢事將成也라 然이나 後에 吳更(갱)違盟하여 關羽毁敗하고【先主二十四年, 權襲殺羽, 取荊州.】秭歸蹉跌하며【○秭與姊同. 袁山松[114]曰: "屈原旣被流放, 忽然蹔歸, 其姊亦來, 因名其地爲秭歸縣, 屬南郡." 古夔, 今歸州. 蹉跌, 言失措也. ○同上. 權旣取荊州, 徙劉璋爲益州牧, 駐秭歸也.】曹丕稱帝하니【丕, 曹操子名, 是爲魏文帝.】凡事如是하여 難可逆見이니이다 臣鞠躬盡瘁하여 死而後已니 至於成敗利鈍하여는 非臣之明所能逆覩也로소이다【一篇大意, 皆在結末數語.】

저 미리 정하기 어려운 것은【혹 '난호(難乎)'라고 되어 있는데, 이는 잘못이다.】일입니다. 옛날에 선제께서 초(楚) 땅(형주)에서 패전하시니,【선주(先主) 12년(207)에 유종(劉琮)이 조조에게 항복하자 선주가 마침내 그 무리를 거느리고 양양(襄陽)을 지나갔다. 이때 형주(荊州) 사람들이 많이 귀의하여 양양에

---

114 袁山松: 진(晉)나라 때 진군(陳郡) 양하(陽夏) 사람으로 원교(袁喬)의 손자이다. 어려서부터 재명(才名)이 있었고, 박학하고 문장을 잘했으며 오군 태수(吳郡太守)를 지냈다. 옛 노래인 〈행로난(行路難)〉을 좋아하여 가사를 붙이고는 술이 취할 때마다 부르곤 했는데, 듣는 자들이 눈물을 흘리지 않는 사람이 없었다. 처음에 양담(羊曇)이 노래를 잘 했고 환이(桓伊)가 만가(挽歌)에 능했는데 원산송이 〈행로난〉으로 이들의 뒤를 이으니, 당시 사람들이 '삼절(三絶)'이라고 불렀다. 《古詩紀 卷42 晉 卷156 袁山松》

••• 拊 어루만질 부 秭 만억 자 蹉 넘어질 차 跌 넘어질 질 逆 미리 역 丕 클 비 逆 미리 역 鞠 굽힐 국 瘁 수고로울 췌 鈍 무딜 둔 覩 볼 도

이르자 무리가 10여 만에 이르렀다. 조공이 말하기를 "강릉(江陵)에는 군실(軍實, 군수품)이 있다." 하고는, 선주가 점거할까 두려워 마침내 선주를 추격하니, 선주가 처자를 버리고 제갈량과 장비(張飛) 등 수십 명의 기병과 함께 도망갔다. 조공이 선주의 백성들과 치중(輜重)을 크게 노획하였고 〈선주는〉 면수(沔水)를 건너 도망갔다.】 이때를 당하여 조조는 손뼉을 치면서 천하를 이미 평정했다고 생각했습니다.

그러나 뒤에 선제께서는 동쪽으로 오월(吳越)과 연합하고【하구(夏口)에 이르자 선주가 제갈량을 보내어 손권과 우호를 맺게 하니, 이때 손권은 강동(江東)을 점거하여 국호를 오(吳)라 하였는바, 이 지역 또한 월(越)에 속하였다.】 서쪽으로 파(巴)·촉(蜀)을 취하였으며,【19년(214)에 선주가 나아가 성도(成都)를 포위하니, 유장(劉璋)이 항복하므로 선주가 마침내 익주목(益州牧)을 겸하였다.】 군대를 동원하여 북쪽으로 정벌함에【북쪽으로 조조를 정벌하였다.】 하후연(夏侯淵)이 머리를 내놓았으니,【하후연의 목을 벤 것이다.】 이는 조조의 실책이요 우리 한나라 일이 장차 이루어질 계기였습니다.

그러나 뒤에 오나라가 맹약을 위반하여 관우(關羽)가 패하여 죽고【선주 24년(219)에 손권이 습격하여 관우를 죽이고 형주(荊州)를 점령하였다.】 자귀현(秭歸縣)을 적에게 빼앗겨 차질이 생겼으며,【'자(秭)'는 '자(姊)'와 같다. 원산송(袁山松)이 말하였다. "굴원(屈原)이 유방(流放)을 당하고는 갑자기 잠시 집에 돌아오자, 그 누이가 또한 따라 왔으므로 인하여 이 지역을 이름하여 '자귀현(秭歸縣)'이라 하니, 남군(南郡)에 속한다." 옛날엔 기주(夔州)였는데 지금은 귀주(歸州)이다. '차질(蹉跌)'은 조처를 잘못함을 말한 것이다. ○위와 같은 해(선주 24년)에 손권이 이미 형주를 점령하고는 유장(劉璋)을 옮겨 익주목(益州牧)으로 삼아서 자귀땅에 주둔하게 하였다.】 조비(曹丕)가 황제를 칭하였으니,【조비는 조조의 아들이니, 이가 위나라 문제(文帝)이다.】 모든 일은 이와 같아 예측하기가 어렵습니다.

신은 몸을 굽히고 수고로움을 다하여 죽은 뒤에야 그만둘 것이니, 성공과 실패, 유리함과 불리함에 대하여는 신의 지혜로 미리 예측할 수 있는 바가 아닙니다.【한 편의 대의가 모두 끝맺음의 몇 마디 말에 있다.】

주덕송酒德頌

유령劉伶 백륜伯倫

• 작가소개

유령(劉伶, ?~300?)은 자가 백륜(伯倫)이며 패국(沛國) 사람이다. 완적(阮籍)·혜강(嵇康)·산도(山濤)·상수(向秀)·완함(阮咸)·왕융(王戎)과 함께 죽림칠현(竹林七賢)으로 불렸는데, 예속(禮俗)에 얽매이지 않고 호방 광달(豪放曠達)하여 노장(老莊)의 학설을 말하기 좋아하고 술을 즐겨 마시면서 항상 죽림에 모여 놀았기 때문이다.

특히 유령(劉伶)은 술을 몹시 좋아하여 지나치게 마셨다. 이에 부인이 술을 끊으라고 울면서 간(諫)하자, 유령이 말하기를 "좋은 말이다. 그러나 내가 스스로 끊을 수는 없으므로, 의당 귀신에게 빌어서 스스로 맹세를 해야겠으니, 주육(酒肉)을 마련해 달라." 하였다. 부인이 주육을 마련해 주니, 유령이 술동이 앞에 꿇어앉아서 빌기를 "하늘이 유령을 내어 술로 이름을 얻었기에, 한번에 한 섬을 마시고 다섯 말로 해정(解酲, 해장)을 하나니, 부인의 말은 삼가 들을 수가 없습니다.〔天生劉伶 以酒爲名 一飮一斛 五斗解酲 婦人之言 愼不可聽〕" 하고, 인하여 그 주육을 또 실컷 먹고 잔뜩 취했다고 한다.《晉書 卷49 劉伶列傳》

• 작품개요

이 작품은 술의 좋은 점을 칭송한 글로, 술을 찬미하고 세속을 혐오하는 내용을 담고 있다. 특히 귀개공자(貴介公子)와 진신처사(搢紳處士)와 대비되는 '대인선생(大人先生)'이라는 인물을 내세웠는데, 이는 다름 아닌 술을 좋아하는 작자 자신으로 그의 자유분방한 면모를 잘 드러내었다. 글 전반에 걸쳐 노장 사상이 강하게 나타나 있다.

篇題小註‥ 劉伶은 字伯倫이니 沛國人이라 貌甚醜悴로되 而志氣放曠하여 以宇宙爲狹이라 性好酒하여 常携酒自隨하며 使人荷鍤(삽)從之하고 云死便埋我라 故로 著此頌하니 頌酒德之美也라

유령(劉伶)은 자가 백륜(伯倫)으로, 패국(沛國) 사람이다. 그는 용모가 심히 추악하고 초췌하였으나 지기(志氣)가 호방하여 우주를 좁게 여겼다. 천성이 술을 좋아하여 항상 술병을 차고 휴대하였으며 사람들로 하여금 삽을 메고 따라오게 하고 이르기를 "죽으면 곧 그 자리에 나를 묻어 달라." 하였다. 그러므로 이 송(頌)을 지었으니, 주덕(酒德)의 아름다움을 칭송한 것이다.

- **原文**

有大人先生하니【假託此辭.】 以天地爲一朝하고 萬期爲須臾하며 日月爲扃牖(경유)하고 八荒爲庭衢하여【以天地開闢已來, 爲一日, 萬歲之期, 爲少時, 言志廣大也.】 行無轍跡하고 居無室廬하여 幕天席地하여 縱意所如하며 止則操巵(치)執觚하고 動則挈榼提壺(설합제호)하여【挈, 執也, 巵·觚·榼·壺, 皆酒器也】 唯酒是務하니 焉知其餘리오

대인(大人)선생이 있으니,【이 말에 가탁한 것이다.】 천지(天地)를 하루아침으로 여기고 만 년을 수유(須臾, 잠시)로 여기며, 해와 달을 문과 창문으로 삼고 팔황(八荒, 팔방)을 뜰과 길거리로 삼아서【천지가 개벽한 이래를 '하루'라 하고 만 년의 시기를 '잠시'라 하였으니, 뜻이 광대함을 말한 것이다.】 다님에 일정한 수레바퀴 자국과 말 발자국이 없고 거처함에 일정한 집이 없어, 하늘을 장막으로 삼고 땅을 깔자리로 삼아서 마음 가는대로 내버려두어, 머물러 있을 때에는 크고 작은 술잔을 손에 쥐고 움직일 때에는 술통을 끌어당기고 술병을 차고서【'설(挈)'은 잡음이요, '치(巵)', '고(觚)', '합(榼)', '호(壺)'는 모두 술그릇이다.】 오직 술 마시는 것을 일삼으니, 어찌 그 나머지를 알겠는가.

有貴介公子와 搢紳處士【介, 大也. 搢紳, 服飾也. 處士, 有德之稱.】 聞吾風聲하고 議其所以하여 乃奮袂攘衿(분메양금)하고 怒目切齒하여【此公子處士, 怒先生好酒.】 陳說禮法하여 是非鋒起어늘【說禮經法制, 以示先生, 言其是非如劍戟之鋒刃, 相競逐而起.】 先生於是에 方捧甖(봉앵)承(糟)[槽][115]하여 銜盃漱醪(함배수료)하며【先生不聽二人之說, 飮酒自若也. 醪, 濁酒.】

伶 영리할 령 醜 추악할 추 曠 넓을 광 荷 멜 하 鍤 삽 삽 臾 잠깐 유 扃 문호 경 牖 창문 유
衢 길거리 구 巵 술잔 치 觚 술잔 고 挈 끌 설 榼 통 합 提 끌 제 壺 술병 호 搢 꽂을 진
袂 소매 메 攘 떨칠 양 捧 받들 봉 甖 술단지 앵 槽 술통 조 銜 머금을 함 漱 양치질할 수

奮髥(분염)箕踞하고 枕麴藉糟하여【奮, 動, 髥, 鬚. 箕踞, 展足倚據而坐也. 藉, 鋪也. 言動髥展足, 倚據而坐, 旋復枕麴鋪糟而臥.】無思無慮하여 其樂陶(요)陶라

존귀하고 위대한 공자(公子)와 진신 처사(搢紳處士)들이【'개(介)'는 큼이다. '진신(搢紳)'은 선비의 복식이다. '처사(處士)'는 덕이 있는 자의 칭호이다.】나의 풍성(風聲, 명성)을 듣고는 행동하는 바를 비난하여 소매를 걷어붙이고 옷깃을 풀어헤치며 눈을 부릅뜨고 이를 갈면서【이 공자와 처사가 선생이 술을 좋아함에 노한 것이다.】예법을 말하여 시비가 칼날처럼 일어났으나【예경(禮經)의 법제를 말하여 선생에게 보이니, 그 시비함이 칼과 창의 칼날이 서로 다투어 좇아 일어나는 것과 같음을 말한 것이다.】선생은 이때 막 술단지를 받들고 술통을 잡고서 술을 마셔 술로 탕구질을 하며【선생은 두 사람의 말을 듣지 않고 그대로 술을 마신 것이다. '료(醪)'는 탁주(濁酒)이다.】수염을 쓰다듬고 두 다리를 뻗고 걸터앉아서 누룩을 베고 술지게미를 깔고 앉으니,【'분(奮)'은 움직임이요, '염(髥)'은 수염이다. '기거(箕踞)'는 발을 펴고 걸터앉는 것이다. '자(藉)'는 폄(깖)이다. 수염을 움직이고 발을 펴서 걸터앉았다가 곧바로 다시 누룩을 베고 술지게미를 깔고 누움을 말한 것이다.】아무런 사려(思慮)도 없어 그 즐거움이 지극하였다.

兀然而醉하고 恍爾而醒하여 靜聽에 不聞雷霆之聲하고 熟視에 不見泰山之形이라 不覺寒暑之切肌와 嗜慾之感情하여 俯觀萬物擾擾焉을 如江漢之浮萍이요【言見萬物, 如水中萍草隨其風波.】二豪侍側焉을 如蜾蠃(과라)之與螟蛉이러라【二豪, 謂公子·處士也. 蜾蠃·螟蛉, 微小蟲. 言此二人侍我之側, 有如此蟲, 言見之微小也.】

올연(兀然, 취하여 앉아 있는 모양)히 취하고 어슴푸레 깨어나서 조용히 들어도 우레소리를 듣지 못하고 익숙히 보아도 태산(泰山)의 형상을 보지 못한다. 추위와 더위가 피부에 절실함과 기욕(嗜慾)이 정(情)을 감동함을 깨닫지 못하여, 만물이 어지러운 것을 굽어보기를 강한(江漢)의 부평초(浮萍草)와 같이 여기고,【만물을 보기를 물 가운데 부평초(浮萍草, 개구리밥)가 바람과 물결을 따라 움직이는 것과 같이 여김을 말한 것이다.】두 호걸이 옆에서 모시고 있는 것을 나나니벌과 명령(螟蛉)과 같이 여기었다.【'두 호걸'은 공자와 처사를 이른다. '과라(蜾蠃)'와 '명령(螟蛉)'은 작은 벌레인데, 자신의 곁에서 모시는 이 두 사람이 벌레와 같다고 말하였으니, 그들을 하찮게 여김을 말한 것이다.】

---

115 (糟)[槽]: 저본에는 '조(糟)'로 되어 있으나, 《문선(文選)》, 《예문유취(藝文類聚)》에 의거하여 '조(槽)'로 바로잡았다.

醪 막걸리 료 髥 구렛나루 염 踞 걸터앉을 거 麴 누룩 국 糟 술지게미 조 陶 즐거울 요
兀 우뚝할 올 恍 황홀활 황 醒 술깰 성 霆 우뢰 정 肌 살 기 萍 부평초 평 蜾 나나니벌 과
蠃 나나니벌 라 螟 명충나방 명 蛉 명충나방 령

난정기蘭亭記 【난정은 월주(越州)에 있다.】

왕희지王羲之 일소逸少

• 작가소개

왕희지(王羲之, 321~379 또는 307~365)는 자가 일소(逸少)로 낭야(琅琊) 임기(臨沂) 사람이다. 동진(東晉)의 서예가로 우군장군(右軍將軍)을 지냈기 때문에 '왕우군(王右軍)'으로도 불렀다. 일곱번째 아들 왕헌지(王獻之)와 함께 '이왕(二王)' 또는 '희헌(羲獻)'으로 병칭된다. 16세 때 치감(郗鑒)의 사위가 되었다. 서진(西晉) 시대의 서예가인 위부인(衛夫人)의 서풍(書風)을 배웠고, 뒤에 한(漢)·위(魏)의 비문을 연구하여 해서, 행서, 초서의 각 서체를 완성함으로써 서성(書聖)으로 추앙받았다.

벼슬은 비서랑(秘書郎)으로 시작하여 유량(庾亮)의 장사(長史)가 되고, 351년에는 우군장군 및 회계(會稽)의 내사(內史)가 되었다. 왕희지는 일찍이 은둔하려는 마음이 있었는데, 왕술(王述)이 조정에서 파견되어 순찰하게 되자 그의 밑에 있는 것을 부끄럽게 여겨 영화(永和) 11년(355)에 벼슬을 그만두었다.

• 작품개요

이 작품은 동진(東晉) 시대 문단의 성대하고 고아한 모임을 기술한 한 편의 명문장으로, 본래 정식 명칭은 '난정집서(蘭亭集序)'이며, 또한 '난정연집서(蘭亭宴集序)', '난정서(蘭亭序)', '임하서(臨河序)', '계서(禊序)', '계첩(禊帖)' 등으로도 불린다.

목제(穆帝) 영화(永和) 9년(353) 3월 3일에 왕희지(王羲之)는 사안(謝安)·손작(孫綽) 및 자질(子姪)인 왕응지(王凝之)·왕헌지(王獻之) 등 41명과 함께 절강(浙江) 소흥(紹興) 난저산(蘭渚山)의 난정(蘭亭)에서 수계(修禊)의 모임을 가졌는데, 당시 연석에 있던 사람들이 각각 시문을 짓고 왕희지가 그 시문들에 대한 서문을 직접 붓으로 쓴 것이 바로 이 작품이다.

작품에서는 난정 주변 산수의 아름다움과 모임의 즐거움에 대하여 기술하고, 단촉하고 무상한 인생에 대하여 작자의 감개(感慨)를 잘 드러내었다. 작자의 희비(喜悲)가 교차함에 따라 문세(文勢) 역시 평정(平靜)에서 격동(激動), 격동에서 평정으로 진행되는데, 이로 인하여 문장의 기복과 변화가 다채롭다.

작품은 내용상 크게 세 부분으로 나뉜다. 첫 번째 부분에서는 난정에서 벌인 연회의 성황(盛況)과 여기에 참석한 사람들의 정서에 관하여 기술하였는데, 작자는 좌중들의 정서를 '신가락야(信可樂也)'의 '락(樂, 즐거움)' 자에 귀결시켰다. 두 번째 부분에서는 작자의 인생관에 대해서 밝혔는데, 앞서 언급한 '락(樂)' 자와 긴밀히 연결하여 감개한 심정을 자아냈다. 인생이 매우 짧은 것과 성대한 일이 항상 이어지지 않는 것에 대해 개탄하고 아울러 '생사(生死)'의 문제까지 거론하여 작자가 마음속에 지닌 '통(痛)'을 말하였다. 마지막 부분에서는 이 서문을 짓게된 연유에 대해 설명하였는데, 당시 풍조와 다르게 노장(老莊) 사상에 대해서 부정하고 있다.

전체적으로 볼 때, 이 작품은 매우 잘 정제된 대장(對仗, 對偶)에 각 대장구(對仗句)의 뜻 역시 적절하게 배열되어 있고, 필세는 간결하고 산뜻하여 억지로 수식한 흔적이 없으며, 의론은 표현력이 뛰어난바, 변려문 중에서 걸작이라고 할 수 있다. 특히 '용사(用事)'에 있어서는 '수계사(修禊事)'·'제팽상(齊彭殤)' 등 알기 쉽고 분명한 전고(典故)를 사용하였는데, 이렇게 소박한 필치로 써진 이 작품은, 문장과 어구를 세련되게 꾸며 화려하나 실속이 없는 동시대의 문풍과 선명하게 대조된다. 또한 마지막 부분에서 작자는 당시 풍조와 다르게 노장(老莊) 사상에 대해서 부정하고 있는바, 바로 이러한 점이 이 작품을 돋보이게 하는 특징이라고 하겠다.

이 글은 325자에 불과하지만 천고의 풍류를 전하는 고사가 되었고, 특히 이것을 쓴 '난정첩(蘭亭帖)'은 필세가 노니는 용과 놀란 봉황과 같다 하여 더욱 유명하다. 다만 진본(眞本)이 당 태종(唐太宗)의 무덤에 함께 묻혀 세상에 전하지 못하고, 지금 세상에 유행하는 것은 당 태종이 당시의 명필인 우세남(虞世南), 구양순(歐陽詢) 등에게 진본을 보고 모사하도록 한 것이어서 아쉬울 뿐이다.

• **原文**

永和九年【晉穆帝時.】歲在癸丑暮春之初에 會于會稽山陰之蘭亭하니 修禊事[116]也라【韓詩曰: "鄭國之俗, 三月上巳, 於溱 · 洧兩水之上, 執蘭招魂, 祓(불)除不祥." 韻語陽秋云: "上巳, 於流水上, 洗濯祓除, 去宿垢, 謂之祓禊也." 自魏以後, 但用初三, 不用初巳.】群賢畢至하고 少長咸集이라 此地에 有崇山峻嶺과 茂林脩竹하고 又有淸流激湍이 映帶左右어늘 引以爲流觴曲水[117]하고 列坐其次하니 雖無絲竹管絃之盛이나 一觴一詠이 亦足以暢敍幽情이라【韻語陽秋云: "羲之與謝安以下十有一人, 四言 · 五言各一首, 王豐之等十五人, 或四言, 或五言各一首, 王獻之等十有六人, 詩各不成, 罰酒三觥." 景祐中[118], 會稽太守蔣堂, 修永和故事, 嘗云: "一派西園曲水聲, 水邊終日會簪纓. 幾多詩筆無停綴, 不似當年有罰觥."】是日也에 天朗氣淸하고 惠風和暢이라【惠, 或作蕙, 非也. 選謝叔源[119]詩云: "惠風蕩繁囿." 注謂 "春風施惠萬物也."】仰觀宇宙之大하고 俯察品類之盛하니 所以遊目騁懷하여 足以極視聽之娛하니 信可樂也로다

영화(永和) 9년(353)【진(晉)나라 목제(穆帝) 때이다.】 세재계축(歲在癸丑, 태세(太歲)가 계축에 머묾) 모춘(暮春) 초순에 회계군(會稽郡) 산음현(山陰縣)의 난정(蘭亭, 정자의 이름)에서 모이니, 계(禊)를 닦는 일이었다.【《한시외전(韓詩外傳)》에 "정(鄭)나라 풍속은 3월 상사일(上巳日)에 진수(溱水)와 유수(洧水) 두 물가에서 택란(澤蘭)을 잡고 초혼하여 불길함을 불제(祓除)한다." 하였다. 《운어양추(韻語陽秋)》에 "상사일에 흐르는 물 위에서 몸을 깨끗이 씻고 불제하여 옛 때를 제거함을 불계(祓禊)라 한다." 하였다. 위(魏)나라 이후로 다만 초삼일을 사용하고 초사(初巳, 상사)를 사용하지 않는다.】

여러 현자(賢者)가 모두 이르고 젊은이와 어른이 모두 모이니, 이곳에는 높은 산, 큰 고개와 무성한 숲, 긴 대나무가 있고, 또 맑은 물과 격류하는 여울물이 좌우의 경물(景物)을 비춰 더욱 돋보이게 한다. 물을 끌어다가 유상곡수(流觴曲水)를 만들고 차례대로 벌려 앉으니, 비록 사(絲) · 죽(竹)으로 만든 현악기와 관악기의 성대함은 없으나 술 한 잔을 들고 시(詩) 한 수

---

116 修禊事 : '계(禊)'는 옛날 3월 상사일(上巳日, 첫 번째 드는 사일(巳日))에 냇가에 가서 몸을 씻고 노는 것으로, 이렇게 하면 그 해의 액운(厄運)을 면한다고 한다.

117 流觴曲水 : '곡수(曲水)'는 이리저리 굽게 흐르는 물로, 여기에 술잔을 띄워놓고 차례로 앉아 술을 마심을 이른다.

118 景祐中 : 경우 연간으로, 경우는 북송(北宋) 인종(仁宗)의 연호인바, 1034년부터 1037년까지이다.

119 謝叔源 : 숙원은 사혼(謝混)의 자로, 진(晉)나라 사안(謝安)의 손자이고 사염(謝琰)의 아들이며 효무제(孝武帝)의 사위이다. 어려서부터 아름다운 명성이 있었고 글을 잘 지었다. 중령군(中領軍), 상서 좌복야(尙書左僕射)를 역임하였다. 《晉書 卷79 謝安列傳》

··· 稽 상고할 계 禊 계제사 계 脩 길 수 湍 여울 단 映 비칠 영 觴 술잔 상 騁 달릴 빙

를 읊는 것이 또한 그윽한 정을 펴기에 충분하였다.【《운어양추》에 "왕희지(王羲之)와 사안(謝安) 이하 11명은 사언시와 오언시 각각 한 수를 지었고, 왕풍지(王豐之) 등 15명은 사언시와 오언시 각각 한 수를 지었고, 왕헌지(王獻之) 등 16명은 시를 각각 이루지 못하여 벌주 세 잔을 마셨다." 하였다. 경우(景祐, 1034~1038) 연간에 회계 태수(會稽太守) 장당(蔣堂)이 영화(永和) 연간의 고사를 닦았는데, 일찍이 시를 짓기를 "한 물줄기 서원(西園)의 굽은 물소리가 들리니, 물가에 종일토록 잠영(簪纓, 사대부)들 모여 있네. 시를 짓는 수많은 붓들 멈추지 않으니 당년에 벌주 잔이 있었던 것과 같지 않네." 하였다.】

이날 천기(天氣)가 맑고 혜풍(惠風, 온화한 바람)이 화창하였다.【'혜(惠)'는 혹 '혜(蕙)'로 쓰니, 잘못이다. 《문선(文選)》〈유서지(游西池)〉 사숙원(謝叔源)의 시에 "혜풍이 번화한 동산을 일렁인다." 하였는데, 그 주에 "혜풍은 봄바람이 만물에 은혜를 베푸는 것이다." 하였다.】 우주의 큼을 우러러보고 품류(品類, 삼라만상)의 성함을 굽어살피니, 〈사방으로〉 눈을 놀리고 회포를 멋대로 풀어 눈과 귀의 즐거움을 지극히 할 수 있으니, 참으로 즐거울 만하였다.

夫人之相與俯仰一世에 或取諸懷抱하여 悟言一室之內하고 或因寄所託하여 放浪形骸之外하나니 雖趣舍萬殊하고 靜躁不同이나 當其欣於所遇하여 暫得於己하여는 快然自得하여 曾不知老之將至라가 及其所之旣倦하여 情隨事遷이면 感慨係之矣라 向之所欣이 俛(부)仰之間에 以爲陳迹하니 尤不能不以之興懷로다 況脩短隨化하여 終期於盡하나니 古人云死生亦大矣[120]라하니 豈不痛哉아

사람이 서로 더불어 세상을 살아감에 혹은 자신의 회포를 가지고 한 방 안에서 서로 이야기하고, 혹은 마음에 의탁한 바를 따라 형해(形骸, 육체)의 밖에서 방랑하기도 하니, 비록 나아감과 멈춤이 만 가지로 다르고 고요함과 시끄러움이 똑같지 않으나 그 만나는 바에 기뻐하여 잠시 자기 마음에 만족할 때를 당해서는 쾌연(快然)히 자득하여 일찍이 늙음이 장차 이르는 줄을 모르다가 가는 바의 흥취가 이미 권태를 느껴 정(情)이 일에 따라 옮겨가면 감개(感慨)가 뒤따른다. 조금 전에 기뻐하던 것이 고개를 숙였다 드는 사이에 이미 옛 자취가 되어버리니, 더더욱 이 때문에 감회를 일으키지 않을 수 없다. 더구나 〈사람은〉 장수하거나 단명하거나 간에 조화에 따라 끝내는 다 없어지고 마니, 옛 사람이 이르기를 "사생(死生)이 또한 크다." 하였

120 古人云死生亦大矣 : 고인(古人)은 장주(莊周)를 가리키니, 《장자(莊子)》〈덕충부(德充符)〉에 "사생이 또한 크지만 변하게 하지 못한다.[死生亦大矣 而不得與之變]"라고 보인다.

••• 骸 해골 해 躁 조급할 조 暫 잠깐 잠 俯 구부릴 부 陳 묵을 진

으니, 어찌 애통하지 않겠는가.

每攬昔人興感之由하면 若合一契하니 未嘗不臨文嗟悼로되 不能喩之於懷라 固知一死生爲虛誕이요 齊彭殤爲妄作이라【莊子·齊物篇云: "莫壽於殤子而彭祖爲夭." 當時蘭亭之集, 謝安五言詩曰: "萬殊混一象, 安復齊彭殤?" 逸少此語, 蓋反謝安一時之所言爾.】後之視今이 亦猶今之視昔이리니 悲夫라 故로 列敍時人하고 錄其所述하니 雖世殊事異나 所以興懷는 其致一也라 後之覽者 亦將有感於斯文이리라

매양 옛 사람들이 감회를 일으킨 이유를 찾아보면 마치 한 문서(文書)를 맞추는 듯이 부합하니, 일찍이 옛 사람의 글을 대하여 서글퍼하고 한탄하지 않은 적이 없지만 이것을 마음 속에 비유하여 말할 수가 없었다. 진실로 사생(死生)이 하나라고 한 것은 허탄(虛誕)한 말이요, 800살을 산 팽조(彭祖)와 상(殤, 어릴 적에 요절한 사람)을 똑같다 한 것은 망령된 일임을 알겠다.【《장자》〈제물론(齊物論)〉에 "상자(殤子, 일찍 죽은 아이)보다 더 장수한 이가 없고 팽조(彭祖)가 요절함이 된다." 하였다. 당시 난정에 모였을 때에 사안(謝安)의 오언시에 "만 가지 다른 것이 한 형상과 섞여 있으니, 어이하면 다시 팽조와 상(殤)을 똑같이 하겠는가?" 하였으니, 왕일소(王逸少, 왕희지)의 이 말은 사안이 한때 말한 것을 반박한 것이다.】

후세에 지금을 봄이 또한 지금에 옛날을 보는 것과 같을 것이니, 슬프다. 그러므로 당시 이 자리에 모인 사람들을 차례로 쓰고, 그들이 지은 글을 기록하니, 비록 세대가 다르고 일이 다르나 감회를 일으킨 이유는 그 이치가 똑같다. 후세에서 이것을 보는 자 또한 이 글에 장차 감회가 있을 것이다.

篇末小註·· 王羲之는 字逸少니 東晉人이니 才之傑出者也라 一時宗尙老莊하여 淸談無實호되 右軍[121]은 獨論建識時務하고 且嘗沮桓溫請遷都之議[122]하니 斯人은 不多見也라 此篇은 以一死生, 齊彭殤으로 爲誕妄하니 蓋闢莊周, 矯流俗이요 不但文字之工而已라 且其字畫之妙

---

121 右軍: 왕희지가 우군장군(右軍將軍)의 벼슬을 하였으므로 사람들이 왕우군이라고도 불렀다.

122 沮桓溫請遷都之議: 환온은 동진(東晉) 시대의 권신(權臣)으로서 낙양(洛陽)으로 천도(遷都)하자고 주장하였을 적에 그의 권세를 두려워하여 아무도 이의를 제기하지 못했는데, 왕희지와 손작(孫綽)이 상소하여 이를 무산시켰다.

••• 攬 잡을 람 嗟 슬플 차 彭 성 팽 殤 일찍죽을 상 沮 막을 저 矯 바로잡을 교

流聲萬世하여 與文章相爲不朽焉이라 蘭亭眞帖이 初入唐太宗陵[123]이러니 至唐末하여 盜發諸陵하여 始復行世나 世所摹刻은 多非眞本이라 余嘗得二本하니 一本은 差古健이나 亦未知出於眞本否耳로라

왕희지(王羲之)는 자가 일소(逸少)이니, 동진(東晉) 사람으로 재주가 걸출한 자이다. 당시에 노장(老莊)을 숭상하여 청담(淸談)을 즐기고 실제가 없었는데, 우군(右軍, 왕희지)은 홀로 시무(時務)를 알아야 함을 건의하였으며, 또 일찍이 천도(遷都)하자는 환온(桓溫)의 의론을 저지하였으니, 이러한 인물은 많이 볼 수가 없다. 이 편은 사생(死生)을 하나로 여기고 팽상(彭殤)을 똑같이 여기는 것을 허망하다 하였으니, 이는 장주(莊周)를 배척하고 유속(流俗)을 바로잡은 것이요, 단지 문자가 공교할 뿐만이 아니다. 또 그 자획(字畫, 필법(筆法))의 묘함이 만세에 명성을 남겨 문장과 함께 서로 불후(不朽)의 명작이 되었다. 난정의 진첩(眞帖)이 처음에 당 태종(唐太宗)의 능(陵) 속에 넣어졌었는데, 당나라 말기에 도둑이 능을 발굴하여 비로소 다시 세상에 널리 전해졌으나 세상에 모각(摹刻)한 것은 대부분 진본(眞本)이 아니다. 내 일찍이 두 본(本)을 얻었는데 그 중에 한 본은 다소 예스럽고 힘차나 이것도 진본에서 나온 것인지는 알 수 없다.

○ 晉束晳傳에 武帝問曲水之義한대 晳曰 昔에 周公이 成洛邑하시고 因流水泛酒하니 詩曰羽觴隨波라하니이다

《진서(晉書)》〈속석전(束晳傳)〉에 무제(武帝)가 곡수(曲水)의 뜻을 묻자, 속석은 대답하기를 "옛날 주공(周公)이 낙읍(洛邑)을 이루고 인하여 물을 흘려보내어 술잔을 띄우니, 그 시(詩, 일시(逸詩))에 '우상(羽觴)이 물결을 따른다.' 하였습니다." 하였다.

123 初入唐太宗陵 : 당 태종(唐太宗)이 왕희지의 글씨를 몹시 좋아하여 자신이 죽은 뒤에 함께 묻도록 하였다. 이에 난정첩을 포함해 여러 보물들이 소릉(昭陵)에 묻히게 되었다. 주에 "도둑이 태종의 능을 발굴하여 비로소 다시 세상에 행해지게 되었다." 하였으나 진본은 이미 없어지고 현재 남아 있는 것은 태종이 살아있을 때에 당시 명필이었던 우세남(虞世南), 구양순(歐陽詢) 등이 난정첩(蘭亭帖)을 보고 모사(摹寫)한 것이라 한다.

••• 帖 문서 첩 摹 본뜰 모 刻 새길 각 晳 흴 석 泛 뜰 범

진정표陳情表

이밀李密 영백令伯

• 작가소개

이밀(李密, 224~287)은 자가 영백(令伯)으로, 또 다른 이름은 건(虔)이며, 사천(四川) 건위(犍爲) 무양(武陽) 사람이다. 어렸을 적에 부친을 여의었는데 모친 하씨(何氏)가 개가(改嫁)하여 조모 유씨(劉氏)에게 양육되었다.

당시 저명한 학자 초주(譙周)를 사사하여 오경(五經)에 두루 통달하였는데, 특히《춘추좌씨전(春秋左氏傳)》에 정통하였다. 처음에는 촉한(蜀漢)에서 벼슬하여 상서랑(尙書郎)에 이르렀고, 사신으로 오(吳)나라에 가서 외교능력을 발휘하였다.

이후 촉한이 멸망하자 진(晉)나라의 무제(武帝)가 조칙을 내려 태자 세마(太子洗馬)로 임명하였는데, 병약한 조모를 봉양하기 위하여 이 글을 올려서 사양하였다. 이에 무제가 감동하여 노비를 하사하고, 아울러 군현의 관리에게 명하여 조모를 봉양하는 데에 편의를 제공하게 하였다. 이후 이밀은 조모가 죽은 뒤에 한중 태수(漢中太守)가 되었다.

• 작품개요

이 작품은 삼국(三國)·양진(兩晉) 시기의 문장가인 이밀이 진 무제(晉武帝)에게 올린 주장(奏章)이다. 이밀은 원래 촉한 후주(後主) 유선(劉禪)의 낭관(郎官)이었는데, 위 원제(魏元帝) 조환(曹奐) 경원(景元) 4년(263)에 사마소(司馬昭)가 촉한을 멸망시키자 망국의 신하로 전락하였다. 이후 사마소의 아들 사마염(司馬炎)이 원제를 폐위하고 즉위하였는바, 이가 바로 진 무제이다.

태시(泰始) 3년(267)에 진나라 조정은 촉한의 옛 신하들을 회유하고자 하여 이밀을 태자 세마(太子洗馬)로 삼았는데, 당시 44세였던 이밀은 조정이 표방하고 있던 '이효치천하(以孝治天下)'라는 통치 강령을 이용하여 조모를 봉양할 사람이 없음을 이유로 이 표(表)를 올려서 자신의 뜻을 밝혔다.

이 작품은 내용상 크게 네 단락으로 나뉜다. 첫 번째 단락에서는 부친을 일찍 여읜 작자의 불행함과 작자와 조모 두 사람이 교대로 서로 생명을 돌보아줌에 대해 진술하였다. 두 번째 단락에서는 작자를 수차례 징소하며 예우한 국은(國恩)에 보답하는 것과 날로 위독해지는 조모를 봉양하려는 사사로운 정(情)을 따르는 것의 사이에 조율할 수 없는 모순이 있음을 낱낱이 서술하고 있다. 특히 조모가 위독해지고 있는 상황을 언급함으로써 작자의 깊은 효심을 더욱 부각시키는 효과를 불러왔다. 이러한 서술의 의도는 진 무제의 의심을 해소시키기 위함인바, 마지막 단락에서 '종양(終養)'을 요청하기 위한 복선(伏線)이 된다. 세 번째 단락에서는 진나라 조정이 표방하고 있는 '이효치천하'라는 통치 강령을 언급하여 작자가 처한 외롭고 고달픈 처지, 작자가 정치에 종사한 경력, 작자가 지닌 인생의 태도 등에 대하여 진술함으로써 한 걸음 더 나아가 진 무제의 의심과 우려를 불식시켰다. 네 번째 단락에서는 '원걸종양(願乞終養)'이라고 말함으로써 먼저 효(孝)를 다한 뒤에 국가에 충(忠)을 다하겠다는 의사를 분명하게 표현하고, 무제를 감동시켜 '진정(陳情)'의 목적을 달성하고자 하였다.

전체적으로 볼 때 이 작품은 문자 그대로 한 편의 '진정서(陳情書)'인데, 무제에게 올렸으므로 '표(表)'라 한 것이다. 작자가 겪은 유년기의 불행함으로부터 시작하여 작자와 조모가 서로 굳게 의지하며 살아가는 특수한 상황을 설명하고, 자신을 양육해준 조모의 은혜와 응당 조모를 봉양해야만 하는 작자의 대의(大義)에 대하여 서술하였다. 이와 아울러 조정에서 작자를 알아주고 우대해 준 은혜에 대하여 감사를 표하였을 뿐만 아니라 조정의 명을 따르지 못한 고충을 털어놓았다. 문장이 작자가 처한 현실과 핍절하여 독자로 하여금 눈물을 자아내게 하는데, 말의 뜻이 매우 간곡하고 마음속의 진실한 감정이 잘 드러나 있기 때문에 중국 문학사상 대표적인 서정문(抒情文)의 하나로 손꼽힌다.

사료에 근거하면, 진 무제는 이 글을 읽은 뒤에 매우 감동하여 이밀에게 특별히 노비 두 사람을 하사하고 아울러 군현에 명하여 그 조모를 봉양하는 데에 편의를 제공하도록 하였다.

篇題小註‥ 蜀志에 李密父早亡하고 母何氏更(경)適人하니 密見養於祖母라 以孝聞하여 侍疾에 日夜未嘗解帶러니 蜀平에 晉帝徵爲太子洗馬한대 密이 上表하니 帝嘉其誠欵하여 賜奴婢二人하고 使郡縣供祖母하여 奉膳服하며 遷漢中太守하니라

《삼국지(三國志)》〈촉지(蜀志)〉에 다음과 같이 기록되어 있다.

"이밀(李密)은 아버지가 일찍 죽고 어머니 하씨(何氏)가 다른 사람에게 개가(改嫁)하였다. 그리하

··· 款 정성 관 婢 계집종 비 膳 음식 선

여 이밀은 조모(祖母)에게 양육되었는데, 효성(孝誠)으로 알려져 병석에 누우신 조모를 모심에 밤낮으로 일찍이 옷의 띠를 풀지 않았다. 촉한(蜀漢)이 평정(멸망)된 다음, 진(晉)나라 무제(武帝)가 불러 태자세마(太子洗馬)를 삼으려 하자, 이밀이 표문(表文)을 올리니, 무제는 그의 정성(효성)을 가상히 여겨 노비 두 사람을 하사하고 군현(郡縣)으로 하여금 조모를 공양하여 음식과 의복을 받들게 하였으며, 이밀을 한중 태수(漢中太守)로 승진시켰다."

- **原文**

臣以險釁(험흔)으로 夙遭愍凶하여 生孩六月에 慈父見背하고 行年四歲에 舅奪母志[124]어늘 祖母劉閔臣孤弱하여 躬親撫養하니이다 臣이 少多疾病하여 九歲不行하고 零丁孤苦하여 至于成立이라 旣無叔伯하고 終鮮兄弟하며 門衰祚薄하여 晩有兒息하니 外無朞功强近之親[125]이요 內無應門五尺之童이라【朞功, 謂大功·小功親.】 煢(경)煢孑(혈)立하여 形影相弔어늘 而劉夙嬰疾病하여 常在牀褥하니 臣侍湯藥하여 未嘗廢離로소이다

신은 기구한 운명으로 일찍이 딱하고 흉한 일을 당하여 태어난 지 6개월 만에 자부(慈父)가 별세하였고, 나이 네 살에 외삼촌이 어머니의 뜻을 빼앗아 개가(改嫁)시켰습니다. 조모(祖母) 유씨(劉氏)가 신의 외롭고 약함을 가엽게 여겨 몸소 친히 어루만져 길러 주셨습니다.

신은 어려서 질병이 많아 아홉 살이 되어도 걷지 못하였으며, 외롭고 고달픈 신세로 성인(成人)이 되었습니다. 그리하여 숙부(叔父)와 백부(伯父)가 없고 형제도 적으며, 가문이 쇠하고 복이 박하여 늦게야 자식을 두니, 밖으로는 기년복(朞年服)과 대공복(大功服)·소공복(小功服)을 입을 가까운 친척이 없고, 안으로는 문에서 손님을 응대할 5척의 동자도 없습니다.【'기공(朞功)'은 대공(大功)과 소공(小功)의 친척을 이른다.】 쓸쓸히 홀로 서서 몸과 그림자만이 서로 위로하며 지냈는데, 유씨는 일찍이 질병에 걸려 항상 병석에 계시니, 신이 모시고 약을 달여 올려 일찍이 그만두고 곁을 떠난 적이 없습니다.

---

124 舅奪母志: 외숙(外叔)이 수절(守節)하려던 어머니의 뜻을 빼앗아 개가(改嫁)시켰음을 말한 것이다.

125 朞功强近之親: '기(朞)'는 상기(喪期)가 1년인 기년복(朞年服)으로 조부모·백숙부모·형제자매·처 등의 상이 이에 해당하고, '공(功)'은 사촌 형제자매의 상인 대공(大功) 구월복(九月服)과 증조부모·재종형제 등의 상인 소공(小功) 오월복(五月服)을 가리킨다. '강근지친(强近之親)'은 강성(强盛)하며 도와줄 수 있는 가까운 친척을 이른다.

釁 허물 흔 愍 근심할 민 孩 어릴 해 舅 외삼촌 구 閔 불쌍할 민 零 떨어질 령
丁 외로울 정 祚 복 조 煢 외로울 경 孑 반쪽 혈 嬰 걸릴 영 褥 요 욕

逮奉聖朝에【及蜀亡歸晉.】沐浴淸化하여 前太守臣逵 察臣孝廉[126]하고 後刺史臣榮이【後刺史顧榮禮.】擧臣秀才어늘 臣以供養無主로【以密就擧, 則祖母無人主供養之事.】辭不赴命하니이다【辭不赴召.】會詔書特下하사 拜臣郎中하시고 尋蒙國恩하여 除臣洗馬하시니 猥以微賤으로 當侍東宮이라【東宮, 卽太子宮.】非臣隕首所能上報니이다 臣具以表聞하여 辭不就職이러니 詔書切峻하사 責臣逋慢하시고 郡縣逼迫하여 催臣上道하니 州司臨門이 急於星火[127]라 臣欲奉詔奔馳인댄 則以劉病日篤이요 欲苟順私情인댄 則告訴不許하니 臣之進退 實爲狼狽로소이다

성조(聖朝)를 받듦에 미쳐【촉한(蜀漢)이 망하자 진(晉)나라로 귀의하였다.】깨끗한 교화를 받아 전에는 태수(太守)인 신 규(逵)가 신을 효렴(孝廉)으로 천거하였고, 뒤에는 자사(刺史)인 신 영(榮)이【뒤의 자사(刺史)는 고영례(顧榮禮)이다.】신을 수재(秀才)로 천거하였는데, 신은 공양을 맡을 사람이 없다는 이유로【이밀이 천거에 나아가면 조모에 대한 공양의 일을 주관할 사람이 없는 것이다.】사양하고 명령에 따르지 않았습니다.【사양하고 소명(召命)에 달려가지 않은 것이다.】

마침 조서를 특별히 내리시어 신을 낭중(郎中)으로 임명하시고, 얼마 후에는 국은(國恩)을 입어 신을 태자 세마(太子洗馬)로 임명하시니, 외람되이 미천한 몸으로 동궁(東宮)을 모시게 되었습니다.【'동궁(東宮)'은 바로 태자궁(太子宮)이다.】이는 신이 목숨을 바쳐 위로 보답할 수 있는 것이 아닙니다. 이에 신은 자세히 표문(表文)으로 아뢰어 사양하고 직무에 나아가지 않았습니다. 그런데 조서가 매우 준엄하여 신의 포만(逋慢, 게으름)함을 책하시고 군현(郡縣)의 수령들이 독촉하여 신에게 길에 오를 것을 재촉하니, 주사(州司)에서 신의 문에 와서 재촉함이 성화(星火)보다 급합니다.

신이 조서를 받들어 달려가고자 할진댄 유씨의 병환이 날로 위독해질 것이요, 구차히 사사로운 정을 따르고자 할진댄 하소연을 허락해주지 않으시니, 신의 진퇴(進退)가 실로 낭패입니다.

伏惟聖朝 以孝治天下하사【晉武帝朝.】凡在故老에도 猶蒙矜育이어든 況臣孤苦 特爲尤甚하니이다 且臣少事僞朝[128]하여【言少年嘗仕於蜀. 今按李密本蜀人, 先主帝室之冑, 紹漢正統, 名正言順, 大非曹操漢賊之比. 密又在孝子順孫之列, 國亡歸晉, 尤當不忘舊君, 何忍自稱蜀爲僞朝乎?

126 孝廉: 한(漢)나라 무제(武帝) 때에 효성이 지극하고 청렴한 자를 천거 받아 관직에 제수하던 제도이다.《前漢書 卷6 武帝本紀》

127 急於星火: '성화'는 유성(流星)의 빛처럼 급박함을 비유하는 말이다.

128 僞朝: 괴뢰왕조(傀儡王朝)란 뜻으로, 이미 멸망한 촉한(蜀漢)을 가리킨 것이다.

逮 미칠 체 逵 한길 규 尋 조금있을 심 猥 외람될 외 隕 떨어질 운 逋 달아날 포 狼 낭패할 랑 狽 낭패할 패 矜 불쌍할 긍

予每讀至此, 爲之不滿, 惜哉!】歷職郎署하니 本圖宦達이요 不矜名節이라 今臣은 亡國賤俘로 至微至陋어늘 過蒙拔擢하니 豈敢盤桓하여 有所希冀리잇가 但以劉日薄西山[129]하여 氣息奄奄하니 人命危淺하여 朝不慮夕이라 臣無祖母면 無以至今日이요 祖母無臣이면 無以終餘年이니 母, 孫二人이 更(경)相爲命일새 是以區區不能廢遠이로소이다

엎드려 생각하건대, 성조(聖朝)에서는 효도로써 천하를 다스리시어【진(晉)나라 무제(武帝)의 조정이다.】 모든 고로(故老)에 있어서도 오히려 불쌍히 여겨 길러줌을 입고 있으니, 더구나 신은 외롭고 고달픔이 특히 심합니다.

또 신은 젊어서 위조(僞朝, 촉(蜀))를 섬겨【소년시절에 일찍이 촉한에서 벼슬하였음을 말한 것이다. 지금 살펴보건대, 이밀은 본래 촉 땅 사람이고 선주(先主, 유비)는 제실(帝室, 황실)의 후손이다. 한(漢)나라의 정통을 이어서 명분이 바르고 말이 순하여 한나라의 역적인 조조(曹操)에게 비할 바가 절대로 아니다. 이밀이 또 효자와 순손(順孫)의 대열에 있으니, 나라가 망하여 진나라에 귀의하였으면 더욱 옛 군주를 잊지 말아야 하는데, 어찌 차마 스스로 촉한을 위조(僞朝)라고 칭할 수 있겠는가. 나는 매번 이 글을 읽다가 여기에 이르면 이 때문에 불만스러워하곤 하니, 애석하다.】 낭서(郎署)의 직책을 지냈으니, 본래 벼슬하여 영달함을 도모하였고, 명절(名節)을 아끼지 않았습니다.

이제 신은 망한 나라의 천한 포로로서 지극히 미천하고 지극히 누추한데 지나친 발탁을 입으니, 어찌 감히 머뭇거려 바라는 바가 있겠습니까. 다만 조모 유씨의 병환이 해가 서산(西山)에 임박한 듯하여 기식(氣息, 숨)이 거의 끊어질 듯하니, 사람의 목숨이 위태롭고 얕아서 아침에도 저녁 일을 생각할 수가 없습니다. 신은 조모가 없었으면 오늘날에 이를 수가 없고, 조모도 신이 없으면 여년을 마칠 수가 없으니, 조모와 손자 두 사람이 번갈아 서로 생명을 돌보아주므로 이 때문에 신은 그만두고 멀리 떠나갈 수가 없는 것입니다.

臣密은 今年四十有四요 祖母劉는 今年九十有六이니 是臣盡節於陛下之日은 長하고 報劉之日은 短也라 烏鳥私情[130]이 願乞終養하오니 臣之辛苦는 非獨蜀之人士

---

129 日薄西山: '박(薄)'은 '박(迫)'과 같은 뜻으로 해가 서산에 다다른 것이다. 곧 해가 서쪽으로 지는 것을 가지고 사람이 늙어 남은 목숨이 얼마 남지 않음을 비유한 것이다.

130 烏鳥私情: '오조(烏鳥)'는 까마귀인바, 까마귀는 새끼가 자란 다음 어미에게 먹이를 먹여주어 은혜를 갚는다 하므로, 효도하려는 마음을 비유하여 말한 것이다.

··· 俘 사로잡힐 부 盤 돌 반 桓 머뭇거릴 환 冀 바랄 기 奄 문득 엄 乞 빌 걸

와 及二州牧伯[131]所見明知라 皇天, 后土實所共鑑이오니 願陛下는 矜愍愚誠하시고 聽臣微志하사 庶劉僥倖하여 卒保餘年케하시면 臣은 生當隕首요 死當結草리이다【他日九泉下, 死而有知, 猶當報國. ○(史記)[左傳][132]: "魏顆, 武子之子. 武子有妾, 病謂顆曰: '我死嫁此妾.' 病亟(극) 又曰: '殺以殉葬.' 及死, 顆曰: '寧從治時言.'[133] 而嫁之. 及秦·晉之戰, 魏顆見老人結草以抗杜回, 回躓而顚, 遂獲之. 後顆夢老人云: '我乃所嫁婦人之父也. 爾從先人之治命, 余是以報耳.'"】臣不勝怖懼之情하여 謹拜表以聞하노이다

신 밀(密)은 이제 나이가 44세이고, 조모 유씨는 이제 나이가 96세이니, 이는 신이 폐하에게 충절을 다할 날은 길고, 유씨에게 보답할 날은 짧은 것입니다.

오조(烏鳥, 까마귀)의 사사로운 정이 끝까지 봉양하기를 원하오니, 신의 신고(辛苦)함은 다만 촉 지방의 인사와 두 고을 주목(州牧)이 보고 밝게 알 뿐만이 아니라, 황천(皇天)과 후토(后土)가 실로 함께 보시는 바입니다.

폐하께서는 신의 어리석은 정성을 가엾게 여기시고 신의 하찮은 뜻을 허락해 주시어 행여 유씨가 요행으로 끝내 여년을 보존할 수 있게 하소서. 이렇게 하시면 신은 살아서는 마땅히 목숨을 바칠 것이요, 죽어서는 마땅히 결초보은(結草報恩)하겠습니다.【후일 구천에서 죽어서 앎이 있으면 마땅히 나라에 보답하겠다는 것이다. ○《춘추좌씨전(春秋左氏傳)》 선공(宣公) 15년에 "위과(魏顆)는 무자(武子, 위주(魏犨))의 아들이다. 무자에게 첩이 있었는데, 무자는 병이 들자 위과에게 이르기를 '내가 죽거든 이 첩을 시집보내라.' 하였으나, 병이 위독해지자 다시 '이 첩을 죽여 순장(殉葬)하라.' 하였다. 무자가 죽은 뒤에 위과는 말하기를 '차라리 치명(治命)의 말씀을 따르겠다.' 하고 그 첩을 시집보내었다. 진(秦)나라와 진(晉)나라가 전투할 적에 위과가 보니 한 노인이 풀을 묶어 적장 두회(杜回)를 막았는데, 두회가 묶어 놓은 풀에 걸려 넘어지므로 마침내 그를 사로잡았다. 뒤에 위과의 꿈에 노인이 나타나 말하기를 '나는 바로 그대가 시집보낸 부인의 아비이다. 그대가 선친의 치명을 따랐으므로 내가 이 때문에 보답한 것이다.' 했다." 하였다.】
신은 두려운 마음을 이기지 못해 삼가 표문을 올려 아룁니다.

---

131 二州牧伯: '이주'는 양주(梁州)와 익주(益州)를 가리키고, '목백'은 자사로 지방의 장관이다.

132 (史記)[左傳]: 저본에는 '사기(史記)'로 되어 있으나, 이 내용은 《춘추좌씨전(春秋左氏傳)》 선공(宣公) 15년에 보인다.

133 寧從治時言: 치명(治命)의 말씀을 따른다는 것으로, 치명은 난명(亂命)과 상대되는 말로 정신이 온전할 때에 내린 유언을 치명, 정신이 혼란할 때에 내린 유언을 난명이라 한다.

••• 鑑 볼 감 僥 바랄 요 倖 요행 행 怖 두려울 포 聞 아뢸 문

귀거래사歸去來辭

도연명陶淵明 원량元亮

• 작가소개

도잠(陶潛, 365~427)은 자가 연명(淵明), 원량(元亮)이라 하기도 하고, 이름이 연명이고 자가 원량인데 뒤에 이름을 '잠(潛)'으로 고쳤다고도 한다. 현재의 강서(江西) 구강(九江)에 해당하는 심양(潯陽) 시상(柴桑) 사람으로, 집 앞에 다섯 그루의 버드나무를 심어놓고 '오류선생(五柳先生)'이라 자칭하였다. 사후에는 사시(私諡)가 정절(靖節)이기 때문에 '정절선생(靖節先生)'으로도 불린다. 본래 사족(士族) 출신으로, 증조부는 동진 초에 장사군공(長沙郡公)·대사마(大司馬)까지 지낸 명장 도간(陶侃)이며, 외조부는 정서대장군(征西大將軍) 환온(桓溫)의 장사(長史)였던 명사 맹가(孟嘉)이다.

29세에 자기가 살고 있던 강주(江州)의 좨주(祭酒)로서 벼슬살이를 시작하였으나 오래지 않아 그만두었다. 이후 진군참군, 건위참군 등 지방 하급 관리를 지냈는데 벼슬살이는 대부분 1년을 채 넘기지 못하였다. 의희(義熙) 원년(405)에 생계가 매우 곤궁하자 숙부가 추천하여 팽택령(彭澤令)으로 임명되었으나, 이 또한 약 80여 일 만으로 끝을 맺었다. 그해 11월에 10여 년에 걸친 관료 생활을 최종적으로 마감하고 은둔생활에 들어갔는바, 당시 나이는 41세였다. 이때 나온 작품이 유명한 〈귀거래사〉와 〈귀전원거(歸田園居)〉 5수(首)이다. 이후 그는 죽을 때까지 20여 년 간 은둔생활에 들어갔다.

도연명은 자연을 좋아한 전원 시인(田園詩人)으로 처사(處士)의 전형이라고 표현할 수 있다. 그의 시는 사언체(四言體) 9편과 오언체(五言體) 47편이 전해지는데, 기교를 부리지 않고 평담(平淡)한 그의 시풍은 당대(唐代)의 맹호연(孟浩然), 왕유(王維), 저광희(儲光羲), 위응물(韋應物), 유종원(柳宗元) 등에게 영향을 끼쳐 문학사적으로 중요한 위치를 차지하고 있다.

• 작품개요

이 작품의 본래 명칭은 '귀거래혜사(歸去來兮辭)'로, 환로(宦路)를 벗어나 전원(田園)으로 돌아가려는 작자의 의지를 드러낸 서정적인 사(辭)이다. 서(序)에 의하면 동진(東晉) 안제(安帝) 의희(義熙) 원년(405) 11월에 벼슬을 그만두고 전원으로 돌아가며 지었다고 한다.

작자는 29세에 강주(江州) 좨주(祭酒)를 시작으로 13년 동안 벼슬살이를 하였는데, 줄곧 벼슬생활에 염증을 느껴 전원으로 돌아가고자 하였다. 그는 41세가 되던 의희 원년에 최후로 한 차례 출사하여 80여 일 동안 팽택령(彭澤令)을 지낸 다음 곧바로 관직을 그만두고 고향으로 돌아가 이후로는 다시 벼슬을 하지 않았다. 《송서(宋書)》 〈도잠열전(陶潛列傳)〉과 소통(蕭統)의 〈도연명전(陶淵明傳)〉에 의하면, 작자가 전원으로 돌아가 은거한 것은 부패한 현실에 대한 불만으로부터 나온 것으로 보인다. 당시 군(郡)에 한 독우(督郵)가 팽택으로 와 순시하였는데 관원이 작자에게 관대(冠帶)를 갖추고 영접하여 공경하는 뜻을 보이도록 요청하였다. 이에 그는 몹시 분개하며 "나는 다섯 말의 쌀〔五斗米〕 때문에 향리(鄕里)의 소아(小兒)에게 허리를 굽히고 싶지 않다."라고 말하고, 당일로 관직을 그만두면서 이 글을 지어서 자신의 심지를 밝혔던 것이다.

사(辭)의 앞에는 서(序)가 있는데, 이 또한 매우 뛰어난 소품문(小品文)이다. '여가빈(余家貧)'부터 '고변구지(故便求之)'까지 전반부에서는 가난한 집안 사정으로 인하여 출사하게 된 과정을 대략적으로 서술하였다. '급소일(及少日)'부터 '을사세십일월야(乙巳歲十一月也)'까지 후반부에서는 작자가 벼슬을 그만두고 전원으로 돌아갈 것을 결심한 이유에 대해 서술하였는바, '질성자연 비교려소득(質性自然, 非矯勵所得)'이 바로 근본적인 원인이다.

사(辭)는 내용상 다섯 단락으로 나뉜다. '귀거래혜(歸去來兮)'부터 '각금시이작비(覺今是而昨非)'까지 첫 번째 단락은 작자가 전원으로 돌아가려고 하는 이유에 대해서 설명하였는데, 평정하고 담담한 어조(語調) 속에서 깊은 감개와 정서적 변화를 드러내었다. '주요요이경양(舟遙遙以輕颺)'부터 '심용슬지이안(審容膝之易安)'까지 두 번째 단락은 고향 집으로 돌아가는 도중(途中)과 고향 집에 도착한 뒤의 상황을 상상한 것이다. 이어서 '원일섭이성취(園日涉以成趣)'부터 '무고송이반환(撫孤松而盤桓)'까지 세 번째 단락에서는 작자의 시선이 집안에서 정원으로 옮겨갔는데, 시적인 정서와 점층적인 표현으로 경치를 묘사하였다. 네 번째 단락은 다시 '귀거래혜(歸去來兮)'로 시작하여 '감오생지행휴(感吾生之行休)'까지인데, 교유를 끊고서 세상을 잊어버리고자 하려는 작자의 의지를 드러내었다. 이 단락에서는 작자의 시선이 정원에서 교원(郊原)과 계산(溪山)으로 옮겨갔다. '이의호(已矣乎)'부터 '낙부천명부해의(樂夫天命復奚疑)'까지 다섯 번째 단락에서는 우주와 인생에 대한 감상이 드러나 있는데, 이는 은거하려고 하는 작자의 마음을 독백으로 드러낸 것으로도 간주할 수 있다. 특히 작품의 끝을 맺는 '요승화이귀진 낙부천명부해의(聊乘化以歸盡, 樂夫天命復奚疑)'는 바로 작자의 처세 철학이자 인생에 대한 지론(持論)이라고 할 수 있다.

작품은 구체적인 경물(景物)과 활동을 묘사함으로써 천명을 즐기고 자신의 처지를 만족하며 자연에 순응하는 의경(意境)과 세속에 물들지 않고 고고함을 지니는 정신적 경계를 드러내었다. 구사한 언어가 소박하고, 말의 뜻이 명확하며, 구상(構想)이 독창적이다. 아울러 문장의 짜임새와 배치가 엄격하고 치밀한데, 산문인 서(序)는 서술(敍述)에 중점을 두고 운문인 사(辭)는 서정(抒情)에 주력하여 두 가지 모두 뛰어나다고 하겠다.

이상을 종합해 보면, 서(序)는 전반생에 대한 작자의 반성이자 회고이며, 사(辭)는 관계(官界)에서 벗어난 이후 새로운 생활에 대한 상상과 동경·지향인 셈이다. 이 작품은 작자가 장차 전원으로 돌아가려고 할 즈음에 지은 것으로, 돌아가는 노정과 돌아간 뒤의 각종의 상황을 상상함으로써 돌아가고자 하는 작자의 굳은 결심과 간절한 마음이 매우 잘 드러나 있다. 이러한 낭만주의적 상상이 바로 이 작품의 특징이자 도연명 작품들의 중요한 특색이라고 할 수 있다.

또한 이 작품은 작자의 일생에 있어서 전절점의 지표가 될 뿐만 아니라 중국 문학사상 '귀은(歸隱)' 의식을 표현한 작품 중 단연 최고봉이라고 할 수 있다. 송나라의 대문호 구양수(歐陽脩)는 "진나라에는 문장이 없고 오직 이 〈귀거래사〉뿐이다."라고 까지 평하였고, 중국 역대 산문 중에서 소동파(蘇東坡)의 〈적벽부(赤壁賦)〉와 함께 가장 많이 인구에 회자되고 있다는 사실이 이를 증명해준다.

篇題小註·· 朱文公曰 歸去來辭者는 晉處士陶潛淵明之所作也라 潛이 有高志遠識하여 不能俯仰時俗이라 嘗爲彭澤令이러니 督郵行縣且至어늘 吏白當束帶見之한대 潛이 歎曰 吾安能爲五斗米하여 折腰向鄕里小兒邪아하고 卽日解印綬去할새 作此詞하여 以見志하니라 後以劉裕[134]將移晉祚라하여 恥事二姓하여 遂不復仕하고 宋文帝時에 特徵不至러니 卒에 謚靖節徵士라 歐陽公이 言 兩晉에 無文章이요 幸獨有此篇耳라 然이나 其詞義夷曠蕭散하여 雖託楚聲이나 而無其尤怨切蹙之病云이라

주문공(朱文公)이 말씀하였다.

---

134 劉裕: 남북조 시대 송(宋)나라를 일으킨 임금으로, 진 안제(晉安帝) 때 환현(桓玄)을 섬멸하고 공제(恭帝)의 양위(讓位)를 받아 즉위하였다.

··· 郵 역말 우 綬 인끈 수 徵 부를 징 曠 빛 광 蕭 쓸쓸할 소 蹙 위축될 축

"〈귀거래사(歸去來辭)〉는 진(晉)나라의 처사(處士)인 도잠(陶潛) 연명(淵明)이 지은 것이다. 도잠은 높은 뜻과 원대한 식견이 있어서 시속(時俗)을 따라 부앙(俯仰, 부침)하지 못하였다. 일찍이 팽택령(彭澤令)이 되었었는데, 독우(督郵)가 현(縣)을 순행하러 장차 이르게 되었다. 아전이 '마땅히 띠를 묶고 나가 공경히 뵈어야 합니다.' 하고 아뢰자, 도잠은 탄식하기를 '내 어찌 다섯 말의 쌀(녹봉)을 위하여 향리의 소아(小兒)에게 허리를 굽히겠는가?' 하고, 당일로 인수(印綬)를 풀고 떠나갈 적에 이 글을 지어 뜻을 보였다.

뒤에 유유(劉裕)가 장차 진(晉)나라의 국통을 옮기려 하자, 두 성(姓)의 군주를 섬기는 것을 부끄러워하여 마침내 다시 벼슬하지 않았으며, 송 문제(宋文帝, 유의륭(劉義隆)) 때에 특별히 불렀으나 가지 않았는데, 죽은 뒤에 정절징사(靖節徵士)라 시호하였다.

구양공(歐陽公, 구양수(歐陽脩))은 '양진(兩晉, 서진(西晉)과 동진(東晉))에는 문장이 없고 다행히 홀로 이 편이 있을 뿐이다. 그러나 그 말뜻이 평화롭고 호방하며 소산(蕭散, 깨끗하고 한가로움)하여 비록 《초사(楚辭)》의 소리에 가탁하였으나 원망하고 절박한 병통이 없다.' 하였다."

○ 淵明元序曰 余家貧하여 幼穉盈室호되 甁無儲粟하니 親故多勸余爲長(史)〔吏〕[135]일새 脫然有懷라 家叔이 以余貧苦라하여 遂見用爲小邑이라 于時에 風波未靜일새 心憚遠役이러니 彭澤은 去家百里요 公田之利 足以爲(酒)〔潤〕[136]이러니 及少日에 眷然有歸歟之情하니 何則고 質性自然이요 非矯勵所得이며 飢凍雖切이나 違己交病이라 於是에 悵然慷慨하여 深愧平生之志로되 猶望一稔(임)하여 當斂裳宵逝러니 尋程氏妹喪于武昌이라 情在駿奔하여 自免去職하니 仲秋至冬에 在官八十餘日이라 因事順心하여 命之曰歸去來兮라하니 乙巳歲十一月也라

도연명의 원서(元序)에 다음과 같이 말하였다.

"나는 집이 가난하여 어린 아이들이 방에 가득하였으나 병(甁, 그릇)에 쌓인 곡식이 없었다. 이에 친척과 친구들이 나에게 장리(長吏, 수령)가 되라고 권하는 자가 많았으므로 나는 탈연(脫然)히 생각을 바꾸었다. 가숙(家叔)은 내가 빈한하고 고생한다 하여, 〈가숙의 주선으로〉 나는 마침내 작은 고을의 수령으로 등용되었다. 그러나 이때 세상의 풍파가 진정되지 않았으므로 마음에 멀리 가는(부임하는) 것을 꺼려하였는데, 팽택(彭澤)은 집에서 거리가 100리였고 공전(公田, 녹봉)의 이로움이 곤궁함

---

135 (史)〔吏〕: 저본에는 '사(史)'로 되어 있으나 《도연명집(陶淵明集)》에 의거하여 '리(吏)'로 바로잡았다.

136 (酒)〔潤〕: 저본에는 '주(酒)'로 표기되어 있으나 《도연명집》에 의거하여 '윤(潤)'으로 바로잡았다.

穉 어릴 치 儲 쌓을 저 矯 바로잡을 교 凍 얼 동 悵 슬플 창 慷 강개할 강 慨 분개할 개 稔 해, 곡식익을 임 斂 거둘 렴 裳 치마 상 宵 밤 소 駿 준마, 클 준

을 해결하기에 충분하였다. 그러나 부임한 지 얼마 안 되어 권연(眷然)히 돌아가려는 마음이 있었으니, 왜냐하면 타고난 성질이 본래 그러하였고 억지로 힘써서 될 수 있는 것이 아니며, 기한(飢寒)이 비록 간절하나 내 천성과 어긋나 괴롭기 때문이었다. 이에 창연(悵然)히 서글퍼하여 평소의 마음에 깊이 부끄러웠으나 그래도 1년이 되기를 기다려 마땅히 의관을 거두어 밤에 떠나려고 했었는데, 얼마 후 정씨(程氏)에게 시집간 누이가 무창(武昌)에서 죽으니, 마음이 초상에 달려가고자 하여 스스로 면직하고 떠나갔다. 중추(仲秋)로부터 겨울에 이르기까지 관직에 있은 지가 80여 일이었다. 일을 따라 마음을 순히 하였으므로 명명하기를 '귀거래혜(歸去來兮)'라 하니, 을사년(乙巳年, 405) 11월이었다."

○ 淵明時年이 四十一歲러라

도연명의 이때 나이가 41세였다.

※〈귀거래사〉 원서(元序)

余家貧하여 耕植이 不足以自給이요 幼稚盈室호되 甁無儲粟하여 生生所資 未見其術이라 親故多勸余爲長吏일새 脫然有懷호되 求之靡途러니 會有四方之事하여 諸侯以惠愛爲德하니 家叔이 以余貧苦라하여 遂見用於小邑이라 於時에 風波未靜일새 心憚遠役이러니 彭澤은 去家百里요 公田之利 足以爲潤故로 便求之러니 少日에 眷然有歸與之情하니 何則고 質性自然이요 非矯勵所得이며 飢凍雖切이나 違己交病하니 嘗從人事 皆口腹自役이라 於是에 悵然慷慨하여 深愧平生之志로되 猶望一稔하여 當斂裳宵逝러니 尋程氏妹喪於武昌이라 情在駿奔하여 自免去職하니 仲秋至冬에 在官八十餘日이라 因事順心하여 命篇曰歸去來兮라하니 乙巳歲十一月也라

※위의 내용은 《도연명집(陶淵明集)》의 원서인바, 독자들의 참고를 위하여 붙였으며, 위에 이를 축약한 글이 실려 있으므로 역문(譯文)은 싣지 않았다.

- **原文**

歸去來兮여 田園將蕪하니 胡不歸오 旣自以心爲形役하니 奚惆悵而獨悲오 悟已

往之不諫하고 知來者之可追라 實迷塗其未遠하니 覺今是而昨非로라

돌아가자!	歸去來兮
전원이 장차 황폐하려 하니, 어찌 돌아가지 않겠는가	田園將蕪胡不歸
이미 스스로 마음을 형체의 사역(使役, 육신의 노예)으로 삼았으니	旣自以心爲形役
어찌 실심하여 홀로 슬퍼할 것이 있겠는가	奚惆悵而獨悲
이미 지나간 것은 따질 수 없음을 깨닫고	悟已往之不諫
장래에는 바른 길을 따를 수 있음을 알았노라	知來者之可追
실로 길을 잃었으나 아직 멀리 가지 않았으니	實迷塗其未遠
지금이 옳고 어제는 잘못이었음을 알았노라	覺今是而昨非

舟搖搖以輕颺이요【淵明, 自彭澤歸柴桑, 可以行舟. 曰輕颺, 無所有也, 與世之去官重載者, 相萬矣.】風飄飄而吹衣로다 問征夫以前路하니 恨晨光之熹微로다 乃瞻衡宇[137]하고 載欣載奔하니 僮僕歡迎하고 稚子候門이라 三徑[138]은 就荒이나 松菊은 猶存이라【淵明之歸, 在十一月, 猶有菊也.】攜幼入室하니 有酒盈樽이어늘 引壺觴以自酌하고 眄庭柯以怡顔이라 倚南窓以寄傲하니 審容膝之易安이라

배는 흔들흔들 가벼이 날리고	舟搖搖以輕颺

【도연명이 팽택(彭澤)에서 시상(柴桑)으로 돌아올 적에 배를 탈 수 있었다. '경양(輕颺)'이라고 말했으면 가지고 있는 물건이 없는 것이니, 세상에 관직을 떠나면서 무겁게 행장을 싣고 오는 자와는 그 차이가 만 배나 되는 것이다.】

바람은 살랑살랑 옷자락에 부는구나	風飄飄而吹衣
길 가는 나그네에게 앞 길을 물으니	問征夫以前路
새벽빛이 희미함을 한하도다	恨晨光之熹微
마침내 조그마한 집을 바라보고	乃瞻衡宇

137 衡宇 : 누추한 집으로, 자신의 집을 가리킨다.

138 三徑 : 세 오솔길로 옛날 은자(隱者)인 장후(蔣詡)가 집의 대나무 숲 사이에 세 오솔길을 만들어 놓고 오직 양중(羊仲)·구중(裘仲)을 찾아다니며 놀았다 한다.

··· 搖 흔들 요 颺 나부낄 양 飄 나부낄 표 晨 새벽 신 熹 희미할 희 載 곧 재 僮 종 동 攜 끌 휴 樽 술동이 준 壺 술병 호 眄 볼 면 柯 가지 가 膝 무릎 슬

기뻐서 달려가니	載欣載奔
동복(僮僕)들은 환영하고	僮僕歡迎
어린아이는 문에서 기다린다	稚子侯門
세 오솔길은 황폐해졌으나	三徑就荒
소나무와 국화는 그대로 남아있다	松菊猶存

【도연명이 돌아온 것이 11월이었는데, 아직도 국화가 남아 있었다.】

어린아이 손을 잡고 방에 들어가니	携幼入室
술이 술동이에 가득히 있기에	有酒盈樽
술병과 술잔을 이끌어 스스로 따라 마시고	引壺觴以自酌
뜰의 나뭇가지를 보면서 얼굴을 펴노라	眄庭柯以怡顔
남쪽 창가에 기대어 오만함(자유스러움)을 부치니	倚南窓以寄傲
무릎을 용납할 작은 방이 편안하기 쉬움을 알았노라	審容膝之易安

園日涉以成趣하니 門雖設而常關이라 策扶老以流憩라가 時矯首而遐觀하니 雲無心以出岫하고 鳥倦飛而知還이라【借雲‧鳥以自喻, 言前之出, 本無心, 而今之還, 以倦飛也.】景翳翳以將入하니 撫孤松而盤桓이로라

전원을 날마다 거닐어 취미를 이루니	園日涉以成趣
문은 비록 설치되어 있으나 항상 닫혀 있다	門雖設而常關
부로(扶老, 지팡이)를 짚고서 가며 쉬며 하다가	策扶老以流憩
때로는 머리를 들어 멀리 바라보니	時矯首而遐觀
구름은 무심히 산골짝에서 나오고	雲無心以出岫
새는 날기에 지쳐서 돌아올 줄 아누나	鳥倦飛而知還

【구름과 새를 빌어서 자신을 비유하였으니, 예전에 나감은 본래 무심하였고 지금에 돌아옴은 새가 날기에 지쳐서 돌아오는 것과 같음을 말한 것이다.】

햇볕이 뉘엿뉘엿 지려 하는데	景翳翳以將入
외로운 소나무를 어루만지며 서성이노라	撫孤松而盤桓

歸去來兮여 請息交以絶遊로라 世與我而相違하니 復駕言兮焉求리오 悅親戚之

… 策 짚을 책 憩 쉴 게 矯 들 교 遐 멀 하 岫 산굴 수 翳 어둑할 예 疇 밭두둑 주
棹 노 도 崎 험할 기 嶇 험할 구 涓 졸졸흐를 연

情話하고 樂琴書以消憂로라 農人이 告余以春及하니 將有事于西疇로다 或命巾車하고 或棹孤舟하여 旣窈窕以尋壑이요 亦崎嶇而經丘하니 木欣欣以向榮하고 泉涓涓而始流라 羨萬物之得時하고 感吾生之行休[139]로다

돌아가자!	歸去來兮
교제를 그만두고 교유를 끊으려 하노라	請息交以絕遊
세상이 나와 서로 맞지 않으니	世與我而相違
다시 수레에 멍에하여 무엇을 구하겠는가	復駕言兮焉求
친척과의 정담(情談)을 기뻐하고	悅親戚之情話
거문고와 서책을 즐기며 근심을 잊으리라	樂琴書以消憂
농부가 나에게 봄이 왔음을 알려주니	農人告余以春及
장차 서쪽 밭두둑에 농사일이 있겠구나	將有事于西疇
혹은 건거(巾車, 휘장을 친 작은 수레)를 준비하라고 명하고	或命巾車
혹은 외로운 배를 노질하여	或棹孤舟
이미 깊숙하게 골짝을 찾고	旣窈窕以尋壑
또한 꼬불꼬불 험한 언덕을 지나가기도 하니	亦崎嶇而經丘
나무들은 흔흔(欣欣)히 꽃피려 하고	木欣欣以向榮
샘물은 졸졸 비로소 흐르누나	泉涓涓而始流
만물이 제 때를 얻음을 부러워하고	羨萬物之得時
우리 인생이 장차 끝남을 서글퍼하노라	感吾生之行休

已矣乎라 寓形宇內復幾時리오 曷不委心任去留하고 胡爲乎遑遑欲何之오 富貴는 非吾願이요 帝鄉[140]은 不可期라 懷良辰以孤往하고 或植(치)杖而耘耔라 登東皐以舒嘯하고 臨淸流而賦詩라 聊乘化以歸盡하니 樂夫天命復奚疑아

---

139 行休 : '장차 늙어 죽어 끝난다.'라는 뜻으로, 장선(張銑)의 주에 "'휴(休)'는 죽음을 이른다.〔休謂死也〕"라고 하였다. 《장자》〈각의(刻意)〉에 "삶은 물에 떠 있는 것과 같고 죽음은 휴식하는 것과 같다.〔其生若浮 其死若休〕"라고 한 말을 차용한 것으로 보인다.

140 帝鄉 : 상제의 고향으로 신선이 사는 하늘나라를 이르는바, 백운향(白雲鄉)이라고도 한다. 《장자(莊子)》〈천지(天地)〉에 "저 흰 구름을 타고 상제의 고향에 이른다.〔乘彼白雲 至於帝鄉〕"라고 한 데서 유래하였다.

行 장차 행 寓 붙일 우 遑 겨를 황 耘 김맬 운 耔 북돋울 자 皐 언덕 고 嘯 휘파람 소 奚 어찌 해

그만두어라　　已矣乎
다시 얼마나 육신을 우주 안에 붙이고 살겠는가　　寓形宇內復幾時
어이하여 마음 가는 대로 떠나고 머무름을 내버려 두지 않고　　曷不委心任去留
어찌하여 급히 어디로 가고자 하는가　　胡爲乎遑遑欲何之
부귀는 나의 소원이 아니요　　富貴非吾願
상제(上帝)의 고향은 기약할 수가 없도다　　帝鄕不可期
좋은 철을 생각하여 외로이 가고　　懷良辰以孤往
혹은 지팡이를 꽂아놓고 김매노라　　或植杖而耘耔
동쪽 언덕에 올라 휘파람을 불고　　登東皐以舒嘯
맑은 물가에 임하여 시를 짓노라　　臨淸流而賦詩
애오라지 조화(造化)를 타고 돌아가 생을 마치려 하니　　聊乘化以歸盡
천명(天命)을 즐길 뿐 다시 무엇을 의심하겠는가　　樂夫天命復奚疑

篇末小註‥ 按 淵明이 以不欲束帶見督郵而去官이로되 而其序, 其辭에 略不及之하여 無怨天尤人[141]之心하고 惟見其有安土樂天[142]之趣하니 可謂賢矣라 自以晉室宰輔陶侃[143]之曾孫으로 恥復屈身하고 後代宋業漸隆에 不肯復仕라가 歿於宋元嘉四年하니 而朱文公綱目에 特筆書之曰 晉徵士陶潛卒이라하니 可謂又賢矣라 且節義之耿介者는 多過於矯激하고 襟懷之和適者는 易流於頹靡어늘 淵明은 以和適之襟懷로 而全耿介之節義하여 不偏不倚하니 蓋兩得之라 此篇은 兩提起歸去來兮하고 而始之曰胡不歸라하고 終之曰乘化歸盡이라하니 胡不歸

141　怨天尤人: 《논어》〈헌문(憲問)〉에 나오는 말로, 어찌 선생님을 알아주는 이가 없느냐는 자공(子貢)의 질문에 대한 공자의 대답이다. 공자가 "하늘을 원망하지 않으며 사람을 탓하지 않고 아래로 배우면서 위로 통달하니, 나를 알아주는 것은 하느님이실 것이다.[不怨天 不尤人 下學而上達 知我者 其天乎]" 하셨다.

142　安土樂天: 사는 땅(곳)을 편안히 여기고 천명을 즐긴다는 뜻으로, 《주역》〈계사전 상(繫辭傳上)〉에 "성인은 천리(天理)를 즐거워하고 천명(天命)을 알기 때문에 근심하지 않으며, 사는 곳(현재의 위치)에 편안하여 인(仁)을 돈독히 하기 때문에 사랑할 수 있는 것이다.[樂天知命 故不憂 安土敦乎仁 故能愛]"라고 보인다.

143　陶侃: 진(晉)나라 때의 무장으로 현리(縣吏)로 벼슬을 시작하여 군수(郡守)를 거쳐 무창 태수(武昌太守), 형주 자사(荊州刺史)를 역임하였다. 일이 없을 때 아침이면 백 개의 벽돌을 집 밖으로 옮기고 저녁에는 집 안으로 옮기자, 사람들이 그 까닭을 물으니, "내가 막 중원에 힘을 다하려 하는데 지나치게 편하면 일을 감당하지 못할까 걱정이다."라고 하였다. 《晉書 卷66 陶侃列傳》

… 尤 허물 우　侃 강직할 간　歿 죽을 몰

之歸는 歸歟之歸也[144]요 歸盡之歸는 子全而歸之之歸也[145]라 惟其有前之歸하여 養高全節이라 故로 能生順死安하여 歸盡無歉[146]하니 使枉己違性, 徇祿忘歸런들 則易姓之際에 不能全節하여 其歸盡也에 抱恨包羞하여 澌(시)盡泯滅하여 草木俱腐而已리니 安能雖死猶生하여 千古流芳을 如此哉아 始末兩歸字는 爲一篇之眼目하니 讀者其毋忽略於此云이라

살펴보건대 도연명은 띠를 묶고 독우(督郵)를 만나보려고 하지 않아 벼슬을 버리고 떠나갔는데, 그의 서문과 그의 사(辭)에는 조금도 이를 언급하지 않아 하늘을 원망하고 사람을 탓하는 마음이 없고, 오직 처한 위치를 편안히 여기고 천명을 즐거워하는 지취(志趣)가 있음을 볼 뿐이니, 어질다고 이를 만하다.

도연명은 스스로 진(晉)나라 재보(宰輔)인 도간(陶侃)의 증손(曾孫)으로서 다시 몸을 굽히는 것을 부끄러워하였으며, 뒤에 송(宋)나라의 왕업이 점점 높아지자, 다시 벼슬하려 하지 않다가 송나라 원가(元嘉) 4년(427)에 별세하였는데, 주문공(朱文公)의 《자치통감강목(資治通鑑綱目)》에 특별히 쓰기를 "진나라 징사(徵士)인 도잠(陶潛)이 별세했다." 하였으니, 또 어질다고 이를 만하다.

또 절의(節義)가 경개(耿介, 올곧음)한 자는 대부분 너무 과격함에 지나치고, 금회(襟懷, 마음)가 평화스럽고 적당한 자는 퇴미(頹靡, 무너지고 쓰러짐)에 흐르기 쉬운데, 도연명은 화적(和適)한 금회로써 경개한 절의를 온전히 하여 편벽되지 않고 치우치지 않았으니, 이 두 가지를 모두 얻었다 할 것이다.

이 편은 '귀거래혜(歸去來兮)'를 두 번 제기하였으며, 처음에는 "어찌 돌아가지 않겠는가?〔胡不歸〕" 하였고, 마지막에는 "조화를 타고 돌아가 생을 마친다.〔乘化歸盡〕" 하였다. "어찌 돌아가지 않겠는가?"의 '귀(歸)' 자는 '귀여(歸歟, 돌아가자)'의 '귀' 자요, "돌아가 마친다."의 '귀' 자는 "〈부모가 온전히 낳아주셨으니〉 자식이 온전히 보존하여 돌아간다(죽는다).〔父母全而生之 子全而歸之〕"는 '귀' 자이다.

---

144 歸歟之歸也 : 《논어》〈공야장(公冶長)〉에 공자가 진(陳)나라에 계시면서 말씀하시기를 "돌아가자! 돌아가자! 오당(吾黨)의 소자(小子)들이 뜻은 크나 일에는 소략하여 찬란하게 문장(文章)을 이루었을 뿐이요. 그것을 마름질할 줄을 모르는구나.〔歸與歸與 吾黨之小子狂簡 斐然成章 不知所以裁之〕"라고 보인다.

145 子全而歸之之歸也 : 《예기》〈제의(祭義)〉에 "부모가 온전히 낳아주셨으니, 자식이 온전히 돌아가야만 효도라 이를 수 있다. 자기 육체를 훼손시키지 않고, 자기 몸을 욕되게 하지 않아야만 온전히 했다고 이를 수 있는 것이다.〔父母全而生之 子全而歸之 可謂孝矣 不虧其體 不辱其身 可謂全矣〕"라고 보인다.

146 生順死安 歸盡無歉 : 도에 입각하여 살다가 편안한 마음으로 죽음을 맞이한다는 뜻으로, 《논어》〈이인(里仁)〉에 "아침에 도를 들으면 저녁에 죽어도 좋다.〔朝聞道 夕死可矣〕"라는 공자(孔子)의 말씀에 대한 주희(朱熹)의 주석에 보인다. 또한 이 말은 장재(張載)가 지은 〈서명(西銘)〉의 "살아서는 천리(天理)에 따라 일을 행하고, 죽을 때에는 마음에 부끄러움이 없어 내 편안하다.〔存吾順事 沒吾寧也〕"라는 말을 원용한 것이다.

歉 서운할 겸 羞 부끄러울 수 澌 다할 시

앞에 〈벼슬을 버리고〉 돌아감이 있어 높은 뜻을 기르고 절개를 온전히 하였다. 그러므로 살아서는 이치를 순히 따르고 죽어서는 편안하여 돌아가(죽어서) 일생을 잘 마쳐서 유감이 없었던 것이니, 만일 자기 몸을 굽히고 성품을 어겨 녹봉을 따라 돌아갈 줄을 몰랐다면 역성혁명(易姓革命)하는 즈음에 절개를 온전히 보존하지 못하여, 그 돌아가 생을 마칠 때에 한을 품고 부끄러운 마음을 품어 시진(澌盡)하고 민멸(泯滅)하여 초목과 함께 썩어 없어지고 말았을 것이니, 어찌 죽었어도 살아 있는 것과 같아서 천고(千古)에 아름다운 향기를 남기기를 이와 같이 하였겠는가. 처음과 끝의 두 '귀' 자는 한편의 눈알이 되니, 읽는 자는 이것을 소홀히 하지 말아야 할 것이다.

卷 2

오류선생전五柳先生傳

도연명陶淵明

• 작품개요

이 작품은 '전기(傳記)'의 형식을 빌려서 작자 자신의 사상과 지취, 인생관, 생활을 객관적으로 서술한 일종의 '자전(自傳)'이다. 작품 속에서 작자는 독서·음주·문장이라는 세 가지 요소를 통하여 자아상(自我像)을 형상화하고, 세속과 구별되는 고상한 품격을 드러내었다.

작품의 저술 시기에 대해서는, 젊은 시절에 지어졌다고 보는 설(說)과 만년에 지어졌다고 보는 설이 있다. 소통(蕭統)의 《문선(文選)》에 실린 〈도연명전(陶淵明傳)〉에 근거하면, 이 작품은 작자가 강주 좨주(江州祭酒)가 된 태원(太元) 17년(392) 이전에 지어진 것으로, 젊은 시절에 지은 것이 된다. 그렇다면 이는 '자전'이라고 할 수 없고, 그저 젊은 시절에 자신의 지향을 표명한 일종의 창작품에 지나지 않는다. 그러나 이 작품 속에서 그려지는 작자의 자아상인 '오류선생'은 그 생활이 매우 궁핍한 바, 이는 작자가 젊은 시절에 자신의 지향을 표명한 것이라고 보기에는 논리적으로 다소 무리가 있다. 이 때문에 대부분의 학자들은 이 작품이 작자의 만년에 지어진 것이라고 본다. 특히 청대(淸代)의 학자 임운명(林雲銘)은, 작품 속 찬(贊)에 보이는 '무회씨(無懷氏)'와 '갈천씨(葛天氏)'가 안빈낙도(安貧樂道)하려는 마음과 벼슬을 하지 않으려는 태도를 전달하고 있음을 지적하며 작자가 벼슬살이를 아예 그만두고 지은 작품이라고 추측하였다.

이 작품은 크게 정문(正文)과 찬(贊)의 두 부분으로 구성되어있는데, 정문은 네 단락으로 나뉜다.

'선생부지하허인(先生不知何許人)'부터 '인이위호언(因以爲號焉)'까지 첫 번째 단락에서는 '오류선생'이라는 호의 유래를 설명하며 작품의 주제를 간단히 제시하였다. '한정소언(閑靜少言)'부터 '흔연망식(欣然忘食)'까지 두 번째 단락에서는 오류선생의 품성과 지취(志趣)에 대해 서술하였다. 이 부분에서 오류선생의 생활과 성격을 알 수 있는데, 특히 '독서'는 오류선생이 식자층 지식인임을 뜻한다.

'성기주(性嗜酒)'부터 '불린정거류(不吝情去留)'까지 세 번째 단락에서는 오류선생의 술에 대한 기호를 적었다. 이는 솔직담백하고 진실한 작자의 성격이 반영된 것으로, 술을 마시는 행위는 세속으로부터 벗어날 수 있는 일종의 수단인 셈이다. '환도소연(環堵蕭然)'부터 '이차자종(以此自終)'까지 네 번째 단락에서는 오류선생의 안빈낙도와 저술〔문장〕에 대해 적었다.

오류선생의 생활과 지취에 대해 서술한 정문에 뒤이어서 사가(史家)의 필법(筆法)을 모방하여 찬(贊)을 더하였다. 찬(贊)에서 가장 중요한 부분은 '빈천(貧賤)에 걱정하지 않고 부귀(富貴)에 급급해하지 않는다〔不戚戚於貧賤, 不汲汲於富貴〕'라는 두 구로, 이는 정문의 '불모영리(不慕榮利)'와 서로 조응한다.

이 작품은 173자로 구성된 짧은 편이지만 '오류선생'에 관한 제반을 개괄하였는바, 참으로 정련(精鍊)된 문장이라고 일컬을 만하다. 특히 '오류'는 청정하고 담아하며 간소하고 질박한 인상을 주는데, 이것으로 호를 삼은 것 역시 오류선생, 즉 작자의 성격을 드러내 보인 것이다. 전체적으로 보자면, 구상(構想)이 참신하고 소재의 선택이 적절하며, 단순한 묘사이지만 생동감 있게 표현하였다. 문세와 어조가 지극히 간결하지만 추상적이거나 현학적(衒學的)인 면모는 결코 보이지 않으며 해학적이기도 한바, 후세 전기문의 전범이라고 할 수 있다.

篇題小註‥ 陶淵明이 門栽五柳하고 因自著五柳先生傳하니라

도연명(陶淵明)이 문 앞에 버드나무 다섯 그루를 심고 인하여 스스로 〈오류선생전(五柳先生傳)〉을 지었다.

• **原文**

先生은 不知何許人이요 亦不詳其姓字요 宅邊에 有五柳樹하여 因以爲號焉이라 閑靖少言하고 不慕榮利하며 好讀書호되 不求甚解하고 每有意會면 便欣然忘食이라 性嗜酒호되 家貧하여 不能常得하니 親舊知其如此하고 或置酒而招之하면 造飮輒盡하여 期在必醉하고 旣醉而退하여 曾不吝情去留라 環堵蕭然[1]하여 不蔽風日하며 短褐

1 環堵蕭然 : '환(環)'은 사방(四方)의 둘레이며 '도(堵)'는 담의 길이와 넓이가 각각 1척(尺)인 것으로, '환도'는 협소하고

••• 栽 심을 재 靖 고요할 정 嗜 즐길 기 堵 담 도

穿結하고 簞瓢屢空호되 晏如也러라 常(嘗)著文章自娛하여 頗示己志하고 忘懷得失하여 以此自終하니라

선생은 어떤 사람인지 알지 못하고 그 성자(姓字)도 상세하지 않고, 집가에 다섯 그루의 버드나무가 있으므로 인하여 오류선생(五柳先生)이라고 호(號)하였다. 한가하고 조용하여 말이 적고 영화와 재리(財利)를 사모하지 않으며, 독서하기를 좋아하였으나 세세히 해석하려 하지 않고, 〈글을 읽다가〉 매양 뜻에 맞는 곳이 있으면 흔연(欣然)히 밥먹는 것을 잊었다.

성품이 술을 좋아하였으나 집이 가난하여 항상 얻지는 못하였다. 친구들이 이와 같은 실정을 알고 혹 술자리를 마련하여 초청하면 나아가 마시되 그 때마다 번번이 다 마셔서 기약함이 반드시 취함에 있었고, 이미 취하고 나면 물러나와 일찍이 떠나고 머무는 데 미련을 두지 않았다. 환도(環堵, 작은 집)가 쓸쓸하여 바람과 해를 가리지 못하며, 짧은 갈옷이 뚫어져(해져) 기웠고, 대그릇의 밥과 표주박의 물이 자주 떨어졌으나 태연하였다. 일찍이 문장을 지어 스스로 좋아하여 자못 자기의 뜻을 보이고, 회포(마음)에 득실(得失)을 잊어 이것으로써 일생을 마쳤다.

贊曰 黔婁[2]有言호되 不戚戚於貧賤하며 不汲汲於富貴라하니 極其言인댄 玆若人之儔乎인저 酣觴賦詩하여 以樂其志하니 無懷氏之民歟아 葛天氏之民歟아【二氏, 皆太古之時也.[3]】

다음과 같이 찬(贊)한다.

"검루(黔婁)가 말하기를 '빈천(貧賤)에 걱정하지 않고 부귀(富貴)에 급급해 하지 않는다.' 하였으니, 그 말을 미루어 지극히 한다면 이 사람(오류선생)과 같은 무리일 것이다. 술에 취하여 시(詩)를 지어 그 뜻을 즐기니, 무회씨(無懷氏)의 백성인가? 갈천씨(葛天氏)의 백성인가?"【두 씨(氏)는 모두 태고시대의 사람이다.】

비루한 집을 형용하는 말이다. 《예기》〈유행(儒行)〉에 "선비는 일묘의 집과 환도의 방을 가지고 있다.[儒者有一畝之宮 環堵之室]" 하였다. '소연(蕭然)'은 쓸쓸하고 고요함이다.

2 黔婁: 춘추시대 제(齊)나라의 은사(隱士)로, 지절(志節)을 숭상하여 노 공공(魯恭公)이 곡식 3천 종(鍾)을 하사하였으나 받지 않았다.

3 二氏皆太古之時也: 무회씨와 갈천씨는 태고시대의 제왕(帝王)으로 곧 순박한 태고시대의 백성임을 가리킨 것이다.

褐 거친털옷 갈 穿 뚫을 천 簞 대그릇 단 瓢 표주박 표 屢 자주 루 晏 편안 안
頗 자못 파 黔 검을 검 婁 끌 루 戚 근심할 척 儔 무리 주 酣 즐길 감

북산이문北山移文

공치규孔稚圭 덕장德璋

• 작가소개

공치규(孔稚圭, 447~501)는 공규(孔圭)라고도 표기하며, 자는 덕장(德璋)으로, 남제(南齊) 회계(會稽) 산음(山陰) 사람이다. 일찍이 유송(劉宋) 때에는 상서 전중랑(尙書殿中郎)을 지냈고, 남제(南齊) 무제(武帝) 영명(永明) 연간에 어사중승(御史中丞)을 지냈다. 명제(明帝) 건무(建武) 초기에는 글을 올려 북쪽을 정벌할 것을 건의하기도 하였다. 동혼후(東昏侯) 영원(永元) 원년(499)에는 도관 상서(都官尙書), 태자첨사(太子詹事)를 역임하였고, 사후에는 금자광록대부(金紫光祿大夫)에 추증되었다. 젊어서부터 학문을 익혀 명성이 있었으므로 고제(高帝)가 표기(驃騎)로 있을 적에 기실참군(記室參軍)으로 삼아 강엄(江淹)과 함께 사필(辭筆)을 관장하였다.

• 작품개요

이 작품은 남조(南朝) 때인 480년에 지어진 것으로, 작자가 허구적인 산림(山林)의 말투를 사용하여 겉으로는 산림에 은거하는 체하고 속으로는 부귀영화를 지향하는 이른바 '은사(隱士)'라는 자들에게 첨예한 풍자를 가하기 위하여 지은 글이다. 제목에 보이는 '이문(移文)'이란 원래 관청에서 돌리는 공문(公文)인데, 이 글이 명작(名作)이 되는 바람에 아예 이 글의 약칭으로도 쓴다. 공문의 형식을 빌려서 대우(對偶)를 맞추어 쓴 것으로, 해학적인 표현과 고사를 사용하여 내용을 이해하기 쉽지 않다.

작품 속에 등장하는 가짜 은사인 '주자(周子)'에 대해서는 통상적으로 《문선육신주(文選六臣注)》의 여향(呂向)의 해석에 따라 역사적으로 실존한 인물인 주옹(周顒)으로 간주한다. 그러나 《남제서(南齊書)》 〈주옹열전(周顒列傳)〉에 의하면, 주옹은 해염령(海鹽令)을 지낸 적도 없고, 또한 은거하다가 다시 출사한 경력도 없다. 더구나 작자 자신은 일생 동안 두 왕조에서 벼슬을 하였고, 사후에는 금자광록대부(金紫光祿大夫)에 추증되기까지 하였으므로 주옹을 비판할 자격이 되는지도 의문이다. 이를 통해 보면 '주자'를 주옹이라는 한 인물에 국한시켜서 볼 필요는 없을 듯하다. 다시 말해, 이 작품은 당시 거짓으로 산림에 은거하는 인사들에 대해 조롱하는 뜻을 담은 일종의 해학적인 작품이라고 보는 것이 타당할 듯하다.

작품은 내용상 네 부분으로 나뉜다. '종산지영(鍾山之英)'부터 '천재수상(千載誰賞)'까지 첫 번째 부분에서는, 주로 각양각색의 은사들의 서로 다른 행실에 대하여 범범하게 이야기하였다. '세유주자(世有周子)'부터 '치성구주목(馳聲九州牧)'까지 두 번째 부분에서는 주자가 먼저 은거한 뒤에 벼슬하게 된 과정을 적었는데, 그의 은거가 실제로는 자기의 본의가 아니었음을 폭로한 다음 그가 출사한 뒤 관계(官界)에서 활동한 것을 적었다. '사기고하고영(使其高霞孤映)'부터 '비무인이부적(悲無人以赴弔)'까지 세 번째 부분에서는 주자의 출사로 말미암아 이 산이 매우 큰 치욕을 받은 것에 대해 서술하였다. '고기림참무진(故其林慚無盡)'부터 '위군사포객(爲君謝逋客)'까지 네 번째 부분에서는 주자가 다시 산에 오는 것을 거절한다고 적음으로써 그에 대한 혐오와 경멸을 드러내고 있다.

작품 전체는 의인화의 수법을 사용하여 산중의 경물이 치욕을 받아 발분한 심정을 묘사하였는데, 산수와 초목에 대한 묘사와 형상이 매우 생동감 있다. 언어 구사가 세련되고 아름다우며, 대우가 뛰어나고 정제되어 음운이 조화롭고, 또한 서정적 정취가 풍부하다. 기본적으로 4자구와 6자구가 서로 배합되어 구성된 변려문으로, 전고를 사용함이 정밀하고 적절하며 문장의 기세가 매우 예리하다. 이 때문에 남북조 이래로 널리 전송되는 가작(佳作)이 되었다.

篇題小註‥ 孔稚圭는 字德璋이니 會稽人이라 少涉學하여 有美譽하고 仕至太子詹事하니라 鍾山[4]은 在郡北하니 其先에 周彦倫이 隱於北山이러니 後應詔하여 出爲海鹽縣令이라가 欲却適北山한대 孔生이 乃假山靈之意하여 移之하여 使不許再至라 故로 云北山移文이라 迂云 建康蔣山이 是也라

공치규(孔稚圭)는 자가 덕장(德璋)이니 회계(會稽) 사람이다. 젊어서 학문을 섭렵하여 훌륭한 명성이 있었으며 벼슬이 태자 첨사(太子詹事)에 이르렀다. 종산(鍾山)은 회계군(會稽郡)의 북쪽에 있는바,

4 鍾山 : 종산은 바로 북산(北山)이니, 지금 강소성(江蘇省) 강녕현(江寧縣) 북쪽에 있다.

••• 稚 어릴 치 璋 홀 장 詹 이를 첨 蔣 줄풀 장

이보다 앞서 주언륜(周彦倫, 주옹(周顒))이 북산(北山)에 은둔하였는데, 뒤에 조명(詔命)에 응하여 나가 해염 현령(海鹽縣令)이 되었다가 다시 북산으로 가려고 하자, 공생(孔生)이 마침내 북산 산신령의 뜻을 빌려 이문(移文, 돌려 보이는 글)을 지어 다시 오지 못하게 하였으므로 '북산 이문(北山移文)'이라 이름하였다. 우재(迂齋)가 이르기를 "건강(建康)의 장산(蔣山)이 바로 종산이다." 하였다.

• **原文**

鍾山之英과 草堂之靈이【二神. ○假山靈而言.】馳煙驛路하여 勒移山庭이라 夫以耿介拔俗之標와 蕭洒出塵之想으로 度(탁)白雪以方潔하고 干青雲而直上을 吾方知之矣라 若其亭亭物表하고 皎皎霞外하여 芥千金而不(眄)[盼][5]하고 屣(사)萬乘其如脫하여【史記: "秦軍引去, 平原君乃置酒, 以千金爲魯連壽.[6] 魯連笑曰: '所貴於天下之士者, 爲人排患釋難解紛而不取也, 卽有取者, 是商賈之事, 而連不忍爲也.' 遂辭平原君而去." 淮南子曰: "堯年衰志閔, 擧天下而傳之舜, 猶却行而脫屣也." 爾雅: "芥, 草也."】聞鳳吹於洛浦하고【(文選注)[列仙傳]: "周靈王太子晉, 吹笙作鳳鳴, 遊於伊洛."[7]】値薪歌於延瀨(뢰)【蘇門先生遊於延瀨, 見一人採薪, 謂曰: "子以此終乎?" 薪人曰: "云云" 遂爲歌二章而去.[8]】固亦有焉이러니 豈期始終參差(치)하고 蒼黃反覆하여 淚翟子之悲하고 慟朱公之哭이리오【始終參差, 岐路也. 蒼黃反復, 素絲也. 翟, 墨翟, 朱,

---

5 (眄)[盼]: 저본에는 '면(眄)'으로 되어 있으나 《숭고문결(崇古文訣)》 등에 의거하여 '반(盼)'으로 바로잡았다.

6 秦軍引去……以千金爲魯連壽: 평원군(平原君)은 전국시대(戰國時代) 조(趙)나라의 공자(公子)인 조승(趙勝)의 봉호인데, 선비를 좋아하여 문하에 식객이 수천 명에 이르러 제(齊)나라의 맹상군(孟嘗君) 전문(田文)과 위(魏)나라의 신릉군(信陵君) 위무기(魏無忌)와 초(楚)나라의 춘신군(春申君) 황헐(黃歇)과 함께 사군(四君)으로 유명하다. 노중련(魯仲連)은 제나라의 고사(高士)이다. 당시 진(秦)나라가 조나라를 공격하여 도성인 한단(邯鄲)을 포위하였는데, 진나라에서는 만일 조나라를 구원해주는 자가 있으면 그 나라부터 공격하겠다고 위협하였다. 이에 제후들은 감히 조나라를 구원하지 못하고 진나라를 황제국으로 높일 것을 의론하자, 노중련은 저 무도한 진나라를 황제국으로 섬길 수 없다고 말하여 결국 제후국이 연합하니, 진나라 군대가 마침내 포위를 풀고 떠나갔으므로 평원군이 그를 축수하고 천금을 준 것이다.

7 列仙傳……遊於伊洛: 저본에는 '문선주(文選注)'로 되어 있으나 전고를 확인하여 《열선전(列仙傳)》 〈왕자교(王子喬)〉로 바로잡았다. 《열선전》 〈왕자교〉에 "왕자교는 주 영왕(周靈王)의 태자 진(晉)이다. 생황을 불어 봉황의 울음소리를 내면서 이수와 낙수에서 노닐었는데, 도사(道士) 부구공(浮丘公)이 그를 데리고 숭고산(崇高山)으로 올라갔다.〔王子喬者 周靈王太子晉也 好吹笙作鳳凰鳴 遊伊洛之間 道士浮丘公 接以上嵩高山〕" 하였다.

8 蘇門先生……遂爲歌二章而去: 소문선생은 진(晉)나라의 손등(孫登)으로, 소문산(蘇門山)에 은거하였기 때문에 소문선생이라 칭하였다. '신가(薪歌)'는 나무꾼의 노래이며 '연뢰(延瀨)'는 물 이름으로, 손등이 소문산에 은거하였을 적에 연뢰에서 한 나무꾼을 만나 '그대는 이곳에서 이대로 일생을 마칠 것인가?' 하고 묻자, 그는 '성인(聖人)은 모든 상념(想念)을 버리고 도덕(道德)을 마음으로 삼는다고 한다. 내 무엇을 괴이하게 여기고 슬퍼하겠는가?'라고 대답한 다음 노래 두 편을 읊고 떠나갔다 한다.

··· 勒 새길 륵 耿 밝을 경 介 꼿꼿할 개 洒 깨끗할 쇄 方 겨룰 방 干 범할 간 皎 깨끗할 교
芥 지푸라기 개 盼 곁눈질할 반 屣 짚신 사 瀨 여울 뢰 差 어긋날 치 翟 꿩 적 慟 통곡할 통

楊朱也. 楊子見岐路而哭之, 爲其可以 · 南可以北, 墨子見練絲而泣之, 爲其可以黃 · 可以黑.[9]】乍廻迹以心染하고【暗說周顒.】或先貞而後黷하니【應在後.】何其謬哉오 嗚呼라 尙生不存하고【尙長子平.】仲氏旣往[10]하니【仲長統.】山阿寂寥하여 千載誰賞고

종산(鍾山, 북산)의 영령(英靈)과	鍾山之英
초당사(草堂寺)의 산신령이	草堂之靈

【종산과 초당의 두 신이다. ○산신령을 빌려 말하였다.】

역로(驛路, 큰길)에 연하(煙霞)를 치달리게 하여	馳煙驛路
산마루에 〈주옹의 입산(入山)을 금하는〉 이문(移文)을 새겼다	勒移山庭
저 〈은자는〉 세속을 벗어난 경개(耿介)한 의표(儀標)와	夫以耿介拔俗之標
진세(塵世)를 벗어난 소쇄(蕭洒, 고결)한 생각으로	蕭洒出塵之想
백설(白雪)을 헤아려 깨끗함을 겨루고	度白雪以方潔
청운(靑雲)을 찌르고 곧바로 올라감을	干靑雲而直上
내 비로소 알았노라	吾方知之矣
사물의(세상의) 밖에 높이 솟아 우뚝하고	若其亭亭物表
연하(煙霞)의 밖에 교교(皎皎, 깨끗함)하여	皎皎霞外
천금을 지푸라기처럼 여겨 돌아보지 않고	芥千金而不盼
만승천자(萬乘天子)의 높은 지위를 헌신짝 버리듯이 하여	屣萬乘其如脫

【《사기》〈노중련열전(魯仲連列傳)〉에 "진(秦)나라 군대가 떠나가자, 평원군(平原君)이 마침내 술자리를 베풀고 천금을 가지고 노중련(魯仲連)을 위하여 축수하니, 노중련이 웃으며 말하기를 '천하의 선비를 귀하게 여기는 이유는 남을 위해 환란을 제거해 주고 분쟁을 해결해 주면서도 이에 대한 보답을 취하지 않기 때문이니, 반일 취함이 있나면 이는 장사꾼의 일이다. 나는 차마 이런 짓을 하지 못하겠다.' 하고 마침내 평원군에게 하직하고 떠나갔다." 하였다. 《회남자(淮南子)》〈주술훈(主術訓)〉에 "요 임금이 나이가 들

---

9 始終參差……爲其可以黃可以黑: '시종참치 창황번복(始終參差 蒼黃反覆)'은 마음에 변덕이 심하여 초지(初志)를 끝까지 지키지 못함을 비유한 것이다. 적자(翟子)는 전국시대(戰國時代) 겸애설(兼愛說)을 주장한 묵적(墨翟)으로, 그는 흰 실이 황색(黃色)이나 흑색(黑色)으로 물드는 것을 보고 사람의 심성(心性)도 본래는 선(善)하나 악(惡)에 물들면 고치기 어려움을 생각하고 슬퍼하였다. 주공(朱公)은 위아설(爲我說)을 주장한 양주(楊朱)로, 그는 기로(岐路)를 보고는 사람의 마음도 이 길처럼 선·악으로 갈라지면 다시 돌아오기 어렵다 하여 통곡하였다.

10 尙生不存 仲氏旣往: 상생은 후한의 상장(尙長)으로 자는 자평(子平)이다. 그는 자녀들을 결혼시키고 나서 산에 은거하면서 밖에 나오지 않았다. 중씨는 후한의 중장통(仲長統)을 가리키는데, 군에서 부를 때마다 병을 핑계로 나가지 않았다.

어 노쇠하고 뜻이 혼몽해지자 천하를 들어 순 임금에게 선양(禪讓)하였는데, 순 임금은 뒷걸음쳐 헌신짝을 버리듯이 사양했다." 하였다. 《이아(爾雅)》〈석초(釋草)〉에 "'개(芥)'는 풀이다." 하였다.】

봉황의 젓대소리를 낙포(洛浦)에서 듣고 聞鳳吹於洛浦

【《열선전(列仙傳)》〈왕자교(王子喬)〉에 "주 영왕(周靈王)의 태자 진(晉)이 생황을 불어 봉황의 울음소리를 내면서 이수(伊水)와 낙수(洛水)에서 놀았다." 하였다.】

나무꾼의 노랫소리를 연뢰(延瀨)에서 만났으니 値薪歌於延瀨

【소문선생(蘇門先生)이 연뢰(延瀨)에서 노닐 적에 한 사람이 나무 섶을 채취하는 것을 보고 이르기를 "그대가 이로써 일생을 마치려는가?" 하니, 나무 섶을 채취하던 사람이 말하기를 "……"이라 하고, 마침내 노래 두 장을 지어 부르고 떠나갔다.】

진실로 또한 이러한 사람이 있었다 固亦有焉

어찌 시(始)와 종(終)이 어긋나고 豈期始終參差

창색(蒼色)과 황색(黃色)이 번복되어 蒼黃反覆

적자(翟子, 묵적(墨翟))의 슬픈 눈물을 흘리게 하고 淚翟子之悲

주공(朱公, 양주(楊朱))의 통곡을 자아낼 줄 기약하였겠는가 慟朱公之哭

【'시종참치(始終參差)'는 기로(岐路)이고 '창황번복(蒼黃反復)'은 흰 실이다. '적(翟)'은 묵적(墨翟)이고 '주(朱)'는 양주(楊朱)이다. 양자(楊子, 양주)는 두 갈래 길을 보고 울었으니 이는 남쪽으로 갈 수 있고 북쪽으로 갈 수 있기 때문이요, 묵자(墨子, 묵적)는 마전한 실을 보고 울었으니 이는 황색이 될 수도 있고 흑색이 될 수도 있기 때문이었다.】

잠깐 자취를 산림에 돌렸으나 마음은 세속에 물들었으며 乍廻迹以心染

【은근히 주옹(周顒)을 말하였다.】

혹은 먼저는 깨끗하였으나 뒤에는 더러워졌으니 或先貞而後黷

【응함이 뒤에 있다.】

어쩌면 그리도 잘못되었는가 何其謬哉

아! 〈옛날 은자인〉 상생(尙生)이 생존하지 않고 嗚呼 尙生不存

【상생은 상장(尙長) 자평(子平)이다.】

중씨(仲氏)가 이미 세상을 떠나갔으니 仲氏旣往

【중씨는 중장통(仲長統)이다.】

산아(山阿)가 적막하여 山阿寂寥

천 년 동안에 누가 감상하겠는가 千載誰賞

世有周子하니【謂顒.】雋(俊)俗之士라【先獎.】旣文旣博이요 亦玄亦史라 然而【却抑.】學遁東魯하고【莊子: "魯君聞顔闔得道之人也, 使人以幣先焉. 顔闔守陋閭, 使者至, 曰: '此顔闔之家歟?' 闔對曰: '此闔之家也.' 使者致幣, 闔曰: '恐聽者謬而遺使者罪, 不若審之.' 使者反, 審之, 復來求之, 則不可得也."】習隱南郭하여【莊子: "南郭子綦隱几而坐, 仰天而噓, 嗒然似喪其偶."】竊吹草堂하고 濫巾北岳하여【言顒盜名草堂, 濫服幅巾, 有如南郭濫吹竽也.[11]】誘我松桂하며 欺我雲壑하여 雖假容於江皐나 乃纓情於好爵이라 其始至也에 將欲排巢父, 拉(랍)許由[12]하고【應上先貞二字.】傲百世, 蔑王侯하여 風情張日하고 霜氣橫秋하여 或歎幽人長往하고 或怨王孫不游하여 談空空於釋部하고 覈(핵)玄玄於道流하니 務光何足比며【列仙傳: "務光者, 夏時人, 耳長七寸, 好琴, 服蒲韭根. 湯伐桀, 因光而謀, 湯得天下, 已而讓光, 光遂負石自沈河水而自溺."】涓子不能儔러니라【涓子者, 齊人, 餌朮, 隱於宕山, 能風.】

세상에 주자(周子)가 있으니 世有周子

【주자는 주옹을 이른다.】

속세에 뛰어난 선비이다 雋俗之士

【먼저는 장려(칭찬)하였다.】

이미 문장을 잘하고 박학하였으며 旣文旣博

또한 현묘(玄妙)한 이치를 깨닫고 또한 사학(史學)을 잘하였다 亦玄亦史

그러나【여기서는 억제하였다.】동노(東魯)의 은둔을 배우고 然而學遁東魯

【《장자》〈양왕(讓王)〉에 "노나라 임금은 안합(顔闔)이 도(道)를 얻은 사람이라는 말을 듣고는 사람을 시켜 폐백을 가지고 먼저 찾아가게 하였다. 이때 안합이 누추한 마을을 지키고 있었는데, 사자가 이르러 묻기를 '이곳이 안합의 집입니까?' 하니, 안합이 대답하기를 '이곳이 안합의 집이다.' 하였다. 사자가 폐백을

---

11 言顒盜名草堂……有如南郭濫吹竽也: 원문의 '절취(竊吹)'는 피리 부는 대열에 몰래 숨어 있는 것이다. 전국시대 제 선왕(齊宣王)이 피리를 좋아하여 피리부는 악사(樂師)가 3백 명이었는데, 남곽선생(南郭先生)은 피리를 불 줄 모르면서 그 사이에 끼여 녹봉을 먹었다 한다. 남건(濫巾)은 참람하게 은자(隱者)의 두건(頭巾)인 복건(幅巾)을 쓰는 것으로, 곧 주옹이 지난날 초당사(草堂寺)와 북산(北山)에서 은자인 것처럼 행세하였음을 말한 것이다.

12 將欲排巢父 拉許由: 소부와 허유는 모두 요(堯) 임금 때의 고사(高士)이다. 소부와 허유가 기산(箕山)에 들어가 숨어 살았는데, 요 임금이 허유를 불러 구주(九州)의 장(長)으로 삼으려고 하였다. 그러자 허유가 그 소리를 듣고는 더러운 말을 들었다고 하면서 영수(潁水)의 물에 귀를 씻었다. 마침 소부가 소를 끌고 와서 물을 먹이려고 하다가 허유가 귀를 씻는 것을 보고는 그 까닭을 물으니, 허유가 "요 임금이 나를 불러 구주의 장을 삼으려고 하므로 그 소리를 들은 것이 불쾌하여 귀를 씻는 것이다." 하였다. 그러자 소부는 그 귀를 씻은 물을 먹이면 소의 입을 더럽히겠다고 하면서 소를 끌고 상류로 올라가서 물을 먹였다.《高士傳 許由》

••• 顒 클 옹 雋 준걸 준 纓 맬, 걸릴 영 拉 꺾을 랍 覈 핵실할 핵 涓 물방울 연 儔 무리 주

전달하자, 안합이 말하기를 '잘못 들어서 사자에게 죄를 끼칠까 두려우니, 자세히 살피는 것만 못하다.' 하였다. 사자가 돌아가서 자세히 살펴보고는 다시 와서 찾았으나 그는 〈이미 떠나가서〉 또한 만날 수가 없었다." 하였다.】

남곽(南郭)의 은둔을 익혀 習隱南郭

【《장자》〈제물론(齊物論)〉에 "남곽자기(南郭子綦)가 궤(几, 안석)에 기대어 앉아 하늘을 우러러보며 길게 한숨을 쉬었는데, 멍하니 몸이 해체된 듯하여 자기 짝을 잃은 듯했다." 하였다.】

초당(草堂)에서 몰래 젓대를 부는 대열에 끼고 竊吹草堂

북악(北岳)에서 참람하게 복건(幅巾)을 쓰고는 濫巾北岳

【주옹이 초당에서 이름을 도둑질하고 참람하게 복건을 쓰고 있어서 남곽(南郭)이 몰래 젓대를 분 것과 같은 점이 있음을 말한 것이다.】

우리 소나무와 계수나무를 유혹하고 誘我松桂

우리 구름과 골짝을 속여 欺我雲壑

비록 겉모양은 강가에서 산림처사의 모양을 빌렸으나 雖假容於江皐

속마음은 마침내 좋은 벼슬에 매여 있었다 乃纓情於好爵

그가 처음 이 곳에 올 때에는 其始至也

장차 소부(巢父)를 능가하고 將欲排巢父

허유(許由)를 꺾고 올라서서 拉許由

【위 '선정(先貞)' 두 글자에 응한다.】

백세에 〈자신을 능가할 은자가 없다고〉 오만하고 傲百世

왕후(王侯)를 멸시하여 蔑王侯

풍류(風流)의 정(情)이 햇살처럼 퍼지고 風情張日

추상(秋霜) 같은 기상이 가을 하늘에 비껴 霜氣橫秋

혹은 유인(幽人, 은사)이 영원히 가버렸음을 탄식하고 或歎幽人長往

혹은 왕손(王孫, 귀공자)이 놀러오지 않음을 원망하였다 或怨王孫不游

석부(釋部, 불교)의 공공(空空)한 이치를 담론하고 談空空於釋部

도류(道流, 도가)의 현현(玄玄)한 이치를 논변하니 覈玄玄於道流

무광(務光)이 어찌 비교될 수 있겠는가 務光何足比

【《열선전(列仙傳)》〈무광(務光)〉에 "무광이라는 자는 하(夏)나라 때 사람이었는데, 귀의 길이가 7촌이고 거문고를 좋아하였으며 창포와 부추 뿌리를 먹었다. 탕왕(湯王)이 걸왕(桀王)을 정벌할 적에 무광을 통하

여 상의했었는데, 탕왕이 천하를 얻고는 이윽고 무광에게 사양하자 무광은 마침내 돌을 짊어지고 하수(河水)에 침몰하여 스스로 빠져 죽었다." 하였다.】

연자(涓子)도 짝할 수가 없었다 涓子不能儔

【연자는 제나라 사람이니, 삽주를 먹고 탕산(宕山)에 은거하여 바람을 잘 일으켰다.】

及其鳴騶入谷하고 鶴書[13]赴隴에 形馳魄散하고 志變神動이라 爾乃眉軒席次하고 袂聳筵上하여 焚芰製而裂荷衣하고 抗塵容而走俗狀하니【應上後黷二字.】風雲悽其帶憤하고 石泉咽(열)而下愴하며【下字工.】望林巒而有失하고 顧草木而如喪이라 至其紐金章하고 綰黑綬하여【金章, 銅印也. 漢書: "秩六百石以上, 皆銅印黑綬."】跨屬城之雄하고 冠百里之首하여 張英風於海甸하고 馳妙譽於浙右하니 道帙長擯하고 法筵久埋라 敲扑諠囂(고복훤효)가 犯其慮하고 牒訴倥傯(첩소공총)이 裝其懷하니 琴歌旣斷하고 酒賦無續하여 常綢繆於結課하고 每紛綸於折獄이라 籠張, 趙於往圖하고【漢張敞稍遷至山陽太守, 趙廣漢爲陽翟令, 以化行尤異, 遷京輔都尉.】架卓, 魯於前籙하여【後漢卓茂遷密令, 吏人親愛而不忍欺, 魯恭拜中牟令, 螟不入境.】希蹤三輔豪하고 馳聲九州牧이라【漢書: "右內史武帝更名京兆尹, 左內史更名左馮翊, 主爵中尉更名右扶風, 是爲三輔." 左傳: "夏之方有德也, 貢金九牧." 注: "九州之牧貢金也."】

그러다가 〈사자(使者)의〉 우는 추마(騶馬)가 골짜기로 들어오고 及其鳴騶入谷
학두서(鶴頭書)가 밭두둑에 당도하자 鶴書赴隴
몸이 그리로 달려가고 넋이 흩어지며 形馳魄散
뜻이 변하고 정신이 동하였다 志變神動
그리하여 마침내 눈썹이 자리에서 치켜 올라가고 爾乃眉軒席次
소매가 자리 위에 펄럭이며 袂聳筵上
처사가 입는 연꽃 옷을 불태우고 연잎 옷을 찢고는 焚芰製而裂荷衣
진세의 얼굴을 들고 세속의 형상을 하고 줄달음치니 抗塵容而走俗狀

【위의 '후독(後黷)' 두 글자에 응한다.】

---

13 鶴書: 일명 학두서(鶴頭書)로 서체(書體)의 하나인데, 옛날 조서(詔書)를 학두서체(鶴頭書體)로 썼기 때문에 황제의 조서를 지칭하는 말로 쓰이게 되었는바, 여기서는 주옹을 부르는 황제의 조서를 말한 것이다.

騶 마부 추 隴 밭두둑 롱 聳 솟을 용 芰 마름 지 咽 목멜 열 紐 맬 뉴 綰 인끈 관
跨 차지할 과 敲 칠 고 扑 칠 복 諠 시끄러울 훤 囂 시끄러울 효 倥 바쁠 공 傯 바쁠 총
綢 얽을 주 繆 얽을 무 籠 새장 롱 架 능가할 가 籙 책 록 蹤 발자취 종

바람과 구름이 처연(悽然)히 분한 기운을 띠고 風雲悽其帶憤
돌과 샘물이 오열하며 흘러가 슬퍼하였다 石泉咽而下愴

【글자를 놓은 것이 공교롭다.】

숲과 산을 바라보니 실망에 찬 듯하고 望林巒而有失
풀과 나무를 돌아보니 의기를 상실한 듯하였다 顧草木而如喪
그리하여 현령(縣令)의 금장(金章)을 차고 至其紐金章
검은 인끈을 차고서 綰黑綬

【'금장(金章)'은 동인(銅印)이다. 《전한서(前漢書)》〈백관공경표(百官公卿表)〉에 "품계가 600석(石) 이상은 모두 동인에 검은 인끈이다." 하였다.】

속성(屬城) 중에 가장 큰 고을을 차지하고 跨屬城之雄
백 리 지방을 맡은 현령의 으뜸이 되어 冠百里之首
s(英俊, 아름다운)의 명성을 바닷가에 펼치고 張英風於海甸
묘한 명예를 절우(浙右, 절서(浙西))에 치달리니 馳妙譽於浙右
도가의 책이 영원히 배척되고 道帙長擯
불법을 강론하는 자리가 오랫동안 매몰되었다 法筵久埋
죄인을 때리는 시끄러운 소리가 그 생각을 범하고 敲扑諠嚚犯其慮
문서와 소송의 번잡함이 그 마음을 장식하니 牒訴倥傯裝其懷
거문고와 노랫소리가 이미 끊기고 琴歌既斷
술과 시 짓는 것을 계속하지 못하여 酒賦無續
항상 결과(結課, 고과(考課))에 마음이 매여 있고 常綢繆於結課
매양 옥사(獄事)를 판단하느라 어지럽다 每紛綸於折獄
장창(張敞)과 조광한(趙廣漢)의 지나간 책을 능가하려 하고 籠張趙於往圖

【한(漢)나라 장창은 차츰 승진하여 산양 태수(山陽太守)에 이르렀고, 조광한은 양적령(陽翟令)이 되어서 교화의 행해짐이 더욱 특이하였기 때문에 경보도위(京輔都尉)에 제수되었다.】

탁무(卓茂)와 노공(魯恭)의 옛 기록을 능가하려 하여 架卓魯於前籙

【후한의 탁무가 밀현령(密縣令)으로 옮기니 관리와 사람들이 친애하여 차마 속이지 못하였고, 노공이 중모령(中牟令)에 제수되니 명충(螟蟲)이 경내에 들어오지 않았다.】

자취는 삼보(三輔)의 걸출한 관리들을 따르려 하고 希蹤三輔豪
명성은 구주(九州)의 목백(牧伯)에 치달리려 하였다 馳聲九州牧

【《전한서(前漢書)》〈백관공경표〉에 "무제(武帝)가 우내사(右內史)를 경조윤(京兆尹)으로, 좌내사(左內史)를 좌풍익(左馮翊)으로, 주작중위(主爵中尉)를 우부풍(右扶風)으로 이름을 바꾸니, 이를 삼보(三輔)라 한다." 하였다. 《춘추좌씨전》 선공(宣公) 3년에 "하(夏)나라가 막 덕이 있을 때에 구주의 목백(牧伯)에게 이 금을 바쳤다." 하였는데, 주에 "구주(九州)의 목백이 금을 바친 것이다." 하였다.】

使其高霞孤映하고 明月獨擧하며 青松落陰하니 白雲誰侶오【看他造語.】磵戶摧絕無與歸요 石逕荒凉徒延竚로다 至於還飇(선표)入幕하고 寫(瀉)霧出楹하니 蕙帳空兮夜鶴怨이요 山人去兮曉猿驚이라 昔聞投簪逸海岸이러니 今見解蘭縛塵纓이로다【投簪, 疏廣[14]也, 東海人, 故曰海岸. 摯虞, 徵士, 胡昭贊"投簪卷帶, 韜聲匿跡." 蘭, 蘭佩也.】於是에 南嶽獻嘲하고 北隴騰笑하며 列壑爭譏하고 攢峯竦誚하여 慨遊子之我欺하고 悲無人以赴弔라

그리하여 높은 노을이 외로이 비치고	使其高霞孤映
밝은 달이 홀로 뜨게 하며	明月獨擧
청송(青松)은 쓸쓸히 그늘을 드리우니	青松落陰
백운(白雲)은 누구와 짝하겠는가	白雲誰侶
【저 말을(글을) 만든 것을 보아야 한다.】	
시냇가의 문은 꺾이고 부서져 돌아오는 이가 없고	磵戶摧絕無與歸
돌길은 황량하여 한갓 목을 늘여 은사를 기다린다	石逕荒凉徒延竚
회오리바람이 장막으로 들어오고	至於還飇入幕
쏟아지는 안개가 기둥에서 나오자	寫霧出楹
혜초(蕙草) 장막이 텅비니 밤중에 학이 원망하고	蕙帳空兮夜鶴怨
산인(山人)이 떠나가니 새벽 원숭이가 놀란다	山人去兮曉猿驚

14 疏廣: 소광은 동해(東海) 난릉(蘭陵) 사람으로 자는 중옹(仲翁)이다. 한(漢)나라 선제(宣帝) 때 태자 태부(太子太傅)를 지냈는데, 태자 소부(太子少傅)인 조카 소수(疏受)에게 이르기를 "내 들으니 만족함을 알면 욕되지 않고 그칠 줄을 알면 위태롭지 않다고 하니, 공(功)이 이루어지면 몸이 물러가는 것이 하늘의 도이다. 지금 벼슬의 품계가 2000석(石)에 이르러 벼슬이 이루어지고 명성이 세워졌으니, 이와 같은데도 떠나가지 않으면 후회할 일이 생길까 두렵다. 어찌 부자가 서로 따라 관문을 나가 고향에 돌아가는 것만 하겠는가. 늙어서 천수를 누리고 죽는 것이 좋지 않겠는가?〔吾聞知足不辱 知止不殆 功遂身退 天之道也 今仕官至二千石 宦成名立 如此不去 懼有後悔 豈如父子相隨出關 歸老故鄉 以壽命終 不亦善乎〕" 하니, 소수가 그의 말을 따라 함께 고향에 가서 은거하였다.《前漢書 卷71 雋疏于薛平彭傳》

磵 산골물 간 竚 기다릴 저 還 돌 선 飇 바람 표 楹 기둥 영 簪 비녀 잠 纓 갓끈 영 騰 날 등 攢 모을 찬 竦 높을 송

옛날에 화잠(華簪, 관리의 머리꾸밈)을 던지고 바닷가로 은둔했다는 말 들었는데 昔聞投簪逸海岸

지금은 〈주옹이〉 난초옷을 벗고 진세의 갓끈에 매여있는 것 보았네 今見解蘭縛塵纓

【'화잠을 던진〔投簪〕 사람'은 소광(疏廣)이니, 동해(東海) 사람이므로 해안(海岸)이라 하였다. 지우(摯虞)는 징사(徵士)이니, 호소(胡昭)의 찬(贊)에 "화잠을 던지고 띠를 거두어 명성을 감추고 자취를 숨겼다." 하였다. '난(蘭)'은 난초의 패물(佩物)이다.】

이에 남악(南嶽)이 조소하고 於是南嶽獻嘲

북쪽 언덕이 비웃음을 날리며 北隴騰笑

여러 골짝들이 다투어 기롱하고 列壑爭譏

모든 봉우리들이 신랄하게 꾸짖어 攢峯竦誚

유자(遊子, 주옹)가 우리를 속인 것을 분개하고 慨遊子之我欺

달려와 위문하는 사람이 없음을 서글퍼한다 悲無人以赴弔

故로 其林慙無盡하고 澗愧不歇하여【非林澗之愧, 乃周子之愧.】秋桂遺風하고 春蘿擺(패)月하여 騁西山之逸議[15]하고 馳東皐之素謁[16]이라 今乃促裝下邑하고 浪栧(예)上京하니 雖情投於魏闕이나 或假步於山扃이라 豈可使芳杜厚顔하고 薜荔(벽려)無恥하며 碧嶺再辱하고 丹崖重滓하여【言山之草木, 且羞見周子, 周子尙何面目復見山靈乎?】塵遊躅於蕙路하고 汙淥池以洗耳리오【皇甫謐高士傳: "巢父聞許由爲堯所讓也, 以爲汙, 乃臨池而洗耳."[17]】宜扃岫幌(경수황)하고 掩雲關하며 斂輕霧하고 藏鳴湍하여 截來轅於谷口하고 杜妄轡於郊端이라【下字.】於是에 叢條瞋膽하고 疊穎怒魄하여 或飛柯以折輪하며 乍低枝而

---

15 騁西山之逸議: '서산(西山)'은 백이(伯夷)·숙제(叔齊)가 고사리를 캐먹다가 죽었다는 수양산(首陽山)을 가리키며, '일의(逸議)'는 청일(淸逸)한 의론으로 백이·숙제와 같은 깨끗한 의론을 구사함을 이른다.

16 馳東皐之素謁: '동고(東皐)'는 동쪽의 언덕, 또는 동쪽의 수택(水澤)으로 은둔하는 자가 사는 곳을 이르며, '소(素)'는 청빈을 뜻하고, '알(謁)'은 '고(告)'의 뜻으로 청빈하게 서로 사귐을 이른다. 일설에는 '소'를 평소(平素)로 보아 '서산의 청일한 의론을 구사하여 주옹(周顒)의 평소 행위를 남에게 말하는 것'이라 하나 뜻이 분명치 않다.

17 皇甫謐高士傳……乃臨池而洗耳: 황보밀은 자가 사안(士安), 자호가 현안선생(玄晏先生)이다. 여러 전적과 제자백가서에 널리 통달했으며, 평생 벼슬하지 않고 저술에 전념하였다. 진 무제(晉武帝)가 여러 차례 초징(招徵)의 뜻을 밝혔으나 끝내 고사하고 나아가지 않았다. 《고사전》은 그가 지은 옛날 은사(隱士)들의 전기로, 원본에는 72인이 수록되었는데 뒤에 더 첨가하여 현재 96인이 전하고 있다. 옛날 요(堯) 임금이 은자인 허유(許由)에게 천하를 사양하자 허유는 더러운 소리를 들었다 하여 영수(潁水)에 귀를 씻었는데, 이 말을 들은 소부(巢父)는 허유 때문에 영수가 더럽혀졌다 하고 기르는 소에게도 이 물을 먹이지 않은 고사를 인용한 것이다.

··· 歇 그칠 헐 蘿 댕댕이넝쿨 라 擺 흔들 패 栧 노 예 魏 높을 위 扃 문호 경 薜 줄사철나무 벽 荔 향풀 려 滓 더러울 재 躅 머뭇거릴 촉 淥 맑을 록 岫 뫼 수 幌 휘장 황 湍 여울물 단 轅 멍에 원 轡 고삐 비 瞋 부릅뜰 진 膽 쓸개 담 穎 이삭 영 柯 가지 가 乍 잠깐 사

掃迹하니 請廻俗士駕어다 爲君謝逋客하노라【翦截結掇. ○俗士, 逋客, 蓋謂周顒也.】

그러므로 숲의 부끄러움이 다함이 없고　故其林慙無盡

시내의 부끄러움이 그치지 않아서　澗愧不歇

【숲과 시내의 부끄러움이 아니요, 바로 주자(周子)의 부끄러움이다.】

가을 계수나무는 바람을 불어보내고　秋桂遣風

봄철의 송라(松蘿)는 달을 헤쳐　春蘿擺月

서산(西山, 수양산)의 청의(淸議)를 치달리고　騁西山之逸議

동고(東皐)의 청빈한 교분을 전하였다　馳東皐之素謁

그는 이제 마침내 하읍(下邑)에서 행장을 챙기고　今乃促裝下邑

노를 저어 상경(上京)하니　浪枻上京

비록 마음은 위궐(魏闕, 대궐)에 던져져 있으나　雖情投於魏闕

혹 잠시 발걸음을 산 입구에 들여놓을지 모른다　或假步於山扃

어찌 꽃다운 두약(杜若)으로 하여금 후안무치하게 하고　豈可使芳杜厚顔

향기로운 벽려(薜荔)로 하여금 부끄러움을 모르게 하며　薜荔無恥

푸른 산마루를 다시 욕되게 하고　碧嶺再辱

붉은 벼랑을 다시 더러워지게 하여　丹崖重滓

【산의 초목도 주자를 만나기를 부끄러워하는데, 주자가 오히려 무슨 면목으로 다시 산신령을 만나보는가라고 말한 것이다.】

유자의 발자취로 난초의 길을 오염시키고　塵遊躅於蕙路

맑은 연못에 귀를 씻어 더러워지게 하겠는가　汙淥池以洗耳

【황보밀(皇甫謐)의 《고사전(高士傳)》에 "소부(巢父)는 허유(許由)가 요(堯) 임금에게 양위를 받았다는 말을 듣고는 귀가 더러워졌다고 여겨서 마침내 못가에 가서 귀를 씻었다." 하였다.】

마땅히 산의 창문을 닫고　宜扃岫幌

구름의 관문을 가리우며　掩雲關

가벼운 안개를 걷고　斂輕霧

흐르는 여울물을 감추어　藏鳴湍

〈주옹이 타고〉 오는 수레를 골짝 어귀에서 끊어버리고　截來轅於谷口

… 逋 달아날 포

망령된 고삐를 교외의 끝에서 막아야 할 것이다　杜妄轡於郊端

【글자를 놓았다.】

이에 총생(叢生)하는 나뭇가지가 눈을 부릅뜨고　於是叢條瞋膽

첩첩이 포개진 이삭들의 마음이 노하여　疊穎怒魄

혹은 나뭇가지를 날려 수레를 꺾기도 하고　或飛柯以折輪

갑자기 가지를 낮게 드리워 더러운 자취를 쓸어버리려 하니　乍低枝而掃迹

청컨대 속된 선비의 수레를 돌릴지어다　請廻俗士駕

그대를 위해 〈이 산에서〉 도망간 객을 사절하노라　爲君謝逋客

【끊어 맺었다. ○속사와 포객은 주옹을 이른 것이다.】

등왕각서滕王閣序

왕발王勃 자안子安

• 작가소개

왕발(王勃, 650~676)의 자는 자안(子安)으로 수(隋)나라 때 저명한 학자 왕통(王通)의 손자이며, 강주(絳州) 용문(龍門) 사람이다. 문재(文才)가 뛰어나 12세에 대책(對策)으로 급제하고 조산랑(朝散郎)에 임명되었다. 뒤에 패왕(沛王) 이현(李賢)이 왕부수찬(王府修撰)으로 초빙되었는데, 그는 당시 제왕(諸王)이 투계(鬪鷄)를 즐기는 것을 보고 〈격영왕투계문(檄英王鬪鷄文)〉을 장난삼아 지었다가 고종(高宗)의 노여움을 사서 왕부에서 축출되었고, 부친 왕복치(王福畤)도 이 일로 인해 교지령(交趾令)으로 좌천되었다. 상원(上元) 2년(675)에 부친을 뵈러 갔는데, 바다를 건너다가 물에 빠져 죽었다고 한다. 양형(楊炯)·노조린(盧照隣)·낙빈왕(駱賓王)과 함께 초당사걸(初唐四傑)로 일컬어지는데, 그의 작품 중에서는 〈등왕각서(滕王閣序)〉가 가장 유명하다. 본래 문집이 있었으나 전해지지 않고, 명(明)나라 숭정(崇禎) 연간에 장섭(張燮)이 수집하여 휘편(彙編)한 《왕자안집(王子安集)》이 전한다.

• 작품개요

이 작품은 《전당문(全唐文)》에 〈추일등홍부등왕각 전별서(秋日登洪府滕王閣餞別序)〉로 되어 있다. 여기서 서(序)란 곧 증서(贈序)로 벗과 이별할 때 증언(贈言)하는 것인데, 그 전통은 당나라 초엽에 시작되었다. '등왕각'은 당(唐)나라 고조(高祖) 이연(李淵)의 스물두 번째 아들인 이원영(李元嬰)이 홍주도독(洪州都督)에 임명되었을 때 지은 것으로, 이원영이 뒤에 등왕에 봉해졌기 때문에 등왕각이라고 일컫게 되었다. 등왕각은 지금 강서성(江西省) 남창(南昌)에 있는데, 공강(贛江)에 접해 있다. 왕발은 상원 2년(675)에 교지(交趾)로 부친을 뵈러 가면서 남창을 경유하게 되었는데, 마침 홍주도독 염공(閻公)이 여기에서 연회를 열고 있어서 왕발이 참여하여 시를 짓고, 이 서문을 지은 것으로 알려져 있다. 《명심보감(明心寶鑑)》에 "때가 오니 바람이 등왕각으로 보냈다.〔時來風送滕王閣〕"라는 구절이 보인다. 이는 바로 왕발의 고사로, 당시 왕발이 순풍을 타고 하룻만에 남창 7백 리를 가서 이 연회에 참석하고 이 서문을 지어 문명(文名)이 천하에 알려지게 되었다 한다. 이 글은 변려문(騈儷文)의 명작으로 고문가인 한유(韓愈) 조차도 〈신수등왕각기(新修滕王閣記)〉에서 극진히 추숭(推崇)하였다. 글 전체가 몇몇 허사를 제외하고는 대우(對偶)로 이루어져 있다. 구법(句法)은 사자구(四字句)와 육자구(六字句)가 많은데 대우가 매우 정제(整齊)되어 있다. 또 전편에 전고(고사)를 사용하였는데 비교적 자연스럽고 매우 전아(典雅)하면서도 훌륭하다.

이 작품은 변려문인 서(序)와 칠언(七言)의 시(詩)로 구성되어 있는데, 서(序)는 내용상 네 부분으로 나눌 수 있다. '남창고군(南昌故郡)'부터 '궁봉승전(躬逢勝餞)'까지 첫 번째 부분에서는 홍주도독부(洪州都督府)의 웅장한 지세(地勢)와 성대한 연회 및 연회에 참석한 훌륭한 인사(人士)들을 언급하고, 작자 자신이 연회에 참석하게 된 이유에 대해서도 간략하게 서술하고 있다. 연회의 성황에 대해서는 간단히 언급만 하고 구체적으로 묘사나 서술을 하지 않았다. '시유구월(時維九月)'부터 '성단형양지포(聲斷衡陽之浦)'까지 두 번째 부분에서는 작자의 시선이 가까운 데로부터 먼 데까지 미친다. 그 시선은 웅장하고 화려한 등왕각으로부터 수려한 산천에 이르는데, 마치 선명한 필치로 강렬하게 등왕각의 가을 경치를 묘사한 한 폭의 그림을 보는 듯하다. 특히 등왕각에 올라 멀리 바라보이는 풍경에 대해 썼는데, 그 아름다움이 돋보인다. '요음부창(遙吟俯暢)'부터 '기효궁도지곡(豈效窮途之哭)'까지 세 번째 부분에서는, 연회에 참석한 좌중의 초일한 홍취에 대하여 쓰다가 홍이 극에 달한 후 슬픔이 몰려와 옛일을 회상하고, 인생의 제우(際遇)에 대하여 감개한 심정을 이끌어냈다. '발삼척미명(勃三尺微命)'부터 '사운구성(四韻俱成)'까지 네 번째 부분에서는, 작자의 여정과 지향을 간략하게 서술하고, 연회에 참석한 좌중 및 주인의 지우(知遇)에 대하여 감사를 표시하며, 작자가 연회에 참석하고 전별(餞別)에서 글을 지을 수 있게 된 영광을 표시하였다. 이 부분은 작품의 서두에 호응하여 다시 한번 작품의 주제와 긴밀하게 연결시키고 있다.

시(詩)는 서(序)의 뒤에 붙어서 서(序)의 전체적인 내용을 개괄하고 있다. 수련(首聯)에서는 등왕각의 형세와 연회의 모습을 서술하고 함련(頷聯)에서는 우뚝 솟은 등왕각의 모습을 서술하며 경련(頸聯)에서는 성상(星霜)의 변화에 대한 감개를 토로하고 미련(尾聯)에서는 인물은 떠나가고 등왕각만 남아있는 것에 대한 심정을 토로하면서 작품 전체를 수습하였다.

서는 대우구(對偶句)를 사용하였는바, 기본적으로 4·6자구가 주를 이룬 가운데 6·4자구가 섞여있다. 그러나 필요에 따라 7자구부터 1자구까지 다양하게 구사하여 글을 읽을 적에 절주〔박자, 리듬〕가 분명하다. 문자적 측면에서 대우를 이룰 뿐만 아니라 음운적 측면에서도 대우를 이룬다. 예컨대 '落霞與孤鶩齊飛 秋水共長天一色' '天高地迥 覺宇宙之無窮 興盡悲來 識盈虛之有數'와 같은 부분은 하나의 구 안에서 평(平)·측(仄)이 교체되고, 위 구와 아래 구 사이에서도 평·측이 대(對)를 이루고 있다. 소리의 높낮이와 곡절이 조화롭고 생동감이 있어서 음악적 감정과 시적 정취가 풍부하다.

또한 사건 서술〔敍事〕과 감정 표현〔抒情〕에 있어서 많은 전고를 사용하였는데, '풍당이로(馮唐易老) 이광난봉(李廣難封)'과 같이 명확히 드러낸 경우와 '작탐천이각상 처학철이유환(酌貪泉而覺爽 處涸轍以猶歡)'과 같이 드러내지 않는 경우가 있고, '맹상고결 공회보국지정(孟嘗高潔 空懷報國之情)'과 같이 바로 사용한 경우와 '완적창광 기효궁도지곡(阮籍猖狂 豈效窮途之哭)'과 같이 뒤집어 사용한 경우가 있다. 이렇게 전고의 운용을 다양하고 다채롭게 함으로써 문장의 의사 전달·표현 효과를 한층 더 강화시켰다.

篇題小註‥ 唐高祖子元嬰이 爲洪州刺史하여 置此閣하니 時封滕王이라 故로 曰滕王閣이라 咸亨二年에 閻伯嶼(서)爲洪州牧하여 大宴于此할새 宿命其壻爲序하여 以誇客이라 因出紙筆하고 偏請하니 客莫敢當이러니 勃이 在席最少라 受之不辭한대 都督이 怒하여 遣吏伺其文輒報러니 一再報에 語益奇라 乃瞿然曰 天才也라하고 請遂成文하고 極歡而罷하니라 勃은 字子安이니 少有逸才라 高宗이 召爲博士러니 因作鬪鷄檄文한대 高宗이 怒하여 謂有交構之漸이라하여 乃黜하다 後에 到父任所하여 省侍할새 道過鍾離라가 九月九日에 會此而作此序하니라

당 고조(唐高祖)의 아들 이원영(李元嬰)이 홍주 자사(洪州刺史)가 되어 이 각(閣)을 건립하였는데, 이때 등왕(滕王)에 봉해졌으므로 '등왕각(滕王閣)'이라 칭하였다. 함형(咸亨) 2년(671)에 염백서(閻伯嶼)가 홍주 목사(洪州牧使)가 되어 이곳에서 큰 잔치를 베풀 적에 미리 그 사위에게 명하여 서문(序文)을 지어 놓고서 손님들에게 과시하려 하였다. 인하여 지(紙)·필(筆)·묵(墨)을 내어놓고 서문을 지어 줄 것을 청하였으나 여러 손님들은 감히 감당하지 못하였다. 왕발(王勃)은 이 좌석에서 가장 나이가 적었는데 지·필·묵을 받고 사양하지 않자, 도독(都督, 염백서)이 노하여 관리를 보내어 그의 글을 살펴보고 곧 보고하게 하였다. 관리가 한두 차례 보고하였는데 말(글)이 더욱 기이하자, 도독은 마침내 눈을 크게 뜨고 말하기를 "천재이다." 하고 드디어 글을 완성하기를 청하여 매우 즐기다가 술자리를 파하였다.

왕발은 자가 자안(子安)이니, 어려서부터 초일(超逸)한 재주가 있었다. 고종(高宗)이 불러 박사(博士)를 삼았는데, 인하여 투계격문(鬪鷄檄文)을 짓자, 고종은 〈그 글을 보고〉 노하여 교구(交構, 교묘히

‥‥ 滕 등나라 등 閻 마을 염 嶼 섬 서 壻 사위 서 瞿 놀랄 구 檄 격문 격 黜 내칠 출

꾸며 여러 황자(皇子)들을 이간시킴)하는 조짐(버릇)이 있다 하여 축출하였다. 뒤에 아버지의 임소(任所)로 가서 문안하고 모시려 하였는데, 도중에 종리(鍾離)를 지나다가 9월 9일 이 누각에 모여 이 서문을 지었다.

- **原文**

南昌은 故郡이요 洪都는 新府[18]니【在隆興府.】 星分翼軫하고【以星之分野觀之, 南方楚荊州之域, 翼·軫之宿直(치)焉.】 地接衡廬라 襟三江而帶五湖하고【三江者, 荊江在荊州, 松江在蘇州, 浙江在杭州. 五湖者, 太湖在蘇州, 鄱陽湖在饒州, 青草湖在岳州, 丹陽湖在潤州, 洞庭湖在鄂州.】 控蠻荊而引甌越이라 物華天寶니 龍光射斗牛之墟하고【豐城有劍, 曰干將, 曰莫耶, 其龍文光彩, 直射於斗·牛二星之間. 雷煥得之, 張華分其一焉.[19]】 人傑地靈이니 徐孺下陳蕃之榻이라【[後漢書]: "徐穉, 字孺子, 洪州人. 陳蕃爲豫章太守, 特設榻以待之."】 雄州霧列하고 俊彩星馳라 臺隍은 枕夷夏之交하고 賓主는 盡東南之美라 都督閻公[20]之雅望은【閻伯嶼爲洪州刺史.】 棨戟遙臨하고 宇文新州之懿範은 襜帷暫駐(첨유잠주)로다【宇文鈞(深)[新]除澧州牧, 道經于此.】 十旬休暇하니 勝友如雲이요 千里逢迎하니 高朋滿座라 騰蛟起鳳은 孟學士之詞宗이요 紫電清霜은 王將軍之武庫[21]라 家君作宰하니【勃父福畤, 爲交趾令.】 路

---

18 南昌故郡 洪都新府: 남창은 남당(南唐) 때에 예장(豫章)을 고친 이름으로 《문원영화(文苑英華)》에는 '예장고군(豫章故郡)'으로 되어 있다. 예장은 당나라 때 홍주(洪州)로 바꾸었으니, '신부(新府)'는 홍주로 개칭하여 관부를 새로이 열었다는 뜻이다. 이상으로 볼 때 '남창'은 당연히 '예장'이 되어야 하나 고치지 않은 이유는 '남창고군'이 음운상 더욱 분명하고 통창하기 때문인 것으로 보인다.

19 豐城有劍……張華分其一焉: 원문의 '용광(龍光)'은 명검(名劍)인 용천검(龍泉劍)의 광채를 이르며, '두(斗)'는 남두성(南斗星)이고 '우(牛)'는 견우성(牽牛星)이다. 《진서(晉書)》 〈장화전(張華傳)〉에 "예장(豫章)에 항상 자줏빛 광채가 남두성과 견우성 사이를 비추었다. 이에 장화가 유명한 술사(術士)인 뇌환(雷煥)에게 그 이유를 물으니, 뇌환은 풍성(豐城)에 보검(寶劍)이 묻혀 있어 그 광채가 하늘을 꿰뚫기 때문이라고 하였다. 그리하여 마침내 용천과 태아(太阿)라는 두 명검을 발굴하게 되었다." 하였다. 용천은 용연(龍淵)이라고도 하는바, 용천과 태아는 춘추시대 명장(名匠)인 구야자(歐冶子)와 간장(干將)이 주조했다하여 보검의 통칭으로 쓰기 때문에 주에 '간장(干將)과 막야(莫耶)'라 한 것이다. 막야는 원래 간장의 아내의 이름이다. 풍성은 예장에 속한 현(縣)이다.

20 都督閻公: 누구인지 자세하지 않다. 소주에는 염백서(閻伯嶼)라고 되어 있으나 염백서는 현종(玄宗) 천보(天寶) 연간(742~755)의 기거사인(起居舍人)으로 왕발과의 거리가 70~80년이 떨어진다.

21 孟學士之詞宗……王將軍之武庫: 맹학사(孟學士)는 저본(底本)의 주(註)에 맹호연(孟浩然)이라 하였고 왕장군(王將軍)은 진(晉)나라의 금오장군(金吾將軍)인 왕준(王濬)이라 하였으나 맹호연은 왕발보다 후세의 인물이므로 맞지 않으며, 대만(臺灣) 삼민서국(三民書局)의 《고문관지(古文觀止)》에는 '맹학사'는 맹가(孟嘉), '왕장군'은 왕승변(王僧辯)이라고 주하였다. 맹가는 진(晉)나라의 문사이고 왕승변은 남북조 때 양(梁)나라의 명장이다. 그러나 맹학사나 왕장군은 모두 당

軫 별이름 진 廬 오두막집 려 控 제어할 공 甌 사발 구 榻 걸상 탑 隍 해자 황 棨 창 계
戟 창 극 遙 멀 요 懿 아름다울 의 襜 휘장 첨 騰 날아오를 등 蛟 뿔없는용 교

出名區라 童子何知오 躬逢勝餞이라

남창(南昌)은 옛 고을의 명칭이요 南昌故郡

홍도(洪都)는 새로 생긴 도독부(都督府)의 소재지이니 洪都新府

【등왕각은 융흥부(隆興府)에 있다.】

별의 분야는 익수(翼宿)와 진수(軫宿)에 해당하고 星分翼軫

【별의 분야를 가지고 살펴보면 남방인 초나라 형주의 지역은 익수와 진수에 위치한 곳이다.】

땅은 형산(衡山)과 여산(廬山)에 접해 있다 地接衡廬

삼강(三江)을 옷깃처럼 전면에 놓고 오호(五湖)를 띠처럼 둘렀으며 襟三江而帶五湖

【삼강은, 형주(荊州)에 있는 형강(荊江), 소주(蘇州)에 있는 송강(松江), 항주(杭州)에 있는 절강(浙江)이다. 오호는, 소주(蘇州)에 있는 태호(太湖), 요주(饒州)에 있는 파양호(鄱陽湖), 악주(岳州)에 있는 청초호(靑草湖), 윤주(潤州)에 있는 단양호(丹陽湖), 악주(鄂州)에 있는 동정호(洞庭湖)이다.】

만형(蠻荊)을 공제(控制)하고 구월(甌越)에 인접하였다 控蠻荊而引甌越

물건의 정화(精華)는 천연적인 보물이니 용천검(龍泉劍)의 검광(劍光)이 우성(牛星)과 두성(斗星)의 자리를 쏘았고 物華天寶 龍光射斗牛之墟

【풍성(豐城)에 명검(名劍)이 있으니 이름을 '간장(干將)'과 '막야(莫耶)'라 하는데, 용의 문채인 광채가 곧바로 두성과 우성 두 별의 사이를 쏘았다. 뇌환(雷煥)이 이것을 얻어 장화(張華)가 그 하나를 나누어 가졌다.】

사람이 걸출함은 지역이 영특해서이니 서유(徐孺)가 진번(陳蕃)의 걸상을 내려놓게 하였다 人傑地靈 徐孺下陳蕃之榻

【《후한서(後漢書)》 〈서치전(徐穉傳)〉에 "서치(徐穉)는 자가 유자(孺子)이니, 홍주(洪州) 사람이다. 진번(陳蕃)이 예장 태수(豫章太守)가 되어서 특별히 걸상을 마련하여 그를 대우했다." 하였다.】

큰 고을이 안개처럼 나열되어 있고 雄州霧列

준걸들의 광채가 별처럼 생동한다 俊彩星馳

누대와 해자는 오랑캐와 중국의 접경에 임해 있고 臺隍枕夷夏之交

손님과 주인은 동남 지방의 훌륭한 인물을 다하였다 賓主盡東南之美

도독(都督) 염공(閻公)의 고상한 명망은 깃대와 창으로 멀리 부임하였고

시 잔치 자리에 참석했던 인물로 보는 것이 옳을 듯하다. '사종(詞宗)'은 사백(詞伯)과 같은 말로 문장(文章)의 종주(宗主)임을 뜻하며, '무고(武庫)'는 무재(武才)가 풍부함을 이른다.

… 潦 장마물 료 騑 곁말 비 阿 언덕 아 巒 산봉우리 만 聳 솟우 용 翠 푸를 취 霄 하늘 소

都督閻公之雅望 棨戟遙臨

【염백서(閻伯嶼)가 홍주 자사(洪州刺史)가 되었다.】

신주(新州)로 부임하는 우문(宇文)의 아름다운 위의(威儀)는 휘장을 드리운 수레를 잠시 멈추었다 宇文新州之懿範 襜帷暫駐

【우문균(宇文鈞)이 새로 예주목(澧州牧)에 제수되어 길이 이곳을 경유하게 되었다.】

열흘이라서 휴가를 받으니 十旬休暇

훌륭한 벗들이 구름처럼 많고 勝友如雲

천 리 밖에서 멀리 맞이하니 千里逢迎

고상한 벗이 자리에 가득하다 高朋滿座

날아오르는 용과 춤추는 봉처럼 훌륭한 문장은 맹학사(孟學士)의 사종(詞宗)이요

騰蛟起鳳 孟學士之詞宗

붉은 번갯빛과 푸른 서릿발 같은 기개는 왕장군(王將軍)의 무고(武庫)이다

紫電淸霜 王將軍之武庫

가군(家君, 부친)이 읍재(邑宰)가 되니 家君作宰

〈나는 가군이 계신 곳으로 가던 도중〉 길이 명구(名區)를 지나게 되었다 路出名區

【왕발의 아버지 복치(福畤)가 교지령(交趾令)이 되었다.】

〈나이 어린〉 동자가 무엇을 알겠는가 童子何知

몸소 훌륭한 전별(餞別) 자리를 만나게 되었다 躬逢勝餞

時維九月이요 序屬三秋[22]라 潦水盡而寒潭淸하고 煙光凝而暮山紫라 儼驂騑(비)於上路하여 訪風景於崇阿하니 臨帝子之長洲하여【帝子, 謂滕王元嬰, 唐祖之子也.】得仙人之舊館이라 層巒이 聳翠하니 上出重霄하고 飛閣이 流丹하니 下臨無地로다 鶴汀鳧渚는 窮島嶼之縈廻하고 桂殿蘭宮[23]은 列岡巒之體勢라 披繡闥(수달)하고 俯雕甍(조맹)하니 山原曠其盈視하고 川澤盱其駭矚이라 閭閻撲地하니 鍾鳴鼎食之家[24]요 舸

---

22 時維九月 序屬三秋 : '삼추(三秋)'는 맹추(孟秋, 7월)·중추(仲秋, 8월)·계추(季秋, 9월)인바, 일설에는 위의 9월과 중복된다 하여 '시유구일(時維九日)'이 타당하다고 한다.

23 桂殿蘭宮 : 계수나무와 목란의 재목을 사용하여 궁궐을 지었기 때문에 이렇게 표현한 것이라 하기고 하고, 혹은 궁전의 뜰에 계수나무를 심고 혹은 목란을 심었기 때문에 이렇게 말한 것이라 한다.

24 鍾鳴鼎食之家 : 옛날에 부귀한 사람들은 솥을 늘어놓고 식사하고 식사할 때에 종을 쳤다.

··· 汀 물가 정 鳧 오리 부 渚 물가 저 嶼 섬 서 縈 두를 영 繡 비단 수 闥 문지방 달
雕 조각할 조 甍 기와 맹 盱 멀리바라볼 우 矚 볼 촉 撲 모을 박(복) 舸 배 가 舳 배꼬리 축
銷 사라질 소 霽 갤 제 鶩 오리 목 響 메아리소리 향

艦迷津하니 青雀黃龍之舳이로다 虹銷雨霽하니 彩徹雲衢라 落霞는 與孤鶩齊飛하고 秋水는 共長天一色[25]이라【作此兩句, 閻公撫掌嘆曰: "奇哉!."】漁舟唱晩하니 響窮彭蠡之濱하고 雁陣驚寒하니 聲斷衡陽之浦[26]로다

때는 9월이요 時維九月

절서(節序)는 삼추(三秋)에 속한다 序屬三秋

장맛물이 다하니 차가운 못물이 맑고 潦水盡而寒潭清

노을빛이 엉기니 저녁 산이 노을져 붉다 煙光凝而暮山紫

수레를 길가에 엄숙히 정돈하여 儼驂騑於上路

높은 언덕에서 풍경을 찾으니 訪風景於崇阿

제자(帝子, 등왕)가 놀던 긴 모래섬에 임하여 臨帝子之長洲

【제자(帝子)는 등왕(滕王) 원영(元嬰)을 이르니, 당나라 고조(高祖)의 아들이다.】

선인(仙人, 등왕)의 옛 관사(館舍)를 얻었다 得仙人之舊館

중첩된 산봉우리가 높이 푸르니 위로 구중(九重)의 하늘로 솟아나오고

層巒聳翠 上出重霄

나는 듯한 누각의 단청이 물에 비추니 아래로 땅이 없는 곳에 임하였다

飛閣流丹 下臨無地

학이 노는 물가와 오리가 노는 물가는 도서(島嶼)를 빙둘러 다하였고

鶴汀鳧渚 窮島嶼之縈廻

계수나무 전각과 목란 궁궐은 강만(崗巒)의 지형에 따라 나열되어 있다

桂殿蘭宮 列崗巒之體勢

비단으로 꾸민 문을 헤치고 披綉闥

아로새긴 기왓골(지붕마루)을 굽어보니 俯雕甍

---

25 落霞與孤鶩齊飛 秋水共長天一色 : 지는 노을은 하늘에서 내려오고 물오리는 아래에서 위로 날아올라 마치 함께 나는 듯함을 형용하였고, 가을 물이 푸르러 하늘과 맞닿아 천지의 색깔을 구분할 수 없음을 말하였다.

26 漁舟唱晩……聲斷衡陽之浦 : '팽려(彭蠡)'는 파양호(鄱陽湖)이고, '형양(衡陽)'은 형산(衡山)의 남쪽으로 여기에 회안봉(回雁峯)이 있는데, 기러기가 이곳을 넘어오지 않는다 한다. 저녁때에 고깃배에서 노래를 부르는데 멀리서 들리는 듯하고 가까이서 들리는 듯하여 소리가 장차 팽려의 물가에서 다하려 하고, 기러기 떼가 추위에 놀라 날아가는데 횡(橫)으로 보이기도 하고 비스듬히 보이기도 하며 그 소리가 점점 형양의 포구에서 끊기려 함을 말한 것이다.

••• 蠡 좀먹을 려 濱 물가 빈

산과 언덕은 아득히 시야에 가득하고 山原曠其盈視
내와 못은 멀리 바라보는 눈을 놀라게 한다 川澤盱其駭矚
여염의 집이 땅에 몰려 있으니 종을 울리고 솥을 늘어놓고 먹는 대갓집들이요
閭閻撲地 鍾鳴鼎食之家
큰 배가 나루에 어지러우니 청작(靑雀)과 황룡(黃龍)을 그린 배들이다
舸艦迷津 靑雀黃龍之舳
무지개가 사라지고 비가 개니 虹銷雨霽
햇볕은 운구(雲衢, 하늘)에 통한다 彩徹雲衢
지는 노을은 외로운 물오리와 함께 날고 落霞與孤鶩齊飛
가을 물은 푸른 하늘과 한 빛이다 秋水共長天一色
【이 두 구를 짓자, 염공(閻公)이 손바닥을 어루만지며 "기이하다."라고 감탄하였다.】
고깃배에서 저녁에 노래를 부르니 메아리가 팽려(彭蠡)의 물가에까지 들리고
漁舟唱晚 響窮彭蠡之濱
기러기 떼가 추위에 놀라니 울음소리가 형양(衡陽)의 포구에서 끊어진다
雁陣驚寒 聲斷衡陽之浦

遙吟俯暢하니 逸興遄(천)飛라 爽籟發而淸風生하고 纖歌凝而白雲遏이라 睢園綠竹은 氣凌彭澤之樽[27]이요 鄴水朱華는 光照臨川之筆[28]이로다 四美具하고【良辰‧美景‧賞心‧樂事.】 二難并하니【賢主‧嘉賓.】 窮睇眄(제면)於中天하고 極娛遊於暇日이라 天高地迥(형)하니 覺宇宙之無窮이요【上天下地曰宇, 古往今來曰宙.】 興盡悲來하니 識盈虛

---

27 睢園綠竹 氣凌彭澤之樽: '수원(睢園)'은 한 문제(漢文帝)의 둘째 아들인 양 효왕(梁孝王)의 장원(莊園)으로 대나무를 많이 심고 유사(游士)들을 모아 시를 짓도록 하였으므로 후인들이 이 동산을 가지고 유연(遊宴)의 성대함을 비유하였다. '팽택(彭澤)'은 팽택령(彭澤令)을 지낸 도연명(陶淵明)을 가리키는데, 도연명은 풍류를 좋아하고 술을 잘 마셨으므로 좌중(座中)에 풍류가 높고 술을 잘 마시는 자를 찬미한 것이다.

28 鄴水朱華 光照臨川之筆: '업(鄴)'은 업도(鄴都)로 조조(曹操)가 흥왕(興旺)한 곳인데 문인이 가장 많았다고 한다. '주화(朱華)'는 연꽃인데 조조의 아들 조비(曹丕)는 아우 조식(曹植) 등의 문사(文士)들과 함께 연꽃이 만발한 업궁(鄴宮)에서 자주 시(詩)를 짓고 놀았다. '임천(臨川)'은 임천내사(臨川內史)를 지낸 왕희지(王羲之)라 하기도 하고 사영운(謝靈運)이라 하기도 한다. 여기에서는 이 고사를 빌려 좌중의 문장을 잘하고 글씨를 잘 쓰는 자를 찬미한 것이다.

··· 遄 빠를 천 籟 퉁소 뢰 纖 가늘 섬 遏 그칠 알 鄴 땅이름 업 睇 엿볼 제 眄 엿볼 면
迥 멀 형 萍 부평초 평 閽 문지방 혼

之有數라 望長安於日下하고 指吳會[29]於雲間하니 地勢極而南溟深하고 天柱[30]高而北辰遠이라 關山難越하니 誰悲失路之人고 萍水相逢하니 盡是他鄕之客이로다 懷帝閽而不見하니 奉宣室以何年고【漢賈誼少有才, 文帝謫爲長沙太傅. 後召見宣室, 前席賈生.[31]】

멀리 읊조리고 굽어 노래하니 遙吟俯暢
고상한 흥취가 빨리 일어난다 逸興遄飛
상쾌한 퉁소 소리가 발하니 청풍(淸風)이 일고 爽籟發而淸風生
가냘픈 노랫소리가 모이니 백운(白雲)도 멈춘다 纖歌凝而白雲遏
수원(睢園)의 푸른 대나무는 기개가 팽택(彭澤, 도연명)의 술잔을 능가하고 睢園綠竹 氣凌彭澤之樽
업수(鄴水)의 붉은 연꽃은 광채가 임천(臨川)의 붓을 비춘다 鄴水朱華 光照臨川之筆
네 가지 아름다움이 갖추어지고 四美具
【네 가지 아름다움은 좋은 때, 아름다운 경치, 감상하는 마음, 즐거운 일이다.】
두 가지 어려움도 함께하였으니 二難幷
【두 가지 어려움은 어진 주인과 아름다운 손님이다.】
중천(中天)을 아득히 바라보고 窮睇眄於中天
한가로운 날에 즐거운 놀이를 지극히 한다 極娛遊於暇日
하늘이 높고 땅이 머니 우주가 무궁함을 깨닫겠고 天高地迥 覺宇宙之無窮
【위의 하늘과 아래의 땅을 '우(宇)'라 하고, 지나간 옛날과 지금과 미래를 '주(宙)'라 한다.】
흥이 다함에 슬픔이 오니 영허(盈虛)에 운수가 있음을 알겠노라 興盡悲來 識盈虛之有數
장안을 태양 아래(서울)에서 바라보고 望長安於日下
오회(吳會)를 구름 사이에서 가리키니 指吳會於雲間

29 吳會: 도회지인 오(吳) 지방을 이른다. 일설에는 오(吳)와 회계(會稽)라고도 한다.

30 天柱: 하늘을 떠받치고 있는 기둥으로, 《신이경(神異經)》에 "곤륜산(崑崙山)에 구리 기둥이 있는데, 그 높이가 하늘에 미치기 때문에 천주라 한다." 하였다.

31 後召見宣室 前席賈生: '선실(宣室)'은 한(漢)나라 미앙궁(未央宮)의 정전(正殿)이다. 가의(賈誼)가 좌천되어 장사왕(長沙王)의 태부로 있다가 소명(召命)을 받고 조정으로 돌아오니, 문제가 막 수희(受釐, 제사지낸 고기를 황제에게 바침)를 하며 재계하는 선실에 있다가 그에게 귀신의 본원(本源)에 대해 물었다. 이에 가의가 귀신에 대해 자세히 설명하였는데, 한밤중에 이르자 문제가 그의 이야기에 빠져들어 자기도 모르게 자리를 앞으로 당겨 가의에게로 다가갔다고 한다. 여기에서는 '임금의 신임을 받아 가까이 모실 날이 언제인가?' 라는 뜻이다. 《史記 卷84 賈生列傳》

지세가 다하여 남명(南溟)이 깊고 地勢極而南溟深
천주(天柱)가 높아 북신(北辰, 북극성)이 멀리 있다 天柱高而北辰遠
관산(關山)을 넘기 어려우니 그 누가 길 잃은 사람을 슬퍼하랴 關山難越 誰悲失路之人
물 위에 부평초처럼 서로 만나니 모두 타향의 나그네이다 萍水相逢 盡是他鄕之客
황제가 계신 궁궐을 그리워하나 보지 못하니 懷帝閽而不見
선실(宣室)에서 황제를 받들 해가 언제인가 奉宣室以何年

【한(漢)나라 가의(賈誼)가 젊어서 재주가 있었는데, 문제(文帝)가 좌천시켜 장사왕(長沙王)의 태부(太傅)로 삼았다. 뒤에 그를 불러 선실(宣室)에서 만날 적에 자리를 앞으로 당겨 가생과 가까이 다가갔다.】

嗚呼라 時運不齊하고 命途多舛하여 馮(풍)唐이 易老[32]하고 李廣이 難封[33]이라 屈賈誼於長沙는 非無聖主요【賈誼, 文帝議以誼任公卿之位, 絳·灌之屬毁之, 遂疏, 以爲長沙太傅.】 竄梁鴻於海曲은【梁鴻, 善八分書, 魏武帝重之, 其後, 爲佞臣所毁, 逐於北海.】 豈乏明時리오 所賴君子安貧하고 達人知命이라 老當益壯하니 寧知白首之心이며 窮且益堅하니 不墜靑雲之志라 酌貪泉而覺爽하고【吳隱之酌貪泉, 賦詩曰: "古人云此水, 一歃懷千金. 試使夷齊飮, 終當不易心."[34]】 處涸轍(학철)以猶懽이라【莊: "轍中有鮒魚, 激西江之水, 不足以活之."[35]】 北海雖賒(사)나 扶搖可接이요【莊: "北溟有魚, 其名曰鯤, 化而爲鵬, 搏扶搖而上者, 九萬里."】 東隅已逝나 桑楡非晩이라【漢馮異傳曰: "始雖垂翅回溪, 終能奮翼澠池, 可謂失之東隅, 收之桑楡."[36]】

---

32 馮唐易老: 풍당(馮唐)은 한나라 문제(文帝) 때에 낭관(郎官)으로 있었는데 오랫동안 승진하지 못하였으며 무제(武帝) 때에 현량(賢良)으로 천거되었으나 나이가 이미 90이 넘어 다시 벼슬할 수 없었다.

33 李廣難封: 이광(李廣)은 한 무제(漢武帝) 때의 명장(名將)으로 우북평 태수(右北平太守)가 되어 여러 차례 흉노족을 물리치고 비호장군(飛虎將軍)으로 일컬어졌으나 운수가 기구하여 큰 공을 세우지 못해 후(侯)에 봉해지지 못하였다.

34 吳隱之酌貪泉……終當不易心: 오은지는 진(晉)나라 복양(濮陽) 사람으로 자는 처묵(處默)이다. 탐천(貪泉)은 광주(廣州)의 석문(石門)에 있는 샘인데, 사람들이 이 물을 마시면 탐욕스러워지므로 붙여진 이름이라 한다. 오은지는 일찍이 광주 자사(廣州刺史)로 부임하여 탐천을 떠 마시면서 이 시를 짓고는 자신의 청렴한 지조를 잘 지켜 녹봉을 받으면 겨우 먹을 양식만 남기고 가난한 친척들에게 나누어 주었고, 노순(盧循)에게 잡혔다가 돌아올 때에는 배에 실은 물건이 없었다 한다. 이 시는 마음이 청백하여 탐천을 마셔도 더욱 깨끗함을 말한 것이다.《晉書 卷90 吳隱之列傳》

35 轍中有鮒魚: 말라 가는 수레바퀴 자국의 물에 처해 있는 붕어로, 매우 어려운 환경에 빠졌음을 뜻한다.

36 失之東隅 收之桑楡: '동우(東隅)'는 동쪽 귀퉁이로 해가 뜨는 곳이고, '상유(桑楡)'는 지는 해가 뽕나무와 느릅나무에 걸린 것으로 서쪽을 가리킨다. 따라서 동쪽은 사람의 초년이나 일의 시작을 의미하고 서쪽은 사람의 말년이나 일의 종말을 의미하므로, 처음은 비록 잘못하였으나 뒤에 잘할 수 있음을 말한 것이다.

舛 어그러질 천 馮 성 풍 竄 도망할 찬 寧 어찌 녕 酌 따를 작 涸 마를 학 轍 수레바퀴 철
懽 기쁠 환 賒 멀 사 楡 느릅나무 유 猖 미칠 창

孟嘗高潔[37]하니 空懷報國之心이요 阮籍猖狂하니 豈效窮途之哭이리오【晉阮籍,[38] 時率易獨駕, 入山徑路, 車跡所窮, 輒痛哭而返.】

아! 시운(時運)이 고르지 못하고 嗚呼 時運不齊
명도(命途, 운명)가 기구함이 많아 命途多舛
풍당(馮唐)이 늙기 쉽고 馮唐易老
이광(李廣)이 봉해지기 어려웠다 李廣難封
가의를 장사로 좌천시킨 것은 성주가 없어서가 아니요 屈賈誼於長沙 非無聖主

【가의: 문제가 가의에게 공경의 지위를 맞길 것을 의론하자 강후(絳侯) 주발(周勃)과 관영(灌嬰)의 무리가 훼방하므로 문제는 마침내 소원히 하여 장사왕의 태부로 삼았다.】

양홍(梁鴻)이 해곡으로 쫓겨 간 것은 어찌 좋은 때가 없어서이겠는가 竄梁鴻於海曲 豈乏明時

【양홍은 팔분(八分)의 글씨를 잘 쓰니 위(魏)나라 무제(武帝, 조조)가 소중하게 여겼는데, 그 뒤에 간신에게 훼방을 받고서 북해(北海)로 쫓겨났다.】

믿는 것은 군자는 가난을 편안히 여기고 所賴君子安貧
통달한 사람은 천명을 아는 것이다 達人知命
늙어도 더욱 건장하니 어찌 백수(白首)의 마음을 알 것이며 老當益壯 寧知白首之心
궁해도 더욱 견고하니 청운(靑雲)의 뜻을 실추하지 않는다 窮且益堅 不墜靑雲之志
탐천(貪泉)을 떠 마셔도 상쾌함을 느끼고 酌貪泉而覺爽

【오은지(吳隱之)가 탐천의 물을 떠 마시고 시를 짓기를 "옛사람이 이르기를 이 물을 한 번 마시면 천금을 가슴에 품는다 하네. 한 번 백이와 숙제로 하여금 마시게 하면 끝내 마음을 바꾸지 않으리라." 하였다.】

말라가는 수레바퀴 자국에 처해 있어도 오히려 즐거워한다 處涸轍以猶懽

【《장자》 〈외물(外物)〉에 "수레바퀴 자국의 물 고인 곳에 붕어가 있으니, 서강(西江)의 물을 끌어오더라도 살릴 수 없다." 하였다.】

북해가 비록 아득하나 부요(扶搖, 회오리바람)를 타면 접할 수 있고 北海雖賒 扶搖可接

---

37 孟嘗高潔: 맹상(孟嘗)은 후한(後漢) 순제(順帝) 때 사람으로 성품이 고결하였다. 일찍이 합포 태수(合浦太守)를 지냈는데 합포는 곡식과 바다의 진주가 풍부한 곳이었다. 그런데 전임 태수가 탐욕이 심하여 바다의 진주를 마구 채취하자, 진주가 교지군(交阯郡)의 경계로 옮겨갔으나 맹상이 전임자의 폐단을 고치고 선정을 베풀자 진주가 다시 합포로 돌아왔다고 한다.《後漢書 卷106 循吏列傳 孟嘗傳》

38 阮籍: 진나라 때 죽림칠현(竹林七賢)의 한 사람으로 술을 좋아하고 방탕하였다.

【《장자》〈소요유(逍遙遊)〉에 "북명(北溟)에 물고기가 있으니 이름을 곤(鯤)이라고 하는데, 변하여 붕새가 되면 회오리바람을 타고 9만 리를 올라간다." 하였다.】

동우(東隅)는 이미 지나갔으나 상유(桑楡)는 늦지 않다 東隅已逝 桑楡非晩

【《후한서》〈풍이전(馮異傳)〉에 "처음에는 비록 회계(回溪)에서 날개를 떨구었으나 끝내는 민지(澠池)에서 날개를 떨쳤으니, 동쪽 귀퉁이에서 잃었으나 상유에서 거두었다고 이를 만하다." 하였다.】

맹상(孟嘗)은 고결하였으니 내 부질없이 국가에 보답하려는 마음을 품고

孟嘗高潔 空懷報國之心

완적(阮籍)은 창광(猖狂)하였으니 내 어찌 막다른 길의 통곡을 본받겠는가

阮籍猖狂 豈效窮途之哭

【진(晉)나라 완적이 때로 경솔하게 홀로 멍에하여 산의 오솔길로 들어갔다가 수레바퀴 자취가 다하는 (막다른) 곳이면 번번이 통곡하고 돌아왔다.】

勃은 三尺微命[39]이요 一介書生이라 無路請纓하나 等終軍之弱冠이요【南越, 與漢和親, 終軍年二十餘, 自願受長纓, 必羈南越王而致之闕下.[40]】有懷投筆[41]하여 慕宗慤之長風이라【宗慤曰: "願乘長風, 破萬里浪."[42]】舍簪笏於百齡하고 奉晨昏[43]於萬里하니 非謝家之寶樹나

---

39 三尺微命: 사(士)의 띠 길이가 삼척이므로 낮은 관직을 뜻한다. '명(命)'은 옛날 벼슬의 품계에 일명(一命)으로부터 구명(九命)까지 있었는바, 왕발이 일찍이 괵주참군(虢州參軍)이 되었으므로 말한 것이다.

40 南越……必羈南越王而致之闕下: 남월은 한나라 때에 황제를 자칭한 남월왕 조타(趙佗)를 가리키는데, 진(秦)나라 때 남해군 위(南海郡尉)로 있었기 때문에 위타(尉佗)라고도 칭한다. 종군은 나이 18세로 박사제자(博士弟子)에 선발되었고 20여 세에는 간대부(諫大夫)에 발탁되었는데, 이때 한나라에서 남월과 화친하기 위해 남월에 사신을 보내려고 하자, 종군이 천자에게 긴 밧줄을 내려주시면 반드시 참람한 남월왕을 묶어서 궐하(闕下)에 끌어오겠다며 자청하였다. 종군은 마침내 남월왕을 설득하여 한나라에 내속(內屬)하겠다는 허락까지 받아냈으나 남월의 정승 여가(呂嘉)의 반란으로 그곳에서 남월왕과 함께 살해되고 말았다.《史記 卷113 南越尉佗列傳》《前漢書 卷64》

41 有懷投筆: '투필(投筆)'은 붓을 던지는 것으로 문(文)을 버리고 무(武)에 종사함을 이른다. 후한(後漢)의 반초(班超)는 일찍이 가난하여 남의 서기(書記)가 되었으나 하루는 붓을 던지고 탄식하기를 "국외로 나가 공을 세워 후(侯)에 봉해져야 한다." 하고는 마침내 서역(西域)을 정벌하여 정원후(定遠侯)에 봉해졌다.

42 宗慤曰……破萬里浪: 종각은 남조(南朝)의 송(宋)나라 사람으로 그의 숙부가 뜻을 묻자, 장풍(長風)을 타고 만 리의 물결을 헤치며 진무장군(振武將軍)이 되어 임읍국(林邑國)을 정벌하는 것이라고 하였다. 뒤에 그는 과연 자신의 포부대로 실행하여 조양후(洮陽侯)에 봉해졌다.

43 晨昏: 혼정신성(昏定晨省)의 줄임말로, 어버이를 정성껏 봉양하는 것을 말한다.《예기》〈곡례 상(曲禮上)〉에 "자식이 된 자는 어버이에 대해, 겨울에는 따뜻하게 해 드리고 여름에는 시원하게 해 드리며, 저녁에는 잠자리를 보살펴 드리고 아침에는 문안 인사를 올려야 한다.〔冬溫而夏凊 昏定而晨省〕"라고 보인다.

··· 纓 갓끈 영 慤 성실할 각 簪 비녀 잠 笏 홀 홀 隣 이웃 린 叨 외람될 도 陪 모실 배
捧 받들 봉 袂 옷깃 메

【謝玄爲叔父安所器重, 玄曰: "譬如芝蘭玉樹, 使其生於庭階耳."[44]】接孟氏之芳隣이라【孟母三徙, 爲子擇隣.[45]】他日趨庭에 叨陪鯉對[46]하고【事見論語.】今晨捧袂[47]에 喜託龍門이라【漢李膺以聲名自高, 士有被其容接者, 名爲登龍門.[48]】楊意不逢하니 撫凌雲而自惜이러니【楊得意曾薦司馬相如, 後相如遂顯.[49] ○勃不逢楊得意之薦, 但誦相如凌雲之賦, 而自惜其不遇耳.】鍾期旣遇하니 奏流水以何慙고【列子: "伯牙鼓琴, 志在流水, 子期曰: '洋洋乎若江河.'"[50] ○勃謂苟遇知音, 奏流水以何愧.】嗚呼라 勝地는 不常이요 盛筵은 難再니 蘭亭已矣요【蘭亭, 王逸少宴集之地.】梓澤丘墟[51]라【梓澤, 卽金谷園也.】臨別贈言하니 幸承恩於偉餞이요 登高作賦하니 是所望於群公이라 敢竭鄙誠하여 恭疏短引이라 一言均賦하니 四韻俱成[52]이라

---

44 謝玄爲叔父安所器重……譬如芝蘭玉樹使其生於庭階耳: 동진(東晉) 때의 사현(謝玄)은 재주가 뛰어났으므로, 그의 숙부 사안(謝安)에게 사랑받아 지초와 난초, 옥(玉)과 같이 훌륭한 나무로 여겨졌다. 이 때문에 지란(芝蘭)과 옥수(玉樹)는 집안의 훌륭한 자제를 일컫는 말로 쓰이게 되었다.

45 孟母三徙 爲子擇隣: 맹모삼천지교(孟母三遷之敎)를 가리킨 것으로, 곧 맹자의 어머니가 맹자를 가르치기 위하여 처음에는 묘지 옆에서 살다가 저잣거리로, 저잣거리에서 다시 학교 옆으로 옮긴 일을 말한다. 본문의 '방린(芳隣)'은 다행히 여러 현자들과 서로 대하게 되었음을 말한 것이다.

46 他日趨庭 叨陪鯉對: '이(鯉)'는 공자(孔子)의 아들로 자가 백어(伯魚)인데 일찍이 뜰에 서 계신 공자에게 나아가 가르침을 받았다. 여기서는 왕발이 교지(交趾)에 있는 아버지에게 찾아가 가르침을 받으려 한다는 뜻이다.

47 捧袂: 기뻐서 옷소매를 떨치는 것이다.

48 漢李膺……名爲登龍門: 《후한서》〈이응전(李膺傳)〉에 나오는 내용으로, 그 주에 "물고기로 비유한 것이다. 용문은 하수(河水)가 쏟아져 내리는 어귀인데 지금의 강주(絳州) 용문현(龍門縣)에 있다. 《신씨삼진기(辛氏三秦記)》에 '하진(河津)을 일명(一名) 용문이라고 하는데 물살이 거세 물고기들이 올라가지 못한다. 강해(江海)의 큰 물고기들이 용문 밑에 모여드는 것이 수천 마리이지만 올라가지 못하는데 올라가기만 하면 용이 된다.' 했다.〔以魚爲喩也 龍門河水所下之口 在今絳州龍門縣 辛氏三秦記曰 河津一名龍門 水險不通 魚鱉之屬 莫能上 江海大魚 薄集龍門下數千 不得上 上則爲龍也〕" 하였다. 여기에서는 도독 염공(閻公)을 이응에 비유한 것이다.《後漢書 卷97 李膺傳》

49 楊得意曾薦司馬相如 後相如遂顯: 본문의 '능운(凌雲)'은 사마상여(司馬相如)가 지은 〈대인부(大人賦)〉로, 《사기》〈사마상여열전(司馬相如列傳)〉에 "사마상여가 대인지송을 지어 천자에게 아뢰자, 천자가 크게 기뻐하여 표표히 구름 위에 치솟는 의기가 있다.〔相如旣奏大人之頌 天子大說 飄飄有凌雲之氣〕"라고 한 데서 온 말이다.

50 列子……洋洋乎若江河: 본문의 '종기(鍾期)'는 춘추시대 거문고를 잘 감상한 종자기(鍾子期)이며, '유수(流水)'는 곡조의 이름이다. 거문고의 명수(名手)인 백아(伯牙)가 유수곡을 연주하자 종자기만이 이것을 알았다 한다. 여기서는 왕발이 자신을 알아주는 자사를 만났으므로 그의 문재를 자랑할 수 있음을 말한 것이다.

51 蘭亭已矣 梓澤丘墟: '난정(蘭亭)'은 회계(會稽)의 산음(山陰)에 있는 정자로 왕희지(王羲之)가 친구들과 놀던 곳이며, '재택(梓澤)'은 석숭(石崇)의 별장이 있던 하양(河陽)의 금곡(金谷)을 이른다. 이는 옛날 명사(名士)들이 놀던 난정이나 재택과 같은 곳이 모두 황폐하여 빈터만 남았음을 말한 것이다.

52 一言均賦 四韻俱成: '일언(一言)'은 일자(一字)와 같은 뜻으로 한 글자의 운통(韻通)에서 운자(韻字)를 골라 칠언율시(七言律詩)를 지음을 뜻한다.

나(발(勃))는 삼척(三尺)의 하찮은 관원이요 勃三尺微命

일개 서생(書生)이라 一介書生

끈(밧줄)을 청할 길이 없으나 나이는 종군(終軍)의 약관(弱冠)과 같고 無路請纓 等終軍之弱冠

【남월(南越)이 한(漢)나라와 화친하자 종군은 이때 나이가 20여 세였는데, 스스로 "긴 끈을 받아 반드시 남월왕의 목을 옭아 대궐 아래로 끌어오겠다."라고 자원하였다.】

붓을 던질 생각을 하여 종각(宗慤)의 장풍을 사모한다 有懷投筆 慕宗慤之長風

【종각이 말하기를 "장풍을 타고서 만 리의 물결을 깨뜨리고 싶다." 하였다.】

잠홀(벼슬)을 백 년 동안 버리고 舍簪笏於百齡

만 리에서 혼정신성(昏定晨省)을 받들려 하니 奉晨昏於萬里

사씨(謝氏) 집안의 보배로운 나무는 아니나 非謝家之寶樹

【사현(謝玄)이 숙부 사안(謝安)에게 소중히 여겨졌는데, 사현이 말하기를 "훌륭한 자제는 비유하면 지란(芝蘭)과 옥수(玉樹, 옥처럼 아름다운 나무)가 뜰과 섬돌에 자라는 것과 같다" 하였다.】

맹씨(孟氏)의 좋은 이웃을 접하였다 接孟氏之芳隣

【맹자(孟子)의 어머니가 세 번 이사하여 아들을 위해 이웃을 가렸다.】

타일에 뜰을 지나다가 외람되이 어버이 모시고 공리(孔鯉)처럼 대답하려 하고

他日趨庭 叨陪鯉對

【일이 《논어》〈계씨(季氏)〉에 보인다.】

오늘 아침 옷깃을 떨쳐 용문(龍門)에 의탁함을 기뻐한다 今晨捧袂 喜託龍門

【한(漢)나라 이응(李膺)이 명성으로 스스로 높이니, 선비 중에 그의 용접(容接, 접견)을 받은 자가 있으면 등용문(登龍門, 용문에 오름)이라 이름하였다.】

양득의(楊得意)를 만나지 못하니 능운부(凌雲賦)를 어루만지며 스스로 애석해 하였는데

楊意不逢 撫凌雲而自惜

【양득의가 일찍이 사마상여(司馬相如)를 천거하였는데, 뒤에 사마상여가 마침내 현달하였다. ○왕발(王勃)이 양득의의 천거를 만나지 못하고 다만 사마상여의 〈능운부〉를 외면서 그 불우함을 스스로 애석해한 것이다.】

종자기(鍾子期)를 만났으니 유수곡(流水曲)을 연주한들 어찌 부끄럽겠는가

鍾期既遇 奏流水以何慙

【《열자(列子)》〈탕문(湯問)〉에 "백아(伯牙)가 거문고를 탈 적에 뜻이 흐르는 물에 있으면 종자기가 말하기를 '양양함이 강하와 같다.' 했다." 하였다. ○왕발이 "만일 음(音)을 알아주는 사람을 만났다면, 〈유수

곡〉을 연주한들 어찌 부끄럽겠느냐."고 말한 것이다.】

아! 좋은 곳은 항상 있는 것이 아니요 嗚呼 勝地不常

성대한 자리는 두 번 만나기 어려우니 盛筵難再

난정(蘭亭)이 이미 끝났고 蘭亭已矣

【난정은 왕일소(王逸少, 왕희지)가 잔치하여 모이던 곳이다.】

재택(梓澤)이 빈터만 남아있다 梓澤丘墟

【재택은 바로 석숭(石崇)의 금곡원(金谷園)이다.】

작별에 임하여 글을 올리니 다행히 위대한 전별(餞別)에 은혜를 받았고

臨別贈言 幸承恩於偉餞

높은 곳에 올라 부(賦)를 지으니 이는 여러 공(公)에게 바라는 바이다

登高作賦 是所望於群公

감히 비루한 정성을 다하여 敢竭鄙誠

공손히 짧은 인(引, 서문)을 엮는다 恭疏短引

한 글자로 똑같이 부(賦)하니 一言均賦

네 운(韻)의 시가 함께 이루어졌다 四韻俱成

滕王高閣臨江渚하니 佩玉鳴鑾罷歌舞라 畫(화)棟朝飛南浦雲이요 朱簾暮捲西山雨라 閑雲潭影日悠悠하니 物換星移度幾秋아 閣中帝子今何在오 檻外長江空自流라

등왕의 높은 누각 강가에 임했으니 滕王高閣臨江渚

패옥 소리와 울리는 방울소리에 가무가 파한다 佩玉鳴鑾罷歌舞

단청한 기둥에는 아침에 남포의 구름이 날고 畫棟朝飛南浦雲

붉은 주렴은 저녁에 서산(西山)의 비가 개인다 朱簾暮捲西山雨

한가로운 구름과 못 그림자가 날로 한가하니 閑雲潭影日悠悠

물건이 바뀌고 별자리가 옮긴 것이 몇 해를 지났는가 物換星移度幾秋

누각 가운데의 제자(帝子)는 지금 어디에 있는가 閣中帝子今何在

난간 밖의 장강만이 부질없이 옛날 그대로 흐르누나 檻外長江空自流

··· 鑾 방울 란 罷 파할 파 棟 기둥 동 簾 주렴 렴 捲 거둘 권 檻 난간 함

춘야연도리원서春夜宴桃李園序

이백李白 태백太白

• 작가소개

이백(李白, 701~762)의 자는 태백(太白), 호는 청련거사(靑蓮居士)·적선인(謫仙人)으로, 사천(四川)의 면주(綿州) 창륭(昌隆) 청련향(靑蓮鄕) 사람이다. 어려서부터 시부(詩賦)에 뛰어난 소질이 있었으며, 웅대한 포부를 품고 있어서 24세이던 개원(開元) 12년(724)부터 고향을 떠나 중국 각지를 주유하였다. 43세이던 천보(天寶) 2년(743)에 한림공봉(翰林供奉)이라는 관직을 하사 받았지만 일개 궁정 시인으로서 그저 시만 지어 올릴 뿐이었다. 그의 《청평조사(淸平調詞)》 3수는 현종(玄宗)과 양귀비(楊貴妃)의 모란 향연에서 지은 시이다. 방약무인한 태도 때문에 현종의 총신 고역사(高力士)에게 미움을 받아 마침내 궁정에서 쫓겨나 천보(天寶) 3년(744)에 낙양에서 두보를 만나고 개봉에서 고적(高適)을 만났다. 천보 14년(755)에 안사(安史)의 난이 일어나자 선성(宣城)에 있었다. 현종이 촉(蜀)으로 몽진하고, 지덕(至德) 2년(757)에 황자(皇子) 영왕(永王) 인(璘)이 거병하여 동쪽으로 향하자 이백은 막료로 발탁되어 영왕의 군영에 있었다. 이후 새로 즉위한 숙종과 대립하여 싸움에 패하였으므로 이백은 심양(潯陽)의 옥중에 갇히었다. 뒤이어 야랑(夜郞)으로 유배되었다가 건원(乾元) 2년(759)에 사면되었다. 그 후 그는 금릉·선성 일대를 방랑하였으나 노쇠한 탓으로 당도(當塗)의 현령으로 있던 족숙(族叔)인 이양빙(李陽氷)에게 몸을 의지하다가 그 곳에서 병사하였다.

성당(盛唐)의 시인으로 두보(杜甫)와 함께 알려져 '이두(李杜)'로 병칭되며 두보는 시성(詩聖), 이백은 시선(詩仙)이라 일컬어졌고, 천상의 신선이 지상에 출현했다 하여 '적선(謫仙)'으로 불리기도 하였다. 도가(道家) 사상의 영향을 깊이 받았던 그의 시는 풍격이 웅기(雄奇)하고 분방(奔放)하며, 언어가 청신(清新)하고 자연스럽다. 저서에 《이태백전집(李太白全集)》이 전하는데, 청나라 왕기(王琦)가 자세히 주석을 내었다.

• 작품개요

이 작품은 '춘야연종제 도화원서(春夜宴從弟桃花園序)', 또는 '춘야연제종제 도리원서(春夜宴諸從弟桃李園序)'라고도 일컬어지는바, 당대(唐代)의 시인 이백(李白)이 지은 변려문이다. 현종(玄宗) 개원(開元) 15년(727), 당시 27세인 작자는 안륙(安陸)에 도착하였는데, 이 작품은 대략 개원 21년(733) 전후 안륙에서 지어진 것으로, 작자가 종제(從弟)들과 봄날 밤중에 연회를 열고 술을 마시며 시를 짓고 아울러 이 서문을 지었다.

작품은 주로 작자와 형제들이 봄날 밤의 모임에서 술을 마시며 시를 짓는 정경을 생동감있게 기술하였다. 작품 속에서 작자는 광대한 천지, 빨리 지나가는 광음〔시간〕과 인생의 애환에 대하여 탄식한 다음 고인(古人)의 '병촉야유(秉燭夜遊)'를 언급하여 삶과 자연에 애착을 가지고 마음껏 즐기는 즐겁고도 경쾌한 심정을 드러내었다.

문세와 어조가 간결하고 산뜻하며 멋스러우면서도 자연스럽다. 소리내어 읽게 되면 음조에 절주가 있는데, 특히 대우(對偶)가 훌륭하여 문장을 더욱더 생동하게 한다. 문장 구조는 단구와 장구를 자유롭게 구사하여 변려문 속에서 부분적으로 산문을 구사하였는바, 당대(唐代)에 변려문이 산문을 지향해 가는 과도기적 현상을 보여주고 있다.

119자에 불과한 짧은 편폭 속에 아름다운 경치와 형제간의 천륜을 서술하면서 청고(清高)한 담소를 나누고 시주(詩酒)를 즐기며 자연을 사랑하는 고아한 홍취를 유감없이 발휘하였다.

• 原文

夫天地者는 萬物之逆旅요【天地如客舍.】光陰者는 百代之過客이라【日月流行, 如過客也.】而浮生若夢하니 爲歡幾何오 古人秉燭夜遊는【古詩: "晝短苦夜長, 何不秉燭遊?"】良有以也로다 況陽春召我以煙景하고 大塊假我以文章[53]이라【莊: "大塊假我以形."[54] 大塊

---

53 文章: 봄철의 아름다운 경치로, 복사꽃과 오얏꽃, 푸른 잎이 모두 천지의 문장임을 말한 것이다.

54 大塊假我以形: 《장자》〈대종사(大宗師)〉에는 '가(假)'가 '재(載)'로 되어 있다. 여기에 "대자연은 형체를 주어 나를 이 세상에 살게 하며, 삶을 주어 나를 수고롭게 하며, 늙음으로 나를 편안하게 하며, 죽음으로 나를 쉬게 한다.〔夫大塊 載我以形 勞我以生 佚我以老 息我以死〕"라고 보인다.

逆 맞을 역 旅 나그네 려 良 진실로 량 塊 흙덩이 괴

卽天地也.】 會桃李之芳園하여 序天倫之樂事하니 群季俊秀하여 皆爲惠連이어늘【謝靈運之弟曰惠連.】 吾人詠歌獨慚康樂[55]이로다【靈運襲封康樂侯.】 幽賞未已에 高談轉淸이라 開瓊筵以坐花하고 飛羽觴而醉月하니 不有佳作이면 何伸雅懷리오 如詩不成인댄 罰依金谷酒數[56]하리라

저 천지(天地)는 만물의 역려(逆旅, 나그네를 맞는 객사)요,【하늘과 땅이 객사와 같은 것이다.】 광음(光陰)은 백대(百代)의 지나가는 길손이다.【해와 달의 흘러감이 과객과 같은 것이다.】 부평초 같은 인생이 꿈과 같으니, 기쁨을 즐기는 것이 얼마나 되겠는가. 옛사람이 촛불을 잡고 밤중에 논 것은【〈고시(古詩)〉에 "낮은 짧고 밤이 길어 괴로우니, 어찌하여 〈밤중에〉 촛불을 잡고 놀지 않는가?" 하였다.】 진실로 이유가 있었도다.

더구나 화창한 봄이 나를 연경(煙景, 아지랑이 경치)으로 부르고, 대괴(大塊)가 나에게 아름다운 문장(文章)을 빌려주었다.【《장자》 〈대종사(大宗師)〉에 "대괴가 나에게 형체를 빌려 주었다." 하였으니, 대괴는 바로 하늘과 땅이다.】

복사꽃과 오얏꽃이 핀 아름다운 동산에 모여 천륜(天倫, 형제간)의 즐거운 일을 펴니, 준수한 여러 아우들은 모두 사혜련(謝惠連)이 되었는데【사영운(謝靈運)의 아우 이름이 혜련이다.】 나의 읊고 노래함은 홀로 강락후(康樂侯)에 부끄럽다.【사영운이 강락후에 습봉(襲封)되었다.】 그윽한 감상이 그치지 않음에 고상한 담론이 더욱 맑아진다. 아름다운 자리를 펴 꽃 앞에 앉고, 우상(羽觴, 새 모양의 술잔)을 날려 달 아래에 취하니, 아름다운 문장이 있지 않다면 어찌 고상한 회포를 펴겠는가. 만일 시를 짓지 못할진댄 벌주(罰酒)는 금곡(金谷)의 술잔 수를 따르리라.

---

55 群季俊秀……獨慚康樂 : '군계(群季)'는 여러 아우이며 '강락(康樂)'은 동진(東晉) 때 강락후(康樂侯)에 봉해진 사영운(謝靈運)으로, 그는 특히 문재(文才)가 뛰어난 족제(族弟) 혜련(惠連)를 사랑하였다. 여기서는 이백(李白)이 '여러 아우들은 옛날 사혜련과 같이 훌륭한데, 자신은 사영운처럼 글을 잘 짓지 못하여 부끄럽다.'는 뜻이다.

56 罰依金谷酒數 : 금곡(金谷)은 진(晉)나라 석숭(石崇)의 동산으로, 석숭은 여기에서 손님들에게 잔치를 베풀면서 시부(詩賦)를 짓지 못하는 자에게 벌주 세 말을 먹인 고사가 있으므로 말한 것이다.

··· 瓊 옥 경 筵 자리 연 觴 술잔 상 雅 고상할 아

여한형주서與韓荊州書

이백李白

• 작품개요

이 작품은 작자가 '한형주(韓荊州)'에게 보낸 일종의 간알서(干謁書)이자 저천서(自薦書)로, 대략 현종(玄宗) 개원(開元) 22년(734) 즈음에 지어진 것으로 추정된다. '한형주'는 곧 한조종(韓朝宗, 686~750)으로, 당시 형주 자사(荊州刺史) 겸(兼) 양주 자사(襄州刺史)·산남동도 채방사(山南東道采訪使)로 있었다. 한조종은 관직 생활을 하면서 훌륭한 후진(後進)들을 발탁하고 등용하기를 좋아하여 일찍이 최종지(崔宗之)·엄무(嚴武)·장연(蔣沇) 등을 조정에 천거함으로써 사람들의 존경을 받았다.

이때 작자는 양양(襄陽)에 있었는데, 포부가 매우 웅대하여 진사(進士)나 명경(明經) 등 정식 시험을 거쳐 벼슬길에 들어가기보다는 대번에 중신과 제왕에게 높은 평가와 지우를 받아 중용되기를 바랐다. 이 때문에 광범위하게 간알(干謁)하며 자신이 지은 시문(詩文)을 보내줌으로써 재능을 드러내고 명성과 평판을 배양하였다. 작자는 이 서신을 보내기 전에도 이미 여러 차례 다른 지방 장관들에게 시문을 올리고 알현하였고, 또 경성에 들어가 벼슬을 구할 방도를 모색하였다. 하지만 그의 기대가 실현되지는 못하였다.

이 작품은 간알서이기 때문에 작자는 한조종이 인재를 식별하여 발탁하는 데에 매우 뛰어나다고 극력 칭송하고, 시종일관 접견을 얻어 실력을 인정받기를 희망하였다. 기두(起頭)에서부터 "태어나서 만호후에 봉해지는 것은 필요 없고, 다만 한번 한형주를 알기 원한다.〔生不用封萬戶侯 但願一識韓荊州〕"라는 전문(轉聞)을 언급함으로써 작자가 이 서신을 보낸 본래 의도를 드러냄과 동시에 상대방을 높이는 효과까지 거두었다. 한조종이 겸손하고 공손함으로 선비들에게 자신을 낮추고 인재를 제대로 알아보아 잘 선발하는 것을 찬미한 것은 작자 자신을 확실하게 인식시키기 위한 일종의 포석(布石)인 셈이다. 작자는 자신이 한조종이 원하는 인재상(人材像)에 부합하는 인물임을 증명하기 위하여 자신의 경력과 재능 및 기절(氣節)에 대하여 소개하였다.

작품은 전체적으로 문세가 자유분방하고 변화가 다채롭다. 아울러 전후의 조응이 뛰어나고 전고(典故)의 구사 역시 적절하다. 문체는 변려(騈儷)에 속하지만 제(齊)·량(梁)의 변려에 비하면 풍격(風格)이 청신(淸新)하여 부미(浮靡)함을 깨끗이 씻어내었고, 문사가 맑고 유창하여 그 문재(文才)를 십분 발휘하였다. 웅장한 필치 때문에 역대로 널리 전송되었는바, 작자가 지닌 기개와 포부 및 지나치게 비굴하거나 거만하지도 않아 자연스럽고 의젓한 태도와 성격이 잘 드러난 작품이라고 하겠다.

篇題小註·· 韓朝宗은 元宗時人이니 爲荊州刺史에 人皆景慕之라 李白與此書 膾炙人口하니 學者不可不讀이니라

한조종(韓朝宗)은 원종(元宗) 때 사람이다. 형주 자사(荊州刺史)가 되었는데, 사람들이 모두 흠모하였다. 이백(李白)이 준 이 편지가 사람들의 입에 회자(膾炙)되니, 배우는 자들은 읽지 않으면 안 된다.

- **原文**

白聞호니 天下談士 相聚而言曰 生不用封萬戶侯요 但願一識韓荊州라하니 何令人之景慕 一至於此오 豈不以周公之風으로 躬吐握之事하여 使海內豪俊으로 奔走而歸之하여【魯世家: "周公戒伯禽曰: '我一沐三(捉)[握][57]髮, 一飯三吐哺, 起以待士, 猶恐失天下之賢人.'"】 一登龍門이면 則聲價十倍아【後李膺傳: "人有被其容接者, 謂之登龍門."】 所以龍蟠鳳逸之士 皆欲收名定價於君侯라 君侯不以富貴而驕之하고 寒賤而忽之면 則三千之中에 有毛遂하리니 使白得穎脫而出이 卽其人焉이리라【史平原君傳: "秦之圍邯鄲, 趙使平原君求救, 合從於楚, 約與食客門下有勇力文武備者二十人偕, 得十九人, 餘無可取. 門下有毛遂者, 自贊於平原君曰: '遂聞君將二十人偕, 今少一人, 願以遂備員而行, 使遂早得處囊中, 乃脫穎而出, 非特其

---

57 (捉)[握]: 저본에는 '착(捉)'으로 되어 있으나 《사기(史記)》와 《전해고문진보(箋解古文眞寶)》에 의거하여 '악(握)'으로 바로잡았다.

··· 荊 가시나무 형 景 우러를 경 膾 회 회 炙 고기구이 자 握 쥘 악 蟠 서릴 반 逸 뛰어날 일 穎 송곳자루 영

未見而已.'[58] 平原君竟與遂偕至楚, 定從於殿上, 平原君已定從而歸曰: '毛公先生, 一至楚而使趙重於九鼎·大呂.' 以爲上客."】

나(백(白))는 들으니, 천하에 담론하는 선비들이 서로 모여 말하기를 "태어나서 만호후(萬戶侯)에 봉해지는 것은 필요 없고, 다만 한 번 한형주(韓荊州)를 알기 원한다." 하니, 어쩌면 사람들로 하여금 우러르고 사모하기를 마침내 여기에 이르게 하였습니까. 이는 어쩌면 주공(周公)의 풍도(風度)로써 포토 악발(哺吐握髮)의 일을 몸소 행하여 해내(海內)의 호준(豪俊)들로 하여금 달려와 귀의해서【《사기》〈노세가(魯世家)〉에 "주공(周公)이 아들 백금(伯禽)에게 다음과 같이 경계하였다. '나는 한 번 머리감을 적에 세 번 머리칼을 쥐고, 한 번 밥을 먹을 적에 세 번 먹던 밥을 뱉고 일어나 선비를 대접하였으나 오히려 천하의 현인을 잃을까 두려워했다.'" 하였다.】 한번 용문(龍門)에 오르면 성가(聲價, 인물의 진가)가 10배나 되게 하기 때문이 아니겠습니까.【《후한서(後漢書)》〈이응전(李膺傳)〉에 "사람들 중에 그의 용접(접견)을 받은 자가 있으면 용문(龍門)에 오른다고 이름했다." 하였다.】

이 때문에 용이 서린 듯 하고 봉이 나는 듯한 선비들이 모두 군후(君侯)에게 이름을 거두어 성가를 정하고자 하는 것이니, 군후께서 자신이 부귀하다 하여 교만하지 않고 〈상대가〉 한천(寒賤)하다 하여 소홀히 하지 않는다면 3천 명 가운데 모수(毛遂) 같은 인물이 있을 것입니다. 나로 하여금 〈송곳 끝만이 아니라〉 송곳자루 째 빠져 나오게 할 것이니, 바로 내가 그러한 사람일 것입니다.【《사기》〈평원군전(平原君傳)〉에 "진(秦)나라가 조(趙)나라의 도성인 한단(邯鄲)을 포위하자, 조나라에서는 평원군으로 하여금 초(楚)나라에 구원을 청하여 초나라와 합종하게 하였는데, 이때 문하의 식객 중에 용력이 있어 문과 무를 구비한 자 20명을 함께 데리고 가기로 약속했으나, 19명만 얻고 나머지는 취할 만한 자가 없었다. 문하에 모수(毛遂)라는 자가 스스로 평원군에게 자신을 칭찬하면서 '제가 들으니 군께서 20명을 데리고 가려고 하시는데 지금 한 사람이 부족하다 하니, 저로써 인원을 채워 가시기를 원합니다. 만일 제가 일찍 주머니 가운데 처했더라면 마침내 송곳자루 채 빠져 나왔을 것이요, 다만 끝이 보일 뿐만이 아닙니다.' 하니, 평원군이 끝내 모수를 데리고 함께 초나라에 가서 궁전 위에서 합종을 정하였다. 평원군이 이미 합

---

58 使遂早得處囊中……非特其末見而已 : 《사기》〈평원군열전〉에 "모수가 자신을 데려가기를 청하자 평원군이 말하기를 '어진 선비가 세상에 처함은 비유하면 송곳이 주머니 속에 있어서 그 끝이 당장 드러나는 것과 같다. 이제 선생이 나의 문하에 있은 지가 지금 3년이 되었는데 내가 들은 바가 없으니, 이는 선생이 아무것도 가지고 있는 것이 없는 것이다.' 하였다. 이에 모수가 대답하기를 '신이 오늘에야 비로소 주머니 속에 있기를 청하는 것이니, 만일 제가 진작 주머니 속에 처할 수 있었다면 마침내 송곳이 자루째 〈주머니 밖으로〉 빠져 나왔을 것이요, 다만 그 끝이 드러날 뿐만이 아닙니다.' 했다." 하였다. 송곳이 자루째 주머니 밖으로 빠져 나온다는 것은 뛰어난 재능이 밖으로 크게 드러남을 의미하는 말이다. 여기서는 이백도 자신에게 기회가 주어지면 모수와 같은 인물이 될 수 있음을 말한 것이다.

종을 정하고 돌아와서 말하기를 '모공선생(毛公先生)이 한 번 초나라에 가서 우리 조나라를 구정(九鼎)과 대려(大呂)보다 중하게 하였다.' 하고 그를 상객으로 삼았다." 하였다.】

白은 隴西布衣로 流落楚漢[59]이라 十五에 好劍術하여 徧干諸侯하고 三十에 成文章하여 歷抵卿相하니 雖長不滿七尺이나 而心雄萬夫라 皆王公大人이 許與氣義하니 此疇曩(주낭)心跡이니 安敢不盡於君侯哉아

저는 농서(隴西)의 평민으로 초한(楚漢) 지방에 유락(流落)하였습니다. 15세에 검술을 좋아하여 두루 제후들에게 등용되기를 요구하였고, 30세에 문장을 이루어 차례로 경상(卿相)들을 방문하였으니, 비록 신장은 7척이 채 못되나 마음은 만부(萬夫)에 으뜸입니다. 그리하여 왕공(王公)과 대인(大人)들이 모두 기개와 의기(義氣)를 허여하였으니, 이는 지난 날 저의 마음과 행적입니다. 제가 어찌 감히 군후에게 다 말씀드리지 않을 수 있겠습니까.

君侯制作侔神明하고 德行動天地하며 筆參造化하고 學究天人하니 幸願開張心顏하여 不以長揖見拒하고 必若接之以高宴하며 縱之以淸談이면 請日試萬言을 倚馬可待[60]리라 今天下以君侯로 爲文章之司命[61]과 人物之權衡하여 一經品題면 便作佳士하니 而今君侯何惜階前盈尺之地하여 不使白揚眉吐氣하여 激昂靑雲耶잇가【以上, 皆頌德自薦之辭.】

군후께서는 문장을 저술함이 신명(神明)에 비견되고 덕행(德行)이 천지를 감동시키며, 필법(筆法)이 조화에 참여할 만하고 학문이 하늘과 인간의 이치를 연구하였으니, 바라건대 마음과 얼굴을 활짝 열고 펴서 제가 (절하지 않고) 길게 읍만 한다 하여 거절하지 마시고, 반드시 성대한 연회로써 접견하며 마음껏 청담(淸談)을 할 수 있도록 허락해 주신다면 청컨대 하루에

---

59 楚漢 : 촉(蜀, 사천)과 형주 지방의 옛 이름이다.

60 倚馬可待 : 말에 기대어 글을 쓴다는 뜻으로 글을 민첩하게 잘 짓는 것을 이른다. 《세설신어(世說新語)》〈문학(文學)〉에 "환온(桓溫)이 북방을 정벌할 적에 원굉(袁宏)이 시종(侍從)하였는바, 그때 마침 격문(檄文)이 필요하여 원굉을 불러다가 말 앞에 기대어 격문을 쓰도록 하니, 원굉이 손을 멈추지 않고 써 내려가 일곱 장을 썼는데, 매우 볼만하였다."라고 한 고사를 인용한 것이다.

61 文章之司命 : '사명(司命)'은 문운(文運)을 맡은 문창성(文昌星)으로, 곧 당대의 문형(文衡)임을 가리킨 것이다.

隴 땅이름 롱 徧 두루 편(변) 干 요구할 간 抵 이를 저 疇 지난번 주 曩 지난번 낭
安 어찌 안 侔 짝할 모 揖 읍할 읍 倚 의지할 의 權 저울 권 昂 높을 앙

만 자의 글을 시험한다 하더라도 말안장에 기대어 기다릴 수 있을 것입니다.

지금 천하에서는 군후를 문장의 사명(司命)과 인물을 평가하는 저울이라고 여겨 한번 품제(品題, 평가)를 거치면 곧 아름다운 선비가 됩니다. 그런데 이제 군후께서는 어찌하여 뜰 앞의 한 자 남짓한 땅을 아끼셔서 저로 하여금 그 자리에서 눈썹을 치켜 올리고 기운을 토하여 청운(青雲)의 뜻을 펴게 하지 않으십니까.【이상은 모두 상대방의 덕을 칭송하면서 자신을 천거하는 말이다.】

昔에 王子師爲豫州하여 未下車에 卽辟荀慈明하고 既下車에 又辟孔文擧[62]하며 山濤作冀州하여 甄拔三十餘人하여 或爲侍中, 尙書[63]하니 先代所美요 而君侯亦一薦嚴協律[64]하여 入爲秘書郎하고 中間崔宗之, 房習祖, 黎昕(여흔), 許瑩之徒 或以才名見知하고 或以淸白見賞하니 白이 每觀其銜恩撫躬하여 忠義奮發이라 白이 以此感激하여 知君侯推赤心於諸賢腹中하니 所以不歸他人하고 而願委身國士하노니 儻急難有用이면 敢效微軀하리이다

옛날에 왕자사(王子師)는 예주 자사(豫州刺史)가 되어 수레에서 내리기도 전에 즉시 순자명(荀慈明)을 초빙하였고 이미 수레에서 내려 부임한 다음에는 공문거(孔文擧)를 불렀으며, 산도(山濤)는 기주 자사(冀州刺史)가 되어 30여 명을 선발해서 혹은 시중(侍中)과 상서(尙書)가 되게 하였으니, 이는 선대에 찬미하는 바입니다.

군후께서도 한번 엄협률(嚴協律)을 천거하여 궁중에 들어가 비서랑(秘書郎)이 되게 하였으

---

62 昔……又辟孔文擧: 왕자사(王子師)는 왕윤(王允)으로 자사는 그의 자이다. 어려서부터 대절(大節)을 좋아하여 공(功)을 세우는데 뜻을 두었는데, 한 영제(漢靈帝) 중평(中平) 원년(184)에 황건적(黃巾賊)의 난리가 일어나자 특별히 예주 자사에 제수되어 순자명(荀慈明)과 공문거(孔文擧) 등을 불러 난을 진압하였다. 순자명은 순상(荀爽)으로 자명은 그의 자이며, 일명 순서(荀諝)라고도 한다. 순상을 포함한 순숙(荀淑)의 여덟 아들이 모두 뛰어났는데 그중에서도 순상이 출중하여 당시 사람들이 "순씨팔룡(荀氏八龍) 중에 자명이 가장 뛰어나다."라고 칭찬하였다. 공문거는 공융(孔融)으로 문거는 그의 자이다. 북해상(北海相)이 되어 학교를 세워 유학을 가르쳤고, 선비를 좋아하고 문장을 잘하여 왕찬(王粲)·유정(劉楨)·완우(阮瑀)·진림(陳琳)·응창(應瑒)·서간(徐幹) 등과 함께 건안칠자(建安七子)로 불리었다.《後漢書 卷96 王允傳》《後漢書 卷92 荀淑傳》《後漢書 卷100 孔融傳》

63 山濤作冀州……或爲侍中尙書: 산도는 진(晉)나라 때의 명신(名臣)으로 자는 거원(巨源)이다. 무제(武帝) 때에 기주 자사가 되어 인재를 잘 선발하였는데, 그가 등용한 30여 명의 관원들이 모두 재주와 학식이 있어 당시 조정에서 이름을 드날렸다. 또한 그가 일찍이 이부 상서(吏部尙書)가 되어 10여 년 동안 인재를 뽑는 직책을 담당하면서 신중하게 인물을 선발하였으므로 당시에 산공계사(山公啓事)라고 칭하였다.《晉書 卷43 山濤列傳》

64 嚴協律: '협률(協律)'은 관명(官名)인 협률랑(協律郎)으로 엄무(嚴武)라 하나 분명치 않다.

… 辟 부를 벽 甄 밝힐 견 黎 검을 려 昕 새벽 흔 瑩 옥돌 영 銜 머금을 함 委 바칠 위 儻 혹시 당

며, 중간에 최종지(崔宗之)·방습조(房習祖)·여흔(黎昕)·허영(許瑩) 등의 무리들이 혹은 재주와 명망으로써 인정을 받고 혹은 청렴 결백(淸廉潔白)으로써 인정을 받고 있으니, 저는 매양 그들이 군후의 은혜를 생각하고 몸을 어루만져 충의심이 분발하는 것을 보았습니다.

저는 이로써 감격하여 군후가 적심(赤心, 충심(衷心))을 제현(諸賢)들의 뱃속에까지 미루어 넣은 것을 알게 되었습니다. 이 때문에 다른 사람에게 귀의하지 않고 국사(國士)에게 몸을 맡기기를 원하오니, 만일 급난(急難)하여 씀이 있게 되면 감히 하찮은 몸이나마 바치겠습니다.

且人非堯舜이면 誰能盡善이리오 白이 謨猷籌畫이 安能自矜이리오마는 至於制作하여는 積成卷軸하니 則欲塵穢視聽이나 恐雕蟲少技[65] 不合大人이라 若賜觀芻蕘(추요)인댄 請給紙筆하고 兼之書人이면 然後에 退掃閑軒하여 繕寫呈上하리니 庶靑萍, 結綠이 長價於薛, 卞之門[66]이리이다【靑萍·結綠, 劍名.】 幸推下流하여 大開奬飾을 惟君侯圖之하라

또 사람이 요(堯)·순(舜)이 아니면 누가 다 잘하겠습니까. 저는 도모와 계책이 어찌 스스로 자랑할 만한 것이 있겠습니까마는 문장을 지음에 있어서는 쌓아 권(卷)과 축(軸)을 이루었으니, 군후께 보여드려 군후의 시청(視聽)을 더럽히고자 하나 조충(雕蟲)의 작은 기예(技藝)라서 대인(大人)의 안목에 부합하지 않을까 두렵습니다.

만일 꼴을 베고 나무하는 천한 사람(저)의 글이나마 보아주신다면 저에게 지(紙)·필(筆)을 내려주시고 겸하여 글을 정서할 서사(書士)를 주십시오. 그렇게 하신다면 물러가 한가한 집을 깨끗이 청소하고 들어앉아 글을 지어 정서하여 올리겠습니다. 행여 청평(靑萍)과 결록(結綠)이 설촉(薛燭)과 변화(卞和)의 문하에서 〈값을 인정받은 것처럼 저도 당신의 문하에서〉 값이 오르기를 바랍니다.【청평과 결록은 검(劍)의 이름이다.】 군후께서는 부디 하류(下流)를 미루어 크게 장려하고 꾸며주기를 도모하시기 바랍니다.

---

65 雕蟲少技: 나무를 갉아먹는 좀벌레와 같은 작은 기예(技藝)라는 뜻으로, 문장(文章)의 재주를 비하하여 칭한 것이다.

66 靑萍結綠 長價於薛卞之門: 청평(靑萍)은 월왕(越王) 구천(句踐)의 명검(名劍)이고 결록(結綠)은 송(宋)나라에 있었던 보옥(寶玉)이다. 설변(薛卞)은 명검(名劍)을 잘 알아본 설촉(薛燭)과 형산(荊山)의 박옥(璞玉)을 알아본 변화(卞和)이다. 저본의 주(註)에는 청평과 결록을 모두 검명(劍名)이라 하였으나 잘못이다.

··· 猷 꾀 유 籌 꾀 주 軸 축 축 雕 아로새길 조 芻 꼴 추 蕘 나무할 요 繕 엮을 선 萍 마름 평 薛 성 설 卞 법 변

대보잠大寶箴

장온고張蘊古

• 작가소개

장온고(張蘊古, ?~약631)는 당(唐)나라 상주(相州) 원수(洹水) 사람이다. 문장에 뛰어났으며 세무(世務)에 밝았다. 유주총관부기실(幽州總管府記室)로서 중서성(中書省)의 직무를 겸하였다. 태종(太宗)이 처음 즉위하였을 적에 〈대보잠(大寶箴)〉을 지어 올려 풍간(諷諫)하자, 태종이 이를 가상히 여겨 속백(束帛)을 하사하고 대리승(大理丞)에 제수하였다. 그러나 상주 자사(相州刺史) 이후덕(李厚德)의 무함으로 태종의 노여움을 사 동시(東市)에서 참형을 당하였다. 태종은 얼마 있다가 후회하여 사형을 결정할 적에는 다섯 번 복주(覆奏)하도록 명하였는바, 이러한 제도는 장온고의 죽음으로부터 시작된 것이다. 장온고는 문재(文才)가 탁월하여 저술이 적지 않았을 것으로 추측되나 거의 일실되어 알려진 바가 없고, 오직 〈대보잠〉만이 《정관정요(貞觀政要)》 및 《구당서(舊唐書)》 권190 〈문원(文苑) 장온고열전(張蘊古列傳)〉에 실려 전해질 뿐이다.

• 작품개요

이 작품은 즉위한 지 얼마 되지 않은 태종(太宗)을 경계하기 위하여 지은 '잠(箴)'이다. '대보(大寶)'란 《주역(周易)》 〈계사 하(繫辭下)〉에 "천지의 위대한 덕을 생(生)이라 하고 성인의 가장 소중한 보물을 위(位)라 한다.〔天地之大德曰生 聖人之大寶曰位〕"라고 한 데에서 유래한 말로, '제위(帝位)'를 가리킨다. '잠(箴)'은 본음이 '침(鍼)'으로 병을 고치는 침이란 뜻이다. 타일러 깨우치게 하고 넌지시 비유하는 내용을 담은 문체인바, 명(銘)·찬(贊)과 함께 압운(押韻)이 되어 있다. 즉, '대보잠'이란 천자에 대한 훈계와 주의를 골자로 하는 글로, 천자가 대보를 유지하기 위하여 지키지 않으면 안 되는 교훈을 쓴 것이다.

오긍(吳兢)이 편찬한 《정관정요(貞觀政要)》에 의하면, 정관(貞觀) 2년(628)에 작자가 유주 도독(幽州都督) 여강왕(廬江王) 이원(李瑗)의 기실(記室)로서 중서성(中書省)의 직무를 겸하고 있을 적에 지은 것이라고 한다. 태종은 이 작품을 읽고 작자를 가상히 여겨서 비단 300단을 하사하고 아울러 대리시(大理寺)의 승(丞)을 제수하였다. 태종의 칭찬을 받아 중용되었던 작자는 3년 뒤에 이호덕(李好德)의 사안으로 태종의 분노를 야기하여 동시(東市)에서 참형을 받았다.

이 작품을 내용적 측면에서 보자면, 유가(儒家)의 '군도(君道)' 이론을 배열·전시한 것에 불과하며, 작자의 독창적 견해는 보이지 않는다. 하지만 방대한 경사(經史)에 산재해 있는 '군도'와 관련된 내용들을 매우 집약적으로 잘 드러내었기 때문에 역대 사가(史家)와 학자들에게 문의(文義)가 훌륭하다는 평가를 받았다. 특히 문사(文辭)가 정제되고 아름다우며, 경구(警句) 역시 상당한 분량을 차지하고 있어서 막 제위에 올라 큰 일을 행하려고 하는 이세민(李世民)에게 '금과옥조'로 작용하였을 것이다. 오늘날에 있어서도 국정을 맡아 다스리는 데에 도움이 되는 매우 가치 있는 작품이라 하겠다.

篇題小註 : 聖人之大寶曰位니 此篇은 專箴人主以守位之難이라 蓋自唐太宗初卽位時로 張蘊古直中書省이러니 乃上大寶箴하니 其辭委曲하여 可是鑑戒니라

성인(聖人)의 대보(大寶)를 '지위(천자의 지위)'라 한다. 이 편은 오로지 인주(人主)에게 지위를 지키는 것의 어려움을 경계하였다. 당 태종(唐太宗)이 처음 즉위했을 때부터 장온고(張蘊古)가 중서성(中書省)을 맡고 있었는데, 마침내 〈대보잠(大寶箴)〉을 지어 올리니, 그 말이 위곡(委曲, 곡진)하여 감계(鑑戒)로 삼을 만하다.

- **原文**

今來古往에 俯察仰觀하니 惟辟作福하나니【書洪範: "惟辟作福, 惟辟作威."】 爲君實難이로다【語: "子曰: '爲君難, 爲臣不易.'"】 主普天之下하고 處王公之上하여 任土貢其所求하고 具寮陳其所唱이라 是故로 恐懼之心이 日弛하고 邪僻之情이 轉放하니 豈知事起乎所忽하고 禍生乎無妄이리오 固以聖人受命하여 拯溺亨屯일새 歸罪於己하고 因心於民이라 大明은 無私照요 至公은 無私親이라 故로 以一人治天下요 不以天下奉一人이라 禮以禁其奢하고 樂以防其佚하며 左言而右事하고【前藝文志: "古之王者, 世有史官,

… 箴 경계할 잠 蘊 쌓을 온 辟 임금 벽 寮 관원 료 拯 구원할 증 溺 빠질 닉 屯 어려울 둔(준) 佚 방탕할 일

君擧必書, 所以謹言行, 昭法式也. 左史記言, 右史記事, 事爲春秋, 言爲尙書."】出警而入蹕하여【孫伏伽傳: "天子之居, 禁衛九重, 出也警, 入也蹕." 警者戒肅, 蹕止行人.】四時調其慘舒하고 三光同其得失[67]이라 故로 身爲之度요 而聲爲之律이라【史記夏紀: "禹聲爲律, 身爲度."】

오는 지금과 지나간 옛날	今來古往
굽어 살펴보고 우러러 관찰하건대	俯察仰觀
오직 군주만이 복을 내릴 수 있으니	惟辟作福

【《서경》〈홍범(洪範)〉에 "오직 임금만이 복을 내리고 오직 임금만이 위엄(벌)을 내린다." 하였다.】

군주노릇 하기가 실로 어렵습니다	爲君實難

【《논어》〈자로(子路)〉에 "공자가 말씀하시기를 '임금노릇하기가 어려우며 신하노릇하기 쉽지 않다.' 하셨다." 하였다.】

너른 하늘의 아래를 주관하고	主普天之下
왕공(王公)의 위에 처하여	處王公之上
토지에 따라 그 요구하는 바를 공물로 바치고	任土貢其所求
백관을 구비하여 군주의 창도하는 바를 폅니다	具寮陳其所唱
이 때문에 두려워하는 마음이 날로 해이해지고	是故 恐懼之心日弛
사벽(邪僻)한 정(情)이 더욱 방탕해지니	邪僻之情轉放
일이 소홀한 데서 일어나고	豈知事起乎所忽
화(禍)가 뜻하지 않은 데서 생길 줄을 어찌 알겠습니까	禍生乎無妄
진실로 성인(聖人)은 천명(天命)을 받아	固以聖人受命
도탄에 빠지고 곤경에 처한 자들을 형통하게 하기에	拯溺亨屯
자신에게 죄를 돌리고	歸罪於己
백성들의 마음을 따르는 것입니다	因心於民
큰 밝음은 사사로이 비춤이 없고	大明無私照
지극히 공정함은 사사로이 친함이 없습니다	至公無私親

---

67 四時調其慘舒 三光同其得失: '참서(慘舒)'는 음참양서(陰慘陽舒)이며 '삼광(三光)'은 일(日)·월(月)·성신(星辰)으로, 정사가 잘 되어 춘·하·추·동의 사시에 음·양이 조화를 이루고 일·월·성신의 운행이 순조로움을 뜻한다. '득실(得失)'은 정치의 득실(잘잘못)을 말한 것인데, 여기서는 정치의 잘함을 주로 말하였다.

그러므로 한 사람(제왕)으로써 천하를 다스리고 故以一人治天下
천하로써 한 사람을 받드는 것이 아닙니다 不以天下奉一人
예(禮)로써 사치함을 금지하고 禮以禁其奢
악(樂)으로써 방탕함을 방지하며 樂以防其佚
사관이 왼쪽에서는 말을 기록하고 오른쪽에서는 일을 기록하며 左言而右事

【《전한서》〈예문지(藝文志)〉에 "옛날 왕자들은 대대로 사관이 있어 군주의 행동을 반드시 기록했으니, 이는 군주의 말과 행실을 삼가서 법식을 밝히기 위한 것이다. 좌사(左史)는 말을 기록하고 우사(右史)는 일을 기록하니, 일은 춘추(春秋)가 되고 말은 상서(尙書)가 된다." 하였다.】

나가면 경계하고 들어오면 벽제(辟除)하여 出警而入蹕

【《신당서(新唐書)》〈손복가전(孫伏伽傳)〉에 "천자가 거처하는 곳에는 금위(禁衛)가 아홉 겹이며 나갈 적에 경계하고 들어올 적에 필(蹕)한다." 하였으니, '경(警)'은 경계하고 엄숙함이요, '필(蹕)'은 행인을 벽제(辟除)하여 그치게 하는 것이다.】

사시가 참서(慘舒, 추위와 더위)를 고르게 하고 四時調其慘舒
삼광이 정치의 득실(得失)을 함께합니다 三光同其得失
그러므로 군주의 몸은 도(度, 자)가 되고 故身爲之度
목소리는 율(律)이 되는 것입니다 而聲爲之律

【《사기》〈하기(夏紀)〉에 "우(禹) 임금은 목소리가 율이 되고 몸이 자가 되었다." 하였다.】

勿謂無知하라 居高聽卑요 勿謂何害하라 積小就大니라 樂不可極이니 樂極生哀요 欲不可縱이니 縱欲成災라 壯九重於內라도 所居는 不過容膝이어늘【晉陶淵明歸去來辭: "倚南窓以寄傲, 審容膝之易安."】彼昏不知하여 瑤其臺而瓊其室하며【離騷經曰: "望瑤臺之偃蹇." 通鑑外紀 "紂作鹿臺, 爲瓊室玉門."】羅八珍於前이라도 所食은 不過適口어늘【禮天官膳夫: "凡王之饋羞, 用百有二十品, 珍用八物." 注 "珍, 謂淳熬·淳母·炮豚·炮牂·擣珍·漬·熬·肝膋也."】唯狂罔念[68]하여 丘其糟而池其酒로다【吳志: "孫權於武昌臨釣臺, 飮醉, 以水洒(쇄)群臣面曰: '今日酣飮, 惟醉墮臺下, 乃止耳.' 張昭怒曰: '昔紂爲糟丘酒池, 長夜之飮, 當時亦以爲樂, 不以爲(愚)[惡].'[69] 權默然."】

---

68 唯狂罔念: 《서경(書經)》〈다방(多方)〉에 "성인이라도 생각하지 않으면 광인이 되고 광인이라도 능히 생각하면 성인이 된다.〔惟聖罔念作狂 惟狂克念作聖〕"라고 한 말을 원용한 것이다.

69 (愚)[惡]: 저본에는 '우(愚)'로 되어 있으나 《삼국지》〈오지(吳志)〉에 의거하여 '악(惡)'으로 바로잡았다.

··· 縱 방종할 종 瑤 옥 요 瓊 옥 경 糟 술지게미 조

〈하늘은〉 앎이 없다고 말하지 마소서. 높은 곳에 처해 있으나 낮은 곳의 일을 다 듣습니다

勿謂無知 居高聽卑

무엇이 해로우냐고 말하지 마소서. 작은 것이 쌓여 큰 것을 이룹니다 勿謂何害 積小就大

즐거움을 지극하게 해서는 안 되니 즐거움이 지극하면 슬픔이 생겨나고

樂不可極 樂極生哀

욕망을 방종하게 해서는 안 되니 욕망을 방종하게 하면 재앙을 이룹니다

欲不可縱 縱欲成災

안에 구중궁궐을 장엄하게 하더라도 거처하는 곳은 무릎을 용납함에 불과한데

壯九重於內 所居不過容膝

【진(晉)나라 도연명(陶淵明)의 〈귀거래사(歸去來辭)〉에 "남쪽 창에 기대어 오만함을 붙이니, 무릎을 용납할 만한 작은 방이 편안하기 쉬움을 알겠다." 하였다.】

저 혼우(昏愚)한 사람은 이것을 알지 못하여 누대를 옥으로 꾸미고 방안을 구슬로 장식하였습니다 彼昏不知 瑤其臺而瓊其室

【〈이소경(離騷經)〉에 "요대(瑤臺)의 높은 곳을 바라본다." 하였고, 《자치통감외기(資治通鑑外紀)》 〈하상기(夏商紀)〉에 "주왕(紂王)이 녹대(鹿臺)를 지으면서 붉은 옥으로 방을 만들고 옥으로 문을 만들었다." 하였다.】

앞에 팔진미(八珍味)를 나열하더라도 먹는 것은 입에 맞는 몇 가지에 지나지 않는데

羅八珍於前 所食不過適口

【《주례(周禮)》 〈천관(天官) 선부(膳夫)〉에 "모든 왕의 궤수(饋羞, 음식)를 120가지를 사용하고, 진미를 8가지 물건을 사용한다." 하였는데, 주에 "진미는 순오(淳熬), 순모(淳母), 포돈(炮豚), 포장(炮牂), 도진(擣珍), 지(漬), 오(熬), 간료(肝膋)이다." 하였다.】

광인(狂人)들은 이를 생각하지 못하여 술지게미를 언덕처럼 쌓고 술로 못을 만들었습니다

唯狂罔念 丘其糟而池其酒

【《삼국지(三國志)》 〈오지(吳志)〉에 "손권(孫權)이 무창(武昌)의 임조대(臨釣臺)에서 술을 마셔 취하여 여러 신하의 얼굴에 물을 뿌리며 말하기를 '오늘 실컷 마시고 흠뻑 취해서 오직 취하여 임조대 속으로 떨어져야 비로소 그치겠다.' 하였다. 장소(張昭)가 노하여 말하기를 '옛날에 주왕(紂王)이 술지게미로 언덕을 만들고 술로 못을 만들어 기나긴 밤 술을 마셨는데, 당시에도 또한 즐겁다 하고 나쁘다고 하지 않았습니다.' 하자, 손권이 묵묵히 있었다." 하였다.】

勿內荒於色하고 勿外荒於禽하며 勿貴難得貨하고【老子不尙賢篇:[70]"不貴難得之貨, 使民不爲盜." 注: "黃金棄於山, 珠玉捐於淵."】勿聽亡國音하라【禮樂記: "桑間濮上之音,[71] 亡國之音也, 其政散, 其民流, 誣上行私而不可止也."】內荒은 伐人性이요 外荒은 蕩人心이요 難得之貨는 侈요 亡國之音은 淫이니라 勿謂我尊而傲賢慢士하며 勿謂我智而拒諫矜己하라 聞之夏后據饋頻起하고 亦有魏帝牽裾不止라【淮南子氾論訓: "禹當此之時, 一饋而十起." ○ 魏志辛毗傳: "文帝欲徙冀州人家十萬戶, 實河南. 毗曰: '云云.' 帝不答, 起入內, 毗隨而引其裾牽之, 遂奮衣不還, 久乃出."】安彼反側을 如春陽秋露하여 巍巍蕩蕩하여 恢漢高大度하며【前高祖紀: "常有大度, 不事家人生産作業."】撫玆庶事를 如履薄臨深하여 戰戰慄慄[72]하여 用周文小心하라【詩文王篇: "維此文王, 小心翼翼."】

안으로는 여색에 빠져 정사를 폐하지 말고　勿內荒於色
밖으로는 사냥에 빠져 정사를 폐하지 말며　勿外荒於禽
얻기 어려운 보화를 귀히 여기지 말고　勿貴難得貨

【《노자(老子)》〈불상현(不尙賢)〉에 "얻기 어려운 재화를 귀히 여기지 않음은 백성들로 하여금 도둑질하지 않게 하는 것이다." 하였는데, 주에 "황금을 산에 버리고 주옥을 못에 버린다." 하였다.】

망국의 음악을 듣지 마소서　勿聽亡國音

【《예기》〈악기(樂記)〉에 "상간 복상(桑間濮上)의 음악은 망국의 음악이니, 그 정사가 산만하고 백성들이 유리(流離)하여 윗사람을 속이고 사사로움을 행해서 그칠 수 없다." 하였다.】

안으로 여색에 빠짐은 사람의 성명(性命, 생명)을 해치고　內荒 伐人性

70　老子不尙賢篇: 〈불상현(不尙賢)〉은 《노자》 제3장을 가리킨 것으로, 여기에 "어진 사람을 숭상하지 않아서 백성들로 하여금 다투지 않게 하고, 얻기 어려운 재화를 중시하지 않아서 백성들로 하여금 도둑질하지 않게 한다.〔不尙賢 使民不爭 不貴難得之貨 使民不爲盜〕" 하였다.

71　桑間濮上之音: 상간 복상은 위(衛)나라 땅으로, 복수(濮水)가의 뽕나무 숲이다. 《사기》 〈악서(樂書)〉에 "위나라 영공(靈公)이 진(晉)나라에 가려고 복수의 상사(上舍)에 이르러 밤중에 거문고 타는 소리를 들었다. 이에 사연(師涓)을 시켜 그 음악을 듣고서 베끼고 음악을 익히게 하였다. 영공이 진나라에 이르자, 평공(平公)이 시혜대(施惠臺)에서 술자리를 베풀었는데, 영공이 사연에게 그 음악을 연주하게 하였다. 그러나 연주가 끝나기도 전에 사광(師曠)이 정지시키면서 말하기를 '이 음악은 망국(亡國)의 소리이니, 들어서는 안 됩니다. 사연(師延)이 주왕(紂王)을 위해 만든 미미(靡靡, 가녀린)한 음악인데, 무왕(武王)이 주왕을 치자 사연이 복수에 빠져 죽었기 때문에 복수가에서 이 음악을 들은 것입니다. 이 소리를 듣는 자는 나라가 망한다고 합니다.' 했다." 하였다.

72　如履薄臨深 戰戰慄慄: 항상 두려워하는 자세로 조심하는 것을 뜻한다. 《시경》 〈소아(小雅) 소민(小旻)〉에 "매우 두려워하고 조심하여 깊은 못에 임한 듯, 얇은 얼음을 밟는 듯이 한다.〔戰戰兢兢 如臨深淵 如履薄氷〕"라고 보인다.

矜 자랑할 긍 饋 먹일, 음식 궤 頻 자주 빈 牽 끌 견 裾 옷자락 거 巍 높을 외 蕩 클 탕
戰 두려울 전 慄 두려울 률

밖으로 사냥에 빠짐은 사람의 마음을 방탕하게 하며 外荒蕩人心

얻기 어려운 보화는 사치스럽고 難得之貨侈

망국의 음악은 음탕합니다 亡國之音淫

내가 지위가 높다 하여 현자에게 오만하고 선비들을 업신여기지 말며 勿謂我尊而傲賢慢士

내가 지혜롭다 하여 간하는 것을 거절하고 자신을 뽐내지 마소서 勿謂我智而拒諫矜己

듣건대 하후(夏后, 우왕(禹王))는 밥상을 받고도 자주 일어났고 聞之夏后據饋頻起

【《회남자(淮南子)》〈범론훈(氾論訓)〉에 "우 임금이 이때를 당하여 한 번 밥 먹을 때에 열 번 일어났다." 하였다.】

또한 위나라 황제는 〈신하가〉 소매를 잡아당기며 그치지 않았습니다 亦有魏帝牽裾不止

【○《삼국지》〈위지(魏志) 신비전(辛毗傳)〉에 "문제(文帝, 조비(曹丕))가 기주(冀州)의 민가 10만 가호를 옮겨서 하남(河南)에 채우려고 하자, 신비(辛毗)가 간하였다. 문제가 대답하지 않고 일어나 궁내로 들어가자, 신비가 따라가 그 옷깃을 당겨 끌었으나 문제는 옷을 떨치고 돌아보지 않다가 오랜 뒤에 비로소 나왔다." 하였다.】

저 반측(反側)하는 자들을 편안하게 해주기를 봄의 햇볕과 가을의 이슬처럼 하여

安彼反側 如春陽秋露

높고 탕탕(蕩蕩)하여 한 고조(漢高祖)의 큰 도량을 키우시며 巍巍蕩蕩 恢漢高大度

【《전한서》〈고조기(高祖紀)〉에 "고조(高祖)는 항상 큰 도량이 있어서 집안사람들의 생산과 작업을 일삼지 않았다." 하였다.】

온갖 일을 어루만지시기를 살얼음을 밟듯이 하고 깊은 못에 임한 듯이 하여

撫玆庶事 如履薄臨深

전전(戰戰)하고 율율(慄慄)하여 주 문왕(周文王)의 소심(小心)을 쓰소서 戰戰慄慄 用周文小心

【《시경》〈대아(大雅) 문왕(文王)〉에 "이 문왕이 조심조심하여 공경하고 공경하셨다." 하였다.】

詩之不識不知[73]와 書之無偏無黨[74]으로 一彼此於胸臆하고 損好惡於心想하여 衆

---

73 詩之不識不知 : 《시경》〈대아(大雅) 황의(皇矣)〉에 "상제(上帝)께서 문왕(文王)에게 이르시기를 '나는 명덕(明德)의 소리와 색을 대단하게 여기지 않으며 잘난 체하고 변혁함을 훌륭하게 여기지 않고, 사사로운 지식을 쓰지 않아서 상제의 법을 순히 하는 자를 사랑한다.' 하셨다.[帝謂文王 予懷明德 不大聲以色 不長夏以革 不識不知 順帝之則]"라고 보인다.

74 書之無偏無黨 : 기자(箕子)가 주 무왕(周武王)에게 전수해 주었다는 《서경》〈홍범(洪範)〉에 "편벽되고 기울어짐이 없게 하여 왕의 의를 따르고, 사사로이 좋아하는 생각이 없게 하여 왕의 도를 따르고, 사사로이 싫어하는 생각이 없게 하여 왕의 길을 따르라. 편벽됨이 없고 편당함이 없으면 왕의 도가 넓어질 것이요, 편당함이 없고 편벽됨이 없으면 왕의 도가 평평해질 것이며, 뒤집어짐이 없고 치우침이 없으면 왕의 도가 정직할 것이니, 그 극(極)이 있는 곳으로 모여들고 그 극이 있

棄而後加刑하고 衆悅而後行賞[75]하며 弱其强而治其亂하고 伸其屈而直其枉이라 故로 曰 如衡如石하여 不定物以限이로되 物之懸者 輕重自見(현)이요 如水如鏡하여 不示物以情이로되 物之鑑者 妍媸自生이라 勿渾渾而濁하고 勿皎皎而淸하며 勿汶汶而闇하고 勿察察而明하라 雖冕旒(면류)蔽目이나 而視於未形이요 雖黈纊(주광)塞耳나 而聽於無聲이라【選東方朔答客難: "冕而前旒, 所以蔽明; 黈纊充耳, 所以塞聰."】縱心乎湛然之域하고 遊神於至道之精하여 扣之者應洪纖而效響하고 酌之者隨淺深而皆盈이라 故로 曰天之經과 地之寧과 王之貞이라 四時不言而代序하고 萬物無言而化成이니 豈知帝力而天下和平[76]이리오

《시경》〈대아(大雅) 황의(皇矣)〉의 '자기 지식을 쓰지 말라' 한 것과 詩之不識不知
《서경》〈홍범(洪範)〉의 '편당(偏黨)을 두지 말라' 한 것으로 書之無偏無黨
가슴속에 피차(彼此)를 똑같이 하고 一彼此於胸臆
마음속에 호오(好惡)를 없애어 損好惡於心想
여러 사람들이 버린 뒤에 형(刑)을 가하고 衆棄而後加刑
여러 사람들이 좋아한 뒤에 상(賞)을 행하며 衆悅而後行賞
강한 자를 약하게 하고 어지러운 자를 다스리며 弱其强而治其亂
굽은 자를 펴주고 부정한 자를 곧게 해야 합니다 伸其屈而直其枉
그러므로 저울대와 같고 석(石, 저울추)과 같아 물건을 한계로 정하지 않아서
故曰 如衡如石 不定物以限

는 곳으로 돌아올 것이다.〔無偏無陂 遵王之義 無有作好 遵王之道 無有作惡 遵王之路 無偏無黨 王道蕩蕩 無黨無偏 王道平平 無反無側 王道正直 會其有極 歸其有極〕"라고 보인다.

75 衆棄而後加刑 衆悅而後行賞 : 《맹자》〈양혜왕 하(梁惠王下)〉에 "좌우(左右)의 신하가 모두 〈그를〉 어질다고 말하더라도 허락하지 말고 여러 대부(大夫)들이 모두 어질다고 말하더라도 허락하지 말고 국인(國人)이 모두 어질다고 말한 뒤에 살펴보아서 어짊을 발견한 뒤에 등용하며, 좌우의 신하들이 모두 〈그를〉 불가(不可)하다고 말하더라도 듣지 말고 여러 대부들이 모두 불가하다고 말하더라도 듣지 말고 국인이 모두 불가하다고 말한 뒤에 살펴보아서 불가한 점을 발견한 뒤에 버려야 합니다. 좌우의 신하들이 모두 〈그를〉 죽일 만하다고 말하더라도 듣지 말고 여러 대부들이 모두 죽일 만하다고 말하더라도 듣지 말고 국인이 모두 죽일 만하다고 말한 뒤에 살펴보아서 죽일 만한 점을 발견한 뒤에 죽여야 합니다. 그러므로 국인이 죽였다고 말하는 것입니다. 이와 같이 한 뒤에야 백성의 부모라 할 수 있습니다."라고 한 내용을 원용한 것이다.

76 豈知帝力而天下和平 : 요(堯) 임금 때에 어떤 노인이 지었다는 〈격양가(擊壤歌)〉에 "해가 뜨면 나가서 일하고 해가 지면 들어와 쉰다. 우물을 파서 물을 마시고 밭을 갈아 곡식을 먹으니, 제왕의 힘이 나에게 무슨 상관이 있겠는가.〔日出而作 日入而息 鑿井而飮 耕田而食 帝力於我何有哉〕"라고 하였다. 이는 백성들이 임금이 있는지 없는지 느끼지 못할 정도로 자유롭고 평화롭게 사는 태평성대를 의미한다.《通志 卷2 五帝紀》

石 저울 석 懸 매달 현 妍 고울 연 媸 추할 치 渾 흐릴 혼 皎 깨끗할 교 汶 더러울 문 闇 어두울 암 旒 면류관늘임끈 류 黈 귀막이솜 주 纊 솜 광 湛 담박할 담 扣 두드릴 구 纖 가늘 섬 響 소리 향

매달리는 물건의 경중이 스스로 나타나게 하고　物之懸者 輕重自見
물과 같고 거울과 같아 물건을 정(情)으로 보여주지 않아서　如水如鏡 不示物以情
비춰지는 물건의 곱고 미움이 스스로 나타나듯 하여야 합니다　物之鑑者 妍媸自生
혼혼(渾渾)하여 너무 탁하지 말고　勿渾渾而濁
교교(皎皎)하여 너무 깨끗하지 말며　勿皎皎而淸
문문(汶汶)하여 너무 어둡지 말고　勿汶汶而闇
찰찰(察察)하여 너무 밝게 하지 마소서　勿察察而明
면류관이 눈을 가리우나　雖冕旒蔽目
나타나지 않았을 때에 보아야 하고　而視於未形
주광(黈纊, 면류관의 귀막이 솜)이 귀를 막고 있으나　雖黈纊塞耳
소리가 없을 때에 들어야 합니다　而聽於無聲

【《문선(文選)》 동방삭(東方朔)의 〈답객난(答客難)〉에 "면류관에 앞에 술이 있음은 밝음을 가리기 위한 것이요, 면류관에 솜이 귀를 막음은 귀 밝음을 막기 위한 것이다." 하였다.】

담박(淡泊)한 경지에 마음을 두고　縱心乎湛然之域
지도(至道)의 정밀함에 정신을 노닐게 하여　遊神於至道之精
두드리는 자가 〈막대기의〉 크고 작음에 응하여 소리를 내고　扣之者應洪纖而效響
물을 뜨는 자가 〈그릇의〉 깊고 얕음에 따라 모두 채워져야 합니다　酌之者隨淺深而皆盈
그러므로 하늘의 떳떳한 법과　故曰天之經
땅의 편안함과　地之寧
왕의 바름이라 한 것입니다　王之貞
사시(四時)는 말하지 않으나 절서(節序)가 교대하고　四時不言而代序
만물은 말이 없으나 조화가 이루어지니　萬物無言而化
어찌 황제의 힘으로 천하가 화평함을 알겠습니까　豈知帝力而天下和平

吾王撥亂하여 戡以智力이면 民懼其威나 未懷其德이요 我皇撫運하여 扇以淳風이면 民懷其始나 未保其終이라 爰述金鏡하여 窮神盡聖하노니 使人以心하며 應言以行하여 包括治體하고 抑揚詞令하라 天下爲公에 一人有慶이라 開羅起祝하고【史(外紀)[殷本

··· 撥 다스릴 발　戡 이길 감　爰 이에 원　括 쌀 괄　羅 그물 라

紀]:[77] "湯初造商, 見野張網四面, 乃去其三面而祝之曰: '欲左左, 欲右右, 不用命者, 乃入吾網.'"[78]】援琴命詩하여【舜作五絃之琴, 以歌南風之詩.[79]】一日二日에【書曰: "一日二日萬幾."[80]】念玆在玆하라【書 "帝念哉, 念玆在玆, 釋玆在玆."[81]】惟人所召니【(老子)[春秋左氏傳]:[82] "禍福無門, 惟人所召."】自天祐之리라【易: "自天祐之, 吉無不利."】諍臣司直일새 敢告前疑[83]하노라

우리 왕께서 난을 바로잡아	吾王撥亂
지혜와 힘으로써 이기면	戡以智力
백성들이 위엄은 두려워하나	民懼其威
덕은 그리워하지 않고	未懷其德
우리 임금께서 천운을 어루만져	我皇撫運
순풍(淳風)으로 부채질하면	扇以淳風
백성들이 처음은 그리워하나	民懷其始

---

77 (外紀)[殷本紀]: 저본에는 '외기(外紀)'로 되어 있으나 전고를 확인하여 '은본기(殷本紀)'로 바로잡았다.

78 史……乃入吾網: 《사기》〈은본기〉에 "탕 임금이 교외로 나갔다가 사면에 그물을 펼치고서는 '천하의 모든 것이 내 그물로 들어오게 하소서.'라고 축원하는 사람을 보았다. 탕 임금은 '아! 짐승의 씨를 말리는 것이다.'라고 하면서 세 면의 그물을 거두게 하고는 '왼쪽으로 달아나려거든 왼쪽으로 가고, 오른쪽으로 달아나려거든 오른쪽으로 가고, 명을 따르지 않는 자는 내 그물로 들어오라.'라고 축원하였다. 이 말을 들은 제후들은 '탕 임금의 덕이 지극하다. 덕이 금수에까지 미쳤도다!'라고 감탄하였다.〔湯出 見野張網四面 祝曰 自天下四方皆入吾網 湯曰 嘻 盡之矣 乃去其三面 祝曰 欲左左 欲右右 不用命 乃入吾網 諸侯聞之曰 湯德至矣 及禽獸〕"라고 보인다.

79 舜作五絃之琴 以歌南風之詩: 순 임금이 오현금을 타면서 〈남풍가(南風歌)〉를 불러 백성들이 편안하고 잘 살기를 빌었는데, 그 노래에 "남풍의 훈훈함이여, 우리 백성들의 노여움을 풀어주리로다. 남풍이 제때에 불어옴이여, 우리 백성들의 재물을 풍부하게 하리로다.〔南風之薰兮 可以解吾民之慍兮 南風之時兮 可以阜吾民之財兮〕" 하였다. 《孔子家語 辯樂解》

80 書曰 一日二日萬幾: 《서경》〈우서 고요모〉에 "안일과 욕심으로 유방(有邦, 제후)을 가르치지 마시어 삼가고 두려워하소서. 하루 이틀 사이에도 기미가 만 가지나 됩니다.〔無敎逸欲有邦 兢兢業業 一日二日萬幾〕"라고 보인다.

81 書帝念哉……釋玆在玆: 《서경》〈우서 대우모(大禹謨)〉에 우(禹)가 순 임금에게 고요(皐陶)의 공을 잊어서는 안 된다고 아뢰면서 한 말로 "저의 덕(德)은 임무를 감당하지 못하여 백성들이 귀의하지 않지만 고요는 힘써 행하여 덕을 펴서 덕이 마침내 아래로 백성들에게 내려져서 백성들이 그리워하니, 황제께서는 생각하소서. 이를 생각하여도 여기(고요)에 있으며 이를 버려도 여기에 있으며 이를 이름하여 말함도 여기에 있으며 진실로 마음에서 나옴도 여기에 있으니, 황제께서는 그의 공을 생각하소서.〔朕德罔克 民不依 皐陶邁種德 德乃降 黎民懷之 帝念哉 念玆在玆 釋玆在玆 名言玆在玆 允出玆在玆 惟帝念功〕"라고 보인다.

82 (老子)[春秋左氏傳]: 저본에는 '노자(老子)'로 되어 있으나 전고를 확인하여 '춘추좌씨전(春秋左氏傳)'으로 바로잡았다.

83 敢告前疑: '전의(前疑)'는 임금의 앞에서 모시고 있는 의(疑)라는 관명(官名)이다. 옛날 전·후·좌·우에서 임금을 보필하는 사람이 있었는바, 앞을 의(疑), 뒤를 승(丞), 왼쪽을 보(輔), 오른쪽을 필(弼)이라 하였다. 여기에서 감히 전의에게 고한다 함은, 겸사로 직접 군주에게 아뢰지 못하고 임금을 모시는 전의에게 고한다고 한 것이다.

••• 援 당길 원 琴 거문고 금 祐 도울 우 諍 간할 쟁

끝은 보전하지 못합니다 未保其終

이에 금경(金鏡, 명언)을 기술하여 爰述金鏡

신성(神聖)의 이치를 다하오니 窮神盡聖

사람을 부리되 진심으로써 하며 使人以心

말에 응하기를 행실로써 하여 應言以行

정치의 대체를 포괄하고 包括治體

사령(詞令, 응대하는 말)을 억양(抑揚)하소서 抑揚詞令

천하가 공정(公正)히 다스려지면 天下爲公

군주 한 사람에게 복경(福慶)이 있습니다 一人有慶

그물을 열어 축원하고 開羅起祝

【《사기》〈은본기(殷本紀)〉에 "탕 임금이 처음 상(商)나라 왕조를 만들고서 들의 사면에 그물을 펼친 자를 보고는 마침내 삼면을 제거하고 축원하기를 '왼쪽으로 달아나려거든 왼쪽으로 가고 오른쪽으로 달아나려거든 오른쪽으로 가고 명령을 따르지 않는 자는 내 그물로 들어오라.' 했다." 하였다.】

거문고를 당겨 시(詩)를 명하여 援琴命詩

【순(舜) 임금이 오현금을 만들어 〈남풍시(南風詩)〉를 노래하였다.】

하루나 이틀 사이에도 一日二日

【《서경》〈우서(虞書) 고요모(皐陶謨)〉에 "하루 이틀에 만 가지 기미가 있다." 하였다.】

늘 이를 생각하여 여기에 있게 하소서 念茲在茲

【《서경》〈우서 대우모(大禹謨)〉에 "임금께서는 생각하사 이것을 생각하여 여기에 있으며 이것을 버려도 여기에 있으소서." 하였다.】

오직 사람이 부르는 것이니 惟人所召

【《춘추좌씨전》 양공(襄公) 23년에 "화복은 문이 없어서 오직 사람이 부르는 데로 온다." 하였다.】

하늘에서 도와줄 것입니다 自天祐之

【《주역》 대유괘(大有卦) 상구 효사(上九爻辭)에 "하늘에서 도와주어 길하여 이롭지 않음이 없다." 하였다.】

간쟁하는 신하가 곧음을 맡았기에 諍臣司直

감히 전의(前疑)에게 아뢰니다 敢告前疑

대당중흥송大唐中興頌

원결元結 차산次山

• 작가소개

원결(元結, 약719~약772)은 자가 차산(次山), 호가 만수(漫叟)·오수(聱叟)·낭사(浪士)·만랑(漫郎)이다. 본적은 하남(河南)인데, 뒤에 노산(魯山)으로 옮겼다. 어렸을 적부터 호방하고 거리낌이 없었는데 도가(道家) 사상의 영향이 상당하였다. 천보(天寶) 12년(753)에 진사에 급제하였는데, 진사가 되었을 적에 소원명(蘇源明)이 숙종(肅宗)에게 그를 칭찬하였다. 당시 사사명(史思明)이 하양(河陽)을 공격하자 원결이 《시의(時議)》 3편을 올리니, 숙종이 기뻐하고 그를 발탁하여 우금오병조참군(右金吾兵曹參軍) 섭(攝) 감찰어사(監察御史)로 삼았다. 적을 토벌한 공으로 감찰어사가 되었다. 또 수부원외랑(水部員外郎)이 되어 형남 절도사(荊南節度使) 여인(呂諲)을 보좌하여 적을 막았다.

건원(乾元) 2년(759)에 산남동도 절도사(山南東道節度使) 사홰(史翽)의 막료 참모가 되어 의병을 모집하여 사사명의 반군에 저항하며 15개 성을 보전하였다. 대종(代宗) 때에 도주 자사(道州刺史)에 제수되고, 용주(容州)를 다스리며 용주도독 충본관경략수착사(容州都督充本管經略守捉使)에 제수되어 상당한 치적을 이루었다. 대략 대력(大曆) 7년(772) 경에 입조하고 뒤에 장안(長安)에서 생을 마감하였다.

원래 있었던 저작 대부분이 일실되어 현재 남아 있는 것은 명나라 곽훈 각본(郭勳刻本) 《당원차산문집(唐元次山文集)》, 진계유 감정본(陳繼儒 鑒定本) 《당원차산문집》 및 회남황씨간본(淮南黃氏刊本) 《원차산집(元次山集)》이 있다.

• 작품개요

이 작품은 '안사(安史)의 난'으로 인해 거의 망할 뻔한 당(唐)나라가 중흥(中興)하게 된 것을 찬양한 글이다. '안사의 난'은 천보(天寶) 14년(755)에 시작되었다. 이듬해에 장안(長安)이 함락되자 현종(玄宗)은 사천(四川)으로 몽진하였는데, 태자 이형(李亨)은 영무(靈武)로 피신하여 곽자의(郭子儀)·이광필(李光弼) 등의 지지하에 부황에게 아뢰지도 않고 황제로 즉위하였는바, 이가 바로 숙종(肅宗)이다. 작자는 건원(乾元) 2년(759)에 국자사업(國子司業) 소원명(蘇源明)의 천거로 우금오병조참군(右金吾兵曹參軍) 섭(攝) 감찰어사(監察御史)로 발탁되어 산남동도절도(山南東道節度)의 참모(參謀)로 충원되었고, 상원(上元) 원년(760)에는 필양(泌陽)에서 사사명(史思明)의 반군을 막아 15개 성을 보전하여 그 공으로 감찰어사리행(監察御史裏行)에 제수되었다. 이해 9월에는 수부 원외랑(水部員外郞) 겸(兼) 전중시어사(殿中侍御使)에 제수되어 여인(呂諲)을 보좌하여 형남 절도사 판관(荊南節度使判官)으로서 구강(九江)에 주둔하였다. 상원(上元) 2년(761)에 반란이 거의 평정되자, 원결은 그해 8월에 구강에 있으면서 이 작품을 지었다. 10년 뒤인 대종(代宗) 대력(大曆) 6년(771)에는 안진경(顔眞卿)이 이 작품을 써서 그해 6월에 영주(永州) 기양현(祁陽縣) 오계(浯溪)의 동안(東岸), 상강(湘江)의 남안(南岸)에 자리한 석벽에 마애(摩崖)로 새겨놓았다. 이 때문에 '마애비(摩崖碑)'라고도 불린다.

이 작품은 서문[幷序]과 송문[頌]으로 구성된다. 서문에서는 송문을 짓게 된 연유를 밝혔다. 숙종이 반란을 평정하고 왕조를 중흥시킨 데 대한 감회로, 송문을 지은 목적이 '성덕대업(盛德大業)'을 가송(歌頌)하는 데에 있음을 설명하였다. 자수가 매우 적지만 안사의 난의 경위와 전후 관계를 분명하게 설명하였다.

송문은 이 작품의 정체(正體)로, 두 부분으로 나뉜다. '희희전조(嘻嘻前朝)'부터 '이성중환(二聖重歡)'까지 첫 번째 부분에서는 숙종이 난을 평정한 과정에 대하여 서술하였고, '지벽천개(地辟天開)'부터 끝까지 두 번째 부분에서는 당나라 황실을 중흥시킨 숙종의 성덕대업을 가송하였다.

송문은 사언(四言, 사자(四字))으로 구성되었는데 이는 《시경(詩經)》의 송체(頌體)에서 유래한 것으로, 총 45구에 15운인바, 3구마다 평성자(平聲字)로 환운(換韻)한 '삼구일운(三句一韻)'의 형식을 취하고 있다. 이러한 압운법은 특히 절주감(節奏感, 리듬감)이 강하여 급촉(急促)한 어세와 감성을 자아내 격앙된 정서에 절실하게 부합하기에 성운(聲韻)과 성정(聲情)의 특색이 매우 선명하다. 송(宋)나라 정대창(程大昌)의 《연번로(演繁露)》에서는 이러한 '삼구일운'의 형식이 '진시황의 회계 송덕비[秦皇會稽頌德]'에서 사용된 체제라고 하였는데,[84] 작자는 문장에 있어서 '고(古)'를 추구하였기 때문에

84 송(宋)나라……하였는데: 《연번로속집(演繁露續集)》 권4 〈시사(詩事) 삼구일운(三句一韻)〉에 "원결의 오계송(浯溪

이러한 형식을 사용한 것인바, 그 풍격이 웅위(雄偉)하고 강준(剛峻)하다. 이 때문에 작자에 대한 후대의 평가는 매우 높아, 당대(唐代)의 배경(裴敬)은 작자를 진자앙(陳子昂)·소원명·소영사(蕭穎士)·한유(韓愈)와 동렬(同列)에 세웠으며, 어떤 사람은 한유와 유종원(柳宗元)이 주도한 '고문 운동'의 선구(先驅)로 간주하기도 한다.

이 작품은 작자의 만년작(晩年作)에 속하는데, 창작 의도에 대해서는 논란이 존재한다. 즉, 문면 그대로 당조(唐朝)의 반란 평정과 중흥을 칭송하는 작품으로 보는 견해와 '춘추필법(春秋筆法)'을 계승하여 풍자와 비난의 의도를 은밀히 기탁한 글로 보는 견해가 있다. 후자의 견해는 작품의 이면에 상황(上皇)에 대한 숙종의 불효를 비평하는 뜻이 내포되어 있다는 것으로, 은미한 말〔微言〕로 숙종의 불효한 사실을 폭로하였다고 주장한다. 하지만 작자의 관력(官歷)이나 정치관 및 시대 상황을 아울러 고찰하면, 창작 의도는 숙종(肅宗)의 성덕대업(盛德大業)에 대하여 진심으로 찬송하는 것이라고도 할 수 있겠다. 양자 모두 타당한 논리와 근거를 제시하고 있기에 어느 한쪽이 옳다고 쉽사리 단안할 수 없으나, 본서의 편제 소주에는 후자의 설을 소개하였다.

송문은 전체적으로 고아(古雅)하여 《시경》 송체의 유풍(遺風)을 얻었다. 또한 문의(文義)가 정확하고 문사가 엄밀하며 충의의 진심을 잘 드러낸 것은 《춘추좌씨전》의 풍격이 있다. 소리 내어 읽을 적에 왕성한 생동감과 깊은 운치가 느껴지는 보기 드문 웅문(雄文)으로, 작자의 쾌작(快作)이라 할 수 있겠다.

篇題小註‥ 安祿山이 反하니 明皇이 幸蜀이라 肅宗이 時爲太子러니 自卽位於靈武하고 命郭子儀, 李光弼하여 復兩京하고 迎明皇還京師하여 唐業中興이라 元結이 遂於湖南永州祁陽縣南之浯溪石崖上에 刻此頌하니 顔魯公眞卿[85]이 書之라 後人이 因名磨崖碑하니 詩人, 文士

頌)은 3구마다 한 번씩 운(韻)을 바꿨으니, 이는 진시황의 회계 송덕비의 체제이다.〔元結浯溪頌 每三句一更韻 此秦皇會稽頌德之體也〕"라고 보인다.

85 顔魯公眞卿: 당 현종(唐玄宗) 때의 정치가이며 서예가로 자는 청신(淸臣)이며 북제(北齊) 시대 안지추(顔之推)의 5대손이다. 안녹산(安祿山)의 난에 평원 태수(平原太守)로 의병을 일으켜 반군의 후방을 교란하였다. 노군개국공(魯郡開國公)에 봉해져 안노공(顔魯公)이라고 불린다. 784년 회서 절도사(淮西節度使) 이희열(李希烈)이 난을 일으키자, 덕종(德宗)의 명으로 설득하러 갔다가 살해되었다. 《舊唐書 卷128 顔眞卿列傳》

••• 幸 행차할 행 祁 성할 기 浯 물이름 오 崖 벼랑 애 頌 칭송할 송 磨 갈 마

論此事者多矣라 黃山谷[86]之題磨崖碑와 楊誠齋[87]之浯溪賦 皆是也요 而范石湖[88]一詩 尤明言之焉이라 謂頌者는 美盛德之形容이어늘 次山이 乃以魯史筆法으로 婉辭含譏하고 後之詞人이 又從而發明之하니 則是碑는 乃一罪案耳라 其詩曰 三頌[89]遺音和者希하니 丰(봉)容寧有刺譏辭아 可憐元子春秋筆이 却寓唐家淸廟詩[90]라 歌詠但諧琴搏拊요 策書自管璧瑕疵라 紛紛健筆剛題破하니 從此磨崖不是碑[91]라하니 讀者所當知也라 故로 併錄焉하노라

안녹산(安祿山)이 반란을 일으키니, 명황(明皇, 현종(玄宗))이 촉(蜀) 지방으로 행차(파천)하였다. 숙종(肅宗)이 이때 태자(太子)로 있었는데, 스스로 영무(靈武)에서 즉위하고 곽자의(郭子儀)와 이광필(李光弼)을 명하여 양경(兩京, 장안과 낙양)을 수복하고 명황을 맞이해 경사(京師)로 돌아오게 하여 당(唐)나라의 왕업이 중흥하였다. 원결(元結)은 마침내 호남(湖南)의 영주(永州) 기양현(祁陽縣) 남쪽 오계(浯溪)의 석애(石崖, 절벽) 위에 이 송문(頌文)을 새겼는데, 노국공(魯國公) 안진경(顔眞卿)이 글씨를 쓰니, 후세 사람들은 인하여 마애비(磨崖碑)라 이름하였는바, 시인(詩人)과 문사(文士)로서 이 일을 논한 자가 많다.

황산곡(黃山谷, 황정견(黃庭堅))의 〈제마애비(題磨崖碑)〉와 양성재(楊誠齋, 양만리(楊萬里))의 〈오계부(浯溪賦)〉가 모두 이것이요, 범석호(范石湖, 범성대(范大成))의 한 시(詩)가 더욱 분명하게 말하였다. 그는 이르기를 "송(頌)은 성덕(盛德)을 찬미하여 형용하는 것인데, 차산(次山, 원결)은 마침내 노(魯)나라 사서(史書, 《춘추(春秋)》)의 필법(筆法)으로 말을 완곡히 하여 기롱(비판)하는 뜻을 품었고, 후세

---

86 黃山谷: 북송(北宋)의 시인인 황정견(黃庭堅)으로, 산곡은 그이 호이다. 소식(蘇軾)에게 배웠으며 두보(杜甫)를 높였다. 12세기 전반은 황정견의 시풍이 세상에 풍미하였는데, 황정견이 강서(江西) 출신이었기 때문에 '강서시파(江西詩派)'라 불렸다.

87 楊誠齋: 남송의 시인인 양만리(楊萬里)로, 성재는 그의 호이며, 길주(吉州) 길수(吉水) 사람으로 자는 정수(廷秀)이다. 장준(張浚)이 영주(永州)로 귀양가면서 정심 성의(正心誠意)의 학문을 권면하자 양만리가 감동하여 서재(書齋) 이름을 성재(誠齋)라 하였다. 천거를 받아 국자 박사(國子博士)가 되었고 태상 박사(太常博士) 시독관(侍讀官) 등을 역임하였다. 성품이 강직하여 한탁주(韓侂胄)에게 아부하지 않았으며, 시에 뛰어나 우무(尤袤), 범성대(范成大), 육유(陸游)와 함께 남송사대가(南宋四大家)로 불린다.《宋史 卷433 楊萬里列傳》

88 范石湖: 남송의 문인인 범성대(范成大)로 오군(吳郡) 사람이며, 자는 치능(致能), 호는 석호거사(石湖居士)이다. 고종 소흥(紹興) 24년(1154) 진사(進士)에 급제하였고 금(金)나라에 사신으로 갔는데 언사가 매우 강개하여 거의 죽음을 당할 뻔하였다. 문명(文名)이 있었고 특히 시에 뛰어났다.《宋史 卷386 范成大列傳》

89 三頌: 《시경》의 주송(周頌), 노송(魯頌), 상송(商頌)을 이른다.

90 淸廟詩: 《시경》〈주송(周頌) 청묘(淸廟)〉를 가리킨 것으로, 주공(周公)이 낙읍(洛邑)을 완성한 다음 제후들을 거느리고 문왕(文王)의 사당에 제사하면서 올린 악가(樂歌)인데, 송시(頌詩)의 대표로 알려져 있다.

91 三頌遺音和者希……從此磨崖不是碑: 《석호시집(石湖詩集)》〈서오계중흥비후(書浯溪中興碑後)〉에 보인다.

··· 婉 완곡할 완 譏 기롱할 기 丰 예쁠 봉 搏 칠 박 拊 칠 부 疵 흠 자

의 사인(詞人, 문인)들이 또 따라서 이것을 발명하였으니, 그렇다면 이 비(碑)는 하나의 죄안(罪案, 당나라에 대한 죄상(罪狀)을 기록한 글)이다." 하였다. 그 시에 "삼송(三頌)의 유음(遺音) 화답하는 자 드무니, 아름다움을 형용함에 어찌 기롱하는 말이 있단 말인가? 가련하다. 원자(元子)의 춘추필법을 당(唐)나라의 청묘시(淸廟詩)에 부쳤구나. 노래하고 읊음은 단지 거문고 소리에 맞추었고 책서(策書)는 옥(玉)의 하자에 절로 관계되도다. 분분하게 굳센 필력(筆力)으로 강하게 써 설파하니 이로부터 마애비는 이 송비(頌碑)가 아니네." 하였으니, 독자들은 이것을 마땅히 알아야 할 것이다. 그러므로 함께 기록하는 바이다.

• **原文**

天寶十四年에 安祿山이 陷洛陽하고 明年에 陷長安하니 天子幸蜀하시고 太子卽位於靈武라【玄宗入蜀, 駕至馬嵬, 父老遮道, 請留太子討賊, 上許之. 七月甲子, 太子卽位, 改元至德. 天子自幸蜀, 太子卽位, 其詞凜然. 山谷云"撫軍監國太子事, 何乃趣取大物爲? 臣結(春秋)[春陵]二三策"者,[92] 謂此處也.】明年에【至德二年.】皇帝移軍鳳翔하사 其年에 復兩京하고 上皇이 還京師하시다【曰皇帝, 曰上皇, 雖則紀實, 而過自見(현)矣.】於戲(오호)라 前代帝王이 有盛德大業者는 必見(현)於歌頌하나니 若今歌頌大業하여【上言盛德大業, 此獨言大業, 豈非謂其盛德有不足耶? 意顯然矣.】刻之金石인댄 非老於文學이면 其誰宜爲리오【自負不淺.】

천보(天寶) 14년(755)에 안녹산(安祿山)이 낙양(洛陽)을 함락하고 명년(明年)에 장안(長安)을 함락하니, 천자(현종)가 촉(蜀)으로 파천하시고 태자(숙종)가 영무(靈武)에서 즉위하였다.【현종(玄宗)이 촉(蜀)으로 들어갈 적에 대가(大駕)가 마외(馬嵬)에 이르니, 부로(父老)들이 길을 가로막고 태자를 남겨두어 역적을 토벌할 것을 청하자, 상(上)이 이를 허락하였다. 7월 갑자일(甲子日)에 태자가 즉위하여 지덕(至德)으로 개원(改元)하였다. 천자는 따로 촉으로 가고 태자는 즉위하였으니, 그 글이 〈추상과 같아〉 두려울만하

---

92 臣結(春秋)[春陵]二三策者: 저본에는 '신결춘추이삼책(臣結春秋二三策)'으로 되어 있으나 '신결용릉이삼책(臣結春陵二三策)'을 잘못 쓴 것으로 보인다. 두보가 일찍이 촉제(蜀帝)의 넋이 두견새로 화(化)했다는 전설에 의거하여 〈두견행(杜鵑行)〉을 지어서 두견새의 정상을 간절하게 읊었는데, 황정견이 〈두견행〉의 의미를 들어 〈제마애비(題磨崖碑)〉 시를 지었다. 여기에 "신 원결은 용릉행 등 이삼 편의 시를 읊었고, 신 두보는 임금 존경하는 두견행을 읊었네.[臣結春陵二三策 臣甫杜鵑再拜詩]"라고 하였는데, 〈용릉행〉에 "백성을 편안케 함 천자의 명이니, 천자의 부절 내가 가지고 있네. 주현이 갑자기 어지럽게 되면 그 죄를 져야 할 사람 그 누구인가.[安人天子命 符節我所持 州縣忽亂亡 得罪復是誰]"라고 하였으니, 이는 고을의 원은 고을을 잘 다스리도록 임금으로부터 위임을 받은 자이기 때문에 그 책임이 고을의 원에게 있음을 말한 것이다.

••• 陷 함락할 함 幸 행차할 행 於 감탄할 오

다. 황산곡(黃山谷)의 〈제마애비(題磨崖碑)〉 시에 "군대를 어루만지고 나라를 감독하는 것이 태자의 일이니, 어찌하여 대물(大物, 황제의 지위)을 빨리 취했단 말인가? 신 원결(元結)은 용릉행(舂陵行) 등 이삼 편의 시를 읊었다."라는 것은 이 부분을 말한 것이다.】 명년에【지덕(至德) 2년(757)이다.】 황제는 봉상(鳳翔)으로 군대를 옮겨 이 해에 양경(兩京, 장안과 낙양)을 수복하고 상황(上皇, 현종)이 경사(京師)로 돌아오셨다.【'황제(皇帝)'라 하고 '상황(上皇)'이라 하였으니, 비록 사실을 기록하였으나 숙종의 허물이 저절로 드러난다.】

아! 전대(前代)의 제왕 중에 성덕(盛德)과 대업(大業)이 있는 자는 반드시 가송(歌頌)에 나타났으니, 만일 지금에 대업을 노래하고 칭송하여【위에서는 성덕 대업이라고 말하고 여기서는 홀로 대업만을 말했으니, 어찌 그 성덕이 부족하다고 말한 것이 아니겠는가. 뜻이 분명하다.】 금석(金石)에 새기려 할진댄 문학에 노련한 사람이 아니면 그 누가 하겠는가.【자부한 것이 적지 않다.】

頌曰 噫嘻前朝에 孽臣姦驕하여【謂李林甫·楊國忠.[93]】 爲昏爲妖로다【三句一換韻, 別一體.】 邊將騁兵[94]하여 毒亂國經하니 群生失寧이로다 大駕南巡하시니 百僚竄身하여 奉賊稱臣[95]이로다【陳希烈輩.[96]】 天將昌唐하사 繄睨(예예)我皇하사 匹馬北方이로다 獨立一呼하시니 千麾萬旗(여)로 戎卒前驅로다 我師其東하니 儲皇撫戎하사【廣平王俶, 爲元帥, 卽代宗.】 蕩攘群兇이로다 復復(부복)指期하여 曾不踰時하니 有國無之로다 事有至難하니 宗廟再安하고 二聖重歡이라 地闢天開하여 蠲(견)除妖災하니 瑞慶大來로다 兇徒逆儔 涵濡天休하니 死生堪羞로다 功勞位尊하고 忠烈名存하니 澤流子孫이로다【功勞,

---

93 李林甫楊國忠: 이임보는 당나라 현종(玄宗) 때의 간신으로, 자는 가노(哥奴), 호는 월당(月堂)이다. 환관과 궁녀들과 결탁하여 19년 동안 재상의 지위에 있으면서 천자의 총명을 가리고 제멋대로 권세를 휘둘러 나라를 혼란에 빠뜨렸다. 양국충은 포주(蒲州) 영락(永樂) 사람으로 양귀비의 사촌 오라비이다. 현종 때 막강한 권력을 휘둘렀는데, 안녹산의 난이 일어나자 현종을 충동질하여 촉(蜀)으로 피란하게 하였다.《新唐書 卷223上 姦臣列傳 李林甫》《舊唐書 卷106 楊國忠列傳》

94 邊將騁兵: 변장은 국경의 수비를 맡은 장수로 안녹산(安祿山)을 가리킨다. 안녹산이 범양 절도사(范陽節度使)가 되어 어양(漁陽)에서 20만 대군으로 반란을 일으켰다.

95 奉賊稱臣: 안녹산을 임금으로 받들고 신하 노릇을 했음을 말한다.

96 陳希烈輩: 진희열은 송주(宋州) 사람으로 노장(老莊)을 강하는 것으로 출세하여 신선(神仙)과 부서(符瑞)로 현종에게 아첨하자, 이임보(李林甫)가 제재하기 쉬운 인물이라고 여겨 정승으로 삼았다. 그리하여 모든 정사를 이임보에게 결제받고 진희열은 다만 대답만 하고 서명만 할 뿐이었다. 동중서문하평장사(同中書門下平章事), 병부 상서(兵部尙書) 등을 역임하였다. 양국충(楊國忠)에 의해 정권에서 물러나게 되었고, 안녹산의 난에 항복하고 중서령(中書令)에 임명되었으나 숙종(肅宗) 때에 달해순(達奚珣)과 함께 참수되었다.《資治通鑑 卷215 唐紀》《新唐書 卷223上 姦臣列傳 陳希烈》

噫 한숨쉴 희 孽 서자 얼 騁 달릴 빙 竄 도망할 찬 繄 이 예 睨 돌아볼 예 麾 대장기 휘 旗 기 여 儲 쌓을 저 攘 제거할 양 踰 넘을 유 蠲 덜 견 儔 무리 주 涵 적실 함 濡 젖을 유

謂郭子儀等. 忠烈, 謂顏杲卿等.[97]】盛德之興이【此却單言盛德, 蓋以回護前序.】山高日昇하니 萬福是膺이라 能令大君으로 聲容沄沄은 不在斯文가 湘江東西에 中直(値)浯溪하니 石崖天齊라 可磨可鐫일새 刊此頌焉하니 何千萬年가

다음과 같이 송(頌)한다

아! 전조(前朝)에 — 噫嘻前朝
재앙을 만드는 신하가 간사하고 교만하여 — 孽臣姦驕
【'얼신(孽臣)'은 이임보(李林甫)와 양국충(楊國忠)을 이른다.】
어두운 짓을 하고 요망한 짓을 하였네 — 爲昏爲妖
【세 구에 한 번 운을 바꾸었으니, 별도로 한 체이다.】

변방을 지키던 장수가 군대를 치달려 — 邊將騁兵
국가의 기강을 해치고 어지럽히니 — 毒亂國經
여러 백성들이 안녕을 잃었네 — 群生失寧

대가(大駕, 황제)가 남쪽으로 순행하시니 — 大駕南巡
백관들이 몸을 숨기고 — 百僚竄身
적을 받들어 신(臣)이라 칭하였네 — 奉賊稱臣
【진희열(陳希烈)의 무리이다.】

---

97 功勞……謂顏杲卿等 : 곽자의는 하남성(河南省) 정현(鄭縣) 사람으로 분양왕(汾陽王)으로 봉해져서 곽분양(郭汾陽)이라고도 칭한다. 현종 때 삭방 절도사(朔方節度使)가 되어 안녹산의 난을 토벌하여 하북(河北)의 10여 군을 회복하고, 하북에서 사사명(史思明)을 격파하였다. 숙종(肅宗)과 대종(代宗) 때에 토번(吐蕃)을 쳐서 많은 공을 세워 그 공으로 중서령(中書令)에 발탁되고, 뒤에 분양군왕(汾陽郡王)에 봉해졌다. 안고경은 자가 흔(昕)으로, 안진경(顏眞卿)의 종형(從兄)이다. 안고경이 상산 태수(常山太守)로 있을 때 안녹산이 반란을 일으키자, 평원 태수(平原太守)인 안진경과 함께 군대를 일으켜 안녹산의 양자(養子) 이흠주(李欽湊)를 죽이고 장수(將帥) 고막(高邈) 등을 사로잡아 위위경 겸 어사중승(衛尉卿兼御史中丞)에 제수되었다. 이듬해 반군의 장수 사사명이 상산을 급습하였는데, 안고경이 미처 방비하지 못해 붙잡히게 되었다. 안녹산이 자신을 배반했다고 꾸짖자 안고경이 눈을 부릅뜨고 "너는 본래 영주(營州)의 양을 치던 갈족(羯族)의 종이었는데, 천자의 은혜와 총애를 입었다. 천자가 너에게 무엇을 저버렸기에 배반하였는가. 나는 대대로 당나라의 신하이니, 너를 목 베지 못한 것이 한스럽다." 하니, 안녹산이 노하여 천진교(天津橋)의 기둥에 묶어 찢어 죽였다.《新唐書 卷137 郭子儀列傳》《新唐書 卷192 忠義列傳 顏杲卿》

… 膺 응할 응 沄 깊을 운 鐫 새길 전

하늘이 장차 당나라를 창성하려 하사	天將昌唐
우리 황제를 돌보시어	繄睨我皇
필마(匹馬)로 북방으로 가게 하셨네	匹馬北方
홀로 서서 한번 소리치시니	獨立一呼
천 깃발과 만 깃발을 펄럭이며	千麾萬旗
군사들이 앞으로 달려왔네	戍卒前驅
우리 군대가 동쪽으로 향하니	我師其東
태자께서 군대를 어루만져	儲皇撫戎
【광평왕(廣平王) 이숙(李俶)이 원수(元帥)가 되었으니, 바로 대종(代宗)이다.】	
군흉(群兇)들을 소탕하고 제거하셨네	蕩攘群兇
다시 수복(收復)할 시기를 정하여	復復指期
일찍이 한 철을 넘기지 않았으니	曾不踰時
국가가 있어온 이래로 일찍이 없는 일이었네	有國無之
일에 지극히 어려운 것이 있으니	事有至難
종묘(宗廟)가 다시 편안하고	宗廟再安
두 성인(聖人, 황제)께서 거듭 즐거워하시네	二聖重歡
하늘과 땅이 개벽되어	地闢天開
요망함과 재앙을 깨끗이 제거하니	蠲除妖災
상서로운 경사가 크게 몰려왔네	瑞慶大來
흉악한 무리와 역적의 무리들이	兇徒逆儔
하늘의 아름다운 은혜에 무젖으니	涵濡天休
죽으나 사나 부끄러울 만하도다	死生堪羞

공로에 따라 지위가 높아지고	功勞位尊
충열(忠烈)의 이름 보존되니	忠烈名存
은택이 자손에게까지 전해지네	澤流子孫

【공로는 곽자의(郭子儀) 등을 이르고 충렬은 안고경(顏杲卿) 등을 이른다.】

성대한 덕의 흥왕함이	盛德之興

【여기에서는 성덕만을 말하였으니, 아마도 앞의 서문을 회호(回護, 감싸줌)한 듯하다.】

산처럼 높고 해처럼 떠오르니	山高日昇
온갖 복록(福祿)이 이에 응하였네	萬福是膺
위대한 군주로 하여금	能令大君
명성과 모습이 길이 전해지게 함은	聲容沄沄
이 글에 있지 않겠는가	不在斯文
상강(湘江)의 동서쪽	湘江東西
한가운데 오계(浯溪)를 마주한 곳에	中値浯溪
돌벼랑이 하늘과 가지런해	石崖天齊
이 돌을 갈아서 글을 새길 만하기에	可磨可鐫
이 송을 새기니	刊此頌焉
어찌 천만 년 뿐이겠는가	何千萬年

원인原人

한유韓愈 퇴지退之

• 작가소개

한유(韓愈, 768~824)는 자가 퇴지(退之)이고 시호는 문공(文公)이며, 하남(河南) 하양(河陽) 사람이다. 원적(原籍)이 창려(昌黎)로 알려져 한창려(韓昌黎) 또는 창려선생으로 불리었고 뒤에 창려백(昌黎伯)에 봉해졌다. 정원(貞元) 8년(792) 진사에 급제하여 지방 절도사의 속관(屬官)을 거쳐 정원 19년(803) 감찰어사(監察御史)가 되었을 때 도성의 장관을 탄핵하였다가 도리어 양산 현령(陽山縣令)으로 좌천되었다. 원화(元和) 2년(807) 오원제(吳元濟)의 회서(淮西) 반란을 평정하여 형부 시랑(刑部侍郎)이 되었으나, 헌종(憲宗)이 불골(佛骨)을 궁중으로 맞이해 오는 것을 간하다가 조주 자사(潮州刺史)로 좌천되었다. 이후 소환되어 국자좨주(國子祭酒)를 거쳐 이부 시랑(吏部侍郎)까지 지냈으므로 '한이부(韓吏部)'로 칭해지기도 한다. 특히 한유는 유종원(柳宗元)과 함께 고문운동가(古文運動家)로 유명하여 '한류(韓柳)'로 병칭되었다.

고문은 당시 유행하던 변체문(騈體文)과 상대되는 말로, 변체문은 변려문(騈儷文), 또는 사륙변려문(四六騈儷文), 사륙문(四六文)이라고도 칭하였다. 이 변체문은 위(魏)·진(晉) 시대 이후 초당(初唐), 성당(盛唐) 시대까지 유행하였는데, 성률(聲律)과 대우(對偶)를 강조하고 전고(典故)와 사조(辭藻)를 추구하였으며, 구식(句式)에 있어서도 사문(四文)의 교차가 정형이었다. 그 대표적인 것이 앞에 실려 있는 〈북산이문(北山移文)〉과 〈등왕각서(滕王閣序)〉라 할 것이다. 교묘하게 대우를 맞추고 정형화된 수사법(修辭法)을 사용하여 얼핏 보기에는 매우 아름답지만 너무 형식적이고 실용성이 적어 문체의 개혁은 피할 수가 없었다. 이후 고문이 다시 세상에 유행되어 문체가 완전히 바뀌었다. 이에 소동파는 한유를 칭찬하며 "문장은 팔대(八代)의 쇠함을 일으켰다.〔文起八代之衰〕"라고 찬양하였다.

한유의 글은 《당송팔가문초(唐宋八家文抄)》에도 가장 많은 분량을 차지하였고, 《고문진보 후집》에도 제일 많은 분량이 수록되어 있다.

• 작품개요

이 작품은 '오원(五原)'을 구성하는 한 편으로, '원(原)'이란 '근원[본원]을 탐구한다'는 뜻인바, '원인(原人)'은 '사람(인간)의 근원[본원]을 탐구한다'는 뜻이다. '오원'은 이 작품 및 〈원도(原道)〉·〈원성(原性)〉·〈원훼(原毁)〉·〈원귀(原鬼)〉의 다섯 편을 가리키는데, 육경(六經)의 취지(趣旨)를 요약하여 지은 작자의 대표작으로 작자의 철학적·정치적 관점이 집중적으로 드러나 있다.

이 작품은 내용상 네 부분으로 나뉜다. '형어상자(形於上者)'부터 '위지인(謂之人)'까지 첫 번째 부분은 작품 전체의 강령을 제시한 것이다. 작품은 이 부분을 근간으로 삼아 논리를 확장·전개해 나가는 구조를 취하고 있다. '형어상(形於上)'부터 '개인야(皆人也)'까지 두 번째 부분은 천(天)·지(地)·인(人)에 대하여 해설한 것이다. '왈연즉(曰然則)'부터 '부득기정(不得其情)'까지 세 번째 부분은 한 걸음 더 나아가 무엇을 천(天)·지(地)·인(人)이라고 하는지 설명함으로써 혼동하기 쉬운 개념을 분명하게 해석하고, 아울러 천도(天道)·지도(地道)·인도(人道)의 문제를 제기하였다. '천자(天者)'부터 '독근이거원(篤近而擧遠)'까지 네 번째 부분에서는 '주인된 도리[爲主之道]'를 제대로 행할 것과 '인정(仁政)' 사상과 '박애(博愛)' 정신을 언급하며 문장을 끝맺었다.

작자는 사람의 근원을 탐구하면서 자연과 사람의 규율을 탐색하여 '천도', '지도', '인도'의 관념을 제시하였다. 작자는, 이 세 가지 도(道, 규율)가 매우 중요하며 만약 이것을 위배하게 되면 혼란한 상황을 초래할 수 있다고 주장하였다. 또한 '주(主)'가 되는 사람의 지위를 강조하였는데, 이적과 금수의 '주'가 바로 사람이라고 주장한 것은 앞서 사람은 천지의 사이에서 명을 받은 자로 간주한 것과 조응한다. 말미에서는 성인(聖人)의 사상과 행사(行事)에 따라 사람과 세간의 만물을 동등하게 대해야 한다고 주장한다. 이는 일종의 '만물동체설(萬物同體說)'로 '친친(親親)·인민(仁民)·애물(愛物)'과 '이일분수(理一分殊)'와 긴밀한 연관성을 띠는데 맹자의 '인정(仁政)' 사상과 유가적 '박애' 정신에서 발원한 것이다.

전체 210여 자의 짧은 편폭이지만 포치(布置)의 신중함과 논지의 확대·발전이 두드러진다. 이로 인하여 전체의 결구(結構)가 엄밀하면서도 일정한 변화가 있다. 천·지·인의 개념을 밝혀서 서술하고, 헷갈리기 쉬운 관념을 변석하였을 뿐만 아니라 천도·지도·인도에 관한 문제를 제기한 다음 '일시동인(一視同仁)', '독근거원(篤近擧遠)'의 주장을 드러내었다. 문사는 간략하나 문의가 풍부하여 매우 개괄적인 작품이라 하겠다.

篇題小註‥ 論人者는 夷狄禽獸之主니 聖人一視而同仁이라

사람은 이적(夷狄)과 금수(禽獸)의 주인이니, 성인(聖人)이 똑같이 보고 함께 사랑함을 논하였다.

• **原文**

形於上者를 謂之天이요 形於下者를 謂之地요 命於其兩間者를 謂之人이니【鼎足立說.】形於上은 日, 月, 星辰(신)이 皆天也요 形於下는 草木, 山川이 皆地也요 命於其兩間은 夷狄, 禽獸皆人也니라【辨析三說.】

위에 형체가 있는 것을 하늘이라 이르고, 아래에 형체가 있는 것을 땅이라 이르고, 이 두 가지 사이에 명(命)을 받은 것을 사람이라 이른다.【솥발처럼 셋으로 나누어 말하였다.】위에 형체가 있는 것은 일(日)·월(月)과 성신(星辰)이니 모두 하늘이요, 아래에 형체가 있는 것은 초목(草木)과 산천(山川)이니 모두 땅이요, 이 두 가지 사이에 명을 받은 것은 이적(夷狄)과 금수(禽獸)이니 모두 사람이다.【세 가지 말로 나누어 변별하였다.】

曰 然則吾謂禽獸曰人이 可乎아 曰 非也라 指山而問焉曰山乎아하면 曰山이 可也니 山有草木, 禽獸를 皆擧之矣어니와 指山之一草而問焉曰山乎아하면 曰山則不可라 故로 天道亂而日, 月, 星辰이 不得其行하고 地道亂而草木, 山川이 不得其平하고 人道亂而夷狄, 禽獸不得其情하나니 天者는 日, 月, 星辰之主也요 地者는 草木, 山川之主也요 人者는 夷狄, 禽獸之主也니 主而暴之면 不得其爲主之道矣라 是故로 聖人은 一視而同仁하고 篤近而擧遠하나니라【結得極好.】

"그렇다면 내가 금수를 일러 사람이라 하는 것이 가(可)하겠는가?" "아니다. 산을 가리켜 '산인가?' 하고 물으면 산이라고 대답하는 것은 가하니, 산에 있는 초목과 금수를 모두 든 것이지만 산의 풀 한 포기를 가리키면서 '산인가?' 하고 물으면 산이라고 대답하는 것은 옳지 않다."

··· 辰 별 신 夷 동쪽오랑캐 이 狄 북쪽오랑캐 적

그러므로 천도(天道)가 혼란함에 일 · 월과 성신이 그 운행을 얻지 못하고 지도(地道)가 혼란함에 초목과 산천이 그 평함을 얻지 못하고 인도(人道)가 혼란함에 이적과 금수가 그 실정을 얻지 못한다. 하늘은 일 · 월과 성신의 주인이요, 땅은 초목과 산천의 주인이요, 사람은 이적과 금수의 주인이니, 주인으로서 포악하게 하면 주인된 도리를 얻지 못하는 것이다. 이 때문에 성인(聖人)은 한결같이 보아 똑같이 사랑하고 가까운 것을 돈독히 하면서도 먼 것을 드는 것이다.【끝맺음이 매우 좋다.】

원도原道

한유韓愈

• 작품개요

이 작품은 '오원(五原)' 중의 한 편으로, '원도(原道)'란 '유도(儒道, 유가의 도)의 근원〔본원〕을 탐구한다'는 뜻이다. 작자의 탐구 대상은 바로 유가의 '인의도덕(仁義道德)'인바, 불교(佛敎)와 도교(道敎, 老莊)로 인한 당시의 폐해를 서술하고, 공자와 맹자의 도학을 밝혀 정립하려는 사상이 잘 나타나 있어 작자의 저술 가운데 대표작으로 손꼽힌다.

수나라와 당나라 때에는 불교와 도교가 성행하여 사상·학술계에서 유학의 입지는 점차 줄어들었다. 특히 불교의 위세는 대단하였다. 이에 작자는 〈논불골표(論佛骨表)〉를 올림으로써 정치적 측면에서 불교를 배척하였고, 이 작품을 통하여 불교의 사상적 영향을 깨끗이 쓸어버리고자 하였다.

작품에서 작자는 불교와 도교를 분별하여 공박하였는데, 주 대상은 바로 불교였다. 불교에 대한 비판은, 군신(君臣)과 부자(父子)의 관계를 버리고 생양(生養)의 도를 금지한 것과 불교의 '치심(治心)'은 오로지 자기 일신에만 국한되고 천하 국가를 도외시한다는 것이었다. 도교에 대한 비판은, 노자가 말한 도는 인의를 제거한 것으로, 유가의 '성인지도(聖人之道)'와 부합하지 않는다는 것과 '절성기지(絶聖棄智)'는 황당무계하다는 것, '태고지무사(太古之無事)'의 원시 상태로 되돌아가자는 주장은 시대 현실과 매우 어긋난다는 것이었다.

작자는 역사 발전·사회 생활 등의 방면에서 점층적으로 분석하여 불교와 도교의 잘못된 점을 논박하고 유학의 옳은 점을 논술함으로써 고도(古道)를 회복하고 유학을 존숭하자는 견해를 피력하였다. 특히 작자가 제시한 도통(道統)의 수수 체계(授受體系)는 송대 유자들이 즐겨 말하는 '도통'의 기원이 된다. 이러한 '유가의 도통' 및 '국계(國計)와 민생(民生)'의 두 가지 기준에 입각하여 불교와 도교를 배척하는 것은 작자만의 독특한 시각이다.

전체적으로 이 작품은 입론(立論)과 논박(論駁)이 결합되어 논증이 점층적으로 전개되어 나간다. 또한 대우(對偶)와 산문구를 교대로 구사하여 웅혼한 기세와 끊임없는 변화를 만들어 내었다. 작자는 평생 유학의 도통을 계승하고 유학의 도를 회복하는 것을 자신의 임무로 삼아 불교와 도교를 배척하고 번진(藩鎭)의 할거를 비난하며 군주에게 보다 더 강한 권력이 집중되는 것을 주장함으로써 나날이 더욱 심해지는 사회적 모순을 완화시키고자 하였는바, 이 작품은 유학 부흥 운동의 선언서이자 작자의 사상적 정화(精華)인 셈이다.

篇題小註··· 程子曰 韓愈亦近世豪傑之士라 如原道之言은 雖不能無病이나 然自孟子以來로 能知此者는 獨愈而已라 其曰 孟氏醇乎醇[98]이라하고 又曰 荀與揚은 擇焉而不精하고 語焉而不詳이라하니 若無所見이면 安能由千載之後하여 判其得失을 若是之明也리오 又曰 退之晚年之文은 所見甚高하니 不可易而讀也라 古之學者는 修德而已니 有德則言可不學而能이라 退之는 乃以學文之故로 日求所未至라 故로 其所見이 及此하니 其爲學之序 雖若有戾나 然其言曰 軻之死에 不得其傳이라하니 此非襲前人語요 又非鑿空率然而言이니 是必有所見矣라 若無所見이면 則所謂以是傳之者[99] 果何事耶아

정자(程子)가 말씀하였다.

"한유(韓愈)는 또한 근세의 호걸스러운 선비이다. 〈원도〉와 같은 내용은 비록 병통이 없지 않으나 맹자(孟子) 이래로 능히 이것을 안 자는 홀로 한유 뿐이다. 그는 말하기를 '맹자는 순수하고 순수하다.' 하였고, 또 이르기를 '순자(荀子)와 양자(揚子)는 택하였으나 정밀하지 못하고 말하였으나 상세하지 못하다.' 하였으니, 만일 본 바가 없다면 어찌 천 년의 뒤에서 그 득실을 판별하기를 이와 같이 분명하게 하였겠는가?"

---

98 孟氏醇乎醇 : 《창려선생집(昌黎先生集)》〈독순(讀荀)〉에 "맹자는 순수하고 순수한 자요, 순자와 양자는 크게는 순수하나 약간의 하자(瑕疵, 병폐)가 있다.〔孟氏 醇乎醇者也 荀與揚 大醇而小疵〕" 하였다.

99 以是傳之者 : 아래에 보이는 "요(堯) 임금은 이것을 순(舜) 임금에게 전하시고, 순 임금은 이것을 우왕(禹王)에게 전하시고, 우왕은 이것을 탕왕(湯王)에게 전하시고, 탕왕은 이것을 문왕(文王)·무왕(武王)과 주공(周公)에게 전하시고, 문왕·무왕과 주공은 이것을 공자(孔子)에게 전하시고, 공자는 맹가(孟軻)에게 전하셨는데, 맹가가 죽자, 그 전함을 얻지 못하였다."라고 한 것을 가리킨다.

··· 醇 순수할 순 戾 어그러질 려 軻 수레 가 襲 인습할 습 鑿 뚫을 착

또 말씀하였다.

"퇴지(退之, 한유)의 말년의 문장은 본 바가 매우 높으니, 쉽게 읽을 수 없다. 옛날의 학자들은 덕(德)을 닦았을 뿐이니, 덕이 있으면 말(문장)은 배우지 않아도 잘하였다. 그런데 퇴지는 마침내 문장을 배운 까닭으로 날마다 그 이르지 못한 바를 찾았다. 그러므로 그 본 바가 이에 미쳤으니, 학문을 한 순서는 비록 어긋남이 있는 듯하나 그의 말에 '맹자가 죽음에 그 전함을 얻지 못했다.' 하였는바, 이는 옛사람의 말을 답습한 것이 아니요, 또 억지로 천착(穿鑿)하여 경솔히 말한 것도 아니니, 이는 반드시 본 바가 있는 것이다. 만일 본 바가 없다면 이른바 '이것으로써 전했다.'는 것이 과연 무슨 일이겠는가?"

朱子曰 諸賢之論에 唯此二段이 能極其深處라 然이나 臨川王氏安石之詩에 有曰 紛紛易盡百年身이니 擧世何人識道眞고 力去陳言誇末俗하니 可憐無補費精神이라하니 其爲予奪이 乃有大不同者라 嘗折其衷而論之컨대 竊謂程子之言이 固爲得其大端이요 而王氏之言도 亦自不爲無理라 蓋韓公於道에 知其用之周於萬事로되 而不知其體具於吾之一心하고 知其可行於天下로되 而不知其本當先於吾之一身也라 是以로 其言이 常詳於外而略於內하고 其志常極於遠大로되 而其行未必謹於細微하며 雖知文與道有內外淺深之殊나 而終未能審其緩急重輕之序하여 以決取舍하며 雖汲汲以行道濟時, 抑邪與正爲事나 而未免雜乎貪位慕祿之私하니 此其見(현)於文字之中에 信有如王氏所譏者라 但王氏雖能爲此言이나 而其所謂道眞者는 實乃老, 佛之餘波라 正韓公所深詆니 是楚雖失而齊亦未爲得也[100]라 以是而論하면 韓公之學이 所以爲得失者를 庶幾其有分乎인저 又曰 達摩未入中國時에 如支遁法師之徒只是談莊老요 後來人亦多以莊老助禪하니라

주자(朱子)가 말씀하였다.

"제현(諸賢)의 의론 중에 오직 이 두 단락이 깊은 내용을 다하였다. 그러나 임천 왕씨(臨川王氏) 안석(安石)의 시(詩)에 '분분하게 백 년의 몸 다하기 쉬우니, 온 세상에 어느 누가 도진(道眞)을 아는가.

---

100 楚雖失而齊亦未爲得也 : 둘 다 모두 잘못이 있다는 의미이다. 초나라의 자허(子虛)가 제나라로 사신 갔을 때에 제나라 왕이 성대한 사냥 대회를 열어 자허를 접대하였다. 그러자 자허가 초나라의 화려한 사냥에 대해 자랑하면서 제나라가 초나라만 못하다고 하였다. 이에 대해 오유선생(烏有先生)이 제나라 왕의 선의(善意)를 무시한 언사(言辭)라고 자허를 꾸짖으니, 무시공(無是公)이 "초나라도 잘못이 있으나 제나라도 옳다고 할 수 없다.〔楚則失矣 齊亦未爲得也〕"라고 말한 일이 있다.《史記 卷117 司馬相如列傳》

••• 誇 과장할 과 折 꺾을 절 衷 알맞을 충 汲 서두를 급 詆 비방할 저 摩 만질 마
遁 숨을 둔 禪 참선할 선

힘써 진부한 말 제거하여 말속(末俗)을 과시하니, 가련하다. 도움은 없고 정신만 허비하였네.' 하였으니, 그 여탈(予奪, 칭찬하고 비판함)한 것이 크게 다름이 있다.

내 일찍이 절충하여 논하건대, 정자의 말씀은 진실로 큰 단서를 얻었고, 왕씨의 말 또한 본래 무리(無理)한 것이 아니다. 한공(韓公)은 도(道)에 대해 그 용(用)이 만사(萬事)에 두루함은 알았으나 체(體)가 나의 한 마음에 갖추어진 것은 알지 못하였고, 이것을 천하에 행할 수 있음은 알았으나 그 근본은 마땅히 내 한 몸에 먼저 해야 함은 알지 못하였다. 이 때문에 말이 항상 밖에 상세하고 안에 소략하며, 뜻이 항상 원대함에 극진하였으나 행실은 반드시 세미함을 삼가지는 못하였다. 그리고 비록 문(文)과 도(道)가 내외(內外)와 천심(淺深)의 다름이 있음을 알았으나 끝내는 완급(緩急)과 경중(輕重)의 차례를 살펴 취사(取捨)를 결단하지 못했으며, 비록 급급히 도를 행하고 세상을 구제함과 사(邪)를 억제하고 정(正)을 돕는 것을 일삼았으나 지위를 탐하고 녹봉을 사모하는 사사로움에 뒤섞임을 면치 못하였으니, 이는 그의 문자 가운데 나타난 것에 진실로 왕씨가 비판한 것과 같은 내용이 있다.

다만 왕씨는 비록 이러한 말을 하였으나 그가 말한 '도진(道眞)'이란 실로 노(老) · 불(佛)의 여파(餘波)일 뿐이다. 이는 바로 한공이 깊이 꾸짖은 것이니, 이는 초(楚)나라가 비록 잘못하였으나 제(齊)나라 또한 잘함이 되지 못하는 것과 같다. 이것을 가지고 논하건대, 한공의 학문이 득실(得失, 잘잘못)을 거의 분별할 수 있을 것이다."

또 말씀하였다.

"달마(達摩)가 중국(中國)에 들어오지 않았을 때에 지둔법사(支遁法師)와 같은 무리들은 다만 노(老) · 장(莊)을 말했을 뿐이었고, 후래 사람들은 또한 대부분 노장학(老莊學)으로 선학(禪學)을 도왔다."

愚按 老子는 與孔子同時요 佛則後漢明帝時에 始入中國이라 然이나 後之譎(휼)誕者 往往攘老子, 莊, 列之說하여 以佐佛學하니 其本雖異나 而末流一也라 故로 韓公此篇은 爲闢老, 佛而作이라 始單擧老氏라가 中搭上佛氏하니 闢老는 卽闢佛也니 竟不復分別云이라

내(진력(陳櫟))가 살펴보건대, 노자(老子)는 공자(孔子)와 동시대요, 불법(佛法)은 후한(後漢) 명제(明帝) 때에 처음으로 중국에 들어왔다. 그런데 후세에 허탄한 자들은 노자와 장자 · 열자(列子)의 말을 취하여 불학(佛學)을 돕고 있으니, 그 근본은 비록 다르나 말류는 똑같다. 그러므로 한공의 이 편은 노 · 불을 배척하기 위하여 지은 것이다. 처음에는 단지 노씨(老氏)를 들었다가 중간에는 불씨(佛氏, 불교)로 올라갔으니, 노자를 배척함이 바로 불교를 배척함이니, 마침내 다시 분별할 것이 없다."

… 譎 속일 휼 攘 물리칠 양 闢 물리칠 벽 搭 오를 탑

○ 陳靜觀曰 此篇은 雖有未醇이나 然比之揚雄所謂老氏言道德은 吾有取焉耳요 搥提仁義하고 絶滅禮樂은 吾無取焉耳면 豈不高리오 他旣無禮樂仁義하니 成甚(삼)道德이리오 本意는 是吾儒合仁義言道德하고 老, 佛去仁義言道德이라 所以吾儒之說은 可爲天下國家요 老, 佛之說은 皆外了天下國家하니 可以爲天下國家는 便是天下之公言이요 外了天下國家는 所以爲一人之私言이니 吾儒之言은 平常이요 老, 佛之言은 怪異니라

진정관(陳靜觀)이 말하였다.

"이 편은 비록 순수하지 못함이 있으나 양웅(揚雄)이 말한바 '노씨(老氏)가 도덕을 말함은 내 취할 점이 있고, 인의(仁義)를 끌어내리고 예악(禮樂)을 멸절(滅絶)함은 내 취할 점이 없다.'는 것에 비하면 어찌 높지 않겠는가. 저 노씨는 이미 예악과 인의가 없으니, 무슨 도덕을 이루겠는가. 이 편의 본의(本意)는 우리 유학(儒學)은 인의를 합하여 도덕을 말하고, 노 · 불은 인의를 버리고 도덕을 말함에 있다. 이 때문에 우리 유학의 말은 천하와 국(國) · 가(家)를 다스릴 수 있고 노 · 불의 말은 모두 천하와 국 · 가를 외면하였으니, 천하와 국 · 가를 다스릴 수 있는 것은 곧 천하의 공언(公言)이요, 천하와 국 · 가를 외면한 것은 한 사람의 사언(私言)이 되는 것이다. 우리 유가의 말은 평상(平常)하고 노 · 불의 말은 괴이하다."

• **原文**

博愛之謂仁이요 行而宜之之謂義요【先儒譏此語, 謂愛自是情, 仁自是性, 以愛爲仁, 是以情爲性. 行而宜之始爲義, 亦有告子義外之失.[101] 愚按 仁者, 心之德, 愛之理, 義者, 心之制, 事之宜.[102] 必如朱子此言, 始無遺憾. 然周子亦曰: "愛曰仁, 宜曰義." 韓公且就仁義之用處言之, 亦可勿苛責也.】由是而之焉之謂道요 足乎己無待於外之謂德이라【是字, 指仁義. 由仁義而行之爲道, 行仁義之道而得之心, 爲德. 由是二字, 是合仁義言道德之過血脈處.】仁與義는 爲定名이요 道與德은 爲虛位라 故로 道는 有君子, 有小人하고 而德은 有凶, 有吉이니라【樓云: "見得是虛位." 陳云:

---

101 告子義外之失 : 《맹자》〈고자 상(告子上)〉에 "식색(食色)이 성(性)이니, 인(仁)은 내면에 있고 외면에 있는 것이 아니며, 의(義)는 외면에 있고 내면에 있는 것이 아니다."라고 한 고자의 말을 가리킨다.

102 周子亦曰 愛曰仁 宜曰義 : 주자(周子)는 염계(濂溪, 주돈이(周敦頤))를 가리킨 것으로 그가 지은 《통서(通書)》에 "덕(德)은, 사랑함을 인(仁)이라 하고 마땅함을 의(義)라 하고 다스림(조리에 맞음)을 예(禮)라 하고 통함을 지(智)라 하고 지킴을 신(信)이라 한다.〔德 愛曰仁 宜曰義 理曰禮 通曰智 守曰信〕"라고 보인다. 《性理大全書 卷2 通書》

••• 搥 던질 퇴 甚 무엇 삼

"緣有吾儒所謂道德, 有老所謂道德, 所以援此."】

널리 사랑함을 인(仁)이라 이르고, 이것을 행하여 마땅하게 함을 의(義)라 이르고,【선유들이 이 말을 비판하여 "사랑은 본래 정(情)이고 인(仁)은 본래 성(性)인데, 사랑을 인(仁)이라고 하면 이는 정을 성(性)이라 한 것이다. 행하여 마땅하게 함을 비로소 의(義)라고 한 것 또한 고자(告子)의 의(義)를 밖이라 한 잘못이 있다." 하였다. 내가 살펴보건대 인(仁)은 마음의 덕이고 사랑의 원리이며 의(義)는 마음이 제재이고 일의 마땅함이니, 반드시 주자(朱子)의 이 말씀과 같이 하여야 비로소 유감이 없다. 그러나 주자(周子) 또한 '사랑을 인(仁)이라 하고 마땅함을 의(義)라 한다.' 하였으니, 한공(韓公)이 우선 인의의 용처(用處)에 나아가 말씀하였는바, 또한 까다롭게 책망하지 말아야 할 것이다.】 이것(인과 의)을 말미암아 가는 것을 도(道)라 이르고 〈인과 의의 도를〉 자신에게 충족하여 밖에 기대함이 없음을 덕(德)이라 이르니,【'유시이지언(由是而之焉)'의 '시(是)' 자는 인의(仁義)를 가리키니, 인의를 따라 행하면 도가 되고 인의의 도를 행하여 마음에 얻으면 덕이 된다. '유시(由是)' 두 글자는 인의를 합하여 도덕이 지나가는 혈맥을 말한 것이다.】 인과 의는 정해진 명칭이 되고, 도와 덕은 빈자리가 된다. 그러므로 도는 군자(君子)와 소인(小人)이 있고, 덕은 흉함과 길함이 있는 것이다.【누우재(樓迂齋)가 말하였다. "이 도덕이 헛된 자리임을 나타낸 것이다." 진씨(陳氏)가 말하였다. "우리 유가의 이른바 도덕이란 것이 있음으로 인연하여 노자의 이른바 도덕이란 것이 있으니, 이 때문에 이것을 원용한 것이다."】

老子之小仁義는 非毁之也요 其見者小也니 坐井而觀天曰天小者는 非天小也라【小作罪, 非.】 彼以煦(후)煦【小惠貌.】爲仁하며 孑(혈)孑爲義하니 其小之也則宜로다 其所謂道[103]는 道其所道요 非吾所謂道也며 其所謂德[104]은 德其所德이요 非吾所謂德也라【旣小了仁義, 所以道非吾道, 德非吾德. 蓋去仁義, 言道德也.】 凡吾所謂道德云者는 合仁與義言之也니 天下之公言也요 老子之所謂道德云者는 去仁與義言之也니 一人之私言也니라

---

103 其所謂道 : 《도덕경(道德經)》〈상원(象元)〉에 "혼성한 물건이 있으니 천지보다 먼저 생겼다. 소리도 없고 형체도 없고 홀로 서서 변하지 않고 두루 운행하면서도 위태롭지 않으니, 천하의 어머니라 하겠다. 나는 그 이름을 알지 못해 도라고 이름을 붙였다.〔有物混成 先天地生 寂兮寥兮 獨立而不改 周行而不殆 可以爲天下母 吾不知其名 字之曰道〕"라고 보인다. 노자가 말한 도는 만물이 말미암아 생겨난 근원으로 자연의 본체를 가리키니, 유가에서 말한 도와는 다르다.

104 其所謂德 : 《도덕경》 제51장에 "그러므로 만물은 도를 받들고 덕을 귀하게 여기지 않으면 안 된다.〔是以萬物莫不尊道而貴德〕"라고 보인다.

••• 煦 은혜 후 孑 고단할 혈

노자(老子)가 인의를 하찮게 여긴 것은 인의를 헐뜯은 것이 아니요 그가 본 것이 작기 때문이니, 우물에 앉아 하늘을 보고 하늘이 작다고 말하는 자는 하늘이 작은 것이 아니다.【'소(小)'를 '죄(罪)'로 쓰기도 하는데, 잘못이다.】 저(노자)는 후후(煦煦)【'후후'는 작은 은혜의 모양이다.】를 인으로 여기고 혈혈(孑孑, 작은 지조)을 의라고 여겼으니, 하찮게 여김이 당연하다. 그들이 말하는 도는 그들이 도라고 여기는 바를 도라 하는 것이요 우리가 말하는 도가 아니며, 그들이 말하는 덕은 그들이 덕이라고 여기는 바를 덕이라 하는 것이요 우리가 말하는 덕이 아니다.【이미 인의를 작게 여겼으니, 이 때문에 도가 우리 도가 아니고 덕이 우리 덕이 아닌 것이니, 이는 인의를 버리고 도덕을 말한 것이다.】

무릇 우리가 말하는 도덕은 인과 의를 합하여 말한 것이니 천하의 공언(公言)이요, 노자가 말한 도덕은 인과 의를 버리고 말한 것이니 한 개인의 사언(私言)이다.

周道衰하고 孔子沒하시니 火于秦하고 黃老[105]于漢하며 佛于晉, 宋, 齊, 梁, 魏, 隋之間하여【至此, 始說佛, 他把佛 · 老, 一衮說了.】 其言道德仁義者 不入于楊이면 則入于墨하고 不入于老면 則入于佛하여 入于彼則出于此라 入者를 主之하고 出者를 奴之하며 入者를 附之하고 出者를 汙之하니 噫라 後之人이 其欲聞仁義道德之說인들 孰從而聽之리오【前言道德仁義, 此言仁義道德, 先後不同. 尋常讀過, 不覺, 誰復致思? 陳靜觀批: "道德仁義, 與仁義道德之說不同. 先道後德, 先德後仁, 先仁後義, 此老之說, 謂之道德仁義. 博愛謂仁, 行宜謂義, 之焉謂道, 足己謂德, 此韓之說, 謂之仁義道德, 看得仔細."】

주(周)나라 도(道, 정치)가 쇠하고 공자(孔子)가 별세함에 진(秦)나라 때에 경적(經籍)이 불탔고 한대(漢代)에는 황로학(黃老學)이 성하였으며 진(晉) · 송(宋) · 제(齊) · 양(梁) · 위(魏) · 수(隋)의 사이에는 불교가 홍행하여,【이에 이르러서 처음으로 불(佛)을 말하였으니, 저 불(佛) · 노(老)를 가지고 하나로 뒤섞어서 말하였다.】 도덕과 인의를 말하는 자가 양주(楊朱)에 들어가지 않으면 묵적(墨翟)에게 들어가고, 노자에게 들어가지 않으면 불가에 들어가서 저기로 들어가면 여기에서 나오게 되었다. 들어가는 자는 주인으로 여기고 나가는 자는 노예로 여기며 들어가는 자는 따르고 나가는 자를 더럽게 여기니, 아! 후세의 사람들이 인의와 도덕의 말을 듣고자 한들 누구를 따라 듣겠는가.【앞에서는 '도덕 인의(道德仁義)'라고 말하고, 여기서는 '인의 도덕(仁義道德)'이라고 말하

---

105 黃老: 황제(黃帝)와 노자(老子)의 청정무위(淸淨無爲)를 주장하는 학설(學說)을 이른다.

여 선후가 똑같지 않다. 평소 읽을 적에 깨닫지 못하니, 누가 다시 여기에 생각을 지극히 하겠는가. 진정관(陳靜觀)의 비평에 "도덕 인의는 인의 도덕이라는 말과 다르다. 도를 먼저 하고 덕을 뒤에 하며 덕을 먼저 하고 인을 뒤에 하며 인을 먼저 하고 의를 뒤에 함은 이는 노자의 설이니, 이것을 일러 '도덕 인의'라 한다. 널리 사랑함을 '인'이라 하고 행하여 마땅함을 '의'라 하고 이것을 따라 감을 '도'라 하고 자기에게 충족함을 '덕'이라 함은 이는 한유의 말이니 이것을 일러 '인의 도덕'이라 하니, 자세히 보아야 한다." 하였다.】

老者曰 孔子는 吾師之弟子也라하고 佛者曰 孔子는 吾師之弟子也라하니 爲孔子者 習聞其說하고 樂其誕而自小也하여 亦曰吾師亦嘗云爾라하여【常本, 作師之云爾.】不惟擧之於其口라 而又筆之於其書하니【如曾子問中論禮處, 孔子曰: "吾聞諸老聃." 是也. 佛後孔子數百年, 始入中國, 佛者之說, 無稽太甚. 爲孔子者, 雷同如此, 是擧世孰(熟)視其無狀, 且將歸向之矣. 韓公不與之辨, 得乎?】噫라 後之人이 雖欲聞仁義道德之說인들 其孰從而求之리오 甚矣라 人之好怪也여【人趣(趨)異端, 病源只在好怪.】不求其端하며 不訊其末이요 惟怪之欲聞이온여

노자의 도를 하는 자들이 말하기를 "공자는 우리 스승의 제자이다." 하고, 불교를 믿는 자들도 말하기를 "공자는 우리 스승의 제자이다." 하며, 공자의 학문을 하는 자들도 그 말을 익숙히 듣고는 허황된 것을 좋아하고 스스로 격하하여 또한 말하기를 "우리 스승도 일찍이 이렇게 말씀했다." 하여,【상본(常本)에는 〈'운이(云爾)'가〉 '사지운이(師之云爾)'로 되어 있다.】이것을 입으로 거론할 뿐만 아니라 또 책에다 쓰고 있으니,【《예기》〈증자문(曾子問)〉 가운데 예(禮)를 논한 곳에 공자가 말씀하시기를 "내 노담(老聃)에게 들었다."라고 한 것과 같은 것이 이것이다. 불교는 공자보다 수백 년 뒤에 처음으로 중국에 들어왔으니, 불자의 말이 황당무계함이 너무 심한데 공자의 학문을 하는 자가 이와 같이 부화뇌동하니, 이는 온 세상이 유가(儒家)가 형편없음을 익숙히 보고서 또 장차 불 · 노로 돌아가 향하려고 하는 것이다. 한공이 이것을 논변하지 않는다면 되겠는가.】

아! 후세 사람들이 비록 인의와 도덕의 말을 듣고자 한들 그 누구를 따라 찾겠는가. 심하다! 사람들이 괴이함을 좋아함이여.【사람들이 이단으로 달려가는 것은 병의 근원이 다만 괴이함을 좋아함에 있는 것이다.】그 발단을 찾지 않고 그 끝을 묻지 않고 오직 괴이한 것만을 듣고자 하는구나.

古之爲民者는 四러니 今之爲民者는 六이요【陳云: "此是用古今對說. 六段, 前後兩段, 只是說平地, 添一介佛 · 老不是. 中四段, 是就佛 · 老所說上, 問之."】古之敎者는 處其一이러니 今之

··· 誕 허탄할 탄 噫 슬플 희 怪 괴이할 괴 訊 물을 신

教者는 處其三이로다【古四民士·農·工·賈, 今添老·佛故六, 古一儒敎, 今添老·佛故三.】農之家一而食粟之家六이요 工之家一而用器之家六이요 賈之家一而資焉之家六이니 奈之何民不窮且盜也리오

옛날의 백성이 된 자들은 네 종류였는데 지금의 백성이 된 자들은 여섯 종류이며,【진씨(陳氏)가 말하였다. "이는 옛날과 지금을 사용해서 상대하여 말하였다. 여섯 단락 중에 앞뒤 두 단락은 단지 평지처럼 말하여 일개 불·노가 옳지 않음을 더하였고, 가운데 네 단락은 바로 불·노가 말한 바에 나아가 되물은 것이다."】 옛날의 가르침은 하나를 차지하였는데 지금의 가르침은 셋을 차지하였다.【옛날에는 사(士)·농(農)·공(工)·상(商) 네 백성뿐이었는데 지금은 노(老)·불(佛)을 더하였기 때문에 여섯이 되었고, 옛날에는 하나의 유교뿐이었는데 지금은 노·불을 더하였기 때문에 셋이 된 것이다.】 농사짓는 집은 하나인데 곡식을 먹는 집은 여섯이며, 기물을 만드는 집은 하나인데 기물을 사용하는 집은 여섯이며, 장사하는 집은 하나인데 이용하는 집은 여섯이니, 백성들이 어찌 곤궁하고 또 도둑질하지 않겠는가.

古之時에 人之害多矣러니 有聖人者立然後에 敎之以相生養之道하여【吾儒底, 只是相生養之道. 這便是博愛, 便是行而宜之.】爲之君, 爲之師하여 驅其蟲蛇禽獸하고 而處其中土하며 寒然後爲之衣하고 飢然後爲之食하며 木處而顚하고 土處而病也일새 然後爲之宮室하며 爲之工하여 以贍(섬)其器用하고 爲之賈하여 以通其有無하고 爲之醫藥하여 以濟其夭死하고 爲之葬埋祭祀하여 以長其恩愛하고【此卽是仁義.】爲之禮하여 以次其先後하고 爲之樂하여 以宣其湮【一作壹.】鬱하고 爲之政하여 以率其怠倦하고 爲之刑하여 以鋤其强梗하며 相欺也일새【換文好.】爲之符璽(새)斗斛權衡以信之하고 相奪也일새 爲之城郭甲兵以守之하여 害至而爲之備하고 患生而爲之防이어늘【有他連用十七介爲之字, 而五番換文.】今其言曰 聖人不死면 大盜不止니 剖斗折衡이라야 而民不爭이라하니【語見莊子. 六段, 都是怪事.】嗚呼라 其亦不思而已矣로다

옛날에는 사람을 해치는 것이 많았었는데, 성인(聖人)이 나오신 연후에 서로 살려주고 길러주는 방법을 가르쳐【우리 유가는 다만 서로 낳고 서로 길러주는 도이니, 이것이 바로 널리 사랑함이요 이것이 바로 행하여 마땅하게 하는 것이다.】 군주가 되고 스승이 되어 벌레와 뱀과 금수를 몰아내어 중토(中土, 중국)에 살게 하였으며, 추운 연후에 옷을 만들어 주고 굶주린 연후에 밥을 만들어

粟 곡식 속 蛇 뱀 사 顚 떨어질 전 贍 넉넉할 섬 夭 일찍죽을 요 埋 묻을 매 湮 막힐 인 鋤 제거할 서 梗 딱딱할 경 符 부절 부 璽 옥새 새 斛 휘 곡 剖 쪼갤 부

주었으며, 나무 위에서 살다가 떨어지고 땅굴에서 살다가 병들므로 그런 뒤에 궁실(宮室)을 만들었으며, 공장이를 만들어 기용(器用)을 넉넉하게 하고 장사꾼을 만들어 유무(有無)를 통하게 하고 의약(醫藥)을 만들어 요사(夭死)함을 구제하고 장례와 제사를 만들어 은혜와 사랑을 조장하고【이것이 바로 인의이다.】 예(禮)를 만들어 선후(先後)를 차례하고 음악을 만들어 답답함을【한 본에는 〈'인(湮)'이〉 '일(壹)'로 되어있다.】 펴게 하고 정사(政事)를 만들어 게으른 자들을 이끌고 형벌을 만들어 강경(强梗)한 자들을 제거하였으며, 서로 속이기 때문에【글을 바꾼 것이 좋다.】 병부(兵符)와 옥새(玉璽)와 말과 섬과 저울을 만들어 믿게 하고 서로 빼앗기 때문에 성곽과 갑옷과 병기를 만들어 지키게 하였다. 그리하여 해(害)가 이름에 이에 대비하고 화(禍)가 생김에 이에 방비하였다.【저 17개의 '위지(爲之)' 자를 연하여 사용하였는데, 다섯 번 글을 바꾸었다.】

그런데 지금 저들(도가)의 말에 이르기를 "성인이 죽지 않으면 큰 도둑이 그치지 않으니, 말〔斗〕을 쪼개버리고 저울대를 꺾어버려야 백성들이 다투지 않는다." 하니,【이 말이 《장자》 〈거협(胠篋)〉에 보인다. 여섯 단락은 모두 괴이한 일이다.】 아! 그 또한 생각하지 않아서일 뿐이다.

如古之無聖人이런들 人之類滅이 久矣리라 何也오 無羽毛鱗介以居寒熱也요 無爪牙以爭食也일새라 是故로 君者는 出令者也요 臣者는 行君之令하여 而致之民者也요 民者는 出粟米麻絲하고 作器皿, 通貨財하여 以事其上者也라 君不出令이면 則失其所以爲君이요 臣不行君之令而致之民이면 則失其所以爲臣이요 民不出粟米麻絲, 作器皿, 通貨財하여 以事其上이면 則誅하나니 今其法曰 必棄而君臣하고 去而父子하며 禁而相生相養之道하여 以求其所謂淸淨寂滅者라하니 嗚呼라 其亦幸而出於三代之後하여 而不見黜於禹, 湯, 文, 武, 周公, 孔子也요【健而有力.】 其亦不幸而不出於三代之前하여 不見正於禹, 湯, 文, 武, 周公, 孔子也로다【後一轉尤妙, 惻然憐之, 忠厚之至.】

만일 옛날에 성인(聖人)이 없었더라면 인류가 멸망한 지 오래되었을 것이다. 어째서인가 하면 〈인간은 다른 동물과 달라〉 깃과 털과 비늘과 껍질로써 추위와 더위에 대처할 수가 없으며, 발톱과 이빨로써 먹을 것을 다툴 수가 없기 때문이다.

그러므로 군주는 명령을 내는 자이고, 신하는 군주의 명령을 행하여 백성에게 전달(시행)하는 자이며, 백성은 곡식과 쌀과 삼과 실을 내고 기명(器皿)을 만들고 재화(財貨)를 유통하여 윗사람을 섬기는 자이다. 군주가 명령을 내지 않으면 군주된 소이(所以)를 잃는 것이요, 신하가

··· 鱗 비늘 린 介 껍질 개 爪 손톱 조 皿 그릇뚜껑 명 淨 깨끗할 정 寂 고요할 적 黜 내칠 출

군주의 명령을 행하여 백성에게 전달하지 않으면 신하된 소이를 잃는 것이요, 백성이 곡식과 쌀과 삼과 실을 내고 기명을 만들고 재화를 유통하여 윗사람을 섬기지 않으면 처벌을 받는다.

그런데 지금 그들의 법(불법(佛法))에 이르기를 "반드시 너의 군신(君臣)을 버리고 너의 부자(父子)를 버리며 너의 서로 살게 하고 서로 길러주는 도를 금해서 그들이 말하는 청정(淸淨)과 적멸(寂滅)을 구하여야 한다."라고 주장하니, 아! 그 또한 다행히 삼대(三代)의 뒤에 태어나 우왕(禹王)·탕왕(湯王)·문왕(文王)·무왕(武王)·주공(周公)·공자에게 축출을 당하지 않았고,【문장이 노건(老健)하여 힘이 있다.】 또한 불행히 삼대의 전에 나오지 못하여 우왕·탕왕·문왕·무왕·주공·공자에게 바로잡음을 받지 못하였다.【뒤에 한 번 전환한 것이 더욱 묘해서 측연(惻然)하여 가엾이 여겼으니, 충후(忠厚)함이 지극하다.】

帝之與王이 其號(名)[各][106]殊나 其所以爲聖은 一也요【陳曰:"此下兩段, 只是足前兩段之意. 蓋前說古之聖人如此, 它却說太古聖人不曾如此, 前說淸淨寂滅不當如此, 它又說我自要治心如此, 所以再就其說折之."】夏葛而冬裘하며 渴飮而飢食이 其事雖殊나 其所以爲智는 一也어늘 今其言曰 曷不爲太古之無事오하니 是亦責冬之裘者曰 曷不爲葛之之易也며 責飢之食者曰 曷不爲飮之之易也로다

제(帝)와 왕(王)이 명칭은 각각 다르나 그 성(聖)이 되는 것은 똑같고,【진씨(陳氏)가 말하였다. "이 아래 두 단락은 다만 앞의 두 단락의 뜻을 충족시킨 것이다. 앞에서는 옛 성인이 이와 같음을 말하였는데 저들은 도리어 태고의 성인은 일찍이 이와 같지 않았다고 말하며, 앞에서는 청정(淸淨)·적멸(寂滅)함이 이와 같아서는 안 된다고 말하였는데 저들은 또 우리가 스스로 마음을 다스리기를 이와 같이 청정·적멸하게 해야 한다고 말하니, 이 때문에 다시 그 말을 가지고 꺾은 것이다."】 여름에는 갈포(葛布)를 입고 겨울에는 갖옷을 입으며, 목마르면 물을 마시고 굶주리면 밥을 먹는 것이 일은 비록 다르나 그 지혜가 되는 것은 똑같다. 그런데 지금 그들(도가)의 말에 이르기를 "어찌하여 태고(太古)의 무사함을 하지 않는가." 하니, 이는 또한 겨울에 갖옷을 입는 자를 꾸짖기를 "어찌하여 갈포 옷을 입는 간편함을 하지 않는가." 하는 것과 같으며, 이는 또한 굶주린 자가 밥을 먹는 것을 꾸짖기를 "어찌하여 물을 마시는 쉬움을 하지 않는가."라고 질책하는 것과 같다.

---

106 (名)[各]: 저본에는 '명(名)'으로 되어 있으나 누방(樓昉)이 찬한《숭고문결(崇古文訣)》및 사방득(謝枋得)이 찬한《문장궤범(文章軌範)》등에 의거하여 '각(各)'으로 바로잡았다. 이외에《동아당창려집주(東雅堂昌黎集註)》및 요현(姚鉉)이 찬한《당문수(唐文粹)》등에는 '수(雖)'로 되어 있다.

··· 葛 베옷 갈 裘 갖옷 구 渴 목마를 갈

傳曰 古之欲明明德於天下者는【卽平天下.】先治其國하고 欲治其國者는 先齊其家하고 欲齊其家者는 先修其身하고 欲修其身者는 先正其心하고 欲正其心者는 先誠其意라하니 然則古之所謂正心而誠意者는 將以有爲也러니【大學八條, 自格物 · 致知始, 韓公詳引之, 止於正心 · 誠意而不及格物 · 致知. 朱子嘗譏之, 見大學或問中. 謂不探其端而驟語其次, 亦未免於擇焉不精, 語焉不詳矣. 胡乃以是議荀 · 揚哉?】今也엔 欲治其心而外天下, 國, 家하고 滅其天常하여 子焉而不父其父하며 臣焉而不君其君하며 民焉而不事其事로다

전(傳, 《대학(大學)》)에 이르기를 "옛날 명덕(明德)을 천하에 밝히고자 하는 자는【바로 평천하(平天下)이다.】먼저 그 나라를 다스리고, 나라를 다스리고자 하는 자는 먼저 그 집안을 가지런히 하고, 집안을 가지런히 하고자 하는 자는 먼저 그 몸을 닦고, 몸을 닦고자 하는 자는 먼저 그 마음을 바루고, 마음을 바루고자 하는 자는 먼저 그 뜻을 성실히 한다."라고 하였다.

그렇다면 옛날에 이른바 마음을 바르고 뜻을 성실히 한다는 것은 장차 큰일을 하고자 해서였는데,【《대학》의 8조목은 격물(格物) · 치지(致知)로부터 시작하는데, 한공이 자세히 인용하였으나 성의(誠意) · 정심(正心)에 그치고 격물 · 치지에는 미치지 않았다. 주자(朱子)가 일찍이 이것을 비판하였으니, 《대학혹문(大學或問)》 가운데 보인다. "그 단서를 탐구하지 않고 갑자기 그 차례를 말하였으니, 또한 선택하였으나 정밀하지 못하고 말하였으나 상세하지 못함을 면치 못하였다. 어찌 도리어 이것을 가지고 순자(荀子)와 양자(揚子)를 비판하겠는가."】지금에는 마음을 다스리고자 해서 천하와 국 · 가를 도외시하고 하늘의 떳떳한 도리를 없애버려 자식으로서 그 아버지를 아버지로 여기지 않으며 신하로서 그 군주를 군주로 여기지 않으며 백성으로서 그 일을 일삼지 않는다.

孔子之作春秋也에【此段結, 與第一段起意相似, 皆是統說.】諸侯用夷禮則夷之하고 夷而進於中國則中國之하시며 經曰 夷狄之有君이 不如諸夏之亡(무)[107]라하고 詩曰 戎狄是膺하니 荊舒是懲이라하여늘 今也에 擧夷狄之法하여 而加之先王之敎【應在後.】之上하니 幾何其不胥而爲夷也리오

---

107 夷狄之有君 不如諸夏之亡 : 《논어(論語)》〈팔일(八佾)〉에 보이는 내용으로, 원래는 '오랑캐들도 군주가 있으니, 중국의 여러 나라에 군주가 없는 것과는 같지 않다'는 뜻인데, 여기서는 불교가 오랑캐의 가르침이라 하여 '오랑캐들은 군주가 있다 하여도 중국에 없는 것만도 못하다'라고 본 것인바, 이는 하안(何晏)의 주를 따른 것이다.

… 亡 없을 무 膺 칠 응 荊 나라이름 형 舒 나라이름 서 懲 징계할 징 胥 서로 서

공자가 《춘추(春秋)》를 지으실 적에【이 단락의 맺음은 첫 번째 단락을 시작한 뜻과 서로 유사하니, 모두 통합하여 말한 것이다.】 제후들이 오랑캐의 예(禮)를 사용하면 오랑캐로 취급하고, 오랑캐가 중국으로 나아오면 중국으로 취급하셨으며, 경(經, 《논어(論語)》 〈팔일(八佾)〉)에 이르기를 "이적(夷狄)에 군주(君主)가 있는 것이 제하(諸夏, 여러 중화(中華))에 없는 것만 못하다." 하였고, 《시경(詩經)》 〈노송(魯頌) 비궁(閟宮)〉에 이르기를 "융적(戎狄)을 이에 다스리니 형(荊)나라와 서(舒)나라가 이에 징계된다." 하였다. 그런데 이제 이적의 법(불교)을 들어 선왕(先王)의 가르침【응함이 뒤에 있다.】 위에 놓으니, 어찌 서로 오랑캐가 되지 않을 수 있겠는가.

夫所謂先王之敎者는 何也오 博愛之謂仁이요【與前面許多說話相應, 此作文之法. 陳止齋[108] 唐制度紀綱論講後云: "然則爲唐之制度紀綱, 宜何加焉?" 下再引原題十數句, 正是法韓公此一轉文法也.】 行而宜之之謂義요 由是而之焉之謂道요 足乎己無待於外之謂德이라【只以仁義爲道德.】 其文은 詩, 書, 易, 春秋요【無老經 · 佛書.】 其法은 禮, 樂, 刑, 政이요【無道法 · 佛法.】 其民은 士, 農, 工, 賈요【只是平常不怪.】 其位는 君臣, 父子, 師友, 賓主, 昆弟, 夫婦요【無釋老家所謂位.】 其服은 麻絲요【無緇黃.】 其居는 宮室이요【無寺觀.】 其食은 粟米蔬果魚肉이라【無齋醮供.】 其爲道易明이요 而其爲敎易行也라【易明 · 易行, 那有許多怪事.】 是故로 以之爲己則順而(從)[祥][109]하고 以之爲人則愛而公하고【可以爲己, 則可以爲人.】 以之爲心則和而平하고 以之爲天下國家에 無所處而不當이라【可以爲心, 卽可以爲天下國家.】 是故로 生則得其情하고 死則盡其常하며 郊焉而天神假(格)하고 廟焉而人鬼饗이니라【樓迂齋云: "此篇詞嚴義正, 有開闔, 文字如引繩貫珠." 愚謂一篇辭語雖多, 然自首至尾, 井井有條. 首立議論起, 漸漸攻闢, 中開六段, 以古今對論, 闢倒佛 · 老, 却一喚, 喚轉說吾道之功用, 此下, 又喚起述吾道之淵源, 却又喚起說所以去佛 · 老, 處佛 · 老之方, 作一結尾, 妙哉!】

저 이른바 선왕의 가르침이란 무엇인가? 널리 사랑함을 인이라 이르고,【전면의 허다한 설화와 서로 응하니, 이는 문장을 짓는 방법이다. 진지재(陳止齋)의 〈당제도기강론후(唐制度紀綱論後)〉에 "그렇다면

---

108 陳止齋: 송나라의 진부량(陳傅良)으로, 지재는 그의 호이다. 온주(溫州) 서안(瑞安) 사람으로 자가 군거(君擧)이고, 시호는 문절(文節)이다. 문장으로 일가를 이루어 당세(當世)를 뒤흔들었다. 정백웅(鄭伯熊)과 설계선(薛季宣)에게 수학하였으며, 장식(張栻), 여조겸(呂祖謙)과 교유하였다. 《宋史 卷434 陳傅良列傳》

109 (從)[祥]: 저본에는 '종(從)'으로 되어 있으나 《동아당창려집주(東雅堂昌黎集註)》 및 진덕수(陳德秀)가 찬한 《문장정종(文章正宗)》, 요현(姚鉉)이 찬한 《당문수(唐文粹)》 등에 의거하여 '상(祥)'으로 바로잡았다.

··· 賈 장사 고 昆 맏 곤 蔬 푸성귀 소 祥 길할 상 郊 천제지낼 교 假 이를 격 饗 흠향할 향

당나라의 제도와 기강이 됨이 마땅히 무엇을 더하여야 하는가?" 하고는 아래에 다시 원제(原題)에 있는 10여 구를 인용하였으니, 바로 한공이 이렇게 한 번 바꾼 문장법을 따른 것이다.】 이것을 행하여 마땅하게 함을 의(義)라 이르고, 인(仁)과 의(義)를 따라 감을 도(道)라 이르고, 〈인과 의의 도를〉 자신에게 충족하여 밖에 기대함이 없음을 덕(德)이라 이른다.【다만 인의(仁義)를 가지고 도덕(道德)이라 한 것이다.】

그 글은 시(詩) · 서(書) · 역(易) · 춘추(春秋)요,【노경(老經, 노자의 《도덕경》)과 불서(佛書)가 없다.】 그 법은 예(禮) · 악(樂) · 형(刑) · 정(政)이요,【도법(道法, 도가의 법)과 불법이 없다.】 그 백성은 사(士) · 농(農) · 공(工) · 고(賈, 상(商))요,【다만 평상하여 괴이하지 않다.】 그 지위는 군신(君臣) · 부자(父子) · 사우(師友) · 빈주(賓主) · 곤제(昆弟) · 부부(夫婦)요,【석로가 말하는 지위란 것이 없다.】 그 의복은 베와 실로 짠 것이요,【불자들의 검은옷과 도가들의 황색옷이 없다.】 그 거처는 궁실(宮室)이요,【불가의 사찰과 도교의 도관(道觀)이 없다.】 그 음식은 곡식과 채소와 과일과 어육(魚肉)이니,【재를 올리고 초공(醮供, 신에게 제사함)함이 없다.】 그 도가 알기 쉽고 가르침이 행하기 쉽다.【밝히기(알기) 쉽고 행하기 쉬우니, 어찌 허다한 괴이한 일이 있겠는가.】

그러므로 이것으로써 자기 몸을 위하면 순(順)하여 상서롭고 이것으로써 남을 위하면 사랑하여 공정하며,【자기를 위하면 남을 위할 수 있는 것이다.】 이것으로써 자기 마음을 삼으면 화(和)하여 평(平)하고, 이것으로써 천하와 나라와 집안을 다스리면 처하는 곳마다 마땅하지 않음이 없는 것이다.【마음을 다스릴 수 있으면 천하와 나라와 집안을 다스릴 수 있는 것이다.】 이 때문에 살아서는 실정(實情)을 얻고 죽어서는 떳떳한 도리를 다하며, 교제(郊祭)를 지내면 천신(天神)이 이르고 사당에서 제사하면 인귀(人鬼, 조상의 영혼)가 흠향하는 것이다.【누우재(樓迂齋)가 말하였다. "이 편은 말(문장)이 엄격하고 의리가 정확하여 열고 닫음이 있어서 문자가 노끈을 가지고 구슬을 꿰어놓은 듯하다." 내가 생각건대 한 편의 말이 비록 많으나 처음부터 끝까지 정정(井井)하게 조리가 있다. 처음에는 의론을 세워 시작해서 점점 불 · 노를 공격하였고, 중간에는 여섯 단락으로 나누어 옛날과 지금을 가지고 상대하여 논해서 불 · 노를 물리쳤고, 한 번 불러서 다시 돌려 우리 도의 공용(공덕)을 말하였고, 이 아래에 또다시 불러 일으켜서 우리 도의 연원(淵源)을 말하였고, 또다시 불러 일으켜서 불 · 노를 제거함과 불 · 노를 대처하는 방법을 말하여 한 끝맺음으로 삼았으니, 묘하다.】

曰 斯道也는 何道也오 曰 斯吾所謂道也요 非向所謂老與佛之道也라 堯以是傳之舜하시고【是, 指吾所謂道.】 舜以是傳之禹하시고 禹以是傳之湯하시고 湯以是傳之文, 武, 周公하시고 文, 武, 周公傳之孔子하시고 孔子傳之孟軻러시니 軻之死에 不得

··· 向 지난번 향

其傳焉이라【道統至孟子而絕, 續千載之絕者, 直至宋之周子・程子・朱子焉.】荀與揚也는 擇焉而不精하고 語焉而不詳이니라 由周公而上은【又以七聖一賢, 分窮達說, 妙甚.】上而爲君이라 故로 其事行하고【堯・舜・禹・湯・文・武皆爲君, 故其道見於行事.】由周公而下는 下而爲臣이라 故로 其說長이니라【孔・孟窮而爲臣, 故其道僅見於空言.】然則如之何而可也오 曰不塞이면 不流요 不止면 不行이니【不塞止老・佛之道, 則吾道不流不行, 此是說去佛・老.】人其人하고 火其書하고 廬其居하고 明先王之道以道之면【義.】鰥, 寡, 孤, 獨, 廢疾者有養也리니【仁. 依舊以吾道之仁義待之, 此是說處佛・老.】其亦庶乎其可也리라

이 도는 어떤 도인가? 이는 우리가 말하는 도요, 앞에서 말한 노자와 불가의 도가 아니다. 요(堯) 임금은 이것(도)을 순(舜) 임금에게 전하시고,【'시(是)'는 우리가 말하는 도를 말한 것이다.】순 임금은 이것을 우왕(禹王)에게 전하시고, 우왕은 이것을 탕왕(湯王)에게 전하시고, 탕왕은 이것을 문왕(文王)・무왕(武王)・주공(周公)에게 전하시고, 문왕・무왕・주공은 이것을 공자(孔子)에게 전하시고, 공자는 맹가(孟軻)에게 전하셨는데, 맹가가 별세함에 그 전함을 얻지 못하였다.【도통(道統)이 맹자에 이르러 끊겼는데, 천 년의 끊긴 도통을 이은 것이 곧바로 송나라의 주자(周子, 염계(濂溪)), 정자(程子, 명도(明道)와 이천(伊川)), 주자(朱子)에 이르렀다.】순자(荀子)와 양웅(揚雄)은 선택을 하였으나 정(精)하지 못하고, 말을 하였으나 상세하지 못하다.

주공으로부터 이상은【또 일곱 명의 성인과 한 명의 현인(맹자)을 가지고 궁달(窮達)을 나누어 말하였으니, 매우 묘하다.】위로 군주가 되었기 때문에 그 일이 행해졌고,【요(堯), 순(舜), 우(禹), 탕(湯), 문왕(文王), 무왕(武王)은 모두 군주가 되었기 때문에 그 도가 행하는 일에 나타난 것이다.】주공으로부터 이하는 아래로 신하가 되었기 때문에 〈직접 천하에 시행하지 못하고 후세에 전하기 위하여〉 그 말씀이 길어진 것이다.【공자와 맹자는 궁하여 신하가 되었기 때문에 그 도가 겨우 빈 말씀에 나타난 것이다.】

그렇다면 어찌해야 좋은가? 불・노를 막지 않으면 우리의 도가 유행하지 못하고, 불・노를 저지하지 않으면 우리의 도가 행해지지 못하니,【노・불의 도를 막아 그치게 하지 않으면 우리 도가 흐르지 못하고 행해지지 못하니, 이는 불・노를 제거함을 말한 것이다.】그 사람들(노・불을 신봉하는 도사와 승려)을 일반 백성으로 만들고, 노・불에 관한 책을 불태우고, 그들이 거처하는 사원(寺院)을 평민의 집으로 만들고서 선왕의 도를 밝혀 그들을 인도한다면【의(義)이다.】홀아비와 과부, 고아(孤兒)와 독신자(獨身者), 폐질이 있는 자들이 봉양을 받게 될 것이니,【인(仁)이다. 예전처럼 우리 도의 인의를 가지고 저들을 대하였으니, 이는 불・노를 대처함을 말한 것이다.】이렇게 하면 또한 거의 가(可)할 것이다.

··· 塞 막을 색 廬 집 려 鰥 홀아비 환 寡 과부 과

중답장적서重答張籍書

한유韓愈

• 작품개요

이 작품은 장적(張籍)에게 두 번째로 답한 서신이다. 장적은 자가 문창(文昌)이며 화주(和州) 오강(烏江) 사람으로, 작자의 벗이자 제자이기도 하다. 성품이 개결하며, 고체시(古體詩)와 악부(樂府)에 뛰어났다. 국자사업(國子司業)이 되었으므로, '장사업(張司業)'으로 칭해지기도 한다. 저술에는 문집인 《장사업집(張司業集)》이 전한다.

정원(貞元) 14년(798), 작자가 변주(汴州)에 있을 적에 맹교(孟郊)의 소개로 장적을 알게 되었는데, 장적은 작자를 매우 존경하여 그에 대한 기대가 높았다. 이에 작자에게 편지를 보내어 네 가지 결점을 지적하였는데, 첫째는 맹자(孟子)나 양웅(揚雄)처럼 이단(異端, 老佛)을 배척하는 글을 짓지 않는 것이고, 둘째는 진실하지 않은 잡박(駁雜)한 말이 많은 것이고, 셋째는 남과 토론할 때 심기(心氣)를 가라앉히지 못하는 것이고, 넷째는 도박을 좋아하는 것이다. 작자가 이에 대한 답서를 보내자, 장적이 다시 편지를 보내어 작자의 논거(論據)를 반박하며 이단을 배척하고 유가의 도를 밝히기 위하여 조기에 저술하기를 권면하고 독촉하므로 이 서신을 작성하게 된 것이다.

작자는 작중에서 수미일관 유가의 도통과 이단 배척의 당위성을 기저에 깔고서 불교와 도교를 공박하였는데, "나의 도(道)는 바로 부자(夫子, 공자)·맹가(孟軻)·양웅(揚雄)이 전한 바의 도(道)이다.〔己之道 乃夫子孟軻揚雄所傳之道也〕"라는 선언은 도학에 대한 작자의 자신감과 자부심을 여실히 드러내 보여주는 부분으로, 이 작품의 '문안(文眼)'이라 하겠다.

篇題小註·· 張司業籍은 韓公門人也라 時에 初與公遊할새 貽公書하여 言排釋, 老事러니 公前一書에 答之云 吾子所論 排釋, 老不如著書하니 囂(효)囂多言은 徒相爲訾라하니 若僕所見則異乎此라 化當世는 莫若口요 傳來世는 莫若書니 請待五六十然後爲之라하고 又云 吾子又譏吾與人爲無實駁雜之說이라하니 此吾所以戲耳라 若商論에 不能下氣는 當更思而悔之라하니 此書는 再答之니 不過申前書之意而加慷慨耳라 按 公是時에 年未四十이니 蓋未著原道以前文字也라 衛道之勇也 若是러니 至著原道時하여는 所見이 又進一格矣라 只觀己之道乃夫子, 孟軻, 揚雄所傳之道一句하면 便可見이라 此以揚雄與軻竝稱하고 彼謂軻死無傳하니 荀, 揚은 擇不精, 語不詳이라하니 其得失之判이 何如耶아 以其與原道相關故로 選以次之하노라

사업(司業) 장적(張籍)은 한공(韓公)의 문인(門人)이다. 이때 처음 공(公)과 교유하였는데, 공에게 편지를 보내어 석(釋)·노(老)를 배척하는 일을 말하였다. 공이 앞서 한 편의 답장을 보내기를 "오자(吾子, 그대)가 논하기를 '석·노를 배척함은 책을 저술하는 것만 못하니, 시끄럽게 말을 많이 하는 것은 한갓 서로 비방이 될 뿐이다.' 하였는데, 나의 소견은 이와 다르다. 당세를 교화함은 말보다 나은 것이 없고 내세(來世)에 전함은 책보다 나은 것이 없으니, 나는 50~60세가 되기를 기다린 뒤에 책을 지으려 한다." 하였다. 또 "오자(吾子)는 '내가 남과 더불어 실상이 없는 잡박한 말을 한다.'라고 비판하였는데, 이는 내가 농담을 한 것일 뿐이다. 그리고 '남과 상론(商論, 논의)할 적에 기운을 내리지 못한다.'는 것은 내 마땅히 다시 생각하고 뉘우친다."라고 하였다. 이 글은 두 번째 답장으로 지난번 편지의 뜻을 거듭함에 불과한데, 뜻이 더욱 강개(慷慨)할 뿐이다.

살펴보건대 공은 이때 나이가 40이 못 되었으니, 아마도 〈원도(原道)〉를 짓기 이전의 문자일 것이다. 도(道)를 호위함의 용맹함이 이와 같았는데, 〈원도〉를 지을 때에 이르러는 본 바가(견해가) 또 한 격(格)을 진전하였다. 다만 '자신의 도(道)는 바로 부자(夫子), 맹자(孟子), 양웅(揚雄)이 전한 바의 도이다.'라는 한 구(句)를 보면 이것을 알 수 있으니, 여기서는 양웅과 맹자를 함께 칭하였으나 저기 〈원도〉에서는 '맹자가 죽음에 전함이 없었다.' 하였고, '순자와 양자는 택하였으나 정밀하지 못하고 말하였으나 상세하지 못하다.' 하였으니, 그 득실(得失)의 판별이 어떠한가? 이는 〈원도〉와 서로 상관이 있으므로 뽑아서 그 다음에 놓은 것이다.

• **原文**

吾子不以愈無似하여 意欲推而納諸聖賢之域하여 拂其邪心하여 增其所未高하며

··· 貽 줄 이 囂 시끄러울 효 訾 비방할 자 僕 나 복 駁 섞일 박 戲 희롱할 희 慷 강개할 강 慨 분개할 개 拂 떨칠 불

謂愈之質이 有可以至於道者라하여 浚其源하여 導其所歸하고 漑其根하여 將食其實하니 此는 盛德者之所辭讓이온 況於愈者哉아 抑其中에 有宜復者일새 故不可遂已로라

그대가 나를 무사(無似, 불초(不肖))하다고 여기지 않고서 생각에 나를 성현(聖賢)의 경지로 미루어 넣고자 해서 나쁜 마음을 제거하여 아직 높지 못한 바를 더하게 하며, 나의 자질이 도(道)에 이를 만하다 하여 그 근원을 깊이 파서 돌아갈 곳을 인도하고, 뿌리에 물을 주어 장차 그 열매를 먹게 하려 하니, 이는 성덕(盛德)이 있는 자도 사양하는 바인데, 하물며 나와 같은 자에 있어서랴. 다만 이 가운데 다시 말할 것이 있으므로 마침내 그만 두지 못하노라.

昔者聖人之作春秋也에 既深其文辭矣[110]로되 然猶不敢公傳道之하시고 口授弟子하여 至於後世然後에 其書出焉하니 其所以慮患之道微也라 今夫二氏【佛·老.】之所宗而事之者 下及公卿輔相하니【涵了上自天子一句. 當時上自天子, 下及公卿, 皆好佛·老, 蓋微辭以見也.】 吾豈敢昌言排之哉아 擇其可語者하여 誨之라도 猶時與吾悖하여 其聲이 譊(요)譊하니 若遂成其書면 則見而怒之者必多矣라 必且以我爲狂爲惑하리니 其身之不能恤이어니 書於吾何有리오【言無補也.】

옛날에 성인(聖人, 공자)이 《춘추(春秋)》를 지으실 적에 이미 그 문사(文辭)를 심오하게 하셨으나 오히려 공공연히 전하여 말씀하지 못하시고 제자에게 구두(口頭)로 전수하여 후세에 이르러서야 그 책이 나왔으니, 화를 염려한 방법이 은미하였다.

이제 저 이씨(二氏)【불(佛)·노(老)이다.】를 종주로 삼아 섬기는 자들이 〈위로 천자로부터〉 아래로 공경(公卿)과 보상(輔相, 재상)에 미치니,【'위로는 천자로부터〔上自天子〕'라는 한 구를 내포하고 있다. 당시에 위로 천자로부터 아래로 공경에 이르기까지 모두 불·노를 좋아하였으니, 이는 은미한 말로 나타낸 것이다.】 내 어찌 감히 큰 소리로 배척할 수 있겠는가. 말할 만한 것을 가려서 가르쳐주어도 오히려 때로는 나와 의견이 어긋나서 떠드는 소리가 요란하니, 내가 만일 노·불을 배척하는

---

110 昔者聖人之作春秋也 既深其文辭矣 : 《춘추》는 공자가 기존의 노(魯)나라 역사책에 필삭(筆削)을 가해 242년 동안 천자와 제후(諸侯)와 집정관(執政官)들의 행위에 포폄(褒貶)을 가하여 존왕(尊王)의 대의(大義)를 밝힌 역사책이다. 공자는 포폄을 공개하지 않고 포폄의 뜻을 자구(字句) 사이에 숨겨 놓았다. 이는 포폄은 천자만이 행사할 수 있는 권한인데, 공자는 평민으로서 포폄하였기 때문에 그 뜻을 문사의 사이에 깊이 숨겨 놓은 것이다.

浚 깊을 준 漑 물댈 개 抑 또한 억 復 아뢸 복 誨 가르칠 회 悖 어그러질 패 譊 시끄러울 요
恤 근심할 휼

책을 짓는다면 이것을 보고 노여워하는 자들이 반드시 많을 것이다. 반드시 장차 나를 미쳤다 하고 미혹(迷惑)되었다고 말할 것이니, 내 몸도 보살피지 못할 터인데 책이 나에게 무슨 소용이 있겠는가.【도움이 없음을 말한 것이다.】

夫子는 聖人也로되 且曰 自吾得子路而惡聲不入於耳[111]라하시고 其餘輔而相者周天下로되 猶且絕糧於陳하고 畏於匡하며 毁於叔孫하고 奔走於齊, 魯, 宋, 衛之郊[112]하시니 其道雖尊이나 其窮也亦甚矣라 賴其徒相與守之하여 卒有立於天下하시니 向使獨言之而獨書之런들 其存也를 可冀乎아

부자(夫子, 공자)는 성인이셨는데도 말씀하시기를 "내가 자로(子路)를 얻은 뒤로부터 나쁜(험담하는) 소리가 귀에 들어오지 않았다." 하셨으며, 그 나머지 도운 자들이 천하에 두루 퍼져 있었으나 오히려 진(陳)나라에서 식량이 떨어지고 광(匡)땅에서 경계하는 마음을 품었으며, 숙손씨(叔孫氏)에게 훼방을 받았고 제(齊)·노(魯)·송(宋)·위(衛)의 교외에 분주하셨으니, 도가 비록 높았으나 곤궁함이 또한 심하였다. 문도(門徒)들이 서로 더불어 지켜줌에 힘입어 끝내 천하에 성립함이 있으셨으니, 그때에 가령 홀로 말씀하고 홀로 책을 쓰셨더라면 그 보존됨을 어찌 기대할 수 있었겠는가.

今夫二氏之行乎中土也 蓋六百餘年矣라 其植根固하고 其流波漫하니 非可以朝令而夕禁也라 自文王沒로 武王, 周公, 成, 康이 相與守之하여 禮樂皆在하니 至乎夫子未久也요 自夫子而至乎孟子未久也요 自孟子而至乎揚雄이 亦未久也로되【此等處, 以揚雄繼孟子論, 不分優劣, 未當.】然猶其勤若此하고 其困若此而後에 能有所

---

111 自吾得子路而惡聲不入於耳 : 이 내용은 《사기(史記)》 〈중니제자열전(仲尼弟子列傳)〉에 보인다. 《사기집해(史記集解)》에 "자로가 공자의 시위(侍衛)가 되었으므로 공자를 업신여기는 자들이 감히 험담을 하지 못하였다. 그러므로 험담이 공자의 귀에 들리지 않은 것이다."라고 풀이하였다.

112 絕糧於陳……奔走於齊魯宋衛之郊 : 《논어》 〈위령공(衛靈公)〉에는 "공자가 진(陳)나라에 있을 때에 양식이 떨어져 종자(從者)들이 병들어 일어나지 못하였다.[在陳絕糧 從者病 莫能興]"라고 보이고, 〈자한(子罕)〉에는 "공자가 광(匡)땅에서 경계심을 품으셨다.[子畏於匡]" 하였는데, 《사기》 〈공자세가(孔子世家)〉에 의하면 양호(陽虎)가 일찍이 광땅에서 포악한 짓을 하였는데 공자의 모습이 양호와 비슷하였기 때문에 공자가 광땅을 지날 때 광땅 사람들이 공자를 양호로 오인하여 5일 동안 억류하였다고 하였으며, 〈자장(子張)〉에는 "숙손무숙이 중니를 헐뜯었다.[叔孫武叔 毁仲尼]"라고 보인다. 한편 공자는 35세 때 노(魯)나라를 떠나 제(齊)나라로 갔으나 뜻을 이루지 못하고 다시 노나라로 돌아왔고, 56세 때 위(衛)나라, 송(宋)나라, 진(陳)나라 등을 두루 돌아다녔으나 당시 임금들이 공자의 말씀을 써주지 않았다.

••• 匡 바로잡을 광 賴 힘입을 뢰 向 지난번 향 冀 바랄 기 漫 넓을 만

立하시니 吾其可易而爲之哉아 其爲也易면 則其傳也不遠이라 故로 余所以不敢也로라

이제 불·노 이씨(二氏)가 중국에 행해진 지가 6백여 년이 되었다. 그리하여 심겨 있는 뿌리가 견고하고 흐르는 물줄기가 넓으니, 아침에 명령해서 저녁에 금지시킬 수 있는 것이 아니다. 문왕(文王)이 별세함으로부터 무왕(武王)·주공(周公)·성왕(成王)·강왕(康王)이 서로 지켜와서 예악(禮樂)이 모두 남아 있었으니, 부자(夫子)에 이르기까지 시대가 오래되지 않았고, 부자로부터 맹자(孟子)에 이르기까지 오래되지 않았고, 맹자로부터 양웅(揚雄)에 이르기까지 또한 오래되지 않았다.【이러한 곳은 양웅을 가지고 맹자를 계승하여 의론해서 우열을 나누지 않았으니, 온당치 못하다.】 그런데도 오히려 수고로움이 이와 같고 곤궁함이 이와 같으신 뒤에야 성립한 바가 있었으니, 내 어찌 이것을 쉽게 할 수 있겠는가. 하기를 쉽게 하면 전해짐이 영원하지 못하다. 그러므로 내 감히 하지 못하는 것이다.

然이나 觀古人컨대 得其時하여 行其道면 則無所爲書하니 爲書者는 皆所爲不行乎今而行乎後者也라 今吾之得吾志, 失吾志를 未可知니 俟五六十爲之라도 未失也리라 天不欲使玆人有知乎인댄 則吾之命을 不可期어니와 如使玆人有知乎인댄 非我요 其誰哉리오【倣孟子天欲平治捨我其誰之意.[113]】 其行道, 其爲書와 其化今, 其傳後가【行道以化今, 爲書以傳後.】 必有在矣리니 吾子其何遽戚戚於吾所爲哉리오

그러나 옛 사람을 보건대 그 때를 만나 그 도를 행하면 책을 지은 것이 없었으니, 책을 짓는 자들은 모두 당시에 도를 행하지 못하여 후세에 행하려고 한 것이었다. 이제 나는 내 뜻을 얻을 수 있을지 내 뜻을 잃을지 알 수 없으니, 50, 60세가 되기를 기다렸다가 책을 짓더라도 시기를 잃지 않을 것이다. 하늘이 이 사람(백성)들로 하여금 앎이 있게 하고자 하지 않으신다면 나의 수명을 기약할 수 없겠지만 만일 이 사람들로 하여금 앎이 있게 하려고 하신다면 내가 아니고 그 누가 하겠는가.【《맹자》〈공손추 하(公孫丑下)〉의 '하늘이 천하를 평치하고자 할진댄 나 말

113 孟子天欲平治捨我其誰之意 : 《맹자》〈공손추 하〉에 맹자가 제(齊)나라를 떠날 적에 기쁘지 않은 기색이 있으시자 충우(充虞)가 그 까닭을 물으니, 맹자가 "만일 〈하늘이〉 천하를 평치(平治)하고자 하신다면, 지금 세상을 당하여 나를 버리고 그 누가 하겠는가? 내 어찌하여 기뻐하지 않겠는가.〔如欲平治天下 當今之世 舍我 其誰也 吾何爲不豫哉〕"라고 하였다.

··· 俟 기다릴 사 遽 갑자기 거 戚 근심할 척

고 그 누가하겠는가.'라는 뜻을 모방한 것이다.】 도를 행할 것인지 책을 지을 것인지, 지금 세상을 교화할 것인지 후세에 전할 것인지는【도(道)를 행하여 지금 세상을 교화하고, 책을 만들어 후세에 전하는 것이다.】 이것이 반드시 있는 데가 있을 것이니, 그대는 어찌 대번에 내가 하는 일에 대해 걱정할 것이 있겠는가.

前書에 謂 吾與人商論에 不能下氣하여 若好己勝者然이라하니 雖誠有之나 抑非好己勝也요 好己之道勝也니 己之道는 乃夫子, 孟軻, 揚雄所傳之道也라 若不勝이면 則無以爲道니 吾豈敢避是名哉리오【此句, 見韓公少年豪氣.】 夫子之言曰 吾與回言에 終日不違如愚[114]라하시니 則其與衆人辨也有矣라

지난번 편지에 "내가 남과 더불어 상론(商論)함에 기운을 낮추지 못하여 자기가 이기는 것을 좋아하는 자와 같다." 하였으니, 비록 진실로 이러한 점이 있으나 이는 내가 이기기를 좋아하는 것이 아니요, 나의 도(道)가 이기기를 좋아하는 것이니, 나의 도는 바로 부자 · 맹가 · 양웅이 전한 바의 도이다. 만일 이기지 못하면 도가 될 수 없으니, 내 어찌 감히 〈이기기를 좋아한다는〉 이 이름을 피하겠는가.【이 구는 한공의 소년시절 호기(豪氣)를 볼 수 있다.】 부자의 말씀에 "내 안회(顔回)와 더불어 말함에 종일토록 어기지 않아 어리석은 자와 같다." 하셨으니, 성인도 중인(衆人)과 더불어 변론(辯論)함이 있는 것이다.

駁雜之譏는 前書에 盡之하니 吾子其復之하라 昔者에 夫子猶有所戲[115]하시니 詩不云乎아 善戲謔兮하니 不爲虐兮[116]라하고 記曰 張而不弛는 文武不能也[117]라하니 豈害

---

114 吾與回言 終日不違如愚 : 《논어》〈위정(爲政)〉에 공자가 "내가 회(回)와 더불어 말함에 종일토록 어기지 않아 어리석은 사람인 듯하더니, 물러간 뒤에 그 사생활을 살펴봄에 충분히 발명(發明)하니, 회는 어리석지 않구나!〔吾與回言 終日不違如愚 退而省其私 亦足以發 回也不愚〕"라고 보인다. 다만 이 내용을 주자의 《집주》에는 '吾與回言終日 不違如愚'로 구(句)를 끊어 '내가 안회와 더불어 종일토록 말함에 어기지 아니하여'로 해석하였으나, 예전에는 대체로 이와 같이 구를 끊어 읽었음을 밝혀둔다.

115 夫子猶有所戲 : 부자(夫子)는 공자(孔子)로 《논어》〈양화(陽貨)〉에 제자인 자유(子游)가 무성(武城)의 읍재(邑宰)가 되어 예악(禮樂)으로 고을을 다스리자, 공자는 "닭을 잡는데 어찌 소를 잡는 큰 칼을 쓰는가.〔割鷄 焉用牛刀〕"라고 농담을 한 적이 있으므로 말한 것이다.

116 善戲謔兮 不爲虐兮 : 《시경》〈위풍(衛風) 기욱(淇奧)〉에 보이는데, 즐겁고 화하면서도 절도(節度)가 있음을 말한 것이다. '불위학혜(不爲虐兮)'는 긴장과 이완이 적절함이니, 곧 지나치지 않음이다.

117 張而不弛 文武不能 : '장(張)'은 활을 당기는 것으로 엄함을 비유하고 '이(弛)'는 활을 풀어놓는 것으로 온화함을 비

••• 商 헤아릴 상 謔 농담할 학 張 활시위얹을, 펼칠 장 弛 풀어놓을 이

於道哉아 吾子其未之思乎인저 孟君이【孟郊東野.[118]】將有所適일새 思與吾子別하니 庶幾一來어다 愈再拜하노라

박잡하다는 비판은 지난번 편지에 다 말하였으니, 그대는 다시 살펴보라. 옛날 부자께서도 오히려 희롱(농담)한 바가 있으셨으니, 《시경(詩經)》〈위풍(衛風) 기욱(淇奧)〉에 말하지 않았는가. "희학(戲謔)을 잘하니 지나침이 되지 않는다." 하였고, 《예기(禮記)》〈잡기(雜記)〉에 "활을 당기기만 하고 풀어놓지 않는 것은 문왕 · 무왕도 억지로 시키지 못한다." 하였으니, 희롱하는 것이 어찌 도에 해가 되겠는가. 그대는 이것을 생각하지 못했는가보다.

맹군(孟君)이【맹교 동야(孟郊東野)이다.】 장차 떠나가려고 하므로 그대와 작별할 것을 생각하고 있으니, 부디 한 번 올지어다. 한유(韓愈)는 재배(再拜)하고 올리노라.

유하는바, 《예기(禮記)》〈잡기 하(雜記下)〉에 "조이기만 하고 풀어놓지 않는다면 문왕(文王)·무왕(武王)도 억지로 시키지 못하실 것이요, 풀어 놓기만 하고 조이지 않는다면 문왕·무왕도 다스리지 못하실 것이니, 한 번 조이고 한 번 풀어놓는 것이 문왕·무왕의 도(道)이다.〔張而不弛 文武不能也 弛而不張 文武不爲也 一張一弛 文武之道也〕"라 하여, 너무 엄하지도 너무 유순하지도 않아야 함을 강조하였다. 한유는 긴장(緊張, 엄숙하게 공경하는 모습을 지음)하고 이완(弛緩, 긴장을 풂)하지 않는 것은 문왕과 무왕도 할 수 없었다는 뜻으로 인용하였다.

118 孟郊東野 : 맹교(孟郊)를 가리킨다. 중국 중당기(中唐期)의 시인으로 동야는 그의 자(字)이고, 시호(諡號)는 정요 선생(貞曜先生)이다. 한유는 맹교보다 17살이 어리지만 망년(忘年)의 교우를 맺고 지냈다. 《舊唐書 卷160 韓愈列傳》

상장복야서上張僕射書

한유韓愈

• 작품개요

이 작품은 작자가 자신을 임명해준 장복야(張僕射)에게 올린 서신이다. '장복야'는 당시 검교상서우복야(檢校尙書右僕射)로 있던 장건봉(張建封)으로, 자는 본립(本立)이며, 연주(兗州) 사람이다. 정원(貞元) 4년(788)에 서주 자사(徐州刺史)로 서사호 절도사(徐泗濠節度使)를 겸하였고, 정원 12년(796)에는 검교상서우복야를 겸하였다. '복야(僕射)'는 관명으로, 상서성(尙書省)의 차관(次官)이다. 당 태종(唐太宗) 이세민(李世民)이 고조(高祖) 때에 상서령(尙書令)을 맡은 적이 있기 때문에 당나라는 그 뒤로 상서령을 두지 않았는바, 실제로는 복야가 상서성의 장관인 셈이다. 그러나 이는 지방 절도사에게 내린 명예직에 불과하다.

덕종(德宗) 정원(貞元) 15년(799) 2월에 선무 절도사(宣武節度使) 동진(董晉)이 죽고 변군(汴軍)이 반란을 일으키자, 작자는 변주(汴州)를 떠나 서주(徐州)로 가서 장건봉에게 의탁하였다. 그해 가을에 장건봉이 조정에 주청하여 작자를 절도추관(節度推官)으로 삼자, 작자는 이 서신을 올려 자신을 예우(禮遇)해 주기를 청하였는데, 여느 사람과 똑같이 일찍 출근하여 늦게 퇴근할 수 없는 자신의 실정을 간곡하면서도 당당하게 설파함으로써 관청의 부적합한 규율을 특별히 면제해 줄 것을 요청하는 것이 주된 내용이다.

··· 射 벼슬이름 야

• **原文**

九月一日에 愈再拜하노라 受牒之明日에 在使院中이러니 有小吏持院中故事節目十餘事하여 來示愈하니 其中不可者有하니 自九月至明年二月之終토록 皆晨入夜歸하여 非有疾病事故어든 輒不許出이라하니 當時에 以初受命으로 不敢言이로라 古人有言曰 人各有能, 有不能이라하니 若此者는 非愈之所能也라【用事變化, 當如此.】抑而行之하면 必發狂疾하여 上無以承事于公하여 將忘其所以報德者요 下無以自立하여 喪失其所以爲心이리니 夫如是면 則安得而不言이리오

9월 1일에 저(한유(韓愈))는 재배합니다. 첩(牒, 임명장)을 받은 다음날 사원(使院, 절도사의 청사) 안에 있었는데, 하급(下級) 관리가 원중(院中)의 고사 절목(故事節目) 10여 가지 일을 가지고 와서 저에게 보여주었습니다. 이 가운데 불가한 것이 있었으니, "9월부터 명년(明年) 2월이 끝날 때까지는 모두 새벽에 들어와(출근하여) 밤중에 돌아가되(퇴근하되) 질병과 사고가 있는 경우가 아니면 외출을 허락하지 않는다."는 내용이었습니다. 당시엔 처음 명령을 받았으므로 감히 말하지 못하였습니다.

옛사람의 말에 '사람은 각기 능함과 능하지 못함이 있다.' 하였으니, 이와 같은 것은 제가 능히 할 수 있는 바가 아닙니다.【용사(用事, 고사를 인용함)의 변화함을 마땅히 이와 같이 해야 한다.】이를 억지로 행하면 반드시 광병(狂病)이 발작하여 위로는 공(公, 국가)을 받들어 섬길 수가 없어 장차 은덕에 보답할 것을 잊게 될 것이요, 아래로는 스스로 설(활동) 수가 없어 평소에 먹은 마음을 상실하게 될 것이니, 이와 같다면 어찌 말씀드리지 않을 수 있겠습니까.

凡執事之擇於愈者는 非謂其能晨入夜歸也요 必將有以取之리니 苟有以取之인댄 雖不晨入夜歸라도 其所取者猶在也리라 下之事上이 不一其事요 上之使下가 不一其事로되 量力而任之하고 度(탁)才而處之하여 其所不能을 不彊使爲라 是故로 爲下者不獲罪於上하고 爲上者不得怨於下矣라

무릇 집사(執事)가 저를 택(선발)하신 것은 새벽에 들어와 밤중에 돌아가는 것을 잘한다고 해서가 아니요, 반드시 장차 취할 만한 점이 있어서일 것이니, 만일 취할 만한 점이 있다면 비록 새벽에 들어와 밤중에 돌아가지 않더라도 취할 만한 점이 그대로 있는 것입니다. 아랫사람이 윗사람을 섬김에 일이 한 가지가 아니고 윗사람이 아랫사람을 부림에 일이 한 가지가

··· 牒 사령 첩 晨 새벽 신 輒 곧 첩 彊 억지로 강 獲 얻을 획

아닌데, 역량을 헤아려 일을 맡기고 재능을 헤아려 자리에 처하게 해서 능하지 못한 것을 억지로 시키지 않아야 합니다. 그러므로 아랫사람은 윗사람에게 죄를 얻지 않고, 윗사람은 아랫사람에게 원망을 얻지 않는 것입니다.

孟子有云 今之諸侯無大相過者는 以其皆好臣其所教요 而不好臣其所受教[119]라하시니 今之時는 與孟子之時로 又加遠矣라 皆好其聞命而奔走者요 不好其直己而行道者하나니 聞命而奔走者는 好利者也요 直己而行道者는 好義者也니 未有好利而愛其君者요 未有好義而忘其君者라【此一段, 分明是以孟子之言, 譏張公, 斡轉得婉曲, 可法.】 今之王公大人에 惟執事可以聞此言이요 惟愈於執事也에 可以此言進이라【此一章, 辭太直, 兩句救得好.】

맹자(孟子)가 말씀하시기를 "지금의 제후들이 크게 서로 뛰어난 자가 없는 것은 모두 자기가 가르칠 수 있는 사람을 신하 삼기를 좋아하고 자기가 가르침을 받을 수 있는 사람을 신하 삼기를 좋아하지 않기 때문이다."라고 하였으니, 지금의 때는 맹자의 때와 더욱더 거리가 멉니다. 그리하여 모두 명령을 듣고 분주히 달려오는 사람을 좋아하고, 자기 몸을 곧게 하여 도(道)를 행하는 자를 좋아하지 않습니다.

명령을 듣고 분주히 달려오는 자는 이(利)를 좋아하는 자요, 자기 몸을 곧게 하여 도를 행하는 자는 의(義)를 좋아하는 자이니, 이(利)를 좋아하고서 군주를 사랑하는 자는 있지 않고 의를 좋아하고서 군주를 잊는 자는 있지 않습니다.【이 한 단락은 분명히 맹자의 말씀을 가지고 장공(張公)을 비판하여 돌리기를 완곡하게 하였으니, 본받을 만하다.】

지금의 왕공(王公) 대인(大人) 중에 오직 집사만이 이 말씀을 들어주실 수 있고, 오직 저만이 집사께 이 말씀을 올릴 수 있습니다.【이 한 장은 말이 너무 솔직한데, 이 두 구가 이것을 구원함이 매우 좋다.】

愈蒙幸於執事하여 其所從이 舊矣라 若寬假之하여 使不失其性하고 加待之하여 使

119 孟子有云……而不好臣其所受教 : 《맹자》〈공손추 하(公孫丑下)〉에 "지금 천하가 영토가 비슷하고 덕(德, 정치)도 비슷해서 서로 뛰어나지 못함은 다름이 아니다. 자기(군주)가 가르칠 수 있는 사람을 신하로 삼기를 좋아하고 자기가 가르침을 받을 수 있는 사람을 신하로 삼기를 좋아하지 않기 때문이다.[今天下地醜德齊 莫能相尙 無他 好臣其所教而不好臣其所受教]"라고 보인다.

足以爲名이면 寅而入하여 盡辰而退하고 申而入하여 終酉而退하여 率以爲常이라도 亦不廢事리라 天下之人이 聞執事之於愈如是也하면 必皆曰 執事之好士也如此하고【八字句.】 執事之待士以禮如此하고【九字句.】 執事之使人不枉其性而能有容如此하고【十五字句.】 執事之欲成人之名如此하고【十字句.】 執事之厚於故舊如此라하며【九字句. ○連下五介如此字, 句法長短錯綜, 凡四變, 此章法也.】 又將曰 韓愈之識其所依歸也如此하고【十一字句.】 韓愈之不諂屈於富貴之人如此하고【十三字句.】 韓愈之賢이 能使其主待之以禮如此라하리니【十四字句. ○又連下三介如此字, 長短錯綜, 此章法也.】 則死於執事之門이라도 無悔也라【一段文勢, 如狂瀾浩波, 只此一句, 截斷有氣力.】

제가 집사에게 총애를 받아 종유(從遊)한 지가 오래되었습니다. 만일 너그러이 용납해 주시어 본성(本性)을 잃지 않게 하고 더 우대하여 훌륭한 이름을 세울 수 있게 해주신다면, 인시(寅時, 오전 4시)에 들어와 진시(辰時, 오전 8시)가 다하면 물러가고 신시(申時, 오후 4시)에 들어와 유시(酉時, 오후 6시)가 다하면 물러가게 하여, 이로써 일상적인 규칙을 삼게 하더라도 일을 폐하지 않을 것입니다.

천하 사람들은 집사께서 저를 이와 같이 대우하신다는 말을 들으면 반드시 모두들 말하기를 "집사가 선비를 좋아하심이 이와 같고,【8자가 한 구이다.】 또 집사가 선비를 예(禮)로써 대우함이 이와 같고,【9자가 한 구이다.】 집사가 사람으로 하여금 그 본성을 굽히지 않고 능히 용납해 줌이 이와 같고,【15자가 한 구이다.】 집사가 사람의 명성을 이루어주고자 함이 이와 같고,【10자가 한 구이다.】 집사가 고구(故舊)를 후대함이 이와 같다."라고 말할 것이며,【9자가 한 구이다. ○아래 다섯 개의 '여차(如此)'라는 글자를 연하여 구법(句法)의 길고 짧은 것이 뒤섞여서 모두 네 번 변하였으니, 이는 장법(章法)이다.】 또 장차 말하기를 "한유가 의탁할 상대를 앎이 이와 같고,【11자가 한 구이다.】 한유가 부귀한 사람에게 아첨하고 굽히지 않음이 이와 같고,【13자가 한 구이다.】 한유의 어짊이 능히 주인으로 하여금 예로써 대우하게 함이 이와 같다.【14자가 한 구이다. ○또 아래 세 개의 '여차(如此)'라는 글자를 연하여 길고 짧음이 뒤섞여 있으니, 이는 장법이다.】"라고 말할 것이니, 이렇게 된다면 저는 집사의 문하에서 죽더라도 후회가 없겠습니다.【한 단락의 문세가 미친 여울과 넓은 파도와 같은데, 다만 이 한 구는 끊음에 기력이 있다.】

若使隨行(항)而入하고 逐隊而趨하여 言不敢盡其誠하고 道有所屈於己인댄 天下之人이 聞執事之於愈如此하면 皆曰 執事之用韓愈는 哀其窮하여 收之而已耳요

··· 率 대강 솔 諂 아첨할 첨 逐 쫓을 축 隊 대오 대

韓愈之事執事는 不以道라 利之而已耳라하리니【前段說話, 此一反, 只用六句, 頓挫波瀾, 絕妙.】苟如是면 雖日受千金之賜하고 一歲九遷其官이라도 感恩則有之矣어니와 將以稱於天下曰知己則未也라【受人之恩, 與受人之知, 不同, 感恩易, 感知己難. 故曰: '士爲知己者死.'[120] 此兩句, 下得妙.】伏惟哀其所不足하고 矜其愚하여 不錄其罪하고 察其辭而垂仁採納焉하라【此四句, 無緊要, 句法亦不苟且.】愈는 恐懼再拜하노라

만일 항렬을 따라 들어가고 대오를 따라 달려가서 말함에 진심을 다하지 못하고 도가 자신에게 굽히는 바가 있게 된다면, 천하 사람들은 집사께서 한유에게 이와 같이 하신다는 말을 들으면 모두들 말하기를 "집사가 한유를 등용함은 곤궁함을 가엾게 여겨 거두어 준 것일 뿐이고, 한유가 집사를 섬김은 도로써 하는 것이 아니라 이록(利祿)을 위한 것일 뿐이다."라고 말할 것입니다.【앞 단락의 설화를 한 번 뒤집음에 다만 여섯 구를 사용하여 돈좌(頓挫, 억양)하고 파란이 있는 것이 매우 묘하다.】만일 이와 같다면 비록 날마다 천금(千金)의 하사를 받고, 1년에 아홉 번 벼슬을 승진한다 하더라도 은혜에 감사함은 있겠으나 장차 천하에 칭하여 지기(知己)라고 말하는 것은 불가할 것입니다.【남의 은혜를 받음과 남의 인정을 받음은 똑같지 않다. 은혜에 감격함은 쉽고 지기(知己)에 감격함은 어렵다. 이 때문에 "선비는 자기를 알아주는 사람을 위하여 죽는다." 하였으니, 이 두 구는 글자를 놓은 것이 매우 묘하다.】

엎드려 생각하건대, 저의 부족함을 가엾게 여기고 어리석음을 긍휼(矜恤)히 여기셔서 저의 죄를 기록하지 말고 저의 말을 살펴 인(仁)을 베풀어 채택해 주소서.【이 네 구는 요긴한 것이 없으나 구법이 또한 구차하지 않다.】한유는 두려워하며 삼가 재배합니다.

---

120 士爲知己者死 : 전국시대 진(晉)나라의 자객(刺客) 예양(豫讓)의 말로, 《사기》〈자객열전(刺客列傳)〉에 예양이 지백(智伯)으로부터 국사(國士)의 대접을 받은 것을 보답하기 위하여 지백을 죽인 조양자(趙襄子)에게 복수하려고 하면서 "선비는 자기를 알아주는 사람을 위하여 목숨을 바치고, 여인은 자기를 좋아하는 사람을 위하여 화장을 한다.〔士爲知己者死 女爲說己者容〕" 하였다.《史記 卷86 刺客列傳 豫讓》

위인구천서爲人求薦書

한유韓愈

• 작품개요

이 작품은, 작자가 다른 사람을 위하여 수신인(受信人)에게 추천해 주기를 요청하는 서신인바, 일종의 '대작(代作)'이다.

작품의 주된 내용은, 인척(姻戚)으로서 어떤 고위 관원의 문하에 머물고 있는 사람의 입장에서 그 고위 관원에게 자신을 추천해 달라고 권한 것으로, 짧은 편폭 속에서 당사자의 처지를 잘 표현하고 있다. 옛날 말을 잘 알아보았던 백락(伯樂)의 고사를 원용하여 고위 관원을 백락에, 당사자를 말에 비유함으로써 고위 관원이 그 사람을 잘 알아봐주기를 청한 것이 작중의 백미라고 하겠다.

당(唐)나라 때에는 유력한 사람에게 서신을 올려서 스스로 천거하거나 다른 사람을 천거하는 것을 부탁하던 풍속이 만연하였는데, 《상설고문진보대전》에 실린 작자의 이 작품과 〈상재상서(上宰相書)〉 및 이백(李白)의 〈여한형주서(與韓荊州書)〉 등이 당시 시대상을 반영하고 있는 중요한 자료라고 하겠다.

篇題小註‥ 終篇에 以馬遇伯樂之顧면 便增聲價로 比喻人才遇知己者之賞識이면 便至大用이라 起以木與馬對說하니 起亦的切이요 文簡明而意圓活이로다

끝 편에 말[馬]이 백락(伯樂)의 돌아봄을 만나면 성가(聲價)를 더한다는 말로 인재가 자기를 알아주는 자의 상식(賞識, 칭찬하여 알아줌)을 만나면 곧 크게 쓰이게 됨을 비유하였다. 기두(起頭)에는 나

••• 的 적실할 적

무와 말로 상대하여 말했으니, 기두도 적절하며 문장이 간명하고 뜻이 원활하다.

• **原文**

某聞 木在山하고 馬在肆에 過之而不顧者 雖日累千萬人이라도 未爲不材與下乘也로되 及至匠石過之而不睨하고 伯樂[121]遇之而不顧然後에 知其非棟梁之材와 超逸之足也리【莊子·人間世: "匠石之齊, 見櫟社樹, 其大蔽牛, 其可以爲舟者旁十數. 觀者如市, 匠石不顧. 弟子走及匠石, 曰: '吾未嘗見材如此其美也, 先生不肯視, 何耶?' 曰: '勿言之矣. 散木也, 以爲舟則沈, 以爲棺槨則速腐, 以爲器則速毁, 以爲柱則蠹, 是不材之木也. 無所可用, 故能若是之壽.'" ○伯樂事, 見下卷.】以某在公之宇下 非一日이요 而又辱居姻婭之後하니 是는 生于匠石之園이요 長于伯樂之廐(구)者也라 於是而不得知면 假有見知者千萬人이라도 亦何足云耳리오

저는 들으니, 나무가 산에 있고 말이 마굿간에 있을 적에 그 앞을 지나가면서 돌아보지 않는 자가 비록 하루에 천 명, 만 명이라 해도 쓸모없는 재목이나 또는 하승(下乘, 나쁜 말)이 되지는 않습니다. 그러다가 〈천하에 제일가는 목수인〉 장석(匠石)이 나무 앞을 지나면서도 돌아보지 않고, 〈천하에 제일 말을 잘 알아보는〉 백락(伯樂)이 말 앞을 지나면서도 돌아보지 않음에 이른 뒤에야 동량(棟梁)의 재목과 초일(超逸)의 준족(駿足)이 아님을 알 수 있다 하였습니다.【《장자》〈인간세(人間世)〉에 "장석(匠石)이 제나라에 가서 사(社)에 심겨있는 떡갈나무를 보니, 그 크기가 소를 덮을 수 있고, 배를 만들 만한 것이 옆에 십여 그루가 있었다. 구경하는 자들이 장꾼처럼 많이 있었는데, 장석이 돌아보지 않았다. 제자가 장석에게 달려가서 말하기를 '내 일찍이 이와 같이 아름다운 재목을 보지 못하였는데, 선생께서 즐겨 보려고 하지 않으심은 어째서입니까?' 하니, 장석이 말하였다. '말하지 말라. 산목(散木, 쓸모없는 나무)이니 배를 만들면 가라앉고 관곽(棺槨)을 만들면 빨리 썩고 그릇을 만들면 빨리 부서지고 기둥을 만들면 좀이 먹으니, 이는 재목이 못 되는 나무이다. 쓸모가 없기 때문에 능히 이와 같이 장수를 누린 것이다.' 했다." 하였다. ○백락(伯樂)의 일은 하권(下卷)에 보인다.】

제가 공(公)의 우하(宇下, 문하)에 있은 지가 하루 이틀이 아니요 또 욕되게(외람되게) 인척(姻戚)의 말석에 처해 있으니, 이는 〈나무가〉 장석의 동산에서 생장하고 〈말이〉 백락의 마굿간에

121 伯樂: 춘추시대 진(秦)나라 사람으로 이름은 손양(孫陽)이다. 말의 상(相)을 잘 보았다고 한다.《列子 說符》

… 肆 마구간 사 匠 장인 장 睨 볼 예 棟 기둥 동 梁 들보 량 姻 사돈 인 婭 인척 아 廐 마구간 구 假 가령 가

서 자란 것과 같은 것입니다. 그런데도 알아줌(인정)을 받지 못한다면 가령 인정해 주는 자가 천 명, 만 명이 있은들 또한 어찌 말할 만하겠습니까.

今幸賴天子每歲詔公卿大夫貢士하여 若某等比도 咸得以薦聞이라 是以로 冒進其說하여 以累於執事하니 亦不自量已라 然이나 執事其知某何如哉오 昔人이 有鬻(육)馬不售於市者러니 知伯樂之善相也하고 從而求之하여 伯樂一顧에 價增三倍하니【春秋後語: "蘇代欲見齊王, 齊王怨蘇秦, 欲用蘇代, 不說見. 代乃說淳于髡曰: '人有賣駿馬者, 比三旦立於市, 人莫與言, 及見伯樂還而視之, 去而顧之, 一旦而價十倍, 足下有意爲臣伯樂乎?'"[122]】某與其事로 頗相類라 是故로 始終言之耳로라

이제 다행히 천자께서 매년 공경대부(公卿大夫)들에게 조령(詔令)을 내려 선비들을 추천해 올리라 하시어 아무개 등과 같은 무리들도 모두 천거되어 보고되었습니다. 이 때문에 저는 염치를 무릅쓰고 이 말씀을 올려 집사에게 누를 끼치니, 또한 자신의 재주를 스스로 헤아리지 않은 것입니다. 그러나 집사께서 저를 아심이 어떻습니까.

옛사람 중에 시장에 말을 팔려 하였으나 〈말이〉 팔리지 않는 자가 있었는데, 백락이 말의 상(相)을 잘 본다는 말을 듣고 찾아가 〈말을 보아주기를〉 요구하여 백락이 한번 돌아보자 값이 3배가 올랐다 합니다.【《전국책(戰國策)》〈연책(燕策) 2〉에 "소대(蘇代)가 제왕(齊王)을 만나고자 하였으나 제왕이 소진(蘇秦)을 원망하여 소대를 등용하고자 하였지만 만나보는 것을 좋아하지 않았다. 소대가 마침내 순우곤(淳于髡)을 설득하기를 '어떤 사람이 준마를 팔려고 하였는데 3일 아침을 시장에 서 있었으나 사람들이 함께 말하거나 눈여겨 보는 자가 없었습니다. 그러나 백락이 지나가다가 다시 돌아보자 하루아침에 값이 10배가 되었다고 하니, 족하(足下)는 신의 백락이 될 의향이 있습니까?' 했다." 하였다.】 저의 경우가 이 일과 유사하므로 이 때문에 시종(始終) 말씀드리는 것입니다.

---

122 春秋後語……足下有意爲臣伯樂乎: 소대(蘇代)는 소진(蘇秦)의 아우인데, 소진이 제나라 정승이 되어 제나라를 피폐하게 하고 연나라를 도와주려 하였었으므로 제왕이 소진을 원망하여 그의 아우인 소대를 만나보려고 하지 않은 것이다. 《전해고문진보후집(箋解古文眞寶後集)》 주에 "《송사신편(宋史新編)》〈별사류(別史類)〉에 '공연(孔衍)의 《춘추후어》 10권이 있다.' 했다." 하였다.

… 詔 조서 조 薦 올릴 천 冒 무릅쓸 모 鬻 팔 육 售 팔 수

답진상서答陳商書

한유韓愈

• 작품개요

이 작품은 작자가 국자 박사(國子博士)로 있던 원화(元和) 7년(812)에 진상(陳商)에게 답한 서신이다. 진상의 자는 술성(述聖)으로 선주(宣州) 당도(當塗) 사람이다. 원화 9년(814)에 진사에 급제하여 간의대부(諫議大夫)·시랑(侍郎)·비서감(秘書監) 등을 역임하였으며, 뒤에 허창현남(許昌縣男)에 봉해졌다.

진상이 급제하기 전에 작자에게 서신을 보내어 문장에 대해 가르침을 청하자, 작자가 이 서신을 보내어 답한 것이다. 진상은 '고문(古文)'을 매우 좋아하여 세인(世人)들에게 맞지 않는 난해한 문장을 즐겨 사용하였는데, 작자는 이 서신을 통하여 이러한 잘못을 지적하고 고치도록 권한 것이다.

작품의 기두(起頭)에서 "보내주신 편지는 말씀이 고상하고 의미가 심오하여 서너 번을 읽어도 이해하지 못하였습니다.〔辱惠書 語高而旨深 三四讀 尙不能通曉〕"라고 말한 것은 진상의 글이 매우 난삽해서 이해하기 어렵다는 의미이다. 이어서 작자는 "제왕은 피리를 좋아하는데, 제나라에 벼슬자리를 구하는 사람이 비파를 가지고 가서, 궁궐 문에 서서 3년 동안 있었으나 문에 들어가지 못했다.〔齊王好竽 有求仕於齊者操瑟 而往立王之門 三年不得入〕"라는 일화를 언급하였는데, 이는 세상의 요구에 부응하지 못하면 아무리 자기 혼자 출중한 능력을 소유하고 있을 지라도 쓰임이 될 수 없다는 사실을 진상에게 가르쳐 준 것이다. 즉, 이 서신은 지나치게 시대의 흐름을 배제한 고답적인 문풍(文風)을 지양하도록 진상에게 권고한 것이다.

篇題小註‥ 以明理之文으로 而求仕於當世하면 不投時好니 如操瑟而立於齊門하여 不能投合齊王之好竽라 然이나 君子之所守는 不隨時而爲之遷就니라

도리를 밝히는 글을 가지고 당세에 벼슬을 구한다면 세상의 좋아함에 투합하지 못하니, 이는 마치 비파를 잡고서 제(齊)나라 궁문에 서서 젓대를 좋아하는 제왕(齊王)에게 투합하지 못함과 같다. 그러나 군자의 지키는 바는 때에 따라 옮기지(바뀌지) 않는다.

- **原文**

愈白하노라 辱惠書하니 語高而旨深하여 三四讀에 尙不能通曉하니 茫然增愧赧(괴란)이로라 又不以其淺弊無過人智識하여 且喩以所守하니 幸甚이라 愈敢不吐露情實이리오 然自識其不足補吾子所須也로라

한유(韓愈)는 아뢰니다. 혜서(惠書, 상대방의 편지)를 받아보니, 말이 고상하고 뜻이 깊어서 서너 번 읽어도 오히려 뜻을 통달할 수가 없으니, 망연히 부끄러움과 무안함만 더할 뿐입니다. 또 〈저를〉 천박하고 용렬하여 남보다 뛰어난 지혜와 식견이 없다고 여기지 않으시어 또 지킬 바를 깨우쳐주시니, 매우 다행입니다. 제가 감히 실정을 토로하지 않을 수 있겠습니까. 그러나 오자(吾子, 그대)가 필요로 하는 바에 보탬이 되지 못함을 스스로 알고 있습니다.

齊王이 好竽러니【韓子(十三)[三十][123]篇: "齊宣王好竽, 南郭先生不知竽而濫於三百人之中, 以吹食祿."】有求仕於齊者 操瑟而往하여 立王之門三年이로되 不得入이라 叱曰 吾瑟鼓之면 能使鬼神上下하며 吾鼓瑟이 合軒轅氏之律呂라한대【前律曆志: "陽六爲律, 陰六爲呂, 黃帝之所作也."[124] ○疊山譬喩學孟子.】客罵之曰 王好竽어시늘 而子鼓瑟하니 瑟雖工이

123 (十三)[三十]: 저본에는 '십삼(十三)'으로 되어 있으나 《한비자(韓非子)》〈내저설 상(內儲說上)〉에 의거하여 '삼십(三十)'으로 바로잡았다.

124 前律曆志……黃帝之所作也: 《전한서》〈율력지〉에 "율(律)에 열두 가지가 있으니, 양률 여섯 개를 율이라 하고 음률 여섯 개를 여라 한다. 율로써 기(氣)를 거느리고 물(物)을 분류하니, 황종(黃鐘)·태주(太簇)·고선(姑洗)·유빈(蕤賓)·이칙(夷則)·무역(無射)이고, 여로써 양(陽)을 돕고 기를 펴니, 임종(林鐘)·남려(南呂)·응종(應鐘)·대려(大呂)·협종(夾鐘)·중려(中呂)이니, 삼통(三統, 천·지·인)의 뜻이 있다.[律十有二 陽六爲律 陰六爲呂 律以統氣類物 一曰黃鐘 二曰太簇 三曰姑洗 四曰蕤賓 五曰夷則 六曰無射 呂以旅陽宣氣 一曰林鐘 二曰南呂 三曰應鐘 四曰大呂 五曰夾鐘 六曰中呂 有三統之義

瑟 비파 슬 操 잡을 조 竽 젓대 우 白 아뢸 백 茫 아득할 망 赧 붉힐 란 露 드러낼 로
須 필요할 수 轅 끌채 원 罵 꾸짖을 매 工 공교할 공

나 如王之不好何오하니 是所謂工於瑟而不工於求齊也라【謝云: "文婉曲有味."】

제왕(齊王)이 젓대 소리를 좋아하였는데,【《한비자(韓非子)》 30편 〈내저설 상(內儲說上)〉에 "제 선왕이 젓대소리를 좋아하였는데, 남곽선생(南郭先生)이 젓대를 불 줄 모르면서 300명의 가운데에 끼어서 젓대를 부는 것으로 녹봉을 먹었다." 하였다.】 제나라에서 벼슬을 구하는 자가 비파를 가지고 가서 제왕의 문에 서 있기를 3년 동안 하였으나 들어가지 못하였습니다. 그는 꾸짖기를 "내가 비파를 타면 귀신으로 하여금 오르내리게 할 수 있으며, 내가 비파를 타는 것은 헌원씨(軒轅氏, 황제(黃帝))의 율려(律呂)에 맞는다." 하였습니다.【《전한서》 〈율력지(律曆志)〉에 "양률(陽律) 여섯 개를 '율(律)'이라 하고 음률(陰律) 여섯 개를 '여(呂)'라 하니, 황제(黃帝)가 지은 것이다." 하였다. ○사첩산(謝疊山, 사방득(謝枋得))은 "맹자의 비유를 배운 것이다." 하였다.】 이에 객이 꾸짖기를 "왕은 젓대를 좋아하는데 그대는 비파를 타니, 비파는 비록 잘 타나 왕이 좋아하지 않음을 어찌하겠는가." 하였습니다. 이것이 이른바 비파는 비록 잘 타나 제나라에서 벼슬을 구하는 데는 잘하지 못한다는 것입니다.【사첩산이 말하였다. "문장이 완곡하여 재미가 있다."】

今擧進士於此世하여 求祿利하고 行道於此世호되 而爲文에 必使一世人不好면 得無與操瑟立齊門者比歟아 文誠工이나 不利於求요 求不得이면 則怒且怨하리니 不知君子必爾爲不(否)也로라【文婉曲而有味.】故로 區區之心이 每有來訪者면 皆有意於不肖者也라 略不辭讓하고 遂盡言하노니 惟吾子諒察하라

이제 이 세상에서 진사(進士)로 급제하여 녹리(祿利)를 구하고 이 세상에 도(道)를 행하려 하면서 문장을 지을 적에 반드시 한 세상의 사람들로 하여금 좋아하지 않게 한다면 비파를 잡고 제나라 문에 서있는 자와 똑같지 않겠습니까. 문장은 비록 잘하나 벼슬을 구하는 데는 이롭지 못하고, 벼슬을 구하여도 얻지 못하면 노하고 또 원망할 것이니, 군자(君子)가 반드시 이렇게 할는지 나는 모르겠습니다.【문장이 완곡하여 재미가 있다.】 그러므로 저의 구구(區區)한 마음은 매양 와서 묻는 자가 있으면 모두 불초(不肖)한 저에게 관심이 있는 자라고 여깁니다. 이에 조금도 사양하지 않고 마침내 말을 다하니, 그대는 양찰(諒察)하시기 바랍니다.

焉〕" 하였는데, 그 전(傳, 주석)에 "황제가 지은 것이다.〔黃帝之所作也〕" 하였다.

여맹간상서서與孟簡尙書書

한유韓愈

• 작품개요

이 작품은 작자가 원주 자사(袁州刺史)로 이임하던 원화(元和) 15년(820)에 상서(尙書) 맹간(孟簡)에게 보낸 서신으로, 원래 제목은 〈여맹상서서(與孟尙書書)〉인바, 〈여맹간서(與孟簡書)〉라 칭하기도 한다. 맹간의 자는 기도(幾道)로, 덕주(德州) 평창(平昌) 사람이다. 원화 13년(818)에 호부 시랑 검교 상서(戶部侍郎檢校尙書)로 나아가 영주 자사(永州刺史) 산남 절도사(山南節度使)가 되었다가 원화 15년에 다시 태자빈객(太子賓客)에 제수되었는데, 목종(穆宗)이 즉위하여 그의 관직을 낮추어 길주 사마(吉州司馬)로 좌천시켰다. 불교를 신봉하고 불전(佛典)에 조예가 깊어 조칙을 받들고 예천사(醴泉寺)에 가서 《대승본생심지관경(大乘本生心地觀經)》을 번역하기도 하였다.

일찍이 원화 14년(819) 정월에 헌종(憲宗)이 봉상(鳳翔)의 법문사(法門寺)로 환관을 보내어 석가모니의 손가락뼈를 궁중으로 모셔와 사흘간 공양을 올리자, 작자는 이를 비난하는 〈논불골표(論佛骨表)〉를 지어 올렸다가 헌종의 노여움을 사서 조주 자사(潮州刺史)로 좌천되었다. 당시 조주에 태전(太顚)이라는 고승(高僧)이 있어 작자가 그와 교유하자, 작자가 불교를 반대하다가 좌천되고는 다시 불교를 좋아한다는 소문이 자자하여 맹간의 귀에까지 들어갔다. 그해 겨울에 한유가 원주 자사에 제수되어, 다음 해인 원화 15년에 원주로 부임하는 도중 길주(吉州)를 지나게 되었는데, 맹간이 서신을 보내어 전해 들은 말을 언급하였기에 작자가 이 서신을 보내어 해명한 것이다.

이 작품에는 작자의 반불적(反佛的) 태도가 확실하게 표명되었다. 작자는 '불교' 그 자체와 개체로서의 '승려'가 다른 대상임을 분명하게 구별하고 있었으므로, 자신이 불교를 신봉한다는 거짓된 소문에 대해 거침없이 변박하였다. 아울러 "불교와 도교의 폐해는 양주(楊朱)와 묵적(墨翟)의 폐해보다 더하다.〔釋老之害 過於楊墨〕"라고 말하여 불교와 도교를 비판하였다. 또한 작자는 '도통(道統)'이라는 관념하에 맹자를 상당히 추숭하고 있음을 알 수 있다. 양주와 묵적의 학설을 비판한 맹자를 매우 상찬하여 "공이 우 임금의 아래에 있지 않다.〔功不在禹下〕"라고 평가하였고, 오직 맹자만이 공자의 정종지학(正宗之學)을 얻었다고 주장하기 때문이다. 이와 더불어 행간(行間) 곳곳에 '전도(傳道)'에 관한 절박한 심정과 결연한 의지가 잘 드러나 있다.

이 작품은 전체적으로 조리가 분명하고, 사리가 밝고 확실하며 논박에 힘이 있다. 특히 뛰어난 억양반복으로 유명하다. 농암(農巖) 김창협(金昌協)은《잡지(雜識)》〈외편(外篇)〉에서 "한유의 글은 〈원도(原道)〉 외에 〈여맹간서〉와 〈송문창서(送文暢序)〉는 의론이 정대하고 필력이 굉장하여《맹자》의 문장보다 못하지 않다. 〈여맹간서〉는 더욱 좋으니, 맹자를 논한 부분은 억양반복이 매우 읽기 좋다.〔韓文原道外 與孟簡書及文暢序 論議正大 筆力宏肆 不減孟子文章 孟簡書尤好 其論孟子處 抑揚反復 極好看〕"라고 칭찬을 아끼지 않았다.

篇題小註‥ 唐憲宗이 自鳳翔으로 迎佛骨入宮한대 韓公이 上表하여 乞以此骨投之水火라가 因此得罪하고 貶守潮州하다 州有僧하니 號太顚이라 公이 召與之游러니 及自潮移袁州에 又留衣贈別이라 故로 人傳公因攻佛遭貶하여 信奉釋氏라하니 孟簡者는 孟郊之從叔也니 以書問此事라 故로 公答書에 力辨之하니라 朱文公考異中에 有一段議論하니 甚妙일새 今載于後하노라

당 헌종(唐憲宗)이 봉상(鳳翔)에서 불골(佛骨, 사리(舍利))을 맞이하여 궁중으로 들여오려 하자, 한공(韓公)이 표문(表文)을 올려 이 불골을 물과 불 속에 던질 것을 청하였다가 이 때문에 죄를 얻고 좌천되어 조주(潮州)를 맡게 되었다. 조주에는 호(號)를 태전(太顚)이라 하는 승려가 있었다. 공은 그를 불러 함께 교유하였는데, 조주에서 원주(袁州)로 이임(移任)할 적에는 또 그에게 옷을 선물하고 작별하였다. 그러므로 사람들은 전하기를 "한공이 불법(佛法)을 배척하다가 좌천을 당함으로 인하여 석씨(釋氏)를 신봉한다."라고 말하였다. 맹간(孟簡)은 맹교(孟郊)의 종숙(從叔)이었는데, 편지를 보내어 이 일을 물었으므로, 공이 답서에 강력히 변명한 것이다. 주문공(朱文公)의《한문고이(韓文考異)》가운데 이에 대한 한 의론이 매우 묘하므로 이제 뒤에 싣는다.

○ 樓迂齋曰 出脫孟子도 是自出脫이요 推尊孟子도 亦是自推尊이니 文字抑揚을 此篇에 須看大開闔이니라

··· 翔 날개 상 乞 빌 걸 貶 좌천할 폄 潮 고을이름 조 顚 이마 전 袁 성 원

누우재(樓迂齋)가 말하였다. "맹자를 탈출함도 스스로 탈출함이요, 맹자를 추존함도 스스로 추존함이니, 문자의 억양(抑揚)을 이 편에서 모름지기 그 큰 개합(開闔, 열고 닫음)을 보아야 할 것이다."

○ 愚謂攘斥佛, 老는 乃公平生大節이니 公文字及此者는 答張籍書最先이요 原道次之요 佛骨表又次之요 此書最後作者也라

내가 생각건대, 불 · 노를 배척함은 공의 평생의 대절(大節, 큰일)인데, 공의 문자 중에 이를 언급한 것으로는 장적에게 답한 편지가 가장 먼저이고, 〈원도〉가 그 다음이고 〈불골표(佛骨表)〉가 또 그 다음이고 이 글이 가장 최후에 지은 것이다.

• **原文**

蒙惠書하니 云 有人이 傳愈近少信奉釋氏라하니 此傳之者妄也라 潮州時에 有一老僧號太顚하니 頗聰明識道理요 遠地에 無所可與語者라 故로 自山召至州郭하여 留十數日하니 實能外形骸하고 以理自勝하여 不爲事物侵亂이요 與之語에 雖不盡解나 要自胸中에 無滯礙일새 以爲難得이라하여【方氏[125]刪胷中無滯礙五字. 朱子曰: "今按此書稱許太顚之語, 多爲後人妄意刪節, 失其正意. 若此語中刪去五字, 則要自以爲難得一句, 不復成文理矣. 蓋韓公之學, 見於原道者, 雖有以識夫大用之流行, 而於本然之全體, 則疑其有所未睹, 且於日用之間, 亦未見其有以存養省察而體之於身也. 是以雖其所以自任者, 不爲不重, 而其平生用力深處, 終不離乎文字言語之工, 至其好樂之私, 又未能自拔於流俗, 所與游者, 不過一時之文士. 其於僧 · 道, 則亦僅得毛于暢 · 觀 · 靈 · 惠之流耳.[126] 是其身心內外所立所資, 不越乎此, 亦何所據以爲息邪距詖之本, 而充其所以自任之心乎? 是以一旦放逐 憔悴無聊之中, 無復平日飮酒博奕過從之樂, 方且鬱鬱, 不能自遣. 而卒然見夫瘴海之濱, 異端之學, 乃有能以義理自勝, 不爲事物侵害之人, 與之語, 雖不盡解, 亦豈不足滌蕩情累而暫空

---

125 方氏: 방숭경(方崧卿)으로 자는 계신(季申)이고, 보전(莆田) 사람으로 방신유(方信孺)의 아버지이다. 한유 문집의 여러 판본들을 대상으로 그 원문을 교감하여 《한집거정(韓集擧正)》 10권을 엮었다.

126 亦僅得毛于暢, 觀, 靈, 惠之流耳: 한유의 문집인 《창려선생집(昌黎先生集)》에 승도(僧徒)에게 준 글을 살펴보면 창(暢)은 문창(文暢), 관(觀)은 징관(澄觀), 영(靈)은 영사(靈師), 혜(惠)는 혜사(惠師)를 가리키는 듯하다. 여기에 〈송부도문창사서(送浮屠文暢師序)〉, 〈송승징관(送僧澄觀)〉, 〈송영사(送靈師)〉, 〈송혜사(送惠師)〉가 실려 있으며, 〈송부도문창사서〉는 본집 본권에도 실려 있다.

… 闔 닫을 합 攘 물리칠 양 斥 배척할 척 蒙 받을 몽 外 벗어날 외 骸 해골 해 胸 가슴 흉
滯 막힐 체 礙 막힐 애

其滯礙之懷乎? 然則凡此稱譽之言, 自不必諱, 而於公所謂不求其福, 不畏其禍, 不學其道者, 初自不相妨也. 使公於此, 慨然因彼稊稗之有秋, 而悟我黍稷之未熟, 一旦翻然, 反求諸身, 以盡聖賢之蘊, 則彼所謂以理自勝, 不爲外物侵亂者, 將無復羨於彼, 而吾之所以自任者, 益恢乎其有餘地矣, 豈不偉哉?"】因與來往하고 及祭神至海上에 遂造其廬하고【守潮, 至海上, 祭海神, 太顚廬在焉.】及來袁州에 留衣服爲別하니 乃人之情이요 非崇信其法하여 求福田[127]利益也라

혜서(惠書)를 받아보니, 말씀하기를 "내가 근간에 석씨(釋氏, 불교)를 신봉한다고 전하는 사람이 있다." 하였으니, 이는 터무니없는 말입니다. 조주(潮州)에 있을 때에 호(號)가 태전(太顚)인 한 노승(老僧)이 있었는데 자못 총명하여 도리를 알았으며, 먼 지역에 더불어 말할 만한 자가 없었습니다. 그러므로 산사(山寺)로부터 불러 주곽(州郭)에 이르게 하여 십수 일을 유숙하였습니다. 그는 실로 형해(形骸, 육신)를 도외시(초탈)하고 의리로써 스스로를 이겨 사물에게 침란(侵亂)을 받지 않았습니다. 더불어 말함에 비록 다 이해되지는 못하였으나 요컨대 흉중에 막힘이 없기에 얻기 어려운 인물이라 생각하고【방씨(方氏, 방숭경(方崧卿))는 '흉중무체애(胸中無滯礙)' 다섯 글자를 삭제하였다. 이에 대해 주자(朱子)가 말씀하였다. "지금 이 편지를 살펴보건대 태전(太顚)을 칭찬하고 허여한 말을 대부분 후인들이 망령된 뜻으로 산삭하고 축소하여 바른 뜻을 잃었다. 만약 이 말 가운데 이 다섯 글자를 삭제해 버린다면 '요컨대……얻기 어려운 인물이라 생각하였다[要自……以爲難得]'라는 한 구가 다시 문리를 이루지 못한다. 한공의 학문이 〈원도(原道)〉에 나타난 것은 비록 대용(大用)이 유행함을 앎이 있었으나 본연의 전체에 있어서는 아직 보지 못한 바가 있었고, 또 일상 생활하는 사이에 또한 존양(存養)하고 성찰(省察)하여 몸에 체행함이 있음을 볼 수 없다. 이 때문에 비록 자임한 것이 중하지 않은 것이 아니었으나 평생 힘을 쓴 깊은 곳은 끝내 문자와 언의의 공교로움을 떠나지 못하였고, 사사로운 기호(嗜好)에 이르러서는 또 스스로 유속(流俗)을 벗어나지 못하여, 더불어 교유한 자가 한때의 문사에 불과하였다. 승려와 도가(道家)에 있어서는 또한 겨우 창(暢), 관(觀), 영(靈), 혜(惠)의 무리에서 털끝만큼을 얻었을 뿐이다. 이는 신심(身心)과 내외(內外)에 확립한 바와 도움 받은 바가 여기에 지나지 않은 것이니, 또한 무엇을 근거하여 부정한 학설을 그치게 하고 편벽된 말을 막는 근본으로 삼아서 그가 자임하는 마음을 채울 수 있겠는가. 이 때문에 하루아침에 추방당하여 초췌하고 무료함 속에서 다시는 술을 마시고 장기와 바둑을 두며 서로 종유(從遊)하는 평소의 즐거움이 없어서 막 답답하여 스스로 마음을 달래지 못하였다. 그러다가 갑자기 장독(瘴毒)이 자욱한 바닷

127 福田: 불가(佛家)의 말로 불법(佛法)을 믿고 공양(供養)하면 마치 토지(土地)에서 곡식을 생산하듯 복을 만들어낸다 하여 붙인 이름이다.

가에서 이단의 학문을 하는 사람 중에 마침내 의리로써 스스로를 이겨서 사물에 침란을 당하지 않는 사람을 보고는 그와 더불어 말함에 비록 다 이해되지는 못하였으나 또한 어찌 정에 얽매인 마음을 깨끗이 씻어내어 가슴에 막혀있는 생각을 잠시 비울 수 없었겠는가. 그렇다면 무릇 여기에서 태전을 칭찬하고 허여한 말은 본래 굳이 숨길 것이 없고, 공(公)이 이른바 '복을 구하지 않고 화를 두려워하지 않고 도를 배우지 않는다.'는 것과는 애당초 절로 서로 무방한 것이다. 만일 공이 여기에서 개연히 저 피가 가을에 성숙함을 인하여 우리의 기장과 조[粟]가 익지 못한 것을 깨달아서 하루아침에 생각을 바꾸어 자기 몸에 돌이켜 찾아서 성현의 깊은 뜻을 다했더라면 그가 말한 '의리로써 스스로를 이겨서 외물에 침란을 당하지 않았다'는 것을 가지고, 장차 다시 저것을 부러워할 것이 없고, 자신의 자임하는 것이 더욱 더 커서 여지가 있었을 것이니, 어찌 훌륭하지 않겠는가."】 인하여 더불어 왕래하였습니다.

그러다가 남해(南海)의 신(神)에게 제사하기 위해 해상(海上)에 이르렀을 적에 마침내 그의 집에 찾아갔었고,【한공이 조주(潮州)를 맡았을 적에 바닷가에 이르러 해신(海神)에게 제사하였는데, 태전의 집이 여기에 있었다.】 원주(袁州)로 부임해 오게 되자 의복을 선물로 남겨주어 작별하였으니, 이는 바로 인정으로 한 것이요, 불법(佛法)을 높이고 신봉하여 복전(福田)과 이익을 구하려는 것은 아니었습니다.

孔子云 丘之禱久矣[128]라하시니 凡君子行己立身이 自有法度하고 聖賢事業이 具在方冊하여 可效可師라【詞意洒落.】 仰不愧天하며 俯不愧人하며 內不愧心이요 積善積惡에 殃慶이 自各以其類至하나니 何有去聖人之道하며 捨先王之法하고 而從夷狄之敎하여 以求福利也리오 詩不云乎아 愷悌君子여 求福不回라하고 傳에 又曰 不爲威惕하며 不爲利疚[129]라하니 假如釋氏能與人爲禍福이라도 非守道君子之所懼也어든 況萬萬無此理아【再喚起.】

---

128 孔子云 丘之禱久矣 : 《논어》〈술이(述而)〉에 공자가 병환이 위중하시자, 자로(子路)가 신(神)에게 기도할 것을 청하였는데, 공자가 "나는 기도한 지가 오래이다."라고 사절하였다.

129 傳又曰 不爲威惕 不爲利疚 : 《춘추좌씨전》 애공(哀公) 16년에 초(楚)나라의 승(勝)이 웅의료(熊宜僚)에 대해서 "이익 때문에 아첨하지 않고 위협 때문에 겁을 먹지 않으니, 남의 말을 누설하여 남에게 잘 보이기를 구할 자가 아니다.[不爲利諂 不爲威惕 不洩人言以求媚者]" 하였고, 소공(昭公) 20년에 금장(琴張)이 종노(宗魯)가 죽었다는 소식을 듣고 조문가려 하자 공자가 "군자는 간악한 사람의 녹봉을 먹지 않고 변란을 받아들이지 않으며 이익을 위해 사악(邪惡)에 병들지 않고 사악한 마음으로 남을 대하지 않으며 불의를 덮어주지 않고 비례(非禮)를 범하지 않는다.[君子不食姦 不受亂 不爲利疚於回 不以回待人 不蓋不義 不犯非禮]" 하였는바, 이 두 가지를 축약하여 말한 것으로 보인다.

··· 禱 빌 도 愧 부끄러울 괴 俯 숙일 부 愷 화락할 개 回 간사할 회 惕 두려울 척 疚 병들 구

공자(孔子)가 말씀하시기를 "내가 기도한 지가 오래되었다." 하셨으니, 군자(君子)는 몸을 행하고 몸을 세움에 본래 법도가 있으며, 성현(聖賢)의 사업이 모두 방책(方冊, 서책)에 나와 있어서 본받을 만하고 스승 삼을 만합니다.【말뜻이 쇄락(깨끗함)하다.】 우러름에 하늘에 부끄럽지 않으며 굽어봄에 인간에게 부끄럽지 않으며 안으로는 마음에 부끄럽지 않고, 선(善)을 쌓고 악(惡)을 쌓음에 재앙과 복경(福慶)이 각기 종류에 따라 이르니, 어찌 성인의 도를 버리고 선왕의 법을 버리고서 이적(夷狄)의 가르침(불교)을 따라 복(福)과 이익을 구하겠습니까.

《시경(詩經)》〈대아(大雅) 한록(旱麓)〉에 말하지 않았습니까. "개제(愷悌, 화락)한 군자여! 복을 구함이 사악하지 않다." 하였고, 《전(傳, 춘추좌씨전)》에 또 이르기를 "위협 때문에 두려워하지 않고 이익 때문에 병들지 않는다." 하였으니, 가령 석씨(釋氏)가 능히 사람에게 화와 복을 만들어 준다 하더라도 도를 지키는 군자가 두려워할 바가 아닌데, 더구나 만만번 이럴 리가 없는 경우이겠습니까.【다시 환기하였다.】

且彼佛者는 果何人哉오 其行事類君子邪아 小人邪아 若君子也인댄 必不妄加禍於守道之人이요 如小人也인댄 其身已死하고 其鬼不靈이라 天地神祇(기) 昭布森列하시니 非可誣也라【語壯.】 又肯令其鬼行胸臆하여 作威福於其間哉아 進退無所據어늘 而信奉之면 亦且惑矣로다【關鎖上意.】

또 저 부처란 자는 과연 어떠한 사람입니까? 그의 행한 일이 군자와 같습니까? 소인과 같습니까? 만약 군자라면 반드시 도를 지키는 사람에게 함부로 화를 가하지 않을 것이요, 만일 소인이라면 그 몸은 이미 죽었고 그 귀신도 신령스럽지 못할 것입니다. 천지신명이 밝게 포진하여 계시고 빽빽이 나열하여 계시니, 속일 수 있는 것이 아닙니다.【말이 웅장하다.】 그런데 또 그 귀신으로 하여금 흉억(胸臆, 자기마음)을 행하여 그 사이에 위엄과 복을 만들어 주게 하겠습니까. 앞으로 보나 뒤로 보나(이리 보나 저리 보나) 근거할 바가 없는데, 그 말을 신봉한다면 또한 미혹된 것입니다.【위의 뜻을 닫아 잠갔다(끝맺었다).】

且愈不助釋氏而排之者는 其亦有說이로라【又喚起, 引孟子闢楊墨, 來比竝說.】 孟子云 今天下不之楊則之墨이라하시니 楊, 墨交亂而聖賢之道不明이요 聖賢之道不明이

··· 祇 땅귀신 기 森 늘어설 삼 臆 가슴 억

면 則三綱淪而九法斁(두)[130]하고【九法, 九疇也.】禮樂崩而夷狄橫하리니 幾何其不爲禽獸也리오 故로 曰能言距楊, 墨者는 聖人之徒也[131]라하시니라

또 내가 석씨(불교)를 돕지 않고 배척하는 것은 그 또한 말(이유)이 있습니다.【또다시 환기하였으니, 맹자가 양주와 묵적을 물리친 것을 인용하여 나란히 말하였다.】 맹자가 말씀하시기를 "지금 천하는 양주(楊朱)에게로 가지 않으면 묵적(墨翟)에게로 간다." 하였으니, 양주와 묵적이 서로 어지럽힘에 성현의 도가 밝아지지 못하고, 성현의 도가 밝아지지 못하면 삼강(三綱)이 매몰되고 구법(九法)이 무너지며【구법(九法)은 홍범 구주(洪範九疇)이다.】 예악(禮樂)이 무너지고 이적(夷賊)이 횡행할 것이니, 어찌 금수가 되지 않을 수 있겠습니까. 그러므로 〈맹자는〉 "양주와 묵적의 도를 막을 것을 말하는 자는 성인의 무리이다."라고 말씀하신 것입니다.

揚子雲曰 古者에 楊, 墨塞路어늘 孟子辭而闢之廓如也라하니 夫楊, 墨行에【反難孟子.】正道廢하여 且將數百年에 以至於秦하여 卒滅先王之法하며 燒除經書하고 坑殺學士하여 天下遂大亂이라 及秦滅漢興에도 且百年에 尙未知修明先王之道러니 其後에 始除挾書之律[132]하고 稍求亡書, 招學士하니 經雖少得이나 尙皆殘缺하여 十亡(無)二三이라 故로 學士는 多老死하고 新者는 不見全經하여 不能盡知先王之事하고 各以所見爲守하여 分離乖隔하여 不合不公하니 二帝, 三王群聖人之道 於是大壞라 後之學者 無所尋逐하여 以至于今泯泯也하니 其禍出於楊, 墨肆行而莫之禁故也라

양자운(揚子雲, 양웅(揚雄))이 말하기를 "옛날에 양주와 묵적이 정도(正道)를 막으므로 맹자가 말씀하여 물리쳐서 환하게 터놓았다." 하였습니다. 양주와 묵적의 도가 행해짐에【도로 맹자를

---

130 三綱淪而九法斁 : '삼강(三綱)'은 부자(父子)·군신(君臣)·부부(夫婦)의 윤리(倫理)이며, '구법(九法)'은 나라를 다스리는 데 필요한 아홉 가지 원리인 홍범 구주(洪範九疇)를 가리킨다. 구주는 1. 오행(五行), 2. 오사(五事), 3. 팔정(八政), 4. 오기(五紀), 5. 황극(皇極), 6. 삼덕(三德), 7. 계의(稽疑), 8. 서징(庶徵), 9. 오복(五福)·육극(六極)인바, 《서경(書經)》〈홍범(洪範)〉에 자세히 보인다.

131 曰能言距楊墨者 聖人之徒也 : 《맹자》〈등문공 하(滕文公下)〉에 보이는 말이다.

132 始除挾書之律 : '협서지율(挾書之律)'은 일반 서민이 책을 끼고 다니면 처벌하는 법률로 진(秦)나라 시황제 때에 만들었는데, 그 후 한(漢)나라가 일어났으나 이 법을 폐지하지 않고 그대로 두었다가 혜제(惠帝) 4년(B.C.191)에 비로소 폐지하였다.

淪 빠질 륜 斁 무너질 두 廓 넓힐 확(곽) 燒 불사를 소 坑 묻을 갱 挾 낄 협 稍 점점 초
缺 망가질 결 乖 어그러질 괴 尋 찾을 심 泯 없어질 민 肆 멋대로 사

힐난한 것이다.】 정도(正道)가 폐지되어 장차 수백 년 뒤에 진(秦)나라에 이르러 마침내 선왕의 법을 멸하며 경서(經書)를 불태워 없애고 학사(學士)들을 묻어 죽여 천하가 마침내 크게 혼란해졌습니다. 진나라가 망하고 한(漢)나라가 일어났는데 장차 백 년이 되도록 아직도 선왕의 도를 닦아 밝힐 줄을 몰랐습니다. 그러다가 그 뒤에 비로소 책을 끼고 다니는 자를 처벌하던 형률(刑律)을 제거하고, 차츰 없어진 책을 찾고 학사들을 초청하니, 경서는 비록 다소 얻었으나 오히려(여전히) 모두 잔결(殘缺)되어 열에 두셋 밖에 남지 않았습니다.

그리하여 학사들은 늙어 죽은 자가 많고 새로운 자들은 완전한 경서(經書)를 보지 못하여, 선왕의 일을 다 알지 못하고 각자 자기가 본 것만을 지켜(고집해서), 분리되고 괴격(乖隔)되어 부합하지 못하고 공정하지 못하니, 이제(二帝)·삼왕(三王)과 여러 성인의 도가 이에 크게 파괴되었습니다. 후세의 학사들은 찾고 따를 곳이 없어 지금에 이르도록 민멸되었으니, 그 화는 양주와 묵적의 학설이 멋대로 행하는데도 이를 금지하는 이가 없었던 데서 나온 것입니다.

孟子雖聖賢이나 不得位하여 空言無施하니 雖切何補리오 然이나 賴其言하여 而今學者 尙知宗孔氏,【此難孟子, 乃意與, 辭不與.】崇仁義, 貴王賤霸而已요 其大經大法은 皆亡滅而不救하고 壞爛而不收하니 所謂存十一於千百이니 安在其能廓如也리오【自夫楊·墨行, 至此四十餘句, 皆是因子雲之說, 抑而難之, 下文, 只以兩句斡轉, 揚而許之, 可謂有千鈞筆力.】然이나 向無孟氏면 則皆服左衽而言侏離矣리라【後漢書語言侏離註: "蠻夷語聲."】故로 愈常推尊孟氏하여 以爲功不在禹下者는 爲此也니라【禹有治水之功, 孟有闢楊·墨之功, 洪水之害, 溺人之身, 楊·墨之害, 溺人之心. 故曰'孟氏功不在禹下.' 朱子曰: "邪說橫流, 壞人心術, 甚於洪水之災."】

맹자가 비록 성현이셨으나 지위를 얻지 못하여 빈 말씀만 했을 뿐 시행되지 못하였으니, 비록 간절한들 무슨 보탬이 있었겠습니까. 그러나 그 말씀을 힘입어 지금의 배우는 자들이 아직도 공씨(孔氏)를 높이고【여기에 맹자를 힐난함은 바로 마음은 허여하고 말은 허여하지 않은 것이다.】 인의(仁義)를 높이며 왕도(王道)를 귀히 여기고 패도(霸道)를 천히 여길 줄을 알고 있습니다.

〈그러나〉 이 뿐이요, 그 대경(大經)·대법(大法)은 모두 없어져 구원할 수 없고 파괴되고 혼란하여 수습할 수 없으니, 이른바 천에 열, 백에 하나가 남았다는 것입니다. '환하게 터놓았다'는 것이 어디에 있습니까.【'부양묵행〔夫楊墨行〕'으로부터 여기에 이르기까지 40여 구는 모두 양자운(揚子雲)의 말을 따라 억제하여 힐난하였고, 아래 글은 다만 두 구를 가지고 바꾸어 드날려 허여하였으니, 천

… 爛 문드러질 란 衽 옷깃 임 侏 난장이 주

균(千鈞)의 필력이 있다고 이를 만하다.】

그러나 그때 맹씨가 없었다면 우리는 모두 오랑캐들처럼 옷깃을 왼쪽으로 하는 옷을 입고 주리(侏離, 오랑캐의 말)를 말하고 있을 것입니다.【《후한서(後漢書)》〈남만서남이전(南蠻西南夷傳)〉의 '어언리주(語言侏離)'의 주에 "주리(侏離)는 오랑캐의 말이다." 하였다.】 그러므로 내가 항상 맹씨를 추존하여 공로가 우왕(禹王)의 아래에 있지 않다고 하는 것은 이 때문입니다.【우왕은 홍수를 다스린 공이 있고 맹자는 양(楊)·묵(墨)을 물리친 공이 있으니, 홍수의 폐해는 사람의 몸을 빠트리고 양·묵의 폐해는 사람의 마음을 빠트린다. 그러므로 '맹씨의 공이 우왕의 아래에 있지 않다.'라고 한 것이다. 주자(朱子)가 말씀하였다. "부정한 학설이 횡행하여 사람의 심술을 파괴함이 홍수의 재앙보다 심하다."】

漢氏以來로 群儒區區修補나 百孔千瘡이 隨亂隨失하여 其危如一髮引千鈞하여 綿綿延延하여 寖以微滅이어늘 於是時也에 而唱釋, 老於其間하여 鼓天下之衆而從之하니 嗚呼라 其亦不仁이 甚矣로다 釋, 老之害는 過於楊, 墨하고 韓愈之賢은 不及孟子라 孟子不能救之於未亡之前이어늘 而韓愈乃欲全之於已壞之後하니【此數句, 以前後輕重難易錯綜, 議論妙. 程子曰: "佛氏之言, 比之楊·墨, 尤爲近理, 所以其害爲尤甚." 樓迂齋曰: "上說不及孟子, 此句, 微見實過之之意, 非道德過之, 用力過之也."】 嗚呼라 其亦不量其力이라 且見其身之危 莫之救以死也로다

한씨(漢氏, 한(漢)나라) 이래로 여러 유자(儒者)들이 구구(區區)히 보수하였으나 무수히 구멍 나고 상처 난 대경·대법이 난(亂)에 따라 망실(亡失)되어 한 가닥 머리털로 천균(千鈞)의 무게를 끌어당기는 것과 같은 위태로움이 면면히 이어져서 점점 미약해지고 없어졌습니다. 이런 때에 그 사이에서 석(釋)·노(老)를 제창하여 천하의 무리들을 고무시켜 따르게 하니, 아! 불인(不仁)함이 또한 심합니다. 석·노의 폐해는 양·묵보다 심하고, 나(한유)의 어짊은 맹자에 미치지 못합니다. 맹자는 아직 완전히 없어지기 전에도 구원하지 못하셨는데, 〈맹자에게 미치지 못하는〉 내가 이미 없어진 뒤에 보전하려 하니,【이 몇 구는 전후(前後)와 경중(輕重), 난이(難易)를 가지고 뒤섞어 말하였으니, 의론이 묘하다. 정자(程子)가 말씀하였다. "불씨의 말은 양·묵에 비하면 더욱 이치에 가까우니, 이 때문에 그 폐해가 더욱 심한 것이다." 누우재가 말하였다. "위에서는 맹자에게 미치지 못한다고 하였고 이 구에서는 실로 〈맹자보다〉 더하다는 뜻을 조금 나타냈으니, 도덕(道德)이 더한 것이 아니고 힘을 씀이 더한 것이다."】 아! 이 또한 자신의 힘을 헤아리지 못한 것입니다. 장차 몸이 위태로워도 를 구원하지 못하고 죽음을 당할 것입니다.

··· 瘡 상처 창 鈞 서른근 균 延 늘일 연 寖 점점 침

雖然이나 使其道由愈而粗傳이면 雖滅死나 萬萬無恨이라【此一轉尤妙, 可見衛道之勇. 但惜乎公之所以反諸身者, 不能如朱子之說. 是以雖能著衛道之功於一時, 而無以任傳道之責於萬世. 雖然, 能言闢佛 · 老者, 聖賢之徒也, 而況於公? 世之以儒名而溺於異教者, 豈非孔子 · 孟 · 韓之叛卒也哉?】天地鬼神이 臨之在上하고 質之在傍하니 又安得因一摧折하여 自毁其道而從於邪也리오 籍, 湜輩는 雖屢指教나 不知果能不叛去否아 辱吾兄眷厚로되 而不獲承命하니 唯增慚懼라 死罪死罪로라

그러나 그 도가 나로 말미암아 조금이라도 전해지게 된다면 비록 멸하여 죽어도 만만번 여한이 없겠습니다.【이 한 번의 전환이 더욱 묘하니, 한공이 도를 호위한 용맹을 볼 수 있다. 다만 애석하게도 한공이 자기 몸에 돌이키기를 주자의 말씀과 같이 하지 못하였다. 이 때문에 비록 한때 도를 호위하는 공을 드러내었으나 만세에 도를 전하는 책임을 맡지 못한 것이다. 그러나 능히 불 · 노를 배척하는 말을 하는 자는 성현의 무리인데, 하물며 한공에 있어서랴. 세상에 선비라고 이름하면서 이단의 가르침에 빠진 자는 어찌 공자와 맹자, 한공을 배반한 졸개가 아니겠는가.】 천지 신명이 위에서 굽어보시고 옆에 계시어 질정(質正)할 수 있으니, 또 어찌 한번 좌절함으로 인하여 스스로 그 도를 훼손하고 부정한 길을 따르겠습니까.

장적(張籍)과 황보식(皇甫湜) 등은 비록 여러 번 지시하고 가르쳤으나 과연 배반하고 떠나가지 않을지 모르겠습니다.

오형(吾兄, 형)의 돌보심과 후(厚)한 사랑을 입었으나 명을 받들 수 없으니, 오직 부끄러움과 두려움이 더할 뿐입니다. 죽을죄를 짓고 죽을죄를 지었습니다.

粗 거칠, 조금 추(조) 摧 꺾을 최 湜 맑을 식 屢 자주 루 眷 정성스러울 권
慚 부끄러울 참

송부도문창사서送浮屠文暢師序

한유韓愈

• 작품개요

이 작품은 정원(貞元) 19년(803)에 작자가 승려 문창(文暢)을 전송하며 지어준 '송서체(送序體)' 산문이다. '부도(浮屠)'란 본래 범어 '붓다'의 음역어로 '불타(佛陀)'와 같은 말인데, 여기서는 승려를 지칭한다.

이해 봄에 유종원(柳宗元)의 소개로 승려 문창이 작자를 알현하였는데, 오래지 않아 동남쪽으로 떠나가게 되었다. 당시 권덕여(權德輿)나 백거이(白居易) 같은 몇몇 문인들이 모두 시문으로 문창을 전별하였기에 유종원 역시 작자에게 글을 지어서 증별(贈別)해 줄 것을 청하였던 것이다.

작품은 내용상 네 단락으로 나뉜다. '인고유유명이묵행자(人固有儒名而墨行者)'부터 '오취이위법언(吾取以爲法焉)'까지 첫 번째 단락에서는, 명실상부하지 못한 두 종류의 사람 -명색은 유자(儒者)이면서 묵자(墨者)의 행실을 하는 자, 명색은 묵자이면서 유자의 행실을 하는 자- 를 나열한 뒤에 양웅(揚雄)의 말을 인용하여 이 두 사람에 대한 작자 자신의 태도를 표명하였다. 이 부분은 문창에게 '성인의 도'로 나아갈 것을 은근히 권면한 것이다.

'부도사문창희문장(浮屠師文暢喜文章)'부터 '부당우위부도지설이독고지야(不當又爲浮屠之說而瀆告之也)'까지 두 번째 단락에서는, 문창으로 화제를 전환하여 그가 '문장을 좋아함'을 말하였다. 이는 여느 불교도의 행실과는 다른 점인바, 일종의 '유행(儒行, 유자의 행실)'인 셈이다. 그러므로 응당 유도(儒道)를 분명하게 알아야 함을 강조한 것이다.

'민지초생(民之初生)'부터 '녕가부지기소자사(寧可不知其所自邪)'까지 세 번째 단락에서는 정면으로 '성인의 도'에 대하여 선전하고 설명하였는데, 실제로는 불교도가 성인의 은혜를 받고서 '성인의

도'에 대하여 배은망덕한 태도를 취하는 것을 비판한 것이다.

'부부지자(夫不知者)'부터 '어시호언(於是乎言)'까지 네 번째 단락에서는, 윗단락에서 '어찌 그 유래한 바를 알지 못하여 되겠는가.〔寧可不知其所自邪〕'라고 한 말의 '불지(不知)' 두 글자를 이어받아 윗단락의 내용을 하나씩 수습하였다. 이 단락은 '야(也)' 자를 사용한 다섯 개의 판단구(判斷句)를 나열함으로써 단호한 어조 속에 점진적 문장 전개를 보여주고 있다. 마지막에 "나는 이미 유군의 요청을 중히 여기고, 또 부도가 문사(文辭)를 좋아하는 것을 가상히 여긴다.〔余旣重柳請 又嘉浮屠能喜文辭〕"라고 한 말은 두 번째 단락의 '희문장(喜文章)'과 '류군종원위지청(柳君宗元爲之請)'에 조응(照應)한다.

제목은 승려 문창을 전송한다는 것을 표방하고 있지만, 실은 유도를 선양하며 불교를 첨예하게 비평한 것으로, 구상(構想)이 참신하고 문세가 성대하며 문사가 유창하고 자연스럽다. 이 작품에 대하여 "개합(開闔)하고 완곡하게 전환하여 참으로 쟁반에 굴러가는 구슬과 같으니, 이는 천지간에 흔히 볼 수 없는 매우 귀중한 글이다.〔開闔宛轉 眞如走盤之珠 此天地間有數文字〕"라고 한 명대(明代) 당순지(唐順之)의 평가가 참으로 적절하다고 하겠다.

篇題小註‥ 洪容齋曰 韓公送文暢云 文暢은 浮屠也니 欲聞浮屠之說인댄 當自就其師而問之리니 何故謁吾徒而來請也리오하고 元微之永福寺石壁記云 佛書之妙奧는 僧當爲予言이요 予不當爲僧言이라하니 二公之語 可謂至當이로다

홍용재(洪容齋, 홍매(洪邁))가 말하였다. "한공(韓公)이 문창을 전송한 서(序)에 '문창은 부도(浮屠)이니 부도의 말을 듣고자 하였다면 마땅히 스스로 그 스승에게 찾아가서 물었을 것이니, 무슨 연고로 우리 무리들을 뵙고서 청하였겠는가.' 하였고, 원미지(元微之, 원진(元稹))의 〈영복사 석벽기(永福寺石壁記)〉에 '불서(佛書)의 오묘함은 승려들이 마땅히 나에게 말해 주어야 할 것이요, 내가 승려들을 위해 말해 주어서는 안 된다.' 하였으니, 두 공의 말씀은 지당하다고 이를 만하다."

○ 此篇은 告以吾聖人之道하여 而欲拔之浮屠之中하니 略與原道之說로 相表裏라

이 편은 우리 성인(聖人)의 도(道)를 말해주어 그를 부도의 가운데서 뽑아내려 하였으니, 대략 〈원도〉의 내용과 서로 표리가 된다.

… 暢 통할 창 屠 죽일 도 謁 뵐 알 奧 깊을 오 裏 속 리

• **原文**

人固有儒名而墨行者하니 問其名則是요 校其行則非인댄 可以與之游乎아 如有墨名而儒行者하여【暗指文暢.】問其名則非요 校其行則是인댄 可以與之游乎아 揚子雲이 稱在門墻則揮之하고 在夷狄則進之라하니【應墨名儒行.】吾取以爲法焉하노라

사람 중에는 진실로 명색은 유자(儒者)이면서 묵자(墨者)의 행실을 하는 자가 있는데, 그 이름을 물어보면 유자이지만 그 행실을 따져보면 유자가 아닐 경우, 그와 더불어 교유할 수 있는가. 만일 명색은 묵자이면서 유자의 행실을 하는 자가 있어【은근히 문창(文暢)을 가리킨 것이다.】그 이름을 물어보면 유자가 아니지만 그 행실을 따져보면 유자일 경우, 그와 더불어 교유할 수 있는가. 양자운(揚子雲, 양웅(揚雄))이 말하기를 "〈그러한 자가〉 우리 집 문과 담장 안에 있으면 손을 저어 내쫓고 이적(夷狄)에 있으면 끌어들여야 한다." 하였으니,【'묵자의 이름으로 유자의 행실을 한다〔墨名儒行〕'는 구에 응한다.】나는 이것을 취하여 법으로 삼으려 한다.

[浮屠師][133]文暢이 喜爲文章하여 其周遊天下에 凡有行이면 必請於搢紳先生하여 以求詠謌(歌)其所志라 貞元十九年春에 將行東南할새 柳君宗元이 爲之請作詩어늘 解其裝하여 得所得敍詩累百餘篇하니 非至篤好면 其何能致多如是邪아 惜其無以聖人之道告之者요 而徒擧浮屠之說하여 贈焉이로라 夫文暢은 浮屠也니 如欲聞浮屠之說인댄 當自就其師而問之리니 何故로 謁吾徒而來請也리오 彼見吾君臣父子之懿와 文物禮樂之盛하고 其心이 必有慕焉이로되 拘其法而未能入이라 故로 樂聞其說而請之니 如吾徒者 宜當告之以二帝, 三王之道와 日, 月, 星辰之所以行과【許多所以字, 乃其理之所以然也, 無所以字則形迹之粗而已.】天地之所以著와 鬼神之所以幽와 人物之所以蕃과 江河之所以流하여 而語之요 不當又爲浮屠之說而瀆告之也니라

부도사(浮屠師, 불교의 스승)인 문창(文暢)이 문장 짓기를 좋아하여 천하를 주유(周遊)할 적에 무릇 길을 떠나게 되면 반드시 진신 선생(搢紳先生, 사대부)에게 요청하여 그의 뜻한 바를 읊어

---

133 〔浮屠師〕: 저본에는 없으나 《오백가주창려문집(五百家注昌黎文集)》의 주에 "한 본에는 '부도사(浮屠師)' 세 글자가 있다.〔一有浮屠師三字〕"라고 한 것에 의거하여 보충하였다. 《문원영화(文苑英華)》, 《당문수(唐文粹)》, 《문장정종(文章正宗)》 등에도 이 세 글자가 포함되어 있다.

··· 非 그를 비 校 헤아릴 교 揮 손저을 휘 搢 꽂을 진 紳 끈띠 신 謌 노래 가 惜 애석할 석 徒 한갓 도 贈 줄 증 懿 아름다울 의

노래해 주기를 요구하였다. 정원(貞元) 19년(803) 봄, 그가 장차 동남쪽으로 길을 떠나려 할 적에 유군 종원(柳君宗元)은 그를 위해 시를 지어줄 것을 나에게 청하였다. 그리하여 그의 행장을 풀어 그동안 얻은 서문(序文)과 시 수백여 편을 얻었으니, 지극히 좋아하는 것이 아니라면 많은 작품을 받음이 어찌 이와 같겠는가. 애석하게도 성인(聖人)의 도(道)를 가지고 그에게 고해준 자가 없고, 다만 부도의 말을 들어 말해 주었다.

저 문창은 부도(浮屠)이니, 만일 부도의 말을 듣고자 하였다면 마땅히 스스로 자기 스승을 찾아가 물었을 것이니, 무슨 연고로 우리 무리를 찾아와 청하였겠는가. 저 사람은 우리의 군신(君臣)·부자(父子)간의 아름다움과 문물(文物)·예악(禮樂)의 성(盛)함을 보고는 그 마음에 반드시 사모함이 있으나 불법(佛法)에 얽매여 들어올 수가 없으므로 그 말을 듣기 좋아하여 청한 것이니, 우리와 같은 무리들은 마땅히 이제(二帝)·삼왕(三王)의 도와 일(日)·월(月)·성신(星辰)이 운행하는 까닭과【허다한 '소이(所以, 까닭)' 자는 바로 그 이치의 소이연이니, 소이라는 글자가 없으면 거친 형적일 뿐이다.】 천지가 드러난 까닭과 귀신이 그윽한 까닭과 사람과 물건이 번성하는 까닭과 강하(江河)의 흐르는 까닭을 고하여 말해줄 것이요, 또다시 부도의 말을 하여 번거롭게 고해서는 안 될 것이다.

民之初生에 固若禽獸[夷狄][134]然이러니 聖人者立然後에 知宮居而粒食하며 親親而尊尊하며 生者養而死者藏이라 是故로 道莫大乎仁義하고 敎莫正乎禮樂刑政하니 施之於天下면 萬物得其宜하고 措之於其躬이면 體安而氣平이라 堯以是傳之舜하시고 舜以是傳之禹하시고 禹以是傳之湯하시고 湯以是傳之文,武하시고 文,武以是傳之周公,孔子하사 書之於冊하여 中國之人이 世守之하나니 今浮屠者는 孰爲而孰傳之邪아【浮屠氏之書, 雖有爲之傳之者, 多是後人假託塡補, 却不如吾道淵源的實, 鑿鑿可考.】 夫鳥俛(부)而啄하고 仰而四顧하녀 夫獸深居而簡出은 懼物之爲己害也로되 猶且不脫焉하여 弱之肉을 强之食하나니 今吾與文暢이 安居而暇食하고 優游以生死하여 與禽獸異者를 寧可不知其所自邪아【浮屠之流, 所以得生全於天地間, 皆陰受吾道之賜而不自知耳. 使無吾道之功用以綱維之, 而擧世盡用其絶滅人倫之敎, 則無父子而其類絶, 無君臣而其徒亂, 久矣.】

백성(사람)들이 처음 태어났을 적에는 진실로 금수(禽獸)와 이적(夷狄)과 같았었다. 그런데

134 〔夷狄〕: 저본에는 없으나 《문원영화(文苑英華)》, 《당문수(唐文粹)》 등에 의거하여 보충하였다.

··· 瀆 번거로울 독 粒 낟알 립 措 둘 조 俛 숙일 부 啄 쪼을 탁

성인이 나오신 뒤에 궁실(宮室)에서 살고 곡식을 먹으며 친척을 친애하고 높은 분을 높이며 산 자를 봉양하고 죽은 자를 매장할 줄을 알게 되었다. 그러므로 도는 인의(仁義)보다 큰 것이 없고 가르침은 예악(禮樂)·형정(刑政)보다 바른 것이 없으니, 이것을 천하에 시행하면 만물이 그 마땅함을 얻고, 이것을 자신에게 두면 몸이 편안하고 기(氣)가 화평해진다.

요(堯)는 이것을 순(舜)에게 전하시고, 순은 이것을 우(禹)에게 전하시고, 우는 이것을 탕(湯)에게 전하시고, 탕은 이것을 문왕(文王)·무왕(武王)에게 전하시고, 문왕·무왕은 이것을 주공(周公)·공자(孔子)에게 전하시어 이것을 책에 써서 중국 사람들이 대대로 지켜오고 있으니, 지금 부도(浮屠)라는 자는 누가 만들어 누가 전한 것인가.【부도씨(浮屠氏, 불교)의 글을 비록 짓고 세상에 전하는 자가 있으나 대부분 후인들이 가탁하고 보충하였으니, 우리 도의 연원(淵源)이 적실(的實)하여 착착 상고할 만한 것과는 같지 못하다.】

저 새가 머리를 숙여 쪼아먹고 머리를 들어 사방을 두리번거리며, 저 짐승들이 깊이 숨어 살고 때를 골라 나오는 것은 다른 물건이 자기를 해칠까 두려워해서이다. 그런데도 화(禍, 죽음)에서 벗어나지 못하여 약한 짐승을 강한 것이 잡아먹는다. 지금 나와 문창이 편안히 살면서 한가로이 먹고 여유 있게 살다가 죽는 것이 금수와 다른데, 어찌 그 유래한 바를 몰라서야 되겠는가.【부도의 무리가 천지 사이에 온전히 살 수 있는 것은 모두 우리 도의 은혜를 은근히 받는 것인데도 스스로 알지 못하는 것이다. 만일 우리 도의 공용(功用)으로써 기강을 삼지 않고 온 세상이 모두 인륜을 끊어버리는 불교의 가르침을 따랐다면 부자(父子)간이 없어져 인류가 끊기고 군신간이 없어져 무리가 혼란하게 된지 오래였을 것이다.】

夫不知者는 非其人之罪也어니와 知而不爲之者는 惑也요 悅乎故하여 不能卽乎新者는 弱也요 知而不以告之者는 不仁也요 告而不以實者는 不信也라【韓公告之以此, 可謂告以實也. 文暢昔也不知, 猶可恕也. 今公旣告之, 則是知之矣, 知之而猶安其故, 是不勇也. 公蓋有人其人而收斂加冠巾之意.】余旣重柳請하고 又嘉浮屠能喜文辭하여 於是乎言하노라

저 알지 못하는 것은 그 사람의 죄가 아니지만 알면서도 하지 않는 것은 미혹됨이요, 옛날 버릇을 좋아하여 새로운 것으로 나아가지 못하는 것은 나약함이요, 알면서도 고해주지 않는 것은 인(仁)하지 못함이요, 말해주되 진실로써 하지 않는 것은 신실하지 못함이다.【한공이 이로써 고해주었으니, 실제로써 고해주었다고 이를 만하다. 문창이 옛날에는 알지 못했으니 그래도 용서할 수 있지만 지금 한공이 이미 고했으면 이것을 알았을 것이다. 알고도 오히려 옛것을 편안히 여긴다면 이는 용맹하지

··· 優 한가할 우 寧 어찌 녕 邪 어조사 야 卽 나아갈 즉 嘉 아름다울 가

못한 것이다. 공이 그 사람(불자)을 일반 평민으로 삼아서 수렴하여 관건(冠巾)을 가한 뜻이 있다.】 나는 이미 유군의 요청을 중히 여기고, 또 부도가 문사(文辭)를 좋아하는 것을 가상히 여기므로 이에 말하는 것이다.

卷 3

평회서비平淮西碑

남해신묘비南海神廟碑

쟁신론爭臣論

송궁문送窮文

진학해進學解

악어문鰐魚文

유주나지묘비柳州羅池廟碑

송맹동야서送孟東野序

송양거원소윤서送楊巨源少尹序

송석홍처사서送石洪處士序

송온조처사서送溫造處士序

평회서비平淮西碑

한유韓愈

• 작품개요

이 작품은 당(唐)나라 때 채주(蔡州) 지방의 오원제(吳元濟)가 일으킨 반란을 배도(裴度)가 평정하자, 이를 기념하기 위해 지은 것이다. 당나라는 안녹산(安祿山)과 사사명(史思明)의 난 이후로 각 지방의 번진(藩鎭)들이 조정의 명을 따르지 않는 경우가 빈번하여 숙종(肅宗)·대종(代宗)·덕종(德宗)·순종(順宗) 등 4대에 걸쳐 토벌을 감행하였으나 실효를 거두지 못하고 있었다. 헌종(憲宗) 원화(元和) 9년(814) 여름에 회서 절도사(淮西節度使) 오소양(吳少陽)이 죽었는데, 그 아들 오원제가 부친의 상(喪)을 외부에 알리지 않은 채로 스스로 채주 자사(蔡州刺史)가 되고 회서 절도사가 될 것을 조정에 주청하였으나 허락을 받지 못하자 반란을 일으켰다. 이때 조정의 신하들 대부분이 오원제의 요구를 들어주자고 건의하였으나 재상 배도는 토벌할 것을 주장하였다. 이에 오래전부터 번진을 토벌하려고 했던 헌종은 이 기회를 이용해 군대를 일으켜 3년 동안 토벌을 감행하였지만 승리하지 못하였다. 그러다가 원화 13년(818) 정월에 배도를 회서 선위처치사(淮西宣慰處置使)로 삼아 각 주(州)의 군대를 통솔하게 하니, 배도는 마침내 회서를 평정하였다. 당시 형부 시랑(刑部侍郎)이었던 한유가 배도의 행군 사마(行軍司馬)로 종군한 뒤에 돌아와 황제의 명을 받들어 이 글을 지었다.

특히 이 작품은 내용이 분명하면서도 곡진하다. 농암(農巖) 김창협(金昌協)의 《잡지(雜識)》〈외편(外篇)〉을 살펴보면, 이 글에서 '야(也)' 자를 한 개도 쓰지 않았는데, 이는 《상서(尙書)》를 본받았기 때문임을 밝히고, 또 이 비문은 완전히 《상서》를 본받았으면서도 《상서》의 한 마디 말도 쓰지 않았다고 칭찬하였으며, 또 "예부터 금석문자(金石文字, 비문) 중에 결코 다시는 비견될 수 없는 것이 있으니, 한유의 〈평회서비〉와 구양수(歐陽脩)의 〈농강천표(瀧岡阡表)〉가 이것이다.〔古來金石文字 有決

不容復有對者 韓之平淮西碑 歐之瀧岡阡表是也]"라고 칭찬하였다. 〈농강천표〉는 구양수가 자신의 부친에 대해 쓴 비문으로 명문으로 알려져 있는바, 《고문진보 후집》과 《문장궤범(文章軌範)》에는 실려 있지 않으므로 이 책(1권)의 뒤에 붙였음을 밝혀둔다.

篇題小註‥ 迂齋曰 布置回護하고 敍事有法이라 又云 看他抑揚起伏, 鋪張回護, 布置收拾之法하면 當與元和聖德詩[1]竝看이니라

우재(迂齋)가 말하였다. "포치(布置, 글을 펴놓음)하고 회호(回護)함과 일을 서술함이 법도가 있다." 또 말하였다. "저 억양 기복(抑揚起伏)과 포장 회호(鋪張回護)와 포치 수습(布置收拾)의 법을 보면 마땅히 〈원화성덕시(元和聖德詩)〉와 나란히 보아야 할 것이다."

○ 唐自安, 史亂[2]後로 藩鎭跋扈어늘 累代姑息하여 養成叛逆하여 父死子繼하고 否則偏裨繼하여 匪由朝命하고 要求節鉞하며 一纔不從이면 反叛繼之라 憲宗立에 發憤欲張已墜之綱하여 亦旣平夏, 蜀, 澤潞諸鎭矣라 淮(蔡)〔西〕節度吳少(誠)〔陽〕[3]이 死에 子元濟自立하여 請이어늘 不許한대 遂反하니 朝臣中에 惟武元衡, 裴度 請討之러니 兵連未捷에 元衡이 死於刺客하고 度傷이나 幸不死하니 俱請罷兵호되 惟度贊上하여 終討之하니라 度除淮西節度使한대 奏請韓公하여 爲行軍司馬러니 卒平蔡還朝하여 詔公撰碑하니 公以蔡平은 由度固上意라하여 多歸功焉하고 度功所以成은 又由上意之明且斷이라하니 當矣라 李愬自恃奇兵入蔡하여 擒吳功高하니 其妻는 唐安公主女也라 遣入宮하여 泣訴碑不實한대 上이 命斷碑하고 更詔段文昌爲之하니

---

1 元和聖德詩 : '원화(元和)'는 당 헌종(唐憲宗)의 연호(年號)인바, 한유(韓愈)가 헌종 중화 2년 국자박사(國子博士)로 있으면서 헌종이 이룩한 중흥의 업적을 기리기 위하여 4언의 고체(古體)로 지은 시이다. 《한창려시계년집석(韓昌黎詩繫年集釋)》 권6에 보인다.

2 安, 史亂 : 안·사는 당 현종 때의 역신(逆臣)인 안녹산(安祿山)과 그의 부장(部將)인 사사명(史思明)을 가리킨다. 현종 천보(天寶) 연간에 안녹산이 사사명과 함께 간신 양국충(楊國忠)을 제거한다는 명분으로 반란을 일으켜 낙양을 함락한 뒤 국호를 대연(大燕), 연호를 성무(聖武)로 정하고 황제를 칭하였다. 그러나 안녹산이 757년에 아들 안경서(安慶緖)에게 살해되고, 안경서는 758년에 사사명에게 살해되었으며, 사사명은 761년에 다시 아들 사조의(史朝義)에게 살해되고, 사조의의 군대는 763년에 당나라 관군에게 격파당함으로써 9년에 걸친 안, 사의 난은 끝나게 되었다.

3 淮(蔡)〔西〕節度吳少(誠)〔陽〕: 저본에는 '淮蔡節度吳少誠'으로 되어있으나, 《신당서(新唐書)》 권173 〈裴度列傳〉에 의거하여 '蔡'를 '西'로, '誠'을 '陽'으로 바로잡았다.

… 鋪 펼 포 跋 뛸 발 扈 통발 호 裨 도울 비 鉞 도끼 월 纔 겨우 재 潞 물이름 로
愬 하소연할 소 擒 사로잡을 금

文昌之碑 今雖見(현)唐文粹[4]나 然委弱猥冗하니 人誰目者리오 東坡錄臨江驛一絕[5]云 淮西功業冠吾唐하니 吏部文章日月光이라 千載斷碑人膾炙하니 不知世有段文昌이라하니 良可一快라 孫莘老[6]喜論文하여 謂此碑序如書하고 銘如詩라하니 的論也라 李商隱一詩[7] 論此碑極佳하니 已有此說矣라 警語曰 點竄堯典舜典字하고 塗改清廟生民詩[8]라하니 熟讀深味하면 始信李, 孫爲知言云이라

당(唐)나라는 안녹산(安祿山)과 사사명(史思明)의 반란 이후로 번진(藩鎭, 절도사(節度使))들이 발호하였는데, 여러 대(代)가 고식(姑息)하여 반역을 양성하였다. 그리하여 아비가 죽으면 자식이 계승하고 그렇지 않으면 편비(偏裨, 부장)가 계승하여, 조정의 명령을 따르지 않고 절월(節鉞, 절도사의 징표)을 내려 줄 것을 요구하였으며, 한 번이라도 이에 따르지 않으면 반란과 반역이 계속되었다.

헌종(憲宗)은 즉위한 다음 분발하여 이미 실추된 기강을 떨치고자 해서 또한 이미 하주(夏州)와 촉(蜀), 택로(澤潞)의 여러 진(鎭)을 평정하였다. 회서 절도사(淮西節度使) 오소양(吳少陽)이 죽고, 아들 오원제(吳元濟)가 스스로 계승하고 세습할 것을 청했으나 허락하지 않자, 오원제가 마침내 반란을 일으키니, 조신(朝臣) 가운데 오직 무원형(武元衡)과 배도(裴度)만이 토벌할 것을 청하였다. 토벌

---

4 唐文粹: 송(宋)나라 요현(姚鉉)이 찬한 책으로, 당(唐)나라의 명문(名文) 중에 변려문(騈儷文)을 제외하고 고문 형식인 산문을 분류별로 편집한 것인데 1백 권으로 되어 있다.

5 東坡錄臨江驛一絕: 이는 소식(蘇軾)이 좌천되어 임강군(臨江軍)의 역사(驛舍)를 지나면서 그 역사의 벽에 적혀져 있던 시를 보고서 기록한 것이라고 한다. 일설에 의하면 이 시는 소식이 직접 지었는데 짐짓 다른 사람이 지은 것으로 가탁하였다고 한다. 임강군의 역사를 연류관(沿流館)으로 보는 설도 있다.《侯鯖錄 卷2》《漁隱叢話 前集 卷39 東坡2, 後集 卷10 韓退之》《韻語陽秋 卷3》《歷代詩話 卷49 唐詩 平淮西》

6 孫莘老: 손각(孫覺)으로 신로는 그의 자이다. 송나라 고우(高郵) 사람으로 약관의 나이에 호원(胡瑗)에게 수학하였으며, 소식(蘇軾), 왕안석(王安石), 증공(曾鞏)과 교유하였다. 과거에 급제하여 관각교감(館閣校勘), 직집현원(直集賢院), 우정언(右正言), 어사중승(御史中丞) 등을 역임하였고, 저서로는 《주의(奏議)》, 《춘추전(春秋傳)》 등이 있다.《宋史 卷344 孫覺列傳》

7 李商隱一詩: 이상은(李商隱)은 당나라 말기 회주(懷州) 하내(河內) 사람으로 자는 의산(義山)이고 호는 옥계생(玉谿生)이다. 어려서부터 문장에 능하였으며, 개성(開成) 2년(837)에 진사(進士)에 급제하여 비서성 교서랑(祕書省校書郞)을 지냈다. 우승유(牛僧孺), 이종민(李宗閔)과 이덕유(李德裕)가 나뉘어 정쟁을 벌였을 적에 이상은이 우승유 파인 영호초(令狐楚)의 지원을 받았었는데 뒤에 이덕유 파인 왕무원(王茂元)이 이상은의 재주를 아껴 사위를 삼았다. 이 때문에 배은망덕한 자로 몰려 불우한 생애를 보냈다.《舊唐書 卷190下 李商隱列傳》 '일시(一詩)'는 이상은이 지은 칠언고시 〈한비(韓碑)〉를 가리킨다.

8 點竄堯典舜典字 塗改清廟生民詩: 〈요전〉과 〈순전〉은 《서경(書經)》의 편명(篇名)으로 요제(堯帝)와 순제(舜帝)가 신하들에게 명령한 말씀과 문답한 내용이 수록되어 있다. 〈청묘〉와 〈생민〉은 《시경(詩經)》의 편명으로, 〈청묘〉는 주송(周頌)에, 〈생민(生民)〉은 대아(大雅)에 들어있는바, 주(周)나라의 시조(始祖)인 후직(后稷)과 문왕(文王)의 덕을 읊는 시이다.

••• 猥 뒤섞일 외 冗 번거로울 용 膾 회 회 炙 불고기 자 莘 많을 신 竄 고칠 찬 塗 칠할 도

이 계속되었지만 승리하지 못했는데, 이때 무원형은 자객에게 살해당하고 배도는 부상을 당했으나 다행히 죽지 않았다. 이에 조정에서는 모두 파병(罷兵)할 것을 청하였으나 오직 배도만이 상(上)을 도와 끝내 토벌하였다.

배도는 회서 절도사(淮西節度使)에 제수되자, 황제에게 주청하여 한공(韓公, 한유)을 행군 사마(行軍司馬)로 임명하였는데, 마침내 회서 절도사의 치소(治所)인 채주(蔡州)를 평정하고 조정으로 돌아오니, 한공에게 명하여 비(碑)를 짓도록 하였다. 공은 채주가 평정된 것은 배도가 상(上)의 뜻을 견고히 하였기 때문이라 하여 그에게 공을 돌린 것이 많으며, 배도가 성공한 까닭은 또 상의 뜻이 분명하고 결단성이 있었기 때문이라 하였으니, 그의 말이 매우 옳다.

이소(李愬)는 스스로 기병(奇兵, 기습하는 군대)을 이끌고 채주로 들어가 오원제를 사로잡아 공로가 높음을 믿고 있었으니, 그의 아내는 당안공주(唐安公主)의 딸이었다. 이소가 자기 아내를 궁중으로 들여보내어 비문의 내용이 진실되지 못함을 울며 하소연하게 하자, 상은 그 비를 부러뜨리도록 명하고 다시 단문창(段文昌)에게 짓도록 하였다.

단문창의 비문은 이제 비록 《당문수(唐文粹)》에 보이나 나약하고 잡되니, 사람들이 누가 눈여겨보겠는가. 동파(東坡)가 기록해 둔 임강역사(臨江驛舍)에 적혀있던 한 절구(絕句)에 "회서를 평정한 공업은 우리 당나라에 으뜸이니 이부(吏部, 한유)의 문장은 일월(日月)처럼 빛나네. 천재(千載)에 부러진 비문 사람들은 회자(膾炙)하고 있으니 세상에 단문창의 비문 있음은 알지 못하네." 하였으니, 참으로 한번 상쾌하다 하겠다.

손신로(孫莘老, 손각(孫覺))는 문장을 논하기를 좋아하였는데, "이 비문은, 서(序)는 《서경(書經)》과 같고 명(銘)은 《시경(詩經)》과 같다." 하였으니, 정확한 의론이다. 이상은(李商隱)의 한 시(詩)가 이 비를 논함이 매우 아름다운바, 여기에 이미 이러한 말이 있는데, 그 중의 경구(警句)에 이르기를 "〈요전(堯典)〉과 〈순전(舜典)〉의 글자를 다듬어 운용하고, 〈청묘(淸廟)〉와 〈생민(生民)〉의 시를 고쳐 만들었다." 하였다. 위의 의론과 시를 익숙히 읽고 깊이 음미해 보면 비로소 이상은과 손신로의 말이 진리를 안 말임을 믿을 것이다.

• **原文**

天以唐이 克肖其德하사 聖子神孫이 繼繼承承하여 於(오)千萬年에 敬戒不怠라하여 全付所覆(부)하시니【全字有深意.】 四海, 九州가 罔有內外히 悉主悉臣이라 高祖, 太宗이 旣除旣治하시고 高宗, 中, 睿가 休養生息하사 至于玄宗하여 受報收功하시니【回護.

於 감탄할 오 覆 덮을 부 罔 없을 망 睿 밝을 예 熾 성할 치 櫱 움 얼 牙 싹 아
慝 간사할 특 稂 가라지 랑 莠 가라지 유 薅 김맬 호

接下面有次序.】極熾而豐이라【回護法.】物衆地大에 蘗(얼)牙(芽)其間이어늘【來得婉, 隱然述安·史亂.】肅宗, 代宗과 德祖, 順考[9]가 以勤以容하사 大慝(특)適去나 稂莠不薅(호)하니【呼毛反, 去草名. 回護累朝姑息, 容養强藩.】相臣, 將臣이 文恬武嬉하여【從上許多富盛中生.】習熟見聞하여 以爲當然이라

하늘은 당(唐)나라가 그 덕을 잘 계승해서 성자(聖子)와 신손(神孫)이 대대로 계승하여 아! 천만 년토록 공경하고 경계해서 태만하지 않는다 하여, 하늘이 덮고 있는 온 천하를 완전히 맡겨주시니,【'전(全)' 자에 깊은 뜻이 있다.】사해(四海)와 구주(九州)가 내외에 관계없이 모두 군주로 받들고 모두 신하 노릇을 하였다.

고조(高祖)와 태종(太宗)이 이미 제거하고 이미 다스렸으며, 고종(高宗)과 중종(中宗)·예종(睿宗)은 백성을 편안히 쉬게 하고 길러주셨고, 현종(玄宗)에 이르러는 보답을 받아 공(功)을 거두니,【회호(回護)하였다. 아래 면을 접속함에 차서가 있다.】지극히 치성(熾盛)하고 풍부하였다.【회호하는 법이다.】

물건이 많고 영토가 큼에 나쁜 싹이 그 사이에 움트자,【완곡히 써서 은근히 안녹산(安祿山)과 사사명(史思明)의 난리를 서술하였다.】숙종(肅宗)과 대종(代宗), 덕조(德祖, 덕종(德宗))와 순고(順考, 순종(順宗))가 부지런히 힘쓰고 용납하시어 큰 악(惡)은 마침 제거하였으나 잡초와 같은 잔적(殘賊)들은 완전히 제거하지 못하였다.【'호(薅)'는 호(呼)·모(毛)의 반절(反切)이니, '잡초를 제거한다.'는 뜻의 글자이다. 여러 조정에서 고식(姑息)하여 강한 번진(藩鎭)을 용납하고 기름을 회호하였다.】상신(相臣, 재상)과 장신(將臣, 장수)들은 문신(文臣)은 편안히 지내고 무신(武臣)은 즐겁게 놀아【위의 허다한 부성(富盛) 가운데서 생겨난 것이다.】보고 듣는 일에 익숙해서 당연한 것으로 여기게 되었다.

睿聖文武皇帝 旣受群臣朝하시고 乃考圖數貢하사【便見憲宗大有爲意.】曰 嗚呼라 天旣全付予有家하사【意謂自祖宗以來, 天全付以天下, 今叛鎭不庭不貢, 則不全矣.】今傳次在予하니 予不能事事면 其何以見(현)于郊, 廟리오 群臣震懾(섭)하여 奔走率職이라 明年에

---

9 德祖順考: 덕종(德宗)과 순종(順宗)을 가리킨 것으로 헌종에게 순종은 고(考)가 되고, 덕종은 조(祖)가 되므로 이렇게 표시한 것이다.

··· 恬 편안할 염 嬉 놀 희 懾 두려울 섭

平夏하고【楊惠琳.[10]】又明年에 平蜀하고【劉闢.[11]】又明年에 平江東하고【李錡.[12]】又明年에 平澤潞하고【盧從史.[13]】遂定易, 定하고【張茂昭,[14] 以二州歸有司.】致魏, 博, 貝, 衛, 澶, 相하여【田弘正,[15] 以六州歸有司.】無不從志라 皇帝曰 不可究武니 予其少息호리라

예성문무황제(睿聖文武皇帝, 헌종의 시호)께서는 이미 신하들의 조회를 받으시고 지도를 상고하여 공물을 헤아려보시고는【헌종의 크게 훌륭한 일을 하려는 뜻을 볼 수 있다.】 말씀하시기를 "아! 하늘이 이미 완전히 나에게 맡겨 집(천하)을 소유하게 하셨으니,【생각하기를 "조종(祖宗) 이래로 하늘이 자신에게 천하를 완전히 맡겨주셨으니, 지금 배반한 번진이 조정에 오지 않고 공물을 바치지 않는다면 온전하지 못하다."고 말한 것이다.】 지금 황제의 자리를 전하는 차례가 내 몸에 있다. 내가 맡은 일

---

10 楊惠琳: 하수 절도사(夏綏節度使) 한전의(韓全義)의 생질로, 한전의가 입조(入朝)하여 양혜림을 하수 유후(夏綏留後)로 삼았다. 재상 두황상(杜黃裳)이 한전의는 출정(出征)하여 공이 없었고 교만하여 겸손하지 않다 하여 치사(致仕)하게 하고 이연(李演)을 절도사로 삼았다. 이에 양혜림이 군대를 일으켜 항거하자, 하동 절도사 엄수(嚴綬)가 양혜림을 토벌하였다.《資治通鑑 卷237 唐紀》

11 劉闢: 자가 태초(太初)이니, 진사에 급제하여 어사중승(御史中丞), 탁지부사(度支副使)를 지냈다. 자신을 천거해 주었던 서천 절도사(西川節度使) 위고(韋皐)가 죽자 표문을 올려 절월(節鉞)을 내려줄 것을 요구하여 서천 절도사에 임명되었는데, 더욱 교만해져서 삼천(三川, 검남(劍南)의 동천(東川), 서천(西川), 산남(山南)의 서도(西道))을 관할할 것을 요구하였다. 상이 허락하지 않자 유벽이 반란을 일으켰다가 재상 두황상(杜黃裳)이 천거한 고숭문(高崇文)에게 패하여 참수 당하였다.《新唐書 卷158 劉闢列傳》

12 李錡: 치천왕(淄川王) 이효동(李孝同)의 5대손으로 봉상부 참군(鳳翔府參軍), 종정 소경(宗正少卿)을 지냈다. 절서관찰사(浙西觀察使)가 되어 기이한 보물을 바쳐 덕종(德宗)의 총애를 얻고는 교만해졌다. 헌종(憲宗)이 즉위하고 양혜림과 유벽이 평정된 뒤에 번진들이 두려워하여 들어와 조회하였는데, 이기는 조회하려는 뜻이 없어 병을 핑계대고 반역을 도모하였다. 얼마 후 부장(部將)에게 사로잡혀 경사(京師)로 압송되어 참수되었다.《新唐書 卷224上 叛臣列傳 李錡》

13 盧從史: 선조가 원위(元魏) 때의 성족(盛族)이고, 아버지 노건(盧虔)은 진사(進士) 출신으로 비서감(秘書監)을 지냈다. 노종사는 어려서 말타고 활쏘는 무예를 좋아하여 소의 절도사(昭義節度使) 이장영(李長榮)의 총애를 받다가 이장영이 죽은 뒤에 소의 절도사가 되었다. 이에 교만해져서 부장의 아내를 빼앗고 왕승종(王承宗)과 결탁하였으나 오중윤(烏重胤)에게 사로잡혀 환주 사마(驩州司馬)로 좌천되었다가 사사(賜死)되었다.

14 張茂昭: 원래 이름이 장승운(張昇雲)이었는데 덕종(德宗) 때 지금의 이름을 하사받았으며, 자는 풍명(豐明)이다. 아버지 장효충(張孝忠)을 이어 의무 절도사가 되었고, 이후에 하중 절도사(河中節度使)를 맡았으며, 헌종 때에는 태자태보(太子太保)가 되었다. 왕승종이 반란을 일으켰을 적에 장무소가 선봉이 되어 적을 크게 격파하였으며, 뒤에 역주(易州)와 정주(定州)를 가지고 귀순하였다.《新唐書 卷148 張茂昭列傳》

15 田弘正: 자가 안도(安道)로, 전정개(田廷玠)의 아들이고, 전승사(田承嗣)의 조카이다. 어려서 병법(兵法)을 익혀 말을 잘 타고 활을 잘 쏘니, 전승사는 이 아이가 반드시 우리 집안을 일으킬 것이라 하여 홍(興)이라고 이름을 지어 주었다. 전승사의 손자인 위박 절도사(魏博節度使) 전계안(田季安)이 죽고 그의 아들 전회간(田懷諫)이 뒤를 이어 위박 절도사가 되었으나 나이가 어려 그의 가노(家奴)인 장사칙(蔣士則)에게서 정무가 결정되자 전홍정이 장사칙을 죽이고 이어 위박 절도사가 되었다. 성덕 절도사(成德節度使) 왕승종(王承宗)이 반란을 일으켰을 적에 그를 위협하여 귀순시켰고, 이사도(李師道)를 토벌하였으며, 뒤에 위주(魏州) 등 6주를 가지고 귀순하였다.《新唐書 卷148 田弘正列傳》

··· 澶 물이름 전(선) 究 다할 구

을 제대로 하지 못하면 어떻게 교궁(郊宮)과 종묘(宗廟)에서 선조를 뵐 수 있겠는가." 하셨다. 이에 군신(群臣)들이 놀라 떨며 두려워하여 분주히 직책을 수행하였다.

그리하여 명년(明年)에 하주(夏州)를 평정하고【양혜림(楊惠琳)이다.】 또 그 다음해에 촉(蜀)을 평정하고,【유벽(劉闢)이다.】 또 그 다음해에 강동(江東)을 평정하고【이기(李錡)이다.】 또 그 다음해에 택주(澤州)·노주(潞州)를 평정하고【노종사(盧從史)이다.】 마침내 역주(易州)·정주(定州)를 평정하고【의무 절도사(義武節度使) 장무소(張茂昭)가 두 주를 가지고 유사(有司)에게 돌아왔다.】 위주(魏州)·박주(博州)·패주(貝州)·위주(衛州)·전주(澶州)·상주(相州)를 복종시켜 오게 해서【위박 절도사(魏博節度使) 전홍정(田弘正)이 여섯 주를 가지고 유사에게 돌아왔다.】 황제의 뜻을 따르지 않는 자가 없었다. 이에 황제께서는 "무력을 끝까지 써서는 안 되니, 내 조금 쉬겠다." 하셨다.

九年에 蔡將死하니 蔡人이 立其子元濟以請이어늘 不許한대 遂燒舞陽하고 犯葉(섭)、襄城하여 以動東都하고 放兵四劫이라 皇帝歷問于朝하시니 一二臣【武·裴.[16]】外에 皆曰 蔡帥之不庭授 于今五十年이라 傳三姓四將[17]하여 其樹本이 堅하고 兵利卒頑하여 不與他等하니 因撫而有라야 順且無事하리이다 大官이 臆決唱聲하니 萬口和附하여 幷爲一談하여 牢不可破라

9년에 채주(蔡州)의 장수(오소양)가 죽으니, 채주 사람들이 그의 아들 원제(元濟)를 세울 것을 청하였으나 허락하지 않자, 마침내 무양(舞陽)을 불태우고 섭성(葉城)과 양성(襄城)을 침범하여

---

16 武裴 : 무원형(武元衡)과 배도(裴度)로, 무원형은 자가 백창(伯蒼)이고, 증조 무재덕(武載德)은 무측천(武則天)의 족제(族弟)이며 할아버지 무평일(武平一)은 명성이 있었다. 무원형은 진사(進士)가 되어 화원령(華原令)을 지냈고, 문하시랑 평장사(門下侍郎平章事), 검남서천 절도사(劍南西川節度使)를 역임하면서 번진(藩鎭)을 평정하는 데 힘썼다. 회서 지방인 채주(蔡州)의 오원제(吳元濟)가 반란을 일으켰을 적에 왕승종(王承宗)이 사면을 요청하자 무원형이 꾸짖으며 토벌하려 하다가, 이사도(李師道)가 보낸 자객에게 칼을 맞고 죽었다. 배도는 자가 중립(中立), 하동(河東) 문희(聞喜) 사람으로 진사가 되어 감찰어사(監察御史), 하남(河南) 공조참군(功曹參軍)을 지냈다. 오원제가 일으킨 반란이 3년이 되도록 평정되지 못하자 오원제의 요구를 들어주자는 의론이 많았는데, 배도는 자신이 출정하겠다고 자청하여 회서 선위처치사(淮西宣慰處置使)가 되어 난을 평정하였다. 만년에는 세상을 경륜할 뜻을 버리고 녹야당(綠野堂)이라는 별장을 짓고서 백거이(白居易), 유우석(劉禹錫) 등과 풍류를 즐기다가 세상을 마쳤다.《新唐書 卷152 武元衡列傳》《新唐書 卷173 裴度列傳》

17 傳三姓四將 : 당나라 대종(代宗) 광덕(廣德) 원년(763) 7월에 이충신(李忠臣)을 회서 절도사로 삼고, 덕종(德宗) 정원(貞元) 2년(786) 4월에 진기(陳奇)를, 10월에 오소성(吳少誠)을 회서 절도사로 삼았으니, 이들이 세 성씨이다. 대력(大曆) 14년(779) 3월에 이충신이 그 장수 이희열(李希烈)에게 협박을 받아 스스로 절도사가 되니, 이충신, 이희열, 오소성, 오소양(吳少陽)이 네 명의 장수이다.《東雅堂昌黎集註 卷30 碑誌 平淮西碑》 오소양은 오소성의 양아우이며, 오원제는 오소양의 큰아들이다.

蔡 나라이름 채 舞 춤출 무 葉 고을이름 섭 襄 오를 양 劫 위협할 겁 頑 완악할 완
臆 억측할 억 牢 굳을 뢰

동도(東都, 낙양)를 진동하였으며, 군사들을 풀어놓아 사방을 약탈하였다.

황제가 조정에서 신하들에게 일일이 물어보시니, 한두 신하【무원형(武元衡)과 배도(裴度)이다.】 외에는 모두 말하기를 "채주의 장수를 조정에서 임명하지 않은 지가 지금 50년이 되었습니다. 세 성씨(姓氏)에 네 명의 장수를 전하여 심겨있는 뿌리가 견고하며 병기가 예리하고 군사들이 완악하여 다른 곳과 같지 않으니, 그대로 어루만져 두어야만 순종하고 또 무사할 것입니다." 하였다. 대관(大官)이 억측으로 결단하여 선창(先唱)을 하자 모든 사람들의 입이 부화뇌동하여 함께 똑같은 말을 하니, 그들의 주장이 하도 견고하여 깨뜨릴 수가 없었다.

皇帝曰 惟天, 惟祖宗이 所以付任予者는【可見自任.】 庶其在此하니【君臣謀謨之時.】 予何敢不力이리오【便含惟斷乃成意.】 況一二臣同하니【說裴度 · 武元衡.】 不爲無助니라 曰 光顔[18]아 汝爲陳, 許帥(수)니【命將出師之時. 此處, 學舜典命九官文法.[19]】 維是河東, 魏博, 郃陽三軍之在行者를 汝皆將之하라【布置.】 曰 重胤아 汝故有河陽, 懷라 今益以汝하노니 維是朔方, 義成, 陜(섬), 益, 鳳翔, 延, 慶七軍之在行者를 汝皆將之하라 曰 弘아 汝以卒萬二千으로 屬而子公武하여 往討之하라 曰 文通아 汝守壽하니 維是宣武, 淮南, 宣歙(흡), 浙西四軍之行于壽者를 汝皆將之하라 曰 道古아 汝其觀察鄂, 岳하라 曰 愬아 汝帥(率)唐, 鄧, 隨하여 各以其兵으로 進戰하라 曰 度아 汝長御史니 其往視師하라

황제께서 말씀하셨다.

"하늘과 조종(祖宗)이 나에게 〈천하를〉 맡겨주신 까닭은【자임함을 볼 수 있다.】 아마도 여기에 있는 듯하니,【군주와 신하가 계책을 세울 때이다.】 내 어찌 감히 힘쓰지 않겠는가.【곧 '과단성이 있어 이루어졌다〔惟斷乃成〕'는 뜻을 내포하였다.】 더구나 한두 명의 신하가 찬동하고 있으니,【배도와 무원형을 말하였다.】 돕는 이가 없지 않다.

이광안(李光顔)아! 너를 진주(陳州)와 허주(許州)의 장수로 삼노니,【장수를 명하여 군대를 출동할

18 光顔: 이광안은 자가 광원(光遠)으로 이광진(李光進)의 아우이다. 오원제가 반란을 일으켰을 적에 배도(裴度)의 추천을 받고 나가 회서(淮西)의 군대를 시곡(時曲)에서 크게 격파시켰다.《新唐書 卷173 裴度列傳》

19 舜典命九官文法: 《서경》〈우서(虞書) 순전(舜典)〉에 순(舜) 임금이 섭위(攝位)한 지 28년 만에 요(堯) 임금이 돌아가시자, 순 임금이 사악(四岳)의 관원, 12주(州)의 목(牧)과 정사를 도모하고, 우(禹)·기(棄)·설(契)·고요(皐陶)·수(垂)·익(益)·백이(伯夷)·기(夔)·용(龍)의 아홉 관원에게 나누어 명해서 각기 그 직책을 공경히 수행하여 하늘의 일을 돕게 한 일이 보인다.

郃 고을이름 합 將 거느릴 장 胤 자손 윤 歙 들이쉴 흡(섭) 浙 땅이름 절 鄂 고을이름 악
愬 하소할 소 鄧 고을이름 등

때이다. 이 부분은《서경》〈우서(虞書) 순전(舜典)〉에 구관(九官, 아홉 명의 관원)에게 명한 문장의 법을 배운 것이다.】 하동(河東)과 위박(魏博)·합양(郃陽) 3군(軍)의 행영(行營)에 있는 자들을 네가 모두 통솔하라.【포치(布置)한 것이다.】

오중윤(烏重胤)아! 너는 예부터 하양(河陽)과 회주(懷州)를 소유하였는데 이제 여주(汝州)를 더 보태주노니, 삭방(朔方)과 의성(義成)·섬주(陝州)·익주(益州)·봉상(鳳翔)·연주(延州)·경주(慶州) 7군의 행영에 있는 자들을 모두 네가 통솔하라.

한홍(韓弘)아! 너는 1만 2천 명의 병력으로 너의 아들 공무(公武)를 데리고 가서 토벌하라.

이문통(李文通)아! 너는 수주(壽州)를 맡고 있으니, 선무(宣武)·회남(淮南)·선흡(宣歙)·절서(浙西) 4군의 수주에 있는 자들을 네가 모두 통솔하라.

이도고(李道古)야! 너는 악주(鄂州)와 악주(岳州)를 관찰하라.

이소(李愬)야! 너는 당주(唐州)·등주(鄧州)·수주(隨州)의 군대를 거느려 각기 그 병력을 인솔하고 나아가 싸워라.

배도(裴度)야! 너는 장어사(長御史)이니, 가서 군대를 순시하라.

曰 度아 惟汝予同하니 汝遂相予하여【度拜相.】以賞罰用命不用命하라 曰 弘아 汝其以節度로 都統諸軍[20]하라 曰 守謙아 汝出入左右하니 汝惟近臣이니 其往撫師하라 曰 度아 汝其往하여 衣服飮食予士하여 無寒無飢하여 以旣厥事하고 遂生蔡人하라 賜汝節斧와 通天御帶[21]와 衛卒三百하노니 凡玆廷臣을 汝擇自從호되【所以度奏退之, 爲行軍司馬. 凡三說度, 見其委寄之重, 與諸將不同.】惟其賢能이요 無憚大吏하라 庚申에 予其臨門送汝하리라 曰 御史아 予閔士, 大夫戰甚苦하노니 自今以往으로 非郊, 廟祭祀어든 其無用樂하라

배도야! 오직 네가 나와 뜻이 같으니, 너는 마침내 나를 도와【배도가 재상에 배수되었다.】 명령을 잘 따르는 자는 상을 주고 명령을 잘 따르지 않는 자는 처벌하라.

한홍아! 너는 절도사(節度使)로서 여러 군대를 도통(都統)하라.

---

20 汝其以節度 都統諸軍 : 회서의 난을 평정할 때에 한홍이 회서제군행영도통(淮西諸軍行營都統)이 되어 토벌군의 총사령관이 되었다.

21 節斧通天御帶 : '절(節)'은 부절(符節)이고 '부(斧)'는 부월(斧鉞)이며 '통천어대(通天御帶)'는 '통천서(通天犀)'라는 무소뿔로 장식한 어대(魚帶)로, 모두 황제의 권한을 대행할 수 있는 상징물들이다.

··· 相 도울 상 旣 마칠 기 憚 꺼릴 탄 郊 천제지낼 교

양수겸(梁守謙)아! 너는 나의 좌우를 출입하니, 너는 가까운 신하이다. 가서 군대를 위무(慰撫)하라.

배도야! 너는 가서 나의 군사들에게 의복과 음식을 주어 추움이 없고 굶주림이 없게 해서 이 일을 잘 끝마치고서 마침내 채주 백성들을 살려 주어라. 너에게 부절(符節)과 부월(斧鉞), 통천어대(通天御帶)와 호위병 3백 명을 내려주노니, 이 조정의 모든 신하들을 네가 선택하여 스스로 따르게 하되【배도가 한퇴지를 아뢰어 행군 사마(行軍司馬)로 삼았으니, 모두 세 번 배도를 말함은 그 맡기고 부탁함이 중하여 제장(諸將)들과 똑같지 않음을 나타낸 것이다.】 오직 어질고 능력 있는 자를 택하여 부릴 것이요, 고관(高官)이라 하여 꺼리지 말라. 경신일(庚申日)에 도성 문에 임하여 내가 너를 전송하리라.

어사(御史)야! 나는 병사와 대부들이 전쟁에 매우 고생함을 가엽게 여기노니, 이제부터 이후로는 교(郊)·묘(廟)의 제사가 아니거든 음악을 사용하지 말도록 하라."

顔, 胤, 武는 合攻其北하여 大戰十六에【接戰之時.】得柵, 城, 縣二十三하고 降人卒四萬하며 道古는 攻其東南하여 八戰에 降卒萬三千하고 再入申하여 破其外城하며 文通은 戰其東하여 十餘遇에 降萬二千하며 愬는 入其西하여 得賊將[22]하여 輒釋不殺하고 用其策하여 戰比有功하니라【此一擧, 與韓信用李左車之策[23]略同, 乃愬高處.】十二年八月에 丞相度至師하니 都統弘이 責戰益急하고 顔, 胤, 武合戰益用命하니 元濟盡幷其衆洄曲[24]以備라

---

22 入其西 得賊將: 이소가 채주(蔡州)를 습격하여 적장 정사량(丁士良)을 생포한 다음 그를 설득 회유해서 착생장(捉生將)으로 임명하여 오원제의 오른팔인 오수림(吳秀琳)을 항복시키고 다시 오수림을 이용하여 오원제의 기병장인 이우(李祐)를 설득함으로써 채주성에 쉽게 쳐들어갈 수 있었다.

23 韓信用李左車之策: 한(漢)나라의 장군 한신이 장이(張耳)와 함께 수만의 병력을 거느리고 조(趙)나라를 공격하니, 조왕(趙王) 조헐(趙歇)과 성안군(成安君) 진여(陳餘)가 군대를 정형(井陘) 입구에 집결시켰다. 이를 불가하다고 여긴 광무군(廣武君) 이좌거(李左車)가 성안군에게 한나라 군대의 보급로를 끊고서 해자를 깊이 파고 보루를 높이 쌓아 지키고서 싸우지 않으면 저절로 승리할 수 있는 계책을 건의하였으나 성안군이 듣지 않았다. 한신은 광무군의 계책을 염려하던 차에 이 사실을 탐지하고 정형의 좁은 곳에서 조군을 대파하고는 광무군을 데려다가 연(燕)나라를 치고 제(齊)나라를 칠 방도를 물으니, 광무군이 말하기를 "군대를 주둔하고 병사들을 휴식시켜 조나라 백성들을 진무하고, 말 잘하는 변사(辯士)를 연나라에 보내어 짧은 글을 올리게 하는 것만 못하니, 이렇게 하면 연나라가 반드시 들어 따를 것입니다. 연나라가 이미 따르거든 그때 동쪽으로 제나라에 임하시면 비록 지혜로운 자가 있더라도 또한 제나라를 위한 계책을 세우지 못할 것입니다." 하였다. 한신은 그의 계책을 따라 성공하게 되었다.《史記 卷92 淮陰侯列傳》

24 洄曲: 하수(河水)의 이름으로 회곡(廻曲)으로도 쓰는바, 토속의 이름은 사하(沙河)이다. 하남성(河南城) 고산현(高山縣) 서남쪽에서 발원하는데 물이 굽어 돌므로 회곡이라 하였다. 동남쪽으로 흘러 서화(西華)와 상채(上蔡) 두 현(縣)을

••• 柵 성채 책 輒 곧 첩 比 이를 비 丞 도울 승 洄 돌아흐를 회

이광안과 오중윤과 한공무는 병력을 연합하여 그 북쪽 지역을 공격하여 큰 싸움을 16차례 벌여【접전할 때이다.】 책(柵)·성(城)·현(縣) 23개를 점령하고 백성과 군졸 4만 명을 항복시켰으며, 이도고는 그 동남 지역을 공격하였는데 8차례 전투를 벌여 적군 1만 3천 명을 항복시키고, 다시 신주(申州)로 쳐들어가 외성(外城)을 격파하였으며, 이문통은 그 동쪽에서 싸움을 벌였는데 10여 차례 크게 교전하여 1만 2천 명을 항복시켰으며, 이소는 그 서쪽으로 들어가 적장(賊將)을 사로잡은 뒤에 곧 그를 풀어주어 죽이지 않고 그의 계책을 이용하여 싸움에 공(功)이 있었다.【이 한 번의 거조는 한신(韓信)이 이좌거(李左車)의 계책을 사용한 것과 대략 같으니, 바로 이소(李愬)의 뛰어난 부분이다.】

12년 8월에 승상(丞相) 배도가 군영에 도착하니, 도통(都統) 한홍은 싸움을 더욱 급히 독려하였으며, 이광안과 오중윤, 한공무는 병력을 연합하여 싸우며 더욱 명령을 잘 따르니, 오원제(吳元濟)는 자기 무리들을 모두 모아 회곡(洄曲)에서 대비하였다.

十月壬申에 愬用所得賊將하여 自文城으로 因天大雪하여 疾馳百二十里하여 用夜半到蔡하여【破賊之時.】 破其門하고 取元濟以獻하고 盡得其屬人卒하다 辛巳에 丞相度入蔡하여【韓公述愬之功, 甚不苟矣. 餘諸將克勝之功, 只混合大體說, 至於愬, 獨表而出之, 標其日月, 狀其艱辛, 戰功之優, 誰與埒者? 末云: "辛巳, 丞相度入蔡." 可見旣拔其城, 擒其魁, 降其黨, 丞相不過於旣克十日之後, 蒙成平達入城而已. 曷嘗以度之功掩愬之功乎? 若只述愬之功, 不述度贊上定謀之功, 則沮於群言, 此師之遷延逗撓, 散歸久矣, 愬何所倚以立此功乎? 愬武人, 不識文章體製法度, 至令妻泣訴. 見趣擧措鄙陋, 如此奇功偉績, 有此點汙, 惜也!】 以皇帝命으로 赦其人하니 淮西平이라 大饗賚功하니라 師還之日에 因以其食으로 賜蔡人하니 凡蔡卒三萬五千에 其不樂爲兵하고 願歸爲農者十九라 悉縱之하고【安輯撫定之時.】 斬元濟於京師하다

10월 임신일(壬申日)에 이소는 사로잡은 적장(이우(李祐))을 이용하여 문성(文城)으로부터 큰 눈이 내리는 날씨를 틈타 1백 20리를 급히 달려 한밤중에 채주에 이르러【적을 격파할 때이다.】 성문을 격파하고 오원제를 사로잡아 바쳤으며, 그의 관속과 백성 및 병졸들을 모두 사로잡았다. 신사일(辛巳日)에 승상 배도가 채주로 들어가【한공이 이소의 공을 기술한 것이 매우 구차하지 않다. 여타 장수들이 적을 이긴 공은 다만 혼합하여 대체로 말하였고, 이소에 이르러는 홀로 표출하여 구체적인

경유하여 홍하(洪河)로 들어가는데 원문이 시곡(時曲)으로 표기된 곳도 있는바, 동일한 곳이다.

··· 疾 빠를 질 赦 놓을 사 饗 연향할 향 賚 줄 뢰 悉 다 실 縱 풀어놓을 종

날짜와 달을 나타내고 그 어려운 상황을 기술하였으니, 전공(戰功)의 뛰어남이 누가 그와 더불어 비견할 자가 있겠는가. 끝 부분에 "신사일에 승상 배도가 채주에 들어갔다." 하였으니, 이소가 이미 채주성을 함락하여 괴수를 사로잡고 그의 도당을 항복시켰는바, 승상은 이미 승리하고서 10일째가 된 뒤에야 이소의 성공함을 이어 입성함에 불과할 뿐이었음을 볼 수 있다. 어찌 일찍이 배도의 공을 가지고 이소의 공을 엄폐하였단 말인가. 만약 오직 이소의 공만 서술하고 배도가 임금을 도와 계책을 정한 공을 기술하지 않았다면 파병(罷兵)하자는 여러 사람들의 말에 저지되어서 이 군대의 출동이 지연되고 머뭇거리며 적을 회피하여 해산하고 돌아간 지가 오래였을 것이니, 이소가 무엇에 의지하여 이 공을 세웠겠는가. 이소는 무인(武人)이라서 문장의 체제와 법도를 알지 못하고, 아내로 하여금 황제에게 울며 하소연하는 지경에 이르렀다. 그의 견식과 지취(志趣) 및 거조가 비루해서 이와 같은 기이한 공과 위대한 공적에 이처럼 오점을 남겼으니, 애석하다.】 황제의 명령으로 백성들을 사면(赦免)하니, 회서(淮西)가 평정되었다.

크게 연향을 베풀어 공로가 있는 자들을 치하하고, 군대가 개선하는 날에 인하여 그 먹던 음식을 채주 백성들에게 하사하니, 채주의 군사 3만 5천 명 중에 병졸이 되기를 즐거워하지 않고 돌아가 농사짓기를 원하는 자가 열 중에 아홉이나 되었다. 이에 이들을 모두 풀어주고【백성들을 평정(平靜)하게 하고 안정시킬 때이다.】 경사(京師, 장안)에서 오원제를 참형에 처하였다.

冊功할새【賞功之時.】弘은 加侍中하고 愬는 爲左僕射(야)하여 帥(솔)山南東道하고 顔, 胤은 皆加司空하고 公武는 以散騎常侍로 帥鄜(부), 坊, 丹, 延하고 道古는 進大夫하고 文通은 加散騎常侍하다【敍次皆不苟. 弘畢竟都統諸軍故先, 愬戰功最高故次, 餘始以次見焉.】丞相度朝京師하니 進封晉國公하고 進階金紫光祿大夫하여 以舊官相하고【相度獨在後, 詳謹嚴重, 法當如此.】而以其副摠으로 爲工部尙書[25]하여 領蔡任하다 其還奏에 群臣이 請紀聖功하여 被之金石이라 皇帝以命臣愈하시니 臣愈再拜稽首而獻文하다

공(功)을 책록(冊錄)할 적에【논공행상(論功行賞)할 때이다.】 한홍은 시중(侍中)을 가하고, 이소는 좌복야(左僕射)가 되어 산남동도(山南東道)를 통솔하고, 이광안과 오중윤은 모두 사공(司空)을 가하고, 한공무는 산기상시(散騎常侍)로서 부주(鄜州)·방주(坊州)·단주(丹州)·연주(延州)를

25 以其副摠 爲工部尙書 : 원화(元和) 12년(817) 8월에 승상 배도(裴度)가 회서(淮西)의 오원제(吳元濟)를 토벌하는 총괄 책임자가 되어 마총(馬摠)을 선위부사(宣慰副使)로 삼았다. 이해 10월에 오원제가 생포되자 배도는 마총을 먼저 파견하여 성안의 백성을 위무하게 하였다. 이후 마총은 회서 절도사(淮西節度使), 검교공부 상서(檢校工部尙書), 채주 자사(蔡州刺史) 겸 어사대부(御史大夫)에 임명되었다.《舊唐書 卷157 馬摠列傳》《新唐書 卷163 馬摠列傳》

··· 射 벼슬이름 야 鄜 땅이름 부 坊 마을 방 摠 거느릴 총 圮 무너질 비

통솔하고, 이도고는 대부(大夫)로 승진하고, 이문통은 산기상시를 가하였다.【차례로 서술한 것이 모두 구차하지 않다. 한홍은 필경 제군을 도통(都統)하였으므로 맨 앞에 썼고, 이소는 전투에서 세운 공로가 가장 높기 때문에 다음이고, 나머지는 비로소 차례로 나타낸 것이다.】승상 배도가 경사로 와서 조회하자 진국공(晉國公)에 진봉(進封)되고 금자광록대부(金紫光祿大夫)로 품계가 올랐으며 옛 관직인 재상을 그대로 맡았고,【승상 배도가 홀로 뒤에 있어서 자세하고 신중하며 엄격하고 진중하니, 문장을 쓰는 법도가 마땅히 이와 같아야 한다.】그의 부관(副官)인 마총(馬摠)을 공부 상서(工部尙書)로 임명하여 채주의 임무를 맡게 하였다.

돌아와 아뢰자, 신하들은 성스러운 공을 기록하여 금석(金石)에 입힐 것을 청하였다. 황제께서는 신 한유(韓愈)에게 명하시니, 신 한유는 재배(再拜)하고 머리를 조아리며 글을 바치는 바이다.

曰 唐承天命하여 遂臣萬方하니 孰居近土하여 襲盜以狂고 往在玄宗에 崇極而圮(비)라【回護.】河北悍驕[26]하고 河南附起[27]어늘 四聖[28]不宥하사【回護.】屢興師征일새 有不能克이면 益戍以兵이라 夫耕不食하며 婦織不裳하고 輸之以車하여 爲卒賜糧이라 外多失朝하고 曠不嶽狩[29]하니 百隸怠官하여 事亡(무)其舊러라【此國家衰亂之原, 小雅盡廢之義[30]也.】帝時繼位하사 顧瞻咨嗟하사되 惟汝文武여 孰恤予家오 旣斬吳, 蜀[31]하고 旋

26 河北悍驕: '한교(悍驕)'는 사납고 교만한 것으로, 안(安)·사(史)의 난이 평정된 뒤에 하북의 유주 절도사(幽州節度使) 주도(朱滔)와 성덕군 절도사(成德軍節度使) 왕무준(王武俊), 위박 절도사(魏博節度使) 왕열(王悅)이 연합하여 반역한 일을 가리킨다.

27 河南附起: 하남 치청 절도사(淄靑節度使) 이유악(李惟岳)과 이납(李納), 창의 절도사(彰義節度使) 이희열(李希烈)과 오소성(吳少誠) 등이 대종(代宗)·덕종(德宗) 때에 배반한 일을 가리킨다.

28 四聖: 숙종(肅宗)·대종(代宗)·덕종(德宗)·순종(順宗)의 네 군주를 이른다.

29 嶽狩 : 고대의 제도에 의하면, 천자(天子)가 제후국을 순행하는 것을 순수(巡狩)라 하는데, 천자는 5년에 한 번 순수한다. 즉 2월에 동방을 순수하여 동악(東嶽)인 대종(岱宗)에 이르러 섶을 태워 하늘에 제사하고, 멀리서 산천(山川)을 바라보며 망제(望祭)를 지내고 제후들을 접견하며, 그해 5월에 남방을 순수하여 남악(南嶽)에 이르러 동방을 순수했을 때와 같은 예를 행하고, 8월에 서방을 순수하여 서악(西嶽)에 이르러 남방을 순수했을 때와 같은 예를 행하며, 11월에 북방을 순수하여 북악(北嶽)에 이르러 서방을 순수했을 때와 같은 예를 행한다.《書經 虞書 舜典》

30 小雅盡廢之義: 〈시서(詩序)〉에 "소아가 모두 폐지되면 사이(四夷)가 서로 침략하고 중국이 쇠미해진다.〔小雅盡廢 則四夷交侵 中國微矣〕"라고 보인다. 소아는 《시경》 사시(四始)의 하나로, 사시란 풍(風)·소아(小雅)·대아(大雅)·송(頌)을 이르는바, 시의 내용과 성질을 말한다.

31 吳·蜀: 오(吳)는 절서 절도사(浙西節度使) 이기(李錡)를 이르고 촉(蜀)은 서천 절도사(西川節度使) 유벽(劉闢)을 이른다.

悍 사나울 한 宥 용서할 유 屢 여러 루 戍 수자리 수 織 짤 직 裳 치마 상 曠 오랠 광 狩 순행할 수 隸 종 예 叫 부르짖을 규 讙 시끄러울 훤

取山東[32]하니 魏將首義에 六州降從[33]이라 淮蔡[34]不順하여 自以爲彊이라 提兵叫讙하여 欲事故常이어늘 始命討之하시니 遂連姦鄰[35]하여 陰遣刺客하여 來賊相臣이라

시(명)는 다음과 같다	曰
당나라가 천명(天命)을 받들어	唐承天命
마침내 만방(萬邦)을 신하로 삼으니	遂臣萬方
누가 가까운 지방에 거주하면서	孰居近土
몰래 도둑질하여 미친 짓을 하겠는가	襲盜以狂
지난 현종 때에	往在玄宗
극도로 성하였다가 무너졌다	崇極而圮
【회호하였다.】	
하북(河北) 지방의 장수가 사납고 제멋대로 굴었는데	河北悍驕
하남(河南) 지방이 뒤따라 일어나니	河南附起
네 성군(聖君)께서 용서하지 않으사	四聖不宥
【회호하였다.】	
여러 번 군대를 일으켜 정벌하셨는데	屢興師征
이기지 못할 경우에는	有不能克
더욱 군대를 보내어 지키게 하였다	益戍以兵
이 때문에 지아비는 농사를 지었으나 곡식을 먹지 못하고	夫耕不食
지어미는 길쌈을 하였으나 치마를 만들어 입지 못하고는	婦織不裳
수레로 곡식을 수송하여	輸之以車

32 山東: 택로(澤潞)를 이르는바, 택로는 소의(昭義)라고도 칭하였는데, 원화(元和) 5년 4월 진주행영 초토사(鎭州行營招討使) 토돌승최(吐突承璀)가 소의 절도사 노종사(盧從史)를 잡아 장안으로 보내었다.《舊唐書 憲宗記》

33 魏將首義 六州降從: 위박 절도사(魏博節度使) 전홍정이 위주(魏州) 등 6주를 가지고 귀속한 일을 가리킨다.

34 淮蔡: 회서 절도사(淮西節度使)의 치소(治所)가 있는 채주(蔡州)를 가리킨 것이다.

35 姦鄰: 평로 절도사(平盧節度使) 이사고(李師古)의 뒤를 이은 이사도(李師道)와 성덕 절도사(成德節度使) 왕승종(王承宗)을 가리킨 것으로, 특히 이사도는 자객을 밀파하여 오원제 등 발호하는 번진(藩鎭)들을 토벌할 것을 주장하는 무원형(武元衡)을 살해하고 배도(裴度)를 크게 부상시켰다.

군사들을 위해 식량을 공급하였다 爲卒賜糧
밖으로는 조회하지 않는 이가 많고 外多失朝
사악(四嶽)을 순수(巡狩)하는 것을 오랫동안 행하지 않으니 曠不嶽狩
백관들이 맡은 관직을 태만히 하여 百隷怠官
일이 옛 것을 잃게 되었다 事亡其舊

【이는 국가가 쇠약하여 어지럽게 된 근원이니, 소아(小雅)가 모두 폐지된 뜻이다.】

황제께서 이때 제위를 계승하시어 帝時繼位
돌아보고 슬퍼하며 말씀하시기를 顧瞻咨嗟
"너희 문무관들이여 惟汝文武
누가 우리 황실을 근심해 주겠는가." 하셨다 孰恤予家
이미 오 지방과 촉 지방의 반란자들을 베고 旣斬吳蜀
곧 산동 지방을 취하니 旋取山東
위주(魏州)의 장수가 맨 먼저 의(義)를 따름에 魏將首義
여섯 주(州)가 항복하여 복종하였다 六州降從
회채가 순종하지 않아서 淮蔡不順
스스로 강하다고 여기고는 自以爲彊
군대를 이끌고 시끄럽게 떠들며 提兵叫讙
옛 버릇을 일삼고자 하였다 欲事故常
황제께서는 처음으로 토벌하게 하시니 始命討之
마침내 간사한 이웃과 연합하여 遂連姦鄰
은밀히 자객을 보내어 陰遣刺客
상신(相臣)을 살해하였다 來賊相臣

方戰未利에 內驚京師하니 群公上言호되 莫若惠來니이다 帝爲不聞하시고 與神爲謀하사 乃相同德하여 以訖天誅라 乃勅顔, 胤과 愬, 武, 古通하여 咸統於弘하여 各奏汝

36 三方分攻 : 위에서 말한 이도고(李道古)는 그 동남쪽을, 이문통(李文通)은 그 동쪽을, 이소(李愬)는 그 서쪽으로 쳐들어간 것을 가리킨다.

… 惠 순할 혜 訖 마칠 흘 蠢 움직일 준 翦 벨 전 窘 궁색할 군 邵 고을이름 소 郾 고을이름 언 釐 다스릴 리 槽 말구유 조 抽 뽑을 추 額 이어질 액

功하라 三方分攻[36]하니 五萬其師요 大軍北乘[37]하니 厥數倍之라 嘗兵洄曲하니 軍士蠢蠢이라 既翦陵雲하니 蔡卒大窘이요 勝之邵陵하니 郾城來降[38]이라 自夏及秋에 複屯相望하니 兵頓不勵하여 告功不時어늘 帝哀征夫하사 命相往釐(리)하시니 士飽而歌하고 馬騰於槽라【可想欲戰之意.】試之新城하니 賊遇敗逃러라 盡抽其有하여 聚以防我어늘 西師躍入하니 道無留者라 額(액)額蔡城이 其疆千里러니 既入而有하니 莫不順俟라

한창 전투를 치를 적에 불리하여	方戰未利
안으로 경사를 놀라게 하니	內驚京師
공들은 상언(上言)하기를	群公上言
"잘 달래서 귀순하게 하는 것만 못합니다." 하였다	莫若惠來
황제께서는 그 말을 듣지 않으시고	帝爲不聞
신(神)과 도모하사	與神爲謀
덕(德)이 같은 사람을 재상으로 임명하시어	乃相同德
하늘의 주벌을 거행하심에 이르셨다	以訖天誅
이에 이광안과 오중윤	乃勅顏胤
이소와 한공무, 이도고와 이문통에게 명하사	愬武古通
모두 한홍에게 통솔되어	咸統於弘
각각 그들의 공(功)을 이루어 아뢰도록 하셨다	各奏汝功
삼면으로 나누어 공격하니	三方分攻
군대가 5만이었으며	五萬其師
대군은 북쪽으로 쳐들어가니	大軍北乘
그 수는 곱절이나 되었다	厥數倍之
오원제가 일찍이 회곡에 군대를 주둔하니	嘗兵洄曲
그의 군사들이 준동(蠢動)하였는데	軍士蠢蠢
능운(陵雲)의 성책(城柵)을 무찌르니	既翦陵雲

37 大軍北乘: 위에서 말한 이광안, 오중윤, 한공무 등이 모여서 그 북쪽을 공격함을 이른다.

38 郾城來降: 언성(郾城)의 수장(守將) 등회금(鄧懷金)이 투항해온 일을 가리킨다.

채주의 적군들이 크게 곤경에 빠졌고	蔡卒大窘
소릉(邵陵)에서 승리하니	勝之邵陵
언성(郾城)도 항복해 왔다	郾城來降
여름부터 가을에 이르도록	自夏及秋
여러 주둔군이 서로 이어지니	複屯相望
병기가 둔하여 날카롭지 못해	兵頓不勵
공을 제 때에 아뢰지 못하였다	告功不時
황제께서는 출정한 군사들을 가엾게 여기시어	帝哀征夫
재상을 명해 가서 물건을 하사하게 하시니	命相往釐
군사들은 배불리 먹고 노래하며	士飽而歌
말은 말구유에서 날뛰었다	馬騰於槽
【병사들이 전투하고자 하는 뜻을 상상할 수 있다.】	
신성(新城)에서 군대를 시험하니	試之新城
적이 싸움에 패하여 도망하였다	賊遇敗逃
적은 보유한 병력을 모두 뽑아서	盡抽其有
이를 모아 우리 관군을 막았는데	聚以防我
서쪽 군대가 뛰어 들어가니	西師躍入
길에 남아 있는 자가 없었다	道無留者
높고 높은 채주성은	頟頟蔡城
그 경내가 천 리였는데	其疆千里
이미 쳐들어가 점령하니	旣入而有
모두 다 귀순하여 명령을 기다렸다	莫不順俟

帝有恩言하사 相度來宣하니 誅止其魁하고【義.】釋其下人이라【仁.】蔡之卒夫는 投甲呼舞하고【見前日脅從非本心.】蔡之婦女는 迎門笑語라 蔡人告飢어늘 船粟往哺하고 蔡人告寒이어늘 賜以繒布라 始時蔡人을 禁不往來러니 今相從戲하여 里門夜開하며【見其無所避忌之意.】始時蔡人이 進戰退戮이러니 今旰而起하여 左餐右粥이라【見其無所勞役之意.】爲之擇人하여 以收餘憊하고 選吏賜牛하여 敎而不稅라 蔡人有言호되 始迷不知러니 今乃大覺하여 羞前之爲로다 蔡人有言호되 天子明聖하시니 不順族誅요 順保

··· 魁 우두머리 괴 哺 먹을 포 繒 비단 증 戮 죽일 륙 旰 늦을 간 餐 밥 손(찬) 粥 죽 죽
憊 고달플 비 吭 목 항 恃 믿을 시 偕 함께 해

性命이니라【所以風厲其餘.】汝不吾信인댄 視此蔡方하라 孰爲不順고 往斧其吭호리라 凡叛有數하니 聲勢相倚러니 吾彊不支하니 汝弱奚恃리오【所以離散其黨.】其告而長과 而父而兄하여 奔走偕來하여 同我太平하라 淮蔡爲亂이어늘 天子伐之하시고 旣伐而飢어늘 天子活之로다 始議伐蔡에 卿士莫隨하고 旣伐四年에 小大竝疑러니 不赦不疑는 由天子明이라【歸之天子.】凡此蔡功은 惟斷乃成이니라【推本歸功.】旣定淮蔡하니 四夷畢來라 遂開明堂하여 坐以治之로다【見治定功成之意.】

황제께서 은혜로운 말씀을 내리사	帝有恩言
승상 배도가 와서 선유(宣諭)하니	相度來宣
"주벌(誅伐)은 그 괴수에게만 그치고	誅止其魁
【의(義)이다.】	
그 아랫사람들은 석방한다." 하였다	釋其下人
【인(仁)이다.】	
채주의 병졸들은	蔡之卒夫
갑옷을 던지고 환호하며 춤을 추었고	投甲呼舞
【전일의 반란은 협박에 못 이겨 따른 것이고 본심이 아님을 볼 수 있다.】	
채주의 부녀자들은	蔡之婦女
문에서 맞이하며 웃고 말하였다	迎門笑語
채주 백성들이 굶주림을 하소연하자	蔡人告飢
배에 곡식을 싣고 가서 먹여주고	船粟往哺
채주 백성들이 추움을 하소연하자	蔡人告寒
비단과 삼베를 내려주었다	賜以繒布
처음엔 채주 백성들을	始時蔡人
금지하여 왕래하지 못하게 했었는데	禁不往來
이제 서로 어울리고 희롱하여	今相從戲
이문(里門)을 밤중에 열어 놓았으며	里門夜開
【피하고 꺼리는 뜻이 없음을 볼 수 있다.】	
처음엔 채주 사람들이	始時蔡人
나가면 싸우고 후퇴하면 죽였는데	進戰退戮

이제는 늦게 일어나　今旰而起
왼쪽에서 밥을 먹고 오른쪽에서 죽을 먹었다　左餐右粥
【노역시키는 뜻이 없음을 볼 수 있다.】
채주 백성들을 위해 훌륭한 사람(관리)을 뽑아　爲之擇人
피폐한 남은 자들을 거두어 주고　以收餘憊
관리를 뽑아 소를 나누어주어　選吏賜牛
가르치고 세금을 내지 않게 하였다　敎而不稅
채주 백성들이 말하기를　蔡人有言
"처음엔 혼미하여 알지 못했는데　始迷不知
이제야 크게 깨우쳐　今乃大覺
옛날의 소행을 부끄러워하노라" 하였다　羞前之爲
채주 백성들이 말하기를　蔡人有言
"천자께서 현명하고 성스러우시니　天子明聖
순종하지 않으면 족멸(族滅)을 당할 것이요　不順族誅
순종하면 성명(性命, 생명)을 보존할 것이다　順保性命
【그 나머지 사람들을 풍동(風動)하여 격려한 것이다.】
너희들이 내 말을 믿지 못하거든　汝不吾信
이 채주 지방을 보라　視此蔡方
누가 순종하지 않는가　孰爲不順
내가 가서 그 목을 도끼로 베리라　往斧其吭
반란자는 모두 몇 명이 있었으니　凡叛有數
성세를 믿고 서로 의지하였는데　聲勢相倚
그러나 강한 우리도 지탱하지 못했으니　吾彊不支
약한 너희가 무엇을 믿겠는가　汝弱奚恃
【그 당을 이산시킨 것이다.】
너희 장관과　其告而長
너희 아버지와 너희 형에게 아뢰어　而父而兄
분주히 함께 와서　奔走偕來
우리와 태평을 누리도록 하라." 하였다　同我太平

회채가 난을 일으키자	淮蔡爲亂
천자께서 정벌하셨고	天子伐之
정벌한 뒤에 기근이 들자	旣伐而飢
천자께서 살려주셨도다	天子活之
처음에 채주를 정벌할 것을 의론할 적에	始議伐蔡
경사(卿士)들이 따르지 않았고	卿士莫隨
이미 정벌한 지 4년에도	旣伐四年
대소의 관원들이 모두 의심하였는데	小大竝疑
채주를 용서하지 않고 의심하지 않은 것은	不赦不疑
천자의 현명함 때문이었다	由天子明

【공을 천자에게 돌린 것이다.】

무릇 채주를 토벌한 공은	凡此蔡功
오직 과단성이 있어 이루어진 것이다	惟斷乃成

【근본을 미루어 공을 천자에게 돌린 것이다.】

이미 회채를 평정하니	旣定淮蔡
사방의 오랑캐가 모두 오리라	四夷畢來
마침내 명당(明堂)을 열어	遂開明堂
편안히 앉아서 다스리리라	坐以治之

【정치가 안정되고 공이 이루어진 뜻을 볼 수 있다.】

남해신묘비南海神廟碑

한유韓愈

• 작품개요

남해신묘(南海神廟)를 중수하고 제사를 잘 올린 광주 자사(廣州刺史) 공규(孔戣)를 찬양한 글이다. 옛날에는 해악(海嶽)의 신(神)에 대하여 황제가 직접 제사할 수가 없었기에 지방 장관에게 명하여 대행하게 하였다. 그러나 당시 지방 장관들은 이런저런 이유로 자신이 직접 제사하지 않고 다른 사람을 시켜 제사하게 하였는데, 공규는 정성을 다하여 제사하였는바, 이 작품은 공규의 이러한 정성을 잘 표현하였다. 실제 이 비의 머리 부분을 살펴보면 "사지절 원주 제군사 수원주 자사(使指節袁州諸軍事守袁州刺史) 한유가 찬(撰)했다." 하였고, 뒤에는 원화(元和) 15년(820) 10월 1일에 세운 것으로 되어 있다. 한유는 또 공규를 위해 묘지명을 지었는데, 〈당정의대부 상서좌승 공공묘지명(唐正議大夫尙書左丞孔公墓誌銘)〉이란 제목으로 한유의 문집에 실려 있다.

篇題小註‥ 敍事狀物之妙라

일을 서술하고 물건을 형상함이 묘하다.

• **原文**

海於天地間에 爲物最鉅하니 自三代聖王으로 莫不祀事라 考於傳記하면 而南海神

••• 廟 사당 묘 鉅 클 거

次最貴하여 在北, 東, 西三神, 河伯之上하니 號爲祝融[39]이라 天寶中에 天子以爲古爵이 莫貴於公, 侯라 故로 海, 嶽之祀에 犧幣之數를 放而依之하니 所以致崇極於大神이라 今王亦爵也어늘 而禮海岳에 尙循公侯之事하여 虛王儀而不用하니 非致崇極之意也라하시니라 由是로 冊尊南海神하여 爲廣利王하니 祝號祭式이 與次俱升이라 因其故廟하여 易而新之하니 在今廣州治之東南海道八十里扶胥之口, 黃木之灣하니라

바다는 하늘과 땅 사이에서 가장 큰 물건이니, 삼대(三代) 성왕(聖王)으로부터 제사하여 섬기지 않은 적이 없었다. 전기(傳記)를 상고해 보면 남해신(南海神)의 위차(位次)가 가장 귀하여 북해 · 동해 · 서해 세 신(神)과 하백(河伯, 황하의 신)의 위에 있으니, 호를 축융(祝融)이라 하였다.

천보(天寶) 연간에 천자께서 말씀하시기를 "옛날 관작은 공(公) · 후(侯)보다 더 귀함이 없었다. 그러므로 해(海) · 악(嶽)의 제사에 희생과 폐백의 예수(禮數)를 공 · 후의 예를 따라 사용하였으니, 큰 신에게 높임을 지극히 한 것이었다. 지금은 왕 또한 작위인데, 해 · 악을 예우함에 아직도 공 · 후의 예로 모시는 일을 따르고 왕으로 모시는 의절(儀節)을 버려둔 채 쓰지 않으니, 이는 높임을 지극히 하는 뜻이 아니다." 하셨다.

이로 말미암아 남해의 신을 책봉해 높여서 광리왕(廣利王)으로 삼으니, 축문의 양식 및 그 칭호와 제사 의식이 위차와 함께 승격되었다. 옛 사당을 그대로 이용하여 바꾸어 새로 지으니, 지금 광주(廣州)의 치소(治所)에서 동남쪽 해로(海路)로 80리 지점인 부서(扶胥)의 어귀, 황목(黃木)의 만(灣)에 있었다.

常以立夏氣至에 命廣州刺史하여 行事祠下하고 事訖에 驛聞하니 而刺史常節度五嶺[40]諸軍하고 仍觀察其郡邑하여 於南方事에 無所不統이요 地大以遠이라 故로 常選用重人하니 旣貴而富하고 且不習海事하며 又當祀時하면 海常多大風이라 將往에 皆憂慼하고 旣進에 觀顧怖悸라 故로 常以疾爲辭하고 而委事於其副하여 其來已久라

---

39 傳記……號爲祝融: '전기'는 옛 책으로 《태평어람(太平御覽)》 〈신귀부(神鬼部)〉에 "맨 앞에 남해신, 다음이 동해신, 다음이 서해신, 다음이 북해신, 다음이 하백(河伯) · 우사(雨師)이다."란 말이 보인다. '축융(祝融)'은 화신(火神)으로 남방(南方)과 여름철을 맡았다 한다.

40 五嶺: 중국 남부지방에 있는 대유(大庾) · 시안(始安) · 임하(臨賀) · 계양(桂陽) · 게양(揭陽)의 다섯 산을 이르며 이들 산 남쪽 지역을 영남(嶺南) · 영외(嶺外)라 칭한다.

犧 희생 희 幣 폐백 폐 循 따를 순 升 오를 승 灣 물굽이 만 祠 사당 사 訖 마칠 흘
怖 두려울 포 悸 두려울 계

故로 明宮, 齋廬가 上雨旁風하여 無所蓋障하며 牲酒瘠酸하고 取具臨時하니 水陸之品이 狼藉籩豆하고 薦祼興俯가 不中儀式이라 吏滋不(恭)[供][41]하여 神不顧享하니 盲風怪雨가 發作無節하여 人蒙其害러라

항상 입하(立夏)의 절기가 이를 때에 광주 자사(廣州刺史)에게 명하여 사당 아래에서 제사를 거행하게 하고, 제사를 마치면 역마(驛馬)를 통하여 보고하게 하였다. 광주 자사는 항상 오령(五嶺)의 여러 군대를 절도(節度, 지휘)하고, 또 인하여 군읍(郡邑)을 관찰해서 남방의 일에 대하여 통괄해 다스리지 않음이 없으며, 땅이 넓고 거리가 멀었다. 그러므로 항상 조정의 중요인물을 선용하니, 신분이 이미 귀하고 부유하며 또 해사(海事)에 익숙하지 못하였다. 또 제사할 때를 당하면 바다에는 항상 큰 바람이 많이 불었다. 그래서 바다에 제사지내러 갈 적에 제관(祭官)이 모두 근심하였고, 바다에 나아간 뒤에는 이리저리 돌아다보며 매우 두려워하였다. 그러므로 〈자사가〉 항상 병을 핑계대고 부장(副長)에게 제사를 위임하여 이렇게 해온 지가 이미 오래였다.

이 때문에 사당과 재계(齋戒)하는 집이 위에는 비가 새고 옆은 바람이 불어와서 덮고 막는 바가 없으며, 희생은 말라빠지고 술은 시며 제수(祭需)를 임시로 장만하여 진열해 놓으니, 수산물과 육산물이 변두(籩豆)에 어지러이 널려 있으며, 제수를 올리고 강신(降神)하며 일어나고 구부리는 것이 의식에 맞지 못하였다. 관리들은 더욱 정성을 바치지 않아 신(神)이 돌아보아 흠향하지 않으니, 세차게 부는 바람과 괴이한 비가 절도 없이 발작하여 백성들이 그 폐해를 입고 있었다.

元和十二年에 始詔用前尚書右丞國子祭酒魯國孔公[42]하여 爲廣州刺史兼御史大夫하여 以殿南服이라 公이 正直方嚴하고 中心樂易(락이)하여 祇慎所職하니 治人以明하고 事神以誠하여 內外殫盡하고 不爲表襮(박)이라 至州之明年將夏에 祝冊[43]이

---

41 (恭)[供]: 저본에는 '공(恭)'으로 되어 있으나 《창려선생집》 고이(考異)에 "석본(石本)에는 공(恭)으로 되어 있으나 잘못되었다."는 것에 의거하여 공(供)으로 바로잡았다.

42 魯國孔公: 당나라의 명신(名臣)인 공소부(孔巢父)의 종자(從子)인 공규(孔戣)이다. 진사시에 급제하고 시어사(侍御史)가 되어 직간을 일삼았으며, 화주 자사(華州刺史)와 영남 절도사(嶺南節度使)로 재임 중 민폐(民弊)를 끼치는 진상을 폐지하도록 진언(進言)하였다.《舊唐書 卷154 孔巢父列傳 孔戣》

43 祝冊 : '책(冊)'은 '책(策)'과 통용되는바, 제왕이 제사 지낼 적에 사용하는 문서를 가리킨다.

齋 재계할 재 旁 곁 방 瘠 수척할 척 酸 실 산 狼 어지러울 랑 藉 깔 자 籩 대나무그릇 변 豆 나무그릇 두 祼 강신제지낼 관 盲 빠를 맹 殿 누를 전 殫 다할 탄 襮 드러낼 박 祓 불제사 불 署 쓸 서

自京師至어늘 吏以時告하니 公乃齋祓視冊하고 誓群有司曰 冊有皇帝名하니 乃上所自署라 其文曰 嗣天子某 謹遣某官某敬祭라하니 其恭且嚴이 如是어늘 敢有不承이리오 明日에 吾將宿廟下하여 以供晨事호리라

원화(元和) 12년(817)에 처음으로 조령(詔令)을 내려 전 상서우승(尙書右丞) 국자좨주(國子祭酒) 노국공(魯國公) 공공(孔公, 공규(孔戣))을 등용해서 광주 자사 겸 어사대부(兼御史大夫)로 삼아 남쪽 지방을 진정하게 하였다. 공은 정직하고 방정하고 엄숙하며 마음속이 즐겁고 화평하여 맡은 임무를 공경하고도 신중하게 수행하였다. 백성을 밝게 다스리고 신을 정성으로 섬겨, 안팎으로 정성을 다하고 겉치레를 하지 않았다.

공이 광주에 부임한 다음해 여름이 될 무렵, 축책(祝冊)이 경사(京師, 서울)로부터 도착하자, 관리가 제사할 때가 되었음을 아뢰었다. 이에 공은 마침내 재계하여 몸을 깨끗이 하고 책문(冊文, 축문)을 보고는 유사(有司)들에게 맹세하기를 "책문에 황제의 이름이 쓰여 있으니, 이는 바로 상(上)께서 직접 서명하신 것이다. 책문에 이르기를 '뒤를 이은 천자 모(某)가 삼가 모관(某官) 모(某)를 보내어 공경히 제사한다.' 하였으니, 그 공손하고도 엄숙함이 이와 같은데 감히 잘 받들지 않을 수 있겠는가. 명일(明日)에 내 장차 사당 아래에서 유숙하고 새벽 제사를 올리리라." 하였다.

明日에 吏以風雨白호되 不聽하니 於是에 州府文武吏士凡百數가 交謁更(경)諫이로되 皆揖而退하니라 公遂陞舟하니 風雨少弛하여 棹夫奏功이라 雲陰解駁하여 日光穿漏하고 波伏不興이라 省牲之夕에 載暘載陰이러니 將事之夜에 天地開除하여 月星明穊(기)라 五鼓既作에 牽牛正中이어늘 公乃盛服執笏하여 以入卽事하니 文武賓屬이 俯首聽位하여 各執其職이러라 牲肥酒香하고 樽爵淨潔하며 降登有數하니 神具醉飽라 海之百靈秘怪가 慌惚畢出하여 蜿蜿蜒蜒하여 來享飮食이러라

명일에 관리들이 풍우(風雨)가 거세다고 아뢰었으나 공은 듣지 않았다. 이에 주부(州府)에 있는 문무 관원과 군사 등 모두 백여 명이 서로 번갈아 뵙고서 간하였으나 공은 모두 읍하여 물러가게 하였다. 공이 마침내 배에 오르니, 풍우가 다소 잦아들어 도부(棹夫, 사공)가 공(功)을 이루었다. 깜깜하던 구름이 흩어져 있는 그 사이로 햇빛이 뚫고 나와 비추며 파도가 조용하여 일지 않았다.

謁 뵐 알 更 번갈아 경 棹 노 도 駁 얼룩얼룩할 박 穿 뚫을 천 暘 밝을 양 穊 촘촘할 기
笏 홀 홀 樽 술단지 준 爵 술잔 작 慌 황홀할 황 惚 황홀할 홀 蜿 꿈틀거릴 원
蜒 구불구불할 연

희생을 살펴보는 전날 밤에는 날씨가 갰다 흐렸다 하였는데, 제사를 올리는 날 밤이 되자 천지가 깨끗이 열려 달이 밝고 별이 촘촘하였다. 오경(五更)을 알리는 북소리가 이미 울리자 견우성(牽牛星)이 남쪽 하늘에 떠있었는데, 공은 마침내 성복(盛服)을 입고 홀(笏)을 잡고 들어가 제사를 올리니, 문무관과 요속(僚屬)들도 머리를 숙이고 자기 자리에서 명을 받들어 각기 직책을 집행하였다. 희생이 살지며 술이 향기롭고 술동이와 술잔이 깨끗하며 오르내림에 예수(禮數)가 있으니, 신(神)이 모두 취하고 배부르며 바다의 온갖 신령과 숨어있던 신기한 괴물들이 황홀하게 모두 나타나 꿈틀꿈틀 다가와서 음식을 흠향하는 듯하였다.

闔廟旋艫(합묘선로)에 祥飇送颿(상표송범)하니 旗纛旄麾[44]가 飛揚晻藹하며 鐃鼓嘲轟(요고조굉)하고 高管嗷譟(교조)하며 武夫奮棹하고 工師唱和하니 穹龜長魚가 踊躍后先하고 乾端坤倪(예)가 軒豁呈露라 祀之之歲에 風災熄滅하여 人厭魚蟹하고 五穀胥熟이러라 明年祀歸에 又廣廟宮而大之하고 治其庭壇하며 改作東西兩序, 齋庖之房하여 百用이 具修하니라 明年其時에 公又固往하여 不懈益虔하니 歲仍大和하여 耋艾歌詠이러라

사당 문을 닫고 이물(뱃머리)을 돌리자 상서로운 바람이 돛에 불어와 배를 보내니, 기둑(旗纛)과 모휘(旄麾)가 펄럭여 해를 가리며 징과 북소리가 크게 울리며, 높게 울려 퍼지는 피리소리가 요란하고 무부(武夫)들이 힘차게 노를 저으며 공사(工師, 악공)들이 창화하니, 커다란 거북과 물고기가 앞뒤에서 뛰놀고 하늘 끝과 땅 끝이 탁 트여 드넓게 모두 드러났다.

제사지낸 해에는 풍재(風災)가 깨끗이 없어져 백성들은 생선과 게를 실컷 먹고 오곡이 모두 잘 여물었다. 명년에 제사하고 돌아옴에 또다시 사당을 넓혀 크게 만들고 뜰과 단을 수리하였으며, 동·서 양편의 두 행랑 및 재계하는 방, 푸줏간으로 쓰는 방들을 고쳐지어 모든 용품이 갖춰지고 수리되었다. 명년 그 때에 공은 또다시 굳이 가서 게을리 하지 않고 더욱 공경히 제사를 올리니, 연사(年事, 농사)가 크게 조화로워(풍년들어) 질애(耋艾, 노인)들이 노래를 불렀다.

始公之至에 盡除他名之稅하고 罷衣食於官之可去者하며 四方之使를 不以資交

44 旗纛旄麾 : '기둑(旗纛)'은 새의 깃털로 장식한 큰 기(旗)를 가리키고, '모휘(旄麾)'는 정휘(旌麾)와 같은바, 지휘관이 사용하는 수기(帥旗)를 가리킨다.

闔 닫을 합 艫 이물 로 飇 바람 표 颿 돛 범 纛 기 둑 麾 기 휘 晻 햇빛침침할 암
藹 우거질 애 鐃 징 뇨 轟 떠들썩할 굉 嗷 부르짖을 교 穹 하늘 궁 倪 끝 예 蟹 게 해
耋 늙을 질 艾 늙을 애 逋 달아날, 포흠날 포 緡 돈꿰미 민 斛 휘 곡

하고 以身爲帥(솔)하며 燕享有時하고 賞與以節하니 公藏私蓄이 上下與足이라 於是에 免屬州[45]負逋之緡錢二十有四萬과 米三萬二千斛하고 賦金之州耗金[46]이 一歲八百이라 困不能償이어늘 皆以丐(개)之하고 加西南守長之俸하고 誅其尤無良不聽令者하니 由是로 皆自重愼法하니라

처음 공이 부임했을 때에 다른 명목의 세금을 모두 제거하고 관에서 의식을 받아먹는 자들 중에 제거할 만한 자를 모두 파(罷, 해고)하였으며, 천하 각처로 사명을 띠고 다니는 자들을 재물로 사귀지 않고 몸소 솔선하였으며, 연향(燕饗)을 제때에 하고 상을 절도 있게 주니, 공사간 저축이 상하에 모두 풍족하였다. 이에 속주(屬州)가 내지 못한 민전(緡錢) 24만과 쌀 3만 2천 곡(斛)을 면제해 주고, 세금을 내는 주(州)의 모금(耗金)이 1년에 8백 근이었는데, 곤궁하여 상환하지 못하자 모두 탕감하였다. 그리고 서남 지역의 지방 장관들의 녹봉을 올려주고, 특히 불량하여 명령을 듣지 않는 자들을 처벌하니, 이로부터 관리들이 모두 자중하여 법을 엄격하게 지켰다.

人士之落南不能歸者와 與流徙之胄百二十八族을 用其才良而廩其無告者하고 其女子可嫁者를 與之錢財하여 令無失時하니 刑德竝流하여 方地數千里에 不識盜賊하여 山行海宿하여 不擇處所하니 事神治人이 可謂備至矣로다 咸願刻廟石하여 以著厥美而繫以詩어늘 乃作詩하노라

남쪽 지방에 유락(流落)하여 돌아가지 못하는 인사와 유배되어 옮겨온 사람의 후손 1백 28명 중에 재주 있고 선량한 자들을 등용하였으며, 하소연할 곳이 없는 자들에게 곡식을 나누어주고, 시집보내야 할 여자들에게는 돈과 재물을 주어 혼기(婚期)를 잃지 않게 하였다. 형벌과 덕이 아울러 유행되어 사방 수천 리에 도적을 모르게 되어 산길을 가거나 바다에서 유숙

---

45 屬州 : '산주(散州)'와 같은 말로, 부(府)에 예속된 주(州)를 가리키는바, 현재 현(縣) 단위에 해당한다. 당대(唐代)의 행정 단위는 크게 도(道)와 부(府, 즉 주(州)), 그리고 현(縣)의 세 등급으로 구성되는데, 후기에는 절도사(節度使)의 세력이 막강하여 도(道)의 개념은 유명무실하게 되어 절도사가 그 자리를 대신하게 되었다.

46 耗金 : 옛적에 나라에서 돈이나 곡식을 조세로 거두어들일 적에 손실이 발생하는 것을 명목으로 삼아 이를 보충하기 위하여 정해진 액수 외에 으레 더 거두어들였던 것을 '모(耗)'라고 하였는바, '모금'이란 손실분을 보충하기 위하여 더 거두어들이는 세금을 가리킨다.

··· 償 갚을 상 丐 면제할 개 俸 봉급 봉 胄 후손 주 廩 구호미 름 墟 터 허

함에 처소를 가리지 않으니, 신(神)을 섬기고 백성을 다스림이 모두 지극하다고 이를 만하다. 백성이 모두 묘정(廟庭)위 비석에다 이러한 내용을 새겨서 그 아름다움을 드러내고 시(詩)를 붙이기를 원하였으므로 이에 시를 지었다.

曰 南海陰墟[47]는 祝融之宅이라 卽祀于旁하니 帝命南伯이라 吏惰不躬이러니 正自今公이라 明用享錫하여 祐我家邦이로다 惟明天子 惟愼厥使라 我公在官하니 神人致喜로다 海嶺之陬가 旣足旣濡하니 胡不均弘하여 俾執事樞오 公行勿遲나 公無遽歸어다 匪我私公이라 神人具依니라

시는 다음과 같다	曰
남해의 깊고도 어둑한 저 터는	南海陰墟
축융이 머무는 집이다	祝融之宅
그 곁에 나아가 제사하니	卽祀于旁
황제께서 남백(南伯, 광주 자사)에게 명하셨네	帝命南伯
관리들이 게을러 몸소 제사하지 않았는데	吏惰不躬
지금 공으로부터 바로잡혔네	正自今公
신명이 흠향하고 복을 내려	明用享錫
우리 가방(家邦)을 보우하시네	祐我家邦
밝으신 천자께서	惟明天子
부릴 만한 사람을 신중히 선택하시니	惟愼厥使
우리 공이 관청에 계심에	我公在官
신과 인민이 지극히 기뻐하네	神人致喜
오령(五嶺)부터 남해안까지의 변방 지역이	海嶺之陬
이미 풍족하고 이미 은택에 무젖으니	旣足旣濡
어찌 균평(均平)하고 크게 하여	胡不均弘
중요한 정사를 잡게 하지 않겠는가	俾執事樞

47 陰墟: 일반적으로 폐허를 이르나 여기서는 해중(海中)의 깊은 곳을 가리킨 것으로 보인다.

••• 陬 모퉁이 추 濡 젖을 유 遽 급할 거 匪 아닐 비

공의 걸음 늦추어서는 안 되나	公行勿遲
공은 또한 빨리 돌아가지 말지어다	公無遽歸
내가 공을 사사로이 좋아해서가 아니라	匪我私公
신과 인민이 모두 의지하기 때문이라오	神人具依

쟁신론爭臣論

한유韓愈

• 작품개요

이 작품은 당시 간의대부(諫議大夫)로 있으면서 적극적으로 간쟁(諫諍)하지 않는 양성(陽城) 때문에 지은 것으로, 간관(諫官)의 직책에 대하여 잘 말하였다.

'쟁신(爭臣)'이란 천자에게 직언(直言)으로 간쟁하는 관원인바, '간관'이라고도 한다. 예부터 중국에서는 직언을 올리는 신하의 역할을 중시하여 진(秦)나라 때부터 '간의대부'라는 벼슬을 두었는데, 바로 이때 중조산(中條山)에 은거하던 처사(處士) 양성이 은덕(隱德)이 있다 하여 간관으로 발탁되었다. 그러나 양성이 간관의 직임을 맡은 지 5년이 되도록 곧은 말을 한마디도 아뢰지 않고 두 아우 및 빈객(賓客)들과 밤낮으로 통음(痛飮)이나 하면서 지내자 한유가 이 글을 지어서 그를 비판한 것이다. 그 후 배연령(裴延齡) 등이 육지(陸贄) 등을 모함하였으나 아무도 구원하는 사람이 없었는데, 양성이 상소하여 배연령의 간사함과 육지의 무고함을 주장하다가 덕종의 노여움을 사서 벌을 받게 되었다. 이때 다행히 순종(順宗)이 나서서 해명해 주어 화를 면하게 되었다. 이 글은 한유가 과거를 준비하고 있던 스물다섯 살 때에 지은 것이라 젊은 학자로서의 패기가 엿보인다.

《당송팔가문초(唐宋八家文抄)》를 엮은 모곤(茅坤)은 "모두 네 번 묻고 네 번 답하였는데, 앞뒤에 맺음이 한 가닥의 줄과 같다."라고 평하였으며, 《고문사유찬(古文辭類纂)》을 지은 요내(姚鼐)는 "이 글의 풍격은 《춘추좌씨전(春秋左氏傳)》과 《국어(國語)》에서 나왔다."라고 평하였다.

篇題小註‥ 迂齋曰 此篇은 是箴規攻擊體요 是反難文字之格이니 當以范司諫書相兼看[48]이라 歐陽公上范公書에 有云 當退之作論時하여 城爲諫議已五年이라 後又二年에 始庭論陸贄及沮裵延齡作相하니 纔兩事耳라 當德宗時하여 可謂多事하니 豈無可言而需七年邪아 豈無急於沮延齡, 論陸贄兩事耶아 幸而爲諫官七年에 適遇二事하여 一諫而罷하여 以塞其責하니 向使只五六年而遂遷司業[49]이런들 是終無一言而去也라하니라

우재(迂齋)가 말하였다. "이 편은 곧 잠규(箴規, 경계)하고 공격하는 문체(文體)이며 반난(反難, 반문)하는 문자의 격식이니, 마땅히 〈구양공(歐陽公)이〉 범사간(范司諫, 범중엄(范仲淹))에게 보낸 편지와 서로 겸해 보아야 할 것이다. 구양공이 범공에게 올린 편지에 '퇴지(退之)가 〈쟁신론(爭臣論)〉을 지을 때를 당하여 양성(陽城)이 간의대부가 된 지 이미 5년이었다. 또 2년 뒤에 양성은 처음으로 육지(陸贄)를 조정에서 변론하고 배연령(裵延齡)이 재상이 됨을 저지하였으니, 겨우 이 두 가지 일 뿐이다. 덕종(德宗)의 때를 당하여 다사다난하다고 이를 만하니, 어찌 말할 만한 일이 없어서 7년을 기다렸단 말인가. 그리고 어찌 배연령이 재상이 됨을 저지하고 육지를 변론하는 두 가지 일보다 더 급한 것이 없었겠는가. 양성은 다행히 간관(諫官)이 된 지 7년에 마침 이 두 가지 일을 만나 한번 간하고서 파직되어 그 책임을 다하였으니, 그때 가령 5~6년만 하고 마침내 사업(司業)으로 전직(轉職)하였더라면 이는 마침내 한 마디 말도 없이 떠나간 것이 된다.' 하였다."

○ 按韓公之論, 歐公之書 盡之矣라 然이나 陽城이 終爲唐代賢人하니 不可磨也라 歐公이 謂當時事豈無急於沮裵論陸은 則恐未然이라 論救賢相하고 沮止姦相은 天下事有大於此者乎아 使城初以細故聒(괄)其君이런들 此等大事를 不及言而去 久矣리니 以後補前에 亦可無愧니 讀者不可以韓, 歐之言으로 而謂陽城眞緘默非賢人也니라

살펴보건대, 한공의 의론과 구양공의 편지는 극진하다고 하겠다. 그러나 양성은 끝내 당대(唐代)의 현인이 되었으니, 이는 마멸할 수 없는 사실이다. 구양공이 이르기를 '당시의 일이 어찌 배연령

48 當以范司諫書相兼看 : 〈상범사간서(上范司諫書)〉를 가리킨 것으로, 구양수가 당시 사간(司諫)으로 있던 범중엄에게 보낸 편지이다. 편지의 내용은 간언을 하지 않은 것에 대해 실망하는 뜻을 말하면서 범중엄에게 간언을 하도록 강조하였는 바, 아래 권6에 보인다.

49 向使只五六年而遂遷司業 : 양성이 이필(李泌)의 천거로 저작랑(著作郎)이 되고 간의대부(諫議大夫)에 올랐으나 육지를 변론하고 배연령을 탄핵한 일로 간의대부가 된 지 7년 만에 국자사업(國子司業)으로 좌천되었으므로 말한 것이다.

‥‥ 歐 성 구 贄 폐백 지 沮 막을 저 齡 나이 령 纔 겨우 재 聒 떠들 괄 緘 봉할, 입다물 함

을 저지하고 육지를 변론하는 것보다 급한 일이 없었겠는가.' 하였는데, 이는 옳지 않은 듯하다. 어진 재상을 변론하여 구제하고 간사한 재상을 저지함은 천하의 일이 이보다 큰 것이 있겠는가. 가령 양성이 애당초 하찮은 일로 그 군주에게 시끄럽게 간했더라면 이러한 대사(大事)는 미처 말하지 못하고 떠나간 지가 오래일 것이다. 뒤의 일로써 전일(前日)의 부족함을 보충함에 또한 부끄러울 것이 없으니, 독자(讀者)는 한공과 구양공의 말씀 때문에 양성이 참으로 침묵을 지키기만 하여 현인이 아니라고 생각해서는 안 된다.

• **原文**

或問諫議大夫陽城於愈호되【此句, 是書法, 爲下面責他張本.】可以爲有道之士乎哉아 學廣而聞多로되 不求聞於人也하고 行古人之道하여 居於晉之鄙하니 晉之鄙人이 薰其德而善良者幾千人이라 大臣【李泌.】이 聞而薦之하여 天子以爲諫議大夫하니 人皆以爲華로되 陽子不[色][50]喜하고【雖說他好, 已開難他一端在此了.】居於位五年矣로되【兩居字不苟.】視其德하면 如在草野하니【便含不諫意.】彼豈以富貴移易其心哉리오

혹자가 유(愈, 나)에게 간의대부(諫議大夫) 양성(陽城)에 대하여 다음과 같이 물었다.【이 구는 바로 글을 쓰는 법칙이니, 아래에서 그를 책망하는 장본이 된다.】

"〈그만하면〉 도(道)가 있는 선비라고 할 수 있겠도다. 학문이 넓고 문견(聞見)이 많으나 남에게 알려지기를 구하지 않고 고인(古人)의 도를 행하면서 진주(晉州)의 들(시골)에서 거주하니, 진주의 야인(野人)들이 그의 덕에 감화되어 선량해진 자가 몇 천 명이었다. 대신【이필(李泌)이다.】이 이 말을 듣고 천거하여 천자가 간의대부로 임명하니, 사람들은 모두 영화로 여겼으나 양자(陽子)는 기뻐하는 기색이 전혀 없었으며【비록 그의 좋은 점을 말하였으나 이미 그를 힐난하는 한 단서를 여기에 열어놓았다.】 간의대부의 지위에 거한 지 5년이 되었으나【두 '거(居)' 자가 구차하지 않다.】 그 마음가짐을 보면 초야(草野)에 있을 때와 같으니,【곧 간하지 않은 뜻을 내포하였다.】 저가 어찌 부귀로써 그 마음을 바꾸겠는가."

---

50 〔色〕: 저본에는 없으나 《창려선생집》과 《당송팔가문초》에 의거하여 보충하였다.

••• 鄙 들 비 薰 훈자할 훈 彼 저 피

愈應之曰 是易所謂恒其德貞하나 而夫子凶者也니【易恒卦六五爻.[51]】惡(오)得爲有道之士乎哉아 在易蠱之上九云 不事王侯하여 高尙其事라하고【陽子不出時, 可如此.】蹇之六二則曰【則曰二字亦好.】王臣蹇蹇[52]이 匪躬之故라하니【陽子旣出時, 當如此.】夫不以所居之時不一이요【應前兩居字.】而所蹈之德不同也아 若蠱之上九 居無用之地하여 而致匪躬之節하고【當處而出, 陽子固無此失.】[以][53]蹇之六二 在王臣之位하여 而高不事之心이면【旣出而尙如處, 陽子不免有此失.】則冒進之患生하고 曠官之刺(자)興하리니 志不可則(칙)이요 而尤不終無也니라【蠱上九象曰: "不事王侯, 志可則也." 蹇六二象曰: "王臣蹇蹇, 終無尤也." 今以二卦, 錯綜議論, 謂未仕, 可以高尙, 已仕則當蹇諤. 苟未仕而遽致匪躬之節, 則冒進之患生而志不可則矣, 已仕而仍高不事之心, 則曠官之刺興而尤不終無矣. 今陽子旣爲諫官, 則與舊爲處士時不同矣. 當王臣蹇蹇之時, 而守不事高尙之素, 爲諫官而尙如處士, 豈非恒其德貞而夫子凶者哉?】

이에 내가 다음과 같이 대답하였다.

"이것은 《주역(周易)》에 이른바 '그 덕(德)을 항상함이니, 바르나 부자(夫子, 남자)는 흉하다.'는 것이니,【《주역》〈항괘(恒卦) 육오(六五) 효사(爻辭)〉이다.】어찌 도(道)가 있는 선비라고 하겠는가. 《주역》〈고괘(蠱卦) 상구(上九) 효사(爻辭)〉에 '왕후(王侯)를 섬기지 않아서 자기의 일을 고상히 한다.' 하였으며,【양자(陽子)가 출사(出仕)하지 않았을 때에는 이와 같이 할 수 있다.】〈건괘(蹇卦) 육이(六二) 효사(爻辭)〉에는【'즉왈(則曰)' 두 글자 또한 좋다.】'왕신(王臣)이 〈부지런히 일하여〉 건건(蹇蹇)함은 자신을 위한 연고가 아니다.' 하였으니,【양자가 이미 출사하였을 때에는 마땅히 이와 같이 해야 하는 것이다.】처한 바의 때가 똑같지 않고【앞의 두 '거(居)' 자와 응한다.】행하는 바의 덕(德)이 똑같지 않아서가 아니겠는가.

만일 고괘의 상구효가 쓰여지지 않는 위치에 처하여 몸을 돌보지 않는 충절을 바치고,【마땅히 은둔하여야 할 때에 출사하는 것이니, 양자는 진실로 이런 잘못이 없다.】건괘의 육이효가 신하의 위

---

51 易恒卦六五爻: 《주역》〈항괘(恒卦) 육오(六五) 효사(爻辭)〉에 "유순(柔順)의 덕을 항상함이니, 정(貞)하나 부인은 길하고 부자는 흉하다.[恒其德貞 婦人吉 夫子凶]"라고 되어 있다. '부인은 길하다'는 것은 부인은 순종(順從)을 미덕(美德)으로 삼아 남편이 선창하기를 기다려 화답하기 때문이며, '부자는 흉하다'는 것은 부자는 남자를 뜻하는바, 남자는 강건(剛健)과 과단성을 미덕으로 삼는데, 육오효는 그렇지 못하기 때문이다.

52 王臣蹇蹇: '건(蹇)'은 어렵다는 뜻인바, 정이천(程伊川)은 앞의 '건(蹇)' 자는 동사로 보고 뒤의 '건' 자는 어려운 시기로 보아 '왕신이 어려운 시기에 부지런히 일하여 어렵게 여김'으로 해석하였고, 주자(朱子)는 '어렵게 여기고 어렵게 여기다'로 해석하였으나 주에서는 건악(蹇諤)이라 하여 어려운 시기에 말하기 어려운 바른말을 하는 것으로 풀이하였다.

53 〔以〕: 저본에는 없으나 《창려선생집》과 《당송팔가문초》에 의거하여 보충하였다.

惡 어찌 오 蠱 좀벌레 고 蹇 어려울 건 蹈 밟을 도 冒 무릅쓸 모 曠 비울 광 刺 비난할 자 尤 허물 우

치에 있으면서 왕후를 섬기지 않는 지조를 고상히 여긴다면【이미 출사하였으면서도 오히려 은둔할 때와 같이 하는 것이니, 양자가 이러한 잘못이 있음을 면치 못한다.】 염치(廉恥)를 돌아보지 않은 채 함부로 관직에 나아가는 폐해가 생기고 관직에 있으면서 그 책임을 다하지 않는다는 비난이 일어날 것이니, 그 뜻을 본받을 수 없고 허물이 끝내 없지 못할 것이다.【《주역》〈고괘(蠱卦) 상구(上九) 상전(象傳)〉에 "왕후를 섬기지 않음은 뜻이 본받을 만하다." 하였고, 〈건괘(蹇卦) 육이(六二) 상전〉에는 "왕신(王臣)이 어려울 때 부지런히 힘씀은 끝내 허물이 없다." 하였다. 이제 두 괘를 가지고 착종(錯綜)하여 의론해 보면 출사하기 전에는 뜻을 고상히 할 수 있고, 이미 출사했으면 마땅히 바른말을 해야 한다. 만일 출사하기 전에 갑자기 몸을 돌아보지 않는 충절을 바친다면 염치를 돌아보지 않은 채 함부로 관직에 나아가는 폐해가 생겨 그 뜻을 본받을 수 없고, 이미 출사하고도 그대로 왕후를 섬기지 않는 마음을 고상히 한다면 관직에 있으면서 그 책임을 다하지 않는다는 비난이 일어나 허물이 끝내 없지 못할 것이다. 이제 양자(陽子)가 이미 간관(諫官)이 되었으면 옛날 처사로 지내던 때와 같지 않다. 왕신이 부지런히 힘쓸 때를 당하여 왕후를 섬기지 않아 고상히 하는 평소의 마음을 지켜 간관이 되고도 오히려 처사와 같이 한다면 어찌 '그 덕을 항상함이니, 바르나 부자(夫子)는 흉하다.'는 것이 아니겠는가?】

今陽子는 實一匹夫라【此一句, 最有力. 以匹夫爲諫官, 天下所望, 如何?】 在位不爲不久矣요 聞天下之得失이 不爲不熟矣요 天子待之不爲不加矣어늘 而未嘗一言及於政하여 視政之得失을 若越人視秦人之肥瘠[54]하여 忽焉不加喜戚於其心이라 問其官則曰諫議也요 問其祿則曰下大夫之秩也어늘【就所居, 生出官與祿兩句來, 添兩段議論.】 問其政則曰我不知也라하니 有道之士 固如是乎哉아

지금 양자는 실로 일개 필부(匹夫)였다.【이 한 구가 가장 힘이 있다. 필부로서 간관이 되었으니, 천하의 기대하는 바가 어떠하겠는가.】 그런데 이제 지위에 있은 지가 오래지 않은 것이 아니요, 천하의 득실을 들은 것이 익숙하지 않은 것이 아니요, 천자께서 그를 대우하심이 특별하지 않은 것이 아닌데, 일찍이 정사에 대해 한 마디도 언급하지 않아서 정사의 득실을 보기를 월(越)나라 사람이 진(秦)나라 사람의 살찌고 수척함을 보듯이 하여, 소홀히 여겨 자기의 마음에 기쁘거나 슬픈 느낌이 전혀 들지 않는다. 그의 관직을 물어보면 간의대부라 하고, 그의 녹봉을 물어

54 越人視秦人之肥瘠: 월(越)은 동남쪽에 위치하고 진(秦)은 서북쪽에 위치하여 거리가 멀므로 서로 무관심하게 봄을 말한다.

··· 瘠 여윌 척 戚 슬플 척 秩 품계 질

보면 하대부(下大夫)의 질(秩, 품계)이라 하는데,【그가 처한 바에 나아가 관직과 녹봉 두 구를 만들어내어 서 두 단락의 의론을 더하였다.】 그 정사를 물어보면 나는 모른다 하니, 도가 있는 선비가 진실로 이러하단 말인가.

且吾聞之하니 有官守者【此段, 就問其官上說.】不得其職則去하고 有言責者 不得其言則去[55]라하니 今陽子以爲得其言乎哉아 得其言而不言과 與不得其言而不去는 無一可者也니라 陽子將爲祿仕乎아【此段, 就問其祿上說.】古之人有云 仕不爲貧而有時乎爲貧이라하니 謂祿仕者也라 宜乎辭尊而居卑하고 辭富而居貧이니 若抱關擊柝者可也[56]라 蓋孔子嘗爲委吏矣요 嘗爲乘田矣사되【擧小形大.】亦不敢曠其職하사 必曰會計當而已矣요 必曰牛羊遂而已矣라하시니 若陽子之秩祿은 不爲卑且貧이 章章明矣어늘 而如此하니 其可乎哉아

또 내가 들으니 '관직을 맡음이 있는 자가【이 단락은 그의 관직을 물어본 것에 나아가 말한 것이다.】 자기 직책을 수행할 수 없으면 떠나가고, 말할 책임이 있는 자가 그 말을 할 수 없으면 떠나간다.' 하였으니, 이제 양자는 그 말을 할 수 있다고 여기는가. 말을 할 수 있는데도 말하지 않는 것과 말을 할 수 없는데도 떠나가지 않는 것은 하나도 옳은 것이 없다.

양자는 장차 녹사(祿仕)를 하려는 것인가?【이 단락은 그의 녹봉을 물어본 것에 나아가 말한 것이다.】 옛 사람의 말에 '벼슬은 가난 때문에 하는 것이 아니나 때로는 가난 때문에 하는 경우가 있다.' 하였으니, 이는 녹사를 말한 것이다. 녹사를 할 때에는 마땅히 높은 지위를 사양하고 낮은 지위에 거하며, 많은 녹봉을 사양하고 적은 녹봉에 거하여야 하니, 관문을 지키고 목탁을 치는 자와 같이 하는 것이 옳다. 공자(孔子)도 일찍이 창고를 맡은 관리가 되셨고 짐승을 먹이는 승전(乘田)이 되셨는데,【작은 것을 들어 큰 것을 나타내었다.】 또한 감히 그 직책을 폐하지 않으시어 반드시 말씀하시기를 '회계(會計)를 마땅하게 할 뿐이다.' 하셨고, 반드시 '소와 양을 잘 키울 뿐이다.' 하셨다. 양자의 품계와 녹봉은 낮고도 가난하지 않음이 매우 분명한데 이와 같

---

55 有官守者……不得其言則去 : 《맹자(孟子)》〈공손추 하(公孫丑下)〉에 보인다.

56 古之人有云……若抱關擊柝者可也 : 옛 사람은 맹자(孟子)를 이르고 녹사(祿仕)는 집이 가난하므로 녹봉을 받기 위하여 벼슬함을 이른다. 맹자는 '벼슬은 원래 도(道)를 행하기 위한 것이나, 집이 가난하고 부모가 늙으면 때로 녹사를 할 수 있다.' 하고, 녹사를 하는 자는 관문(關門)을 지키고 목탁을 쳐 시간을 알리거나 순라꾼과 같은 하급관리가 되어야 한다고 말씀하였는바, 자세한 내용은 《맹자》〈만장 하(萬章下)〉에 보인다.

··· 柝 딱다기 탁 委 곳집 위 曠 폐할 광 遂 이룰 수 章 밝을 장

이 하니, 옳다고 하겠는가."

或曰 否라 非若此也라 夫陽子는 惡訕上者하며 惡爲人臣하여 招(교)其君之過而以爲名者라 故로 雖諫且議나 使人不得而知焉이라 書曰 爾有嘉謨嘉猷어든 則入告爾后于內하고 爾乃順之于外曰[57] 斯謨斯猷 惟我后之德이라하니 夫陽子之用心이 亦若此者니라

그러자 혹자가 다음과 같이 말하였다.

"그렇지 않다. 이와 같은 것이 아니다. 양자는 윗사람을 비방하는 자를 미워하며 신하가 되어 군주의 과오를 들춰내어 자기의 명예를 삼는 자를 미워한다. 그러므로 비록 간하고 또 의론하나 사람들로 하여금 알지 못하게 하는 것이다. 《서경(書經)》에 '네가 아름다운 꾀와 아름다운 계책이 있거든 안에 들어가 네 인군에게 아뢰고 너는 밖에 가르치기를(말하기를) 「이 꾀와 이 계책은 우리 임금님의 덕이다.」라고 하라.' 하였으니, 양자의 마음 씀이 또한 이와 같은 것이다."

愈應之曰 若陽子之用心이 如此면 滋所謂惑者矣로라 入則諫其君하고 出不使人知者는 大臣宰相者之事니 非陽子之所宜行也니라 夫陽子本以布衣로 隱於蓬蒿之下어늘【段段提起說.】 主上이 嘉其行誼하여 擢在此位하시니 官以諫爲名인댄 誠宜有以奉其職하여 使四方後代로 知朝廷有直言骨鯁之臣[58]하고 天子有不僭賞從諫如流之美하여【只恐人不知, 知之, 適所以彰君之美.】庶巖穴之士 聞而慕之하여 束帶結髮하고 願進於闕下而伸其辭說하여 致吾君於堯, 舜하여 熙鴻(弘)號於無窮也라 若書所謂는 則大臣宰相之事요 非陽子之所宜行也니라 且陽子之心이【又生意.】將使君人者로 惡(오)聞其過乎아 是啓之也니라

---

57 爾乃順之于外曰 : 이 내용은 《서경》 〈주서 군진(君陳)〉에 보이는바, '순(順)'에 대하여 《상서정의(尙書正義)》에는 '순행(順行)'으로 해석하였고, 채침(蔡沈)의 《집전(集傳)》에는 특별한 해석이 없으며, 일반적으로 '순종'으로 보아 임금의 뜻을 순종하는 것으로 해석하였으나 문리가 순하지 못한바, 본인은 '순(順)'은 '훈(訓)'과 통용되므로 '가르치다'로 해석하였음을 밝혀둔다.

58 直言骨鯁之臣 : 짐승의 뼈와 생선의 가시처럼 억세어 임금의 지시에 무조건 순종하지 않고 완강하게 직언하는 강직한 신하를 이른다.

訕 헐뜯을 산 招 들춰낼 교 猷 꾀 유 后 임금 후 滋 불어날 자 蓬 쑥 봉 蒿 쑥 호
擢 뽑을 탁 鯁 생선뼈 경 僭 참람할 참 鴻 클 홍

이에 내가 다음과 같이 대답하였다.

“만약 양자의 마음 씀이 이와 같다면 이른바 의혹이란 것이 더욱 불어난다. 들어가서는 군주에게 간하고 나와서는 사람들로 하여금 알지 못하게 하는 것은 대신과 재상인 자의 일이니, 양자가 마땅히 행할 바가 아니다. 양자는 본래 포의(布衣)로서 봉호(蓬蒿)의 아래에 숨어 살았는데,【단락마다 제기하여 말하였다.】 주상께서 그의 훌륭한 행실을 가상히 여겨 발탁해서 이 지위에 있게 하셨으니, 관직을 ‘간(諫)’ 자로써 명명하였다면, 진실로 마땅히 그 직책을 받들어 수행해서 천하와 후세로 하여금 조정에 직언하는 골경(骨鯁)의 신하가 있고, 천자께서 상(賞, 벼슬)을 함부로 내리지 않고 간언을 따르기를 물 흐르듯이 하는 아름다움을 가지셨음을 알게 하여야 한다.【다만 사람들이 알지 못할까 두려우니, 알게 함은 바로 군주의 아름다움을 드러내는 것이다.】 그리하여 행여 암혈(巖穴)에 있는 선비들이 이것을 듣고 사모하여 띠를 매고 상투를 틀고는 대궐 아래로 나아가 그 말을 펴서 우리 인군(人君)을 요(堯)·순(舜)으로 만들고 훌륭한 이름을 무궁한 세대에 밝히기를 원하게 하여야 할 것이다.

《서경》에서 말한 것은 대신과 재상의 일이니, 양자가 행해야 할 바가 아니다. 또 양자의 마음은【또다시 의견을 낸 것이다.】 장차 인군으로 하여금 그 잘못을 듣기 싫어하게 하려는 것인가. 이는 〈허물을 듣기 싫어하도록〉 계도(啓導)하는 것이다.”

或曰 陽子之不求聞而人聞之하고 不求用而君用之하여 不得已而起하여【下面, 是難此一句.】 守其道而不變이어늘 何子過之深也오 愈曰 自古聖人賢士가 皆非有心求於聞用也라 閔其時之不平과 人之不乂하여 得其道면 不敢獨善其身하고 而必[以][59]兼濟天下也하여【議論大, 難得十分到.】 孜孜矻矻하여 死而後已라 故로 禹過家門不入[60]하시고 孔席不暇暖하시고 而墨突不得黔하니【皆言不敢自暇逸. ○文中子曰: “墨子無黔突, 孔子無暖席.”[61]】 彼二聖一賢者 豈不知自安逸之爲樂哉시리오마는 誠畏天命而悲

---

59 〔以〕: 저본에는 없으나 《창려선생집》과 《당송팔가문초》에 의거하여 보충하였다.

60 禹過家門不入: 우왕(禹王)은 순(舜) 임금의 명으로 천하의 홍수를 다스리느라 8년 동안 밖에 있으면서 세 번이나 집의 문 앞을 지나갔으나 한 번도 들어가지 못하였다. 《孟子 滕文公上》

61 文中子曰……孔子無暖席: 가르침을 펴기 위하여 자주 자리를 바꾸고 거처를 옮겼으므로 자리가 따뜻해질 겨를이 없고 굴뚝이 검어질 수 없다는 뜻이다. 《문자(文子)》 〈자연(自然)〉에 “공자는 굴뚝이 검을 때가 없었고, 묵자는 자리가 따뜻할 겨를이 없었다.〔孔子無黔突 墨子無煖席〕” 하였고, 《문선(文選)》 〈답빈희(答賓戲)〉에 “공자가 앉은 자리는 따뜻하지 못하였고, 묵자의 집 굴뚝은 검어지지 못했다.〔孔席不暖 墨突不黔〕” 하였다. 문중자는 수(隋)나라 때의 대학자인 왕통(王通)의 사시(私諡)로 그의 저서가 바로 《문자》이다.

••• 乂 다스릴 예 孜 부지런할 자 矻 힘쓸 골 暖 따뜻할 난 突 굴뚝 돌 黔 검을 검

人窮也니라

그러자 혹자가 다음과 같이 말하였다.

"양자는 자신이 알려지기를 구하지 않았는데 사람들이 소문을 냈고, 등용되기를 구하지 않았는데 군주가 등용하시므로 부득이해서 일어나【아래 부분은 바로 이 한 구에 대하여 따져 물은 것이다.】 그 도를 지키고 바꾸지 않는데, 어찌하여 그대는 이렇게까지 심하게 나무라는가?"

이에 내가 다음과 같이 대답하였다.

"예부터 성인과 현사(賢士)가 모두 마음을 써서 자신이 알려지고 등용되기를 구한 것은 아니다. 세상이 균평(均平)하지 못함과 백성이 다스려지지 못함을 민망히 여겨 그 도를 얻으면 감히 홀로 자신의 몸만 선(善)하게 하지 않고 반드시 천하를 겸하여 구제하려 해서【의론이 커서 십분 따져 물었다.】 부지런히 힘쓰다가 죽은 뒤에야 그만두었다. 그러므로 우왕(禹王)은 집의 문 앞을 지나면서도 들어가지 못하셨고, 공자(孔子)의 자리는 따뜻할 겨를이 없었으며, 묵적(墨翟)의 굴뚝은 검을 수가 없었던 것이다.【모두 감히 스스로 한가롭고 편안하지 못함을 말하였다. ○문중자(文中子)가 이르기를 "묵자는 굴뚝이 검을 때가 없었고 공자는 자리가 따뜻할 겨를이 없었다." 하였다.】 저 두 성인(우왕, 공자)과 한 현인(묵적)이 어찌 스스로 안일(安逸)함이 즐거운 줄을 모르셨겠는가마는 진실로 천명(天命)을 두려워하고 백성들의 곤궁함을 슬퍼해서 그러했던 것이다.

夫天이 授人以賢聖才能이 豈使自有餘而已리오【到此, 幷他未爲諫官時意思, 也難到了.】 誠欲以補其不足者也라 耳目之於身也에 耳司聞而目司見하여 聽其是非하고 視其險易(이)然後에 身得安焉하나니 聖賢者는 時人之耳目也요 時人者는 聖賢之身也라 且陽子之不賢인댄 則將役於(身)[賢][62]하여 以奉其上矣요【天地間, 無一介可自暇逸底人.】 若果賢인댄 則固畏天命而閔人窮也니 惡得以自暇逸乎哉아【一段意結, 歸此一句.】

저 하늘이 사람에게 어질고 성스러운 재능을 준 것은 어찌 그 사람만 유여(有餘)하게 할 뿐이었겠는가.【여기에 이르러서는 그가 간관이 되기 이전의 의사까지 아울러 따져 물은 것이다.】 진실로 이

62 (身)[賢]: 저본에는 '신(身)'으로 되어 있으나 《창려선생집》의 주(註)인 고이(考異)에 "어현(於賢)이 혹 '어신(於身)'으로 되어 있는데 옳지 않다."는 지적에 따라 '현(賢)'으로 바로잡았다.

··· 險 험할 험 易 평탄할 이 役 일할 역

를 통하여 부족한 자들을 보완해 주고자 해서였다. 귀와 눈은 사람의 몸에 있어, 귀는 듣는 것을 맡고 눈은 보는 것을 맡아 귀로 옳고 그른 것을 분명하게 듣고 눈으로 험하고 평탄한 것을 정확하게 본 뒤에야 몸이 편안함을 얻는다. 그러므로 성현은 바로 그 시대 사람들의 귀와 눈인 셈이요, 바로 그 시대 사람들은 성현의 몸인 셈이다. 또 양자가 어질지 못하다면 장차 어진 사람에게 부려져서 윗사람을 받들어야 할 것이요, 【천지 사이에는 단 한 명도 스스로 한가롭고 편안한 사람이 없는 것이다.】 만일 과연 어질다면 진실로 천명을 두려워하고 백성의 곤궁함을 민망히 여겨야 할 것이니, 어찌 스스로 한가롭고 편안할 수 있겠는가." 【한 단락의 뜻의 끝맺음이 이 한 구로 돌아갔다.】

或曰 吾聞君子는 不欲加諸人[63]하며 而惡訐(알)以爲直者[64]라하니 若吾子之論은 直則直矣어니와 無乃傷于德而費於辭乎아 好盡言以招(교)人過는 國武子之所以見殺於齊也니【見國語, 國武子, 名佐.[65]】 吾子其亦聞乎아

그러자 혹자가 다음과 같이 말하였다.

"내가 들으니 '군자는 남을 가(加, 능가)하고자 하지 않으며, 남의 비밀을 들추어내는 것을 곧다고 여기는 자를 미워한다.' 하였으니, 그대의 의론으로 말하면 곧기는 곧지만 덕(德)을 손상하고 말을 너무 많이 하는 것이 아니겠는가. 말을 다하여 남의 과실을 들춰내기를 좋아한 것은 국무자(國武子)가 제(齊)나라에서 죽음을 당한 이유이니, 【《국어(國語)》 〈주어 하(周語下)〉에 보이니, 국무자는 이름이 좌(佐)이다.】 그대 역시 이 말을 들었을 것이다."

愈曰 君子居其位則思死其官하고【謂陽子.】 未得位則思修其辭以明其道하나니【韓

63 不欲加諸人 : 《논어》 〈공야장(公冶長)〉에 자공(子貢)이 "저는 남이 저를 능가하기를 바라지 않으니, 저 역시 남을 능가하지 않고자 합니다.〔我不欲人之加諸我也 吾亦欲無加諸人〕"라고 하였다.

64 惡訐以爲直者 : 《논어》 〈양화(陽貨)〉에 미워함이 있느냐는 공자의 물음에 자공이 "살핌을 지혜로 여기는 자를 미워하며, 겸손하지 않은 것을 용맹으로 여기는 자를 미워하며, 남의 비밀을 들추어내는 것을 정직함으로 여기는 자를 미워합니다.〔惡徼以爲知者 惡不孫以爲勇者 惡訐以爲直者〕"라고 하였다.

65 見國語……名佐 : 무자(武子)는 춘추시대 제(齊)나라 대부(大夫)인 국좌(國佐)의 시호인데, 직언을 일삼다가 영공(靈公)에게 살해되었다. 제나라 경극(慶克)이 영공의 어머니 성맹자(聲孟子)와 간통하였는데, 이 사실을 포장자(鮑莊子)가 알고는 국무자(國武子)에게 말하였다. 국무자가 경극을 불러 책망하니, 경극이 성맹자에게 이를 말하니, 성맹자가 영공에게 국무자를 참소하여 영공이 발을 베는 형벌을 내렸다. 《春秋左氏傳 成公 17年》

··· 訐 들춰낼 알 費 허비할 비 招 들추어낼 교 見 당할 견

公自謂.】我將以明道也요 非以爲直而加人也니라 且國武子는 不能得善人하고 而好盡言於亂國일새 是以見殺이니라 傳曰 惟善人이야 能受盡言[66]이라하니 謂其聞而能改之也라 子告我曰 陽子可以爲有道之士也라하니 今雖不能及已나 陽子는 將不得爲善人乎[哉][67]아【從前難, 到此已極矣, 須用放他一著. 蓋陽子在當時, 畢竟是介賢者, 以善人待陽子, 故盡言以責陽子, 春秋之法, 責賢者備之意也.[68]】

이에 내가 다음과 같이 대답하였다.

"군자가 그 지위에 있으면 관직을 수행하다가 죽을 것을 생각하고,【양자(陽子)를 말한 것이다.】지위를 얻지 못하면 말(문장)을 잘 닦아서 도를 밝힐 것을 생각하나니,【한공이 자신을 말한 것이다.】나는 장차 도를 밝히려는 것이요, 곧다고 하여 남을 능가하려고 하는 것이 아니다. 또 국무자는 선인(善人)을 얻지 못하고 어지러운 나라에서 말을 다하기를 좋아하였다. 이 때문에 죽임을 당한 것이다. 전(傳, 옛 책)에 이르기를 '오직 선인(善人)이라야 말을 다하는 것을 받아준다.' 하였으니, 자신의 허물을 듣고서 능히 고침을 말한 것이다. 그대가 나에게 말하기를 '양자는 도가 있는 선비라 할 것이다.' 하였으니, 이제 비록 도가 있는 선비에는 미치지 못하나 양자가 그래도 선인이 될 수 없겠는가."【종전의 따져 물음이 여기에 이르러 이미 지극하니, 모름지기 그를 한 번 풀어주어야 한다. 당시에 양자는 필경 꼿꼿한 현자이니, 선인(善人)으로 양자를 대하기 때문에 말을 다하여서 양자를 책망하였는바, 춘추필법(春秋筆法)의 '현자에게 완비하기를 요구한다.'는 뜻이다.】

---

66 惟善人 能受盡言 : 《국어(國語)》〈주어 하(周語下)〉에 나오는 말이다.

67 〔哉〕: 저본에는 없으나 《창려선생집》과 《당송팔가문초》에 의거하여 보충하였다.

68 春秋之法 責賢者備之意也 : 《신당서(新唐書)》〈태종본기(太宗本紀)〉 찬(贊)에 "춘추의 필법은 항상 현자에게 완비하기를 요구한다.〔春秋之法 常責備於賢者〕" 하였다.

송궁문送窮文

한유韓愈

• 작품개요

이 작품은 양웅(揚雄)의 〈축빈부(逐貧賦)〉를 모방한 것으로, 엄숙과 해학이 어우러진 수작(秀作)이다. 작중에서 '주인(主人)'이 지궁(智窮)·학궁(學窮)·문궁(文窮)·명궁(命窮)·교궁(交窮) 등의 다섯 궁귀(窮鬼)와 나누는 대화를 통하여 곤궁함에서도 절조를 굳게 지키려는 작자 자신의 지조를 해학적으로 묘사하였다. '주인'은 수레와 배 그리고 양식을 갖추어 다섯 궁귀를 떠나보내어서 곤궁에서 벗어나고자 하였지만 결국 수레와 배를 불살라 버림으로써 이를 포기하고, 그들을 상좌(上座)에 앉히게 된다는 것이 주된 내용이다. 작중에서 작자는 세상과 어긋나는 자신의 사상이나 학문·문장 등의 성격을 밝히면서 이를 용납하지 못하는 세상을 넌지시 비꼬고 있다.

이 글은 당 헌종(唐憲宗) 원화(元和) 6년(811) 봄에 하남 영(河南令)으로 있으면서 지은 것이다. 작자는 정원(貞元) 8년(792)에 진사가 된 이후로 줄곧 벼슬살이가 순탄하지 못하였다. 정원 19년(803)에는 감찰어사(監察御使)가 된 지 얼마 되지 않아 양산 영(陽山令)으로 폄적(貶謫)되었고, 원화 3년(808)에는 조정으로 불려와 국자박사(國子博士)가 되었다가 원화 4년(809)에는 도관원외랑(都官員外郎)이 되고 이후 또 하남 영이 되었다.

篇題小註·· 迂齋云 前面의 許多鋪陳布置를 結裹收拾이 盡在後面하니 看到後面하면 方知前面이 盡是戱言이라 然則退之此文은 非是送窮이요 乃是固窮이니 機軸之妙를 熟讀方見이라 進學解는 是設爲師弟子問難之詞요 此是設爲人鬼問難之辭니 可以參觀이니라

우재(迂齋)가 말하였다.

"앞부분의 허다한 포진(鋪陳)·포치(布置)를 끝맺어 싸고 수습함이 모두 뒷부분에 있으니, 뒷부분을 보면 앞부분이 모두 농담(해학)임을 알 수 있다. 그렇다면 한퇴지의 이 글은 궁함을 전송한 것이 아니요 바로 궁함에서도 절조를 굳게 지킨 것이니, 기축(機軸, 문장의 구상이나 풍격)의 묘함을 익숙히 읽어야 비로소 볼 수 있다. 〈진학해(進學解)〉는 스승과 제자가 힐문하고 변박하는 말을 가설하였고, 이것은 사람과 귀신이 힐문하고 변박하는 말을 가설한 것이니, 참고하여 볼 만하다.

○ 洪曰 予嘗見文宗備問하니 云 顓頊高(辛)〔陽〕[69]時에 宮中生一子하니 不著(착)完衣일새 宮中號爲窮子러니 其後正月晦에 死하니 宮人葬之하고 相謂曰 今日送却窮子라하니 自爾로 相承送之라 又唐四時寶鑑云 高陽氏子 好衣弊食糜러니 正月晦에 巷死하니 世作糜棄弊衣하여 是日에 祝於巷하고 曰除貧也라하니라 然이나 退之送窮文은 與揚子雲逐貧賦[70]로 大意相類하니 蓋古人作文에 皆有所祖述하니라

홍매(洪邁)가 말하였다. "내 일찍이 《문종비문(文宗備問)》을 보니, '전욱 고신씨(顓頊高辛氏)의 때에 궁중에서 한 아들을 낳았는데 완전한 옷을 입지 않으므로 궁중에서는 그를 궁자(窮子)라고 칭호하였다. 그 후 정월 그믐날에 그가 죽자, 궁인들은 그를 장례하고 서로 이르기를 「오늘 궁자를 전송한다.」 하였는데, 이로부터 서로 이어 전송했다.' 하였다. 또 당(唐)나라 《사시보감(四時寶鑑)》에 이르기를 '고양씨(高陽氏)의 아들이 해어진 옷을 입고 죽을 먹기 좋아하였는데 정월 그믐날 길에서 죽으니, 세상에서는 이날 죽을 쑤고 해어진 옷을 버리면서 길에서 축원하고, 가난을 제거하는 것이라 했다.' 하였다. 그러나 퇴지의 〈송궁문〉은 양자운(揚子雲)의 〈축빈부(逐貧賦)〉와 대의(大意)가 서로 유사하니, 고인(古人)들이 문장을 지을 적에는 모두 조술(祖述, 멀리 그 법을 따름)한 바가 있었다."

○ 按子雲逐貧賦에 始云 惆悵失志하여 呼貧與語호되 今汝去矣하여 勿復久留하라 貧曰 唯唯라하고 終之曰 貧遂不去하여 與我遊息이라하니 其節次, 調度, 意脈이 如出一律하니라

---

69 顓頊高(辛)〔陽〕: 저본에는 '전욱고신씨(顓頊高辛氏)'로 되어 있으나 전욱은 고양씨(高陽氏)이며, 고신씨(高辛氏)는 전욱 고양씨의 뒤를 이어 제왕이 된 제곡(帝嚳)을 가리키므로 바로잡아 번역하였다.

70 揚子雲逐貧賦: 〈축빈부〉는 양웅(揚雄)의 만년의 작품으로, 평생 따라다니는 가난이 떠나가기를 바란 글이다. 양자(揚子)와 빈(貧, 가난)이 주·객이 되어 문답하는 형식으로 처음엔 주인이 노하여 가난을 축출하지만 가난이 가난함으로 인해 큰 덕을 쌓는다는 것으로 반박하자 양자가 사과하며 떠나지 말라고 만류한다. 자운은 양웅의 자(字)이다.

··· 戱 희롱 희 機 베틀 기 軸 바디 축 顓 오로지 전 頊 삼갈 욱 糜 죽 미

살펴보건대, 양자운의 〈축빈부〉에 처음에는 "뜻을 잃음을 서글퍼하여 가난을 불러 더불어 말하기를 '너는 이제 떠나가고 다시는 오래 머물지 말라.' 하니, 가난은 '예! 예!' 하고 대답하였다." 하였으며, 끝에는 "가난은 마침내 떠나가지 않아서 나와 놀고 쉰다." 하였으니, 그 절차와 조도(調度, 격조와 법도)와 의맥(意脈, 문사(文思)의 맥락)이 한 법칙에서 나온 듯하다.

• **原文**

元和六年正月乙丑晦에 主人이 使奴星으로【星, 公奴名.】結柳作車하고 縛草爲船하여 載糗輿粻(재구여장)하여 牛繫軛下하고 引帆上檣(장)하여 三揖窮鬼而告之曰 聞子行有日矣라하니 鄙人은 不敢問所途요 躬具船與車하여 備載糗粻(구장)하니 日吉辰良하여 利行四方이라 子飯一盂하고 子啜一觴하여 携朋挈儔(설주)하고 去故就新호되 駕塵彍(확)風하여 與電爭先이면 子無底滯(지체)之尤요 我有資送之恩이니 子等이 有意於行乎아

원화(元和) 6년(811) 정월(正月) 을축일(乙丑日) 그믐에 주인은 종 성(星)으로 하여금【성(星)은 한공의 종 이름이다.】버드나무를 엮어 수레를 만들고 풀을 묶어 배를 만들어서 미숫가루와 양식을 싣고 소에 멍에를 매었으며, 돛을 끌어 돛대를 올려서 궁귀(窮鬼)에게 세 번 읍(揖)하고 다음과 같이 말하였다.

"내가 듣건대 '그대들이 떠나갈 날이 정해졌다.' 하니, 비루한 이 사람은 감히 어느 길로 갈 것인지 묻지 않고, 몸소 배와 수레를 마련하여 미숫가루와 양식을 골고루 실어 놓았는데, 날이 길하고 때가 좋아 사방으로 가기가 이롭다. 그대들은 한 그릇 밥을 먹고 한 잔 술을 마시고서 벗을 모두 이끌고 무리들을 거느리고는 옛날 살던 집을 버리고 새로운 곳으로 떠나되 흙먼지를 말아 올리고 질풍을 불러 일으켜서 번개와 앞을 다툰다면 그대는 붙어서 머물러 있는다는 허물이 없고 나는 노자를 주어 전송하는 은혜가 있게 되니, 그대들은 떠나갈 의향이 있는가?"

屛息潛聽하니 如聞音聲이 若嘯若啼하여 砉欻嘎嚶(획훌우앵)하니 毛髮盡竪하고 竦肩縮頸하여 疑有而無러니 久乃可明이라 若有言者曰 吾與子居 四十年餘라【見得自初而窮.】子在孩提에 吾不子愚하며 子學子耕하고 求官與名에 惟子是從하여 不變于

… 惆 실심할 추 悵 슬퍼할 창 晦 그믐 회 縛 묶을 박 糗 마른밥 구 粻 양식 장 軛 멍에 액
帆 돛 범 檣 돛대 장 盂 사발 우 啜 마실 철 挈 끌 설 儔 무리 주 彍 당길 확

初라 門神戶靈이 我叱我呵호되 包羞詭隨하여 志不在他호라 子遷南荒[71]에【貶陽山令.】熱爍(삭)濕蒸하니 我非其鄕이요 百鬼欺陵하며 太學四年에 朝齏(제)暮鹽[72]이어늘 惟我保汝하고 人皆汝嫌이라 自初及終에 未始倍(背)汝하여 心無異謀하고 口絕行語어늘 於何聽聞이완대 云我當去오 是必夫子信讒하여 有間於予也로다 我鬼非人이니 安用車船이며 鼻嗅(후)臭香하니 糗粻可捐이라 單獨一身이니 誰爲朋儔오 子苟備知인댄 可數以不(否)아 子能盡言이면 可謂聖智라 情狀旣露하면 敢不廻避리오

숨을 죽이고 조용히 들어보니 마치 음성이 들리는 듯하였는데, 휘파람을 부는 듯, 우는 듯, 획획하고 흑흑거리니, 모발이 모두 쭈뼛이 서고 어깨가 올라가며 목이 움츠러들었다. 그리하여 있는 듯, 없는 듯하였는데 오랜 뒤에야 분명해졌다.

마치 말하는 자가 있는 듯하여 이르기를 "내가 그대와 거주한 지 40년이 넘었다.【처음부터 곤궁함을 볼 수 있다.】 그대가 어릴 적에 나는 그대를 어리석다고 여기지 않았으며, 그대가 배우고 그대가 농사를 지으며 관직과 명예를 구할 적에 나는 오직 그대만을 따라 처음 뜻을 변치 않았다. 문호(門戶)의 신령들이 나를 질타하고 꾸짖었지만 거짓으로 순종하는 것을 부끄러워해서 뜻이 딴 데에 있지 않았다. 그대가 남쪽 변방으로 좌천됨에【양산 현령(陽山縣令)으로 좌천되었다.】 더위가 심해 쇠를 녹이고 습기와 무더위가 찌는 듯하니, 나에게 알맞은 고향이 아니었고 온갖 귀신이 업신여기고 능멸하였다. 태학에 있는 4년 동안 아침에는 부추양념을 먹고 저녁에는 소금을 먹었는데, 오직 나만이 그대를 보전하였고 다른 사람들은 모두 그대를 혐의하였다.

처음부터 끝까지 나는 일찍이 그대를 저버리지 않아 마음에는 딴 생각이 없었고 입으로는 떠나간다는 말을 한 적이 없는데, 어디에서 무슨 말을 들었기에 내가 장차 떠날 것이라고 말하는가? 이는 반드시 부자(夫子)가 참언(讒言)을 믿고서 나에게 틈을 둔 것이리라. 나는 귀신으로 사람이 아니니 어찌 수레와 배를 쓸 것이며, 코로 냄새와 향기를 맡으니 미숫가루와 양식은 버려도 된다. 단신의 홀몸이니, 누가 벗과 짝이 되는가? 그대가 만일 자세히 알진댄 하나하나 셀 수 있겠는가? 그대가 만일 능히 다 말한다면 성스럽고 지혜롭다고 이를 만하다. 나

---

71 子遷南荒: 한유가 정원(貞元) 19년(803)에 감찰어사(監察御史)가 되었는데, 궁시(宮市)의 폐해를 강력히 논하다가 덕종(德宗)의 노여움을 사서 연주(連州)의 양산 영(陽山令)으로 좌천된 일을 가리킨 것이다.《新唐書 卷176 韓愈列傳》

72 朝齏暮鹽: 제(齏)는 부추 따위의 양념으로, 조석(朝夕)의 밥상에 반찬이 없어 소금이나 간장 따위만을 먹는 것을 이른다.

啼 울 제 砉 뼈바르는소리 획 欻 희미할 훌 嚘 한숨쉴 우 嚶 울 앵 竪 설 수 頸 목 경
呵 꾸짖을 가 詭 바르지못할 궤 爍 녹일 삭 齏 나물 제 讒 참소할 참 嗅 냄새 후

의 정상이 이미 탄로된다면 감히 회피하지 않겠는가."라고 하였다.

主人이 應之曰 子以吾爲眞不知也邪아 子之朋儔는 非六非四니 在十去五요 滿七除二라 各有主張하고 私立名字하여 捩手覆羹(려수복갱)하고 轉喉觸諱(전후촉휘)하여 凡所以使吾面目可憎하고 語言無味者 皆子之志也라 其一은 名曰智窮이니 矯矯亢亢하여 惡(오)圓喜方하고 羞爲姦欺하여 不忍害傷하며 其次는 名曰學窮이니 傲數與名하여 摘抉杳微하고 高挹群言하여 執神之機하며 又其次는 曰文窮이니 不專一能하여 怪怪奇奇하여 不可時施요 秖以自嬉며 又其次는 曰命窮이니 影與形殊하고 面醜心妍하여 利居衆後하고 責在人先하며 又其次는 曰交窮이니 磨肌戛骨(마기알골)하고 吐出心肝하여 企足以待어늘 置我讎寃이라 凡此五鬼가 爲吾五患하여 飢我寒我하고 興訛造訕(산)하여 能使我迷하여 人莫能間이라【都將許多好處, 作不好說, 見得自家所守者堅, 因此而窮.】朝悔其行이라가 暮已復然하여 蠅營[73]狗苟하여 驅去復還이니라

주인은 다음과 같이 대답하였다.

"그대는 내가 참으로 모른다고 여기는가? 그대의 벗은 여섯도 아니고 넷도 아니니, 열에서 다섯을 빼고 일곱에서 둘을 제한 것이다. 각기 주장함이 있고 사사로이 명자(名字)를 세워 손을 비틀어 국을 엎게 하고 목구멍을 울리면 기휘(忌諱)하는 것을 저촉하게 하여, 나의 면목으로 하여금 가증스럽게 하고 언어를 무미(無味)하게 하는 것이 모두 그대들의 뜻이다.

그 첫째는 이름을 지궁(智窮)이라 하니, 교교(矯矯, 높고 높음)하고 항항(亢亢, 강하고 강함)하여 둥근 것을 싫어하고 모난 것을 좋아하며 간사함과 속임수를 부끄러워하여 차마 남을 상해하지 못하게 한다. 그 다음은 이름을 학궁(學窮)이라 하니, 예수(禮數, 관리에게 내리는 예우)와 명성을 오시(傲視, 무시)하여 아득하고 미묘한 것을 추출해내고 여러 말을 높이 취하여 신(神)의 기틀을 잡게 한다. 또 그 다음은 문궁(文窮)이니, 한 가지 재능을 전일하게 하지 않아 기기괴괴(奇奇怪怪)하여 세상에 베풀 수가 없고 다만 스스로 기쁘게 할 뿐이다. 또 그 다음은 명궁(命窮)이니, 그림자가 형상과 다르며 낯은 추하나 마음은 고와 이(利)는 남의 뒤에 있고 책망은 남의 앞에 있게 한다. 또 그 다음은 교궁(交窮)이니, 살과 뼈를 갈고 깎으며 심간(心肝)에 있는 진심을 토해내어 발돋움하고 기다리는데도 나를 원수의 자리에 놓이게 한다.

---

73 蠅營: 영(營)은 영영(營營)으로 파리 떼가 음식 찌꺼기를 찾아 앵앵거리며 날아다니는 것을 이른다.

··· 捩 비틀 려 覆 뒤엎을 복 諱 꺼릴 휘 矯 굳셀 교 亢 높을 항 摘 들추어낼 적 抉 들추어낼 결
杳 아득할 묘 挹 당길 읍 秖 다만 지 嬉 기쁠 희 戛 칠 알 訛 거짓 와 訕 비방할 산

무릇 이 다섯 귀신들이 나의 다섯 가지 폐해가 되어 나를 굶주리게 하고 나를 춥게 하며, 유언비어를 일으키고 비방을 날조하여 나로 하여금 혼미하게 하여 다른 사람들이 끼지 못하게 한다.【허다한 좋은 곳을 가지고 좋지 않은 말로 삼았으니, 자신의 지키는 것이 견고해서 이로 인하여 곤궁한 것임을 볼 수 있다.】아침에는 그 행실을 뉘우치다가 저녁에는 다시 그렇게 하도록 해서 파리처럼 영영(營營)하고 개처럼 구차(苟且)하여 쫓아 보내도 다시 돌아온다."

言未畢에 五鬼相與張眼吐舌하고 跳踉偃仆(도랑언부)하며 抵掌頓脚하여 失笑相顧하고 徐謂主人曰 子知我名과 凡我所爲하고 驅我令去하니 小黠(힐)大癡로다【出(莊子)[淮南子].[74]】人生一世에 其久幾何오 吾立子名하여 百世不磨라【到此, 則知五鬼之有功於退之處.】小人, 君子는 其心不同하니 惟乖於時라야 乃與天通하나니【本是自說而託之於鬼.】攜持琬琰(휴지완염)하여 易一羊皮하며 飫(어)於肥甘하여 慕彼糠糜로다【琬琰·肥甘, 喩貧窮道義之樂, 羊皮·糠糜, 喩富貴利達之事.】天下知子 誰過於予리오 雖遭斥逐이나 不忍子疎하노니 謂予不信인댄 請質詩書하노라【設爲竟不肯去之意, 以見窮無可免之理.】主人이 於是에 垂頭喪氣하여 上手稱謝하고 燒車與船하여 延之上座하니라【此見退之固窮之意.】

내가 말을 마치기도 전에 다섯 귀신들이 서로 눈을 휘둥그렇게 뜨고 혀를 빼물고 뛰다가 쓰러지며 손바닥을 치고 발을 구르며 실소하여 서로 돌아보고 서서히 주인에게 말하였다.

"그대는 우리들의 이름과 우리들의 하는 일을 알고 우리들을 몰아내어 쫓아 보내려 하니, 작게는 약으나 크게는 어리석다.【'작게는 약으나 크게는 어리석다(小黠大癡).'는 것은 《회남자(淮南子)》에 나온다.】사람이 한 세상을 얼마나 오랫동안 살겠는가? 우리들은 그대의 이름을 세워 백세(百世)가 되도록 없어지지 않게 하려는 것이다.【이에 이르면 다섯 귀신이 한퇴지에게 공이 있는 부분을 알 수 있다.】소인과 군자는 그 마음이 똑같지 않으니, 오직 세상과 괴리되어야 하늘과 통하는 것이다.【〈한유가〉 본래 스스로 말하면서 귀신에게 가탁한 것이다.】좋은 보배를 가지고서 한 장의 양가죽과 바꾸며, 살진 음식과 단맛에 물려서 저 강미(糠糜, 겨죽)를 사모하도다.【완염(琬琰, 아름다운 옥)과 살진 고기와 단맛은 빈궁과 도의의 즐거움을 비유한 것이고, 양가죽과 강미는 부귀와 영달의

---

74 (莊子)[淮南子]: 저본에는 '장자(莊子)'로 되어 있으나 전고를 확인하여 '회남자(淮南子)'로 바로잡았다. 《회남자》〈설산훈(說山訓)〉에 "사람들은 작게 배우지 않으면 크게 미혹되지 않으며, 작게 지혜롭지 않으면 크게 어리석지 않다.[人不小學 不大迷 不小慧 不大愚]" 하였고, 또 《포박자(抱朴子)》〈색난(塞難)〉에 "사람들이 대부분 작게는 약으나 크게는 어리석다.[凡人多以小黠而大愚]"라고 보인다.

… 跳 뛸 도 踉 뛸 랑 仆 넘어질 부 抵 칠 지 頓 넘어질 돈 黠 약을 힐 癡 어리석을 치 琬 옥 완 琰 옥 염 飫 배부를 어 糠 겨 강

일을 비유한 것이다.】 천하에 그대를 알아주는 이들 중에 어느 누가 우리들보다 더하겠는가. 우리는 비록 배척과 축출을 당하나 차마 그대를 소원히 할 수 없으니, 나더러 거짓말한다고 이를진댄 시(詩)·서(書)에 질정하기를 청하노라."【끝내 떠나려고 하지 않는 뜻을 가설하여 곤궁함을 면할 수 없는 이치를 나타내었다.】

주인이 이에 머리를 떨구고 기운을 상실하여 손을 올려 사례하고는 수레와 배를 불태우고 그들을 상좌(上座)에 맞이하여 앉혔다.【여기에서 한퇴지가 곤궁함에서도 절조를 굳게 지키려는 뜻을 볼 수 있다.】

진학해進學解

한유韓愈

• 작품개요

'진학(進學)'이란 본래 《예기(禮記)》 〈학기(學記)〉에 보이는 말로 학식과 덕행이 진전됨을 이르고, '해(解)'란 의난(疑難)에 대한 분석으로 '해명'을 뜻한다. 그러나 작품의 전체적인 내용으로 볼 때 '배우는 학생을 나아오게 하여 해명한 글'로 보는 것이 타당할 듯하다.

이 작품은 당 헌종 원화(元和) 7년(812), 또는 8년(813)에 지어진 것으로 추정되는바, 당시 한유는 장안(長安)에서 국자박사(國子博士)로 있으면서 학생들을 가르치고 있었기 때문이다. 작품은 전체적으로 선생의 권학(勸學)과 학생의 질문, 그리고 선생이 다시 해답하는 구조로 되어 있는데, 선생과 학생이 문답하는 형식을 빌려서 간접적으로 작자 자신의 불우한 처지와 심사를 드러내 보인 것이다.

이 글의 주에서도 밝힌 바와 같이 동방삭(東方朔)의 〈답객난(答客難)〉과 양웅(揚雄)의 〈해조(解嘲)〉를 모방하였는데, 문장에 운(韻)을 사용하되 여러 번 환운(換韻)하였고, 구(句)는 대우(對偶)가 많으면서 기이한바, 한편의 '산문부(散文賦)'라고 평할 수 있다.

篇題小註‥ 進學者而曉解之也라

배우는 자들을 나아오게 하여 해명한 것이다.

••• 曉 깨우칠 효 詰 힐난할 힐 嘲 웃을 조

迂齋曰 設爲師弟子詰難之詞하여 以伸己志하니 機軸이 自揚雄解嘲, 班固賓戱來[75]니라

우재(迂齋)가 말하였다. "스승과 제자가 힐난하는 말을 가설하여서 자기의 뜻을 펼쳤으니, 기축(機軸 문장의 법식)은 양웅(揚雄)의 〈해조(解嘲)〉와 반고(班固)의 〈답빈희(答賓戱)〉에서 온 것이다."

○ 元和七年에 公이 復爲國子博士러니 八年年四十六에 自博士로 除尙書比部郎中, 史館修撰하니라 唐史云 愈數(삭)黜官하고 又下遷일새 乃作進學解하여 以自喩하니 執政이 覽其文而奇之하여 以爲有史才故로 除是官이라 時宰相은 乃武元衡, 李吉甫, 李絳也라 按此則此篇이 作於元和七年爲博士之後라 設爲問答하여 以見(현)己意하니 蓋有東方朔雖自責而實自贊之意[76]라 當軸은 幸皆三賢相也니 宜其用之云이라 後段은 借匠氏, 醫師하여 以喩宰相하니 蓋本之淮南子라 淮南子曰 賢主之用人也 猶巧工之制木也하여 大者는 以爲舟航柱梁하고 小者는 以爲楫楔하며 脩者는 以爲櫚榱(염최)하고 短者는 以爲朱儒[77]枅櫨(계로)하여 無小大脩短히 皆得其所宜하고 規矩方圓이 各有所施라 天下之物이 莫凶於鷄毒烏頭也나 然而良醫橐(탁)而藏之는 有所用也라하니 公之論이 蓋取此意라 所謂窺陳編以竊盜者 此亦其一也니 蓋自首其實云이라

헌종(憲宗) 원화(元和) 7년(812)에 한공은 다시 국자박사(國子博士)가 되었는데, 8년(813)인 46세에 박사로 있다가 상서 비부랑중(尙書比部郎中), 사관수찬(史館修撰)에 제수되었다. 《신당서(新唐書)》〈한유열전(韓愈列傳)〉에 의하면, 한유가 누차 관직에서 축출되고 또 좌천되자, 마침내 〈진학해〉를 지어서 스스로 비유하니, 집정자가 이 글을 보고서 기특하게 여겨 사서를 수찬하는 재주가 있다고 여겼

---

75 自揚雄解嘲 班固賓戱來 : 〈해조〉는 조롱에 대해 해명한다는 뜻으로, 양웅이 조용히 들어앉아 《태현경(太玄經)》을 초(草)하고 있을 때 혹자가 도가 아직 깊지 못해서 곤궁한 게 아니냐고 조롱하자 양웅이 이에 대해 해명한 글이다. 〈답빈희〉는 혹자가 반고에게 박학(博學)하여도 세상에 공로가 되지 못한다고 조롱하자, 반고가 주·객을 가설하여 문답하는 형식으로 지은 글이다. 반고는 후한(後漢) 때 사람으로 《한서(漢書)》를 지은 인물이다.

76 東方朔雖自責而實自贊之意 : 동방삭이 주·객을 가설하여 문답하는 형식으로 〈답객난〉을 지었는데, 그 내용은 어떤 객이 찾아와 소진(蘇秦)과 장의(張儀)는 재상이 되었는데 학문에 정진하는 당신은 겨우 시랑(侍郎) 자리 밖에 되지 못했다고 조롱하였다. 이에 동방삭은 태평하고 혼란한 시기 때문이라고 반박하여 "대통 구멍으로 하늘을 엿보고 표주박으로 바닷물을 헤아리며, 풀줄기로 종을 치는 격이다.〔以筦窺天 以蠡測海 以莛撞鍾〕"라고 하여 식견이 좁음을 비판하였다. 이는 동방삭이 자신을 알아주는 사람이 없음을 자책하면서 지은 것이지만 실제로는 객을 비판하면서 자찬한 것이다. 동방삭은 한나라 무제(武帝) 때의 명신으로, 해학을 하여 직간(直諫)을 잘하였다.

77 朱儒 : 들보의 짧은 기둥 위에 무릎을 꿇고 앉아 있는 형상을 한 작은 나무 인형이다.

… 黜 내칠 출 絳 붉을 강 椄 쐐기 접 槢 쐐기 습 櫚 처마 염 榱 서까래 최 侏 난장이 주
儒 난장이 유 枅 가로보 계(견) 櫨 주두 로 橐 전대 탁

기 때문에 이 관직을 제수하였다. 당시 재상은 바로 무원형(武元衡), 이길보(李吉甫), 이강(李絳)이다.

이를 살펴보면, 이 글은 한공이 원화 7년 박사가 된 뒤에 지은 것인데, 문답하는 내용을 가설하여서 자신의 뜻을 나타내었으니, 동방삭(東方朔)이 비록 자책하였으나 실제는 자찬(自贊)한 것과 같은 뜻이 있다. 이때 당축(當軸, 집정대신)은 다행히 모두 세 어진 재상이었으니, 그를 등용함이 마땅하다 하겠다.

뒷부분은 장씨(匠氏, 목수)와 의사(醫師)를 빌려서 재상을 비유하였으니, 이는 《회남자(淮南子)》에 근본을 둔 것이다. 《회남자》 〈주술훈(主術訓)〉에 이르기를 "어진 군주가 인재를 등용함은 훌륭한 목수가 나무를 쓰는 것과 같아 큰 것은 주항(舟航, 배) 및 기둥과 들보를 만들고 작은 것은 노와 쐐기를 만들며, 긴 것은 처마와 서까래를 만들고 짧은 것은 주유(朱儒), 가로보와 두공을 만들어서, 작고 큰 것과 길고 짧은 것을 막론하고 모두 그 마땅함을 얻으며, 규(規, 그림쇠)와 구(矩, 곡척(曲尺))에 따른 네모지고 둥근 것이 각기 베푸는 바가 있다. 천하의 물건은 계독(鷄毒, 부자(附子))과 오두(烏頭)보다 더 흉악한 것이 없으나 훌륭한 의원이 이를 주머니에 보관함은 쓸 곳이 있기 때문이다." 하였으니, 공의 의론은 대체로 이 뜻을 취한 것이다. 이른바 '묵은 책을 엿보면서 국록(國祿)을 훔쳐 먹고 있다.'는 것이 또한 그중에 하나이니, 자신의 실상을 자수(自首, 스스로 말함)한 것이다.

• **原文**

國子先生이 晨入太學하여 招諸生하여 立館下하고 誨之曰 業精于勤하고【設爲國子先生之辭.】荒于嬉하며 行成于思하고 毁于隨하나니 方今에 聖賢相逢하여 治具畢張이라 拔去兇邪하고 登崇俊良하여 占小善者率以錄하고 名一藝者無不庸하여 爬羅剔抉(파라척결)하고 刮垢磨光하니 蓋有幸而獲選이언정 孰云多而不揚고 諸生은 業患不能精이요 無患有司之不明하며 行患不能成이요 無患有司之不公이니라

국자감(國子監)의 선생이 새벽에 태학(太學)에 들어가 제생(諸生)을 불러 관(館) 아래에 세우고 다음과 같이 훈계하였다.

"학업은 부지런한 데에서 정밀해지고【국자선생(國子先生)의 말을 가설하였다.】 노는 데에서 황폐해지며, 행실은 생각하는 데에서 이루어지고 태만한 데에서 무너진다. 바로 지금 성군(聖君)과 현상(賢相)이 서로 만나 다스리는 도구가 모두 베풀어졌다. 그리하여 흉사(兇邪)들을 뽑아버리고 준량(俊良)들을 등용하여 작은 선(善)을 점유한 자가 모두 뽑히고 한 재주로 이름난

··· 誨 가르칠 회 嬉 장난할 희 庸 등용할 용 爬 긁을 파 剔 뼈바를 척 抉 긁을 결
刮 비빌 괄 垢 때 구

자들이 등용되지 않은 이가 없어, 파라(爬羅, 널리 수집함)하고 척결(剔抉, 도려내어 뽑음)하며 때를 씻고 빛나게 연마하니, 요행으로 뽑힌 자는 있을지언정 어찌 훌륭함이 많고도 드러나지 못한다고 말할 수 있겠는가. 제생은 학업이 정밀하지 못함을 걱정할 것이요 유사(有司)의 밝지 못함을 걱정하지 말며, 행실이 이루어지지 못함을 걱정할 것이요 유사의 공정하지 못함을 걱정하지 말라."

言未旣에【設爲弟子之辭.】有笑于列者曰 先生이 欺余哉인저 弟子事先生이 于玆有(時)[年][78]矣라 先生이 口不絕吟於六藝[79]之文하고 手不停披於百家之編하여 記事者는 必提其要하고 纂言者는 必鉤其玄[80]하여【兩句, 見公用工於文字, 乃記事纂言之法也.】貪多務得하여 細大不捐하여 焚膏油以繼晷하여 恒兀(올)兀以窮年하니 先生之業이 可謂勤矣요【應業精于勤一句.】觝排異端하여 攘斥佛, 老하며 補苴罅漏(보저하루)하고 張皇幽眇하여 尋墜緖之茫茫하여 獨旁搜而遠紹하고 障百川而東之[81]하여 迴狂瀾於旣倒하니 先生之於儒에 可謂勞矣니이다

말을 마치기도 전에【제자의 말로 가설하였다.】제생의 대열 중에서 웃으며 다음과 같이 말하는 자가 있었다.

"선생이 우리들을 속이고 있습니다. 저희 제자들이 선생을 섬긴 지가 지금 여러 해가 되었습니다. 선생이 입으로는 육예(六藝, 육경(六經))의 글을 읊기를 끊지 않고 손으로는 백가(百家)의 책을 펴보는 것을 멈추지 않아서, 일을 기록함에는 반드시 그 요점을 간추려 제시하고 말(글)을 엮음에는 반드시 깊은 뜻을 찾아,【이 두 구에서 공이 문자에 공력을 씀을 볼 수 있으니, 바로 일을 기록하고 말을 엮는 법이다.】많음을 탐하고 얻기를 힘써서 작은 것이나 큰 것을 버리지 않아서 기름을 태워 등잔불을 밝혀 낮을 이으면서 항상 부지런히 하여서 한 해를 마치니, 선생의

---

78 (時)[年]: 저본에는 '시(時)'로 되어 있으나 《창려선생집》과 《당송팔가문초》에 의거하여 '년(年)'으로 바로잡았다.

79 六藝: 육경(六經), 곧 《시경(詩經)》·《서경(書經)》·《역경(易經)》·《춘추경(春秋經)》·《예경(禮經)》·《악경(樂經)》을 말한다.

80 記事者 必提其要 纂言者 必鉤其玄: '기사자(記事者)'를 사실(史實)을 기록한 것, '찬언자(纂言者)'를 찬술한 것으로 보아 "사실을 기록한 서적에 대해서는 반드시 그 요점을 들추어내고 찬술한 문장에 대해서는 반드시 깊은 의의를 찾아낸다."라고 해석하기도 한다.

81 障百川而東之: 중국의 하천(河川)은 대부분 서쪽에서 발원하여 동쪽으로 흘러 바다로 들어가므로, 공(孔)·맹(孟)의 유학(儒學)을 바다에 불(佛)·노(老)를 광란(狂瀾)에 비유하여, 모든 사람들이 공·맹의 도(道)에 들어가게 유도하였음을 말한 것이다.

··· 披 헤칠 피 鉤 끌어당길 구 晷 햇빛 구 兀 우뚝할 올 觝 닥뜨릴 저 苴 깔 저 罅 틈 하
眇 아득할 묘 搜 찾을 수 瀾 물결 란

학업은 부지런하다고 이를 만합니다.【'학업은 부지런한 데에서 정밀해진다〔業精于勤〕'는 한 구에 응한다.】

이단(異端)을 배척하여 불(佛)·노(老)를 물리치며 틈과 구멍을 기우고 막아 깊고도 미묘한 의리를 높이 드러내어 아득히 실추된 전통을 찾으며, 홀로 사방으로 수집하여 멀리 계승하고 백천(百川)을 막아 동쪽으로 흐르게 하여 이미 거꾸러진 데에서 미친 듯 요동치는 물결을 되돌리려 하시니, 선생은 유학(儒學)에 있어서 공로가 있다고 이를 만합니다.

沈浸醲郁하고 含英咀華하여 作爲文章하여 其書滿家호되 上規姚姒[82]의 渾渾無涯와 周誥殷盤의 佶(詰)屈聱牙(길굴오아)[83]와 春秋謹嚴과 左氏浮誇와 易奇而法과 詩正而葩하며 下逮莊, 騷와 太史所錄과 子雲, 相如의 同工異曲하니 先生之於文에 可謂閎其中而肆其外矣니이다【此一句, 尤足見公平生作文章之本領. 上求之六經, 下求之左氏·莊子·離騷·史記前後大家, 馬·揚以降, 不及焉, 降是則所謂八代之衰.[84] 公文蓋上本二帝·三代·先秦·前漢之盛, 以起八代之衰者也. ○春秋·左氏·詩·易, 各以兩字斷盡, 每書之體, 竟移易不動, 妙.】少始知學하여 勇於敢爲하고 長通於方하여 左右具宜하니 先生之於爲人에 可謂成矣니이다

농욱(醲郁, 짙고도 향긋한 맛)에 무젖으며 영화(英華, 정수(精粹))를 삼키고 씹어서 문장을 지어 그 책이 집에 가득한데, 위로는 요(姚, 순(舜)), 사(姒, 우(禹))의 끝없이 심원하고도 광대함과 주고(周誥), 은반(殷盤)의 문리가 굴곡하고 문장이 난삽함과 《춘추(春秋)》의 근엄함과 좌씨(左氏, 《춘추좌씨전》)의 부과(浮誇)함과 《주역(周易)》의 기이하면서도 법도에 맞음과 《시경(詩經)》의 올바르면서도 화려함을 본받으며, 아래로는 《장자(莊子)》와 〈이소(離騷)〉와 태사공(太史公, 사마천(司馬遷))의 기록한바(《사기(史記)》)와 양자운(揚子雲, 양웅)과 사마상여(司馬相如)의 정묘한 연주 방법은 같으나 곡조는 다름에까지 미치니, 선생은 문장에 있어 그 속(내용)을 넓히고 그 겉(형식)을

---

82 上規姚姒: '규(規)'는 본받음을 이르며, 규(窺, 엿보다)와 통한다. '요(姚)'는 순제(舜帝)가 태어난 곳인데 뒤에 씨(氏)로 삼았으며, '사(姒)'는 우왕(禹王)의 성(姓)인바, 여기서는 《서경(書經)》의 우서(虞書)와 하서(夏書)를 가리킨 것이다.

83 周誥殷盤 佶屈聱牙: 주고(周誥)는 《서경》 주서(周書)의 〈대고(大誥)〉·〈강고(康誥)〉·〈낙고(洛誥)〉 등을 가리키며, 은반(殷盤)은 상서(商書)의 〈반경(盤庚)〉을 가리키는바, 반경은 은왕(殷王)의 이름이다. 길굴(佶屈)은 문리가 굴곡(屈曲)이 많은 것이며 오아(聱牙)는 글이 난삽한 것으로 이 편(篇)들은 《서경》에서 문세(文勢)가 까다롭기로 유명하다.

84 八代之衰: 소식(蘇軾)의 〈조주한문공묘비(潮州韓文公廟碑)〉에 "문풍(文風)은 팔대의 쇠함을 일으켰다.〔文起八代之衰〕" 하였는바, 팔대는 후한(後漢)·위(魏)·진(晉)·송(宋)·제(齊)·양(梁)·진(陳)·수(隋)의 여덟 왕조이다. 당시에 나약하고 화려하기만 한 변려문(騈儷文)을 지나치게 추구하였는데, 한유가 고문운동을 펼쳐 이러한 폐단을 바로잡았다.

醲 두터울 농 郁 향기성할 욱 咀 씹을 저 姚 성 요 姒 성 사 涯 물가 애 佶 바를 길
聱 어려울 오 葩 꽃다울 파 閎 넓을 굉 肆 펼 사

크게 했다고 이를 만합니다.【이 한 구에서 공이 평생 문장을 지은 본령을 더욱 볼 수 있다. 위로는 육경(六經)에서 구하고 아래로는《춘추좌씨전》과《장자》,〈이소(離騷)〉와《사기》등 전후의 대가에서 구하였고, 사마상여(司馬相如)와 양웅(揚雄) 이하에는 미치지 않았으니, 이보다 내려오면 이른바 팔대(八代)의 문풍이 쇠했다는 것이다. 공의 문장은 위로는 이제(二帝)·삼대(三代, 삼왕)와 선진(先秦)·전한(前漢)의 성대함에 근본을 두어서 팔대의 쇠함을 일으킨 것이다. ○《춘추》와《좌씨전》,《시경》과《역경》은 각각 두 글자로 결단하여 매양 글을 쓴 체가 끝내 바꿀 수 없으니, 묘하다.】

젊어서부터 일찍 배움을 알아 실천함에 용감하였고, 장성해서는 사리(도리)에 통달하여 좌우에 모두 마땅하니, 선생은 사람됨에 있어서 완성했다고 이를 만합니다.

然而公不見信於人하고 私不見助於友하여 跋前疐(치)後[85]하여 動輒得咎라 暫爲御史라가 遂竄南夷하고【貞元十九年, 自監察御史, 貶連州陽山令.[86]】三年博士에 冗不見治하니 命與仇謀하여 取敗幾時오 冬暖而兒號寒하고 年登而妻啼飢라 頭童齒豁하여 竟死何裨오 不知慮此하고 而反教人爲잇가

그런데도 공적으로는 남에게 신임을 받지 못하고 사적으로는 벗에게 도움을 받지 못하여, 앞으로 가면 밟히고 뒤로 가면 걸려 넘어져 움직이기만 하면 번번이 허물을 얻고 있습니다. 잠깐 어사(御史)가 되었다가 마침내 남쪽 변방 지역으로 좌천되었고,【한유는 정원(貞元) 19년(803)에 감찰어사(監察御史)에서 연주(連州)의 양산 영(陽山令)으로 좌천되었다.】3년 동안 박사(博士)로 있을 적에는 한직(閑職)이어서 치적(治績)을 나타내지 못하였으니, 운명이 원수와 도모하여 실패를 당한 것이 얼마나 됩니까. 겨울이 따뜻한데도 아이들은 춥다고 울부짖고 연사(年事, 농사)가 풍년이 들었는데도 아내는 배고파 웁니다. 머리가 벗겨지고 이가 빠져서〈이렇게 계속 살다가〉끝내 죽은들 무슨 도움이 있겠습니까. 이것을 생각할 줄 모르고 도리어 남을 가르친단 말입니까."

---

85 跋前疐後: 앞으로 나아가기도 뒤로 물러서기도 힘들다는 뜻이다.《시경》〈빈풍(豳風) 낭발(狼跋)〉에 "이리가 앞으로 나아가면 턱살이 밟히고 뒤로 물러나면 꼬리가 밟히도다.[狼跋其胡 載疐其尾]"라고 보인다.

86 貞元十九年……貶連州陽山令: 정원(貞元) 19년(803)에 한유가 감찰어사(監察御史)가 되었는데, 궁시(宮市)의 폐해를 강력히 논하다가 덕종(德宗)의 노여움을 사서 연주(連州)의 양산 영(陽山令)으로 좌천되었음을 말한 것이다.《新唐書 卷176 韓愈列傳》

跋 밟을 발 疐 넘어질 치 暖 따뜻할 난 豁 넓을 활 宊 들보 망 桷 서까래 각 欂 두공 박 櫨 주두 로 椳 문지도리 외 闑 문지방 얼 扂 빗장 점 楔 문설주 설 溲 오줌 수 勃 똥 발 紆 얽힐 우 犖 뛰어날 락

先生曰 吁라【設爲之對.】 子來前하라 夫大木爲宋(망)하고 細木爲桷하며 欂櫨(박로)侏儒와 椳闑扂楔(외얼점설)을【宋, 屋梁也. 桷, 榱也. 欂, 柱. 櫨, 柱附也. 侏儒, 短柱屬. 椳, 戶樞也. 闑, 門橛也. 扂, 關牡也. 楔, 門兩旁木也.】 各得其宜하여 以成室屋者는 匠氏之功也요 玉札, 丹砂와 赤箭, 靑芝[87]와【皆貴藥.】 牛溲, 馬勃, 敗鼓之皮를【皆賤藥.】 俱收幷蓄하여 待用無遺者는 醫師之良也요 登明選公하고【應前.】 雜進巧拙하여 紆餘爲姸하고 卓犖(락)爲傑이라하여 較短量長하여 惟器是適者는 宰相之方也라

그러자 선생이 다음과 같이 말하였다.

"아,【가설하여 대답한 것이다.】 자네는 앞으로 오라. 큰 나무는 대들보로 삼고 작은 나무는 서까래로 삼으며, 박로(欂櫨, 두공)와 주유(侏儒, 짧은 기둥)와 문지도리와 문지방, 빗장과 문설주가【'망(宋)'은 지붕의 들보이고 '각(桷)'은 서까래이며, '박(欂)'은 기둥이고, '로(櫨)'는 기둥에 붙은 것이며, '주유(侏儒)'는 짧은 기둥의 등속이다. '외(椳)'는 문의 지도리이고 '얼(闑)'은 문지방이다. '점(扂)'은 문의 자물쇠이고 '설(楔)'은 문의 양 옆에 있는 나무이다.】 각기 그 마땅함을 얻어 실옥(室屋)을 이루는 것은 목수의 공(功)이다. 옥찰(玉札)과 단사(丹砂), 적전(赤箭)과 청지(靑芝),【모두 귀한 약이다.】 쇠오줌과 말똥버섯, 망가진 북의 가죽을【모두 천한 약이다.】 모두 거두고 아울러 쌓아두어 쓰이기를 기다려 버림이 없는 것은 의사의 어짊이다. 등용을 분명하게 하고 선발을 공정하게 하여【앞에 응한다.】 공교한 자와 졸렬한 자를 모두 등용해서 〈재학(才學)이〉 넉넉한 사람을 곱다 하고 뛰어난 사람을 호걸이라 하여, 단점을 비교하고 장점을 헤아려서 그 기국(器局)에 맞게 등용하는 것은 재상의 방법이다.

昔者에 孟軻好辯하사 孔道以明이로되 轍環天下라가 卒老于行하시고 荀卿守正하여 大論是弘이로되 逃讒于楚하여 廢死蘭陵[88]하니 是二儒者는 吐辭爲經하고 擧足爲法하여 絶類離倫하여 優入聖域이언마는 其遇於世何如也오

---

87 玉札, 丹砂, 赤箭, 靑芝: 네 가지 모두 약재(藥材)인바, 옥찰은 원명이 옥천(玉泉)으로 선약(仙藥)이라 한다. 단사는 일명 주사(朱砂)이며, 적전은 난초과에 속하는 풀로 그 뿌리는 천마(天麻)라 하며, 청지는 푸른 색깔의 영지(靈芝)이다.

88 逃讒于楚 廢死蘭陵: 순자는 제(齊)나라에서 벼슬하여 세 번 좨주(祭酒)가 되었는데, 뒤에 참소를 피해 초(楚)나라로 도망하였다. 난릉(蘭陵)은 초나라의 고을 이름으로, 초나라의 재상 춘신군(春申君, 황헐(黃歇))이 순자를 난릉 영(蘭陵令)으로 삼았는데 춘신군이 죽자 순자도 그곳에서 지내다가 죽었다.

••• 轍 바퀴자국 철 環 돌 환 讒 참소할 참 繇 말미암을 유 靡 허비할 미 廩 곳집 름

옛날에 맹가(孟軻)는 변론을 좋아하여 공자(孔子)의 도(道)가 이 때문에 밝아졌으나 수레바퀴 자국이 온 천하를 돌다가 끝내 길에서 늙으셨고, 순경(荀卿)은 정도(正道)를 지켜 큰 의론을 넓혔으나 초(楚)나라로 참소를 피해 갔다가 폐출(廢黜)되어 난릉(蘭陵)에서 죽었다. 이 두 유자(儒者)는 말씀을 뱉으면 경(經)이 되고 발을 들면 법이 되어 보통사람보다 크게 뛰어나고 무리에서 벗어나 넉넉히 성인(聖人)의 경지에 들어갈 수 있었으나 세상의 대우가 어떠하였는가.

今先生이 學雖勤而不繇(由)其統하고 言雖多而不要其中하며 文雖奇而不濟於用하고 行雖修而不顯於衆이어늘 猶且月費俸錢하고 歲靡廩粟하여【比之孟・荀, 自謂幸矣.】子不知耕하고 婦不知織하며 乘馬從徒하여 安坐而食하여 踵常途之役役[89]하며 窺陳編以盜竊이라 然而聖主不加誅하시고 宰臣不見斥하니 玆非幸歟아 動而得謗이나 名亦隨之하니 投閑置散이 乃分之宜라 若夫商財賄(회)之有亡(無)하고 計班資之崇庳(卑)하여 忘己量之所稱하고 指前人之瑕疵하면 是所謂詰匠氏之不以杙爲楹이요 而訾醫師以昌陽引年하고 欲進其豨苓(희령)也니라【應前醫師, 匠氏之句, 收拾前引喻意, 盡數家妙. 杙, 橜. 楹, 柱. 昌陽, 昌蒲. 豨苓, 猪苓.[90]】

지금 선생(나)은 배우기를 비록 부지런히 하였으나 그 계통을 따르지 못하고 말을 비록 많이 하나 중도(中道)에 맞지 못하며, 문장이 비록 기이하나 쓰임에 맞지 못하고 행실이 비록 닦아졌으나 사람들 중에서 드러나지 못한다. 그런데도 오히려 달마다 봉급을 허비하고 해마다 창고의 곡식을 축내어【맹자와 순자에 비하면 스스로 다행이라고 말한 것이다.】아들은 밭갈 줄을 알지 못하고 아내는 길쌈할 줄을 알지 못하면서 말을 타고 하인들을 따르게 하여 편안히 앉아 밥을 먹어 평범한 길의 역역(役役, 쉬지 않고 분주히 일함)함을 따르며 묵은 책편을 엿보면서 국록(國祿)을 훔쳐 먹고 있다. 그런데도 성주(聖主)께서는 주벌(誅罰)을 가하지 않으시고 대신들은 배척을 하지 않으니, 이는 다행이 아니겠는가.

---

89 踵常途之役役 : '역역(役役)'은 쉬지 않고 분주히 일함을 이르는바, 《창려선생집》과 《당송팔가문초》에는 '역역'이 '촉촉(促促)'으로 되어 있으며, 고이(考異)에는 "제본에 많이 '역역'으로 되어 있다.[諸本多作役役]"라고 소개하였다. '촉촉'은 조심하여 삼가는 뜻이 있고 노고하여 편안하지 못한 뜻이 있고 총총하여 급박한 뜻이 있는바, 저본대로 두어도 큰 무리가 없다고 생각하여 그대로 두었음을 밝혀둔다.

90 昌陽……猪苓 : 창양(昌陽)은 석창포(石菖蒲)로 좋은 약재이고 인년(引年)은 연년(延年)과 같은 말로 수명을 연장하여 장생(長生)함을 이른다. 희령(豨苓)은 저령(猪苓)으로 이뇨제로 쓰이나 별로 좋지 못한 약재이다.

… 踵 따를 종 賄 재물 회 庳 낮을 비 詰 꾸짖을 힐 杙 말뚝 익 楹 기둥 영 訾 비방할 자
豨 돼지 희 苓 버섯 령

걸핏하면 비방을 받으나 명예 또한 따르니, 한산(閑散)한 직책에 버려짐은 내 분수에 마땅한 것이다. 만일 재물의 있고 없음을 헤아리고 반자(班資, 반열)의 높고 낮음을 비교하여 자기 역량의 걸맞는 바를 망각하고 전인(前人)의 하자를 지적한다면 이는 이른바 목수에게 말뚝을 기둥으로 삼지 않는다고 힐책하고, 의사에게 창양(昌陽, 창포(菖蒲))으로써 수명을 연장시키는 것을 꾸짖고서 희령(豨苓, 저령(猪苓))을 올리고자 하는 것이라고 할 것이다."【앞의 의사(醫師)와 장씨(匠氏)의 구에 응하니, 앞에 인용하여 비유한 뜻을 수습해서 몇 사람의 묘함을 다하였다. '익(杙)'은 말뚝이고 '영(楹)'은 기둥이며, '창양(昌陽)'은 창포(昌蒲)이고 '희령(豨苓)'은 저령(猪苓)이다.】

악어문鰐魚文

한유韓愈

• 작품개요

이 작품은 한유가 조주 자사(潮州刺史)로 부임하여 백성들에게 해를 끼치는 악어를 타일러 다른 곳으로 옮겨가도록 고하는 글이다.

당 헌종(唐憲宗) 원화(元和) 14년(819) 정월에 헌종이 봉상(鳳翔)의 법문사(法門寺)로 사신을 보내어 석가모니의 손가락뼈인 불골(佛骨)을 맞이해 와서 궁중에 모셔놓고 3일 동안 공양을 올리자, 한유는 〈논불골표(論佛骨表)〉를 올려 이를 극간(極諫)하였다. 이에 헌종이 크게 노하여 한유를 극형으로 다스리고자 하였는데, 배도(裴度)와 최군(崔群) 등의 도움으로 죽음은 면하고서 조주 자사로 좌천되었다.

한유는 조주 자사로 부임하자마자 백성에게 그들이 겪고 있는 고통을 물었는데, 모두 "악계(惡溪)의 악어가 가축을 잡아먹어 가축이 거의 씨가 마를 지경이어서 백성들의 생활이 곤궁하다."는 것이었다. 이에 한유는 〈악어문〉을 지어 친히 악계로 가서 양 한 마리와 돼지 한 마리를 악계에 던져 넣고서 〈악어문〉을 읽었다. 전설에 의하면, 그 날 저녁 폭풍이 불고 천둥 번개가 악계 가운데서 일어났는데, 며칠이 지나자 물이 모두 말라 서쪽으로 60리나 땅이 생겨나고, 이로부터 악어의 폐해가 없어졌다 한다. 통행본(通行本)에는 '제악어문(祭鰐魚文)'으로 되어 있는 경우가 많아 이 작품을 제문(祭文)으로 오인하는데, 임운명(林雲銘, 1628~1697)의 《한문기(韓文起)》에 의하면 '제(祭)' 자는 후인들이 잘못 첨가한 것이라고 한다. 또 악어를 쫓아냈다고 하여 '축악어문(逐鰐魚文)'으로 쓴 경우도 있다.

작품은 크게 네 단락으로 구분된다. 첫 번째 단락에서는 악어에게 고하는 일시, 지점, 인물, 사안 등에 대해 설명하였다. 이어 두 번째 단락에서는 악어가 중원의 지경 밖으로 쫓겨남과 다시 찾아와서 서식하게 된 과정을 서술하였다. 세 번째 단락에서는 악어가 창궐하는 것을 용납할 수 없는 까닭과 악어와 공존할 수 없다는 태도를 분명하게 밝혔다. 그리고 네 번째 단락에서는 악어가 만약 자사인 자신의 명령에 복종하지 않는다면 전부 다 죽이겠다는 굳은 각오와 의지를 보여주고 있다.

篇題小註·· 迂齋曰 辭嚴義正하니 眞可以感動鰐魚라

우재(迂齋)가 말하였다. "말(글)이 엄격하고 의리가 정당하니, 참으로 악어를 감동시킬 수 있다."

○ 公이 守潮州할새 問民疾苦하니 皆曰 惡溪에 有鰐魚하여 食民畜産且盡이라 民以是窮이라하니 數日에 公自往視할새 令其屬秦濟로 以一羊, 一豕投溪하여 與魚食而告之以文이러니 是夕에 暴風震雷起溪中하고 數日에 水盡涸(학)하여 西徙六十里하니 自是로 潮無鰐魚患하니라

공이 조주(潮州)를 맡았을 적에 백성들의 고통을 물으니, 모두 말하기를 "악계(惡溪)에 악어가 있어서 백성의 축산(가축)을 잡아먹어 장차 씨가 마르게 되었습니다. 백성이 이 때문에 곤궁합니다." 하였다. 며칠 후 공이 직접 가서 시찰할 적에 관속 진제(秦濟)로 하여금 양 한 마리와 돼지 한 마리를 시내에 던져 악어에게 주어서 먹게 하고 이 글을 고하였다. 이날 밤 폭풍과 천둥벼락이 시내 가운데서 일어나고, 며칠 후 물이 모두 말라 악어가 서쪽으로 60리나 옮겨가니, 이후로 조주에는 악어로 인한 폐해가 없었다.

○ 按文集에 公此文之首에 亦述年月日하고 繫銜曰潮州刺史韓愈라하니 待鰐魚에도 尙下姓名하여 盡禮如此하니 他人肯乎아 待以禮하고 喩以義하고 感以誠하니 鰐魚尙可化어든 況潮人乎아 東坡所謂能馴鰐魚之暴, 約束蛟鰐如驅羊者[91] 謂此也라 中孚之信이 可及豚魚[92] 信然

---

91 東坡所謂能馴鰐魚之暴 約束蛟鰐如驅羊者: 소동파가 〈조주한문공묘비(潮州韓文公廟碑)〉에서 "악어의 포악함을 길들였으나 황보박(皇甫鎛)·이봉길(李逢吉)의 비방은 그치게 하지 못하였다.〔能馴鰐魚之暴 而不能弭皇甫鎛李逢吉之謗〕" 하였고, 또 "악어를 묶어 놓아 양떼를 몰듯이 하였네.〔約束鮫鰐與驅羊〕"라고 하였다. 자세한 내용은 권8에 보인다.

92 中孚之信 可及豚魚: 중부(中孚)는 마음이 성실하고 정성이 지극하여 서로 믿는 것으로 《주역》의 괘 이름이기도 한바, 《주역》 〈중부(中孚) 괘사(卦辭)〉에 "중부는 믿음이 돼지와 물고기에 미치면 길하니, 대천을 건넘이 이롭고 정함이 이롭

鰐 악어 악 豕 돼지 시 涸 마를 학 徙 옮길 사 繫 매달 계 銜 직함 함 馴 길들일 순
蛟 교룡 교 孚 믿을 부

矣라 劉昆之虎 負子渡河[93]와 宋均之虎 相與渡江[94]이 不得專美矣라 宋守臣陳文惠公이 再有逐鰐魚文[95]하니 則是鰐은 特感公之正直誠信而避之요 潮後仍有此患也라

문집(文集)을 살펴보건대, 공이 이 글의 머리에 연월일(年月日)을 서술하고 직함을 달기를 '조주자사(潮州刺史) 한유(韓愈)'라 하였다. 악어를 대함에도 오히려 성명을 놓아 예(禮)를 다함이 이와 같았으니, 다른 사람이라면 기꺼이 이렇게 하였겠는가. 예(禮)로써 대하고 의(義)로써 타이르고 정성으로써 감동시켰으니, 악어도 오히려 감화할 수 있는데 하물며 조주의 백성들은 더 말해 무엇하겠는가. 동파(東坡)가 말한 '포악한 악어를 길들였다.'는 것과 '교룡과 악어를 묶어 놓아 양 떼를 몰듯이 했다.'는 것은 바로 이를 말한 것이다. 중부(中孚)의 믿음이 돼지와 물고기에도 미칠 수 있다는 것이 참으로 그러하다. 유곤(劉昆)의 범이 새끼를 업고 하수(河水)를 건너간 것과 송균(宋均)의 범이 서로 더불어 강을 건너간 것이 아름다움을 독차지할 수 없을 것이다.

송(宋)나라 때 이곳을 맡았던 진 문혜공(陳文惠公, 진요좌(陳堯佐))이 다시 악어를 축출하는 글을 지었으니, 그렇다면 이 악어는 다만 공의 정직과 성신(誠信)에 감동하여 피했을 뿐이요, 조주는 뒤에 여전히 악어의 폐해가 있었던 것이다.

- **原文**

昔先王이 旣有天下하여 列(烈)山澤하시고 罔(網)繩擉【莊子曰："擉鼈于江"，擉，刺也.】刃으로 以除蟲蛇惡物의 爲民害者하여 驅而出之四海之外러시니【議論，從孟子舜使益焚

다.〔中孚 豚魚 吉 利涉大川 利貞〕" 하였다. 이는 돼지와 물고기는 가장 미련한 동물이지만 사람의 정성이 지극하여 이 미물(微物)들까지도 감동시키면 길(吉)하다는 뜻이다.

93 劉昆之虎 負子渡河：유곤은 후한 때 사람으로 일찍이 홍농 태수(弘農太守)가 되었는데, 이전에 이곳 효산(崤山)의 역도(驛道)에 범이 많아서 사람들을 해쳤으므로 사람이 다닐 수가 없었다. 유곤이 부임하여 3년 동안 선정을 베풀자 교화가 크게 행해지니, 범이 모두 새끼를 업고 황하를 건너 떠났다.《後漢書 卷109上 劉昆傳》

94 宋均之虎 相與渡江：송균 또한 후한 사람으로 구강 태수(九江太守)로 있을 적에 구강 지방에 범이 많은 것을 보고 '범이 산에 있는 것은 자라가 물에 있는 것과 같다. 지금 백성을 해치는 것은 잔혹한 관리이다.' 하고는 간리(奸吏)를 물리치기에 힘썼는데, 범이 모두 동쪽으로 강을 건너갔다 한다.《後漢書 卷71 宋均傳》

95 宋守臣陳文惠公 再有逐鰐魚文：문혜공은 송나라 진종(眞宗) 때의 문신인 진요좌(陳堯佐)이다. 자는 희원(希元), 호는 지여자(知餘子)이고 문혜는 그의 시호이다. 진요자(陳堯咨)의 형으로, 성품이 강직했으며 평장사(平章事)를 지냈다. 함평(咸平) 초년에 언사가 강직하여 조주 통판(潮州通判)으로 폄직되었는데, 조주 악계(惡溪)에 악어가 있어 사람을 잡아먹는 폐해가 있었다. 이에 공이 명하여 글을 지어 고하고 악어를 죽이니, 악어가 자취를 감추었다.《宋史 卷284 陳堯佐列傳》

••• 罔 그물 망 擉 작살 착

烈山澤一段來.】及後王德薄하여 不能遠有하여는 則江漢之間도 尙皆棄之하여 以與蠻夷楚越이어든 況潮는 嶺海之間으로 去京師萬里哉아 鰐魚之涵淹卵育於此 亦固其所니라【先開他一著, 與魚言, 尙委曲如此, 鰐魚此時, 可以居此.】

옛적에 선왕(先王)께서 천하를 소유하시고는 산택(山澤)에 불을 놓고 그물과 찌르는【《장자》〈칙양(則陽)〉에 "강에서 자라를 찔러 잡는다." 하였으니, '착(擉)'은 찌름이다.】 칼날로 독충이나 뱀과 같은 괴악(怪惡)한 물건으로서 백성(사람)에게 폐해가 되는 것들을 제거하여 사해(四海)의 밖으로 몰아서 쫓아내셨는데,【의론이 《맹자》〈등문공 상(滕文公上)〉에 '순 임금이 익(益)으로 하여금 산택(山澤)을 불태우게 했다.'는 한 단락으로부터 온 것이다.】 후대의 왕에 이르러 덕이 부족하여 먼 곳까지 소유하지 못하게 되어서는 강한(江漢, 장강과 한수)의 사이도 오히려 모두 버려서 만이(蠻夷)인 초(楚)나라와 월(越)나라에게 주었으니, 하물며 조주(潮州)는 영해(嶺海, 오령(五嶺)과 남해(南海))의 사이로서 경사(京師)와의 거리가 만 리나 되니 더 말해 무엇하겠는가. 악어가 이곳에서 잠복(서식)하여 알을 까서 생육하기에 또한 진실로 알맞은 장소라 할 것이다.【먼저 저 한 곳을 열어주어 물고기(악어)와 말할 적에도 오히려 간곡함이 이와 같았으니, 악어가 이때에는 이곳에 살 수 있었다.】

今天子嗣唐位하사 神聖慈武하사 四海之外와 六合之內를 皆撫而有之하시니 況禹跡所揜揚州之近地의 刺史, 縣令之所治요 出貢賦以供天地宗廟百神之祀之壤者哉아 鰐魚其不可與刺史雜處此土也니라【鰐魚, 今日却不可居此.】

그러나 이제 천자께서 당(唐)나라의 제위(帝位)를 계승하여 신성(神聖)하고 인자하고 용맹하시어 사해(四海)의 밖과 육합(六合)의 안을 모두 어루만져 소유하시니, 하물며 우왕(禹王)의 발자국이 닿았던 양주(揚州)의 가까운 지역으로서 자사(刺史)와 현령(縣令)이 다스리는 바요 공부(貢賦, 공물과 세금)를 내어 천지와 종묘(宗廟) 및 온갖 신(神)의 제사를 받드는 땅이니 더 말해 무엇하겠는가. 악어는 자사와 더불어 이 땅에 뒤섞여 지낼 수 없는 것이다.【악어가 지금은 이곳에 살 수 없는 것이다.】

刺史受天子命하여 守此土하고 治此民이어늘 而鰐魚睅(한)然不安溪潭하고 據食民畜熊豕鹿麞하여 以肥其身하며 以種其子孫하여 與刺史亢(抗)拒하여 爭爲長雄하니 刺史雖駑弱이나 亦安肯爲鰐魚低首下心하여 伈伈睍(현)睍하여 爲民吏羞하여 以

… 涵 담글 함 淹 적실 엄 卵 알 란 揜 가릴 엄 睅 눈붉어질 한 熊 곰 웅 麞 노루 장
駑 둔할 노 低 숙일 저 伈 두려워할 심 睍 흘깃볼 현 偷 구차할 투

偷活於此邪아 且承天子命하여 以來爲吏하니 固其勢不得不與鰐魚辨이니라 鰐魚有知어든 其聽刺史言하라 潮之州는 大海在其南하여 鯨鵬之大와 蝦蟹(하해)之細가 無不容歸하여 以生以養하나니 鰐魚朝發而夕至也라 今與鰐魚約하노니 盡三日하여 其率醜類하고 南徙于海하여 以避天子之命吏호되 三日不能이어든 至五日이요 五日不能이어든 至七日이니 七日不能이면 是終不肯徙也라 是는 不有刺史[96]하여 聽從其言也요 不然이면 則是鰐魚冥頑不靈하여【與鰐魚有知二句, 相應.】刺史雖有言이나 不聞不知也라

자사가 천자의 명령을 받들어 이 땅을 지키고 이 지방 백성을 다스리고 있는데, 악어가 눈을 부릅뜨고는 시내와 못 속에 편안히 있지 않고서 백성의 가축, 곰과 멧돼지, 사슴과 노루 등을 차지하여 잡아먹으며 그 몸을 살찌우고 자손들을 새끼쳐서 자사에게 항거하여 우두머리가 되기를 다투니, 자사가 비록 노둔하고 약하나 또한 어찌 악어에게 머리를 숙이고 마음을 낮추어 두려워하고 흘금흘금 눈치를 보아 백성과 관리의 수치가 되어 이곳에서 구차히 살려 하겠는가. 또 천자의 명령을 받들고 와서 관리가 되었으니, 진실로 그 형세가 악어와 구별되지 않을 수 없는 것이다.

악어는 지각이 있거든 자사의 말을 들어라. 조주는 큰 바다가 남쪽에 있어, 고래와 붕새와 같이 큰 것과 새우와 게와 같이 작은 것들까지도 용납하여 돌아가지 않음이 없어서 여기에서 태어나고 길러지는데, 악어는 아침에 출발하면 저녁에 〈바다에〉 도착할 수 있다.

내 이제 악어와 더불어 약속하노니, 3일이 다할 때까지 무리들을 거느리고 남쪽 바다로 옮겨가서 천자가 임명한 관리를 피하라. 3일에 불가능하거든 5일까지 할 것이요, 5일에 불가능하거든 7일까지 할 것이니, 7일에도 능히 옮겨가지 못한다면 이는 끝내 옮겨가려 하지 않는 것이다. 이는 자사를 무시하여 그 말을 듣고 따르려 하지 않는 것이요, 그렇지 않다면 이는 악어가 어둡고 완악하여 신령스럽지 못해서【'악어가 지각이 있다〔鰐魚有知〕'는 두 구와 서로 응한다.】 자사가 비록 말을 하나 듣지 못하고 알지 못하는 것이다.

夫傲天子之命吏하여 不聽其言하여 不徙以避之와 與冥頑不靈하여 而爲民物害者는 皆可殺이니【到此, 不可恕之.】刺史則選材技吏民하여 操强弓毒矢하여 以與鰐魚

96 不有刺史 : '불유(不有)'는 마음속에 없는 것처럼 여기는 것으로 자사(刺史)를 무시함을 의미한다.

··· 鯨 고래 경 鵬 붕새 붕 蝦 새우 하 蟹 게 해 肯 즐길 긍 冥 어두울 명 頑 완악할 완
操 잡을 조

從事하여 必盡殺乃止하리니 其無悔하라【結尾, 似司馬相如諭巴蜀檄.[97] 初焉委曲如此, 中間鋪敍一步緊一步. 到末梢, 嚴切如此, 皆是先後著.】

저 천자께서 임명한 관리를 무시해서 그 말을 듣지 않아 옮겨 피하지 않거나, 또는 어둡고 완악하여 신령스럽지 못해서 백성과 물건에게 폐해를 입히는 것은 모두 죽일 만하니,【이에 이르러서는 용서할 수 없는 것이다.】 자사는 곧바로 재주와 기예가 뛰어난 관리와 백성을 선발해서 강한 활과 독이 있는 화살을 잡고서 악어와 더불어 종사하여(싸워서) 반드시 모두 죽이고야 말 것이다. 악어는 후회하지 말라.【끝맺음이 사마상여가 파촉(巴蜀)을 타이른 격문과 유사하다. 처음에는 간곡함이 이와 같고, 중간에 서술한 것은 한 걸음보다 다음의 한 걸음이 더 긴하고, 끝부분에 이르러는 엄준함이 이와 같으니, 모두 선후가 분명하다.】

97 司馬相如諭巴蜀檄 : 한 무제(漢武帝) 때 당몽(唐蒙)이 야랑(夜郎)과 북중(僰中)을 점령하기 위해 파촉의 이졸(吏卒) 수천 명을 징발하고 그들의 괴수를 군법(軍法)으로 죽이자, 파촉의 백성들이 크게 놀라고 두려워하였다. 이에 무제가 파촉 출신인 사마상여를 보내 당몽을 꾸짖고 민심을 안정시키도록 하니, 사마상여가 파촉의 백성들을 효유(曉諭)하는 격문을 지어 사태를 진정시킨 일이 있다.《史記 卷117 司馬相如列傳》

유주나지묘비柳州羅池廟碑

한유韓愈

• 작품개요

'나지묘(羅池廟)'란 곧 '유후사(柳侯祠)'인바, 당나라 유주 자사 유종원(柳宗元)을 제사 지내는 사당으로, '후(侯)'는 지방관의 칭호이다. '나지'는 못의 명칭인데, 당나라 장경(長慶) 원년(821)에 유주의 나지 가에 유종원의 사당을 세웠기 때문에 이렇게 명명한 것이다.

이 작품은 한유의 나이 56세인 장경 3년(823)에 유주 관리들의 요청에 따라 친한 벗인 유종원을 위하여 지은 것이다. 당시 한유는 상서 이부 시랑(尙書吏部侍郎)으로 있었다. 유종원은 원화 10년(815) 유주 자사로 부임하여 선정을 베풀다가 원화 14년에 세상을 떠났다. 그는 자신의 죽음을 예언하고 사람들에게 자신의 사당을 나지 가에 짓고 제사 지내 줄 것을 부탁하였다고 한다. 한유는 유종원의 업적을 기리는 한편, 죽어서도 신이 되어 영험을 발휘하는 그의 위대함을 칭송하는 비문을 지었다.

작품은 유종원이 유주에서 펼쳤던 훌륭한 정사와 유주 백성의 말을 통하여 그가 생전에는 백성에게 은택을 끼치고 죽어서는 신으로 변할 수 있었음을 말하고 있다. 한유는 이 작품을 통하여 훌륭한 인재인 유종원이 나라에 중용되지 못하였음을 넌지시 말하고 죽은 자를 대신하여 불우함을 드러내 보였다.

이 작품은 크게 서문(序文)과 가사(歌詞)의 두 부분으로 나눌 수 있고, 서문은 또 세 단락으로 나뉜다. 첫 번째 단락에서는 유종원이 생전에 유주의 백성에게 끼친 공로를 설명하고, 두 번째 단락에서는 사당을 건립하는 과정과 그 영험함을 서술하고, 세 번째 단락에서는 이 작품을 짓게 된 동기에 대해 이야기하였다. 가사는《초사》〈구가〉의 형식으로 지은 영향송신(迎享送神, 신을 맞이하여 제향하고 전송하는)의 시로, 시간적인 순서로 구성되어 있다.

篇題小註·· 迂齋曰 敍事有(論)〔倫〕[98]하고 句法矯健하며 中含譏諷之意니라

우재(迂齋)가 말하였다. "일을 서술함에 차례가 있고 구법(句法)이 굳세며 가운데에 기풍(譏諷, 풍자)하는 뜻을 머금었다."

○ 愚謂 碑敍事는 得史法하고 詩命詞는 得騷體라 迂齋謂中含譏諷이라하나 亦未見其然也로라

내가 생각건대, 비(碑)에서 일을 서술함은 사서(史書)를 수찬하는 법칙을 얻었고 시(詩)에서 글을 씀은 〈이소(離騷)〉의 문체를 얻었다. 우재는 '가운데에 기풍(譏諷)하는 뜻을 머금었다.' 하였으나 또한 그러함을 발견하지 못하겠다.

· **原文**

羅池廟者는 故刺史柳侯廟也라 柳侯爲州에 不鄙夷其民하고 動以禮法하니 三年에 民各自矜奮하여 曰 茲土雖遠京師나 吾等亦天氓이라 今天이 幸惠仁侯하시니 若不化服이면 我則非人이라하여 於是에 老少相教語[99]하여 莫違侯令하고 凡有所爲於其鄕閭及於其家에 皆曰 吾侯聞之면 得無不可於意否아하여 莫不忖度(촌탁)而後從事하며 凡令之期를 民勸趨之하여 無有後先하여 必以其時하니라 於是에 民業有經하고 公無負租하여 流逋四歸하여 樂生興事하여 宅有新屋하고 步有新船하며 池園潔修

---

98 (論)〔倫〕: 저본에는 '유(論)'로 되어 있으나《숭고문결(崇古文訣)》에 의거하여 '륜(倫)'으로 바로잡았다.

99 老少相教語 : 당시 유주(柳州)는 오령(五嶺) 이남 지역에 위치하여 한족 이외에 여러 민족이 함께 거처하였고, 중원(中原) 지역에 비하여 상대적으로 개화되지 못하였기에 관방에서 사용하는 한어(漢語)가 잘 통하지 못하였다. 유종원이 이 지역을 관장하면서 백성을 무시하지 않고 선정을 베풀자 백성이 여기에 감화되어 자사의 명령을 어기지 않기 위하여 한어를 서로 가르쳐서 익힌 것이다.

··· 矯 굳셀 교 騷 근심할 소 鄙 비루할 비 矜 자랑 긍 氓 백성 맹 忖 헤아릴 촌 逋 달아날 포
步 나루터 보 鴨 오리 압 蕃 무성할 번 贖 갚을 속 隷 종 예 傭 품삯 용

하고 猪牛鴨鷄 肥大蕃息이라 子嚴父詔하고 婦順夫指하며 嫁娶, 葬祭에 各有條法하며 出相弟長하고 入相慈孝러라 先時民貧하여 以男女相質하여 久不得贖하여 盡沒爲隸러니 我侯之至에 按國之故하여 以傭除本하여 悉奪歸之하며 大修孔子廟하고【柳子厚有柳州孔子廟碑.】城郭巷道를 皆治使端正하고 樹以名木하니 柳民이 旣皆悅喜하니라【此以上, 皆謂生能澤其民.】

나지묘(羅池廟)는 옛 자사(刺史)인 유후(柳侯, 유종원)의 사당이다. 유후는 고을을 다스릴 적에 그 백성을 비루하고 오랑캐라고 여기지 않고 모든 것을 예법으로써 하니, 부임한 지 3년에 백성은 각자 긍지를 갖고 분발하여 말하기를 "이 땅이 비록 경사(京師)에서 멀리 떨어져 있으나 우리 또한 하늘의 백성이다. 이제 하늘이 다행히 어진 유후(자사)를 내려주셨으니, 만일 교화되어 복종하지 않는다면 우리는 사람이 아니다."라고 하여, 이에 노소(老少)가 서로 말을 가르쳐서 유후의 명령을 어기는 이가 없었다. 그리하여 무릇 그 향려(鄕閭)와 그 집안에서 무슨 일을 함이 있게 되면 모두 말하기를 "우리 자사께서 이 말을 들으면 그 뜻에 불가하다고 여기시지 않겠는가."라고 하여, 유후의 뜻을 헤아린 뒤에 종사하지 않음이 없었으며, 무릇 명령의 시기를 백성들이 권면하여 따라서 뒤늦거나 먼저 함이 없어 반드시 제때에 하였다.

이에 백성의 생업에 떳떳함이 있고 국가에는 조세(租稅)를 포흠(逋欠, 내지 못함)한 것이 없어서 도망한 유민들이 사방에서 돌아와 생업을 즐기고 일을 일으켜 택지에는 새로 지은 집이 있고 나루터에는 새로 만든 배가 있으며, 못과 동산이 깨끗하게 닦여지고 돼지와 소와 오리와 닭이 살찌고 번식하였다. 자식은 아버지의 가르침을 두려워하고 부인은 남편의 지시를 순종하였으며, 시집가고 장가들며 장례하고 제사함에 각기 조례와 법도가 있었으며, 나가면 서로 어른을 공경하고 들어오면 서로 사랑하고 효도하였다.

이보다 먼저 백성이 가난하여 아들과 딸을 서로 저당하여 돈을 차용하였으나 오랫동안 빌린 돈을 갚지 못하여 모두 몰수되어 노예가 되었었는데, 우리 자사가 부임해 와서는 나라의 고사(故事)에 따라 노예가 된 사람들을 품삯으로 본전을 제하게 하고 모두 빼앗아 본래 자기의 집으로 돌아가게 하였다. 또한 공자(孔子)의 묘(廟)를 크게 수리하였으며,【유자후(柳子厚)가 지은 글에 유주(柳州)의 공자묘(孔子廟)의 비문이 있다.】성곽과 골목길을 모두 다스려 단정하게 하고 이름 있고 귀한 나무들을 심으니, 유주(柳州) 백성이 모두 기뻐하였다.【이 이상은 모두 살아서 능히 그 백성에게 은택을 입힘을 말한 것이다.】

… 翼 날개 익 驛 역말 역 亭 정자 정 寄 붙일 기 祀 제사 사 館 머물 관 侮 업신여길 모

嘗與其部將魏忠, 謝寧, 歐陽翼으로 飮酒驛亭할새 謂曰 吾棄於時而寄於此하여 與若等好也하니 明年에 吾將死라 死而爲神하리니 後三年에 爲廟祀我하라하더니 及期而死하다 三年孟秋辛卯에 侯降于州之後堂하니 歐陽翼等이 見而拜之러니 其夕에 夢翼而告之曰 館我於羅池하라 其月景(丙)辰에【唐諱丙字, 以景字代.[100]】廟成이라 大祭할새 過客李儀醉酒하여 侮慢堂上이라가 得疾하여 扶出廟門卽死하니라【此以上, 皆謂死能驚動禍福之, 以食其土.】

자사가 한번은 부장(部將)인 위충(魏忠)·사녕(謝寧)·구양익(歐陽翼)과 더불어 역정(驛亭)에서 술을 마실 적에 이르기를 "나는 세상에서 버림받아 이곳에 붙여 있어서 너희들과 좋게 지내고 있는데, 명년에 내가 장차 죽을 것이다. 내가 죽으면 신(神)이 될 것이니, 3년 후에 사당을 지어 나를 제사하라." 하였는데, 자사는 그 시기가 되자 죽었다. 3년이 되던 맹추(孟秋) 신묘일(辛卯日)에 자사가 주(州)의 후당(後堂)에 강림하니, 구양익 등이 보고서 절하였는데, 그날 밤 자사는 구양익의 꿈에 나타나 말하기를 "나를 나지(羅池)에 모셔라." 하였다.

그달 병진(丙辰)일에【당나라는 '병(丙)' 자를 휘하여 '경(景)' 자로 대신하였다.】사당이 이루어졌다. 이에 크게 제사를 지냈는데, 과객(過客)인 이의(李儀)가 술에 취하여 당상(堂上)에서 업신여기고 거만한 짓을 하다가 바로 병을 얻어 부축받아 사당 문을 나왔는데, 즉사하였다.【이 이상은 모두 죽어서 사람들을 경동(놀람)시키고 화와 복을 내려주어서 그 땅에서 제사를 받아먹음을 말한 것이다.】

明年春에 魏忠, 歐陽翼이 使謝寧來京師하여 請書其事于石이라 余謂柳侯 生能澤其民하고 死能驚動禍福之하여 以食其土하니【此兩句, 收拾盡一篇大意.】可謂靈也已로다 作迎享送神詩하여 遺柳民하여 俾歌以祀焉하고 而幷刻之하노라 柳侯는 河東人이니 諱宗元이요 字子厚라 賢而有文章하고 嘗位於朝하여 光顯矣러니 已而요 擯不用하니라【三句, 辭簡意淡, 盡其平生.】

명년 봄에 위충과 구양익이 사녕으로 하여금 경사(장안)로 나를 찾아와 이 일을 비석에 써줄 것을 청하였다. 내가 생각건대, 유후가 살아서는 그 백성들에게 은택을 내리고, 죽어서는 백

---

100 唐諱丙字 以景字代: 경진(景辰)은 병진일(丙辰日)인바, 당(唐)나라는 대조(代祖)의 휘(諱)가 병(昞)이므로 '병(丙)' 자를 휘하여 '경(景)'으로 바꿔 쓴 것이다.

··· 俾 하여금 비 擯 물리칠 빈

성들을 경동(驚動)시키고 화(禍)와 복(福)을 내려주어서 그 땅에서 제사를 받아먹고 있으니,【이 두 구는 한 편의 대의를 다 수습하였다.】 신령스럽다고 이를 만하다. 신(神)을 맞이하여 제향하고 전송하는 시를 지어 유주 백성에게 주어서 노래하여 제사하게 하고 아울러 이것을 비석에 새기게 하노라.

유후는 하동(河東) 사람이니, 휘(諱)가 종원(宗元)이고, 자(字)가 자후(子厚)이다. 어질고 문장이 있었으며, 일찍이 조정에 지위가 있어 영화롭고 현달하였는데, 얼마 후 배척을 당하여 등용되지 못하였다.【세 구는 글이 간략하고 뜻이 담박하여 그의 평생을 다 서술하였다.】

其辭曰 荔(여)子丹兮蕉黃하니【此詩, 法楚辭九歌, 字字好.】 雜肴蔬兮進侯堂이로다 侯之船兮兩旗하니【此廣南風俗.】 度(渡)中流兮風泊之로다 待侯不來兮여 不知我悲로다 侯乘駒兮入廟하니 慰我民兮不嚬以笑로다【未來則悲, 旣來則笑.】 鵝之山兮柳之水에 桂樹團團兮白石齒齒로다 侯朝出遊兮暮來歸하니 春與猿吟兮秋鶴與飛로다【故爲參差, 與九歌吉日兮辰良似,[101] 句法矯健.】 北方之人兮爲侯是非하니 千秋萬歲兮侯無我違하여【此意最悽惋. 自柳視長安, 長安爲北方. 謂柳侯不容於朝而守此州, 欲其神安於此而無北還也. 迂齋謂含譏諷者, 謂此耶. 然亦何傷? 髣髴宋玉大招[102]意爾.】 福我兮壽我하여 驅厲鬼兮山之左하며 下無苦濕兮高無乾하여 秔稌充羨(갱도충연)兮蛇蛟結蟠이어다 我民報事兮無怠하니 其始自今兮여 欽于世世로다【柳宗元, 附小人王伾·王叔文, 得罪於朝, 自儀曹, 貶永州司

---

101 故爲參差 與九歌吉日兮辰良似: 《초사보주(楚辭補注)》에 "심괄 존중(沈括存中)이 이르기를 「길일에 때가 좋다.」는 것은 서로 어긋나게 하여 문장을 이룬 것이니, 어세(語勢)가 힘이 있다. 예컨대 두자미(杜子美, 두보)의 시에 「앵무새는 남은 붉은 콩알을 쪼아 먹고, 봉황은 오랜 벽오동 가지 위에 살고 있다.」라고 한 것과 한퇴지가 말한 「봄에는 원숭이와 함께 읊고 가을에는 학과 함께 날도다.」는 것이 모두 이 체(體)를 사용했다.' 하였다.〔沈括存中云 吉日兮辰良 蓋相錯成文 則語勢矯健 如杜子美詩云 紅豆啄餘鸚鵡粒 碧梧棲老鳳凰枝 韓退之云 春與猿吟兮秋鶴與飛 皆用此體也〕" 하였으니, 이는 한쪽 어구의 어순을 바꾸어서 어조나 어세를 강하게 만드는 것을 가리킨다. 즉 '吉日兮辰良'은 '吉日兮良辰'을 바꾼 것이고, '紅豆啄餘鸚鵡粒 碧梧棲老鳳凰枝'는 '鸚鵡啄餘紅豆粒 鳳凰棲老碧梧枝'를 바꾼 것이며, '春與猿吟兮秋鶴與飛'는 '春與猿吟兮秋與鶴飛'를 바꾼 것이다. 이에 대하여 송(宋)나라 왕응린(王應麟)이 지은 《곤학기문(困學紀聞)》 권20 〈잡지(雜識)〉에는 "《논어》의 '빠른 우레가 치고 바람이 맹렬하게 불면 반드시 낯빛을 변하셨다.'는 착종하여 문장을 이룬 것이다. '봄에는 원숭이와 함께 읊고 가을에는 학과 함께 날도다.'는 바로 여기에 근본을 둔 것이지 '길일에 때가 좋다.'에서 시작한 것은 아니다.〔論語迅雷風烈必變 錯綜成文 春與猿吟兮秋鶴與飛 本於此 非始於吉日辰良〕"라고 말하였다. 참고로 '迅雷風烈'은 '迅雷烈風'을 바꾼 것이다.

102 宋玉大招: 송옥은 전국시대 초나라의 언(鄢) 땅 사람으로 굴원(屈原)의 제자이며 초나라의 대부(大夫)인데, 굴원이 추방당한 것을 서글퍼하여 〈구변(九辯)〉을 짓고 또 〈초혼(招魂)〉 등을 지었다. 〈대초〉는 《초사(楚辭)》의 편명으로 굴원이 직접 지었다 하고, 혹은 경차(景差)가 지은 것이라 하며, 일설에는 송옥의 〈초혼〉을 따라 지으면서 '대(大)' 자를 붙였다 한다.

··· 荔 여지 여 蕉 파초 초 肴 안주 효 泊 머무를 박 駒 망아지 구 嚬 찌푸릴 빈 鵝 거위 아
猿 원숭이 원 乾 마를 간 秔 메벼 갱 稌 찰벼 도 羨 남을 연 蟠 서릴 반

馬，十餘年後，起爲柳州刺史，死於柳.[103]】

그 시(詩)는 다음과 같다 其辭曰

여지는 붉고 파초(바나나)는 누르니 荔子丹兮蕉黃

【이 시는《초사(楚辭)》의〈구가(九歌)〉를 본받았으니, 글자마다 좋다.】

여러 안주와 채소를 섞어 유후의 사당에 올린다 雜肴蔬兮進侯堂

유후의 배에 두 깃발이 꽂혀 있으니 侯之船兮兩旗

【이는 광남(廣南)의 풍속이다.】

중류를 건넘에 바람 때문에 정박해 있도다 度中流兮風泊之

유후를 기다려도 오시지 않으니 우리들의 슬픔을 모르시도다 待侯不來兮不知我悲

유후가 망아지를 타고 사당으로 들어오시니 侯乘駒兮入廟

우리 백성들을 위로하여 찌푸리지 않고 웃게 하도다 慰我民兮不嚬以笑

【오기 전에는 슬퍼하고 이미 오면 기뻐서 웃는 것이다.】

아산(鵝山)과 유수(柳水)에 鵝之山兮柳之水

계수나무는 단단하고 흰 돌은 깨끗하도다 桂樹團團兮白石齒齒

유후가 아침에 나가 놀다가 저녁에 돌아오시니 侯朝出遊兮暮來歸

봄에는 원숭이와 함께 읊고 가을에는 학과 함께 날도다 春與猿吟兮秋鶴與飛

【일부러 어긋나게 한 것이〈구가(九歌)〉의 "길일에 때가 좋다."는 구와 유사하니, 구법이 힘차다.】

북방 사람들은 유후에 대한 시비를 하니 北方之人兮爲侯是非

천추만세토록 유후는 우리 곁을 떠나지 말아 千秋萬歲兮侯無我違

【이 뜻이 가장 서글프다. 유주(柳州)에서 장안(長安)을 보면 장안이 북쪽 지방이 된다. 이는 유후가 조정에서 용납되지 못하여 이 고을을 맡았으니, 그의 신(神, 영혼)이 이곳에 편안하여 북쪽으로 돌아가지 말라는 바람을 말한 것이다. 누우재가 '기풍(譏諷)의 뜻을 머금었다.'라고 말한 것은 이를 말한 것인가 보다.

---

103 柳宗元……死於柳: 왕비(王伾)와 왕숙문(王叔文)은 당 순종(唐順宗)의 태자 시절 궁료(宮僚)인데 바둑 등의 잡기(雜技)로 태자의 환심을 산 뒤, 순종이 즉위하자 정권을 농단하였다. 이때 유우석(劉禹錫)과 유종원이 이들과 합세하여 왕숙문과 왕비를 추켜세워 이윤(伊尹)·주공(周公)과 관중(管仲)·제갈량(諸葛亮)이 다시 태어났다고까지 말하였다. 순종이 갑자기 중풍으로 쓰러지고 헌종(憲宗)이 즉위하자 왕비는 좌천되어 적소(謫所)에서 죽고 왕숙문은 사사(賜死)되었으며, 유종원은 영주 사마(永州司馬)로 좌천되고 다시 유주 자사(柳州刺史)로 나가 그곳에서 죽었다.《舊唐書 卷135 王叔文列傳》

그러나 또한 어찌 나쁘겠는가. 송옥(宋玉)의 〈대초(大招)〉의 뜻과 비슷하다.】

우리에게 복을 주고 우리에게 수(壽)를 내려　福我兮壽我

여귀(厲鬼)를 몰아 산 왼쪽으로 쫓으며　驅厲鬼兮山之左

낮은 곳은 습기에 괴로움이 없고 높은 곳은 건조함이 없게 하여　下無苦濕兮高無乾

벼가 가득 차고 뱀과 교룡이 서리고 가만히 있게 할지어다　秔稌充羨兮蛇蛟結蟠

우리 백성이 보답하는 제사에 태만하지 않으니　我民報事兮無怠

지금부터 시작하여 대대토록 공경히 받들 것이로다　其始自今兮欽于世世

【유종원이 소인인 왕비(王伾)와 왕숙문(王叔文)에게 붙었다가 조정에서 죄를 얻고 의조(儀曹, 예조)에서 영주 사마(永州司馬)로 좌천되었는데, 10여 년 뒤에 기용되어 유주 자사(柳州刺史)가 되었다가 유주에서 죽었다.】

송맹동야서送孟東野序

한유韓愈

• 작품개요

'맹동야(孟東野)'는 당나라의 유명한 시인 맹교(孟郊, 751~814)로, '동야'는 그의 자(字)이다. 호주(湖州) 무강(武康) 사람으로, 46세인 덕종(德宗) 정원(貞元) 12년(796)에야 겨우 진사 시험에 응시하여 51세인 정원 17년(801)에 이부(吏部)의 진사가 되었고, 율양 현위(溧陽縣尉)가 되어 정원 18년에 임지로 가게 되었다. 이 작품은 율양 현위로 부임하여 강남으로 떠나가는 맹교를 위해 지은 일종의 증서(贈序)이다. 《한창려문집(韓昌黎文集)》에 의하면 정원(貞元) 19년(803)에 지은 것이라고 한다.

작품은 전체적으로 "물건이 그 화평함을 얻지 못하면 운다.[物不得其平則鳴]"를 근간으로 삼아 "잘 우는 것[善鳴]"은 바로 시대와 밀접한 관련이 있음을 반복하여 설명하였다. 작중에서 한유는 문장이라는 것은 마음의 움직임이 밖으로 표출되는 것이므로, 하늘이 맹교를 곤궁한 처지에 둔 것은 그가 뛰어난 문장을 짓게 하기 위한 것이라는 논리를 제시하며 그를 위로하고 있는바, 명쾌한 논리 전개가 돋보인다.

불우한 처지의 맹교를 간절하게 설득하고 이해시킨 수작(秀作)으로, 하작(何焯)은 "구법은 〈고공기(考工記)〉와 비슷하나 파란은 《장자(莊子)》와 유사하다."라고 평하였다. 참고로 〈고공기〉란 한대(漢代)에 지어진 글로, 현재 《주례(周禮)》에 〈동관기(冬官記)〉가 빠져 있으므로 보충한 글이다.

篇題小註·· 迂齋曰 曲盡文字變態之妙라

우재(迂齋)가 말하였다. “문자의 변화하는 태도의 묘함을 위곡히 다하였다.”

○ 孟郊는 字東野니 湖州武康人이라 性介하여 少諧合이러니 韓公一見하고 爲忘形交[104]라 年五十에 得進士第하여 調溧陽尉하니 鄭相餘慶이 最知之하여 署爲水陸運判하고 奏爲參謀러니 卒年六十四라 韓公이 銘其墓하고 張籍이 諡之曰 貞曜先生이라하니라 郊工苦於詩하여 最爲韓公所稱服하니 公與聯句最多라 李觀亦論其詩호되 高處는 在古無上이요 平處는 下顧二謝[105]云이라

맹교(孟郊)는 자가 동야(東野)이니, 호주(湖州) 무강(武康) 사람이다. 성품이 꿋꿋하여 화합함이 부족하였는데, 한공은 그를 한번 만나보고는 망형지교(忘形之交)를 맺었다. 나이 50세에 진사(進士)에 급제하여 율양 위(溧陽尉)에 임용되었는데, 재상 정여경(鄭餘慶)이 그를 가장 크게 알아주어 수륙운판(水陸運判)으로 임용하고 황제에게 아뢰어 참모(參謀)로 삼았었다. 죽을 때 나이가 64세였는데, 한공은 그의 묘에 명문(銘文)을 지었고, 장적(張籍)은 ‘정요선생(貞曜先生)’이라고 시호(사시(私諡))를 올렸다.

맹교는 시(詩)에 심혈을 기울여 한공에게 최고의 칭찬과 탄복을 받았으니, 공이 그와 함께 연구(聯句)를 지은 것이 가장 많다. 이관(李觀)도 그의 시를 평론하기를 “뛰어난 부분은 옛날에 있어서도 그보다 나은 이가 없고, 평범한 부분도 두 사씨(謝氏, 사영운(謝靈運)과 사조(謝朓))를 내려다 본다.” 하였다.

○ 此篇은 以一鳴字爲主하여 反覆生出無限議論하니 變態妙絕이라 大意憫郊之窮而以詩鳴하여 謂不知天將達之而使鳴國家之盛邪아 抑終窮之而使自鳴其不幸邪아하니 蓋以天命으로 開釋安慰之하니 一篇主意實在此라 前面은 引許多古人說하여 已分窮達兩意하고 末又因孟郊하여 引上李翺, 張籍하니 自今觀之컨대 翺終於節度使하고 籍終於司業이어늘 郊卒止於

---

104 忘形之交 : 서로의 신분, 지위 등 겉모습에 구애되지 않고 마음으로 사귀어 교제하는 것을 말한다.

105 下顧二謝 : 하고(下顧)는 내려다 보는 것이다. 두 사씨는 사영운과 사조를 가리킨다. 사영운은 남조(南朝) 송(宋)나라 사람으로 사현(謝玄)의 손자인데 박학하고 문장을 잘하였으며, 성품이 산수(山水)를 좋아하였다. 사조는 남제(南齊) 사람으로 자가 현휘(玄暉)인데 오언시(五言詩)를 잘하였으며 문장이 청순하고 화려하였다. 일찍이 선성 태수(宣城太守)가 되었으므로 사선성(謝宣城)으로 불리었다.

··· 諧 화할 해 溧 물이름 률 署 임명할 서 曜 빛날 요 翺 날 고 胤 자손 윤 預 미리 예

此하여 一生寒苦하고 且無血胤하니 天之窮之亦甚矣라 韓公爲此文에 其亦預憂其然而深憐之也歟인저 郊長於韓公十有七年이라

이 편은 한 '명(鳴)' 자를 주로 삼아 반복해서 무한한 의론을 만들어 내었으니, 변화한 태도가 절묘하다. 이 글의 대의는, 맹교가 곤궁하여 시(詩)로써 울리는 것을 민망히 여겨 이르기를 "하늘이 장차 영달시켜서 국가의 성대함을 울리게 할 것인가. 아니면 끝내 곤궁하여 스스로 자신의 불행을 울게 할 것인가 알 수 없다." 하였으니, 이는 천명으로써 풀어주고 위안한 것인바, 한 편의 주의(主意)가 실로 여기에 있다. 앞부분에서는 허다한 옛사람들의 말을 인용하여 궁(窮)·달(達)의 두 뜻을 나누었고, 끝에는 또다시 맹교로 인하여 이고(李翺)와 장적(張籍)을 끌어 올렸다. 지금 보면 이고는 절도사(節度使)로 마쳤고 장적은 사업(司業)으로 마쳤으나 맹교는 끝내 여기에 그쳐 일생동안 빈한하고 고생하였으며 또 혈육(血育)이 없으니, 하늘이 그를 곤궁하게 함이 또한 심하다. 한공이 이 글을 지을 적에 또한 그의 그러함을 미리 근심하여 깊이 가엾게 여겼는가보다. 맹교는 한공보다 나이가 17세 많다.

- **原文**

大凡物不得其平則鳴[106]하나니 草木之無聲을 風撓之鳴하고 水之無聲을 風蕩之鳴하니 其躍也는 或激之요 其趨也는 或梗之요 其沸(비)也는 或炙(자)之며【金石草木, 各只是一句, 而水分出四句, 此是不整齊中整齊, 錯綜妙處.】金石之無聲을 或擊之鳴이라 人之於言也에 亦然하여【此是以金石·草木·水, 引入人來.】有不得已者【不平.】而後言이라【聲.】其歌也【聲.】有思하고【不平.】其哭也【聲.】有懷하니【不平.】凡出乎口而爲聲者는 其皆有弗平者乎인저

106 物不得其平則鳴 : 농암(農巖) 김창협(金昌協)은 이에 대해 《잡지》〈외편〉에서 다음과 같이 밝힌 바 있다. "한퇴지(한유)의 글 가운데 〈송맹동야서〉에 '물건이 그 화평함을 얻지 못한다.〔物不得公平〕'는 한 구(句)를 옛 사람 중에 혹 병통이 있다고 의심하였으니, 이는 아랫글에 고요(皐陶)와 기(夔), 이윤(伊尹)과 주공(周公)을 불평하는 울림이라고 말할 수 없다고 생각하기 때문이다. 이는 한퇴지가 말한 불평이란 것이 다만 감촉함이 있음을 말한 것으로, 칠정의 발로가 모두 이것이니, 다만 슬퍼하고 근심하고 원망하고 분노하며 감개하고 억울해 하여야 비로소 불평이 되는 것이 아님을 알지 못한 것이다.〔韓文送孟東野序 物不得其平一句 古人或疑其有病 蓋以下文皐夔伊周 不可謂不平之鳴耳 不知退之所云不平者 只是有感觸之謂 七情之發皆是 非獨悲憂怨憤感慨抑鬱乃爲不平也〕"

··· 撓 흔들 요 蕩 움직일 탕 躍 뛸 약 激 칠 격 梗 막을 경 沸 끓을 비 炙 구울 자

대체로 물건이 그 화평함을 얻지 못하면 우니, 소리가 없는 초(草) · 목(木)을 바람이 흔들어 울게 하고, 소리가 없는 물을 바람이 일렁여 울게 하니, 물이 뛰어 오르는 것은 혹 어떤 것이 치기 때문이요, 물이 달려가는 것은 혹 어떤 것이 막기 때문이요, 물이 끓는 것은 혹 어떤 것이 불을 때기 때문이며,【금(金) · 석(石)과 초(草) · 목(木)은 각각 다만 한 구인데 물은 네 구로 나누어 말하였으니, 이는 정제하지 않은 가운데 정제한 것으로 착종(錯綜, 이리저리 종합함)함이 묘한 곳이다.】 금(金) · 석(石)이 소리가 없는 것을 혹 쳐서 울리기도 한다. 사람이 말에 있어서도 그러하여【이는 금 · 석과 초 · 목과 물을 가지고 사람을 끌어들여서 온 것이다.】 부득이한 것이 있은【화평하지 못함이다.】 뒤에야 말을 한다.【소리이다.】 그 노래함은【소리이다.】 생각(그리워함)이 있어서이고【화평하지 못함이다.】 곡함은【소리이다.】 회포가 있어서이니,【화평하지 못함이다.】 무릇 입에서 나와 소리가 됨은 아마도 모두 화평하지 못함이 있어서일 것이다.

樂也者는 鬱於中而泄於外者也라 擇其善鳴者而假之鳴하니【又生出善字與假字.】 金, 石, 絲, 竹, 匏, 土, 革, 木[107] 八者는 物之善鳴者也라 維天之於時也에 亦然하여【此又以天時, 引入人來, 錯綜妙甚.】 擇其善鳴者而假之鳴이라 是故로 以鳥鳴春하고 以雷鳴夏하고 以蟲鳴秋하고 以風鳴冬하나니 四時之相推奪에 其必有不得其平者乎인저

음악이라는 것은 마음속에 울결되어 답답한 것을 밖에 펼쳐내는 것이다. 그 중에 잘 우는 것을 골라 빌려서 울게 하니,【또 '선(善)' 자와 '가(假)' 자를 만들어 내었다.】 금(金) · 석(石) · 사(絲) · 죽(竹) · 포(匏) · 토(土) · 혁(革) · 목(木)의 여덟 가지 악기의 재료는 물건 중에 잘 우는 것들이다. 하늘이 사시(四時)에 있어서도 또한 그러하여【이는 또 천시(天時)를 가지고 사람을 끌어들여서 왔으니, 착종함이 매우 묘하다.】 잘 우는 것을 골라 그것을 빌려서 울게 한다. 그러므로 새로써 봄을 울리고 우레로써 여름을 울리고 벌레로써 가을을 울리고 바람으로써 겨울을 울리니, 사시가 서로 〈차례를〉 밀어내고 빼앗음에 반드시 화평함을 얻지 못함이 있는가보다.

其於人也에 亦然하니 人聲之精者爲言이요 文辭之於言에 又其精者也일새 尤擇其

---

107 金, 石, 絲, 竹, 匏, 土, 革, 木 : 여덟 가지 악기(樂器)를 만드는 재료로, 금(金)은 종(鍾) 따위이고 석(石)은 편경(編磬), 사(絲)는 현악기(絃樂器), 죽(竹)은 관악기(管樂器)이며 포(匏)는 생황(笙簧)이고 토(土)는 훈(塤)이며 혁(革)은 북 따위이고 목(木)은 축(柷)이나 어(敔) 따위이다.

••• 泄 샐 설 匏 박 포 夔 사람이름 기 韶 풍류이름 소

善鳴者而假之鳴하니 其在於唐, 虞엔 咎(皐)陶, 禹 其善鳴者也라 而假之以鳴하고 夔는 弗能以文辭鳴일새 又自假於韶以鳴하며【爲有戛擊鳴球一句,[108] 故可如此說, 不然, 亦鑿空說不平, 將無作有.】夏之時엔 五子以其歌鳴[109]하고 伊尹은 鳴殷하고 周公은 鳴周하시니 凡載於詩書六藝가 皆鳴之善者也라

사람에 있어서도 또한 그러하니, 사람의 소리 중에 정(精)한 것은 말이 되고, 문장은 말 중에서도 더욱 정한 것이다. 그러므로 더욱 잘 우는 것을 빌려서 울게 하니, 요(堯) · 순(舜) 시대에 있어서는 고요와 우(禹)가 잘 우는 자였으므로 이들을 빌려서 울게 하였고, 기(夔)는 문장으로 울 수가 없었기에 또 스스로 소(韶)를 빌려서 울었으며,【《서경》〈익직(益稷)〉에 '알격명구(戛擊鳴球, 명구를 치다)' 한 구가 있기 때문에 이와 같이 말할 수 있는 것이니, 그렇지 않다면 또한 허망하게 화평하지 못함을 말하여 무(無)를 가지고 유(有)를 만든 것이 된다.】 하(夏)나라 때에는 오자(五子)가 노래로써 울었고, 이윤(伊尹)은 은(殷)나라에서 울었고, 주공(周公)은 주(周)나라에서 울었으니, 무릇 시(詩) · 서(書) · 육예(六藝)에 실려 있는 것들은 모두 울기를 잘한 것들이다.

周之衰에 孔子之徒鳴之하니【含自鳴其不幸一句.】其聲이 大而遠이라 傳曰 天將以夫子爲木鐸[110]이라하니【見鳴字.】其弗信矣乎아 其末也에 莊周以其荒唐之辭로 鳴於楚하니 楚는 大國也라 其亡也에 以屈原鳴하고 臧孫辰,[111] 孟軻, 荀卿은 以道鳴者也요

---

108 戛擊鳴球一句 : 《서경》〈우서(虞書) 익직(益稷)〉에 "기(夔)가 말하기를 '명구(鳴球)를 치며 거문고와 비파를 어루만지며 노래를 읊으니, 조고(祖考)가 와서 이르시며 우빈(虞賓)이 자리에 있으면서 여러 제후들과 덕(德)으로 사양합니다. 당하(堂下)에는 관악기와 작은북과 큰북을 진열하고, 음악을 합하고 멈추되 축(柷)과 어(敔)로 하며 생(笙)과 용(鏞, 큰종)을 번갈아 울리니, 새와 짐승이 너울너울 춤을 추며 소소(簫韶)를 아홉 번 연주하자 봉황이 와서 춤을 춥니다.〔戛擊鳴球 搏拊琴瑟 以詠 祖考來格 虞賓在位 群后德讓 下管鼗鼓 合止柷敔 笙鏞以間 鳥獸蹌蹌 簫韶九成 鳳凰來儀〕' 했다."라고 보인다.

109 五子以其歌鳴 : 오자는 하(夏)나라의 임금 태강(太康)의 다섯 아우로, 태강이 사냥에 빠져 국정(國政)을 돌보지 않다가 역신(逆臣) 유궁 후예(有窮后羿)에게 쫓겨나게 되자 나라를 걱정하는 글을 지었는바, 바로 지금 《서경》의 〈오자지가(五子之歌)〉가 그것이다.

110 傳曰 天將以夫子爲木鐸 : 전(傳)은 옛 책이고 부자(夫子)는 공자를 가리킨 것으로, 이 내용은 위(衛)나라의 국경을 지키는 봉인(封人)이 공자를 뵙고 나와서 제자들에게 한 말로 《논어》〈팔일(八佾)〉에 보인다.

111 臧孫辰 : 노(魯)나라 대부 장문중(臧文仲)으로, 장손은 성씨이고 신은 이름이다. 《논어》에 공자가 그의 잘못을 꾸짖은 말씀이 몇 차례 보이나, 《춘추좌씨전(春秋左氏傳)》 장공(莊公) 11년에 송(宋)나라에 홍수가 나자 노나라 장공이 사신을 보내어 위로하니, 송나라 민공(閔公)이 "과인이 하늘을 공경하지 않아 하늘이 재앙을 내린 것입니다." 하고 허물을 자신에게 돌렸는데, 이 말을 들은 장문중이 말하기를, "송나라는 아마도 부흥할 것이다. 옛날 우왕(禹王)과 탕왕(湯王)은 죄를

鐸 방울 탁 臧 착할 장 聃 사람이름 담 騈 나란할 변 鄒 땅이름 추 衍 남을 연 佼 예쁠 교 就 가령 취 數 자주 삭 肆 방사할 사 醜 추악할 추

楊朱, 墨翟, 管夷吾, 晏嬰, 老聃, 申不害, 韓非, 愼到, 田騈, 鄒衍, 尸佼, 孫武, 張儀, 蘇秦之屬이 皆以其術鳴하며 秦之興에 李斯鳴之하고 漢之時에 司馬遷, 相如, 揚雄이 最其善鳴者也라 其下魏, 晉氏는 鳴者不及於古나 然亦未嘗絶也라 就其善鳴者라도 其聲이 淸以浮하고 其節이 數(삭)以急하며 其辭淫以哀하고 其志弛以肆하며 其爲言也 亂雜而無章하니 將天醜其德하여 莫之顧邪아 何爲乎不鳴其善鳴者也오

주나라가 쇠함에 공자(孔子)의 무리들이 울었으니,【'스스로 자신의 불행함을 울었다[自鳴其不幸]'는 한 구의 뜻을 내포하였다.】 그 소리가 크고 멀리 퍼졌다. 전(傳)에 이르기를 "하늘이 장차 부자(夫子)를 목탁(木鐸)으로 삼을 것이다." 하였으니,【'명(鳴)' 자를 나타내었다.】 어찌 사실이 아니겠는가. 주나라 말기에 장주(莊周)는 황당한 말로써 초(楚)나라에서 울었으니, 초나라는 대국이므로 초나라가 망할 때에는 굴원(屈原)으로써 울게 하였다. 장손신(臧孫辰)·맹가(孟軻)·순경(荀卿)은 도(道)로써 운 자요, 양주(楊朱)·묵적(墨翟)·관이오(管夷吾)·안영(晏嬰)·노담(老聃)·신불해(申不害)·한비(韓非)·신도(愼到)·전변(田騈)·추연(鄒衍)·시교(尸佼)·손무(孫武)·장의(張儀)·소진(蘇秦)의 등속들은 모두 그 학술로 울었으며, 진(秦)나라가 일어났을 때에는 이사(李斯)가 울었고, 한(漢)나라 때에는 사마천(司馬遷)·사마상여(司馬相如)·양웅(揚雄)이 가장 울기를 잘한 자들이다.

그후로 위(魏)나라와 진(晉)나라는 운 자들이 옛사람에는 미치지 못하였으나 또한 일찍이 끊어지지 않았다. 그러나 가령 그중에 잘 운 자라도 그 소리가 고우면서 부화(浮華)하고 그 곡절이 너무 빨라 급하며 그 말이 음탕하여 슬프고 그 뜻이 해이해져 방사하며 그 말이 난잡하여 법도가 없으니, 아마도 하늘이 그 덕(德)을 추하게 여겨 돌아보지 않아서인가보다. 어찌하여 울기를 잘하는 자들을 울게 하지 않았는가.

唐之有天下에 陳子昻, 蘇源明, 元結, 李白, 杜甫, 李觀[112]이 皆以其所能鳴이라 其

자신에게 돌렸으므로 빨리 홍했고, 걸왕(桀王)과 주왕(紂王)은 죄를 남에게 돌렸으므로 빨리 망했다." 하였다.

112 陳子昻……李觀 : 진자앙은 재주(梓州) 사홍(射洪) 사람으로 자가 백옥(伯玉)이고, 진원경(陳元敬)의 아들이다. 고종(高宗) 때 진사(進士)가 되어 인대정자(麟臺正字)를 거쳐 우습유(右拾遺)가 되었다. 시(詩)에 뛰어났는데 그 중 감우시(感遇詩)가 널리 알려졌다. 소원명(蘇源明)은 경조(京兆) 무공(武功) 사람으로 초명(初名)은 예(預)이고, 자는 약부(弱夫)이다. 현종(玄宗) 천보(天寶) 연간에 진사에 급제하여 동평 태수(東平太守), 국자사업(國子司業) 등을 역임하였다. 안녹산

••• 昻 높을 앙 浸 빠질 침 淫 빠질 음 翺 날 고

存而在下者는 孟郊東野 始以其詩鳴하니 其高는 出晉, 魏하여 不懈而及於古하고 其他는 浸淫乎漢氏矣요 從吾遊者는 李翶, 張籍이 其尤也니 三子者之鳴이 信善鳴矣라 抑不知天將和其聲하여 而使鳴國家之盛邪아【前面許多鋪敍, 亦兼有此兩段意了.】抑將窮餓其身하며 思愁其心腸하여 而使自鳴其不幸邪아 三子者之命은 則懸乎天矣니 其在上也에 奚以喜며 其在下也에 奚以悲리오 東野之役於江南[113]也에 有若不懌(역)然者라 故로 吾道其命於天【應前.】者하여 以解之하노라

당(唐)나라가 천하를 소유함에 진자앙(陳子昂) · 소원명(蘇源明) · 원결(元結) · 이백(李白) · 두보(杜甫) · 이관(李觀)이 모두 자기의 능한 바로써 울었다. 생존하여 아래에 있는 자로는 맹교(孟郊) 동야(東野)가 비로소 그 시(詩)로써 우니, 동야의 높은 수준의 글은 진(晉) · 위(魏) 시대를 뛰어넘어 게을리하지 않아 옛날에 미치고, 그 밖에 다른 문장들은 한(漢)나라 때에 무젖어 있다. 그리고 나와 종유하는 자로는 이고(李翶)와 장적(張籍)이 뛰어난 자들이다.

이 세 사람의 읊은 진실로 그 울기를 잘한다. 알지 못하겠으나 하늘이 장차 그 소리를 온화하게 하여 국가의 성대함을 울게 할 것인가.【앞부분의 허다한 나열도 이 두 단락의 뜻을 겸하여 가지고 있다.】아니면 장차 그 몸을 곤궁하게 하고 굶주리게 하며 그 마음과 창자를 그립게 하고 근심스럽게 하여 스스로 자신의 불행함을 울게 할 것인가. 세 사람의 운명은 하늘에 달려 있으니, 윗자리에 있은들 어찌 기쁠 것이 있으며 아랫자리에 있은들 어찌 슬플 것이 있겠는가. 동야가 강남(江南)으로 일하러 갈 적에 기뻐하지 않는 듯한 기색이 있으므로 나는 그 운명이 하늘에 있음을 말하여【앞에 응한다.】이를 해명해 주노라.(그 마음을 풀어 주노라.)

(安祿山)이 장안(長安)을 함락시키고 등용하려 하자 병을 핑계로 나가지 않았다. 숙종(肅宗) 때 고공낭중(考功郎中)이 되어 여러 차례 정치의 득실을 논하였다. 원결(元結)은 무창(武昌) 사람으로 자는 차산(次山)이다. 천보(天寶) 연간에 대과(大科)에 급제하여 벼슬이 용관 경략사(容管經略使)에 이르렀다. 시문(詩文)은 기교를 피하고 고조(古調)를 모범으로 삼았다. 이백(李白)은 당(唐)나라 현종(玄宗) 때의 시인으로 자는 태백(太白), 호는 주선옹(酒仙翁) · 청련거사(靑蓮居士)이며 시선(詩仙)으로 불린다. 두보(杜甫)는 자가 자미(子美), 호가 소릉(少陵)이다. 율시에 뛰어났으며 긴밀하고 엄격한 구성, 묘사 등으로 인간의 슬픔을 노래하였다. 시성(詩聖)으로 불리며, 이백과 함께 중국의 최고 시인으로 꼽힌다. 이관(李觀)은 당나라 조주(趙州) 농서(隴西) 사람으로 자는 원빈(元賓)이다. 이화(李華)의 종자(從子)로서 문명(文名)이 높아 당시 한유와 막상막하로 일컬어졌다.

113 東野之役於江南 : 이때 맹교(孟郊)가 강남 율양현(溧陽縣)의 위(尉)라는 낮은 관직으로 부임하게 되었음을 말한 것이다. 이 때문에 부임이라고 쓰지 않고 '역(役)'이라고 써서 '일하러 간다.'라고 표현한 것으로 보인다.

••• 餓 굶주릴 아 腸 창자 장 懸 매달 현 懌 기쁠 역

송양거원소윤서送楊巨源少尹序

한유韓愈

• 작품개요

이 작품은 노년에 치사(致仕)하고 고향으로 돌아가는 양거원(楊巨源)을 송별하는 증서(贈序)로, 장경(長慶) 4년(824)에 지어졌다. 양거원의 자(字)는 경산(景山)으로 본래 하중(河中) 포주(蒲州) 사람이다. 정원(貞元) 5년(789) 진사에 급제하였고 특히 시에 뛰어났다. 관직은 국자 사업(國子司業)에 이르렀는데 벼슬을 그만두고 고향으로 돌아가 하중부(河中府) 소윤(少尹)의 예우를 받았다.

이 작품에서는 한(漢)나라 때의 소광(疏廣)과 소수(疏受)에 관한 이야기를 다루고 있다. 소광과 소수는 한 선제(漢宣帝) 때의 명신(名臣)들로, 숙부인 소광은 태자태부(太子太傅)가 되고 조카인 소수는 태자소부(太子少傅)가 되었다. 소광이 태자태부가 된 지 5년 만에 성만(盛滿)을 경계하는 뜻에서 병을 핑계로 사직하고 소수와 함께 고향으로 돌아갔다. 이들이 떠날 적에 천자는 황금 20근을, 태자는 50근을 각각 하사하였고, 공경대부 및 지인들은 동도문(東都門) 밖에서 전별연을 베풀었는데, 이들을 전송하는 수레가 백여 대에 이르렀고, 도로에서 이를 구경하던 이들은 모두 어진 대부라고 칭찬하면서 눈물을 흘리는 사람까지 있었다고 한다.

작중에서는 소광·소수의 고사를 인용함으로써 벼슬에 연연해하지 않고 나이가 들자 깨끗이 물러나 고향으로 돌아가는 양거원의 고결한 인품을 칭송하였다.

篇題小註‥ 白樂天[114]贈楊秘書巨源云 早聞一箭取遼城하니 相識雖新有故情이라 淸(白)〔句〕[115]三朝誰是敵고 白鬚四海半爲兄이라하고 許云 楊嘗贈盧洛州詩云 三刀夢益州[116]하고 一箭取遼城이라하니 由是知名이라 故로 公謂其以能詩訓後進也라하니라

백낙천(白樂天)이 비서(秘書) 양거원(楊巨源)에게 준 시에 "내 일찍이 한 화살로 요동성(遼東城)을 취했다는 말 들었으니, 서로 앎 비록 새로우나(뒤늦으나) 옛정이 있네. 청아(淸雅)한 시구는 세 조정에 어느 누가 필적할 것인가. 늘그막에 사해의 절반이 형제가 되었네." 하였고, 허씨(許氏)는 이르기를 "양씨(양거원)가 일찍이 노낙주(盧洛州)에게 준 시에 '세 칼은 익주(益州)를 꿈꾸고 한 화살로 요동성을 취했다.' 하였으니, 이 때문에 이름이 알려졌다." 하였다. 그러므로 공이 시를 잘하여 후진(後進)을 가르쳤다고 말한 것이다.

• **原文**

昔에 疏廣, 受二子【受, 廣之兄子, 同爲前漢宣帝太子師傅.】以年老로 一朝辭位而去[117]하니 于時에 公卿이 設供帳祖道都[118]門外할새 車數百兩(輛)이요 道路觀者 多歎息泣

---

114 白樂天: 당나라의 시인 백거이(白居易, 772~846)로 낙천은 그의 자이며 호는 취음(醉吟) 선생, 향산거사(香山居士)이다. 어려서부터 총명하여 5세 때부터 시 짓는 법을 배웠으며, 15세가 지나자 주위 사람들을 놀라게 하는 시재를 보였다. 그의 작품은 당(唐) 일대(一代)를 통하여 두드러진 개성을 형성하였다. 주요 작품에는 〈장한가(長恨歌)〉, 〈비파행(琵琶行)〉 등이 있다.

115 (白)〔句〕: 저본에는 '백(白)'으로 되어 있으나, 《백거이전집(白居易全集)》, 《당시기사(唐詩紀事)》, 《한창려전집(韓昌黎全集)》 등에 의거하여 '구(句)'로 바로잡았다.

116 三刀夢益州: 삼도(三刀)는 '주(州)' 자의 은어(隱語)로, 고자(古字)로는 '주(州)'를 '리(刕)'로 썼다. 진(晉)나라 왕준(王濬)이 꿈에 세 개의 칼에다가 한 자루를 더하는 꿈을 꾸었는데, 주부(主簿) 이의(李毅)가 이 꿈을 풀이하기를 "칼 세 자루는 곧 고을 '주〔刕〕' 자인데 칼 한 자루를 더하였으니, 그대가 익주 자사(益州刺史)가 될 길몽이다."라고 하였다. 뒤에 과연 왕준이 익주 자사가 되었다는 고사가 전한다.《晉書 卷42 王濬列傳》

117 疏廣受二子……一朝辭位而去: 소광은 동해(東海) 난릉(蘭陵) 사람으로 자는 중옹(仲翁)이다. 한(漢)나라 선제(宣帝) 때 태자 태부(太子太傅)를 지냈는데, 태자 소부(太子少傅)인 조카 소수(疏受)에게 이르기를 "내 들으니 만족함을 알면 욕되지 않고 그칠 줄을 알면 위태롭지 않다고 하니, 공(功)이 이루어지면 몸이 물러가는 것이 하늘의 도이다. 지금 벼슬의 품계가 이천 석에 이르러 벼슬이 이루어지고 명성이 세워졌으니, 이와 같은데도 떠나가지 않으면 후회할 일이 생길까 두렵다. 어찌 부자(父子)가 서로 따라 관문을 나가 고향에 돌아가는 것만 하겠는가. 늙어서 천수를 누리고 죽는 것이 좋지 않겠는가?〔吾聞知足不辱 知止不殆 功遂身退 天之道也 今仕官至二千石 宦成名立 如此不去 懼有後悔 豈如父子相隨出關 歸老故鄕 以壽命終 不亦善乎〕" 하니, 소수가 그의 말을 따라 함께 고향에 가서 은거하였다.《前漢書 卷71 雋疏于薛平彭傳》

118 供帳祖道: '공장'은 전별잔치를 벌이기 위해 음식을 장만하는 장막을 이르며, '조도'는 노제(路祭)를 이른다. 옛날

••• 鬚 수염 수 箭 화살 전 敵 대등할 적 帳 휘장 장 兩 수레 량(輛) 泣 울 읍

下하여 共言其賢이라 漢史旣傳其事하고 而後世工畫(화)者 又圖其迹하여 至今照人耳目하여 赫赫若前日事하니라【此節, 專言疏廣·受事.】

옛적에 소광(疏廣)과 소수(疏受) 두 분이【소수(疏受)는 소광(疏廣)의 형의 아들이니, 함께 전한(前漢) 선제(宣帝)의 태자사부(太子師傅)가 되었다.】 나이가 많다 하여 하루아침에 지위를 사양하고 떠나가니, 이때에 공경(公卿)들이 공장(供帳)을 설치하여 도성문 밖에서 조도(祖道, 노제(路祭))를 지내며 전별(餞別)할 적에 수레가 수백 량이었고, 도로에서 구경하는 많은 사람들이 탄식하고 눈물을 흘려 함께 그 어짊을 말하였다. 한(漢)나라 사관(史官)은 이미 그 일을 전하였고, 후세에 그림을 잘 그리는 자들은 또 그 자취를 그려놓아 지금까지 사람들에게 환하게 보이고 들려주고 있어, 혁혁(赫赫)함이 마치 엊그제의 일과 같다.【이 절은 오로지 소광과 소수의 일을 말하였다.】

國子司業楊君巨源이 方以能詩로 訓後進이러니 一旦에 以年滿七十으로 亦白丞相하고 去歸其鄕하니 世常說古今人不相及이라하나 今楊與二疏는 其意豈異也리오【此一節, 說上楊巨源, 謂其去意, 與二疏同.】 予忝在公卿後[119]로되 遇病不能出하니 不知楊侯去時에 城門外送者幾人이며 車幾兩이며 馬幾駟며 道傍觀者亦有歎息知其爲賢與否며 而太史氏又能張大其事爲傳하여 繼二疏蹤跡否아 不落莫(寞)否아 見(현)今에 世無工畫者하니 而畫與不畫는 固不論也니라【史記田儋傳, 太史公論田橫曰: "無不善畫者, 莫能圖, 何哉?" ○此一節, 謂楊之去, 不知與二疏之迹同否, 全因自不能出生來.】

국자 사업(國子司業) 양군 거원(楊君巨源)이 시를 잘 짓는 재능을 가지고 후진(後進, 후배)들을 가르쳤는데, 하루아침에 나이가 70이 되었다 하여 또한 승상(丞相)에게 아뢰고 떠나가 고향으로 돌아가니, 세상에서는 항상 말하기를 "옛 사람과 지금 사람이 서로 미치지 못한다(지금 사람이 옛사람만 못한다)." 하나, 이제 양거원과 두 소씨는 그 뜻이 어찌 다르겠는가.【이 한 절은 양거원(楊巨源)을 말하였으니, 그가 떠나간 뜻이 두 소씨와 같음을 말한 것이다.】

황제씨(黃帝氏)의 아들 누조(纍祖)가 멀리 여행하기를 좋아하다가 길에서 죽어 행신(行神, 노신(路神))이 되었다 한다. 이 때문에 원행(遠行)하는 자들은 반드시 노제를 지내어 무사히 가기를 기원하였는바, 이것을 '조도'라 하였다.

119 予忝在公卿後: 이 글을 장경(長慶) 연간 한유가 이부 상서(吏部尙書)로 있을 때 지었으므로 "나는 외람되이 공경의 뒷자리에 있었다."라고 한 것이다.

··· 赫 빛날 혁 丞 도울 승 忝 욕될 첨 駟 사마 사 傍 곁 방 蹤 자취 종 莫 쓸쓸할 막

나는 외람되이 공경의 뒷자리에 있었으나 병을 만나 나가 보지 못하였으니, 양후(楊侯)가 떠나갈 때에 도성문 밖에서 전송한 자가 몇 사람이었으며, 수레가 몇 량이었으며, 말이 몇 필이었으며, 길가에서 구경하는 자들이 또한 탄식하면서 그의 어짊을 알았으며, 태사씨(太史氏, 사관)가 또 그 일을 크게 벌여 전(傳)을 만들어서 두 소씨의 종적을 계승했는지, 아니면 너무 낙막(落莫, 쓸쓸함)하지 않았는지 알 수가 없다. 지금 세상에는 그림을 잘 그리는 자가 없으니, 그림을 그리고 그리지 않는 것은 진실로 논할 것이 없다.【《사기》〈전담열전(田儋列傳)〉에 태사공이 전횡(田橫)을 논하여 말하기를 "그림을 잘 그리지 못하는 자가 없으나 〈전횡의 일을〉 능히 그려 내지 못함은 어째서인가?" 하였다. ○이 한 절은 양거원이 떠나갈 적에 두 소씨의 자취와 같은지 알지 못한다는 것이니, 완전히 '나가보지 못하였다〔不能出〕'는 것으로부터 말해온 것이다.】

然이나 吾聞楊侯之去에 丞相이 有愛而惜之者하여 白以爲其都少尹하여 不絶其祿하고 又爲歌詩以勸之하니 京師之長於詩者 亦屬而和之라하니 又不知當時二疏之去에 有是事否아【此一節, 謂不知二疏之去, 有楊今日事否, 此一轉妙.】古今人同不同을 未可知也로다

그러나 내 들으니, 양후가 떠날 적에 승상께서 사랑하고 애석히 여겨 천자께 아뢰어 그 고향 하중부(河中府)의 소윤(少尹)으로 삼아 녹봉을 끊지 않게 하고 또 가시(歌詩)를 지어 권면하니, 경사(京師)에 시를 잘하는 자들이 또한 연이어 화답했다 한다. 또 당시 두 소씨가 떠나갈 때에도 이러한 일이 있었는지 모르겠다.【이 한 절은 두 소씨가 떠나갈 적에 양거원의 오늘날과 같은 일이 있었는지 알지 못하겠다고 말한 것이니, 이 한 번의 전절(轉折)이 묘하다.】 옛 사람과 지금 사람의 같고 같지 않음을 알 수가 없다.

中世에 士大夫以官爲家하여 罷則無所於歸라 楊侯始冠에 擧於其鄕하여 歌鹿鳴而來也[120]하고 今之歸에 指其樹曰 某樹는 吾先人之所種也요 某水, 某丘는 吾童子時所釣遊也라하니 鄕人이 莫不加敬하여 誡子孫하여 以楊侯不去其鄕爲法하리니

---

120 歌鹿鳴而來也 : '녹명(鹿鳴)'은 《시경》〈소아(小雅)〉의 편명으로, 원래 천자가 사신 가는 신하를 위로하는 악가(樂歌)였으나 뒤에 제후들에게 연향을 베풀면서 연주하는 시로 널리 쓰였다. 여기서는 후세에 과거에 급제한 자들에게 잔치를 베풀어주고 '녹명연(鹿鳴宴)'이라고 칭했기 때문에 말한 것이다.

··· 屬 이을 속(촉) 罷 파할 파 釣 낚시 조 誡 경계할 계 歟 어조사 여

古之所謂鄕先生沒而可祭於社者 其在斯人歟인저 其在斯人歟인저【末俗士大夫, 以進爲欣, 以退爲戚, 自漢迄唐, 寥寥數百年, 僅見此三人. 故公盛稱之, 末又以其歸不去其鄕拈出, 以爲世勸. 此人此文, 皆有補世敎者也. 歐陽公吉州人, 卒居於潁, 東坡眉州人, 卒歿於常, 況其他乎?】

중세(中世)에 사대부들은 관청을 집으로 삼아 벼슬을 그만두면 돌아갈 곳이 없다. 양후는 처음 관례(冠禮)를 했을 때에 그 지방에서 천거되어 〈녹명장(鹿鳴章)〉을 노래하며 왔고, 지금 돌아가서는 그 나무를 가리키면서 "아무 나무는 우리 선친께서 심은 것이요, 아무 물과 아무 언덕은 내가 동자였을 때에 낚시질하며 논 곳이다."라고 할 것이다. 이에 고향 사람들은 경례를 가하지 않는 이가 없어 자손들에게 '양후가 자기 고향을 떠나가지 않은 것을 법으로 삼으라.'라고 경계할 것이니, 옛날에 이른바 '향선생(鄕先生)으로서 죽으면 그 사(社)에 제사할 만하다.'는 것이 이 분에게 있을 것이다. 이 분에게 해당할 것이다.【말속(末俗)의 사대부들은 벼슬길에 나아가는 것을 기쁨으로 여기고 물러가는 것을 슬픔으로 여겨 한(漢)나라로부터 당(唐)나라에 이르기까지 수백 년 동안 쓸쓸하여 벼슬에서 물러난 자는 겨우 이 세 사람만 보인다. 그러므로 공(公)이 성대히 칭찬하고 끝에 또 그가 돌아감에 자기 고향을 버리지 않음을 끄집어내어서 세상에 권면하였으니, 이 사람과 이 문장은 모두 세교(世敎)에 보탬이 있는 것이다. 구양공은 길주(吉州) 여릉(廬陵) 사람이었으나 끝내 영주(潁州)에서 거처하였고, 동파는 미주(眉州) 사람이었으나 끝내 상주(常州)에서 죽었으니, 하물며 다른 사람에 있어서랴.】

송석홍처사서送石洪處士序

한유韓愈

• 작품개요

이 작품은 한유가 43세 되던 해인 원화(元和) 5년(810)에 지었다. 석홍(石洪, 771~812)은 자(字)가 준천(濬川)으로, 하남(河南) 사람이다. 훌륭한 행실이 있었으며 명경(明經)으로 뽑혔으나 은거하여 벼슬에 나아가지 않았고, 공경(公卿)이 누차 천거하였으나 부름에 응하지 않았다. 이때 성덕군 절도사(成德軍節度使) 왕승종(王承宗)이 반란을 일으키자 조정에서는 오중윤(烏重胤, 761~827)을 하양군 절도사(河陽軍節度使)로 임명하여 반란을 진압하게 하였다. 이에 오중윤은 석홍을 막부(幕府)로 불러 참모(參謀)로 삼았고, 한유는 부임하러 가는 석홍을 위해 이 증서(贈序)를 지어준 것이다. 당시 석홍은 은거하고 있었기 때문에 제목에서 '처사'라고 일컬은 것이다. 오중윤이 반란을 성공적으로 진압한 이후에 조정에서는 조서를 내려 석홍을 소응위 집현교리(昭應尉集賢校理)로 삼았으나, 석홍은 그 다음 해에 죽어서 이름이 별로 알려지지 않게 되었다. 한유가 지은 그의 묘지명은 〈집현원 교리 석군 묘지명(集賢院教理石君墓誌銘)〉이란 제목으로 《한창려문집(韓昌黎文集)》 권6 비지(碑誌)에 실려 있다.

篇題小註‥ 洪은 字濬川이니 以處士로 應節度之聘하여 與溫造竝稱이러니 其後造爲御史에 李祐爲之膽落[121]이나 洪은 竟事業無聞이요 其所以名傳不朽者는 以有韓公此序耳라 公이 又

121 其後造爲御史 李祐爲之膽落: 이우가 좌금오대장군(左金吾大將軍)이 되어 경종(敬宗)에게 말 50필을 바쳤는데, 경

··· 濬 깊을 준

嘗銘其墓하니라

석홍(石洪)은 자가 준천(濬川)이니, 처사로서 절도사의 초빙에 응하여 온조(溫造)와 함께 알려졌는데, 그 후 온조는 어사(御史)가 되어 이우(李祐)가 그 때문에 간담(肝膽)이 서늘해졌으나 석홍은 끝내 사업이 알려진 것이 없고, 이름이 전하여 불후하게 된 것은 한공의 이 서문이 있기 때문일 뿐이다. 공은 또 일찍이 그의 묘에 명문(銘文)을 지었다.

• **原文**

河陽軍節度使[122]烏公이 爲節度之三月에 求士於從事之賢者하니 有薦石先生者어늘 公曰 先生何如오 曰 先生이 居嵩(숭), 邙(망), 瀍(전), 穀之間하여 冬一裘, 夏一葛이요 [食][123]朝夕에 飯一盂, 蔬一盤이라 人與之錢則辭하고 請與出遊하면 未嘗以事免하며 勸之仕則不應이라 坐一室하여 左右圖書하고 與之語道理하고 辨古今事當否하며 論人高下, 事後當成敗하면 若河決下流而東注也며 若駟馬駕輕車就熟路에 而王良, 造父(보)[124]爲之先後也며 若燭照數計而龜卜也니이다【此譬喻, 三派文法, 陳後山送參寥序[125], 亦法此行文.】

종이 받지 않았다. 시어사(侍御史) 온조(溫造)가 각내(閣內)에서 이우가 칙령을 어기고 말을 헌납한 것을 탄핵하며 법대로 논죄할 것을 청하니, 경종이 용서하였다. 이우가 사람들에게 이르기를 "내가 한밤중에 채주성(蔡州城)에 들어가 오원제(吳元濟)를 잡았으나 일찍이 마음이 동요되지 않았는데, 오늘 온어사(溫御史)가 나의 간담을 서늘해지게 만들었다." 하였다. 《資治通鑑 卷243 唐紀》

122 使 : 제본(諸本)에는 '御史大夫'로 되어 있다.

123 〔食〕: 저본에는 없으나 《창려선생집》과 《당송팔가문초》에 의거하여 보충하였다.

124 王良, 造父 : 모두 말을 잘 몬 자들이다. 왕량은 춘추시대 진(晉)나라 사람으로 조간자(趙簡子)의 가신(家臣)이었는데 말을 잘 몰았다. 《논형(論衡)》 〈솔성(率性)〉에 "왕량이 말을 몰면 말이 노둔하지 않고, 요·순이 정치를 하면 백성들이 어리석지 않다.〔王良登車 馬不罷駑 堯舜爲政 民無狂愚〕"라고 보인다. 조보 역시 주나라 목왕(穆王)의 팔준마(八駿馬)를 몰던 마부로 왕이 서쪽으로 가서 수렵에 빠져 돌아오길 잊었는데, 서 언왕(徐偃王)이 반란을 일으키자 그가 왕의 말을 몰아 하루에 천 리를 달려가서 언왕을 공격하여 대파시켰다 한다.

125 陳後山送參寥序 : 후산은 북송의 문인인 진사도(陳師道)의 호로 팽성(彭城) 사람이며, 자는 무기(無己), 또는 이상(履常)이며, 증공(曾鞏)의 문인이다. 시를 잘하여 산곡(山谷) 황정견(黃庭堅)과 병칭되었다. 동파(東坡) 소식(蘇軾)이 천거하여 서주교수(徐州敎授)가 되고 벼슬이 비서성 정자(秘書省正字)에 이르렀다. 인품이 고결하여 안빈낙도(安貧樂道)하였으며, 저서로는 《후산집(後山集)》이 있다. 참료는 송나라의 시승(詩僧)인 도잠(道潛)의 호인데, 소식과 절친하게 지내면서 시를 많이 주고받았다. 이 서문은 《후산집》 권11에 실려 있다.

··· 祐 도울 우 膽 쓸개 담 銘 새길 명 嵩 높을 숭 邙 산이름 망 瀍 물이름 전 裘 갖옷 구
葛 칡 갈 盂 사발 우 盤 쟁반 반 決 터놓을 결 父 남자의미칭 보 燭 촛불 촉

하양군 절도사(河陽軍節度使) 어사대부(御史大夫) 오공(烏公, 오중윤(烏重胤))이 절도사가 된 지 3개월 만에 종사관(從事官)으로서 어진 자에게 선비를 구하니(물으니), 석선생(石先生)을 천거하는 자가 있었다. 오공이 "선생은 어떤 분인가?" 하고 묻자, 종사관은 다음과 같이 대답하였다.

"선생은 숭산(嵩山)과 망산(邙山), 전수(瀍水)와 곡수(穀水)의 사이에 거주하여 겨울에는 한 벌 갖옷을 입고 여름에는 한 벌 갈포옷을 입으며 아침과 저녁을 먹을 적에 밥 한 그릇과 채소 한 그릇 뿐입니다. 사람이 돈을 주면 사양하고 더불어 나가서 노닐 것을 청하면 일찍이 일이 있다고 하여 피하지 않았으며, 벼슬하기를 권하면 응하지 않습니다. 한 방에 앉아 좌우에는 도서가 쌓여 있으며, 더불어 도리를 말하고 고금의 일에 마땅하고 마땅하지 않음을 분변하며, 또는 인품의 높고 낮음과 일이 뒤에 성공할 것인가 실패할 것인가를 논하게 되면 마치 황하(黃河)를 하류로 터놓아 동쪽으로 달리게 하는 것과 같으며, 사마(駟馬)가 가벼운 수레를 멍에하고 익숙한 길로 달리는데 왕량(王良)과 조보(造父)가 앞뒤에서 말을 모는 것과 같으며, 촛불로 비춰보고 하나하나 계산하며 거북점을 쳐 아는 것과 같습니다."【이 비유는 세 갈래의 문법이니, 진후산(陳後山, 진사도(陳師道))의 〈참료(參寥)를 송별한 서문〔送參寥序〕〉 또한 이 행문(行文)을 본받았다.】

大夫曰 先生이 有以自老하여 無求於人하니 其肯爲某來邪아 從事曰 大夫文武忠孝하니 求士는 爲國이요 不私於家라 方今에 寇聚於恒하여 師環其疆하여【時討王承宗叛.[126]】農不耕收하여 財粟殫亡하니 吾所處地는 歸輸之塗(途)라 治法征謀가 宜有所出이니 先生이 仁且勇하시니 若以義請而强委重焉이면 其何說之辭리잇고

대부(大夫, 오공)가 말씀하기를 "선생은 스스로 늙으려 하여 남에게 요구함이 없으니, 기꺼이 나를 위하여 와 주시겠는가?" 하자, 종사관은 다음과 같이 말하였다.

"대부는 문무(文武)와 충효(忠孝)가 겸전하시니, 선비를 구함은 국가를 위해서요, 자기 집을 사사로이 하려는 것이 아닙니다. 지금 막 도적이 항주(恒州)에 모여들어, 군사들이 그 경내를 포위하여【이때 배반한 왕승종(王承宗)을 토벌하였다.】농부들은 밭을 갈아 수확하지 못하여 재물과 곡식을 모두 탕진하였으니, 우리가 처한 지역은 군수물자를 공급하고 수송하는 길목입니다.

---

126 時討王承宗叛: 원화(元和) 4년(809)에 성덕군 절도사(成德軍節度使) 왕사진(王士眞)이 죽자, 그 아들 왕승종(王承宗)이 항주(恒州)를 근거로 반란을 일으켰었다.

··· 寇 도적 구 環 두를 환 粟 곡식 속 殫 다할 탄 輸 실을 수 强 억지로 강

백성을 다스리는 방법과 정벌하는 계책이 마땅히 나와야 할 것인데, 선생께서 인(仁)하고도 용맹하시니, 만일 의리로써 청하고 억지로 중임(重任)을 맡기신다면 무슨 말로 사양하겠습니까."

於是에 譔(撰)書詞하고 具馬幣하여 卜日以授使者하여 求先生之廬而請焉하니라 先生이 不告於妻子하고 不謀於朋友하고 冠帶出見客하여【可見其勇.】拜受書하여 禮於門內라 宵則沐浴하여 戒行李하고 載書冊하여 問道所由하고 告行於常所來往하니 晨則畢至라 張筵於上東門外하니라

이에 편지글을 짓고 말과 폐백을 장만하여 날짜를 점쳐(골라) 사자(使者)에게 주어서 선생의 집을 찾아 청하게 하였다. 선생은 처자에게 말하지 않고 붕우들과 상의하지 않고는 관대(冠帶)를 하고 나와 객(사자)을 만나보고【그의 용맹함을 볼 수 있다.】편지를 절하고 받아 문안에서 예우하였다. 그리고는 밤이 되자 목욕하여 행리(行李, 행장)를 챙기고 서책을 싣고는 경유하는 길을 묻고 평소 왕래하던 자들에게 길을 떠남을 알리니, 〈평소 왕래하던 자들이〉 새벽에 모두 이르렀다. 그리하여 상동문(上東門) 밖에서 전별(餞別)하는 자리를 펼쳤다.

酒三行하여 且起에 有執爵而言者曰 大夫眞能以義取人하고 先生이 眞能以道自任하여 決去就하니 爲先生別하노라【此頌之之辭.】又酌而祝曰 凡去就出處何常이리오 惟義之歸니【此已規之.】遂以爲先生壽하노라 又酌而祝曰 使大夫恒하여 無變其初[127]하여 無務富其家而飢其師하며 無甘受佞人而外敬正士하며 無昧於諂言하고 惟先生是聽하여【此規烏公之辭.】以能有成功하여 保天子之寵命이어다 又祝曰 使先生無圖利於大夫而私便其身이어다【此深規之.】先生이 起拜祝辭曰 敢不敬蚤(早)夜하여 以求從祝規리오하니【頌不忘規, 其愛洪也, 至矣.】於是에 東都之人[士][128]가 咸知大夫與先生이 果能相與以有成也라 遂各爲歌詩六韻하고 遣愈爲之序云이라

127 使大夫恒 無變其初: 표점본(標點本)에 대부분 '항(恒)'에서 구를 끊지 않고 아랫구와 연결하여 '항'을 '항상'으로 본 듯하다. 그러나 '무변기초(無變其初)'가 한 구로 독립하는 것이 좋다고 생각되어 《주역》〈항괘(恒卦)〉의 준항(浚恒) 등을 따라 '항'에서 구를 떼어 항심(恒心)을 간직하는 것으로 해석하였지만 자신할 수 없음을 밝혀둔다.

128 〔士〕: 저본에는 없으나 《창려선생집》과 《당송팔가문초》에 의거하여 보충하였다.

譔 지을 찬 宵 밤 소 筵 자리 연 爵 술잔 작 酌 술따를 작 佞 아첨할 녕 諂 아첨할 첨
寵 총애할 총 蚤 일찍 조 規 타이를 규

술이 세 순배가 돌아 장차 일어나려 할 적에 술잔을 잡고 말하는 자가 있었다. "대부께서는 참으로 능히 의(義)로써 사람을 취하고 선생은 참으로 능히 도(道)로써 자임하여 거취(去就)를 결단하였으니, 선생을 위하여 작별하노라."【이는 송축한 말이다.】 또 어떤 이가 다시 술잔을 올리고 축원하였다. "무릇 거취와 출처가 어찌 일정하겠는가? 오직 의(義)에 돌아갈 뿐이니,【이는 이미 타이른 것이다.】 마침내 이것으로써 선생의 장수를 축원하노라."

또 어떤 이가 술잔을 올리고 축원하였다. "대부로 하여금 마음이 떳떳하여 처음을 변치 말아서, 자기 집안을 부유하게 하는 데에 힘쓰느라 그 무리(군사, 군대)를 굶주리게 하지 말며, 아첨하는 사람을 달게 받아들여 외면으로만 정사(正士)를 공경하지 말며, 아첨하는 말에 맛을 들이지 말고 오직 선생의 말을 들어서【이것은 오공(烏公)을 타이르는 말이다.】 능히 성공을 거두어 천자께서 은혜롭게 내려주신 명령(임명)을 보존할지어다."

또 어떤 이가 축원하였다. "선생으로 하여금 대부에게 이익을 도모하여 사사로이 그 몸을 편하게 하지 말지어다."【이는 선생을 깊이 타이른 것이다.】

선생은 일어나 축사에 대하여 절을 올리고 답하기를 "감히 이른 아침부터 밤늦도록 공경하여 축원과 타이름을 따르려고 하지 않겠습니까." 하였다.【송(頌)에 타이름을 잊지 않았으니, 석홍을 사랑함이 지극하다.】 이에 동도(東都, 낙양)의 사람들은 모두 대부와 선생이 과연 능히 서로 도와서 성공이 있을 줄을 알게 되었다. 마침내 각기 6운(12구)의 가시(歌詩)를 짓고 나(한유)에게 보내어 서문(序文)을 짓게 하였다.

송온조처사서送溫造處士序[129]

한유韓愈

• 작품개요

앞의 〈송석홍처사서(送石洪處士序)〉와 마찬가지로 하양군 절도사 오중윤의 참모로 뽑혀 떠나가는 온조를 송별한 글이다. 온조(溫造, 765~835)는 자가 간여(簡輿)로, 병주(幷州) 기현(祁縣) 사람이다. 예부 상서(禮部尙書) 온대아(溫大雅)의 5세손(世孫)으로 일찍이 왕옥산(王屋山)과 낙양(洛陽)에 은거했었는데, 이후 덕종(德宗)·목종(穆宗)·문종(文宗)을 섬기며 관직이 예부 상서(禮部尙書)에 이르렀다.

한유는 당시 하남 영(河南令)으로 있으면서 지난번에는 석홍(石洪)을, 이번에는 온조를 송별하면서 증서(贈序)를 지어주었는데, 특히 이 작품에서는 낙양의 뛰어난 선비인 석홍과 온조를 뽑아가자, 한편으로는 천하를 위해 축하하고 한편으로는 자신이 의지할 곳이 없는 서운한 마음을 나타내었다.

두 편 모두 한유 고문의 특징이 두드러진 글로, 부임하러 떠나는 사람의 깨끗한 인품과 뛰어난 재능을 아쉬워하는 작자의 마음이 잘 드러나 있으며, 빈틈없는 글의 짜임새와 이론을 전개하고 있다.

篇題小註·· 朱文公이 嘗稱此篇하여 謂文章之有典有則者也라하시니라

주문공(朱文公)은 일찍이 이 편을 칭찬하여 "문장으로서 전장(典章)과 법칙이 있는 것이다." 하셨다.

129 송온조처사서(送溫造處士序) : 《창려선생집》과 《당송팔가문초》에는 '하양군으로 부임하는 온조 처사를 송별한 시서〔送溫造處士赴河陽軍序〕'로 되어 있다.

• **原文**

伯樂이 一過冀北之野에 而馬群遂空하니라 夫冀北은 馬多於天下하니 伯樂이 雖善知馬나 安能空其群邪아 解之者曰 吾所謂空은 非無馬也요 無良馬也라 伯樂이 知馬하여 遇其良이면 輒取之하여 群無留良焉하니 苟無留其良이면 雖謂無馬라도 不爲虛語矣니라

백락(伯樂, 손양(孫陽))이 한번 기북(冀北, 기주 북쪽)의 들을 지나감에 말 떼가 마침내 텅 비게 되었다. 기북은 천하에 말이 가장 많은 곳이니, 백락이 비록 말을 잘 알았으나 어찌 그 무리를 텅 비게 할 수 있겠는가. 이것을 해석하는 자는 다음과 같이 말하였다.

"내가 말하는 '말 떼가 텅 비었다'는 것은 말이 없다는 것이 아니요, 좋은 말이 없다는 것이다. 백락은 말을 잘 알아보아 좋은 말을 만나면 번번이 취하여 말 떼 중에 좋은 말이 남아 있지 않았으니, 만일 좋은 말이 남아있지 않다면 비록 '말이 없다'고 이르더라도 허언(虛言)이 아닌 것이다."

東都는【洛陽.】固士大夫之冀北也라 恃才能하고 深藏而不市者 洛之北涯曰石生이요 其南涯曰溫生이라【公寄玉川子詩, 所謂水北山人, 水南山人者也.[130]】大夫烏公이 以鈇鉞로 鎭河陽之三月에 以石生爲才라하여 以禮爲羅하여 羅而致之幕下하고 未數月也에 以溫生爲才라하여 於是에 以石生爲媒하고 以禮爲羅하여 又羅而致之幕下하니라

동도(東都)는【동도는 낙양(洛陽)이다.】진실로 사대부의 기북인 셈이다. 재능을 자부하고 깊이 은둔하여 재능을 자랑하지 않는 자는 낙수(洛水)의 북안(北岸)에 있는 석생(石生, 석홍(石洪))이요, 남안(南岸)에 있는 온생(溫生, 온조(溫造))이다.【공이 옥천자(玉川子, 노동(盧仝))에게 부친 시에 이른바 '수북산인(水北山人)과 수남산인(水南山人)'이라는 것이다.】

대부 오공(烏公, 오중윤(烏重胤))이 부월(鈇鉞)을 잡고 하양(河陽)에 진주(鎭駐)한 지 3개월 만에 석생을 인재라 하여 예(禮)를 그물로 삼아 그물질하여 막하(幕下)로 데려갔고, 몇 달이 못 되어

---

130 公寄玉川子詩……水南山人者也 : 한유의 시 〈기노동(寄盧仝)〉에 "수북산인(水北山人)은 명성 얻어 지난해 떠나가서 막하(幕下)의 선비 되었으며, 수남산인(水南山人)도 뒤이어 가서 안장 얹은 말과 하인들이 마을을 꽉 메웠다오.〔水北山人得名聲 去年去作幕下士 水南山人又繼往 鞍馬僕從塞閭里〕" 하였는데, 수북산인은 석홍(石洪)을 가리키고, 수남산인은 온조(溫造)를 가리킨다. 옥천자는 노동(盧仝)의 자호이다.

••• 冀 바랄 기 涯 물가 애 鈇 도끼 부 鉞 도끼 월 羅 그물질할 라 媒 중매 매

온생을 인재라 하여 이에 석생을 중매로 삼고 예를 그물로 삼아 또다시 그물질하여 막하로 데려갔다.

東都雖信多才士나 朝取一人焉하여 拔其尤하고 暮取一人焉하여 拔其尤하니 自居守, 河南尹으로 以及百司之執事와 與吾輩二縣之大夫히【時公爲河南令, 竇牟爲河陽令.】政有所不通하고 事有所可疑하면 奚所咨而取焉이며 士大夫之去位而巷處者 誰與嬉遊며 小子後生이 於何考德而問業焉이며 搢紳之東西行過是都者 無所禮於其廬하니 若是而稱曰 大夫烏公이 一鎭河陽에 而東都處士之廬에 無人焉이【應起句.】豈不可也리오

동도가 비록 진실로 재사(才士)가 많으나 아침에 한 사람을 취하여 뛰어난 자를 뽑아 가고 저녁에 한 사람을 취하여 뛰어난 자를 뽑아 가니, 거수(居守, 유수(留守))와 하남 윤(河南尹)으로부터 백사(百司)의 집사(執事)와 우리 두 고을의 대부에 이르기까지【이때 공이 하남 영(河南令)이 되었고, 두모(竇牟)가 하양 영(河陽令)이 되었다.】정사에 통하지 못하는 바가 있고 일에 의심스러울 만한 것이 있을 경우 어디에 가서 자문하여 취하며, 사대부로서 벼슬을 버리고 시골에 거처하는 자들이 누구와 더불어 놀 것이며, 후생 소자(後生小子)들이 어디에 가서 덕(德)을 상고하고 학업을 물을 것이며, 진신(搢紳, 사대부)으로서 동쪽과 서쪽으로 다니다가 이 도읍을 지나는 자들이 그 거처에 경례할 바가 없게 되었으니, 이와 같은데 "대부 오공이 한번 하양군에 진주함에 동도 처사의 거처에 사람이 없게 되었다."라고 말하는 것이【기구(起句)에 응한다.】어찌 불가하겠는가.

夫南面而聽天下에 其所託重而恃力者는 惟相與將耳라 相爲天子하여 得人於朝廷하고 將爲天子하여 得文武士於幕下하면 求內外無治라도 不可得也라【前所稱.】愈縻於玆하여 不能[自][131]引去하고 資二生以待老러니 今皆爲有力者奪之하니 其何能無介然於懷邪아【後所稱.】生旣至하여 拜公於軍門이어든 其爲吾하여 以前所稱으로 爲天下賀하고 以後所稱으로 爲吾致私怨於盡取也하라 留守相公이【鄭餘慶】首爲四韻詩하여 歌其事하니 愈因推其意而序焉하노라

---

131 〔自〕: 저본에는 없으나 《창려선생집》과 《당송팔가문초》에 의거하여 보충하였다.

… 拔 뽑을 발 奚 어찌 해 誰 누구 수 嬉 놀 희 搢 꽂을 진 紳 띠 신 廬 집 려 託 맡길 탁 幕 장막 막 縻 얽매일 미 玆 이 자 奪 빼앗을 탈 介 틈 개

천자가 남면(南面)하여 천하를 다스릴 적에 중임(重任)을 맡겨 힘을 믿을 수 있는 것은 오직 재상과 장수뿐이다. 재상은 천자를 위하여 조정에서 훌륭한 인재를 구하여 얻고 장수는 천자를 위하여 막부(幕府)에서 문무(文武)의 인사를 얻는다면, 내외가 다스려지지 않기를 바라더라도 될 수 없는 것이다.【뒤의 '전소칭(前所稱)' 부분이다】

나는 이곳에 매여 있어 스스로 몸을 이끌어 떠나가지 못하고 석생과 온생 두 사람에게 의지하여 늙기를 기다리고 있었는데, 이제 모두 힘이 있는 분에게 빼앗김을 당하였으니, 어찌 마음속에 개연(介然, 아쉬움)함이 없겠는가.【뒤의 '후소칭(後所稱)' 부분이다】

석생이 이미 도착하여 공(公)을 군문(軍門)에서 배알하거든, 나를 위하여 앞에서 말한 것으로써 천하를 위하여 축하하고, 뒤에서 말한 것으로써 나를 위하여 인물을 모두 취해 가는 것에 대해 사사로이 원망한다고 전하라.

유수 상공(留守相公)이【정여경(鄭餘慶)이다】 맨 먼저 사운시(四韻詩)를 지어 이 일을 노래하니, 내가 이로 인하여 그 뜻을 미루어서 서문(序文)을 짓노라.

卷 4

송이원귀반곡서送李愿歸盤谷序

한유韓愈

• 작품개요

이 작품은 한유가 반곡(盤谷)으로 돌아가는 그의 벗 이원(李愿)을 송별하여 지어 준 증서(贈序)이다. 이원은 호가 반곡자(盤谷子)로 당나라 때에 은사(隱士)이며, '반곡(盤谷)'은 태항산(太行山) 남쪽 제원현(濟源縣)에 있는 지명으로, 골짜기가 깊고 산에 둘러싸여 있어 은자가 소요(逍遙)하기에 알맞은 곳이라고 한다.

한유는 19세인 정원(貞元) 2년(786)부터 홀로 장안(長安)에 와서 벼슬을 구하여 35세인 정원 18년(802)에야 겨우 국자감 사문박사(國子監四門博士)가 될 수 있었다. 이 글은 34세 되던 정원 17년(801)에 재차 장안에 왔을 때에 지은 것으로, 벼슬을 구하는 것이 뜻대로 되지 않았기에 그의 답답하고 불우한 심정이 문장에 드러나 있다.

작품 안에서 이원의 말에 의탁하여, 대장부로서 출세한 자의 화려한 생활과 때를 만나지 못한 불우한 사람의 은거 생활을 대비하면서 운명에 따라 은자로서의 즐거움을 누리겠다는 생각을 밝히고 있다.

篇題小註‥ 迂齋云 一節은 是形容得意人이요 一節은 是形容閑居人이요 一節은 是形容奔走伺候人이라 終篇이 全擧李愿說話하고 自說은 只數語나 其實은 非李愿言이니 此又別是一格이니라

愿 삼갈 원 伺 엿볼 사

우재(迂齋)가 말하였다.

"첫 1절(節)은 득의(得意)한 사람을 형용하였고, 그 다음 1절은 한가히 거처하는 사람을 형용하였고, 그 다음 1절은 분주히 기회를 엿보고 기다리는 사람을 형용하였다. 한 편을 마치도록 오로지 이원(李愿)의 말만을 들었고 자신의 말은 다만 몇 마디뿐이나 실제는 이원의 말이 아니니, 이것이 또 별도로 문장의 한 격식인 것이다."

○ 東坡云 唐三百年에 無文章이요 惟韓公送李愿序一篇이라하니 愚謂 此好事者 因歐陽公論歸去來之語而爲是說[1]하여 託之坡公耳니 此恐非坡公之言也라 韓公이 有送李愿序하고 又有送李愿歸盤谷一詩하니 亦甚佳라 學者只讀韓文하면 未必不以李愿爲一隱士也나 殊不知愿乃西平王李晟[2]之子요 愬[3]之兄이니 起家於太子賓客上柱國하고 三爲節度使하여 邇聲色하고 尙侈靡하며 激李臣則之變[4]하여 家死於兵하여 卒以荒侈敗하니 未嘗能踐韓公之言也라 李洪芸菴類藁[5]에 言愿博徒之雄이라하니 然則愿初非隱士니 不足以當此序也[6]라 觀韓公終篇에 只述愿所自言하면 亦可見矣라 此序는 作於貞元十七年하니 公時年三十四라

소동파(蘇東坡)가 "당(唐)나라 3백 년 동안 훌륭한 문장이 없었고, 오직 한공이 이원을 전송한 글

1　因歐陽公論歸去來之語而爲是說： 구양수(歐陽脩)가 "진(晉)나라에는 꼽을 만한 문장(文章)이 없고 오직 도연명의 〈귀거래사(歸去來辭)〉 하나가 있을 뿐이다.[晉無文章 唯陶淵明歸去來兮 一篇而已]"라고 한 것을 가리킨다.《東坡志林 卷7》

2　西平王李晟： 당 덕종(唐德宗) 때의 장군으로 자는 양기(良器), 시호는 충무(忠武)이며 서평왕(西平王)에 봉해졌다. 당시에 주자(朱泚)가 요영언(姚令言)의 난군(亂軍)과 합세하여 반란을 일으켜 국호를 대진(大秦)이라 일컫고 수도(장안)를 장악하였는데, 서쪽으로 쫓겨 갔던 덕종이 이성을 시켜 정벌하게 하여 수도를 수복하고 사직을 보전하였다.《舊唐書 卷133 李晟列傳》

3　愬： 이소는 임조(臨洮) 사람으로 자는 원직(元直)이며, 서평왕에 봉해진 이성의 아들이다. 책략에 밝고 활을 잘 쏘았다. 당 헌종(唐憲宗) 때 오원제(吳元濟)를 토벌하여 큰 공을 세웠다.《舊唐書 卷133 李愬列傳》

4　激李臣則之變： 이원이 절도사로서 평소 사치스럽고 공로에 대한 포상이 박하였으며 형벌을 엄하게 사용하였다. 게다가 그의 아내의 친정 아우 두원(竇瑗)이 숙직병(宿直兵)을 주관하였는데, 교만하고 탐욕스러워 군중에서 미워하였다. 이에 아장(牙將) 이신칙(李臣則) 등이 반란을 일으켜 두원을 참살하자 이원이 정주(鄭州)로 달아났다.《資治通鑑 卷242 唐紀》

5　李洪芸菴類藁： 이홍은 이정민(李正民)의 아들로 본래 양주(揚州) 사람인데 뒤에 해염(海鹽)에 살았으며, 온주(溫州)를 맡았다. 저서로 《운암유고》가 있다. 〈발반곡도(跋盤谷圖)〉는 이홍이 조조문(趙祖文)이 그린 〈귀래반곡이대도(歸來盤谷二大圖)〉를 보고 지은 발문으로, 여기에 "이원은 장수 가문의 아들이니, 어찌 참된 은자이겠는가? 다만 도박꾼의 으뜸이다." 하였다.《芸菴類藁 卷6 跋盤谷圖》

6　愿初非隱士 不足以當此序 : 이 작품의 주인공인 '이원(李愿)'과 서평군왕(西平郡王) 이성(李晟)의 아들이자 이소(李愬)의 형인 '이원(李愿)'은 같은 이름을 가진 별개의 인물로 보는 것이 타당하다. 한유 및 이성과 이원에 관한 기록들을 살펴보면 이성의 아들인 이원이 반곡에 은거한 사실이 없기 때문이다.

··· 晟 밝을 성 愬 하소연할 소 邇 가까울 이 靡 화려할 미 荒 거칠 황 芸 김맬 운 菴 암자 암
藁 초고 고

한 편뿐이다."라고 말했다 하는데, 나는 생각하건대 이는 이야기를 만들어내기 좋아하는 자들이 구양공(歐陽公)이 〈귀거래사(歸去來辭)〉를 논한 말로 말미암아 이러한 말을 만들어내어 파공(坡公, 소동파)에게 가탁하였을 뿐이니, 이는 파공의 말이 아닌 듯하다. 한공이 이원을 전송한 서문이 있고, 또 반곡(盤谷)으로 돌아가는 이원을 전송한 한 시가 있으니, 또한 매우 아름답다.

배우는 자가 다만 한공의 글만을 읽는다면 반드시 이원을 한 은사(隱士)로 여기지 않음이 없을 것이다. 그러나 이원은 바로 서평왕(西平王) 이성(李晟)의 아들이고 이소(李愬)의 형으로 태자빈객(太子賓客)과 상주국(上柱國)으로 발신하였고 세 번 절도사가 되어 음악과 여색을 가까이 하고 사치와 화려함을 숭상하였으며, 이신칙(李臣則)의 반란을 격동시켜 집안 전체가 병사들에게 죽임을 당하여 끝내 황음(荒淫)과 사치로 패하였으니, 일찍이 한공의 말을 제대로 실천하지 못하였다.

이홍(李洪)의 《운암유고(芸菴類藁)》 〈발반곡도(跋盤谷圖)〉에 "이원은 도박꾼의 으뜸이다." 하였다. 그렇다면 이원은 애당초 은사가 아니니, 이 서문을 감당할 수 없는 것이다. 한공이 한 편을 마치도록 다만 이원이 스스로 말한 것을 기술한 것을 보면 또한 알 수 있다. 이 서문은 정원(貞元) 17년(801)에 지은 것이니, 이때 공의 나이 34세였다.

• **原文**

太行(항)之陽에 有盤谷하니 盤谷之間이 泉甘而土肥하며 草木叢茂하고 居民鮮少라 或曰 謂其環兩山之間故로 曰盤이라하고 或曰 是谷也 宅幽而勢阻하여 隱者之所盤旋이라하니라

태항산(太行山) 남쪽에 반곡(盤谷)이 있는데, 반곡의 사이는 샘물이 달고 토지가 비옥하며 초목이 무성하고 거주하는 사람이 적었다. 혹자는 말하기를 "〈이 골짝이〉 두 산 사이에 둘러싸여 있기 때문에 반(盤)이라 한다." 하고, 혹자는 말하기를 "이 골짜기는 집터가 그윽하고 산세가 막혀 있어 은자(隱者)가 반선(盤旋, 소요)하는 곳이다."라고 한다.

友人李愿이 居之러니 愿之言曰 人之稱大丈夫者를 我知之矣로라 利澤이 施于人하고 名聲이 昭于時하여 坐于廟朝하여 進退百官而佐天子出令하고 其在外면 則樹旗旄, 羅弓矢하여 武夫前呵하고 從者塞塗(途)하며 供給之人이 各執其物하여 夾道而疾馳하며 喜有賞하고 怒有刑하며 才畯(俊)滿前하여 道古今而譽盛德하여 入耳

叢 모을 총 阻 막힐 조 旋 돌 선 旄 깃발 모 呵 소리칠 가 塞 막을 색 夾 낄 협
畯 뛰어날 준 頰 뺨 협 飄 나부낄 표 裾 옷자락 거 翳 가릴 예 袖 소매 수 黛 눈썹먹 대
姸 고울 연

而不煩이라 曲眉豐頰이 淸聲而便體하고 秀外而惠中하여 飄輕裾하고 翳(예)長袖하며 粉白黛(대)綠者 列屋而閑居하여 妬寵而負恃하고 爭妍而取憐은 大丈夫之遇知於天子하여 用力於當世者之[所][7]爲也니 吾非惡(오)此而逃之라 是有命焉하여 不可幸而致也니라

나의 벗 이원(李愿)이 이곳에 살았는데, 이원은 다음과 같이 말하였다.

"사람들이 대장부라 칭하는 사람을 나는 알고 있다. 이익과 은택이 백성에게 베풀어지고 명성이 세상에 빛나서 조정(朝廷)에 앉아 백관을 진퇴시키며 천자를 보좌하여 명령을 내고, 밖(외직)에 있게 되면 기모(旗旄)를 꽂고 궁시(弓矢)를 나열하여 무부(武夫)들이 앞에서 꾸짖어 사람들을 물리치고(벽제(辟除)함) 종자(從者)들이 길을 메우며, 공급하는 사람들이 각기 바치는 물건을 잡아 도로(道路)의 양쪽을 끼고 빨리 달리며, 기쁘면 상이 있고 노하면 형벌이 있으며, 재주 있는 자와 준걸(俊傑)들이 앞에 가득하여 고금(古今)을 말하고 성덕(盛德)을 칭찬해서 귀에 들어와도 번거롭지 않다. 초승달 눈썹에 볼이 도톰한 여인들이 목소리를 청아하게 내고 몸을 날렵하게 움직이며 외모가 빼어나고 마음이 지혜로워, 가벼운 옷자락을 날리고 긴 소매로 얼굴을 가리며, 흰 분을 바르고 파랗게 눈썹을 그린 미녀들이 집을 나열하고 한가로이 지내면서 총애를 다투고 미모를 자부하며, 고움을 다투고 사랑을 취하려 함은 대장부가 천자에게 인정을 받아 당세에 힘을 쓰는 자의 행위이니, 나는 이것을 싫어하여 도피하는 것이 아니요, 이는 운명으로 정해져 있어서 요행으로 이룰 수가 없는 것이다.

窮居而野處하여 升高而望遠하며 坐茂樹以終日하고 濯淸泉以自潔하며 採於山에 美可茹요 釣於水에 鮮可食이라 起居無時하여 惟適之安하니 與其[有][8]譽於前으론 孰若無毁於其後며 與其[有]樂於身으론 孰若無憂於其心이리오 車服不維하고 刀鋸不加하며 理亂不知하고 黜陟不聞은 大丈夫不遇於時者之所爲也니 我則行之호리라

곤궁하게 살면서 들에 거처하여 높은 곳에 올라 먼 곳을 바라보며, 무성한 나무 아래에 앉

7 〔所〕: 저본에는 없으나 《창려선생집》과 《당송팔가문초》에 의거하여 보충하였다.

8 〔有〕: 저본에는 없으나 《창려선생집》과 《당송팔가문초》에 의거하여 아래와 함께 보충하였다.

••• 茹 먹을 여 鮮 생선 선 鋸 톱 거 黜 내칠 출 陟 올릴 척

아 하루를 마치고 맑은 샘물에 씻어 스스로 깨끗이 하며, 산에서 채취함에 아름다운 나물을 먹을 수 있고 물에서 낚시질함에 생선을 먹을 수 있다. 일어나고 앉는 것이 일정한 때가 없어 오직 편한대로 하니, 앞에서 칭찬 받는 것이 좋기는 하지만 어찌 뒤에서 훼방함이 없는 것만 하겠으며, 몸에 즐거움이 있는 것이 좋기는 하지만 어찌 마음에 근심이 없는 것만 하겠는가. 수레와 의복(관복)에 얽매이지 않고 칼과 톱의 형벌이 가해지지 않으며, 다스려짐과 혼란함을 알지 못하고 축출과 승진을 듣지 않음은 대장부로서 당시에 불우(不遇)한 자의 행위이니, 나는 이것을 행하겠다.

伺候於公卿之門하고 奔走於形勢之途하여 足將進而趑趄(자저)하고 口將言而囁嚅(섭유)하여 處穢汙而不羞하고 觸刑辟而誅戮하여 僥倖於萬一하여 老死而後止者는 其於爲人賢不肖에 何如也오 昌黎韓愈聞其言而壯之하여 與之酒而爲之歌하니라

공경(公卿)의 문에서 기회를 엿보며 형세(形勢, 권세)의 길에서 분주하여 발은 장차 나아가려다가 머뭇거리고 입은 장차 말하려다가 머뭇거려 더러운 곳에 처하면서도 부끄러워하지 않고, 형벽(刑辟, 형벌)에 저촉되어 주륙(誅戮)을 당한다. 그리하여 만에 하나 요행을 바라 늙어죽은 뒤에야 그치는 자는 그 인품의 어질고 불초함이 어떠한가?"

창려(昌黎) 한유(韓愈)가 그의 말을 듣고 장하게 여겨 그에게 술을 주고 그를 위하여 노래를 지었다.

曰 盤之中이여 維子之宮이요 盤之土여 維子之稼로다 盤之泉이여 可濯可沿이요 盤之阻하니 誰爭子所오 窈而深하니 廓其有容이요 繚而曲하니 如往而復이로다 嗟盤之樂兮여 樂且無央이로다 虎豹遠跡兮여 蛟龍遁藏이요 鬼神守護兮여 呵禁不祥이로다 飮且食兮여 壽而康하니 無不足兮여 奚所望고 膏吾車兮여 秣吾馬하여 從子于盤兮여 終吾生以徜徉호리라

노래의 내용은 다음과 같다.	曰
반곡의 가운데여	盤之中

趑 머뭇거릴 자 趄 머뭇거릴 저 囁 말머뭇거릴 섭 嚅 말머뭇거릴 유 辟 형벌 벽
沿 물따라갈 연 窈 그윽할 요 廓 넓을 확(곽) 繚 두를 료 呵 꾸짖을 가 秣 여물 말

그대의 집이요	維子之宮
반곡의 땅이여	盤之土
그대가 농사짓는 곳이로다	維子之稼
반곡의 샘물이여	盤之泉
씻을 수 있고 거슬러 올라갈 수 있고	可濯可沿
반곡이 험조하니	盤之阻
누가 그대와 이곳을 다투겠는가	誰爭子所
아늑하고 깊으니	窈而深
확 트여 용납할 수 있고	廓其有容
빙둘러 굽어 있으니	繚而曲
갔다가 돌아오는 듯하도다	如往而復
아! 반곡의 즐거움이여	嗟盤之樂兮
즐거움이 장차 다함이 없으리로다	樂且無央
호랑이와 표범이 자취를 멀리함이여	虎豹遠跡兮
교룡이 도망하여 숨고	蛟龍遁藏
귀신이 수호함이여	鬼神守護兮
불길한 것을 꾸짖어 금하도다	呵禁不祥
마시고 또 먹음이여	飮且食兮
수(壽)를 누리고 강녕(康寧)하니	壽而康
부족함이 없음이여	無不足兮
다시 무엇을 바라리오	奚所望
내 수레에 기름칠하고	膏吾車兮
내 말에 꼴을 먹여	秣吾馬
반곡에서 그대 따라	從子于盤兮
나의 여생 마치도록 상양(徜徉, 소요)하리라	終吾生以徜徉

송육흡주참시서送陸歙州傪詩序

한유韓愈

• 작품개요

이 작품은 사부 원외랑(祠部員外郞) 육참(陸傪)이 흡주 자사(歙州刺史)가 되어 부임을 위해 떠나는 것을 송별하며 준 증서(贈序)인바, 다른 본(本)에는 '시(詩)' 자가 없기도 하며, 혹은 〈송원외 출자 흡주시 병서(送員外出刺歙州詩幷序)〉로 표기된 곳도 있다. '흡(歙)'은 '삽', '섭'으로 읽기도 한다.

당시 조정의 유능한 관리인 육참이 흡주 자사에 임명되자, 조정 신료들과 도성에 거주하는 현인들이 눈물을 흘리며 그가 떠나는 것을 만류하였다. 한유는 이 글에서 육참이 떠나면 안 되는 이유를 "육군의 도가 조정에 행해지면 천하가 그 은혜를 바라게 되고, 한 고을을 맡으면 한 고을만 오로지할 뿐 천하에 두루 미치지 못하기 때문이다. 한 고을을 먼저 하고 천하를 뒤로 함이 어찌 우리 군주와 우리 재상의 마음이겠는가.〔陸君之道 行乎朝廷 則天下望其賜 刺一州 則專而不能咸 先一州 而後天下 豈吾君與吾相之心哉〕"라고 설명하였다.

낭관에서 자사가 된다는 영전(榮轉)을 축하하기 보다는 장안을 떠나 임지로 가는 것을 아쉬워함으로써 육참의 훌륭한 인격을 부각한 것이 이 글의 특징이다. 그러나 육참은 부임 도중에 종기가 나서 낙양에서 죽었다.

篇題小註‥ 此는 吾州事니 不可不知요 兼文字中에 以此意施之郡守者甚侈故로 選之라 然이나 陸侯雖有此除나 未幾에 卒于道하여 不及到也하니라

傪 아리따울 참

이것은 우리 고을의 일이니 알지 않을 수 없고, 겸하여 문자 중에 이 뜻을 군수(郡守)에게 쓰는 경우가 매우 많기 때문에 뽑았다. 그러나 육후(陸侯)는 비록 이러한 제수가 있었으나 얼마 안 되어 도중에 죽어서 미처 부임하지 못하였다.

• **原文**

貞元十八年二月十八日에 祠部員外郞陸君이 出刺歙州하니 朝廷夙夜之賢과 都邑游居之良이 齎咨涕洟(자자체이)하여 咸以爲不當去라하니라 歙은 大州也요 刺史는 尊官也라 由郞官而往者 前後相望也요 當今賦出於天下에 江南이 居十九하고 宣使之所察에 歙爲富州라 宰臣之所薦聞이요 天子之所選用이니 其不輕而重也較然矣라 如是而齎咨涕洟하여 以爲不當去者는 陸君之道 行乎朝廷이면 則天下望其賜하고 刺一州면 則專而不能咸하니【今按莊子, 有周·徧·咸之語.[9]】先一州而後天下는 豈吾君與吾相之心哉리오 於是에 昌黎韓愈 道願留者之心而泄(설)其思하여 作詩하니라

정원(貞元) 18년(802) 2월 18일에 사부 원외랑(祠部員外郞) 육군(陸君)이 외직으로 나가 흡주(歙州)를 맡으니, 조정에서 이른 새벽부터 밤늦게까지 봉직하는 어진 분과 도읍에 거주하고 노는 어진이들이 탄식하고 눈물과 콧물을 흘리며 모두 떠나가서는 안 된다고 말하였다.

흡주는 큰 고을이고, 자사(刺史)는 높은 관직이다. 낭관(郞官)으로서 자사로 나가는 자들이 전후에 서로 이어졌고, 당금(當今)에 천하에서 나오는 부세(賦稅) 중에 강남(江南)이 10에 9를 차지하며 선사(宣使, 선위안무사(宣慰安撫使))가 살피는 곳에 흡주는 부유한 고을로 알려져 있다. 그리하여 흡주 자사의 자리는 재신(宰臣)들이 천거하여 아뢰는 바이고 천자가 선발하여 등용하는 바이니, 그 지위가 가볍지 않고 중함이 분명하다. 이와 같은데도 사람들이 탄식하고 눈물과 콧물을 흘리면서 떠나가서는 안 된다고 말하는 것은 육군의 도(道)가 조정에 행해지면 천하가 그 은혜를 바라게 되고, 한 고을을 맡으면 한 고을만 오로지하여 다하지(두루 하지) 못하기 때문이다.【지금 살펴보건대 《장자》 〈지북유(知北遊)〉에 '주(周)·변(徧)·함(咸)'이라는 말이 있다.】

---

9 莊子有周徧咸之語: 주(周)·변(徧)·함(咸)은 두루·널리·모두 라는 뜻으로, 《장자》 〈지북유(知北遊)〉에 "'두루〔周〕', '널리〔遍〕', '모두〔咸〕' 이 세 가지는 명칭은 다르지만 실제의 내용은 같으니, 그 뜻은 마찬가지이다.〔周遍咸三者 異名同實 其指一也〕"라고 보인다.

··· 侈 사치할 치 祠 제사 사 刺 살필 자 夙 일찍 숙 齎 탄식할 자(재) 咨 탄식할 자 涕 눈물 체 洟 콧물 이 賦 조세 부 較 분명할 교 泄 말할 설

한 고을을 먼저하고 천하를 뒤로 함이 어찌 우리 군주와 우리 재상의 마음이겠는가.

이에 창려(昌黎) 한유(韓愈)는 육군이 머물기를 원하는 자들의 마음을 말하여 그들의 생각을 펴서 시(詩)를 지었다.

曰 我衣之華兮여 我佩之光이로다 陸君之去兮여 誰與翺翔고 斂此大惠兮여 施于一州로다 今其去矣여 胡不爲留오 我作此詩하여 歌于逵道하니 無疾其驅어다 天子有詔시리라

시의 내용은 다음과 같다.	曰
내 옷의 화려함이여	我衣之華兮
내 패옥(佩玉)이 빛나도다	我佩之光
육군의 떠남이여	陸君之去兮
누구와 더불어 고상(翺翔)할꼬	誰與翺翔
이 큰 은혜를 거두어	斂此大惠兮
한 고을에 베풀도다	施于一州
이제 떠나가니	今其去矣
어찌 만류하지 않을까	胡不爲留
내 이 시를 지어	我作此詩
큰 길에서 노래하니	歌于逵道
그 수레를 빨리 몰지 말지어다	無疾其驅
천자께서 다시 부르시는 조령(詔令)이 계시리라	天子有詔

••• 翺 날고 翔 날상 逵 한길 규 疾 빠를 질

사설師說

한유韓愈

• 작품개요

'설(說)'이란 문체의 한 종류로, 어떤 사안 또는 물건에 대해 작자의 견해나 생각을 드러내는 것인바, 논설(論說)에 가깝다.

이 작품은 스승〔師〕을 따라 도(道)를 배워야 하는 까닭을 논한 것이다. 특히 스승의 필요성과 가치, 자격 등을 명확하게 말하고 아울러 고문의 부흥과 유가의 도통을 제시하고 있다.

유종원의 〈답위중립서(答韋中立書)〉를 살펴보면, 당대에는 사도(師道)가 이미 무너져서 스승이 되거나 스승을 섬기는 일이 없었고, 혹 그런 일이 있으면 남들로부터 조소(嘲笑)를 받거나 심지어는 미치광이 취급을 받기까지 했는데, 유독 한유만은 그런 풍속에 아랑곳하지 않고 후학들을 불러들여 〈사설〉을 지어 일깨우고 당당히 스승 노릇을 했다고 한다.

이를 통해 보면, 이 작품은 당시의 세태를 개탄하고 스승의 필요성을 역설한 글이다. 스승의 종류와 역할에 대해 자세히 논변하였고, 당시에 스승을 섬기지 않는 사회상을 통렬히 배척하였는바, 스승은 물론이요, 배우는 자들도 반드시 읽어야 할 명문이다.

篇題小註·· 洪[10]曰 柳子厚與韋中立書[11]云 韓愈奮不顧流俗하고 作師說하여 因抗顏而爲師

10 洪 : 미상이다. 홍매(洪邁)라고도 하며 홍흥조(洪興祖)라고도 한다.

11 柳子厚與韋中立書 : 〈답위중립서(答韋中立書)〉로, 위중립이 유종원에게 스승이 되어 달라는 편지를 보냈는데, 유종원

라하고 又報嚴厚輿書[12]云 僕才能勇敢이 不如韓退之라 故로 不爲人師라하니라 余觀退之師說하니 云 弟子不必不如師요 師不必賢於弟子라하니 其言이 非好爲人師者也니라

홍씨(洪氏)가 말하였다. "유자후(柳子厚)가 위중립(韋中立)에게 보낸 편지에 '한유가 분발하여 유속(流俗)을 돌아보지 않고 〈사설(師說)〉을 지어 얼굴을 쳐들고 스승이 되었다.' 하였으며, 또 엄후여(嚴厚輿)에게 답한 편지에 '나는 재능과 용감함이 한퇴지만 못하다. 그러므로 지금 스승이 되지 못하는 것이다.' 하였다. 내가 보건대 한퇴지의 〈사설〉에 '제자가 반드시 스승만 못한 것이 아니요, 스승이 반드시 제자보다 나은 것이 아니다.' 하였으니, 이 말을 보면 한퇴지는 남의 스승이 되기를 좋아한 자가 아니다."

○ 唐人은 不知事師하니 此最可怪라 退之云 若世無孔子면 僕不當在弟子之列[13]이라하니 當時에 宜爲師者 非韓公이면 其誰오 韓門에 如李翺, 張籍, 皇甫湜, 孟郊는 公雖不耳提面命而爲之師나 然誘掖作成하여 宗主之造하니 非師而何오 柳子雖屢謂韓公不合欲爲人師나 然柳在柳州에 士凡經子厚口講指畫하여 皆有師法하니 非師而何오 但惜乎二子之爲人師는 不過詞章之師耳라 雖以道爲說이나 而終非道統淵源之師也라 詳見柳子厚答韋中立書하니라

당(唐)나라 사람들은 스승을 섬길 줄 몰랐으니, 이것이 가장 괴이하게 여길 만한 일이다. 한퇴지가 이르기를 "만약 세상에 공자(孔子)가 없었다면 나는 마땅히 제자의 열에 있지 않았을 것이다." 하였으니, 당시에 스승이 될 만한 자는 한공(韓公)이 아니고 그 누구이겠는가. 한공의 문하(門下)에 이고(李翺)·장적(張籍)·황보식(皇甫湜)·맹교(孟郊)와 같은 분은 공이 비록 직접 귀에 대고 일러주고 면전에서 가르쳐주어 그들의 스승이 되지는 않았으나 인도하고 작성(作成, 양성)해 주어 종주(宗主)가 되었으니, 이것이 스승이 아니고 무엇이겠는가.

유자(柳子)는 비록 한공에게 남의 스승이 되고자 하지 말아야 한다고 여러 번 말하였으나 유자후가 유주(柳州)에 있을 적에 선비들이 무릇 그의 입으로 강(講)하고 손으로 지시해 줌을 거쳐 모두 스

이 답하면서 스승이 되기 어려움과 학문을 하는 방법에 대해서 논하였는바, 《고문진보 후집》 권5에 보인다.

12 報嚴厚輿書 : 《당송팔대가문초(唐宋八大家文抄)》에 실린 〈답엄후여논사도서(答嚴厚輿論師道書)〉로, 〈답위중립서〉의 내용과 마찬가지로 스승이라 불리는 것을 원치 않는 뜻을 말하였다.

13 退之云……僕不當在弟子之列 : 이 말은 《당송팔대가문초》 권5 《창려문초》 〈답려의산인서(答呂醫山人書)〉에 보인다. 공자가 아니라면 자신이 바로 공자와 같은 스승이 되었을 것이라는 의미이다.

••• 湜 맑을 식 提 들 제 誘 인도할 유 掖 부축할 액 屢 여러 루

승 삼고 본받음이 있었으니, 이것이 스승이 아니고 무엇이겠는가. 다만 두 분이 남의 스승이 됨은 사장(詞章, 문장학)을 가르치는 스승에 불과하니, 애석하다. 비록 도(道)를 말하였으나 끝내 도를 전해주는 연원(淵源)의 스승이 아니었다. 이 내용은 유자후가 위중립(韋中立)에게 보낸 편지에 자세히 보인다.

- **原文**

古之學者는 必有師하니 師者는 所以傳道, 授業, 解惑也라 人非生而知之者[14]면 孰能無惑이리오 惑而不從師면 其爲惑也 終不解矣리라 生乎吾前하여 其聞道也 固先乎吾면 吾從而師之요 生乎吾後라도 其聞道也 亦先乎吾면 吾從而師之라 吾師道也니 夫庸知[15]其年之先後生於吾乎리오 是故로 無貴無賤하며 無長無少요 道之所存은 師之所存也니라

옛날 배우는 자들은 반드시 스승이 있었으니, 스승이란 도(道)를 전하고 학업을 가르쳐주고 의혹을 풀어주는 것이다. 사람이 생이지지(生而知之)한 자(성인)가 아니면 그 누가 의혹이 없겠는가. 의혹이 있으면서 스승을 따라 배우지 않는다면 그 의혹은 끝내 풀리지 않을 것이다.

나보다 앞에 태어나서 도를 들음이 진실로 나보다 먼저라면 내 따라서 그를 스승으로 삼을 것이요, 나보다 뒤에 태어났더라도 도를 들음이 또한 나보다 먼저라면 내 따라서 그를 스승으로 삼을 것이다. 나는 도를 스승으로 삼는 것이니, 그 나이가 나보다 먼저 태어나고 뒤에 태어남을 어찌 따지겠는가. 이렇기 때문에 신분의 귀천도 없으며 나이의 많고 적음도 없고 도가 있는 곳은 스승이 있는 곳이다.

嗟乎라 師道之不傳也 久矣니 欲人之無惑也나 難矣라 古之聖人은 其出人也 遠矣로되 猶且從師而問焉이어늘 今之衆人은 其下聖人也 亦遠矣로되 而恥學於師라 是故로 聖益聖하고 愚益愚하니 聖人之所以爲聖과 愚人之所以爲愚가 其皆出於

14 生而知之者: 태어나면서부터 이치를 아는 뛰어난 자질로, 성인(聖人)을 말한다. 《중용(中庸)》에 "혹은 태어나면서 알고, 혹은 배워서 알고, 혹은 애를 써서 아는데, 그 앎에 이르러서는 똑같다.〔或生而知之 或學而知之 或困而知之 及其知之一也〕" 하였다. 《中庸章句 第20章》

15 庸知: 용거지(庸詎知)의 줄임말로 기지(豈知)와 같은 뜻이다.

··· 授 줄 수 惑 혹할 혹 孰 누구 숙 庸 어찌 용

此乎인저

아! 슬프다. 사도(師道)가 전해지지 못한 지 오래되었으니, 사람들이 의혹함이 없기를 바라나 어려운 것이다. 옛날 성인(聖人)은 보통사람보다 뛰어남이 월등하였으나 오히려 스승을 따라 물었는데, 지금의 중인(衆人)들은 성인보다 낮음이 또한 매우 심하나 스승에게 배우기를 부끄러워한다. 이 때문에 성인은 더욱 성스러워지고 어리석은 사람은 더욱 어리석어지니, 성인이 성인이 되신 이유와 어리석은 사람이 어리석은 사람이 된 이유는 모두 여기에서 나온 것이다.

愛其子하여는 擇師而敎之로되 於其身也엔 則恥師焉하니 惑矣로다 彼童子之師는 授之書而習其句讀(두)[16]者也니 非吾所謂傳其道, 解其惑者也라 句讀之不知와 惑之不解에 或師焉하고 或不(否)焉하여 小學而大遺하니 吾未見其明也로라

자기 자식을 사랑해서는 스승을 가려서 가르치되 자기 자신에 있어서는 스승 삼기를 부끄러워하니, 이는 미혹된 것이다. 저 동자(童子)의 스승은 책을 주어서 그 구두(句讀)를 익히게 하는 자이니, 내가 말하는 도를 전하고 의혹을 풀어준다는 자는 아니다. 구두를 알지 못함과 의혹을 풀지 못함에 혹은 스승 삼고 혹은 스승 삼지 않아서 작은 것은 배우고 큰 것은 버리니, 나는 그 현명함을 보지 못하겠다.

巫, 醫, 樂師, 百工之人은 不恥相師어늘 士大夫之族은 曰師, 曰弟子云者를 則群聚而笑之하고 問之則曰 彼與彼年相若也요 道相似也라 位卑則足羞요 官盛則近諛라하나니 嗚呼라 師道之不復(복)을 可知矣로다 巫, 醫, [樂師][17], 百工之人은 君子不齒로되 今其智乃反不能及하니 可怪也歟인저

무당과 의원, 악사(樂師)와 백공(百工)의 사람들은 서로 스승 삼기를 부끄러워하지 않는데,

---

16 句讀: 고대에는 글을 짓고 읽을 적에 상대적으로 완정한 뜻을 전달하며 한 호흡이 다 끝나 길게 쉬어야 하는 부분을 '구(句)'라고 하였고, 구(句) 안에서 의미가 아직 완정하지 않아 잠시 쉬는 부분을 '두(讀)'라고 하였는바, 구에는 '。'을 찍고 두에는 '、'을 찍었다.

17 〔樂師〕: 저본에는 없으나 《창려선생집》과 《당송팔가문초》에 의거하여 보충하였다.

••• 讀 구두 두 遺 버릴 유 巫 무당 무 諛 아첨할 유 齒 낄 치

사대부의 집안들은 스승이라 하고 제자라고 말하면 여럿이 모여서 비웃는다. 그 이유를 물으면 "저와 저는 나이가 서로 비슷하고 도(학문과 덕망)가 서로 비슷하다. 지위가 낮은데 그를 스승으로 삼으면 부끄러울 만하고, 벼슬이 높은데 그를 스승으로 삼으면 아첨에 가깝다." 하니, 아! 슬프다. 사도(師道)를 회복하지 못함을 알 수 있겠다. 무당과 의원과 악사, 백공의 사람은 군자들이 끼워주지 않으나 지금 그 지혜가 마침내 도리어 그들에게 미치지 못하니, 괴이한 일이다.

聖人은 無常師라 孔子師郯子, 萇弘, 師襄, 老聃하시니 郯子之徒는 其賢이 不及孔子라【孔子問樂於萇弘, 問禮於老聃, 問官名於郯子, 學琴於師襄.[18]】孔子曰 三人行이면 則必有我師[19]라하시니 是故로 弟子不必不如師요 師不必賢於弟子라 聞道有先後하고 術業有專攻이니 如是而已니라

성인은 일정한 스승이 없다. 공자(孔子)는 담자(郯子)와 장홍(萇弘)과 사양(師襄)과 노담(老聃)을 스승으로 삼으셨으니, 담자의 무리는 그 어짊이 공자에 미치지 못하였다.【공자가 음악을 장홍(萇弘)에게 묻고, 예를 노담(老聃)에게 묻고, 관명을 담자(郯子)에게 묻고, 거문고를 사양(師襄)에게 배우셨다.】공자가 말씀하시기를 "세 사람이 동행하면 반드시 내 스승이 있다." 하셨으니, 이러므로 제자가 반드시 스승만 못한 것이 아니요, 스승이 반드시 제자보다 나은 것이 아니다. 도를 들음에 선후가 있고 술업(術業, 학술 · 기예)에 전공(專攻)이 있어서이니, 이와 같을 뿐이다.

李氏子蟠[20]이 年十七에 好古文[21]하고 六藝經傳을 皆通習之러니 不拘於時하고 請學

---

18 孔子問樂於萇弘……學琴於師襄 : 담(郯)은 국명(國名)이고 자(子)는 작위(爵位)이며, 사양(師襄)은 악사(樂師)인 양(襄)으로 성(姓)은 전하지 않고 노담(老聃)은 노자(老子)이다. 《공자가어(孔子家語)》〈관주(觀周)〉에 공자가 주(周)나라에 가서 노담에게 예(禮)를 묻고 장홍에게 음악을 물었다는 내용이 보이고, 《춘추좌씨전》 소공(昭公) 17년에 담자가 노(魯)나라에 가서 고대의 벼슬 이름에 대해 설명하였는데, 공자가 그 말을 듣고는 그에게 찾아가서 관제(官制)에 대해 배웠다고 하였으며, 《사기》〈공자세가(孔子世家)〉에 공자가 사양에게 거문고를 배우고 문왕의 곡조를 터득하였다는 내용이 보인다.

19 孔子曰……則必有我師 : 《논어(論語)》〈술이(述而)〉에 "공자가 말씀하시기를 '세 사람이 동행하면 반드시 내 스승이 있으니, 그 선한 자를 가려서 따르고 그 불선한 자를 가려서 고칠 것이다.' 하였다.〔三人行 必有我師焉 擇其善者而從之 其不善者而改之〕"라고 보인다.

20 李氏子蟠 : 한유의 제자로 당 덕종(唐德宗) 정원(貞元) 19년(803)에 진사가 되었다.

21 古文 : 문체(文體)의 하나로, 당시 유행하던 사륙변려문(四六駢儷文)과 대칭한 것인바, 원래 선진(先秦) 이전의 모든 경전(經傳)과 전한(前漢) 초기의 사체(史體)가 이에 해당한다. 한대(漢代) 이후 사부(辭賦)가 유행하면서 모든 문체가 변

··· 郯 나라이름 담 萇 양도(羊桃) 장 襄 오를 양 聃 사람이름 담 蟠 서릴 반 嘉 아름다울 가 貽 줄 이

於余어늘 余嘉其能行古道하여 作師說以貽之하노라

이씨(李氏)의 아들 반(蟠)이 나이 17세에 고문(古文)을 좋아하고 육예(六藝, 육경)와 경전(經傳)을 모두 통달하여 익혔는데, 시속에 구애되지 않고 나에게 배우기를 청하였으므로 나는 그가 능히 고도(古道)를 행함을 가상히 여겨 〈사설〉을 지어서 주는 것이다.

려문 일색으로 변하자, 한유는 육경(六經)과 맹자(孟子)·장자(莊子)·사마천(司馬遷) 등의 고문체(古文體)를 쓸 것을 주장하여 문체를 변화하는 데 큰 역할을 하였다.

잡설雜說

한유韓愈

• 작품개요

본래 《창려선생집(昌黎先生集)》에는 네 편의 〈잡설(雜說)〉이 실려 있는바, 첫 번째는 용(龍)에 대해, 두 번째는 의(醫)에 대해, 세 번째는 학(鶴)에 대해, 네 번째는 말〔馬〕에 대해 이야기하고 있다. 이 작품은 네 번째 편이다. 첫 번째 편은 《문장궤범》 〈유자집(有字集)〉에 실려 있고, 이 편은 맨 끝에 실려 있다.

이 작품은 정원(貞元) 11년(795)부터 16년(800) 사이에 지어진 것으로 보인다. 앞서 설명하였듯, '설(說)'이란 일종의 의론문(議論文) 체재의 글이다. 이 작품은 말을 소재로 삼아 인재에 관한 문제를 논하면서 작자의 회재불우(懷才不遇)한 처지를 드러내고, 아울러 인재를 제대로 알아보지 못하고 등용하지 못하는 세상에 대해 비분강개하고 있다.

작품의 주된 내용은 명마(名馬)를 잘 알아보는 백락(伯樂)이 말을 잘 사양(飼養)하여야 천리마가 나온다는 것으로, 이는 결국 인재를 알아보는 군주와 정승이 현자(賢者)를 잘 대우하여야 경륜과 능력을 펼 수 있음을 비유하였다. 이윤(伊尹)을 초빙한 탕왕(湯王)과 강태공(姜太公)을 맞이해온 문왕(文王)과 관중(管仲)을 전적으로 신임한 제 환공(齊桓公)과 제갈량(諸葛亮)을 세 번이나 직접 찾아간 유비(劉備)의 고사들이 이를 증명한다고 할 수 있다.

篇題小註·· 疊山云 此篇主意는 謂英雄豪傑이 必遇知己者 尊之以高爵하고 養之以厚祿하고 任之以重權이라야 斯可以展布니라

··· 疊 거듭 첩 爵 벼슬 작 展 펼 전

첩산(疊山, 사방득(謝枋得))이 말하였다. "이 편의 주의(主意)는 영웅호걸이 반드시 지기(知己, 자신을 알아주는 군주나 재상)를 만나 높은 벼슬로 높여주고 후한 녹봉으로 길러주고 중요한 권력을 맡겨주어야 자신의 경륜을 펼 수 있음을 말하였다."

• **原文**

世有伯樂【莊馬蹄: "伯樂善治馬." 註: "伯樂姓孫, 名陽, 善馭馬." (而氏)[石氏]星經[22]云: "伯樂天星名, 主典天馬. 孫陽善馭, 故以爲名." 謝云: "以伯樂喩知人者."】然後에 有千里馬하니【謝云: "比有異材." ○此謂有賢宰相然後, 有英雄豪傑爲之用.】千里馬는 常有로되【異材】而伯樂은 不常有라【知人者. ○謝云: "此謂英雄豪傑常有, 而賢宰相知人者, 不常有."】故로 雖有名馬나【異材.】秖辱於奴隷人之手하여 駢死於槽櫪(조력)之間하여【駢頭而死, 言多也. 謝云: "高才居下位."】不以千里稱也하나니라【迂齋云: "有力." 謝云: "不知其爲異才." ○此謂天下雖有英雄豪傑, 徒受辱於昏君庸相之朝, 沈滯於小官, 終身不得行其志, 不以英雄豪傑稱也.】

세상에 〈말을 잘 알아보는〉 백락(伯樂)이【《장자》〈마제(馬蹄)〉에 "백락은 말을 잘 다룬다." 하였는데, 주(註)에 "백락은 성이 손(孫)이고 이름이 양(陽)이니, 말을 잘 몰았다." 하였다. 《석씨성경(石氏星經)》에 "백락은 하늘의 별 이름이니, 천마(天馬)를 주관한다. 손양(孫陽)이 말을 잘 몰았기 때문에 이로써 이름을 삼은 것이다." 하였다. 사첩산(謝疊山)이 말하였다. "백락으로써 인재를 알아보는 자를 비유한 것이다."】있은 뒤에야 천리마(千里馬)가 있는 것이니,【사첩산이 말하였다. "기이한 재능이 있는 자를 비유하였다." ○이는 어진 재상이 있은 뒤에야 영웅과 호걸이 쓰임이 됨을 말한 것이다.】천리마는 항상 있으나【기이한 재능이다.】백락은 항상 있지 않다.【사람을 알아보는 자이다. ○사첩산이 말하였다. "이는 영웅호걸은 항상 있으나 어진 재상으로서 사람을 알아보는 자는 항상 있지 못함을 말한 것이다."】그러므로 비록 명마(名馬)가 있더라도【기이한 재능이다.】다만 노예의 손에 욕을 당하여 말구유와 말뚝의 사이에서 보통 말과 함께 나란히 죽어가【'머리를 나란히 하고 죽는다.'는 것은 많음을 말한 것이다. 사첩산이 말하였다. "높은 재주가 낮은 지위에 있는 것이다."】천리마로 일컬어지지 못하는 것이다.【누우재가 말하였다. "힘이 있다." 사첩산이 말하였다. "그 기이한 재주인 줄을 알지 못하는 것이다." ○이는 비록 천하에 영웅과 호걸이 있

---

22 (而氏)[石氏]星經: 저본에는 '이저성경(而氏星經)'으로 되어 있으나 《신당서(新唐書)》〈예문지(藝文志)〉에 천문(天文)에 관한 책을 소개한 것을 참고하여 '석씨성경(石氏星經)'으로 바로잡았다. 석씨는 전국시대 위(魏)나라의 저명한 천문학자인 석신(石申)이다.

••• 秖 다만 지 隷 종 예 駢 나란할 변 槽 말구유 조 櫪 말구유 력

으나 다만 어두운 군주와 용렬한 정승의 조정에서 치욕을 받아 낮은 관직에 침체되어 종신토록 그 뜻을 행하지 못해서 영웅과 호걸로 일컬어지지 못함을 말한 것이다.】

馬之千里者는 一食에 或盡粟一石이어늘【才之異乎人者, 必尊位重祿以任使之. ○此謂英雄豪傑, 能立大事成大功者, 必得尊位重祿, 斯可以展布.】食(사)馬者不知其能千里而食也하니【今之養君子, 不知其爲異才能, 加禮養. 謝云: "此謂養英雄豪傑者, 不知其能辦大事, 成大功, 而不以尊位重祿養之也."】是馬雖有千里之能이나 食(식)不飽하여【謝云: "一句三字." ○位不尊.】力不足하여【二句三字. ○祿不重.】才美不外見(현)하니【三句五字, 此章法. ○雖異才, 亦難展布也.】且欲與常馬等이나 不可得이니【謝云: "祿位不足以展布, 反不如常材."】安求其能千里也리오【安得見其爲異材? 謝云: "此謂英雄豪傑, 雖有立大事成大功之才, 無尊位, 無厚祿, 無重權, 其才知(智)不可展布, 且欲與庸衆人等而不可得. 安可求之辦大事成大功哉?"】策之를 不以其道하며 食(사)之를 不能盡其材하고 鳴之에 不能通其意하고【謝云: "此三句, 卽孟子所謂弗與共天位也, 弗與治天職也, 弗與食天祿也, 非王公尊賢也."】執策而臨之曰 天下에 無良馬라하니【謂天下無異材.】嗚呼라 其眞無馬耶아【其眞無才耶?】其眞不識馬耶아【其上之人, 不識人耶? 呂云: "結好." 謝云: "此謂任使之不以其道, 爵祿之不能盡其材, 諫不行, 言不聽, 而不得以行其志. 爲宰相者, 操用其權, 不能知人, 乃曰: '天下無英雄豪傑.' 嗚呼! 天下眞無英雄豪傑? 宰相眞不識英雄豪傑?】

천 리를 가는 말은 한 번 먹을 적에 혹 곡식 한 섬을 다 먹어치우는데,【재주가 보통사람과 다른 사람은 반드시 높은 지위와 후한 녹봉으로써 맡기고 부려야 하는 것이다. ○이는 영웅과 호걸로 큰일을 세우고 큰 공을 이룰 수 있는 자는 반드시 높은 지위와 중한 녹봉을 얻어야 이에 그 경륜을 펼 수 있음을 말한 것이다.】 말을 먹이는 자가 이 말이 능히 천 리를 갈 수 있다는 것을 알지 못하고 먹이니,【지금 군자를 기름에 그가 기이한 재능을 가진 자임을 알아 예양(禮養)을 가하지 않는다. 사첩산이 말하였다. "이는 영웅과 호걸을 기르는 자가 그가 능히 큰일을 해낼 수 있고 큰 공을 이룰 수 있다는 것을 알지 못하여 높은 지위와 후한 녹봉으로 기르지 않음을 말한 것이다.】 이 말이 비록 천 리를 갈 수 있는 재능이 있으나 먹는 것이 배부르지 못해서【사첩산이 말하였다. "첫 번째 구로, 세 글자이다." ○지위가 높지 않은 것이다.】 힘이 부족하여【두 번째 구로, 세 글자이다. ○녹봉이 후하지 않은 것이다.】 재주의 아름다움이 바깥으로 드러나지 못하니【세 번째 구로, 다섯 글자이니, 이는 장법(章法)이다. ○비록 기이한 재주라도 또한 펼치기 어려운 것이다.】 우선 보통 말과 똑같기를 바라나 될 수가 없으니,【사첩산이 말하였다. "녹봉과 지위가 경륜을 펼 수 없어서 도리어 보통 재주만 못한 것이다.】 어찌 능히 천 리를 가기를 바라겠는가.【그가 기이

··· 粟 곡식 속 石 섬 석 食 먹일 사 飽 배부를 포 策 채찍 책

한 재주를 가진 자임을 어찌 볼 수 있겠는가. 사첩산이 말하였다. "이는 영웅과 호걸이 비록 큰일을 세우고 큰 공을 이룰 수 있는 재능이 있으나 높은 지위가 없고 후한 녹봉이 없고 큰 권력이 없어서 그 재주와 지혜를 펼 수 없으니, 우선 용렬한 중인과 같고자 하여도 될 수 없다. 어찌 큰일을 해내고 큰 공을 이룰 수 있기를 바라겠는가."】

채찍질하기를 그 도(방법)로써 하지 않고 먹이되 그 재능을 다하게 하지 못하고 울어도 그 뜻을 통달하지 못하고는【사첩산이 말하였다. "이 세 구는 바로《맹자》〈만장 하(萬章下)〉에 이른바 '더불어 천위를 함께하지 않고 더불어 천직을 다스리지 않고 더불어 천록을 먹지 않았으니, 이는 왕공이 현자를 높이는 것이 아니다.'라는 것이다."】 **채찍을 잡고 말에게 임하여 말하기를 "천하에 양마(良馬)가 없다." 하니,**【천하에 기이한 재주가 없다고 말하는 것이다.】 **아! 참으로 양마가 없는 것인가?**【그 참으로 재주 있는 자가 없는 것인가?】 **참으로 말을 알지 못하는 것인가?**【그 윗사람이 사람을 알지 못하는 것인가? 여씨(呂氏, 여조겸(呂祖謙))가 말하였다. "끝맺음이 좋다." 사첩산이 말하였다. "이는 맡겨 부림을 마땅한 도로써 하지 않고 작위와 녹봉이 그 재주를 다할 수가 없어서 간언(諫言)이 시행되지 않고 말을 따르지 않아서 그 뜻을 행할 수 없다. 재상이 된 자가 권력을 잡고 있으면서 사람을 제대로 알지 못하고 마침내 말하기를 '천하에 영웅과 호걸이 없다.'라고 하니, 아! 천하에 참으로 영웅과 호걸이 없는 것인가? 재상이 참으로 영웅과 호걸을 알아보지 못하는 것인가?"】

획린해獲麟解

한유韓愈

• 작품개요

'해(解)'란 의혹을 분별하고 해명하여 논쟁의 대상에 대한 분석을 주요 내용으로 삼는 논변류(論辯類)의 문체이다. '획린(獲麟)'이란 '기린(麒麟)을 잡았다'는 뜻으로, 노 애공(魯哀公) 14년(B.C.481) 봄에 사냥에서 기린이 잡히자, 공자께서 성왕(聖王)도 없는 세상에 상서로운 기린이 나오니, 주(周)나라의 도가 일어나지 못하고 아름다운 상서도 응험이 없음을 한탄하여 '서수획린(西狩獲麟)'이라는 구절로 《춘추》를 종결한 사건을 가리킨다.

이 작품은 이 '획린'이라는 사건에 근거해 논리를 전개하여 기린이 상서로운 물건인가 아닌가에 대해 분석한 글로, 자신을 기린에 빗댐으로써 작자의 불우한 처지를 나타내었다. 한유는 평생 동안 고문의 부흥을 제창하고 유가의 도통을 회복시킬 것을 주장하면서 자신은 공자와 맹자의 뒤를 이어 도통을 계승한다고 자부하였다. 이러한 점으로 볼 때 한유는 기린이 나와도 알아보지 못하는 어지러운 세상을 개탄하며 자신을 성왕이 제왕의 자리에 있지 않을 때 나온 기린에 비유한 것이다. 글 전체의 길이는 짧지만 반복 변화하여 논란한 것이 매우 뛰어나다.

篇題小註‥ 春秋魯哀公十四年에 魯叔孫氏西狩獲麟하니 此篇名獲麟解는 只當以春秋獲麟論이라 麟爲聖王之瑞하니 本祥也라 然이나 春秋之末에 聖王不作하여 孔子雖大聖이나 而戹(厄)窮在下하여 麟不當出而出하니 反所以爲不祥也라 此篇은 以一祥字로 反覆言之하여 始以爲祥하고 繼疑其不祥하고 未幾에 又以爲不爲不祥하고 末明斷之하여 以爲不祥하니 與柳文

••• 獲 잡을 획 麟 기린 린 瑞 상서 서 戹 곤액 액

復乳穴記[23]에 反覆以祥字議論으로 同一機軸이니 宜參看이라 或謂元和七年에 麟見東川하니 疑公因此而作이라하나 文公考異에 謂此文有激而託意之辭니 非必爲元和獲麟而作也라하니라

《춘추좌씨전(春秋左氏傳)》의 노(魯)나라 애공(哀公) 14년에 "노나라 숙손씨(叔孫氏)가 서쪽으로 사냥을 나갔다가 기린을 잡았다." 하였으니, 이 편을 '획린해(獲麟解)'라고 이름한 것은 다만 마땅히 《춘추》의 '획린'을 가지고 논해야 한다.

기린은 성왕(聖王)의 상서이니, 본래 상서로운 물건이다. 그러나 춘추의 말기에 성왕이 나오지 않아, 공자(孔子)가 비록 대성인(大聖人)이셨으나 곤궁하게 아랫자리에 있어서 기린이 나와서는 안 되는데 나왔으니, 도리어 상서롭지 못함이 되는 것이다. 이 편은 한 '상(祥)' 자를 가지고 반복하여 말해서 처음에는 상서로운 것이라 하고, 뒤이어 상서롭지 못한 것이라고 의심하고, 얼마 안 되어 또 상서롭지 않은 것이 아니라고 말하고, 끝에는 분명히 상서롭지 않은 것이라고 단정하였으니, 유자후(柳子厚)의 글인 〈연주군 복유혈기(連州郡復乳穴記)〉에서 '상(祥)' 자를 가지고 반복하여 의론한 것과 똑같은 기축(機軸, 문장)이니, 마땅히 참고하여 보아야 할 것이다.

혹자는 이르기를 "원화(元和) 7년(812)에 기린이 동천(東川)에 나타났으니, 의심컨대 공이 이 때문에 지은 것이다."라고 하나, 주문공(朱文公)의 《한문고이(韓文考異)》에 "이 문장은 격동함이 있어 뜻을 가탁한 글이니, 반드시 원화 연간에 기린을 잡은 것 때문에 지은 것은 아니다." 하였다.

○ 又角者吾知其爲牛一節은 東萊批云 蘇文樂論이 學此下句라하니 非也라 退之, 老蘇皆是學孔子語耳라 (莊子)〔史記〕[24]에 載夫子稱老聃曰 鳥는 吾知其能飛요 魚는 吾知其能遊요 獸는 吾知其能走니 走者는 可以爲網이요 遊者는 可以爲綸이요 飛者는 可以爲繒(矰)이어니와 至於龍하여는 吾不能知其乘風雲而上天이러니 吾今見老子하니 其猶龍邪인저하니라 老蘇樂論에 則曰 雨는 吾見其所以濕萬物이요 日은 吾見其所以燥萬物이요 風은 吾見其所以動萬物也어니와 隱隱砣(횡)砣而謂之雷니 彼何用也오 陰凝而不散하고 物蹙而不遂하여 雨之所不能濕이요 日之所不能燥요 風之所不能動이라가 雷一震焉이면 而凝者散하고 蹙者遂라하니 以此로 見好文法이 未始無所本也라 但退之는 用牛馬麋鹿等實字하여 置之句終하고 老蘇는 直用風雨等字하여 揭之句端하니 此微不同耳라

---

23 柳文復乳穴記 : 유종원(柳宗元)의 〈연주군 복유혈기(連州郡復乳穴記)〉를 가리킨 것으로 아래 권 5에 보인다.

24 (莊子)〔史記〕 : 저본에는 '장자(莊子)'로 되어 있으나 출처를 확인하여 '사기(史記)'로 바로잡았다.

機 베틀 기 軸 축 축 萊 쑥 래 綸 낚시줄 륜 繒 주살 증 濕 젖을 습 燥 마를 조 砣 울릴 횡 蹙 위축될 축 震 떨칠 진

또 '뿔이 난 것은 내가 그것이 소임을 안다'는 한 절(節)을 동래(東萊, 여조겸(呂祖謙))의 평비에 "소순(蘇洵)의 문장인 〈악론(樂論)〉은 이 구법(句法, 구(句)를 구사하는 법)을 배운 것이다." 하였으니, 이는 잘못이다. 한퇴지와 노소(老蘇, 소순)는 모두 공자의 말씀을 배웠을 뿐이다. 《사기(史記)》〈노장신한열전(老莊申韓列傳)〉에 부자(夫子, 공자)가 노담(老聃)을 칭한 글을 실었는데, 여기에 "새는 내가 그 날 수 있음을 알고 물고기는 내가 그 물 속에서 헤엄칠 수 있음을 알고 짐승은 내가 그 달릴 수 있음을 아니, 달리는 짐승은 그물로 잡을 수 있고 물 속에서 헤엄치는 물고기는 낚시로 잡을 수 있고 나는 새는 주살로 잡을 수 있지만, 용(龍)에 이르러서는 내가 그것이 〈어떻게〉 바람과 구름을 타고 하늘에 오르는지를 알지 못한다. 내가 이제 노자(老子)를 보니, 아마도 용과 같다고 하겠다." 하였다.

노소의 〈악론〉에는 "비는 내가 그것이 만물을 적셔줌을 보고 해는 내가 그것이 만물을 건조시킴을 보고 바람은 내가 그것이 만물을 움직이게 함을 볼 수 있으나, 은은하면서도 크게 울림을 우레라 하는바, 저 우레는 어디에 쓰는 것인가? 음기(陰氣)가 엉겨 흩어지지 못하고 물건이 위축되어 이루어지지 못해서, 비로도 적시지 못하고 해로도 건조시키지 못하고 바람으로도 움직이지 못하다가 우레가 한번 진동하면 엉겼던 것이 흩어지고 위축되었던 것이 이루어진다." 하였으니, 이로써 훌륭한 문법(文法, 문장을 짓는 법)은 일찍이 근본한 바가 없지 않음을 볼 수 있다. 다만 한퇴지는 우(牛), 마(馬), 미록(麋鹿) 등의 실자(實字)를 사용하여 구(句)의 끝에 놓은 반면, 노소는 다만 풍(風), 우(雨) 등의 글자를 사용하여 구의 첫머리에 놓았으니, 이것이 조금 다를 뿐이다.

• **原文**

麟之爲靈이 昭昭也라 詠於詩[25]하고 書於春秋[26]하고 雜出於傳記百家之書하니【公羊傳曰："麟，仁獸也." 禮記："麟·鳳·龜·龍，謂之四靈." 鶡冠子曰："麟者，元枵之精."[27] 廣雅曰："麟者，含仁懷義，行步中規，折旋中矩." 雜出傳記百家，此類是也.】雖婦人小子라도 皆知其爲祥

---

25 詠於詩 : 《시경》〈주남(周南) 인지지(麟之趾)〉에 "기린의 발이여 인후(仁厚)한 공자(公子)이니, 아, 이들이 기린이로다.〔麟之趾 振振公子 于嗟麟兮〕"라 하여 기린의 발과 이마, 뿔 등을 찬양한 글이 있으므로 말한 것이다.

26 書於春秋 : 《춘추좌씨전》 애공(哀公) 14년에 "서쪽 대야(大野)에서 사냥하다가 기린을 잡았다.〔西狩獲麟〕"라고 보인다.

27 鶡冠子曰 麟者元枵之精 : 《갈관자》〈도만〉에 "기린은 현효(玄枵)의 짐승이니, 음(陰)의 정령이다.〔麒麟者 玄枵之獸 陰之精也〕" 하였다. '현효'는 곧 '원효'로 12성차(星次) 중의 하나인바, 현재의 물병자리에 해당한다. 12신(辰)에서는 자(子)에 해당하고, 28수(宿)에서는 여(女)·허(虛)·위(危)에 해당하는데, 태양이 현효의 처음 부분에 이르면 소한(小寒)이 되고 가운데 부분에 이르면 대한(大寒)이 된다.

··· 麋 고라니 미 揭 걸 게 昭 밝을 소 枵 빌 효

也라 然이나 麟之爲物이 不畜於家하고 不恒有於天下하며 其爲形也不類하여 非若牛, 馬, 犬, 豕, 豺狼, 麋鹿然하니 然則雖有麟이나 不可知其爲麟也로다 角者는 吾知其爲牛요 鬣者는 吾知其爲馬요 犬, 豕, 豺狼, 麋鹿은 吾知其爲犬, 豕, 豺狼, 麋鹿이로되 惟麟也는 不可知하니 不可知면 則其謂之不祥也亦宜로다

기린(麒麟)은 영물(靈物)임이 분명하다. 《시경(詩經)》에서 읊었고 《춘추(春秋)》에 기록되었고 전기(傳記)와 백가(百家)의 책에 섞여 나오니, 【《춘추공양전(春秋公羊傳)》〈애공(哀公)〉에 "기린은 인(仁)한 짐승이다." 하였고, 《예기》〈예운(禮運)〉에 "기린과 봉황, 거북과 용을 네 영물(靈物)이라 한다." 하였고, 《갈관자(鶡冠子)》〈도만(度萬)〉에 "기린은 원효(元枵)의 정령(精靈)이다." 하였고, 《광아(廣雅)》〈석수(釋獸)〉에 "기린은 인(仁)을 머금고 의(義)를 품어 걸음걸이가 그림쇠에 맞고 꺾어 도는 것이 곡척(曲尺)에 맞는다." 하였으니, 전기(傳記)와 백가(百家)에 뒤섞여 나왔다는 것은 이러한 종류이다.】 비록 부인(婦人)과 소자(小子)들이라도 모두 이것이 상서로운 물건임을 안다. 그러나 기린이란 물건은 집에서 기르지 않고 천하에 항상 있지 않으며, 그 생김새가 보통 것들과 똑같지 않아 소와 말, 개와 돼지, 시랑(豺狼)과 미록(麋鹿, 사슴)과 같지 않으니, 그렇다면 비록 기린이 있다 하더라도 그것이 기린임을 알 수 없는 것이다.

뿔이 난 것은 내가 그것이 소임을 알고, 갈기가 있는 것은 내가 그것이 말임을 알고, 개와 돼지와 시랑과 미록은 내가 그것이 개와 돼지와 시랑과 미록임을 알지만 오직 기린은 알 수 없으니, 알 수 없다면 이것을 상서롭지 못한 것이라고 말하는 것도 당연하다.

雖然이나 麟之出에 必有聖人在乎位하니 麟은 爲聖人出也라 聖人者는 必知麟이니 麟之果不爲不祥也로다 又曰 麟之所以爲麟者는 以德이요 不以形이니 若麟之出이 不待聖人이면 則謂之不祥也【方說出主意, 斷以爲不祥.】亦宜哉인저

그러나 기린이 나올 때에는 반드시 성인(聖人)이 지위에 계시니, 기린은 성인을 위하여 나오는 것이다. 성인은 반드시 기린을 아니, 기린은 과연 상서롭지 못한 물건이 아닌 것이다.

또 말하였다. "기린이 기린이 된 이유(기린이 기린으로 추앙받는 이유)는 덕(德) 때문이요, 형체 때문이 아니니, 만약 기린의 나옴이 성인을 기다리지 않았다면 이것을 상서롭지 못하다고 이르는 것【비로소 주된 뜻을 말해서 상서롭지 못하다고 단정하였다.】 또한 당연하겠구나!"

畜 기를 휵 類 닮을 류 豺 승냥이 시 狼 이리 랑 鬣 갈기 렵

휘변諱辯

한유韓愈

• 작품개요

'변(辯)' 역시 논설류의 하나이다. '휘(諱)'란 선조나 군주의 이름에 쓰인 글자를 피하여 쓰지 않는 것으로, 이 작품은 한유가 당시 과도하게 휘(諱)하는 병폐를 비판한 글이다.

당나라 때 유명한 시인 이하(李賀, 790~816)는 하남(河南) 복창(福昌) 출신으로, 자(字)가 장길(長吉)이다. 부친의 이름은 '진숙(晉肅)'이었는데, 당시 이하를 시기하는 자들은 '진(晉)' 자가 '진사(進士)'의 '진(進)' 자와 비슷하다는 이유로 진사시에 응시해서는 안 된다고 주장하였다. 이에 한유가 이 글을 지어 여러 경전을 증거로 논변하였는데, 휘에 관한 규칙이 적혀 있는《예기》와 그 밖의 경서 및 성인들의 휘례(諱例), 그리고 한유가 살았던 당시 시행되던 휘법(諱法)에 비추어 볼 때 이하의 경우는 아무런 저촉이 없다는 것을 조리 있게 밝혔다.

한유가 이 글을 지은 것은 물론 자신이 천거했던 이하가 휘법과 관련되어 비난받는 것을 변호하고 시비를 가리고자 한 것이지만, 아울러 근거도 없는 휘법을 맹종하는 세태에 일침을 가하려는 의도도 있었다. 실로 반론의 여지가 없는 명쾌한 논변문인 셈이다.

··· 諱 휘할 휘 會 마침 회 總 상투할 총 荷 연꽃 하

篇題小註[28]‥ 洪[29]曰 李賀父晉肅이 邊上從事러니 賀年七歲에 以長短之製로 名動京華라 時에 愈與皇甫湜으로 覽賀所業하고 奇之러니 會有以晉肅行上言者라 二公이 聯騎造門하여 請見其子한대 旣而요 總角荷衣而出이어늘 面試一篇하니 承命欣然하여 旁若無人하고 仍目曰高軒過[30]라하니 二公이 大驚하여 命聯鑣(표)而還所居하여 親爲束髮하니라 年未弱冠에 丁內艱[31]이러니 它日에 擧進士한대 或謗賀不避家諱라하니 文公이 時著諱辨一篇이라 張昭論舊君諱云 周穆王諱滿이어늘 至定王時하여 有王孫滿者하고 厲王諱胡어늘 至莊王之子하여 名胡하여 其比衆多라하니 退之諱辨은 取此意니라

홍씨(洪氏)가 말하였다.

"이하(李賀)의 아버지인 진숙(晉肅)이 변방에서 종사하고 있었는데, 이하는 나이 7세에 장단구(長短句)를 잘 지어 이름이 장안(長安)에 진동하였다. 이때 한유(韓愈)는 황보식(皇甫湜)과 함께 이하가 공부하는 것을 보고는 기특하게 여겼는데, 마침 진숙의 행실을 상언(上言)한 자가 있었다. 이에 두 공은 나란히 말을 타고 그의 문(집)에 이르러 그 아들을 만나볼 것을 청하였다. 얼마 후 한 동자가 총각(總角)을 하고 하의(荷衣)를 입고 나오므로 면전에서 한 편의 글을 시험하여 짓게 하자, 그는 명령을 받고서 흔연히 곁에 사람이 없는 듯이 여기며 글을 짓고 인하여 글 제목을 '고헌과(高軒過)'라 하니, 두 공은 크게 놀라 함께 말고삐를 나란히 하고 거처하는 곳으로 돌아와서 친히 상투를 틀어 주었다.

이하는 나이가 약관(弱冠)이 되기 전에 모친상을 당하였는데, 후일 진사에 응시하자, 혹자는 이하가 가친의 휘(諱)를 피하지 않았다고 비방하니, 문공(文公)은 이때에 〈휘변〉 한 편을 지었다. 장소(張

28 篇題小註: 이 내용은 송대(宋代) 왕정진(王霆震)이 엮은 《고문집성(古文集成)》 권66 전임집(前壬集)5 〈휘변(諱辨)〉에도 실려 있는바, 여기에 근거하면 이 내용은 모두 여동래(呂東萊, 여조겸(呂祖謙))의 주(注)이다.

29 洪 : 미상이다. 홍매(洪邁)라고도 하며 홍흥조(洪興祖)라고도 한다.

30 高軒過 : 《고문진보 전집(古文眞寶前集)》에 보이는데, 시 전문은 다음과 같다. "화려한 옷자락 비취 무늬로 짜 파처럼 푸른데 금고리로 고삐 눌러 흔들리니 영롱도 하네. 말발굽 소리 은은히 들리다가 점점 높아지더니 문에 들어와 말에서 내리니, 의로운 기개 무지개 같은데 이분들 동경(東京)의 재자(才子)인 문장 거공(文章 鉅公)이라 말하네. 이십팔수가 심흉(心胸)에 나열되니 원기(元氣)와 정기(精氣) 빛나 마음속 꿰뚫었네. 궁전 앞에서 부(賦) 지으니 명성이 하늘에 닿고 필력은 조화(造化) 도우니 하늘도 공(功)이 없어라. 방미(厖眉)의 서객(書客) 가을 쑥에 감회가 일어나 누가 죽은 풀에 꽃다운 바람 생길 줄 알았으랴. 내 이제 날개 접었으나 하늘을 나는 기러기에 붙으면 후일 뱀이 용됨 부끄럽지 않으리라.〔華裾織翠青如蔥 金環壓轡搖玲瓏 馬蹄隱耳聲隆隆 入門下馬氣如虹 云是東京才子文章鉅公 二十八宿羅心胸 元精炯炯貫當中 殿前作賦聲摩空 筆補造化天無功 厖眉書客感秋蓬 誰知死草生華風 我今垂翅附冥鴻 他日不羞蛇作龍〕"

31 內艱 : 내우(內憂)나 내상(內喪)과 같은 말로, 어머니의 상을 가리킨다.

昭)는 옛 군주의 휘를 논하여 이르기를 '주나라 목왕(穆王)의 휘가 만(滿)이었는데 정왕(定王) 때에 왕손만(王孫滿)이라는 자가 있었고, 여왕(厲王)의 휘가 호(胡)였는데 장왕(莊王)에 이르러 아들 이름을 호(胡)라 하였으니, 이러한 경우가 상당히 많다.' 하였으니, 한퇴지의 〈휘변〉은 이 뜻을 취한 것이다."

- **原文**

愈與進士李賀書하여 勸賀擧進士러니 賀擧進士有名이라 與賀爭名者毁之曰 賀父名晉肅이니 賀不擧進士爲是요 勸之擧者爲非라하니 聽者不察하고 和而唱之하여 同然一辭라 皇甫湜曰 子與賀且得罪하리라 愈曰 然하다 律曰 二名은 不偏諱[32]라하여늘 釋之者曰 謂若言徵不稱在하고 言在不稱徵이 是也라하며 律曰 不諱嫌名이라하여늘 釋之者曰 謂若禹與雨, 丘與蓲[33]之類 是也라하니라【此說, 用鄭氏禮記註.】今賀父名晉肅이어늘 賀擧進士하니 爲犯二名律乎아 爲犯嫌名律乎아 父名晉肅이어늘 子不得擧進士인댄 若父名仁이면 子不得爲人乎아

내가 진사(進士) 이하(李賀)에게 편지를 보내어 이하에게 진사에 응시하도록 권하였는데, 이하가 진사시에 급제하여 명성이 있었다. 이하와 명성을 다투는 자가 그를 훼방하여 이르기를 "이하의 아버지 이름이 진숙(晉肅)이니, 이하는 진사에 응시하지 않는 것이 옳고, 그에게 응시하도록 권한 자도 잘못이다." 하니, 이 말을 들은 자들은 자세히 살피지 못하고 그 말에 부화하여 제창해서 똑같이(동일하게) 한 말을 하였다. 황보식(皇甫湜)이 말하기를 "그대와 이하가 장차 죄를 얻을 것입니다." 하였다. 이에 나는 다음과 같이 말하였다.

"그렇겠다. 율(律, 예법(禮法))에 '두 자(字) 이름은 〈두 자 중〉 한 자만은 휘(諱)하지 않는다.' 하였는데, 이것을 해석하는 자가 말하기를 '예컨대 〈공자(孔子)의 어머니의 이름이 징재(徵在)인데 공자가〉 징을 말씀함에 재를 칭하지 않고 재를 말씀함에 징을 칭하지 않으신 것과 같은 것

---

32 律曰 二名不偏諱 : 율(律)은 예경(禮經)을 가리킨 것으로 《예기(禮記)》 〈곡례 상(曲禮上)〉에 "졸곡(卒哭)이 지나면 휘하니, 예에는 혐명을 피하지 않고, 이름이 두 글자일 경우 한 글자만은 휘하지 않는다.[卒哭乃諱 禮不諱嫌名 二名不偏諱]"라고 보이는바, 이명(二名)은 두 자로 된 이름을 뜻하는데, 이 경우에는 두 글자 중 한 자만을 휘하지 않음을 이른다. 불휘혐명(不諱嫌名)은 한 자 이름일 경우 음이 같은 것을 휘하지 않음을 이른다.

33 禹與雨 丘與蓲 : 한 자의 이름일 경우 음이 같은 자를 휘하지 않음을 말한 것이다. 우(禹)는 하(夏)나라 우왕(禹王)의 이름인데 음이 같은 우(雨)는 휘하지 않고, 구(丘)는 공자(孔子)의 이름인데 음이 같은 구(蓲)는 휘하지 않는 것이다. 그러나 휘는 주(周)나라 초기에 제정된 것으로, 요(堯)·순(舜)·우(禹)는 본래 휘하지 않는다.

··· 偏 한쪽 편 嫌 혐의할 혐 蓲 갈대 구

이 이것이다.' 하였고, 율에 '이름과 음이 비슷한 것을 혐의하여 휘하지 않는다.' 하였는데, 해석하는 자가 이르기를 '우(禹)와 우(雨), 구(丘)와 구(蓲)와 같은 따위가 이것이다.' 하였다.【이 말은 정씨(鄭氏, 정현(鄭玄))의 《예기주소(禮記註疏)》〈곡례 상(曲禮上)〉을 사용한 것이다.】 이제 이하의 아버지 이름이 진숙이니, 이하가 진사에 응시하는 것이 이명율(二名律, 두 글자의 이름 중 한 글자만 휘하지 않는 율)에 저촉되는가? 아니면 혐명율(嫌名律, 이름과 비슷한 음을 가진 글자는 휘하지 않는 율)에 저촉되는가? 아버지 이름이 진숙이어서 아들이 진사에 응시할 수 없다면 만일 아버지 이름이 인(仁)이라면 자식은 인(人, 사람)이 될 수 없단 말인가.

夫諱는 始於何時오 作法制以教天下者 非周公, 孔子歟아 周公이 作詩不諱하시고【若曰: "克昌厥後." 又曰: "駿發爾私."[34]】 孔子不偏諱二名하시고【若曰宋不足徵, 又曰某在斯.[35]】 春秋에 不譏不諱嫌名하며【若衛桓公名完.】 康王釗之孫이 實爲昭王[36]이요 曾參之父名晳이로되 曾子不諱昔하시고【若曰: "昔者吾友." 又曰: "裼裘而弔."[37]】 周之時에 有騏期하

34 若曰克昌厥後 又曰駿發爾私: 문왕(文王)의 이름이 '창(昌)'이고 무왕(武王)의 이름이 '발(發)'인데, 주공이 시를 지을 적에 '창'과 '발'을 휘하지 않은 것이다.

35 若曰宋不足徵 又曰某在斯: 《논어》〈팔일〉에 "공자가 말씀하시기를 '하(夏)나라의 예(禮)를 내가 말할 수 있으나 〈그 후손의 나라인〉 기(杞)나라에서 충분히 증거를 대주지 못하며, 은(殷)나라의 예를 내가 말할 수 있으나 〈그 후손의 나라인〉 송(宋)나라에서 충분히 증거를 대주지 못함은 문헌(文獻)이 부족하기 때문이다. 〈문헌이〉 충분하다면 내가 〈내 말을〉 증거댈 수 있을 것이다.[子曰 夏禮吾能言之 杞不足徵也 殷禮吾能言之 宋不足徵也 文獻不足故也 足則吾能徵之矣]' 했다." 하였으며, 《논어》〈위령공〉에 "악사(樂師)인 면(冕)이 뵈올 적에 섬돌에 이르자 공자가 섬돌이라고 말씀하셨고, 자리에 미치자 공자가 자리라고 말씀하셨고, 모두 다 앉자 공자가 아무개는 여기에 있고 아무개는 여기에 있다고 말씀해주셨다.[師冕見 及階 子曰 階也 及席 子曰 席也 皆坐 子告之曰 某在斯某在斯]" 하였다. 이는 공자의 어머니 이름이 '징재(徵在)'인데, 두 글자의 이름은 두 글자 중 한 글자만은 휘하지 않은 것이다.

36 康王釗之孫 實爲昭王: '강왕(康王)'은 주 성왕(周成王) 송(誦)의 아들 '소(釗)'이며, 소왕(昭王)은 강왕의 아들 하(瑕)인바, 여기서 한유가 '손자[孫]'라고 한 것은 잘못이다. '소(釗)' 자와 '소(昭)'의 본음(本音)은 모두 '조'로, 이는 글자의 음이 같은데 휘하지 않은 예로 든 것이다. 참고로, 강왕의 이름인 '소(釗)' 자에 대해서는 '교'로 발음해야 한다는 설과 '조'로 발음해야 한다는 설이 있다.

37 若曰昔者吾友 又曰裼裘而弔: 《논어》〈태백〉에 증자(曾子)가 말씀하기를 "능하면서 능하지 못한 이에게 물으며, 학식이 많으면서 적은 이에게 물으며, 있어도 없는 것처럼 여기고, 가득해도 빈 것처럼 여기며, 자신에게 잘못을 범하여도 계교(計較, 따짐)하지 않는 것을, 옛적에 나의 벗이 일찍이 이 일에 종사하였었다.[曾子曰 以能問於不能 以多問於寡 有若無 實若虛 犯而不校 昔者 吾友嘗從事於斯矣]" 하였고, 《예기(禮記)》〈단궁 상(檀弓上)〉에 "증자는 습구(襲裘) 차림으로 조상하고 자유는 석구(裼裘) 차림으로 조상하였는데, 증자가 사람들에게 자유(子游)를 가리켜 보이며 '이 장부(남자)는 예에 익숙한 사람인데 어찌하여 석구 차림으로 조상한단 말인가.' 하였다. 주인이 소렴(小斂)을 마치고서 윗옷의 어깨를 드러내고 삼으로 머리를 묶으니, 자유가 빠른 걸음으로 나가서 습구를 입고 길관(吉冠)에 질(絰)을 감고 질대(絰帶)를 띠고 들어왔다. 그러자 증자가 말씀하기를 '내가 잘못하였다. 내가 잘못하였다. 이 사람이 옳다.' 했다.[曾子襲裘而弔 子游裼裘而弔 曾子指子游而示人曰 夫夫也爲習於禮者 如之何其裼裘而弔也 主人既小斂 袒括髮 子游趨而出 襲裘帶絰而入 曾子曰 我過矣

고 漢之時에 有杜度하니【杜操字伯度, 曹魏時, 以其名同武帝, 故因以其字呼之, 又去其伯字, 呼爲杜度.】此其子宜如何諱오 將諱其嫌하여 遂諱其姓乎아 將不諱其嫌者乎아

이 휘는 어느 때부터 시작되었는가? 법제를 만들어 천하의 사람들을 가르친 자가 주공(周公)과 공자가 아닌가. 주공께서는 시를 지으실 적에 휘하지 않으셨고,【예컨대《시경》〈주송(周頌) 옹(雝)〉에 "그 후손을 창성하게 하였다.〔克昌厥後〕" 하였고, 또《시경》〈주송 희희(噫嘻)〉에 "너의 사사로움을 크게 발동하였다.〔駿發爾私〕"라고 한 경우이다.】공자는 두 자 이름에서 한 자만을 휘하지 않으셨고【예컨대《논어》〈팔일(八佾)〉에 공자가 "송나라가 증거를 대주지 못한다.〔宋不足徵〕"라고 하셨고, 또《논어》〈위령공(衛靈公)〉에 "아무개가 여기에 있다.〔某在斯〕"라고 하신 경우이다.】《춘추(春秋)》에서는 혐명(嫌名)을 휘하지 않음을 비판하지 않았다.【위(衛)나라 환공(桓公)의 이름이 완(完)인 것과 같다.】강왕(康王) 소(釗)의 손자가 실로 소왕(昭王)이었고, 증삼(曾參)의 아버지 이름은 석(皙)이었는데 증자(曾子)는 '석(昔)' 자를 휘하지 않으셨다.【예컨대《논어》〈태백(泰伯)〉에 증자는 "옛적에 나의 벗이다." 라고 하였고, 또《예기(禮記)》〈단궁 상(檀弓上)〉에 "석구(裼裘) 차림으로 조상하였다."라고 한 경우이다.】주(周)나라 때에 기기(騏期)가 있었고 한(漢)나라 때에 두도(杜度)가 있었으니,【두조(杜操)는 자가 백도(伯度)인데 조위(曹魏) 때 무제(武帝, 조조(曹操))와 이름이 같았으므로 인하여 자로 불렸고, 또 '백(伯)' 자를 제거하여 '두도(杜度)'라고 불렸다.】그 아들들이 마땅히 어떻게 휘해야 하겠는가. 장차 그 혐의됨을 휘하여 마침내 그 성(姓)을 휘해야 하는가? 아니면 그 혐의됨을 휘하지 않아야 하는가?

漢諱武帝名徹하여 爲通이어니와 不聞又諱車轍之轍하여 爲某字也며 諱呂后名雉하여 爲野鷄어니와 不聞又諱治天下之治하여 爲某字也며 今上章及詔에 不聞諱滸, 勢, 秉, 饑也요【滸, 近太祖廟諱, 勢, 近太宗廟諱, 秉, 近代祖廟諱, 饑, 近玄宗廟諱. 唐高祖之祖名虎, 父名昞, 太宗名世民, 玄宗名隆基, 代宗名豫.[38]】惟宦官宮妾이 乃不敢言諭及機하여 以爲觸犯이라하니【以諭爲近代宗廟諱, 以機爲近玄宗廟諱.】士君子立言行事를 宜何所法守也오 今

我過矣 夫夫是也〕" 하였다. 이는 증자의 아버지 이름이 '석(晳)'이었는데, 음이 같은 '석(昔)'과 '석(裼)' 자를 휘하지 않은 경우이다. 그러나 증자의 아버지는 이름이 점(點)이고 자가 석(晳)인바, 원래 자는 휘하지 않으니, 이는 한유가 석(晳)을 증자의 아버지 이름으로 착각한 것으로 보인다.

38 滸近太祖廟諱……代宗名豫: '호(滸)'는 당나라를 일으킨 이연(李淵)의 조고 휘인 호(虎)와 음이 같고, '세(勢)'는 태종(太宗)의 휘인 세민(世民)의 세(世)와 같고, '병(秉)'은 이연의 아버지 대조(代祖, 세조(世祖))의 휘인 병(昞)과 같고, 기(饑)는 현종(玄宗)의 휘인 융기(隆基)의 기(基)와 같기 때문에 말한 것이다.

… 徹 통할 철 雉 꿩 치 滸 물가 호 秉 잡을 병 饑 흉년들 기 宦 환관 환 稽 상고할 계

考之於經하고 質之於律하며 稽之以國家之典컨대 賀擧進士爲可耶아 爲不可耶아

한(漢)나라에서는 무제(武帝)의 이름인 '철(徹)' 자를 휘하여 '통(通)' 자로 썼지만 또 거철(車轍)이란 '철(轍)' 자를 휘하여 아무 자(字)로 만들었다는 말은 듣지 못하였으며, 여후(呂后)의 이름인 '치(雉)'를 휘하여 〈꿩〔雉〕을〉 '야계(野鷄)'로 썼지만 또 치천하(治天下)의 '치(治)' 자를 휘하여 아무 자로 만들었다는 말은 듣지 못하였으며, 이제 올리는 글 또는 조서(詔書)에 호(滸)·세(勢)·병(秉)·기(饑)를 휘하였다는 말을 듣지 못하였고,【'호(滸)'는 태조(太祖)의 묘휘(廟諱)에 가깝고, '세(勢)'는 태종(太宗)의 묘휘에 가깝고, '병(秉)'은 대조(代祖)의 묘휘에 가깝고, '기(饑)'는 현종(玄宗)의 묘휘에 가깝다. 당나라 고조의 조부는 이름이 호(虎)이고, 부친은 이름이 병(昞)이고, 태종은 이름이 세민(世民)이고, 현종은 이름이 융기(隆基)이고, 대종은 이름이 예(豫)이다.】 오직 환관(宦官)과 궁첩(宮妾)들이 마침내 감히 유(諭)와 기(機)를 말하지 못하여 휘를 범함에 저촉된다고 하니,【'유(諭)'는 대종의 묘휘인 '예(豫)'와 음이 비슷하고, '기(機)'는 현종의 묘휘인 융기(隆基)의 '기(基)'와 음이 비슷하다고 한 것이다.】 사군자가 글을 쓰고 일을 행함에 마땅히 무엇을 법으로 삼아 지켜야 하겠는가. 이제 경서(經書)에 상고해 보고 율에 질정해보며 국가의 전고(典故)로써 상고해 보건대 이하가 진사에 응시함이 가한가? 불가한가?

凡事父母를 得如曾參이면 可以無譏矣요 作人을 得如周公, 孔子면 亦可以止矣라 今世之士는 不務行曾參, 周公, 孔子之行하고 而諱親之名은 則務勝於曾參, 周公, 孔子하니 亦見其惑也로다 夫周公, 孔子, 曾參은 卒不可勝이어늘 勝周公, 孔子, 曾參하여 乃比於宦官宮妾하니 則是宦官宮妾之孝於其親이 賢於周公, 孔子, 曾參者耶아

무릇 부모를 섬김을 증삼과 같이 할 수 있다면 비난이 없을 수 있고, 사람됨을 주공, 공자와 같이 할 수 있다면 또한 최고의 수준에 이를 수 있는 것이다. 지금 세상의 선비들은 증삼과 주공과 공자의 행실을 행하기를 힘쓰지 않고, 어버이 이름을 휘하는 것은 증삼과 주공과 공자보다 낫기를(더하기를) 힘쓰니, 또한 그 미혹됨을 볼 뿐이다. 저 주공과 공자와 증삼은 끝내 그 분들보다 나을 수가 없는데 주공과 공자와 증삼보다 나으려 하여 마침내 환관과 궁첩에 견주니, 이는 환관과 궁첩이 그 어버이에게 효도함이 주공과 공자와 증삼보다 낫다고 여기는 것인가?"

••• 譏 비난할 기 勝 나을 승 賢 나을 현

남전현승청벽기藍田縣丞廳壁記

한유韓愈

• 작품개요

이 작품은 원화(元和) 10년(815)에 지어진 것으로, 당시 한유는 고공랑중(考功郎中) 지제고(知制誥)였다. '남전현(藍田縣)'은 당시 경조부(京兆府)에 속한 곳으로, 현재 섬서성 장안의 동남쪽에 해당한다. '청벽기(廳壁記)'란 관아 대청(大廳)의 전후 벽면에 그동안 재직한 자들의 연혁을 기록함으로써 전임자의 공로를 표창하고 후임자를 권면하였던 글을 가리킨다.

한유의 이 작품은 전통적인 청벽기 본연의 격식을 탈피하여 한 인물을 중점적으로 그려냈는데, 아전〔吏〕과 승(丞) 간에 공문을 처리하며 서명하는 모습과 최사립(崔斯立)이 현승으로 있을 때의 행적을 서술함으로써 당시 현승이라는 관직의 유명무실함에 대해 풍자하였다. 아울러 최사립이 뛰어난 재주를 가지고도 때를 만나지 못해 일개 현승이 된 것을 해학적으로 위로하고 있다.

최사립은 자가 입지(立之)로, 박릉(博陵) 사람이다. 정원 4년(788)에 진사가 되었고, 6년(790)에는 박학굉사과(博學宏辭科)에 급제하였으므로 한유가 일찍이 그에게 보낸 시에 "해를 연하여 과거에 급제하기를 턱 밑의 수염 뽑듯이 하였네.〔連年收科第 若摘頷下髭〕" 하였다. 이로 볼 때 본문의 '재진재굴어인(再進再屈於人)'을 "두 번 나아갔으나 두 번 모두 남에게 굴복당하였다."라고 해석하는 것은 시와 부합되지 않는다. 이 때문에 '굴어인(屈於人)'에 대하여 이견(異見)들이 존재하는바, '굴(屈)' 자를 '출(出)' 자의 오자로 보아 "다른 사람들보다 훨씬 뛰어났다."라고 해석하는 설, '굴(屈)' 자 아래에 '천(千)' 자가 있는 판본에 근거하여 "천 사람을 굴복시켰다."라고 해석하는 설 및 '굴인(屈人)'의 뜻으로 보아 "사람들을 굴복시켰다."라고 해석하는 설 등이 있다.

··· 藍 쪽빛 람 丞 도울 승

篇題小註·· 此篇은 老健奇崛하여 句句可爲縣丞故事라 尋常引用者甚多하니 不可不熟也니라

이 편은 노련하고 굳세며 기이하고 빼어나서 구(句)마다 현승(縣丞)의 고사(故事)가 될 만하다. 심상하게 이 글을 인용하는 경우가 매우 많으니, 익숙히 알지 않으면 안 된다.

• **原文**

丞之職은 所以貳令이니 於一邑에 無所不當問이요 其下는 主簿, 尉니 主簿, 尉는 乃有分職이라 丞이 位高而逼하여 例以嫌不可否事하니 文書行에 吏抱成案하고 詣丞하여 卷其前하여 鉗以左手하고 右手로 摘紙尾하고 雁鶩行以進하여 平立睨丞曰 當署라하면 丞이 涉筆占位하여 署惟謹하고 目吏問可不可하여 吏曰得이라하고 則退하여 不敢略省하여 漫不知何事하니 官雖尊이나 力勢反(在)[出][39]主簿, 尉下라 諺數慢에 必曰丞이라하여 至以相訾謷(자오)하니 丞之設이 豈端使然哉아

승(丞)의 직책은 현령(縣令)을 보좌하는 것이니, 한 고을에 있어서 물어서는 안 되는 것이 없고, 그 아래는 주부(主簿)와 위(尉)인데, 주부와 위는 마침내 나누어 맡은 직책이 있다. 승은 지위가 높아 현령과 가까워서(핍박이 되어서) 으레 혐의쩍다 하여 일을 가타부타 하지 않으니, 문서가 돌게 되면 아전이 성안(成案, 만들어진 안건)을 안고 승에게 나아가 그 앞부분을 말아 왼손으로 잡아 쥐고 오른손으로 문서 끝 부분의 서명할 곳을 추려서 잡고 거위 떼나 오리 떼처럼 뒤뚱거리며 나아와 똑바로 서서 승을 비스듬히 바라보며 말하기를 "서명해야 됩니다."라고 하면 승은 붓을 잡아 서명할 자리(위치)를 정하여 서명하되 오직 삼갈 뿐이요, 눈으로 아전을 바라보며 가(可), 불가(不可)를 물어 아전이 "됐습니다."라고 하고 물러간다. 그리하여 감히 조금도 살펴보지 못하여 전혀 무슨 일인지를 알지 못한다.

그러므로 관직은 비록 높으나 힘과 세력은 도리어 주부와 위의 아래에 있다. 속담에 태만한 자를 거론할 적에 반드시 승이라 하여 심지어는 승을 가지고 서로 욕하는 말로 삼으니, 승을 설치함이 어찌 본래 이렇게 하려 한 것이었겠는가.

---

39 (在)[出]: 저본에는 '재(在)'로 되어 있으나 《창려선생집》과 《당송팔대가문초》에 의거하여 '출(出)'로 바로잡았다.

··· 崛 우뚝솟을 굴 尋 보통 심 貳 도울 이 尉 벼슬이름 위 詣 나아갈 예 鉗 재갈 겸 摘 잡을 적 鶩 오리 목 睨 흘깃볼 예 漫 아득할 만 數 꾸짖을 수 訾 꾸짖을 자 謷 꾸짖을 오 績 길쌈 적 泓 넓을 홍 涵 받아들일 함 演 흐를 연 迤 연할 이

博陵崔斯立이 種學績文[40]하여 以蓄其有하니 泓涵演迤(홍함연이)하여 日大以肆라 貞元初에 挾其能하여 戰藝於京師하여 再進再屈於人이러니 元和初에 以前大理評事로 言得失이라가 黜官하여 再轉而爲丞玆邑이라 始至에 喟然曰 官無卑요 顧材不足塞職이라하더니 旣噤不得施用엔 又喟然曰 丞哉丞哉여 余不負丞이로되 而丞負余라하고 則盡枿(얼)去牙角하고 一躡故跡하여 破崖岸而爲之하니라

박릉(博陵)의 최사립(崔斯立)이 학문을 쌓고 문장을 익혀 소유한 것을 온축(蘊蓄)하니, 심원하고 광대하며 끊임없이 길게 이어져 날로 커져서 퍼져나갔다. 정원(貞元) 초기에 재능을 지닌 채 경사(京師)에서 문예를 다투어 두 번 나아가 두 번 모두 남들을 굴복시켰다. 원화(元和) 초기에 전(前) 대리시 평사(大理寺評事)로서 정치의 득실을 말하다가 관직에서 폄출되었고, 두 번 전직하여 이 고을의 승이 되었다.

처음 부임했을 적에 탄식하며 말하기를 "관직에는 낮은 것이 없고 다만 재주가 직책을 수행하지 못할 뿐이다."라고 하였다. 이윽고 입을 다물어 시용(施用)할 수 없게 되어서는, 또 탄식하며 말하기를 "승이여! 승이여! 나는 승을 저버리지 않는데 승이 나를 저버린다."라고 하고는, 〈남을 해치는 데 쓰는〉 이빨과 뿔을 모두 제거하고, 한결같이 옛 자취를 따라 애안(崖岸, 남과 화합하지 않음)을 깨뜨리고 평범하게 지내었다.

丞廳에 故有記러니 壞漏하여 汙不可讀이라 斯立이 易桷與瓦하고 墁治壁하고 悉書前任人名氏하며 庭有老槐四行이요 南墻에 鉅竹千梃이 儼立若相持하고 水㶁(획)㶁循除鳴이라 斯立이 痛掃漑하고 對樹二松하고 日哦其間하며 有問者면 輒對曰 余方有公事하니 子姑去하라하니라 考功郞中知制誥韓愈는 記하노라

승의 청사(廳事)에는 본래 기문(記文)이 있었는데, 무너지고 비가 새서 더럽혀져 읽을 수가 없었다. 최사립이 청사의 서까래와 기와를 갈고 벽을 흙손질하여 다스리고는 전임자의 성명을 모두 기록하였다. 뜰에는 늙은 회화나무 네 줄이 있고 남쪽 담장에는 큰 대나무 천 그루가 우뚝이 서서 서로 버티고 있는 듯하며 물은 졸졸졸 뜰을 따라 울면서 흘러갔다. 최사립은 몸

40 種學績文: 학문(學問)을 닦고 문장(文章)을 공부함은 농부가 곡식을 심고 아낙네가 길쌈하여 베짜는 것과 같다 하여 이른 말이다.

喟 한숨쉴 위 噤 입다물 금 枿 벨 얼 躡 밟을 섭 崖 언덕 애 岸 언덕 안 桷 서까래 각
墁 칠할 만 槐 회화나무 괴 梃 그루 정 㶁 물소리 획 除 덜 제 誥 고할 고

시도 깨끗이 청소하고 물을 대주며 두 그루의 소나무를 마주 심어놓고는 날마다 그 사이에서 시를 읊으며, 묻는 자가 있으면 번번이 대답하기를 "나는 지금 공적인 일이 있으니, 그대는 우선 가라." 하였다. 고공랑중(考功郎中) 지제고(知制誥) 한유(韓愈)는 쓰다.

상재상제삼서上宰相第三書

한유韓愈

• 작품개요

이 작품은 한유가 벼슬을 얻기 위해 재상에게 올린 세 번째 편지이다.

한유는 정원(貞元) 8년(792)에 진사시에 급제한 뒤에, 9년부터 11년까지 3년 동안 이부(吏部)에서 보이는 박학굉사과(博學宏詞科)에 연이어 응시하였으나 번번이 낙방하고서, 당시 재상에게 관직을 요구하는 편지를 세 차례 올리게 되었다. 당시의 재상은 조경(趙憬)·가탐(賈耽)·노매(盧邁)였는데, 한유가 글을 올린 대상이 누구인지는 미상이다.

첫 번째 편지는 정원 11년(795) 정월 27일에 올린 것으로, 본집(本集)에는 〈상재상서(上宰相書)〉라는 제목으로 실려 있다. 첫 번째 편지를 올린 뒤 19일을 기다렸으나 아무런 회답이 없자 2월 16일에 다시 편지를 올려 자신의 곤궁함을 구제해주기를 청하였는바, 본집에 있는 〈후십구일부상서(後十九日復上書)〉란 제목으로, 《문장궤범》 〈후자집(侯字集)〉에는 〈상재상제이서(上宰相第二書)〉란 제목으로 실려 있다. 두 번째 편지를 올린 뒤에도 아무런 회답이 없고, 세 차례 찾아갔으나 만나주지 않으므로 다시 세 번째인 이 편지를 올린 것이다. 본집에 제목이 〈후입구일후상서(後廿九日後上書)〉로 되어 있는바, 이는 두 번째 편지를 올리고 29일 뒤에 다시 올린 편지임을 뜻한다.

당대(唐代)에는 과거(科擧)를 통하여 인재를 선발하는 것은 예부(禮部)가 담당하였고 관리를 선발하는 것은 이부(吏部)가 담당하였는바, 과거에 합격하였어도 이부의 시험에 합격하지 못하면 관직을 얻을 수 없었다. 한유는 세 차례 모두 응시했으나 낙방하였으므로 재상의 천거를 받기 위해 이처럼 글을 올린 것이다.

한유는 이 편지에서 인재를 구하는 데 적극적이었던 주공(周公)의 일을 상기시키고 자신을 천거해줄 것을 바랐지만 결국 아무런 결과도 얻지 못하였다. 송대의 주희는 한유의 이러한 행위에 대해 지위와 녹봉을 구하는 것이라고 비판하였다. 그러나 이 글은 자기의 능력을 높은 사람에게 인정받아서 벼슬을 구하려는 '간알서(干謁書)'를 작성함에 있어서 전범이 되었다.

篇題小註·· 迂齋云 以周公與當時之事로 反覆對說하여 而求士之緩急이 居然可見하니 雖是退之切於求進이나 然理亦如此니라

우재(迂齋)가 말하였다. "주공(周公)과 당시의 일을 가지고 반복하여 상대해 말해서 선비를 구함의 완급(緩急)을 쉽게 볼 수 있으니, 비록 이는 한퇴지가 나아가기를(벼슬을) 구함에 간절한 것이나 이치가 또한 이와 같은 것이다."

○ 此書는 上於貞元十一年乙亥하니 公時年二十八歲요 時相은 乃賈耽(탐), 盧邁也[41]라 前一書云 前鄉貢進士[42]韓愈 謹伏光範門下하여 再拜獻書相公閤下라하니 公二十五歲에 已登進士第로되 時猶未出官이라 故로 只云前鄉貢進士라 自正月二十七로 至三月十六히 凡三上書에 詞益慷慨하니 世所謂光範三書者此也라 三上書호되 不報한대 乃東歸하니라 朱子論公에 所謂不免雜乎貪位慕祿之私者[43]는 正謂此類라 然이나 初年干進은 亦誰能免이리오 略之而取其議論文氣可也라 書辭激切이 如此로되 而竟不報하니 此二相者 果何如人哉아

이 편지는 정원(貞元) 11년 을해(乙亥, 795)에 올린 것이니, 이때 공의 나이가 28세였고, 당시 정승은 가탐(賈耽)과 노매(盧邁)였다. 전에 올린 한 편지에 "전 향공진사(前鄉貢進士) 한유(韓愈)는 광범문(光範門, 궁문(宮門)) 아래에 삼가 엎드려 재배하고 상공합하(相公閤下)께 글을 올립니다." 하였으니,

---

41 時相 乃賈耽, 盧邁也 : 본집의 주에는 '가탐(賈耽)' 위에 '조경(趙憬)' 두 글자가 더 있다.

42 前鄉貢進士 : 각 주군(州郡)에서 선발하여 서울로 올려 보낸 사람으로 예부(禮部)에서 보이는 진사시(進士試)에는 급제하였으나, 아직 이부(吏部)에서 실시하는 박학굉사과(博學宏詞科)에 급제하지 못한 진사를 이른다. 당대(唐代)에 이들을 '전향공진사', '전진사(前進士)', '신급제진사(新及第進士)' 등으로 호칭하였다.

43 朱子論公 所謂不免雜乎貪位慕祿之私者 : 이 내용은 주자가 교정·편집한 《한문고이(韓文考異)》 권10 〈신서본전(新書本傳)〉 말미의 주석에 실려 있다.

··· 耽 즐길 탐 邁 높을 매 閤 협문 합 慷 강개할 강 慨 분개할 개 干 구할 간

공은 25세에 이미 진사에 급제하였으나 이때 아직 벼슬살이를 하지 못하였다. 그러므로 다만 '전 향공진사'라고 칭한 것이다. 정월(正月) 27일부터 3월 16일까지 모두 세 번 글을 올렸는데 내용이 더욱 강개하였으니, 세상에 이른바 '광범삼서(光範三書)'라는 것이 이것이다. 세 번 글을 올렸으나 답하지 않자, 공은 마침내 동쪽(낙양)으로 돌아오고 말았다.

주자(朱子)가 공을 평론한 글에 '지위를 탐하고 녹봉을 사모하는 사사로움에 뒤섞임을 면치 못했다.'라고 말씀한 것은 바로 이러한 따위를 이른 것이다. 그러나 초년(初年)에 등용되기를 구함은 또 누구인들 면할 수 있겠는가. 이는 생략하고 그 의론과 문기(文氣)를 취함이 가하다. 글의 내용이 이처럼 격절(激切)한데도 끝내 답하지 않았으니, 이 두 재상은 과연 어떠한 사람들인가.

• **原文**

愈聞周公之爲輔相[44]에 急於見賢也하여 方一食에 三吐其哺하고 方一沐에 三握其髮[45]이라하니 當是時하여 天下之賢才 皆已擧用이요 姦邪, 讒佞, 欺負之徒[46] 皆已除去요 四海皆已無虞요 九夷, 八蠻在荒服之外者[47] 皆已賓貢이요 天災, 時變, 昆蟲, 草木之妖 皆已銷息이요 天下之所謂禮樂, 刑政, 敎化之具 皆已修理요 風俗이 皆已敦厚요 動植之物風雨霜露之所霑被者 皆已得宜요 休徵, 嘉瑞 麟, 鳳, 龜, 龍之屬이 皆已備至하며 而周公이 以聖人之才로 憑叔父之親하여 其所輔理承

---

44 周公之爲輔相: 주공은 주(周)나라 문왕(文王)의 아들이고 무왕(武王)의 아우로 이름은 단(旦)이다. 무왕이 죽고 성왕(成王)이 어린 나이에 즉위하자 주공이 국정을 대리(代理)하였다가 성왕이 장성한 뒤에는 정권을 반납하고서 성왕을 보좌하였다. 보상은 제왕을 보좌하는 정승을 이른다.

45 方一食 三吐其哺 方一沐 三握其髮: 주공이 그 아들 백금(伯禽)을 경계한 글에 "나는 한 번 머리를 감을 때에도 감던 머리를 세 번이나 움켜쥐고, 한 끼의 밥을 먹을 때에도 세 번이나 먹던 밥을 뱉고 나가서 선비를 접대하였으나 행여 천하의 현인들을 잃을까 두려워하였다.〔我一沐三握髮 一飯三吐哺 起以待士 猶恐失天下之賢人〕"라고 보인다.《史記 卷33 魯周公世家》

46 姦邪, 讒佞, 欺負之徒: '간사하고 아첨하고 남을 속이고 저버리는 무리'는 관숙(管叔)·채숙(蔡叔)·무경(武庚) 등을 이른다. 무왕이 주왕(紂王)을 주벌하고서 그의 아들 무경을 은(殷)에 봉하여 은나라의 제사를 받들게 하고 자신의 아우인 관숙과 채숙에게 무경을 감시하게 하였는데, 주공이 섭정(攝政)하자 관숙은 채숙 등과 함께 '주공이 장차 성왕에게 불리한 짓을 할 것이다.'라는 유언비어를 퍼뜨렸다. 그리고는 마침내 관숙·채숙·무경 등이 함께 반란을 일으키니, 주공이 성왕의 명을 받들어 군대를 일으켜 관숙과 무경을 죽이고 채숙을 추방하였다.《史記 卷33 魯周公世家》

47 九夷八蠻在荒服之外者: 구이(九夷)·팔만(八蠻)은 여러 오랑캐들을 가리키며 황복(荒服)은 오복(五服)의 하나로 국경 밖의 먼 지역인바, 《서경》〈우공(禹貢)〉에 왕성(王城)과의 거리에 따라 전복(甸服)·후복(侯服)·수복(綏服)·요복(要服)·황복(荒服)의 다섯 가지로 구분하였다.

··· 哺 먹을 포 握 쥘 악 讒 참소할 참 佞 간사할 녕 虞 근심 우 蠻 남쪽오랑캐 만 貢 바칠 공
妖 요망할 요 銷 사라질 소 息 그칠 식 霑 젖을 점 休 아름다울 휴 憑 의지할 빙 章 밝을 장

化之功이 又盡章章如是하니 其所求進見(현)之士 豈復有賢於周公者哉리오 不惟不賢於周公而已라 豈復有賢於時百執事者哉며 豈復有所計議能補於周公之化者哉릿가

제가 들으니, 주공(周公)이 보상(輔相)이 되었을 적에 현자(賢者)를 만나는 것을 시급히 여기므로 막 한 번 밥을 먹을 적에 먹던 밥을 세 번이나 뱉고 막 한 번 머리를 감을 적에 감던 머리를 세 번이나 쥐고 나왔다 합니다. 이때를 당하여 천하의 현재(賢才, 훌륭한 덕과 뛰어난 재주)가 모두 이미 거용(擧用, 등용)되었고 간사하고 아첨하고 남을 속이고 저버리는 무리가 모두 이미 제거되었으며, 사해(四海)가 모두 이미 근심이 없었고 구이(九夷)·팔만(八蠻)으로서 황복(荒服)의 밖에 있는 자들이 모두 이미 복종해 와서 공물(貢物)을 바쳤으며, 천재(天災), 시변(時變)과 곤충(昆蟲), 초목(草木)의 요망한 것들이 모두 이미 사라졌고 천하에 이른바 예악(禮樂)·형정(刑政)·교화(敎化)의 도구가 모두 이미 닦이고 다스려졌으며, 풍속이 모두 이미 돈후(후덕)해졌고 동물과 식물로서 풍우(風雨)와 상로(霜露)의 영향을 받는 것들이 모두 이미 마땅함을 얻었으며, 아름다운 징조와 아름다운 상서인 기린·봉황·거북·용의 등속이 모두 이미 다 이르렀습니다. 그리고 주공은 성인(聖人)의 재주로 임금의 숙부(叔父)라는 친족에 의거하여 다스림을 돕고 교화를 받드는 공(功)이 또 모두 밝게 드러남이 이와 같았으니, 찾아와서 만나보기를 구한 선비가 어찌 다시 주공보다 더 나은 자가 있었겠습니까. 단지 주공보다 더 낫지 못할 뿐만 아니라 어찌 다시 당시의 여러 집사(執事)보다 더 나은 자가 있었겠으며, 어찌 다시 계책과 의론이 주공의 교화에 보탬이 될 만한 것이 있었겠습니까.

然而周公이 求之를 如此其急하여 惟恐耳目有所不聞見하며 思慮有所未及하여 以負成王託周公之意하여 不得於天下之心하시니【反前.】[如周公之心[48]인댄] 設使其時에 輔理承化之功이 未盡章章如是하며 而非聖人之才요 而無叔父之親이런들 則將不暇食與沐矣리니【又進一步, 不特吐握矣.】豈特吐哺握髮爲勤而止哉시리오 惟其如是라 故로 于今에 頌成王之德而稱周公之功이 不衰니이다

---

48 〔如周公之心〕: 저본에는 없으나 《창려선생집》과 《당송팔가문초》에 의거하여 보충하였다.

그런데도 주공은 현재를 구하기를 이와 같이 급히 여겼으므로 이목(耳目)에 보고 듣지 못하는 바가 있으며 사려(思慮)에 미치지 못하는 바가 있어서 성왕(成王)이 주공에게 부탁한 뜻을 저버려 천하의 마음을 얻지 못할까 두려워하셨습니다.【앞 단락과 반대이다.】 주공의 마음과 같을진댄 설사 그 당시에 다스림을 돕고 교화를 받드는 공이 다 밝게 드러남이 이와 같지 못하며, 주공이 성인의 재주가 아니고 임금의 숙부라는 친족이 아니었더라면 장차 밥을 먹고 머리를 감을 겨를도 없었을 것이니,【또 한걸음을 더 나아가서 다만 먹던 밥을 토하고 머리칼을 쥘 뿐만이 아닌 것이다.】 어찌 다만 먹던 밥을 뱉고 감던 머리를 쥐고 나옴을 부지런하다고 여길 뿐이겠습니까. 이와 같았기 때문에 지금에도 성왕의 덕을 칭송하면서 주공의 공을 칭찬함이 그치지 않는 것입니다.

今閤下爲輔相이 亦近耳언마는 天下之賢才 豈盡擧用이며 姦邪, 讒佞, 欺負之徒 豈盡除去며 四海豈盡無虞며 九夷, 八蠻之在荒服之外者 豈盡賓貢이며 天災, 時變, 昆蟲, 草木之妖 豈盡銷息이며 天下之所謂禮樂, 刑政, 敎化之具 豈盡修理며 風俗이 豈盡敦厚며 動植之物風雨霜露之所霑被者 豈盡得宜며 休徵, 嘉瑞麟, 鳳, 龜, 龍之屬이 豈盡備至며 其所求進見之士가 雖不足以希望盛德이나 至比於百執事하면 豈盡出其下哉며 其所稱說이 豈盡無所補哉리오 今雖不能如周公吐哺握髮이나 亦宜引而進之하여 察其所以而去就之요 不宜默默而已也니이다

지금 합하(閤下)께서 보상이 됨이 또한 이에 가깝습니다. 그러나 천하의 현재가 어찌 모두 거용되며, 간사하고 아첨하고 남을 속이고 저버리는 무리들이 어찌 모두 제거되며, 사해가 어찌 다 근심이 없으며, 구이 · 팔만으로서 황복의 밖에 있는 자들이 어찌 모두 복종해 와서 공물을 바치며, 천재 · 시변과 곤충 · 초목의 요망함이 어찌 모두 사라지며, 천하에 이른바 예악 · 형정 · 교화의 도구가 어찌 모두 닦아지고 다스려지며, 풍속이 어찌 모두 돈후해지며, 동물과 식물로서 풍우와 상로의 영향을 받는 것들이 어찌 모두 마땅함을 얻으며, 아름다운 징조와 아름다운 상서인 기린 · 봉황 · 거북 · 용의 등속이 어찌 모두 다 이르며, 그 찾아와서 뵙기를 구하는 바의 선비들이 비록 성덕(盛德)이 있기를 기대할 수는 없으나 여러 집사들에 비한다면 어찌 모두 그들만 못하며, 그들이 말하는 바가 어찌 모두 보탬이 없겠습니까.

지금 비록 주공처럼 먹던 밥을 뱉고 감던 머리를 쥐고 나오지는 못하더라도 또한 선비들을

希 바랄 희 默 침묵할 묵 閤 문지기 혼

이끌어 나오게 하여 그 찾아온 이유를 살펴서 취사(取捨)할 것이요, 침묵만 지켜서는 안 될 것입니다.

愈之待命이 四十餘日矣라 書再上而志不得通하고 足三及門而閽人辭焉이로되 惟其昏愚하여 不知逃遁일새 故로 復有周公之說焉하오니 [閤下其亦察之[49]하라] 古之士三月不仕則相弔[50]라 故로 出疆에 必載質(지)[51]라 然이나 所以重於自進者는 以其於周不可면 則去之魯하고 於魯不可면 則去之齊하고 於齊不可면 則去之宋, 之鄭, 之秦, 之楚也일새니이다 今天下一君이요【回護, 善救首尾.】四海一國이라 舍乎此면 則夷狄矣요 去父母之邦矣라 故로 士之行道者 不得於朝면 則山林而已矣니 山林者는 士之所獨善自養하여 而不憂天下者之所能安也니 如有憂天下之心이면 則不能矣라 故로 愈每自進而不知愧焉하여 書亟(기)上하고 足數(삭)及門而不知止焉이로라 寧獨如此而已리오 惴(췌)惴焉惟不得出大賢之門[下][52]를 是懼하노니 亦惟少垂察焉하소서

제가 명령을 기다린 지가 40일이 넘었습니다. 편지를 두 번 올렸으나 저의 뜻이 통하지 못하였고, 합하의 문하에 세 차례 찾아갔으나 문지기가 사절하였습니다. 그런데도 다만 혼우(昏愚)하여 도망할 줄을 모르므로 다시 주공에 관한 말씀을 아뢰는 것이니, 합하께서는 또한 살펴 주소서.

옛날 선비들은 석 달 동안 벼슬하지 못하면 서로 위문하였습니다. 그러므로 국경을 나갈 때에는 반드시 폐백(예물)을 싣고 갔습니다. 그러나 〈이처럼 벼슬함을 급하게 여겼으면서도〉 스스로 벼슬에 나아감을 신중히 한 까닭은 주(周)나라에서 불가하면 떠나서 노(魯)나라로 가고, 노나라에서 불가하면 떠나서 제(齊)나라로 가고, 제나라에서 불가하면 떠나서 송(宋)나라로

---

49 〔閤下其亦察之〕: 저본에는 없으나 《창려선생집》과 《당송팔가문초》에 의거하여 보충하였다.

50 古之士三月不仕則相弔: '조(弔)'는 지위를 잃었음을 위문하는 것으로, 《맹자》 〈등문공 하(滕文公下)〉에 "옛사람은 3개월 동안 섬기는 군주가 없으면 위문하였다.〔古之人 三月無君 則弔〕"라고 한 공명의(公明儀)의 말이 보인다.

51 出疆必載質: 《맹자》 〈등문공 하〉에 보이는데, 그 주에 "출강(出疆)은 지위를 잃고 나라를 떠남을 이른다. 지(質)는 남을 만나볼 적에 손에 잡고 가는 예물이다. 국경을 나갈 적에 폐백을 싣고 가는 것은 장차 가는 나라의 군주를 뵙고 그를 섬기려고 해서이다."라고 하였다.

52 〔下〕: 저본에는 없으나 《창려선생집》과 《당송팔가문초》에 의거하여 보충하였다.

遁 숨을 둔 弔 위문할 조 疆 국경 강 質 폐백 지 愧 부끄러울 괴 亟 자주 기 數 자주 삭 寧 어찌 녕 惴 두려울 췌

가고 정(鄭)나라로 가고 진(秦)나라로 가고 초(楚)나라로 갈 수 있었기 때문이었습니다.

지금 천하에는 군주가 하나요,【회호하여 첫부분과 끝부분을 잘 구원하였다.】 사해에는 나라가 하나여서 이곳을 버리면 이적(夷狄)이요, 부모의 나라를 떠나게 됩니다. 그러므로 선비로서 도를 행하려는 자가 조정에서 뜻을 얻지 못하면 산림에 은거할 뿐입니다. 산림이란 선비 중에 홀로 몸을 선(善)하게 하고 스스로 수양하여 천하를 근심하지 않는 자가 편안히 있을 수 있는 곳이니, 만일 천하를 걱정하는 마음이 있으면 불가능합니다. 그러므로 저는 매양 스스로 나아가면서 부끄러움을 알지 못하여 편지를 자주 올리고 여러 차례 문하에 찾아가는 일을 그칠 줄을 모르는 것입니다. 어찌 다만 이와 같을 뿐이겠습니까. 두려워하고 두려워하여 행여 대현(大賢)의 문하에서 나오지 못함을 두려워하니, 또한 다소 양찰해 주시기를 바랍니다.

전중소감마군묘명殿中少監馬君墓銘[53]

한유韓愈

• 작품개요

이 작품은, 실려 있는 책에 따라 '전중소감마군묘지(殿中少監馬君墓誌)'·'전중소감마군묘지명(殿中少監馬君墓誌銘)'·'당고전중소감마군묘지(唐故殿中少監馬君墓誌)'·'마소감묘지명(馬少監墓誌銘)' 등으로도 일컬어지는바, 한유와 친분이 있던 명문가의 아들 마계조(馬繼祖)가 37세의 나이로 죽자 그의 조부와 부친까지 아울러 3대를 떠올리며 애도하는 글로, 망자(亡者)를 알게 된 동기 및 그의 가문에 대하여 간략히 서술하였다. 《고문진보 후집》에는 묘지명이 이 한 편뿐이며, 《문장궤범》〈종자집(種字集)〉에는 〈유자후묘지(柳子厚墓誌)〉 한 편이 더 실려 있다.

일찍이 한유는 약관의 나이에 처음으로 유모에게 안겨있던 마계조를 보았는데, 아이의 눈썹과 눈매가 그린 듯하고 머리카락은 칠흑같이 까맣고 살은 백옥같이 희어 사랑스러웠다. 마계조의 조부는 태사(太師)로 추증된 북평 장무왕(北平莊武王) 마수(馬燧)이고, 부친은 태자소부(太子少傅)에 추증된 소부감(少府監) 마창(馬暢)이다. 한유는 이들과 모두 친분이 있었기 때문에 부(父)·자(子)·손(孫) 3대를 위하여 모두 곡하였다.

작품 전반에 걸쳐 마씨 집안의 상사에 대해 감개하고 서글퍼하는 심사가 잘 드러나 있는바, 한유가 쓴 많은 묘지명 가운데 가장 고아하고 법도가 있다는 평을 받는 작품이다. 말은 지극히 간결하지만 전달되는 의미는 심오하면서도 아름답다.

---

53 殿中少監馬君墓銘 : '묘명(墓銘)'이란 '묘지명'의 줄임말로, 묘지명에는 으레 명문(銘文)이 붙어 있어야 하지만 이 작품에는 명문이 보이지 않는다. 본서에서는 저본에 따라 '묘지명'으로 번역하였음을 밝혀둔다.

篇題小註‥ 北平王馬燧[54]之孫이라

북평왕(北平王) 마수(馬燧)의 손자이다.

○ 迂齋云 敍事有法하고 辭極簡嚴이로되 而意味深長하고 結尾絕佳라 感慨傷悼之情이 見(현)於言外하니 三世皆有舊故로 其言이 如此라 退之所作墓誌最多하니 篇篇各有體製하여 未嘗相襲하니라

우재(迂齋)가 말하였다. "일을 서술함에 법도가 있고, 글이 지극히 간결하고 엄격하면서도 의미가 심장하며 끝을 맺음이 매우 아름답다. 감개하고 서글퍼하는 심정이 말 밖에 나타나니, 3대에 걸쳐 모두 구지(舊知)의 친분이 있었기에 그 말이 이와 같았던 것이다. 한퇴지가 지은 묘지명이 매우 많은데, 각 편마다 각기 체제가 있어서 한 번도 서로 답습한 적이 없다."

○ 退之墓誌銘最多하니 最古雅하고 敍事有法하여 得史筆하니 眞西山選在文章正宗者稍多[55]라 今以他篇은 長不暇選이요 姑選其簡者하니 此篇所以簡略은 亦以其人勳臣子孫으로 生平自無可見者라 故로 只敍其家世及我所感慨耳니라

한퇴지는 묘지명이 가장 많은데 이것이 가장 고아(古雅)하고 일을 서술함에 법도가 있어서 사관(史官)의 필법에 맞는바, 진서산(眞西山, 진덕수(眞德秀))이 《문장정종(文章正宗)》에 뽑아 넣은 것이 약간 많다. 이제 다른 편은 길어서 뽑을 겨를이 없고 우선 그 중에 간략한 것을 뽑았으니, 이 편이

---

54 北平王馬燧 : 마수는 당나라 여주(汝州) 겹성(郟城) 사람으로 자가 순미(洵美)이고 시호는 장무(莊武)이다. 풍채가 걸출하였으며 침착하고 용맹스럽고 지략이 많았다. 여러 책을 섭렵하였는데 병법(兵法)에 더욱 밝았다. 안녹산(安祿山)이 반란을 일으키자 범양 유수(范陽留守) 가순(賈循)에게 안녹산에게 반기를 들 것을 권했는데, 가순이 실패하여 피살당하자 도망갔다. 정주(鄭州), 회주(懷州), 농주(隴州) 등의 자사(刺史)를 지냈으며 하동 절도사(河東節度使)로 옮겼다. 대종(代宗)·덕종(德宗) 연간에 여러 차례 반란(叛亂)을 평정하여 많은 공을 세워 북평왕(北平王)에 봉해졌다.《舊唐書 卷134 馬燧列傳》

55 眞西山選在文章正宗者稍多 : 서산은 남송의 성리학자인 진덕수(眞德秀, 1178~1235)의 호이다. 자는 경원(景元)·희원(希元)·경봉(景峰)·경희(景希)이고, 시호는 문충(文忠)으로 배우는 자들이 서산선생이라 불렀다. 건녕부(建寧府) 포성(浦城) 사람으로 경원(慶元) 5년(1199)에 진사가 되어 호부 상서(戶部尙書), 참지정사(參知政事) 등을 역임하였다. 주자(朱子)의 문인 첨체인(詹體仁)에게 수학하였으며, 주자학을 계승·발전시키는 데 힘썼다. 저술로 《대학연의(大學衍義)》, 《진문충공집(眞文忠公集)》 등이 있다. 《문장정종(文章正宗)》은 그가 당나라 시대의 글을 사명(辭命), 의론(議論), 서사(敍事), 시가(詩歌)의 넷으로 분류하여 편찬한 책이다.

… 燧 부싯돌 수 悼 슬퍼할 도 襲 답습할 습 姑 우선 고 勳 공 훈

간략한 까닭은 또한 그 사람이 공신(功臣)의 자손으로서 평소에 본래 드러낼 만한 것이 없었기 때문이다. 그러므로 그 가계(家系)와 자신의 감개(感慨)하는 바를 서술하였을 뿐이다.

• **原文**

君은 諱繼祖니 司徒贈太師北平莊武王之孫이요【尊之, 不書諱,[56] 又名字顯, 人所皆知.】少府監贈太子少傅諱暢之子라【便著說名.】生四歲에 以門功으로 拜太子舍人하여 積三十四年에 五轉而至殿中少監하고 年三十七以卒하니 有男八人, 女二人하니라

마군(馬君)은 휘(諱)가 계조(繼祖)이니, 사도(司徒)로 태사(太師)에 추증된 북평 장무왕(北平莊武王)의 손자이고【높여서 휘(諱)를 말하지 않았고, 또 이름자가 드러나서 사람들이 모두 알기 때문이다.】소부감(少府監)으로 태자소부(太子少傅)에 추증된 휘 창(暢)의 아들이다.【곧바로 이름을 드러내어 말하였다.】출생하여 네 살 때에 가문의 공으로 태자사인(太子舍人)에 제수되어 34년 동안 다섯 번 전직하여 전중소감(殿中少監)에 이르고 나이 37세를 일기로 졸하니, 아들 여덟 명과 딸 두 명을 두었다.

始余初冠에【敍識北平王之始.】應進士貢하여 在京師할새 窮不能自存이러니 以故人稚弟[57]로 拜北平王於馬前한대 王이 問而憐之라 因得見(현)於安邑里第하니 王이 軫其寒飢하여 賜食與衣하고 召二子[58]하여 使爲之主하시니 其季遇我特厚하니【過接妙.】少府監贈太子少傅者也라 姆抱幼子立側하니 眉眼如畫(화)하고 髮漆黑하며 肌肉이 玉雪可念하니 殿中君也라

---

56 尊之 不書諱 : 마계조(馬繼祖)의 조부는 태사(太師)로 추증된 북평 장무왕(北平莊武王) 마수(馬燧)인데, 그를 높여 이름을 말하지 않은 것이다.

57 以故人稚弟 : '고인(故人)'은 한유의 족형 한엄(韓弇, 753~787)을 가리킨다. 한엄은 하남(河南) 하양(河陽) 사람으로, 진사가 된 이후 번진(藩鎭)에서 벼슬하다가 당 덕종(唐德宗) 정원(貞元) 연간에 전중시어사(殿中侍御史)가 되었다. 정원 3년(787) 4월에 마수(馬燧)가 토번(吐蕃)과 맹약을 맺을 것을 적극 주청하자 덕종이 이를 허락하였다. 이에 윤5월 15일에 혼감(渾瑊)을 대표로 하는 당 측 사절단과 상결찬(尙結贊)을 대표로 하는 토번 측 사절단이 평량(平涼)에서 만나 맹약을 맺게 되었는데, 토번 측이 미리 군사를 매복하여 당 측을 포위하였다. 이때 혼감은 포위를 뚫고 달아났으나 최한형(崔漢衡) 이하 60여 명이 사로잡히고 당 측의 장수와 군사들이 모두 죽임을 당하였는바, 이 사건을 '평량겁맹(平涼劫盟)'이라고 한다. 한엄은 바로 이 난리 와중에 당시 35세로 순국하였으며, 마수는 병권(兵權)을 잃게 되었다.

58 二子 : 마수(馬燧)의 큰아들 휘(彙)와 둘째 아들 창(暢)이다.

… 司 맡을 사 贈 추증할 증 暢 통창할 창 拜 제수할 배 軫 슬퍼할 진 姆 여스승 무 肌 피부 기

처음에 내가 막 관례(冠禮)를 치르고서【북평왕(北平王)을 알게 된 시초를 서술하였다.】 진사시(進士試)에 응시하려고 경사(京師, 장안)에 있었는데, 곤궁하여 스스로 생존할 수가 없었다. 나는 고인(故人)의 어린 아우로서 북평왕(北平王)을 말 앞에서 뵙자, 북평왕께서는 누구인지 묻고 사랑해주셨다. 그리하여 장안성 안 안읍리(安邑里)에 있는 집에서 뵈었는데, 북평왕은 나의 추움과 굶주림을 딱하게 여기셔서 음식과 의복을 주고 두 아들을 불러 주인의 예로써 나를 대접하도록 하셨는바, 그 막내는 나를 대우하기를 특별히 후하게 하였으니,【넘어가면서 이어받음이 묘하다.】 바로 소부감으로 태자소부에 추증된 분이시다. 이때 유모가 어린 아들(아이, 마계조)을 안고 옆에 서 있었는데, 미목(眉目)이 그려놓은 듯 아름답고 머리카락은 칠흑처럼 검으며 살결이 백옥과 백설처럼 깨끗하여 사랑스러웠으니, 전중(殿中) 군이었다.

當是時하여 見王於北亭하니 猶高山深林에【形容三世德美.】 龍虎變化不測하니 傑魁人也요 退見少傅하니 翠竹碧梧에 鸞鵠停峙하니【看他許多語, 分明如三人畫像, 語各有小大輕重.】 能守其業者也요 幼子娟(연)好靜秀하여 瑤環瑜珥며 蘭茁(촬)其牙(芽)하니 稱其家兒也러라

이때를 당하여 내가 북평왕을 북쪽 정자에서 뵈니, 마치 높은 산, 깊은 숲속에 있는【삼대에 걸친 덕의 아름다움을 형용하였다.】 용호(龍虎)가 변화불측하는 듯하였는바, 걸출하고 뛰어난 인물이었다. 물러 나와 소부를 뵈니 취죽(翠竹)과 벽오동나무에 난새와 큰 고니가 멈춰 우뚝 서 있는 듯하였는바,【저 허다한 말을 보면 분명히 세 사람의 화상(畫像)과 같고, 말에 각각 대소와 경중이 있다.】 가업을 능히 지킬 분이었다. 어린 아들은 청수하고 미려하며 한아하고 정수(挺秀)하여 옥가락지와 옥귀고리와 같고 막 솟아오르는 난초의 싹처럼 빼어나니, 훌륭한 집안의 아들에 걸맞았다.

後四五年에 吾成進士하고 去而東游하여 哭北平王於客舍[59]하고 後十五六年에 吾爲尙書都官郎하여 分司東都[60]러니 而少傅卒하여 哭之하고 又十餘年至今에 哭少

---

59 哭北平王於客舍 : 마수(馬燧)는 정원(貞元) 11년(795) 8월 17일에 장안(長安) 안읍리(安邑里)의 사저에서 향년 70세를 일기로 졸하였다. 이해에 한유는 장안을 떠나 동관(潼關)을 거쳐 하양(河陽)으로 돌아온 다음 동도(東都) 낙양(洛陽)으로 갔기 때문에 객사에서 마수를 위하여 곡한 것이다.

60 吾爲尙書都官郎 分司東都 : 한유는 원화(元和) 4년(809) 6월에 도관원외랑(都官員外郎) 분사동도(分司東都) 겸 판사

··· 傑 걸출할 걸 魁 뛰어날 괴 鸞 난새 란 鵠 고니 곡 峙 우뚝솟을 치 娟 예쁠 연 瑜 옥 유 珥 옥귀고리 이 茁 자랄 촬 耄 늙을 모

監焉이라 嗚呼라 吾未耄老요 自始至今이 未四十年이어늘 而哭其祖子孫三世하니 于人世에 何如也[61]오 人欲久不死而觀居此世者는 何也[62]오【五句四十字, 而宛轉曲折, 含無限意思.】

그로부터 4~5년 뒤에 나는 진사가 되고 경사를 떠나 동쪽 지방에서 전전하다가 객사(客舍)에서 북평왕을 위하여 곡하였고, 그로부터 15~16년 뒤에 나는 상서도관랑(尙書都官郞)이 되어 동도(東都, 낙양)에 분사(分司)로 있었는데 이때 소부가 졸하여 곡하였고, 또 10여 년이 지난 지금에 소감을 위하여 곡하였다.

아! 내 아직 늙지 않았고 처음부터 지금까지 채 40년이 못되었는데도 조(祖)·자(子)·손(孫) 3대를 곡하였으니, 인간 세상에 있어 어떠한가. 사람이 오래도록 죽지 않고서 이 세상을 보면서 살고자 하는 자는 어째서인가?【다섯 구가 40자인데 완전(完轉)하고 곡절이 있어 무한한 의사를 포함하였다.】

부(判祠部)에 제수되었다. '분사(分司)'란 당대(唐代)에 중앙의 관원으로서 낙양에서 직무를 담당하는 자를 가리키던 말이다. 우리나라 언해(諺解)에 따라 둘로 나누고 이에 따라 번역하였으나, 대만(臺灣)의 삼민서국(三民書局)에서 나온《고문관지(古文觀止)》에는 중간에 끊지 않고 하나로 연결하였음을 밝혀둔다.

61 于人世何如也 : 이에 대해 주자는 "이 여섯 글자는 아마도 연문(衍文)인 듯하다.〔此六字疑衍〕"라고 하였다.《原本韓集考異 卷8 第三十三卷 碑誌》

62 而觀居此世者 何也 : 이에 대해 주자는 "이본(李本)에 이르기를 '조이도(晁以道, 조열지(晁說之))는 거(居) 자에 을(乙) 자 표시를 해놓았다.'라고 하였다. 지금 살펴보건대, 이 편 끝부분의 두세 구는 무슨 뜻인지 분명히 알 수 없다. 아마도 '이(而)' 자는 마땅히 '역(亦)' 자가 되어야 할 듯하고, '하(何)' 자 아래에 마땅히 '여(如)' 자가 있어야 할 듯하니, 이는 아마도 위 글을 잘못 써서 붙인 듯하다. 그러나 증명할 만한 별본이 없기에 우선 놓아두고서 아는 사람을 기다리는 바이다.〔李本云 晁以道乙居字 今按 此篇末兩三句不可曉 疑而字當作亦 而何下當有如字 蓋誤寫著上文也 然無別本可證 姑闕 以俟知者〕"라고 하여 '于人世何如也'부터 끝부분까지 오탈과 연문이 있는 듯하기에 정확한 뜻을 제대로 파악할 수 없다고 지적하였다.《原本韓集考異 卷8 第三十三卷 碑誌》 본서에서는 우선 저본의 원문에 따라서 번역하였음을 밝혀둔다.

모영전毛穎傳

한유韓愈

• 작품개요

이 작품은 붓을 의인화(擬人化)하여 지은 일종의 가전(假傳)이다. '모(毛)'는 붓의 털이고 '영(穎)'은 붓의 자루라고도 하며, 또한 '모영(毛穎)' 자체가 뾰족한 붓끝을 가리킨다고도 한다.

이 글은 《장자(莊子)》의 우언(寓言)과 《사기(史記)》의 필법을 모방하여 붓과 먹과 벼루와 종이 등 이른바 문방사우(文房四友)에 대해서, 각각 관성자(管城子)·진현(陳玄)·도홍(陶泓)·저선생(楮先生)으로 의인화하였다.

〈모영전〉은 한유가 국자박사(國子博士)로 재직하던 원화(元和) 1, 2년 사이에 지은 것으로 추정된다. 한유는 붓을 의인화하여 그의 화려한 일생을 서술함으로써, 역으로 당시에 정당한 대우를 받지 못하고 있는 자신의 울분을 토로하였다.

유종원(柳宗元)은 〈독한유소저모영전후제(讀韓愈所著毛穎傳後題)〉에서 마치 '용과 뱀을 사로잡고 범과 표범을 때려잡는 것〔捕龍蛇 博虎豹〕'처럼 문장의 기세가 힘차다는 것을 언급하며, '해학(諧謔)'과 '풍자(諷刺)'를 지닌 이 작품이 '세상에 유익하다〔有益於世〕'고 칭찬하였다.

篇題小註·· 洪慶善曰 此傳을 柳子厚以爲怪라하니 予以爲子虛, 烏有之比[63]니 其源은 出於

---

63 予以爲子虛烏有之比 : 자허와 오유는 전한(前漢)의 사마상여(司馬相如)가 지은 〈자허부(子虛賦)〉에 등장하는 인물로 오유는 오유선생의 약칭이다. 이외에도 무시공(亡(無)是公)이 보이는바, 자허는 '빈말'이란 뜻이고, 오유선생은 '어찌 이러한 일이 있겠는가'란 뜻이며 무시공은 '실제 이러한 사람이 없다'는 뜻으로 가공인물을 만들어 말한 것이다.

莊周寓言하니라

홍경선(洪慶善, 홍흥조(洪興祖))이 말하였다. "이 전(傳)에 대하여 유자후(柳子厚)는 괴이하다고 말하였는데, 나는 자허(子虛)와 오유선생(烏有先生)의 부류라고 생각하니, 그 근원은 장주(莊周)의 우언(寓言)에서 나온 것이다."

○ 迂齋曰 筆事收拾盡善하고 將無作有하니 所謂以文滑稽者라 贊尤高古하니 是學史記文字니라

우재(迂齋)가 말하였다. "일을 기록함에 수습함이 매우 좋으며, 무(無)를 가지고 유(有)를 만들었으니, 이른바 문장으로 골계(滑稽, 해학)한다는 것이다. 찬(贊)은 더더욱 고고(高古)하니, 이는 《사기(史記)》의 문장을 배운 것이다."

• 原文

毛穎者는 中山人也[64]라 其先은 明眎(視)[65]니【禮記: "兎曰明眎."[66]】佐禹治東方土하여 養萬物有功이라 因封於卯地러니 死爲十二神[67]하니라【朱文公曰: "治東方土爲句, 以平水土言, 於語勢無缺. 養萬物有功, 爲奏庶鮮食之義,[68] 意亦自明. 以十二物, 爲十二神, 相承已久, 亦未見所從

---

64 毛穎者 中山人也 : '모영(毛穎)'은 붓의 별칭이다. '모(毛)'는 토끼의 털이며, '영(穎)'은 필봉(筆鋒) 또는 붓의 대롱이라고도 한다. 중산(中山)은 현재 안휘(安徽) 선성(宣城)에 위치한 산으로 좋은 토끼털이 많이 생산되어 붓의 산지로 유명하다. 전설에 의하면 진(秦)나라 장군 몽염(蒙恬)이 토끼의 털을 사용하여 최초로 붓을 만들었다고 전한다. 이 구절은 붓이 중산이라는 곳에서 생산됨을 가리키는 것이다. 참고로, 중산에 대하여 고대의 중산국(中山國)으로 보아 정주(定州)라고 주장하는 설도 있으나 모필의 산지로서 대표되는 곳은 아니다.

65 其先明眎(視) : '명시(明眎)'란 밝게 본다는 뜻으로, 토끼가 눈이 밝다는 옛날 사람들의 추측에 의하여 붙여진 이름이다.

66 禮記 兎曰明眎 : 《예기집설(禮記集說)》 〈곡례 하〉에 "토끼가 살이 찌면 눈이 열려 시력이 밝아진다. 그러므로 〈살찐 토끼를〉 명시(明視)라고 한다.〔兎肥則目開而視明 故曰明視〕"라고 보인다. '시(眎)'와 '시(視)'는 같은 글자이다.

67 佐禹治東方土 養萬物有功 因封於卯地 死爲十二神 : '동방토(東方土)'란 '동방의 땅'으로 십이지에서 정동방인 묘방(卯方)에 해당하는바, 바로 '묘지(卯地)'이다. '양만물(養萬物)'은 사철 중 봄의 작용에 해당하는 것으로 봄 역시 동방, 즉 묘방에 해당한다. 이는 '묘(卯)'가 토끼이기 때문에 이렇게 연결시켜서 말한 것이다.

68 奏庶鮮食之義 : 《서경》 〈익직(益稷)〉에 우(禹)가 수토(水土)를 다스린 자신의 공적을 아뢰면서 "홍수가 하늘에 넘쳐 끝없이 넓고 넓어 산을 덮고 언덕까지 넘어서 백성들이 어려움에 처했는데, 내가 네 가지 탈 것을 타고서 산을 따라 나무를 베었고 익(益)과 함께 백성들에게 여러 선식(鮮食)을 올렸다.〔洪水滔天 浩浩懷山襄陵 下民昏墊 予乘四載 隨山刊木 曁益

••• 寓 붙일 우 滑 익살스러울 골 稽 익살스러울 계

來, 缺之, 以俟知者."】 嘗曰 吾子孫은 神明之後니 不可與物同이라 當吐而生[69]이라하더니 已而果然이러라【論衡曰: "兎舐毫而孕, 生子, 從口中出."】 明眎八世孫은 䨲(누)니【俗呼兎爲(䨲).】世傳當殷時하여 居中山이러니 得神仙之術하여 能匿光使物하여 竊姮娥, 騎蟾蜍(기섬서)[70]하여 入月하니 其後代에 遂隱不仕云이라 居東郭者曰 㕙(준)이니 狡而善走라 與韓盧[71]爭能할새 盧不及하니 盧怒하여 與宋鵲으로 謀而殺之하고 醢其家하니라【鵲, 宋國良犬也. 戰國策曰: "韓子盧者, 天下之疾犬也, 東郭㕙者, 海內之狡兎也. 韓子盧[逐][72]東郭㕙, 環山者三, 騰山者五, 兎極於前, 犬斃於後."】

모영(毛穎)은 중산(中山) 사람이다. 그 선대는 명시(明眎)이니,【《예기》〈곡례 하(曲禮下)〉에 "토끼를 '명시(明眎)'라 한다."라고 하였다.】 우왕(禹王)을 도와 동방(東方)의 땅을 다스려 만물을 길러 공로가 있었다. 인하여 묘(卯)의 땅에 봉해졌는데, 죽어서 십이신(十二神)이 되었다.【주문공(朱文公, 주자)이 말씀하였다. "'치동방토(治東方土)'가 구(句)가 되니, 물과 토지를 고르게 다스린 것으로 말하면 어세에 결함이 없다. '만물을 길러 공이 있다[養萬物有功]'는 것은 여러 선식(鮮食)을 올렸다는 뜻이 되니, 그 뜻이 또한 절로 분명하다. 12가지 물건을 '12신(神)'이라고 한 것은 서로 이어온 지가 이미 오래되었지만 또한 그 소종래를 볼 수 없으니, 우선 제쳐놓고서 아는 자를 기다리겠다."】 그는 일찍이 말하기를 "나의 자손은 신명(神明)의 후손이라서 다른 물건과 같지 않으니, 마땅히 입으로 토하여 새끼를 낳을 것이다."라고 하였는데, 얼마 후 과연 그러하였다.【《논형(論衡)》〈기괴편(奇怪篇)〉에 "토끼는 털을 핥아 잉태하고 새끼를 낳을 적에 입속에서 나온다."라고 하였다.】

명시의 8세손은 이름이 누(䨲)이니,【세속에서 토끼를 불러 '누(䨲)'라고 한다.】 세상에 전해오기

奏庶鮮食]"라고 보인다. 선식은 짐승이나 물고기, 자라 등의 날고기를 먹는 것으로, 이때 홍수가 나서 곡식을 심을 수 없으므로 이것을 먹은 것이다.

69 當吐而生 : 옛사람들은 토끼의 윗입술이 찢어져 있는 것을 보고서 토끼는 털을 핥음으로써 새끼를 배고 입으로 토하여 새끼를 낳는다고 생각하였다.

70 竊姮娥 騎蟾蜍: 항아(姮娥)는 일명 상아(嫦娥)라고도 하는바, 하(夏)나라 때 유궁국(有窮國)의 군주인 예(羿)의 아내였는데, 서왕모(西王母)의 불사약(不死藥)을 훔쳐 가지고 달 속으로 도망쳐 선녀(仙女)가 되었다고 한다. 이는 달 속에 옥토끼가 있어 불사약을 찧고 있다는 전설이 있으므로 말한 것이다. 섬서(蟾蜍)는 금두꺼비로 달 속에 살고 있다는 전설적인 동물이다.

71 韓盧: 로(盧)는 유명한 사냥개의 이름인데 한(韓)나라 지방에서 생산되므로 한로(韓盧)라 한 것이다. 자로(子盧)는 한로를 의인화하여 한로의 자(字)로 말한 것이다. 뒤의 송작(宋鵲) 역시 송나라의 명견(名犬)의 이름이다.

72 〔逐〕: 저본에는 없으나 《전국책》〈제책〉에 의거하여 보충하였다.

··· 䨲 토끼새끼 누 匿 숨길 닉 姮 항아 항 娥 항아 아 蟾 두꺼비 섬 蜍 두꺼비 여 㕙 토끼 준
盧 개이름 로 鵲 개이름 작 醢 육장 해

를 "은(殷)나라 때를 당하여 중산에 거주하였는데, 신선술을 터득하여 빛(태양) 아래에 몸을 숨기고 물건을 부릴 줄 알아 항아(姮娥)를 훔쳐 섬서(蟾蜍, 두꺼비)를 타고 달 속으로 들어가니, 그 후대에는 마침내 은둔하고 벼슬하지 않았다." 한다.

동곽(東郭)에 거주하는 자는 이름이 준(㕙)이니, 교활하고 달리기를 잘하였다. 한로(韓盧)와 재능을 다투었는데, 한로가 따르지 못하자, 한로는 노하여 송작(宋鵲)과 모의해서 그를 죽이고 그 집안 식구를 죽여 젓을 담갔다.【작(鵲)은 송(宋)나라의 좋은 개이다. 《전국책(戰國策)》〈제책(齊策)〉에 "한(韓)나라의 자로(子盧, 한로)는 천하에 빨리 달리는 개이고 동곽산(東郭山)의 준(㕙)은 해내(海內)의 교활한 토끼이다. 한나라의 자로가 동곽산의 준을 잡으려고 쫓아가 산을 세 바퀴나 돌고 산을 다섯 번이나 오르내리니, 토끼는 앞에서 죽고 개는 뒤에서 죽었다."라고 하였다.】

秦始皇時에【結裹在秦.】蒙將軍恬이 南伐楚할새 次中山하여 將大獵以懼楚러니【中山, 在秦東北, 非伐楚所當次也. 此固寓言, 然亦不爲無失.[73]】召左右庶長與軍尉하여 以連山[74]筮之하여 得天與人文之兆라 筮者賀曰 今日之獲은 不角不牙요 衣褐之徒라 缺口而長鬚요 八竅[75]而趺居라 獨取其髦하면 簡牘을 是資니 天下其同書[76]리라 秦其遂兼諸侯乎인저【用古韻, 學左傳中卜筮繇(주)辭.】遂獵하여 圍毛氏之族하여 拔其豪하여 載穎而歸하여 獻俘于章臺宮하고 聚其族而加束縛焉하니라 秦皇帝使恬으로 賜之湯沐而封諸管城[77]하고 號曰管城子라하고 日見親寵任事하니라

---

73 中山在秦東北 非伐楚所當次也 此固寓言 然亦不爲無失 : 이는 주자의 《원본한집고이(原本韓集考異)》 권8에 보이는 주석으로, 주자는 중산을 고대의 중산국(中山國)으로 생각하여 이렇게 말한 것이다. 참고로 중산국은 조(趙)나라에게 멸망당하였으며, 진(秦)나라가 시황(始皇) 19년에 조나라를 멸망시키고 21년에 초(楚)나라를 정벌하였기 때문에 작품 원문에서 이를 언급한 것이다.

74 連山 : 고대 역(易)의 명칭으로 하(夏)나라 때에 이것을 사용하여 점쳤다고 전한다. 순간(純艮)을 가장 처음으로 삼았는데 간(艮)의 상징은 산(山)인바, 위와 아래가 모두 산(山)이기 때문에 '연산'이라고 명명하였다.

75 八竅 : 사람을 비롯하여 모든 주수(走獸)들은 두 눈, 두 코, 두 귀, 입, 항문, 생식기 등 아홉 구멍이 있는데, 토끼는 생식기가 없다 하여 팔규라고 한 것이다.

76 天下其同書 : 글씨가 같다는 것은 문자를 통일한다는 뜻으로 진 시황의 승상 이사(李斯)가 한자의 자체(字體)를 소전(小篆)으로 통일했던 일을 가리킨다.

77 賜之湯沐而封諸管城 : 탕목(湯沐)은 탕목읍(湯沐邑)으로 그 고을에서는 딴 세금을 부담하지 않고 오직 임금의 목욕 비용만을 내기 때문에 붙인 이름이다. 관성에 봉했다는 것은 토끼털을 모아 대통 끝에 끼워 붓을 만든 것을 상징한 것이다. 그리하여 관성자는 붓의 이칭이 되었다.

恬 편안할 념 次 머무를 차 獵 사냥할 렵 筮 점칠 서 褐 갈포 갈 缺 이지러질 결
鬚 수염 수 竅 구멍 규 趺 책상다리할 부 髦 다팔머리 모 牘 서찰 독 俘 사로잡을 부

진(秦)나라 시황제(始皇帝) 때에【맺어 포괄한 것이 진(秦)나라에 있다.】 장군(將軍) 몽념(蒙恬)이 남쪽으로 초(楚)나라를 정벌하였는데, 중산에 머물면서 장차 큰 사냥을 하여 초나라를 두렵게 하려 하였다.【중산(中山)은 진(秦)나라의 동북쪽에 있으니, 초나라를 정벌할 적에 마땅히 머물 곳이 아니다. 이는 진실로 우언(寓言)이나 또한 잘못이 없지 않다.】 그리하여 좌 · 우의 서장(庶長)과 군위(軍尉)를 불러 연산역(連山易)으로 점을 쳐서 천문(天文)과 인문(人文)의 점괘를 얻었다. 점치는 자가 축하하기를 "오늘 잡을 것은 뿔이 달린 짐승도 아니요 이빨이 있는 짐승도 아니요 거친 모포 옷을 입는 족속이니, 입은 언청이이고 수염이 길며 여덟 구멍을 가지고 있고 쪼그리고 앉습니다. 다만 그 털을 취하면 간독(簡牘)에 이용할 수 있으니, 천하가 그 문자를 통일할 것입니다. 진나라는 마침내 제후들을 겸병하게 될 것입니다."라고 하였다.【고운(古韻)을 사용하고《춘추좌씨전》 가운데 복서(卜筮)하는 주사(繇辭)를 배웠다.】

마침내 사냥하여 모씨(毛氏)의 집안을 포위해서 그 호걸을 뽑아 모영(毛穎)을 수레에 싣고 돌아와서 포로를 장대궁(章臺宮)에서 바치고 그 종족을 모아 속박하였다. 진나라 시황제는 몽념으로 하여금 모영에게 탕목읍(湯沐邑)을 하사하게 하고 관성(管城)에 봉하여 호(號)를 관성자(管城子)라 하며, 날마다 신임과 총애를 가하여 일을 맡겼다.

穎은 爲人이 强記【形容親切.】而便敏하여 自結繩之代[78]로【推原其功大.】以及秦事히 無不纂錄하고 陰陽, 卜筮, 占相, 醫方, 族氏, 山經, 地志, 字書, 圖畫, 九流, 百家,[79] 天人之書와 及至浮圖, 老子, 外國之說을 皆所詳悉이요 又通於當代之務하여 官府簿書와 市井貨錢注記를 惟上所使하니 自秦皇帝及太子扶蘇, 胡亥, 丞相斯, 中車府令高로 下及國人에 無不愛重이라 又善隨人意하여 正直, 邪曲, 巧拙을 一隨其人하고 雖見廢棄나 終默不洩(설)하며 惟不喜武士나 然見請이면 亦時往하니라【回護.】累拜中書令하여 與上益狎하니 上이 嘗呼爲中書君이라 上이 親決事하여 以衡石自程[80]하여 雖宮人이나 不得立左右호되 獨穎은 與執燭者常侍하여 上休方罷하니라

---

78 結繩之代 : 문자가 없으므로 약속을 할 때에 노끈 등을 묶어 의사를 표현하던 시대로, 복희(伏羲) 이전의 상고시대(上古時代)를 이른다.

79 九流, 百家 : 구류는 아홉 가지 학파로 유가(儒家) · 도가(道家) · 음양가(陰陽家) · 법가(法家) · 명가(名家) · 묵가(墨家) · 종횡가(縱橫家) · 잡가(雜家) · 농가(農家)를 말하고, 백가는 유가 이외에 일가(一家)의 설을 세운 수많은 학파와 학자를 가리킨다.

80 衡石自程 : '석(石)'은 120근(斤)으로 매일 문서를 저울로 달아 일정량을 처리함을 이르는바, 당시에는 종이가 없어 죽

··· 繩 노끈 승 纂 엮을 찬 注 기록할 주 洩 샐 설 狎 친할 압 衡 저울대 형 休 쉴 휴

모영은 사람됨이 기록을 잘하고【형용함이 친절하다.】 민첩하여 결승(結繩)하던 시대로부터【그 공이 큼을 미루어 근원하였다.】 진나라 일에 이르기까지 편찬하여 기록하지 않음이 없었고, 음양학(陰陽學)과 복서술(卜筮術), 점술(占術)과 상술(相術), 의방(醫方)과 씨족(氏族), 산경(山經)과 지리지(地理志), 자서(字書)와 도화(圖畫), 구류(九流)와 백가(百家), 천인(天人)의 글과 부도(浮圖, 불타(佛陀))와 노자(老子), 외국(外國)의 말에 이르기까지 모두 자세히 기록하였으며, 또 당대의 사무에 통달하여 관부(官府)의 부서(簿書)와 시정(市井)의 재화와 돈에 대한 주기(注記)를 상(上)이 부리는 대로 따라 하니, 진나라 시황제로부터 태자(太子) 부소(扶蘇)와 호해(胡亥), 승상(丞相) 이사(李斯)와 중거부령(中車府令) 조고(趙高)와 아래로 국인(國人)에 이르기까지 사랑하고 소중히 여기지 않는 이가 없었다.

또 사람의 뜻을 잘 따라 정직(正直), 사곡(邪曲), 교졸(巧拙)을 일체 그 사람이 시키는 대로 따르고, 비록 폐기함을 당하나 끝내 침묵을 지키고 일을 누설하지 않았으며, 다만 무사(武士)를 좋아하지 않았으나 요청을 받으면 또한 때에 따라 가곤 하였다.【회호하였다.】 여러 번 중서령(中書令)에 제수되어 상(上)과 더욱 친하니, 상은 일찍이 중서군(中書君)이라고 불렀다. 상은 친히 일을 결단하여 형석(衡石, 저울)으로 스스로 과정을 정하여 비록 궁인(宮人)이라 하더라도 좌우에 서있지 못하였으나 홀로 모영은 촛불을 잡는 자와 함께 항상 모시고 있으므로 상이 쉬어야 그만두었다.

穎이 與絳人陳玄과 弘農陶泓과 及會稽楮先生으로【唐絳州貢墨, 虢州貢瓦硯, 會稽貢紙, 故借名之.[81]】友善하여 相推致하여 其出處必偕라 上이 召穎이면 三人者不待詔하고 輒俱往이로되 上이 未嘗怪焉이러라 後因進見(현)하여 上이 將有任使하여 拂拭之한대 因免冠謝어늘 上이 見其髮禿(독)하고 又所摹畫이 不能稱上意라 上이 嘻笑曰 中書君이 老而禿하여 不任吾用이로다 吾嘗謂君中書러니 君今不中書邪[82]아【尤佳.】 對曰 臣

간(竹簡)이나 목간(木簡)을 사용하였으므로 저울로 단 것이다.

81 唐絳州貢墨……故借名之 : 원문의 진현(陳玄), 도홍(陶泓), 저선생(楮先生)은 먹과 벼루·종이를 의인화한 것으로, 강(絳)땅은 먹의 명산지이고 홍농(弘農)은 벼루의 명산지이며 회계(會稽)는 종이의 명산지인바, 진현(陳玄)의 현은 먹의 색깔이고 도홍(陶泓)은 진흙을 구워 벼루를 만들기 때문에 붙인 이름이며, 저(楮)는 종이를 만드는 닥나무이다.

82 吾嘗謂君中書 君今不中書邪 : 중서(中書)는 한(漢)나라 무제(武帝) 때에 설치한 관명인데, 글씨 쓰기에 잘 맞는다는 뜻이 있으므로 붓을 중서군이라 칭하고, 붓이 모지라져 털이 다 빠져 글씨 쓰기에 적합하지 못하므로 이를 해학적으로 표현한 것이다.

絳 진홍 강 泓 물이름 홍 楮 닥나무 저 偕 함께할 해 拂 닦을 불 拭 닦을 식
禿 모지라질 독 摹 베낄 모 嘻 화락할 희 冒 무릅쓸 모

所謂盡心者로이다 因不復召하고 歸封邑하여 終于管城하니라 其子孫甚多하여 散處中國, 夷狄하여 皆冒管城호되 惟居中山者 能繼父祖業하니라

모영은 강(絳)땅 사람 진현(陳玄)과 홍농(弘農)의 도홍(陶泓)과 회계(會稽)의 저선생(楮先生)과 함께 매우 친하여【당나라 강주(絳州)에서는 먹을 바치고, 괵주(虢州)에서는 기와(진흙)로 만든 벼루를 바치고, 회계(會稽)에서는 종이를 바쳤기 때문에 빌려 이름한 것이다.】 서로 추천하고 초치(招致)하여 나가고 머물기를 반드시 함께하였다. 그리하여 상이 모영을 부르면 세 사람은 조명(詔命)을 기다리지 않고 언제나 함께 가곤 하였으나 상은 일찍이 괴이하게 여기지 않았다.

뒤에 진현(進見)함을 인하여 상이 장차 일을 맡기려고 하여 먼지를 털고 닦아냈는데 모영이 인하여 관을 벗고 사례하자, 상은 그 털이 모지라졌음을 보았고 또 모획(摹畫)하는 바가 상의 뜻에 걸맞지 못하였다. 상은 웃으며 말하기를 "중서군이 늙어 털이 모지라졌으니, 나의 쓰임을 감당하지 못하는구나. 내 일찍이 그대를 중서라고 일렀는데, 그대는 이제 글을 쓰기에 합당하지 못한가?" 하였다.【더욱 아름답다.】 모영은 대답하기를 "신은 이른바 마음을 다한 자입니다." 하였다. 인하여 다시는 부름을 받지 못하고 봉읍으로 돌아와 관성에서 별세하였다.

그 자손이 매우 많아 중국과 이적(夷狄)에 흩어져 거처하여 모두 관성을 관향으로 칭하였는데, 오직 중산에 사는 자들이 부조(父祖)의 가업을 계승하였다.

太史公曰 毛氏有兩族하니 其一은 姬姓이니 文王之子로 封於毛하니 所謂魯, 衛, 毛, 聃者也니【見左傳.[83]】 戰國時에 有毛公, 毛遂[84]라 獨中山之族은 不知其本所出이요 子孫이 最爲蕃昌하니 春秋之成에 見絕於孔子나 而非其罪라【絕筆於獲麟.[85]】 及蒙將軍이 拔中山之豪하여 始皇이 封諸管城하여 世遂有名이요 而姬姓之毛는 無聞하니

---

83 見左傳 : 《춘추좌씨전》 희공(僖公) 24년에 "친척을 봉건(封建)하여 주(周)나라 왕실(王室)의 울타리로 삼았으니, 관(管)·채(蔡)·성(郕)·곽(霍)·노(魯)·위(衛)·모(毛)·담(聃)은……문왕(文王)의 소(昭)이다.〔故封建親戚 以蕃屛周 管蔡郕霍魯衛毛聃……文之昭也〕"라고 보인다.

84 毛遂 : 조(趙)나라 평원군(平原君)의 식객으로 진(秦)나라가 조나라를 침공하자 평원군이 초(楚)나라에 구원병을 요청하는 임무를 맡았는데, 평원군을 수행하여 결정적인 역할을 한 인물이다.

85 絕筆於獲麟 : 공자(孔子)가 《춘추》를 지을 때에 애공(哀公) 14년 노나라 숙손씨(叔孫氏)가 기린을 잡은 사실까지 기록하고 그 이후는 기록하지 않았다. 이 때문에 '절필어획린(絕筆於獲麟)'이라는 말이 나왔으므로 이를 빗대어 말한 것이다. 공자가 이렇게 한 까닭은 옛날 기린은 성왕(聖王)의 상서로운 짐승으로 인식되었는바, 시대를 잘못 만나 영물(靈物)로 추앙받지 못하고 사람에게 잡혀 죽임을 당하였기 때문이었다.

··· 姬 계집 희 聃 귓바퀴없을 담 酬 보답할 수

라 穎이 始以俘見(현)하여 卒見(견)任使하여 秦之滅諸侯에 穎與有功이어늘 賞不酬勞하고 以老見疏하니 秦眞小恩哉인저【學史記.】

태사공(太史公, 한유)은 다음과 같이 말하였다.

"모씨(毛氏)는 두 집안이 있다. 하나는 희성(姬姓)이니, 문왕(文王)의 아들로, 모(毛)나라에 봉해졌으니 이른바 노(魯)·위(衛)·모(毛)·담(聃)이라는 것이니,【《춘추좌씨전》 희공(僖公) 24년에 보인다.】 전국(戰國)시대에는 모공(毛公)과 모수(毛遂)가 있었다. 다만 중산의 집안은 그 근본이 나온 바를 알지 못하는데, 자손이 가장 번창하였다. 《춘추(春秋)》가 완성됨에 공자(孔子)에게 절필(絕筆)을 당하였으나 그 죄가 아니었다.【기린을 잡은 데서 절필(絕筆)하였다.】 몽장군(蒙將軍)이 중산의 호걸(털)을 뽑고서 시황제가 관성에 봉하자, 세상에서 마침내 유명해졌고, 희성의 모씨는 알려진 것이 없다.

모영은 처음에 포로로 잡혀와 시황제를 뵙고 끝내 임사(任使)를 당하였다. 그리하여 진나라가 제후들을 멸할 때에 모영이 참여하여 공이 있었으나 상(賞)이 공로에 상응하지 못하였고 늙었다고 해서 소외되었으니, 진나라는 참으로 은혜가 적다 할 것이다."【《사기》를 배웠다.】

篇末小註·· 此傳은 步驟史記爲之라 後之某人陸吉黃甘傳과 唐子西陸醑傳과 楊誠齋豆廬柔傳과 陳止齋蚳鼃傳之類[86]는 又步驟此傳爲之者也니라

이 전(傳)은 《사기》의 문장을 본따 지은 것이다. 후세에 모인(某人)이 지은 〈육길황감전(陸吉黃甘傳)〉과 당자서(唐子西, 당경(唐庚))의 〈육서전(陸醑傳)〉, 양성재(楊誠齋, 양만리(楊萬里))의 〈두로유전(豆廬柔傳)〉, 진지재(陳止齋, 진부량(陳傅良))의 〈지와전(蚳鼃傳)〉 따위는 또 이 전을 답습하여 지은 것이다.

---

86 陸吉黃甘傳……陳止齋蚳鼃傳之類: 〈육길황감전〉은 소식(蘇軾)이 지은 〈황감육길전(黃甘陸吉傳)〉을 가리키는데, 황감은 감귤의 별칭으로 감귤을 의인화한 것이고 육길은 대지를 의인화한 것이다. 황감, 육길은 전국시대 초나라의 두 고사(高士)로, 처음에 황감은 이산(泥山)에 은거하였고, 육길은 소산(蕭山)에 은거하다가 뒤에 모두 초왕(楚王)의 부름을 받고 등용되었다. 육길이 먼저 등용되었는데, 황감이 뒤에 더 높은 지위에 오르자 육길이 여기에 불만을 품고 황감에게 조목조목 서로의 재능을 따진 결과, 끝내 육길 자신이 황감만 못하다는 것을 인정했다는 내용이다. 《東坡全集 卷39 黃甘陸吉傳》 당자서의 〈육서전〉, 양성재의 〈두로유전〉, 진지재의 〈지와전〉은 미상이다.

··· 驟 달릴, 따를 취 醑 좋은술 서 鼃 개구리 와

백이송伯夷頌

한유韓愈

• 작품개요

이 작품은 백이(伯夷)의 고결한 절개를 칭송한 글이다.

《사기(史記)》 권61 〈백이열전(伯夷列傳)〉에 의하면 백이는 고죽군(孤竹君)의 아들로, 고죽군이 생전에 숙제(叔齊)를 후사로 삼으려 하였으나, 별세한 뒤에 숙제가 형인 백이에게 왕위를 사양하였다. 백이가 아버지의 명령이라 하고 마침내 도망가 버리므로, 숙제 또한 즉위하기를 싫어하여 도망가니, 마침내 고죽국 사람들이 가운데 아들(둘째 아들)을 옹립하였다. 이후 백이와 숙제는 은(殷)나라가 망한 뒤로는 의리상 주(周)나라 녹봉을 먹을 수 없다 하여 수양산(首陽山)에 은거하며 고사리를 캐 먹고 살다가 결국 굶어 죽었다.

한유의 이 글은, 백이야말로 고금을 통해 그 누구도 미칠 수 없는 가장 올바르고 깨끗하며 신념에 찬 행동을 한 사람이라는 것을 드러내 보이고 있다. 송대 왕안석(王安石)은 〈백이론(伯夷論)〉을 지어 이와 반대되는 견해를 제시하기도 하였다.

篇題小註‥ 春秋傳曰 武王이 克商하시고 遷九鼎于洛邑[87]한대 義士猶或非之라하니 義士는

87 遷九鼎于洛邑 : 구정(九鼎)은 하(夏)나라 우왕(禹王)이 구주(九州)의 쇠를 거두어 주조했다는 솥으로, 후대에는 천자국을 상징하는 물건으로 인식되어 이 솥을 어느 지역에 옮겨놓는가에 따라 국통(國統)의 존망(存亡) 여부가 결정되었다. 낙읍은 낙양으로 당시 주나라의 도성인 호경(鎬京)은 서쪽 지역에 치우쳐 있어 제후들이 조회오기 어렵다 해서 낙읍을 경영하여 천도하려 하였으나 결행하지 못하고, 여기에 제2의 수도를 만들어 운용하다가 평왕(平王) 때에 서쪽 융족(戎族)을

謂伯夷也라 此篇은 頌伯夷非武王伐紂之事하니 前面은 只說其特立獨行亘(긍)萬古而不顧하고 末却以二句斡(알)轉하여 見其扶植名敎之功하니 妙甚이라

《춘추좌씨전》 환공(桓公) 2년에 "무왕(武王)이 상(商)나라를 이기고 구정(九鼎)을 낙읍(洛邑)으로 옮기시자, 의사(義士)들이 오히려 혹 이를 그르다 했다."라고 하였으니, 의사는 백이(伯夷)를 이른다. 이 편은 백이가 무왕이 주왕(紂王)을 정벌하는 일을 비판함을 칭송하였으니, 전면은 다만 그 특립독행(特立獨行)하여 만고(萬古)가 끝날 때까지도 돌아보지 않음을 말하였고, 끝에는 다만 두 구(句)를 가지고 전환하여 명교(名敎)를 붙들어 세운 공로를 나타내었으니, 매우 묘하다.

• **原文**

士之特立獨行하여 適於義而已요 不顧人之是非는 皆豪傑之士 信道篤而自知明者也라 一家非之라도 力行而不惑者寡矣요 至於一國一州非之라도 力行而不惑者는 蓋天下一人而已矣요 若至於擧世非之라도 力行而不惑者는 則千百年에 乃一人而已耳니라【莊子逍遙遊篇: "擧世譽之而不加勸, 擧世非之而不加沮."】

선비가 특립독행(特立獨行)하여 의(義)에 맞게 할 뿐이요, 남의 시비(是非)를 돌보지 않음은 모두 호걸스런 선비로서 도(道)에 대한 믿음이 돈독하고 스스로 알기를 밝게 하는 자이다. 한 집안이 비난하더라도 힘써 행하고 의혹하지 않는 자가 적으며, 한 나라와 한 고을이 비난하더라도 힘써 행하고 의혹하지 않는 자에 이르러는 천하에 한 사람 밖에 없으며, 만일 온 세상이 비난하더라도 힘써 행하고 의혹하지 않는 자로 말하면 천백 년에 한 사람 밖에 없을 뿐이다.【《장자》 〈소요유(逍遙遊)〉에 "온 세상이 그를 칭찬하더라도 더 힘쓰지 않고 온 세상이 그를 비난하더라도 더 저상하지 않는다."라고 하였다.】

若伯夷者는 窮天地, 亘(긍)萬世而不顧者也라【方本, 千下有五字, 云: "自周初, 至唐貞元年, 幾二千年, 公言千五百年, 擧其成也." ○朱子曰: "今按此篇, 自一家一國, 以至擧世非之而不惑者, 汎說有此三等人, 而伯夷之窮天地, 亘萬世而不顧, 又別是上一等人, 不可以此三者論也. 前三等人, 皆非有

피하여 이곳으로 천도하니, 이것을 동천(東遷)이라 하였다.

… 崒 높을 줄 巍 높을 외

所指名, 故擧世非之而不顧者, 亦難以年數之實, 論其有無, 而且以千百年言之, 蓋其大約如此爾. 今方氏以伯夷當之, 已失全篇之大指, 至於計其年數, 則又捨其幾二千年全數之多, 而反促就千五百年奇數之少, 其誤益甚矣."】昭乎日月이 不足爲明이요 崒(줄)乎泰山이 不足爲高요 巍乎天地가 不足爲容也로다【陳靜觀曰: "此三句, 皆形容雖聖人所爲, 亦敢於非之之意. 蓋日月孰不以爲明, 而謂不足以爲明, 下倣此.】

백이(伯夷)와 같은 자는 천지를 다하고 만고에 걸치도록 〈남들이 그르다 하여도〉 돌아보지 않을 자이다.【방씨(方氏, 방숭경(方崧卿)) 본에는 '천(千)' 자 아래에 '오(五)' 자가 있고, 말하기를 "주(周)나라 초기부터 당나라 정원(貞元, 785~804) 연간에 이르기까지 거의 이천 년인데, 공이 '천오백 년'이라고 말한 것은 그 성수(成數)를 든 것이다."라고 하였다. ○주자(朱子)가 말씀하였다. "지금 살펴보건대 이 편이 일가(一家), 일국(一國)으로부터 온 세상이 비난하여도 의혹하지 않음에 이른 것은 이 세 등급의 사람이 있음을 범범하게 말하였고, 백이가 천지를 다하고 만세에 뻗치도록 돌아보지 않음은 또 별도로 위의 한 등급의 사람이니, 이 세 가지를 가지고 논해서는 안 된다. 앞의 세 등급의 사람은 다 지명한 바가 있지 않기 때문에 온 세상이 비난하여도 돌아보지 않는다는 것 또한 연수(年數)의 실제를 가지고 그 유무(有無)를 논하기가 어려워서 우선 천백 년이라고 말하였으니, 대략 이와 같을 뿐이다. 지금 방씨는 백이를 여기에 해당시켰으니 이미 전편(全篇)의 대지를 잃었고, 그 연수를 계산함에 이르러서도 거의 이천 년이라는 많은 전수(全數)를 버리고 도리어 천오백 년의 작은 기수(奇數)를 가지고 말하였으니, 잘못됨이 더욱 심하다."】밝은 일월(日月)도 밝음이 될 수 없고, 높은 태산(泰山)도 높음이 될 수 없고 넓은 천지도 용납할 수가 없도다.【진정관이 말하였다. "이 세 구는 모두 비록 성인이 하시는 것이라도 또한 감히 비난하였다는 뜻을 형용하였다. 해와 달을 어느 누가 밝다고 하지 않겠는가마는 '족히 밝음이 될 수 없다.' 하였으니, 아래도 이와 같다."】

當殷之亡, 周之興하여 微子는 賢也라 抱祭器而去之[88]하고 武王, 周公은 聖也라 率天下之賢士與天下之諸侯而往攻之로되 未嘗聞有非之者也어늘 彼伯夷, 叔齊者 乃獨以爲不可[89]하고 殷旣滅矣에 天下宗周어늘 彼二子乃獨恥食其粟하여 餓死而不顧하니 繇(由)是而言이면 夫豈有求而爲哉리오 信道篤而自知明也일새라

88 微子……抱祭器而去之: 미자는 은나라의 세 인자(仁者) 가운데 한 사람으로, 주왕(紂王)의 무도(無道)함을 보고 종사(宗祀)를 보존하기 위해 은나라를 떠나갔다.《論語 微子》

89 彼伯夷, 叔齊者 乃獨以爲不可: 제후왕인 주 무왕(周武王)이 폭정(暴政)을 일삼는 주왕(紂王)을 정벌하러 가자, 백이와 숙제는 신하로서 군주를 정벌하는 것은 옳지 못한 일이라며 말고삐를 붙잡고 간(諫)한 일을 가리킨다.

··· 率 거느릴 솔 宗 높일 종 粟 곡식 속 餓 굶주릴 아 繇 말미암을 유

은(殷)나라가 망하고 주(周)나라가 흥할 때를 당하여 미자(微子)는 현인(賢人)이라 제기(祭器)를 안고 떠나갔고, 무왕(武王)과 주공(周公)은 성인(聖人)이라 천하의 현자와 천하의 제후들을 거느리고 가서 정벌하였는데, 일찍이 이것을 비난(그르다)하는 자가 있다는 말을 듣지 못하였다. 그런데 저 백이와 숙제(叔齊)는 마침내 홀로 불가하다 하였으며, 은나라가 이미 멸망하자 천하에서는 주나라를 종주(宗主)로 삼았는데, 저 두 분은 마침내 홀로 그 곡식(녹봉)을 먹기를 부끄러워하여 굶어죽으면서도 돌아보지 않았으니, 이로 말미암아 말한다면 어찌 구함이 있어서 한 것이겠는가. 도(道)에 대한 믿음이 돈독하고 스스로 알기를 분명히 하였기 때문이다.

今世之所謂士者는 一凡人譽之면 則自以爲有餘하고 一凡人沮之면 則自以爲不足이어늘 彼獨非聖人而自是如此하니 夫聖人은 乃萬世之標準也라 余故曰 若伯夷者는 特立獨行하여 窮天地, 亘萬世而不顧者也라하노라【朱子曰: "按此篇之意, 所謂聖人, 正指武王·周公而言. 旣曰聖人, 則是固爲萬世之標準矣, 而伯夷者, 乃獨非之而自是如此, 是乃所以爲窮天地, 亘萬世而不顧者也. 與世之以凡人之毁譽而遽爲喜慍者, 遠矣. 讀者多誤以伯夷爲萬世之標準, 故因附其說云."】雖然이나 微二子면 亂臣賊子 接跡於後世矣리라【愚謂末一轉, 簡健有力, 見伯夷有功於萬世名敎, 前面所未及也. 呂成公[90]曰: "武王憂當世之無君, 伯夷憂後世之無君." 須著如此平斷.】

지금 세상에 이른바 선비라는 자들은 한 범인(凡人)이 칭찬하면 스스로 유여하다고 여기고, 한 범인이 저지하면 스스로 부족하다고 여기는데, 저 두 분은 홀로 성인(무왕·주공)을 그르다 하고 스스로를 옳다고 여김이 이와 같았으니, 성인은 바로 만세의 표준인 것이다. 나는 그러므로 말하기를 "백이와 같은 자는 특립독행하여 천지가 다하고 만세가 끝날 때까지 〈남들이 그르다 하여도〉 돌아보지 않을 자이다."라고 말하는 것이다.【주자가 말씀하였다. "이 편의 뜻을 살펴보건대 이른바 성인은 바로 무왕(武王)과 주공(周公)을 가리켜 말한 것이다. 이미 성인이라고 하였으면 이는 진실로 만세의 표준이 되는데, 백이라는 자가 홀로 〈무왕과 주공을〉 그르다 하고 스스로 옳다 함이 이와 같았으니, 이는 바로 천지가 다하고 만세가 끝날 때까지 돌아보지 않는 자가 되는 것이다. 세상의 범인(凡人)으로서 남이 훼방하고 칭찬한다 하여 대번에 기뻐하고 성내는 자와 거리가 멀다. 읽는 자가 대부분 백이를 만세

---

90 呂成公: 남송 때의 학자인 여조겸(呂祖謙, 1084~1145)으로 성공은 시호이고, 자는 백공(伯恭), 호는 동래선생(東萊先生)이다. 임지기(林之奇), 왕응신(汪應辰) 등에게 수학하였으며, 주희(朱熹)·장식(張栻)과 절친하였는데, 세상 사람들이 이들을 '동남 삼현(東南三賢)'이라 불렀다.

••• 沮 막을 저 標 표표 準 법도 준 微 없을 미 跡 자취 적

의 표준이라고 잘못 안다. 그러므로 인하여 그 말을 뒤에 붙이는 것이다."】 그러나 두 분이 아니었다면 난신적자(亂臣賊子)가 후세에 발자취를 이었을 것이다.【내가 생각건대 끝에 한 번 전환한 것이 간략하고 굳세며 힘이 있어서 백이가 만세의 명교(名敎)에 공이 있음을 볼 수 있으니, 전면에는 언급하지 않은 것이다. 여성공(呂成公, 여조겸(呂祖謙))이 말하기를 "무왕은 당세에 군주가 없음을 걱정하였고, 백이는 후세에 군주가 없음을 걱정하였다."라고 하였으니, 모름지기 이와 같이 공평하게 단정해야 한다.】

卷 5

창려문집서昌黎文集序

이한李漢 남기南紀

• 작가소개

이한(李漢, ?~825?)은 자가 남기(南紀)로, 회양왕(淮陽王) 이도명(李道明)의 6세손이다. 어려서부터 한유를 스승으로 모셔 문학(文學)에 통달하였고 문장을 크게 성취하였으며 강직한 성품이 한유를 닮아 한유가 그를 아껴서 사위로 삼았다고 한다. 진사가 된 뒤에 좌습유(左拾遺), 사관수찬(史館修撰), 지제고(知制誥), 어사중승(御史中丞), 종정소경(宗正少卿) 등을 역임하였다.

• 작품개요

'창려(昌黎)'는 '창려 선생' 한유(韓愈)를 가리킨다. 당(唐)나라의 문장가로 자는 퇴지(退之)이고 시호는 문공(文公)이다. 송대(宋代)에 창려백(昌黎伯)에 추봉(追封)되었으므로 한창려(韓昌黎)라고 불린다. 그는 종래의 대구(對句)를 중심으로 하는 변려문(騈儷文)을 반대하고 고문운동(古文運動)을 전개하여 후세 산문 발전에 지대한 공헌을 하였다. 또한 그는 시(詩)에서 지적(知的)인 흥미를 정련(精練)된 표현으로 나타낼 것을 시도하여 그 결과 때로는 난해하고 산문적이라는 비난도 받았지만 제재(題材)를 확장한 공이 있고 아울러 송대의 시에 미친 영향이 매우 크다. 유가 사상을 존중하고 도교·불교를 배격하였으며, 특히 요(堯)·순(舜)에서 공(孔)·맹(孟)으로 전해 내려오던 학문의 전통을 주장하여 송대 성리학(性理學) 발전에 적지 않은 영향을 미쳤다.

이 글은《창려선생집(昌黎先生集)》에 대한 서문이다. 이한이 한유의 문집을 간행하고 지은 서문으로, 한유의 일생을 간략하게 소개하고 그의 뛰어난 문장과 업적에 대해 찬탄하였다.

篇題小註‥ 漢은 字南紀니 公之子壻也라 爲公作集序에 以公之文本於道라하니 亦爲知公者라 文亦雅健精密하니 非得公之傳者면 能有此邪아

이한(李漢)은 자가 남기(南紀)이니, 공의 사위이다. 공을 위하여 문집에 서문(序文)을 지으면서 "공의 문장이 도(道)에 근본을 두었다."라고 하였으니, 또한 공을 제대로 아는 자라 할 것이다. 문장 또한 고아하고 굳세며 정밀하니, 공의 전수(傳授)를 얻은 자가 아니면 또한 이럴 수 있겠는가.

- **原文**

文者는 貫道之器也니【文與道不相離, 道無形, 文有跡, 故曰: '文者貫道之器.'】不深於斯道요 有至[焉][1]者는 不(부)也라 易繇(주)爻象하고 春秋書事하고 詩詠歌하고 書, 禮剔(척)其僞하니 皆深矣乎인저【應前深字.】秦, 漢以前엔 其氣渾然이요 迨乎司馬遷, 相如, 董生, 揚雄, 劉向之徒하여는 尤所謂傑然者也라【傑然, 與渾然異矣.】至後漢, 曹魏하여는 氣象萎苶(위날)하고 司馬氏以來로 規範蕩悉하여 謂易以下爲古文하여 剽掠潛竊爲工耳라 文與道蓁塞하여 固然莫知也로다

문(文, 글)은 도(道)를 꿰는 기구이니,【문(文)과 도(道)는 서로 떨어지지 않는데, 도는 형체가 없고 문은 자취가 있으므로 '문은 도를 꿰는 기구이다.'라고 한 것이다.】도에 심오하지 않고서 문에 지극함이 있는 자는 없다.

《주역(周易)》은 효(爻)와 상(象)을 말하였고, 《춘추(春秋)》는 일을 기록하였고, 《시경(詩經)》은 노래를 읊었고, 《서경(書經)》과 《예기(禮記)》는 그 거짓을 도려내었으니, 모두 심오하다 할 것이다.【앞의 '심(深)' 자에 응한다.】

진(秦) · 한(漢) 이전에는 그 기운이 혼연(渾然, 혼후원만(渾厚圓滿))하였고, 사마천(司馬遷)과 사마상여(司馬相如) · 동생(董生, 동중서(董仲舒)) · 양웅(揚雄) · 유향(劉向)의 무리에 이르러서는 더욱 이른바 '걸출하다'는 자들이다.【'걸연(傑然)'은 '혼연(渾然)'과 다르다.】

후한(後漢)과 조위(曹魏)에 이르러는 기상이 위축되었고 사마씨(司馬氏, 진(晉)) 이래로는 규범이 모두 없어져, 《주역》 이하를 고문(古文)이라 하여 남몰래 표절하는 것을 잘하는 것으로 여

---

1 〔焉〕: 저본에는 없으나 《창려선생집(昌黎先生集)》에 의거하여 보충하였다.

… 壻 사위 서 繇 점괘 주 剔 도려낼 척 迨 미칠 태 萎 시들 위 苶 고달플 날 掠 노략질할 략
蓁 우거질 진

길 뿐이었다. 그리하여 문(文)과 도가 막혀서 이것을 당연하게 여기고 문과 도를 알지 못하였다.

先生이 生大曆戊申하니【略敍生長遷徙本末, 亦見因艱苦而用力益深.】幼孤隨兄하여 播遷韶嶺하고 兄卒[2]에 鞠於嫂氏러라【兄名會, 嫂鄭氏.】辛勤來歸하여 自知讀書爲文하여 日記數千百言이러니 比壯에 經書를 通念曉析하고 酷排釋氏하며 諸史, 百子를 搜抉無隱이라 汗瀾卓踔(탁)하고 奫泫(윤현)澄深하여 詭然而蛟龍翔하고 蔚然而虎鳳躍하며 鏘然而韶鈞發[3]하여 日光玉潔이요 周情孔思하여 千態萬狀이로되 卒澤於道德仁義하여 炳如也러라【澤, 如水有澤, 言歸宿處也. 此非道之深而文之至者歟?】

선생은 대력(大曆) 무신년(戊申年, 768)에 탄생하였는데,【생장하고 옮겨 다닌 본말을 대략 서술하였으니, 또한 간고(艱苦)로 인하여 공력을 씀이 더욱 깊음을 볼 수 있다.】어려서 부친을 잃고 형을 따라 소령(韶嶺)으로 파천(播遷, 유리)하였고, 형이 별세하자 형수씨에게 양육되었다.【형은 이름이 회(會)이고, 형수는 정씨(鄭氏)이다.】어렵고 힘들게 살다가 돌아와 스스로 책을 읽고 문장을 지을 줄 알아 하루에 수천백 자의 글을 기록하였는데, 장성하자 경서를 통달하여 읽고 분명하게 해석하며, 석씨(釋氏, 불교)를 혹독히 배척하며 여러 사서(史書)와 제자백가를 남김없이 찾아서 가려내었다.

그리하여 문장이 끝없이 드넓고도 탁월하며 아득하면서도 맑고 깊어서, 변화하여 마치 교룡이 나는 듯하고 성대하여 마치 범과 봉황이 뛰어오르는 듯하며 쟁쟁히 울려 소(韶)와 균(鈞)이 풍악 소리를 발하는 듯하여, 태양처럼 빛나고 옥처럼 결백하며 주공(周公)의 정(情)과 공자(孔子)의 생각을 갖추어 천태만상(千態萬狀)이었는데, 마침내 도덕(道德)과 인의(仁義)에 무젖어 찬란하였다.【'택(澤)'은 물에 못이 있는 것과 같으니, 귀숙할 곳을 말한 것이다. 이는 도가 깊고 문장이 지극한 자가 아니겠는가.】

---

2 幼孤隨兄……兄卒 : 한유는 한중경(韓仲卿)의 넷째 아들이다. 한중경은 한유가 세 살이던 대력(大曆) 5년(770)에 졸하였다. 이후 한유는 큰형 한회(韓會, 738~780)에 의해 길러졌는데, 한회는 대력 14년에 중서기거사인(中書起居舍人)에서 소주 자사(韶州刺史)로 폄직되었다가 건중(建中) 원년(780)에 향년 43세를 일기로 소주의 임소에서 졸하였다. '소령(韶嶺)'은 오령(五嶺) 이남에 있는 소주(韶州)를 가리킨 것이다. 소주는 당나라 때 설치했던 주(州)로 지금의 광동성(廣東省) 곡강현(曲江縣) 서쪽에 있었다.

3 鏘然而韶鈞發 : 장연(鏘然)은 원래 패옥(佩玉)이나 방울 따위의 소리를 뜻하며, 소(韶)는 순제(舜帝)의 음악이고 균(鈞)은 균천 광악(鈞天廣樂)으로 천상(天上)의 음악이다.

鞠 기를 국 抉 들추어낼 결 瀾 물결 란 踔 뛰어날 탁 奫 물충충할 윤 泫 물솟아날 현
詭 속일 궤 鏘 울리는소리 장 愍 가엾어할 민 拯 구원할 증 翕 화할 흡 摧 꺾을 최
廓 넓힐 확(곽)

洞視萬古하고 愍惻當世하여 遂大拯頹風하여 敎人自爲하니 時人이 始而驚하고 中而笑且排호되 先生益堅한대 終而翕然隨以定하니라【三節, 說盡退之平生.】嗚呼라 先生於文에 摧陷廓淸之功이 比於武事하니 可謂雄偉不常者矣로다

만고를 꿰뚫어 보고 당세를 민망히 여겨 마침내 무너진 문풍(文風)을 크게 구원하여 사람들에게 〈표절을 탈피하고〉 자신의 문장을 짓도록 가르치니, 당시 사람들이 처음에는 놀라고 중간에는 비웃으면서 배척하였으나, 선생이 더욱 견고하자 끝내는 흡연(翕然)히 따라 안정되었다.【세 절은 한퇴지의 평생을 다 말하였다.】아! 선생은 문(文)에 있어 적진을 무찌르고 깨끗이 청소한 공(功)이 무(武)의 일에 비유되니, 웅장하고 위대하여 보통이 아닌 자라고 이를 만하다.

長慶四年冬에 先生이 歿하시니 門人隴西李漢이 辱知最厚且親일새 遂收拾遺文하여 無所失墜하니 合若干卷이라 目爲昌黎先生集이라하니라

장경(長慶) 4년(824) 겨울에 선생이 별세하시니, 문인(門人) 농서(隴西) 이한(李漢)은 선생이 외람되게 알아주심이 가장 후하고 또 친하였다. 마침내 유문(遺文)을 수습하여 실추한 바가 없으니, 모두 약간권이다. 제목을《창려선생집(昌黎先生集)》이라 하였다.

재인전梓人傳

유종원柳宗元 자후子厚

• 작가소개

유종원(柳宗元, 773~819)은 자가 자후(子厚)로, 원적(原籍)이 하동(河東)이기에 '유하동(柳河東)'으로 불리기도 하며, 유주 자사(柳州刺史)를 지냈기에 '유유주(柳柳州)'라고도 불린다. 그리하여 그의 문집 역시 《유하동집》, 《유유주집》으로 명명되어 있다. 정원(貞元) 9년(793) 진사에 급제하고 예부원외랑(禮部員外郞)이 되어 왕숙문(王叔文)의 정치개혁 운동에 가담하였다가 실패하고 영주 사마(永州司馬)로 좌천되었다가 원화(元和) 10년(815) 유주 자사가 되었다. 그 후 송나라 휘종(徽宗) 때에 문혜후(文惠侯)에 추봉(追封)되었다. 한유(韓愈)와 함께 고문운동을 펼치고 문장이 뛰어나 '한류(韓柳)'로 병칭되며, 《당송팔가문초(唐宋八家文抄)》에도 그의 글이 한유 다음으로 많이 수록되었다. 우언(寓言) 형식을 취한 풍자문과 산수(山水)를 묘사한 산문에 능하였으며, 불우한 환경에 처하여 직접 보고 느낀 백성들의 고통을 작품에 잘 반영하였다.

• 작품개요

이 글은 아래의 〈종수곽탁타전(種樹郭槖駝傳)〉과 함께 저자가 장안(長安)에서 감찰어사(監察御史)로 있을 적에 지은 것으로, 모두 명문(名文)으로 알려져 있다. '재인(梓人)'이란 《주례(周禮)》 〈고공기(考工記) 총서(總序)〉에 의하면 고대의 목공(木工)이지만, 여기서는 집을 건축할 때 그 공정의 설계와 지휘감독의 책임을 맡은 도목수를 가리킨다. 작자는 생활 속에서 도목수가 집을 지을 때의 역할을 목격하고 이것을 구체적으로 설명하면서 재상(宰相)의 역할에 비유하였다. 국정(國政)을 책임지고 수행하는 재상은 재인의 경우처럼 확고한 신념과 넓은 시각을 지니고 정치의 방침과 백관(百官)

의 임용을 도맡아 관리해야지, 구체적이고 세세한 사무 속으로 빠져들어 사소한 사무를 직접 처리하면 안 됨을 말하였다.

이 글의 주된 내용은 도목수가 목수들을 지휘하여 집을 짓는 방법을 빌려서 천자를 도와 국가를 다스리는 재상이 국가를 다스리는 방법을 이해하고 관리들을 등용하여 치국(治國)의 법칙을 견지해야 함을 설명한 것이다. 끝부분에서는 군주가 재상을 임용하고 재상이 자처하는 도리에 대해 조리 있고 유창하게 서술하였다.

篇題小註‥ 迂齋云 規模從呂氏春秋[4]來어늘 但他人은 不曾讀故로 不能用이요 且不知子厚來處耳라

우재(迂齋)가 말하였다. "규모는 《여씨춘추(呂氏春秋)》에서 왔는데, 다만 다른 사람들은 일찍이 《여씨춘추》를 읽지 않았기 때문에 능히 사용하지 못하고, 또 유자후(柳子厚)의 글이 유래한 곳을 알지 못한다."

○ 此篇은 以梓人喻相業하니 法度整嚴이요 議論的當이로다

이 편은 재인(梓人)의 일을 재상의 일에 비유하였으니, 법도가 정제되고 엄격하며 의론이 분명하고 타당하다.

• **原文**

裴封叔[5]【名(慬)[墐].】之第 在光德里[6]러니 有梓人이 款其門하여 願傭(鄭)[隙][7]宇【敍

---

4 呂氏春秋 : 여씨는 진(秦)나라의 정승인 여불위(呂不韋)이다. 그가 상국(相國)으로 있으면서 천하의 인재를 정성껏 대우하자 빈객이 3천 명에 이르렀는데, 빈객들에게 각자의 학설을 저술하도록 하여 〈팔람(八覽)〉, 〈육론(六論)〉, 〈십이기(十二紀)〉 등 10여만 자를 엮어 《여씨춘추(呂氏春秋)》를 편찬하였다. 이 책은 선진(先秦) 시대의 모든 지식을 총결한 책으로 《여람(呂覽)》이라고도 한다.

5 裵封叔 : 유종원의 자형인 배근(裵墐)으로 '봉숙(封叔)'은 그의 자이다. 하동(河東) 문희(聞喜) 사람으로 정원(貞元) 3년(787)에 진사가 되어 전중시어사(殿中侍御史), 금주 자사(金州刺史), 만년령(萬年令) 등을 역임하였다. 원화(元和) 12년(817) 7월에 병으로 졸하였다.

··· 梓 목수 재 第 집 제 款 두드릴 관 傭 품팔이할 용 隙 틈 극 尋 여덟자 심 引 열길 인 礱 갈 롱 斲 깎을 착

事實. 隟, 當作隙.】而處焉하니 所職은 尋引, 規矩, 繩墨[8]이요 家不居礱斲(농착)之器라 問其能하니 曰 吾善度(탁)材하여 視棟宇之制의 高深, 圓方, 短長之宜하여 吾指使而群工役焉하나니 捨我면 衆莫能就一宇라 故로 食[於][9]官府에 吾受祿이 三倍요 作於私家에 吾收其直(値)太半焉이로라 他日에 入其室하니 其牀이 闕足이로되 而不能理하고 曰 將求他工이라하여늘 余甚笑之하여 謂其無能而貪祿嗜貨者라호라【抑之.】

배봉숙(裵封叔)【이름은 근(墐)이다.】의 집이 광덕리(光德里)에 있었는데, 재인(梓人, 도목수)이 그 문을 두드리고 빈 방을 세내어【사실을 서술하였다. '극(隟)'은 마땅히 '극(隙)'이 되어야 한다.】거처할 것을 원하였다. 그가 직무로 삼는 것은 심인(尋引, 길고 짧은 자)과 규구(規矩, 그림쇠와 곡척)와 승묵(繩墨, 먹줄과 먹통)이요, 집에는 숫돌과 끌의 기구를 쌓아놓지 않았다. 그 재능을 물으니, 대답하기를 "나는 재목을 잘 헤아려 동우(棟宇, 들보와 추녀끝)의 제도에 높고 깊음과 원형과 방형, 짧고 긴 것의 적당함을 보아 내 손가락으로 지시하면 여러 공인(工人)이 일하니, 내가 아니면 여러 공인은 한 채의 집도 지을 수 없다. 그러므로 관부(官府)에서 녹봉을 먹을 적에 내가 녹봉을 받는 것이 3배나 되고, 사가(私家)에서 일할 적에 내가 품값을 거둠이 태반이나 된다."라고 하였다.

후일에 그의 집에 들어가 보니, 상(牀)이 발이 부러져 있는데도 수리하지 못하고는 "장차 다른 목공을 구하겠다."라고 하였다. 나는 매우 비웃고 재능이 없으면서 녹봉만 탐하고 재물을 좋아하는 자라고 생각했었다.【억누른 것이다.】

其後에 京兆尹이 將飾官署할새 余往過焉하니 委群材하고 會衆工하여 或執斧斤하고 或執刀鋸하여 皆環立嚮之라 梓人이 左(執)[持][10]引하고 右執杖하여 而中處焉하여 量

---

6 光德里 : 현재 섬서(陝西) 서안(西安)의 서남쪽에 해당한다.

7 (鄛)[隟] : 저본에는 '소(鄛)'로 되어 있으나 《유하동집》과 《당송팔대가문초》 등 제본(諸本)에 의거하여 바로잡았다. 극(隟)은 극(隙)의 고자(古字)이다.

8 尋引規矩繩墨 : 8척(尺)을 '심(尋)', 1장(丈 10척)을 '인(引)'이라 하는바, 긴 자와 짧은 자를 이르며, '규(規)'는 둥근 것을 그리는 데 사용하는 그림쇠이고 '구(矩)'는 곡척(曲尺)이다. '승(繩)'은 먹줄이고 '묵(墨)'은 먹통이다.

9 〔於〕: 저본에는 없으나 《유종원집(柳宗元集)》과 《당송팔가문초(唐宋八家文抄)》에 의거하여 보충하였다.

10 (執)[持] : 저본에는 '집(執)'으로 되어 있으나, 《유종원집》과 《당송팔가문초》에 의거하여 '지(持)'로 바로잡았다.

捨 버릴 사 直 값 치 闕 빠질 궐 嗜 즐길 기 過 방문할 과 委 쌓을 위 斤 자귀 근
鋸 톱 거 斲 깎을 착 削 깎을 삭 堵 담 도 釐 푼 리 厦 큰집 하

棟宇之任하고 視木之能擧하여 揮其杖曰斧하라하면 彼執斧者奔而右하고 顧而指曰鋸하라하면 彼執鋸者趨而左[11]하여 俄而요 斤者斲하고 刀者削호되 皆視其色하고 俟其言하여 莫敢自斷者요 其不勝任者는 怒而退之하되 亦莫敢慍焉이라【如親見, 最狀物之妙處.】 畫(화)宮於堵호되 盈尺而曲盡其制하고 計其毫釐而構大廈에 無進退焉이라 旣成에 書于上棟曰 某年某月[某日][12]某建이라하니 則其姓字也요【揚之.】 凡執用之工은 不在列이러라

그 후에 경조윤(京兆尹)이 장차 관서(官署)를 꾸밀 적에 내가 찾아가서 방문하니, 여러 재목을 쌓아놓고 여러 목수들을 모아, 혹은 도끼와 자귀를 잡고 혹은 칼(대패)과 톱을 잡고는 모두 둘러서서 그를 향해 있었다. 재인이 왼쪽에는 자를 잡고 오른쪽에는 지휘봉을 잡고는 한가운데 처하여 동우(棟宇)감 인지 헤아리고 나무가 능히 지탱할 수 있는가를 살펴보아 지휘봉으로 지휘하기를 "도끼질을 하라." 하면 저 도끼를 잡은 자가 달려가 오른쪽에 서고, 돌아보면서 가리키기를 "톱질을 하라." 하면 저 톱을 잡은 자가 왼쪽으로 달려갔다. 얼마 후 자귀를 잡은 자는 나무를 깎고 칼을 잡은 자는 나무를 대패질하되 모두 그의 얼굴빛을 살피고 그의 말을 기다려 감히 스스로 결단하는 자가 없었고, 임무를 감당하지 못하는 자는 노하여 물리치는데도 또한 감히 성내지 못하였다.【친히 본 듯이 하여 사물을 형용함이 가장 묘한 부분이다.】

집의 설계도를 담장에 그려 놓았는데, 한 자 남짓하였는데도 그 제도를 곡진히 다하였고, 호리(毫釐)까지 계산하여 큰 집을 구성함에 나아가거나 물러남(오차)이 없었다. 완성된 뒤에 높은 대들보에 쓰기를 "모년 모월 모일에 아무가 건축했다." 하였으니, 바로 그의 성명(姓名)이었고【드날린 것이다.】 무릇 그에게 지시를 받아 일한 공인들은 그 대열에 들어 있지 않았다.

余圜視大駭하고 然後에 知其術之工大矣로라 繼而歎曰 彼將捨其手藝하고 專其心智하여 而能知體要者歟인저 吾聞勞心者는 役人하고 勞力者는 役於人이라하니 彼其勞心者歟인저 能者用而智者謀라하니 彼其智者歟인저 是足爲佐天子, 相天下法矣니 物莫近乎此也로다

11 揮其杖曰斧……彼執鋸者趨而左: 일본(一本)에는 "揮其杖曰斧彼하라하면 執斧者奔而右하고"로 현토한 경우가 있는데, 이 경우 "지휘봉으로 지휘하기를 '저것을 도끼질 하라' 하면 도끼를 잡은 자가 달려가 오른쪽에 서고"라고 해석해야 하는바, 문리에는 큰 차이가 없다. 아래의 '顧而指曰鋸彼 執鋸者趨而左' 또한 위와 같다.

12 〔某日〕: 저본에는 없으나 《유종원집》과 《당송팔가문초》에 의거하여 보충하였다.

••• 圜 두를 환 駭 놀랄 해

나는 둘러보고 크게 놀랐으며 그런 뒤에야 그 기술이 크게 뛰어난 것임을 알았다. 나는 이어 탄식하며 다음과 같이 말하였다.

"저 사람은 대체로 손재주를 버리고 오로지 마음의 지혜를 써서 능히 체요(體要, 요체)를 아는 자일 것이다. 내가 들으니, '마음을 수고롭게 하는 자는 남을 부리고 힘을 수고롭게 하는 자는 남에게 부림을 당한다.' 하였으니, 저 사람은 마음을 수고롭게 하는 자일 것이다. '능한 자는 쓰임이 되고 지혜로운 자는 도모한다.' 하였으니, 저 사람은 지혜로운 자일 것이다. 이는 충분히 천자를 보좌하여 천하를 돕는 이(재상)의 법이 될 만하니, 일이 이보다 더 비슷한 것이 없다.

彼爲天下者는 本於人하니【應前聚衆工一段.】其執役者는 爲徒隸,[13] 爲鄕師, 里胥[14]요 其上은 爲下士요 又其上은 爲中士, 爲上士요 又其上은 爲大夫, 爲卿, 爲公하여 離而爲六職이요 判而爲百役이라【應前群材等.】外薄(迫)四海하여는 有方伯, 連帥(수)[15]하고 郡有守하고 邑有宰로되 皆有佐政하고 其下는 有胥(史)[吏][16]하고 又其下는 [皆][17]有嗇夫, 版尹[18]하여 以就役焉하니 猶衆工之各有執伎(技)以食力也라

저 천하를 다스리는 자는 사람을 잘 이용함을 근본으로 삼으니,【앞의 '여러 공인을 모았다〔聚衆工〕'는 한 단락에 응한다.】일을 집행하는 자는 도예(徒隸)가 되고 향사(鄕師)와 이서(里胥)가 되고, 그 위는 하사(下士)가 되고, 또 그 위는 중사(中士)가 되고 상사(上士)가 되고, 또 그 위는 대부(大夫)가 되고 경(卿)이 되고 공(公)이 되어, 나뉘어 육직(六職, 육조(六曹))이 되고 분리되어 백가지 일이 된다.【앞의 '여러 재목〔群材〕' 등에 응한다.】밖으로 사해(四海)에 이르러는 방백(方伯, 관찰

---

13 徒隸: '도(徒)' 고대 관부(官府)에서 심부름을 하던 사람으로 《주례(周禮)》 〈천관 총재(天官冢宰)〉에 "서(胥)는 12인, 도(徒)는 120인이다.〔胥十有二人 徒百有二十人〕"하였으니, 도예는 사역하여 차사(差使)에 응하는 자이다.

14 鄕師里胥: 향사는 관명(官名)으로 《주례》 〈지관(地官)〉에 속하고, 이서는 옛날의 향직(鄕職)으로 《주례》의 여서(閭胥), 이재(里宰)와 같은 사람들이다.

15 方伯, 連帥: 모두 관명으로, 지방의 장관이다. 《예기》 〈왕제(王制)〉에 "천 리 밖에 방백을 둔다.……십국(十國)을 연(連)이라하니 연에는 수(帥)가 있다.〔千里之外 設方伯……十國以爲連 連有帥〕" 하였다.

16 (史)〔吏〕: 저본에는 '史'로 되어 있으나 《유종원집》과 《당송팔가문초》에 의거하여 '吏'로 바로잡았다.

17 〔皆〕: 저본에는 없으나 《유종원집》과 《당송팔가문초》에 의거하여 보충하였다.

18 嗇夫, 版尹: 색부는 징세(徵稅)를 담당하던 하급관리이고 판윤은 호적을 관리하는 하급관리로, 모두 지방의 말단관리이다.

··· 隸 종 예 胥 아전 서 薄 이를 박 嗇 인색할 색 伎 기예 기

사)과 연수(連帥, 절도사(節度使))가 있고 군(郡)에는 군수(郡守)가 있고 읍(邑)에는 읍재(邑宰)가 있는데, 모두 좌정(佐政, 보좌관)이 있고 그 아래는 서리(胥吏)가 있고 또 그 아래에는 모두 색부(嗇夫)와 판윤(版尹)이 있어서 일에 종사하니, 이는 여러 공인이 각기 잡은 기예가 있어 노력의 대가로 녹봉을 먹는 것과 같다.

彼佐天子, 相天下者 擧而加焉하고 指而使焉하며 條其綱紀而盈縮焉하고 齊其法制而整頓焉하니 猶梓人之有規矩, 繩墨하여 以定制也요 擇天下之士하여 使稱其職하며 居天下之人하여 使安其業하여【應前趨而左一句.】視都知野하고 視野知國하고 視國知天下하여 其遠邇, 細大를 可手據其圖而究焉하니 猶梓人이 畫宮於堵而績于成也라 能者를 進而由之호되 使無所德하고 不能者를 退而休之호되 亦莫敢慍하며 不衒能하고 不矜名하며 不親小勞하고 不侵衆官하여 日與天下之英才로 討論其大經하니 猶梓人之善運衆工而不伐藝也라 夫然後에 相道得而萬國理矣니라【唐諱治字, 以理字代.】

저 천자를 보좌하여 천하를 돕는 자(재상)는 인재를 들어서 높은 자리에 앉히고 지휘하여 부려서 기강을 조리하여 가득히 하기도 하고 줄이기도 하며 법도를 가지런히 하여 정돈하니, 이는 재인이 규구와 승묵을 두어서 제도를 정하는 것과 같다. 천하의 선비를 가려 뽑아 그 직책에 걸맞게 하며 천하의 사람들을 편안히 하여 그 생업을 편안하게 해서,【앞의 '달려가 왼쪽으로 간다〔趨而左〕'는 한 구에 응한다.】도시를 보면 시골을 알고 시골을 보면 서울을 알고 서울을 보면 천하를 알아, 그 멀고 가까움과 작고 큼을 손으로 그림을 대조하여 규명하듯이 하니, 이는 재인이 집을 담장에 그려 놓고서 완성의 공적을 이루는 것과 같다.

능한 자를 나오게 하여 쓰는데도 은덕으로 여기는 바가 없고, 능하지 못한 자를 물리쳐 쉬게 하는데도 또한 감히 성내지 못하며, 자신의 재능을 자랑하지 않고 명성을 자랑하지 않으며 작은 수고로움을 직접 하지 않고 여러 관직의 임무를 침탈(侵奪)하지 않으면서 날마다 천하의 영재들과 대경(大經)·대법(大法)을 토론하니, 이는 재인이 여러 공인을 잘 운용하고 자기 재예(才藝)를 자랑하지 않는 것과 같다. 이와 같이 한 뒤에야 재상(宰相)의 도(道)에 맞아 만국(萬國)이 다스려지는 것이다.【당나라는 '치(治)' 자를 휘하여 '이(理)' 자로 대신하였다.】

相道旣得하고 萬國旣理어든 天下擧首而望曰 吾相之功也라하고 後之人이 循跡而

縮 줄일 축 頓 정돈 돈 繩 먹줄 승 稱 걸맞을 칭 由 쓸 유 衒 자랑할 현 伐 자랑할 벌
循 따를 순 恪 삼갈 각

慕曰 彼相之才也라하며 士或談殷, 周之理者曰 伊, 傅, 周, 召요 其百執事之勤勞는 而不得紀焉하니 猶梓人이 自名其功而執用者不列也라 大哉라 相乎여 通是道者는 所謂相而已矣니라 其不知體要者는 反此하여【此段, 反說.】以恪勤爲(公)[功][19]하고 [以][20]簿書爲尊하며 衒能, 矜名하고 親小勞, 侵衆官하여 竊取六職[21]百役之事하여 听(斷)听於府庭而遺其大者遠者焉하니 所謂不通是道[者][22]也라 猶梓人而不知繩墨之曲直과 規矩之方圓과 尋引之短長하고 姑奪衆工之斧斤, 刀鋸하여 以佐其藝하며 又不能備其工하여 以至敗績用而無所成也하니 不亦謬歟아

재상의 도에 이미 맞고 만국이 이미 다스려지면 온 천하 사람들이 모두 머리를 들고 바라보면서 말하기를 '우리 재상의 공(功)이다.' 하고, 후세의 사람들은 그의 자취를 따르면서 흠모하기를 '저 사람은 재상의 재질이다.' 하며, 선비로서 혹 은(殷)나라와 주(周)나라의 훌륭한 정치를 말하는 자들이 이윤(伊尹)·부열(傅說)과 주공(周公)·소공(召公)을 말하고 여러 집사(執事)의 근로는 기록하지 않으니, 이는 재인이 스스로 자신의 공을 이름하고, 그에게 지시를 받아 일한 자들은 나열되지 않는 것과 같다. 위대하다! 재상이여. 이 도를 통달한 자는 이른바 재상일 뿐이다.

그 체요(體要)를 알지 못하는 자는 이와 반대여서【이 단락은 뒤집어 말하였다.】조심하고 부지런함을 공(功)으로 여기고 문서를 잘 기록함을 높음으로 삼으며, 자신의 재능을 자랑하고 명성을 자랑하며, 작은 수고를 직접 집행하고 여러 관직의 임무를 침탈하여, 육직(六職)과 온갖 사역(使役)들의 일을 절취하여 부정(府庭)에서 남들과 다투면서 그 큰 것과 원대한 것은 버리니, 이른바 이(재상) 도를 통달하지 못했다는 것이다. 이는 재인으로서 승묵(繩墨)의 굽음과 곧음, 규구(規矩)의 네모진 것과 둥근 것, 심인(尋引)의 짧은 것과 긴 것을 알지 못하고, 우선 여러 공인의 도끼와 자귀와 칼(대패)과 톱을 빼앗아서 자기의 재주를 돕게 하며, 또 그 공인

---

19 (公)[功]: 저본에는 '공(公)'으로 되어 있으나 《유종원집》 교감기(校勘記)에 "공(公)은 《전당문(全唐文)》에 '공(功)'으로 되어 있으니, 옳은 듯하다.[公 全唐文作功 疑是]"라고 한 것에 의거하여 '공(功)'으로 바로잡았다.

20 [以]: 저본에는 없으나 《유종원집》과 《당송팔가문초》에 의거하여 보충하였다.

21 六職: 여섯 가지 직책으로 치(治)·교(敎)·예(禮)·정(政)·형(刑)·사(事)를 이르는바, 치는 이전(吏典), 교는 호전(戶典), 예는 예전(禮典), 정은 병전(兵典), 형은 형전(刑典), 사는 공전(工典)에 해당한다 할 것이다. 《주례(周禮)》〈천관(天官) 소재(小宰)〉에 "육직을 두어 나라의 다스림을 분변하였으니, 치직(治職)·교직(敎職)·예직(禮職)·정직(政職)·형직(刑職)·사직(事職)이다." 하였다.

22 [者]: 저본에는 없으나 《유종원집》과 《당송팔가문초》에 의거하여 보충하였다.

··· 簿 장부 부 斷 말다툼할 은 姑 우선 고 謬 그릇될 류(무) 儻 혹시 당 牽 끌 견

을 구비하지 못하여서 적용(績用, 업적과 공용)을 패하여 성취가 없게 되는 것과 같으니, 잘못이 아니겠는가."

或曰 彼主爲室者【此一段, 承得好, 結有精神.】儻或發其私智하여 牽制梓人之慮하며 奪其世守하고 而道謀를 是用이면 雖不能成功이나 豈其罪耶아 亦在任之而已니라

혹자는 말하기를 "저 집 짓는 것을 주관하는 자가【이 한 단락은 이어받음이 매우 좋고 끝맺음에 정채(精彩)가 난다.】혹시라도 사사로운 지혜를 발휘하여 재인의 생각을 견제하며 재인이 대대로 지켜온 법을 빼앗고, 길가는 사람의 계책을 쓴다면(따른다면) 비록 능히 성공하지 못하더라도 어찌 그(재인)의 죄이겠는가? 이는 또한 그 맡김에 달려있을 뿐이다." 하였다.

余曰 不然하다 夫繩墨을 誠陳하고 規矩를 誠設이면 高者를 不可抑而下也요 狹者를 不可張而廣也니 由我則固하고 不由我則圮(비)어늘 彼將樂去固而就圮也인댄 則卷其術하고 默其智하여 悠爾而去하여 不屈吾道니 是誠良梓人耳라 其或嗜其貨利하여 忍而不能捨也하며 喪其制量하여 屈而不能守也하고 棟撓屋壞어든 則曰非我罪也라하면 可乎哉아 [可乎哉아][23] 余謂梓人之道 類於相이라【前自梓人說起, 引來譬喻相業中一大段. 自相業敷演, 節節證歸梓人, 末段設爲問答, 只及梓人, 而不復證說相業, 最是一妙家數. 末只將一句收拾之, 余謂梓人之道類於相, 不特結盡一篇, 末段之意自了然, 不待言而喻矣. 若曰譬之爲相者, 守其所學, 而君曰姑捨汝所學而從我,[24] 則不合而去, 是方爲良相耳, 苟貪位冒祿, 道不合而不去, 及天下不治, 則曰非我罪也, 如此豈不贅絮[25]也哉? 今藏了此一段, 不說破, 妙甚妙甚, 有餘不盡之意, 令人讀至此, 滋味儁永, 端可爲法.】故로 書而藏之하니 梓人은 蓋古之審曲面勢者[26]니【語見周禮.】今謂之都料匠云이라 余所遇者는 楊氏요 潛其名이라

23 〔可乎哉〕: 저본에는 없으나 《유종원집》과 《당송팔가문초》에 의거하여 보충하였다.

24 姑捨汝所學而從我 : 《맹자》〈양혜왕 하(梁惠王下)〉에 나오는 말로, 맹자가 제 선왕(齊宣王)에게 국사를 유능한 자에게 맡길 것을 아뢰면서 "사람이 어려서 배움은 장성해서 그것을 행하고자 함이니, 왕께서 우선 네가 배운 것을 버리고 나를 따르라 하신다면 어떠하시겠습니까?〔夫人 幼而學之 壯而欲行之 王曰 姑舍女(汝)所學 而從我 則何如〕" 하였다.

25 贅絮 : 오탈자가 있는 듯하다.

26 古之審曲面勢者 : '곡(曲)'은 곡직(曲直)으로, 이 내용은 《주례(周禮)》〈동관(冬官) 고공기(考工記)〉에 보인다.

狹 좁을 협 圮 무너질 비 卷 거둘 권 悠 한가할 유 爾 그러할 이 棟 들보 동 撓 흔들릴 요
審 살필 심 都 모두 도 料 헤아릴 료 匠 공인 장 潛 잠길 잠

이에 나는 다음과 같이 대답하였다.

"옳지 않다. 저 승묵을 참으로 진열하고 규구를 참으로 실행했다면, 높은 것을 억제하여 낮출 수가 없고 좁은 것을 펴서 넓힐 수가 없으니, 내 방법대로 하면 집이 견고하고 내 방법대로 하지 않으면 집이 무너질 것이다. 그런데 저 집주인이 장차 견고함을 버리고 무너지는 데로 나아가기를 좋아한다면, 기술을 거두고 지혜를 침묵하여 유유히 떠나가서 자신의 도를 굽히지 않아야 하니, 이것이 참으로 훌륭한 재인인 것이다. 혹시라도 화리(貨利)를 좋아하여 차마 버리지 못하며 그 제도와 헤아림을 잃어 자기의 도를 굽히고 지켜내지 못하고서 대들보가 흔들리고 집이 파괴되거든 '내 죄가 아니다' 한다면 이것이 가하겠는가. 이것이 가하겠는가."

내가 생각건대, 재인의 도는 재상과 유사하다.【앞은 재인(梓人)으로부터 말하여 이끌어 와서 재상의 사업 가운데 큰 것을 비유하였다. 재상의 사업으로부터 부연해서 절(節)마다 증명해 재인에게 귀결시켰고, 마지막 단락에는 가설하여 문답을 하되 다만 재인에게만 미치고 다시는 재상의 사업을 증명하여 말하지 않았으니, 이것이 제일 묘한 가수(家數, 기법(技法))이다. 끝에는 다만 한 구를 가지고 수습하여 '내가 생각건대 재인의 도가 재상과 유사하다.' 하고는 특별히 한 편을 다 끝맺었을 뿐만 아니라, 한 편의 마지막 단락의 뜻이 저절로 분명해져서 말하기를 기다리지 않아도 알 수 있다. 만약 말하기를 "비유하건대 재상이 된 자가 자신이 배운 바를 지키는데 군주가 '우선 네가 배운 바를 버리고 나를 따르라.' 하면 도(道)가 부합하지 않는다 하여 떠나가는 것이 비로소 훌륭한 재상이 되는 것이니, 만약 지위를 탐하고 녹봉을 차지하여 도가 합하지 않는데도 떠나가지 않다가 천하가 다스려지지 못함에 이르면 '나의 죄가 아니다.' 한다."라고 할 경우, 이와 같다면 어찌 군더더기가 아니겠는가. 이제 한 단락을 감추어두어 제대로 말하지 않았으니, 매우 묘하고 묘하며 다하지 않은 남은 뜻이 있다. 그리하여 사람들로 하여금 읽다가 여기에 이르면 맛이(재미가) 깊고 길어지게 하니, 참으로 법으로 삼을 만하다.】 그러므로 이것을 써서 보관하니, 재인은 옛날에 이른바 "곡직(曲直)과 면세(面勢)를 살핀다."는 자로서【말이 《주례(周禮)》〈동관(冬官) 고공기(考工記)〉에 보인다.】 지금에는 도료장(都料匠, 도목수(都木手))이라 이른다. 내가 만난 사람은 양씨(楊氏)요, 그 이름은 잠(潛)이다.

여한유논사서與韓愈論史書

유종원柳宗元

• 작품개요

이 편지는 작자의 나이 42세인 원화(元和) 9년(814) 정월에 쓴 것이다. 작자는 이때 영주 사마(永州司馬)로 있었다. 한 해 전인 원화 8년 6월에 한유(韓愈, 768~824)는 〈답유수재논사서(答劉秀才論史書)〉를 쓰면서 작자에게도 이와 비슷한 내용을 담은 편지를 보내며 "유수재에게 준 편지에 자세히 말했다.〔具與劉秀才書〕"라고 하였다. 그러자 작자가 읽어보고 한유에게 이 편지를 쓴 것이다.

〈답유수재논사서〉의 대체적인 내용은 다음과 같다.

첫째, 사관의 대법(大法)은 포폄(褒貶)인데 그것은 이미 《춘추》에 갖추어졌으며, 후세의 사가들은 역사적 사실대로 기록할 뿐이지만 나와 같이 재주가 없는 사람은 사실의 기록마저도 못하겠다. 둘째, 사관에는 인화(人禍)나 천형(天刑)이 미치니, 공자를 비롯해 좌구명·사마천 등 여러 사례를 보아도 이는 분명하다. 셋째, 당나라의 건국 이래 무수한 성군·현상·문무지사가 있었으니, 나 혼자서는 역사를 기록하기가 벅차다. 넷째, 재상은 내가 아무런 재주가 없는데도, 늙은 이 몸이 세상에 어울리지 못해 시름으로 일생을 마치지 않도록, 영광스럽게도 사관이라는 직책을 주셨다. 급하게 독촉하는 것은 아니지만 나는 각하의 뜻을 거역할 수 없으니, 조금 해보다가 물러나려고 한다. 다섯째, 전해 내려오는 이야기는 각기 다르고 선악의 판단은 사람마다 차이가 나니, 과거의 기준에 맞추어 역사를 포폄할 수는 없다. 여섯째, 당나라의 성스러운 사적(事跡)은 결코 사라지지 않을 것이니 사관(史館)에 적임자가 없을지라도 반드시 후배 중에서 사가(史家)가 나와 엄숙하게 역사를 편찬할 것이다. 작자는 이 편지에서, 인화나 천형은 사관이 되는 것과 아무런 관련이 없음을 구체적으로 설명한 다음 한유에게 사관으로서의 긍지를 갖고 사서를 수찬해야 한다고 자신의 의견을 피력하고 있다.

篇題小註‥ 迂齋云 掊擊辨難之體 沈著痛快로다

우재(迂齋)가 말하였다. "부격(掊擊, 공격)하고 논란하는 체제가 침착하고 통쾌하다."

○ 退之爲史官에 柳子厚, 劉秀才皆勉以作史라 柳書首云 前獲書하니 言史事라하니 退之集中에 與柳子之書不存이요 所存者는 答劉秀才論史書니 今載外集[27]하니라

한퇴지가 사관(史官)이 되자, 유자후(柳子厚)와 유수재(劉秀才)가 모두 사책(史冊)을 지으라고 권면하였다. 유자후가 보낸 편지의 첫 부분에 "지난번 편지를 받아보니 사책의 일을 말했다." 하였는데, 한퇴지의 문집에는 유자후에게 준 편지는 남아 있지 않고, 남아 있는 것은 유수재에게 사책을 논한 답서가 있으니, 현재 외집(外集)에 실려 있다.

○ 云辱問하니 敎勉以所宜務라 愚以爲 凡史氏褒貶(포폄)大法은 春秋에 已備之矣[28]니 後之作者 在據事跡實錄이면 則善惡自見(현)이라 然이나 此尙非淺陋偷(투)惰者所能就어든 況褒貶邪아 孔子는 聖人이사되 作春秋하여 辱於魯, 衛, 陳, 宋, 齊, 楚하시고 卒不遇而死하시며 齊大(太)史氏는 兄弟幾盡하고 左丘明은 紀春秋時事하여 以失明하고 司馬遷은 作史記하여 刑誅하고 班固는 瘦死하고 陳壽는 起又廢하여 卒亦無所至하고 王隱은 謗退死家하고 習鑿齒는 無一足하고 崔浩, 范曄은 赤誅하고 魏收는 夭絕하고 宋孝王은 誅死하며 足下所稱吳兢도 亦不聞身貴러니 而今其後有聞也라 夫爲史者는 不有人禍면 則有天刑하니 豈可不畏懼而輕爲之리오 唐有天下二百年에 聖君賢相이 相踵하고 其餘文武之士立功名하여 跨越前後者 不可勝數하니 豈一人卒卒能紀而傳之邪아 僕은 年志已就衰退하여 不可自敦率이라 宰相이 知其無他才能하여 不足用이로되 哀其老窮齟齬(저어)而無所合하여 不欲令四海內有戚戚者일새 猥言之上하여 苟加一職榮之耳니 非必督責迫蹙하여 令就功役也라 賤不敢逆盛指하니 行且謀引去리라 夫聖唐鉅跡과 及賢士大夫事는 皆磊磊軒天地하여 決不沈沒이요 今館中에 非無人하니 將必有作者勤而纂之리라 後生可畏니 安知不在足下리오 亦宜勉之하라

---

27 所存者 答劉秀才論史書 今載外集 : 위 내용은《별본한문고이(別本韓文考異)》외집 권2에 보인다.

28 凡史氏褒貶大法 春秋已備之矣 : 공자가《춘추》를 지을 적에 은미한 말 속에 대의(大義)와 포폄을 숨겨 난신적자들이 죄를 도피할 곳이 없게 한 것을 이른다.

… 掊 칠 부 著 붙을 착 褒 기릴 포 貶 깎을 폄 偷 경박할 투 瘦 파리할 수 鑿 뚫을 착 曄 빛날 엽

유수재에게 답한 편지는 다음과 같다.

"안부를 물은 편지를 받아 보니, 마땅히 해야 할 일로써 가르쳐주고 권면하였다. 나는 생각건대 모든 사관의 포폄(褒貶)하는 큰 방법은《춘추》에 이미 갖추어져 있으니, 후세의 작자(作者)가 사적(事跡)을 근거하여 사실대로 기록하면 선(善)과 악(惡)이 저절로 드러날 것이다. 그러나 이것도 오히려 천루(淺陋)하고 게으른 자가 성취할 수 있는 것이 아닌데, 하물며 포폄에 있어서이겠는가. 공자(孔子)는 성인이셨으나《춘추》를 짓고서 노(魯)·위(衛)·진(陳)·송(宋)·제(齊)·초(楚)에서 곤욕을 당하시고 끝내 불우하게 별세하셨으며, 제나라의 태사씨(太史氏)는 형제가 거의 다 죽었고, 좌구명(左丘明)은 춘추시대의 일을 기록하고서 이 때문에 실명(失明)하였으며, 사마천(司馬遷)은《사기(史記)》를 짓고서 형벌을 받았고, 〈《한서(漢書)》를 지은〉 반고(班固)는 〈옥중(獄中)에서〉 수척하여 죽었으며, 〈《삼국지(三國志)》를 지은〉 진수(陳壽)는 등용되었다가 또다시 폐출(廢黜)을 당하여 끝내 또한 이른 바가 없었고, 〈《진서(晉書)》를 지은〉 왕은(王隱)은 비방을 받고 물러나 집에서 죽었으며, 〈《한진춘추(漢晉春秋)》를 지은〉 습착치(習鑿齒)는 발 하나가 없어졌고(불구가 되었고), 〈《위사(魏史)》를 지은〉 최호(崔浩)와 〈《후한서(後漢書)》를 지은〉 범엽(范曄)은 온 집안이 처형되었으며, 〈《위서(魏書)》를 지은〉 위수(魏收)는 요절하였고 〈《관동풍속전(關東風俗傳)》을 지은〉 송 효왕(宋孝王)은 처벌을 받아 죽었으며, 족하(足下)가 칭찬한 〈《측천실록(則天實錄)》 등을 지은〉 오긍(吳兢) 또한 몸이 귀했다는 말을 듣지 못했는데 이제 그 후손이 알려진 것이다. 사책을 짓는 자는 사람의 화가 있지 않으면 하늘의 형벌이 있으니, 어찌 두려워하지 않고 가볍게 짓겠는가. 당(唐)나라가 천하를 소유한 지 2백 년에 성군(聖君)과 현상(賢相)이 서로 이어졌고, 기타 문무(文武)의 선비로서 공명(功名)을 세워 전후에 뛰어난 자가 이루 셀 수 없으니, 어찌 한 사람이 졸연히 기록하여 전할 수 있겠는가.

나는 나이와 의욕이 이미 쇠퇴하여 스스로 분발할 수 없다. 재상은 내가 다른 재능이 없어 등용할 수 없음을 알았으나 늙고 곤궁하며 세상과 어긋나 합하는 바가 없음을 가엾게 여겨 사해(四海)의 안에 척척(戚戚, 슬픔)한 자가 있게 하고자 하지 않았으므로 외람되게 황제에게 말씀해서 구차히 한 직책을 가하여 영화롭게 하였을 뿐이니, 반드시 독책(督責)하고 다그쳐서 공역(功役, 사책을 짓는 일)을 이루게 하려고 한 것은 아니다. 미천한 나는 그대의 훌륭한 뜻을 거역할 수 없으니, 장차 사직하고서 떠날 생각이다.

성스러운 당나라의 위대한 공적과 어진 사대부(士大夫)들의 사적(事迹)이 모두 천지에 우뚝이 드러나 있어서 결코 매몰되지 않을 것이요, 지금 사관(史館) 안에도 인재가 없지 않으니, 장차 반드시 사책을 지을 자가 있어 부지런히 편찬할 것이다. 후생(後生)이 두려울 만하니, 이 책임이 어찌 족하에게 있지 않음을 알겠는가. 족하도 또한 마땅히 힘써야 할 것이다."

踵 이을 종 跨 넘을 과 齟 어긋날 서(저) 齬 어긋날 어 猥 외람될 외 磊 돌쌓일 뢰
軒 높을 헌

○ 讀退之此書然後에 讀子厚此書하면 皆是排闢退之書中所說意 了然矣라 居其職이면 則宜稱其職이니 柳之以史事責韓과 與韓之以諫責陽城[29]이 一也라 以韓之平生剛正으로 而有不敢作史之失하니 受責何疑리오 然이나 卒能成順宗實錄五卷하니 亦可以塞責矣라 與陽城救陸贄, 沮延齡[30]으로 略足相當하여 能補過如此하니 何損二子之賢哉아 亦朋友責善之力也니라

한퇴지의 이 편지를 읽은 뒤에 유자후의 이 편지를 읽어보면 모두 한퇴지의 편지에 말한 것을 배척하려고 쓴 것임이 분명히 드러난다. 그 직책에 있으면 마땅히 그 직책을 책임져야 하니, 유자후가 사책을 짓는 일로써 한퇴지에게 책한 것과 한퇴지가 간(諫)하는 일로써 양성(陽城)에게 책한 것은 똑같다. 한퇴지의 평생 강정(剛正)함으로도 감히 사책을 짓지 못한다는 잘못이 있었으니, 꾸짖음을 받음을 어찌 의심하겠는가. 그러나 한퇴지는 끝내 《순종실록(順宗實錄)》 5권을 지었으니, 또한 책임을 다했다 할 것이다. 양성이 육지(陸贄)를 구원하고 배연령(裴延齡)이 정승이 되는 것을 저지한 일과 대략 상응하여 잘못을 보충함이 이와 같으니, 두 분의 어짊에 어찌 감손(減損)이 되겠는가. 또한 붕우 간에 책선(責善)한 힘인 것이다.

• **原文**

前獲書하니 言史事云 具與劉秀才書라하더니 及今[乃][31]見書藁하니 私心甚不喜라 與退之往年言史事로 甚大謬하니 若書中言인댄 退之不宜一日在館下니 安有探宰相意하여 以爲苟以史筆로 榮一韓退之邪아 若果爾면 退之豈宜虛受宰相榮己하여 而冒居館下近密地하여 食奉養하고 役使掌故하며 利紙筆爲私書하여 取以供子弟費리오 古之有志於道者는 不宜若是니라

---

29 韓之以諫責陽城: 〈쟁신론(爭臣論)〉을 가리킨 것으로 위 3권에 실려 있다. 한유는 당시 간의대부(諫議大夫)에 임명된 양성이 5년이 되도록 바른말을 하지 않는 태도를 비판하고, 간관(諫官)의 도리에 대해 설명하였다.

30 陽城救陸贄沮延齡: 육지는 당(唐)나라의 정치가로 덕종(德宗) 때 국정을 맡아 충성스런 간언을 잘하였는데, 좌천당하게 되자 양성이 황제에게 극간하다가 지방의 수령으로 좌천되었다. 또 덕종이 간사한 배연령(裴延齡)을 재상으로 삼으려 하자 양성이 "혹시라도 배연령을 재상으로 삼는다면 내가 그 조서를 찢어버리겠다." 하며 저지하였다. 《唐書 卷192 陽城列傳》

31 〔乃〕: 저본에는 없으나 《유종원집》과 《당송팔가문초》에 의거하여 보충하였다.

지난번 편지를 받아보니, 사관(史官)에 대한 일을 말하면서 유수재(劉秀才, 이름은 가(軻))에게 준 편지에 자세히 말했다 하였는데, 이제 마침내 서고(書稿)를 보니 사사로운 마음에 심히 기쁘지 않노라. 내가 퇴지(退之)와 더불어 지난해에 사관의 일에 대해 말한 것과 크게 다르니, 만약 편지에서 말한 대로라면 퇴지는 하루라도 사관(史館)의 아래에 있어서는 안 된다. 어찌 재상의 뜻을 역탐(逆探)하여, 재상이 구차히 사필(史筆)로써 한퇴지 한 사람을 영화롭게 한 것이라고 여길 수 있겠는가. 만일 과연 그렇다면 퇴지는 어찌 재상이 자기를 영화롭게 해주는 것을 헛되이 받고서 외람되이 사관(史館) 아래의 군주와 가까운 곳에 거처하여 봉양을 먹고 장고(掌故, 고사(古事)를 많이 아는 자)들을 부리며 지필(紙筆)을 이용하여 사사로운 책을 만들어, 그 이익을 취하여 자제들의 비용에 공급한단 말인가. 옛날 도(道)에 뜻을 둔 자는 이와 같지 않았을 것이다.

且退之以爲紀錄者는 有刑, 禍라하여 避不肯就하니 尤非也라 史以名爲褒貶이라도 猶且恐懼不敢爲인댄 設使退之爲御史中丞, 大夫면 其褒貶成敗人이 愈益顯이라 其宜恐懼尤大也리니 則又將揚揚入臺府하여 美食安坐하여 行呼唱於朝廷而已邪아 在御史猶爾어든 設使退之爲宰相이면 生殺, 出入, 升黜天下士하여 其敵益衆하리니 則又將揚揚入政事堂하여 美食安坐하여 行呼唱於內庭外衢而已邪아 何以異不爲史而榮其號, 利其祿者也리오

또 퇴지는 이르기를 "역사를 기록하는 자는 하늘의 형벌과 사람의 화(禍)가 있다." 하여 피하고 기꺼이 이루려 하지 않으니, 이는 더더욱 잘못이다. 사관은 〈사람을 포폄함에 있어 실제의 사람은 이미 죽었으므로 단지 그가 남긴 이름을 가지고 포폄할 뿐인데〉 이름으로써 포폄하더라도 오히려 두려워하여 감히 하지 못할진댄, 가령 퇴지가 어사중승(御史中丞)과 어사대부(御史大夫)가 된다면 사람을 포폄하고 성패(成敗)시킴이 더욱 드러날 것이다. 그 두려움이 더욱 클 것이니, 그렇다면 또 장차 양양(揚揚)하게 어사대부(御史臺府)에 들어가 아름다운 음식을 먹고 편안히 앉아 호창(呼唱, 큰 소리로 관직명을 부르고 벽제(辟除)함)을 조정에서 행할 뿐이겠는가.

어사에 있어서도 오히려 그러한데 가령 퇴지가 재상(宰相)이 된다면 천하의 선비들을 살리고 죽이며 내고 들이며 승진시키고 축출하여 그 적(敵)이 더욱 많아질 것이니, 그렇다면 또다시 장차 양양하게 정사당(政事堂)에 들어가 아름다운 음식을 먹고 편안히 앉아 호창(呼唱)을 내정(內庭)과 외구(外衢, 바깥 길거리)에서 행할 뿐이겠는가. 어찌 역사책을 만들지 않으면서 그

藁 초고 고 謬 그릇될 류 探 찾을 탐 冒 무릅쓸 모 掌 맡을 장 愈 더욱 유 唱 부를 창
升 오를 승 黜 내칠 출 衢 네거리 구

(사관) 이름을 영화롭게 여기고 그(사관) 녹봉을 이롭게 여기는 것과 다르겠는가.

又言不有人禍면 必有天刑이라하여 若以罪夫前古之爲史者然하니 亦甚惑이로라 凡居其位하여는 思直其道니 道苟直이면 雖死라도 不可回也요 如回之인댄 莫若亟(극)去其位라 孔子之困于魯, 衛, 陳, 宋, 蔡, 齊, 楚者(是也)[32]는【力詆紀錄者有刑禍之說.】其時暗諸侯不能以也[33]일새니 其不遇而死는 不以作春秋故也라【難得倒.】當是時하여 雖不作春秋라도 孔子猶不遇而死也시리라 若周公, 史佚은 雖紀言書事나 猶遇且顯也하니 又不得以春秋爲孔子累니라【詳於孔子而略於他, 亦有斟酌.】

〈퇴지는〉 또 말하기를 "사람의 화가 있지 않으면 반드시 하늘의 형벌이 있다." 하여, 마치 전고(前古)에 역사를 만든 자를 나무라는 듯하니, 또한 매우 미혹된 것이다. 무릇 그 지위에 거해서는(있으면) 그 도(道)를 곧게 할 것을 생각하여야 하니, 도가 만일 곧다면 비록 죽더라도 굽히지 말아야 할 것이요, 만일 굽히게 되면 빨리 그 지위를 떠나는 것만 못하다. 공자(孔子)가 노(魯)·위(衛)·진(陳)·송(宋)·채(蔡)·제(齊)·초(楚)에서 곤액을 당하신 것은【'기록하는 자는 형벌과 화가 있다〔紀錄者 有刑禍〕'는 말을 강력히 비판하였다.】그때 어리석은 제후들이 능히 쓰지 못하였기 때문이니, 공자가 불우하게 죽으신 것은 《춘추(春秋)》를 지었기 때문은 아니다.【상대방을 힐난하여 쓰러뜨렸다.】

이때를 당하여 공자가 비록 《춘추》를 짓지 않으셨더라도 오히려 불우하게 죽으셨을 것이다. 주공(周公)과 사일(史佚, 사관(史官)인 윤일(尹佚))로 말하면 비록 말을 기록하고 역사 사실을 썼으나 오히려 때를 만나고 또한 드러났으니, 또 《춘추》를 지은 것을 공자의 누(累)로 삼을 수는 없는 것이다.【공자에게는 자세하고 다른 사람에게는 간략하였으니, 또한 참작함이 있다】

范曄은 悖亂하니 雖不爲史라도 其宗族亦誅이요 司馬遷은 觸天子喜怒하고 班固는 不檢下하고 崔浩는 沽其直하여 以鬪暴虜하니 皆非中道며 左丘明은 以疾盲[34]하니 出

---

32 (是也): 저본에는 있으나 《유종원집》과 《당송팔가문초》에 의거하여 연문(衍文)으로 처리하였다.

33 其時暗諸侯不能以也: 《유종원집》에는 '其時暗'에서 구(句)를 끊고서 "일본(一本)에는 '其時諸侯不能以也'로 되어있어 '암(暗)' 자가 빠져 있다."라고 하였다. '기시암'에서 구를 끊을 경우 '其時暗하여'로 현토(懸吐)해야 할 것이나 문리가 순하지 않으므로 '其時暗諸侯'로 연결하여 해석하였음을 밝혀둔다.

34 左丘明以疾盲: 좌구명은 노나라 사관으로 《춘추》의 전(傳)과 《국어(國語)》를 지었다. 《사기》〈태사공자서(太史公自

··· 亟 빠를 극 以 쓸 이 佚 편할 일

於不幸이라 子夏는 不爲史라도 亦盲[35]하니 不可以是爲戒니 其餘皆不出此라【范曄爲後漢書，後以逆誅，[36] 司馬遷爲史記，以救李陵，忤武帝，遭腐刑，[37] 班固[爲漢書]，[38] 奴殺人，爲洛陽令捕，死獄中，[39] 崔浩爲元魏史，直書魏先夷虜之實，爲魏主所誅.[40] 退之所引，不止此，子厚大略就此數人闢之，餘所不及，如齊太史兄弟，[41] 陳壽，[42] 王隱，[43] 習鑿齒，[44] 魏收，[45] 宋孝王，[46] 吳兢[47]輩，故該以一句，云其餘皆

序)》에 "좌구가 실명한 뒤에 《국어》를 지었다.〔左丘失明 厥有國語〕"라는 말이 보인다.

35 子夏不爲史 亦盲 : 자하는 공자의 제자 복상(卜商)의 자(字)로 자유(子游)와 함께 문학에 뛰어났다. 자하는 아들의 죽음을 슬퍼하여 눈물을 너무 많이 흘린 나머지 눈이 멀었다고 한다.《史記 卷67 仲尼弟子列傳》《禮記 檀弓》

36 范曄爲後漢書 後以逆誅 : 범엽(范曄)은 남조(南朝) 송(宋)의 순양(順陽) 사람으로 자(字)는 울종(蔚宗)인데, 경사(經史)에 두루 통하였다. 선성 태수(宣城太守)로 좌천되어 《후한서》를 편찬하였는데, 뒤에 노국(魯國)의 공희선(孔熙先)과 반역을 도모하다가 처형되었다. 그가 편찬한 《후한서》는 사마천의 《사기》, 반고의 《한서》와 함께 삼사(三史)로 알려져 기전체(紀傳體) 역사서의 대표로 꼽힌다.《宋史 卷69》《南史 卷33》

37 司馬遷爲史記……遭腐刑 : 사마천은 전한(前漢) 하양(夏陽) 사람으로 자가 자장(子長)인데 뒤에 용문(龍門)에 거주하였다. 아버지인 사마담(司馬談)이 태사령(太史令)이 되었으므로 사마천은 자기 아버지를 높여 태사공(太史公)이라 칭하였는데, 사마천 역시 태사령이 되었으므로 후세에서는 사마천을 태사공으로 높여 칭하였다. 천한(天漢) 2년(B.C.99)에 장군 이릉(李陵)이 흉노(匈奴)를 공격하러 나갔으나 중과부적으로 흉노에게 항복하자, 사마천은 그를 비호하다가 무제(武帝)의 노여움을 촉발시켜 부형(腐刑)을 당하고 《사기》를 편찬하였다. 그는 유람을 좋아하여 중국 천하를 두루 유람하였고 아버지 사마담이 사관으로 있었기 때문에 수많은 역사책을 볼 수 있어 불후의 명작인 《사기》를 남겼다.《史記 卷130 太史公自序》《前漢書 卷62 司馬遷傳》

38 〔爲漢書〕: 저본에는 없으나 문맥을 살펴 보충하였다.

39 班固〔爲漢書〕……死獄中 : 반고는 후한(後漢) 안릉(安陵) 사람으로 자가 맹견(孟堅)이며 반표(班彪)의 아들인데 문장에 능하였다. 명제(明帝) 때에 낭관(郞官)이 되어 아버지가 편찬하던 《한서》를 편집하였다. 뒤에 권신(權臣)인 두헌(竇憲)이 흉노의 정벌에 나서면서 반고를 중호군(中護軍)으로 임명하였는데, 두헌이 실패하자 그의 노복이 사람을 죽였다는 이유로 낙양 영(洛陽令) 충긍(种兢)이 반고를 체포하였고 결국 옥사하였다. 반고가 찬하던 《한서》 중에 여덟 편의 지(志)와 천문지(天文志)를 미처 끝마치지 못하고 죽었는데, 반고의 여동생인 반소(班昭)가 화제(和帝)의 명을 받고 완성하였다. 반소는 조세숙(曹世叔)에게 시집갔으므로 조대가(曹大家)라 칭해졌다.《後漢書 卷70下 班固列傳》

40 崔浩爲元魏史……爲魏主所誅 : 최호(崔浩)는 북위(北魏)의 태무제(太武帝) 세조(世祖)의 명신으로 자가 백연(伯淵)인데, 지모(智謀)가 많아서 군국대사(軍國大事)가 있을 때마다 반드시 그에게 물었다. 뒤에 국사(國史)를 수찬하면서 북위 조상(祖上)의 불미스러운 일을 밝혔다가 태무제의 눈에 거슬려 처형되었다.

41 齊太史兄弟 : 제나라의 태사는 남사씨(南史氏)라 한다. 제나라의 대신인 최저(崔杼)가 임금인 장공(莊公)을 시해하였으므로, 태사가 사필(史筆)로 기록하기를 "최저가 그 군주를 시해하였다.〔崔杼弑其君〕"라고 하니, 최저가 그를 죽였다. 태사의 아우가 뒤이어 기록하자 또다시 죽였으나, 그 막내아우가 다시 기록하니 그는 죽이지 않았다.《春秋左氏傳 襄公25年》

42 陳壽 : 자가 승조(承祚)로 파서(巴西) 안한(安漢) 사람이다. 문장에 뛰어나 저작랑(著作郞)이 되어 《삼국지》를 편찬하였다. 그러나 벼슬길이 곤궁하여 순욱(荀彧)의 시기를 받아 장광 태수(長廣太守)로 좌천되자 진수는 어머니가 늙었다는 이유로 사직하였고, 뒤에 두예(杜預)의 천거로 어사(御史)에 제수되었으나 어머니의 상으로 인해 사직하였다. 몇 해 뒤에 다시 태자중서자(太子中庶子)에 기용되었으나 출사하지 않았다.《晉書 卷82 陳壽列傳》

43 王隱 : 자가 처숙(處叔)으로 진군(陳郡) 사람이다. 아버지 왕전(王銓)이 역양 영(歷陽令)으로 있었는데, 진(晉)나라의 사적과 공신(功臣)의 행장에 관심이 많았으나 성취하지 못하고 죽었다. 왕은은 부친의 유업(遺業)을 계승하여 저작랑(著作郞)이 되어 《진사(晉史)》를 편찬하였다. 이때 동료인 우예(虞預)가 사사로이 《진서(晉書)》를 편찬하였는데, 우예는 동

••• 曄 빛날 엽 誅 벨 주 觸 저촉할 촉 沽 자랑할 고 虜 오랑캐 로 盲 봉사 맹

不出此.】是退之宜守中道하여 不忘其直이요 無以他事自恐이니 退之之恐은 惟在不直, 不得中道요 刑, 禍는 非所恐也니라

《후한서(後漢書)》를 지은 범엽(范曄)은 패란(悖亂)하였으니 비록 사서(史書)를 만들지 않았더라도 그 종족(宗族)이 또한 주벌을 당했을 것이요, 《사기(史記)》를 지은 사마천(司馬遷)은 천자의 희로(喜怒)를 저촉하였고, 《한서(漢書)》를 지은 반고(班固)는 아랫사람들을 단속하지 못하였고, 《위사(魏史)》를 지은 최호(崔浩)는 자기의 정직함을 자랑하여 사나운 오랑캐와 싸웠으니, 모두 중도(中道)가 아니다. 《춘추좌씨전(春秋左氏傳)》을 지은 좌구명(左丘明)은 병으로 눈이 멀었으니, 불행(不幸)에서 나온 것이다. 자하(子夏)는 사서(史書)를 만들지 않았어도 또한 눈이 멀었으니, 이것을 가지고 경계를 삼을 수 없으니, 그 나머지도 모두 여기에서 벗어나지 않는다.【범엽(范曄)은 《후한서》를 지었는데 뒤에 역모로 죽임을 당하였고, 사마천은 《사기》를 지었는데 이릉(李陵)을 구원하다가 무제(武帝)에게 거슬려 부형(腐刑)을 당하였고, 반고(班固)는 《한서》를 지었는데 노복이 사람을 죽여 낙양 영(洛陽令)에게 체포되어 옥중에서 죽었고, 최호(崔浩)는 원위(元魏)의 역사책을 지을 적에

남지방 사람이어서 중조(中朝, 중국)의 일을 자세히 알지 못했으므로 왕은에게 자주 물었고 왕은이 지은 것을 베끼기도 하였다. 우예는 뒤에 왕은이 붕당을 한다고 배척하니, 왕은은 결국 비방으로 물러났다. 뒤에 유량(庾亮)에게 발탁되어 《진사(晉史)》를 저작하였으나 문장이 낮다는 평을 들었다. 《晉書 卷82 王隱列傳》

44 習鑿齒: 진(晉)나라 양양(襄陽) 사람으로 자는 언위(彦威)인데 역사를 서술하는 데 특히 뛰어났다. 당시 권신인 환온(桓溫)이 불러 종사관으로 삼아 몹시 소중히 여겼는데, 환온이 신하 노릇하지 않으려는 마음을 품자, 그는 《한진춘추(漢晉春秋)》를 지으면서 촉한(蜀漢)을 정통으로 하여 규간(規諫)의 뜻을 붙였다고 하나 전하지 않으며, 뒤에 각기병(脚氣病)이 들어 시골에서 폐인의 신세가 되었다. 《晉書 卷82 習鑿齒列傳》

45 魏收: 북제(北齊) 사람으로 자가 백기(伯起)인데, 문재(文才)가 있어 북위(北魏)에서 태학박사(太學博士)를 지냈으며 북제가 선양(禪讓)을 받을 때에 조책문(詔冊文)을 도맡아 지었다. 북제에서 중서령(中書令)과 저작랑(著作郎)이 되어 《위서(魏書)》를 편찬하였는데, 성질이 편협하여 자신과 사이가 나쁜 사람을 모두 빼버리거나 나쁘게 기록해서 사람들의 비난을 받았다. 벼슬이 개부 중서감(開府中書監)에 이르고 시호가 문정(文貞)이다. '위수가 요절했다.' 한 것은 자세하지 않다. 《北史 卷56 魏收列傳》

46 宋孝王: 송 세량(宋世良)의 종자(從子)로 인물을 평가하기를 좋아하였다. 북제(北齊)의 북평왕 문학(北平王文學)으로 문림관(文林館)에 들어가기를 원하였으나 되지 않자, 조관(朝官)을 비방하는 《별록(別錄)》 20권을 지었다. 이때 북주(北周)가 북제를 평정하자, 다시 듣고 본 것을 보태어 《관동풍속전(關東風俗傳)》 30권을 지었다. 북주 대상(大象) 초년(579)에 울지형(尉遲迥)의 역모(逆謀)에 연루되어 주살되었다. 《冊府元龜 卷562》

47 吳兢: 당나라 변주(汴州) 준의(浚儀) 사람으로 학문에 힘써 경사(經史)를 널리 통달하였다. 사관의 재주가 있어 직사관(直史館)으로 국사를 편찬하여 유지기(劉知幾)와 함께 《측천실록(則天實錄)》을 편수하였다. 또한 일찍이 남북조의 역사서가 번잡하다고 하여 별도로 《양사(梁史)》, 《제사(齊史)》, 《주사(周史)》 각 10권, 《진사(陳史)》 5권, 《수사(隋史)》 20권을 편찬하였다. 노쇠한 나이에도 사관직을 바랐지만 이임보(李林甫)의 배척으로 등용되지 못하였다. 《舊唐書 卷102 吳兢列傳》

위(魏)나라의 선조가 오랑캐라는 사실을 곧바로 썼다가 위나라 군주에게 죽임을 당하였다. 한퇴지가 인용한 바는 여기에 그치지 않는데, 자후(子厚)는 대략 이 몇 사람을 가지고 물리치고 나머지는 언급하지 않았다. 예컨대 제나라의 태사(太史) 형제, 진수(陳壽), 왕은(王隱), 습착치(習鑿齒), 위수(魏收), 송 효왕(宋孝王), 오긍(吳兢)과 같은 무리이므로, 한 구로써 겸하여 '그 나머지는 다 여기에서 벗어나지 않는다.'라고 한 것이다.】

퇴지는 마땅히 중도를 지켜 그 곧음을 잊지 말 것이요, 다른 일로써 스스로 두려워하지 말 것이니, 퇴지가 두려워할 것은 오직 곧지 못하고 중도를 얻지 못함에 있을 뿐이요, 형벌과 화는 두려워할 바가 아니다.

凡言二百年文武士多[48]는 有誠如此者어니와 今退之曰 我一人也何能明이리오하면 則同職者又所云이 若是하고 後來繼今者又所云이 若是하여 人人皆曰 我一人이라하면 則卒誰能紀傳之邪아 如退之는 但以所聞知로 孜孜不敢怠하고 同職者와 後來繼今者 亦各以所聞知로 孜孜不敢怠하면 則庶幾不墜하여 使卒有明也리라 不然하여 徒信人口語하여 每每異辭하고 日以滋久하면 則所云磊磊軒天地者[49] 決[未]必不沈沒[50]이요 且亂雜無可考하리니 非有志者所忍恣也라 果有志면 豈當待人督責迫蹙然後에 爲官守邪아

무릇 "당(唐)나라 2백 년 동안 문무(文武)의 선비가 많이 있다." 말한 것은, 진실로 그와 같지만 이제 퇴지가 말하기를 "나 한 사람이 어찌 능히 밝힐 수 있겠는가." 한다면, 같은 직책에 있

48 凡言二百年文武士多 : 한유의 〈답유수재논사서(答劉秀才論史書)〉에 "당나라가 천하를 소유한 지 200년이 되었다. 그동안 성군(聖君)과 현상(賢相)이 계속 나왔고 그 밖에도 전인(前人)과 후인(後人)을 뛰어넘는 공명(功名)을 세운 문사(文士)와 무사(武士)가 이루 셀 수 없이 많으니, 어찌 나 한 사람이 급하게 〈그 많은 일들을〉 기록하여 전할 수 있겠는가.〔唐有天下二百年矣 聖君賢相相踵 其餘文武之士 立功名跨越前後者 不可勝數 豈一人卒卒 能紀而傳之邪〕"라고 한 것을 가리킨다. 이에 대한 구두(句讀)는 어떤 본은 '다유(多有)'에서 구를 떼었는바, 앞의 구를 보면 '다유'에서 구를 끊을 듯하고, 아래 구를 보면 '다(多)'에서 구를 끊어 '유(有)'를 아래 구로 연결하는 것이 옳을 듯하다. 왜냐하면 '성여차자(誠如此者)'를 한 구로 볼 경우 동사가 없기 때문이다. 《유종원집》에는 아예 구를 끊지 않고 연결하였으며, '성(誠)' 자가 '계(誡)'로 된 판본이 있음을 소개하였는바, 일본의 한문대계본 《문장궤범》에 의거하여 위와 같이 구를 떼었음을 밝혀둔다.

49 所云磊磊軒天地者 : 〈답유수재논사서〉에 "성스러운 당나라의 위대한 공적과 어진 사대부(士大夫)들의 사적(事迹)이 모두 천지에 우뚝이 드러나 있어서 결코 매몰되지 않을 것이다.〔夫聖唐鉅跡 及賢士大夫事 皆磊磊軒天地 決不沈沒〕"라고 한 것을 가리킨다.

50 決〔未〕必不沈沒 : 저본에는 '미(未)'가 없으나 문리가 되지 않으므로 《문장궤범》에 의거하여 보충하였다. 한편 《유종원집》에는 '결필침몰(決必沈沒)'로 되어 있는바, 문리는 통하나 반박하는 문체임을 감안하여 위와 같이 처리하였음을 밝혀둔다.

··· 孜 부지런할 자 墜 떨어질 추 滋 더할 자 磊 우뚝할 뢰 軒 높을 헌

는 자들이 또 이처럼 말하고 후래(後來)로서 지금을 계승하는 자들이 또 이처럼 말하여, 사람마다 모두 '나 한 사람'이라고 한다면 끝내 누가 이것을 기록하여 전한단 말인가. 퇴지와 같은 자는 다만 자신이 듣고 아는 바로써 부지런히 기록하고 게을리 하지 않으며, 같은 직책에 있는 자와 후래로서 지금을 계승하는 자들 또한 각기 듣고 아는 바로써 부지런히 기록하고 게을리 하지 않는다면 행여 〈사관의 직책이〉 실추되지 않아 끝내 밝힐 수가 있을 것이다.

그렇지 않고 다만 남이 전하는 말을 믿어, 그때마다 말을 달리하여 시일이 더욱 오래된다면 퇴지가 말한 "〈성스러운 당나라의 큰 자취와 어진 사대부의 일이 모두〉 천지에 우뚝 드러나 있다."라는 것이 결코 반드시 침몰됨이 없지 않을 것이요, 또한 난잡해져 상고할 수 없을 것이니, 뜻이 있는 자가 차마 그대로 내버려 둘 수 있는 바가 아니다. 과연 뜻이 있다면 어찌 남이 독책(督責)하고 재촉하기를 기다린 뒤에 맡은 관직을 수행하겠는가.

又凡鬼神事는 眇茫荒惑하여 無可準하니 明者所不道라 退之之智로도 而猶懼於此하니 今學如退之하고 辭如退之하고 好言論이 如退之하고 慷慨自謂正直行行焉이 如退之로되【自謂正直行行焉七字, 有斟酌. 意謂果終畏禍, 不敢作史, 則是自謂正直耳, 人誰以正直稱之.】猶所云이 若是면 則唐之史述이 其卒無可託乎아 明天子, 賢宰相이 得史才如此로되 而又不果하면 甚可痛哉인저 退之는 宜更思하여 可爲어든 速爲요 果卒以爲恐懼不敢이어든 則一日可引去니 又何以云行且謀也리오[51] 今當爲而不爲하고 又(誘)[諉][52]館中他人及後生者하니 此大惑已라 不勉己而欲勉人이면 難矣哉인저

또 모든 귀신에 대한 일은 아득하고 황혹(荒惑)하여 본보기로 삼을 수가 없으니, 지혜가 밝은 자는 말하지 않는 것이다. 퇴지의 지혜로도 오히려 이것을 두려워하니, 이제 학문이 퇴지와 같고 문장이 퇴지와 같고 언론(言論)을 좋아함이 퇴지와 같고 강개(慷慨)하여 스스로 정직하고 행행(行行, 강직)하다고 여김이 퇴지와 같은데도【'자위정직행행언(自謂正直行行焉)' 일곱 글자는 참작함이 있다. 과연 끝내 화를 두려워하여 감히 역사책을 짓지 못한다고 생각한다면 이는 스스로 정직하다고 여기는 것일 뿐이니, 어느 누가 정직하다고 칭하겠는가.】 오히려 말하는 바가 이와 같다면 당나라의

---

51 行且謀也 : 〈답유수재논사서〉에 "미천한 나는 그대의 훌륭한 뜻을 거역할 수 없으니, 장차 사직하고서 떠날 생각이다.〔賤不敢逆盛指 行且謀引去〕"라고 한 것을 가리킨다.

52 (誘)〔諉〕: 저본에는 '유(誘)'로 되어 있으나 《유종원집》 교감기(校勘記)에 의거하여 '위(諉)'로 바로잡았다.

迫 핍박할 박 蹙 재촉할 축 眇 아득할 묘 茫 아득할 망 準 표준할 준 道 말할 도
痛 슬플 통 諉 핑계할 위

역사를 기술함은 끝내 부탁할 만한 사람이 없단 말인가. 밝은 천자와 어진 재상이 사관의 재주를 얻음이 이와 같은데도 또 결행하지 못하니, 매우 애통할 만한 일이다.

퇴지는 마땅히 다시 생각하여 역사책을 지을 만하거든 빨리 짓고, 결국 끝내 두려워서 감히 지을 수 없다고 여겨지거든 당장이라도 몸을 이끌어 떠나야 할 것이니, 또 어찌 '장차 도모한다'고 말한단 말인가. 이제 마땅히 지어야 하는데도 짓지 않고 또 관중(館中)의 타인과 후생들에게 미루니, 이는 크게 미혹된 것이다. 자기는 힘쓰지 않고 남에게 힘쓰게 하니, 이는 어려운 일이다.

篇末小註·· 元和八年三月乙亥에 國子博士韓愈 遷比部郎中史館修撰하다 先是에 愈數(삭)黜官하고 又下遷한대 乃作進學解以自喩러니 執政이 覽之하고 以其有史才故로 除是官이라 制詞曰 太學博士韓愈는 學術精博하고 文力雄健하여 立詞措意 有班, 馬之風하니 求之一時에 甚不易得이라 加以性方道直하여 介然有守하여 不交勢利하고 自致名望하니 可使執簡하여 列爲史官이니 記事書法이 必無所苟리라 仍遷郎位하여 用示褒升이라하니 白居易詞[53]也라 觀此면 豈可謂宰相苟加史職榮之邪아

《당서(唐書)》 〈본전(本傳)〉에 근거해 보건대〉

원화(元和) 8년(813) 3월 을해(乙亥)에 국자박사(國子博士) 한유(韓愈)가 비부랑중(比部郎中) 사관수찬(史館修撰)으로 전직되었다. 이보다 앞서 한유는 여러 차례 관직에서 축출되고 또 좌천되자 마침내 〈진학해(進學解)〉를 지어 스스로 비유하였는데, 집정대신(執政大臣)이 이를 보고 사관(史官)의 재주가 있다고 여겼으므로 이 관직을 제수한 것이다.

그에게 관직을 제수하는 제사(制詞)에 이르기를 "태학박사 한유는 학술이 정밀하고 해박하며 문장력이 웅건(雄健)하여 글을 쓰고 뜻을 나타냄에 반고(班固)와 사마천(司馬遷)의 기풍이 있으니, 한 시대에 찾아봄에 얻기가 참으로 쉽지 않다. 더구나 성품이 방정하고 도(道)가 정직하여 꼿꼿하게 지킴이 있어서 세리(勢利)와 사귀지 않고 스스로 명망(名望, 명성)을 이루었는바, 간책(簡冊)을 잡아 사관이 되게 할 만하니, 일을 기록하는 서법(書法)이 반드시 구차한 바가 없을 것이다. 인하여 낭관(郎

53 白居易詞 : 이 글은 《백씨장경집(白氏長慶集)》 권55에 실려 있는 〈한유비부낭중사관수찬제(韓愈比部郎中史館修撰制)〉이다.

··· 黜 쫓겨날 출

官)의 지위로 승진시켜 표창하여 올림을 보인다." 하였으니, 이는 백거이(白居易)가 지은 글이다. 이를 본다면 어찌 재상이 구차히 사직(史職)을 가하여 그를 영화롭게 했다고 이를 수 있겠는가.

답위중립서答韋中立書

유종원柳宗元

• 작품개요

본집에는 〈답위중립논사도서(答韋中立論師道書)〉로 되어 있는바, 스승의 도리에 대해 위중립에게 답한 편지이다. 이 글은 원화(元和) 8년(813), 작자가 영주 사마(永州司馬)로 있을 적에 지어진 것으로 추정된다.

원화 7년, 위표(韋彪)가 영주 자사(永州刺史)로 부임하자 그의 손자 위중립(韋中立)이 조부를 뵙기 위하여 장안(長安)에서 영주로 찾아왔을 때에 작자를 만나 가르침을 청하였다. 이후 위중립은 다시 장안으로 돌아가 작자에게 편지를 보내어 스승이 되어 줄 것과 문장을 가르쳐 줄 것을 요청하였는데, 작자는 바로 이 편지를 통하여 스승의 도리〔師道〕와 문장에 대하여 이야기하였다.

이 글은 저자의 도와 문장에 대한 생각을 엿볼 수 있는바, 전편의 주제는 '문장은 도를 밝히기 위한 것'이라는 데 있다. 그리고 도를 밝히기 위해서는 육경(六經)에 근본을 두고 자사(子史)를 참고해야 한다는 것이다. 이 '문이명도(文以明道)'의 사상은 옛날 문인들이 공통적으로 추구한 바였다. 유종원은 불교와 노장사상을 좋아하였지만 이 글은 그의 사상이 유가의 범주에 있다는 확실한 증거가 된다 하겠다.

篇題小註‥ 迂齋曰 觀後面三節하면 則子厚平生用力於文字之功을 一一可考라 韓退之, 老蘇, 陳後山凡以文名家者 人人皆有經歷하니 但各有入頭處與自得處耳니라

우재(迂齋)가 말하였다. "뒤의 세 절(節)을 보면 유자후(柳子厚)가 평생 동안 문자에 힘을 쓴 공력을 일일이 상고할 수 있다. 한퇴지(韓退之, 한유(韓愈)) · 노소(老蘇, 소순(蘇洵)) · 진후산(陳後山, 진사도(陳師道)) 등 문장으로 명가(名家)가 된 모든 분들이 누구나 다 공부한 경력이 있으니, 단 각기 처음 들어간 곳과 자득(스스로 터득함)한 곳이 있을 뿐이다."

○ 古云 師臣者帝요 能自得師者王이라하니 帝王猶必有師어든 況學者乎아 唐世에 人不事師하니 最風俗不古處라 韓文公師說에 已歎之矣요 柳子厚此書所云은 尤可歎也라 師道之立이 莫盛於宋하니 周, 程, 張, 朱出而師友淵源이 上接魯, 鄒하니 卓哉라 李唐之陋 至是一洗矣라 此篇은 雖辭爲師之名이나 而告以平生用功及所得之辭하니 已示以爲師之實이라 然이나 所云者作文耳요 雖以道爲說이나 而學道徒以作文하니 師道之實이 如是而已乎아

옛말에 이르기를 "신하를 스승으로 삼는 자는 제(帝)가 되고, 스스로 스승을 얻는 자는 왕자(王者)가 된다." 하였으니, 제왕(帝王)도 오히려 반드시 스승이 있었는데 하물며 배우는 자에 있어서랴. 당나라 때에는 사람들이 스승을 섬기지 않았으니, 이는 풍속이 가장 예스럽지 못한 것이다. 한문공의 〈사설(師說)〉에 이미 이것을 탄식하였고, 유자후의 이 글에 말한 것은 더더욱 한탄스럽다.

사도(師道)의 확립은 송(宋)나라보다 성대한 적이 없으니, 주자(周子) · 정자(程子) · 장자(張子) · 주자(朱子)가 나옴에 사우(師友)의 연원이 위로 노(魯, 공자) · 추(鄒, 맹자)에 이어졌으니, 훌륭하다. 이당(李唐)의 누추함이 이때에 이르러 깨끗이 씻어졌다.

이 편에서는 비록 스승이 된다는 이름을 사양하였으나 평생 공력을 쓴 것과 터득한 바의 글을 고해주었으니, 이미 스승의 실재를 보여준 것이다. 그러나 여기에서 말한 것은 문장을 짓는 방법일 뿐이요, 비록 도(道)를 말하였으나 다만 문장을 짓는 데 쓰려고 도를 배울 뿐이니, 사도(師道)의 실재가 이와 같을 뿐이겠는가.

○ 此篇所云은 見柳子作文用功之本領하니 求之六經, 左, 莊, 屈, 馬가 大略相似라 此韓, 柳所以方駕竝驅也니라

이 편에서 말한 것은 유자후가 문장을 지음에 공력을 쓴 본령(本領)을 볼 수 있으니, 육경(六經)과 《춘추좌씨전》, 《장자(莊子)》, 굴원(屈原)의 《초사(楚辭)》, 사마천(司馬遷)의 《사기(史記)》에서 찾아보매 대략 서로 비슷하다. 이 때문에 한퇴지와 유자후가 대열을 나란히 하여 함께 달린 것이다.

••• 鄒 땅이름 추 卓 우뚝할 탁

• **原文**

二十一日에 宗元은 白하노라 辱書云 欲相師라하니 僕은 道不篤하고 業甚淺近하여 環顧其中에 未見可師者라 雖嘗好言論, 爲文章이나 甚不自是也러니 不意吾子自京(都)[師][54]로 來蠻夷間하여【永州, 三代時爲蠻夷.】乃幸見取하니 僕은 自卜에 固無取요 假令有取라도 亦不敢爲人師니 爲衆人師도 且不敢이온 況敢爲吾子師乎아

21일에 나(유종원)는 아뢰노라. 보내준 편지에 이르기를 "스승 삼고자 한다." 하였는데, 나는 도(道)가 돈독하지 못하고 학업이 매우 천근하여 그 가운데(자신)를 둘러봄에 스승 삼을 만한 것을 볼 수가 없다. 내 비록 일찍이 언론을 좋아하고 문장을 지었으나 심히 스스로 옳게 여기지 않았는데, 뜻밖에 오자(吾子, 그대)가 경사(京師, 장안)로부터 만이(蠻夷) 사이로 와서【영주(永州)는 삼대시대에 만이(蠻夷) 지방이었다.】마침내 다행히 나를 취해 주었다. 나는 스스로 헤아려보건대 진실로 취할 것이 없고, 가령 취할 것이 있더라도 또한 감히 남의 스승이 될 수가 없다. 중인(衆人, 일반인)의 스승이 되는 것도 감히 할 수 없는데 하물며 감히 그대의 스승이 되겠는가.

孟子稱人之患이 在好爲人師[55]라하시고 由魏, 晉氏以下로 人益不事師하여 今之世에 不聞有師하고 有면 輒譁笑之하여 以爲狂人이라하나니 獨韓愈奮不顧流俗하고 犯笑侮하여 收召後學하여 作師說하고 因抗顏而爲師하니 世果群怪聚罵하여 指目牽引[56]하여 而增與爲言詞라 愈以是得狂名하여 居長安에 炊不暇熟하고 又挈(설)挈而東하여 如是者數(삭)矣러니라

맹자(孟子)는 말씀하시기를 "사람의 병통은 남의 스승이 되기를 좋아함에 있다." 하셨고, 위(魏)나라와 진(晉)나라 이하로는 사람들이 더욱 스승을 섬기지 않아서 요즘 세상에는 스승이 있다는 말을 듣지 못하였고, 〈스승 삼는 사람이〉 있으면 번번이 떠들고 비웃어 미친 사람

---

54 (都)[師]: 저본에는 '도(都)'로 되어 있으나, 《유종원집》과 《당송팔가문초》에 의거하여 '사(師)'로 바로잡았다.

55 孟子稱人之患 在好爲人師: 《맹자》〈이루 상(離婁上)〉에 보이는 내용이다.

56 指目牽引: 견인(牽引)은 여러 뜻이 있으나 원인(援引)과 인천(引薦), 인유(引誘)의 뜻이 있으므로, 제자를 불러 모아 도당을 만든다고 지목하는 것으로 해석하였다.

••• 駕 멍에할 가 驅 몰 구 白 아뢸 백

이라고 말한다. 홀로 한유가 분발하여 유속(流俗, 세속)을 돌아보지 않고 남의 비웃음과 업신여김을 범하면서 후학들을 거두어 불러들여 〈사설(師說)〉을 짓고 인하여 얼굴을 들고 스승이 되니, 세상에서는 과연 여러 사람들이 괴이하게 여기고 떼지어 꾸짖어 '동류들을 끌어 모은다'고 지목해서 증여(增與)하여(보태어) 말을 만들어냈다. 한유는 이 때문에 미쳤다는 이름을 얻어 장안에 있을 적에 밥을 지어도 익을 겨를이 없이 시급하게 또 식구들을 이끌고 동쪽으로 떠났는데 이와 같이 하기를 여러 번 하였다.

屈子賦曰 邑犬群吠(폐)는 吠所怪也[57]라하니라 僕이 往聞庸, 蜀[58]之南은 恒雨少日하여【就引諭, 作議論.】日出則犬吠라하니 予以爲過言이러니 前六七年에 僕이 來南二年冬에 幸大雪踰嶺[59]하여 被南越中數州하니 數州之犬이 皆蒼黃吠噬(폐서)狂走者累日하여 至無雪乃已하니 然後에 始信前所聞者로라 今韓愈旣自以爲蜀之日이어늘【似是說韓愈不合如此, 其實是非當時人耳.】而吾子又欲使吾爲越之雪하니 不以病乎아【關鎖好.】非獨見病이요 亦以病吾子리라 然이나 雪與日이 豈有過哉아 顧吠者犬耳라【以犬比當時人, 此子厚薄處.】度(탁)今天下에 不吠者幾人고 而誰敢衒怪於群目하여 以召鬧(뇨)取怒乎아

굴자(屈子, 굴원(屈原))의 부(賦)에 이르기를 "고을의 개들이 떼지어 짖는 것은 괴이한 것에 대하여 짖는 것이다." 하였다. 내가 지난번에 들으니 "용(庸) · 촉(蜀)의 남쪽에는 항상 비가 내리고 해 뜨는 날이 적어【끌어 비유한 것을 가지고 의론으로 삼았다.】해(태양)가 뜨면 개가 짖는다." 하였다. 나는 이 말을 지나친 말이라고 여겼었는데, 지난 6, 7년 전에 내가 남쪽 지방으로 온 지 2년째 되던 겨울에 다행히 큰 눈이 고개를 넘어 남월(南越) 가운데의 여러 주(州)에 쌓이니, 몇 주(州)의 개들이 모두 여러 날 동안 창황(蒼黃)히 짖고 물고 미친듯이 달려 눈이 녹아 없어진 뒤에야 그만두니, 나는 그런 뒤에야 전에 들은 바를 믿게 되었노라.

이제 한유가 이미 스스로 촉(蜀) 지방의 해(태양)가 되었는데,【이는 '한유가 이와 같이 해서는 안 된다.'라고 말한 듯하나 그 실제는 당시 사람들을 비난한 것이다.】그대가 또 나로 하여금 월(越) 지방

57 屈子賦曰……吠所怪也 : 굴원이 지은 《구장(九章)》〈회사(懷沙)〉에 보이는 말이다.

58 庸, 蜀 : 용, 촉은 모두 옛 나라의 이름으로, 용은 사천성(四川省) 동쪽 기주(夔州) 일대이고, 촉은 성도(成都) 일대이다.

59 踰嶺 : '령(嶺)'은 대유령(大庾嶺) · 시안령(始安嶺) 등의 오령(五嶺)을 이른다.

譁 떠들 화 奮 떨칠 분 侮 업신여길 모 抗 들 항 罵 꾸짖을 매 炊 밥지을 취 挈 끌 설
吠 개짖을 폐 蜀 땅이름 촉 踰 넘을 유 噬 물 서 衒 자랑할 현

의 눈이 되게 하고자 하니, 너무 해롭지 않겠는가.【관쇄(關鎖, 끝맺음)함이 좋다.】 나 홀로 해(害)를 받을 뿐이 아니요, 또한 그대에게까지 해를 끼치리라. 그러나 눈과 해(태양)가 무슨 잘못이 있겠는가. 다만 짖는 자가 개일 뿐이다.【개를 가지고 당시 사람들을 비유하였으니, 이는 자후의 야박한 부분이다.】 헤아려보건대, 이제 천하에 짖지 않을 자가 몇 사람이나 되겠는가. 누가 감히 뭇사람들의 눈에 괴이함을 자랑하여 소란스러움을 부르고 노여움을 취하겠는가.

僕이 自謫過以來로 益少志慮하고 居南中九年[60]에 增脚氣病하여 漸不喜鬧하니 豈可使呶呶者로 早暮咈吾耳, 騷吾心이리오 則固僵仆煩憒(강부번궤)하여 愈不可過矣리라 平居에 望外遭齒舌이 不少로되 獨欠爲人師耳로라

나는 허물을 짓고 귀양(좌천) 온 이래로부터 더욱 지려(志慮, 의욕)가 적어졌고, 남중(南中, 남쪽 지방)에 거한 지 9년에 각기병이 심해져 점점 시끄러움을 좋아하지 않으니, 내 어찌 시끄럽게 떠드는 자들로 하여금 아침저녁으로 내 귀를 거슬리고 내 마음을 소란하게 하겠는가. 이렇게 한다면 나는 진실로 쓰러지고 번민하여 더욱 더 지낼 수가 없을 것이다. 내 평소 뜻밖에 치설(齒舌, 구설)을 만난 것이 적지 않았으나 다만 남의 스승이 되었다는 말은 없었노라.

抑又聞之호니 古者重冠禮는 將以責成人之道니 是聖人所尤用心[者][61]也로되 數百年來에 人不復行이라 近者에 孫昌胤者 獨發憤行之하고 旣成禮에 明日造朝하여 至外庭하여 薦笏하고 言於卿士曰 某子冠畢이라하니 應之者咸憮然하고 京兆尹鄭叔則은 怫然曳笏(예홀)却立하여 曰 何預我邪아하니 廷中이 皆大笑라 天下不以非鄭尹而怪孫子는 何哉오 獨爲所不爲也일새니 今之命師者 大類此하니라【似是說孫子爲人所不爲, 亦是非當時人耳.】

내가 또 들으니, 옛날에 관례(冠禮)를 소중히 여긴 것은 장차 성인(成人)의 도리를 책임지우고자 해서이니, 이는 성인(聖人)이 더더욱 마음을 쓰신 것이었는데, 수백 년 이래에 사람들은

---

60 僕……居南中九年 : 유종원이 일찍이 예부 원외랑(禮部員外郞)을 지내다가 영정(永貞) 원년(805)에 왕숙문(王叔文)의 당(黨)으로 연좌되어 영주 사마(永州司馬)로 폄출되었다. 이 글이 원화(元和) 8년(813)에 지어졌으니, 유종원이 좌천된 지 9년째가 된다.

61 〔者〕: 저본에는 없으나 《유종원집》과 《당송팔가문초》에 의거하여 보충하였다.

··· 鬧 시끄러울 뇨 呶 떠들 노 咈 어길 불 僵 넘어질 강 仆 넘어질 부 憒 심란할 궤

다시 관례를 행하지 않았다. 근래에 손창윤(孫昌胤)이라는 자가 홀로 분발하여 행하고는 관례를 이룬 다음날 조정에 나아가 외정(外庭)에 이르러 홀(笏)을 들고 경사(卿士)들에게 말하기를 "내 아들이 관례를 마쳤다."라고 하자, 이에 응대하는 자들은 모두 무연(憮然, 멍청히)히 있었고, 경조윤(京兆尹) 정숙칙(鄭叔則)은 발끈 화를 내고는 홀을 끌고 뒤로 물러서며 말하기를 "나와 무슨 상관이 있는가." 하니, 조정 가운데 있는 사람들이 모두 크게 웃었다.

천하에서는 정윤(鄭尹, 정숙칙)을 그르다 하지 않고 손자(孫子, 손창윤)를 괴이하게 여김은 어째서인가? 이는 홀로 남이 하지 않는 바를 하였기 때문이니, 지금에 스승이라고 명명하는 자는 이와 크게 유사하다.【이는 손자(孫子)가 남들이 하지 않는 바를 함을 말한 듯하나 또한 당시 사람들을 비난한 것이다.】

吾子行厚而辭深하여 凡所作이 皆恢然有古人形貌하니 雖僕敢爲師라도 亦何所增加也리오 假而以僕이 年先吾子하여 聞道著書之日이 不後라하여 誠欲往來言所聞인댄 則僕固願悉陳中所得者하노니 吾子苟自擇之하여 取某事, 去某事면 則可矣어니와 若定是非하여 以敎吾子인댄 僕이 才不足而又畏前所陳者하니【應前.】其爲不敢也決矣로라

그대는 행실이 돈후(敦厚, 후덕)하고 문장이 심오하여 모든 작품이 다 고인(古人)의 형모(形貌)를 넓게(여유롭게) 갖고 있으니, 내가 비록 감히 스승이 된다 한들 또한 무슨 보탬이 있겠는가. 가령 '내 나이가 그대보다 앞서서 도를 듣고 책을 지은 날짜가 뒤지지 않는다.' 하여 진실로 왕래하며 들은 바를 말해주기를 바란다면 내 진실로 가슴속에 얻은 것을 다 말하기 원한다. 그대가 만일 스스로 선택하여 아무 일은 취하고 아무 일은 버린다면 괜찮지만, 만일 시비를 결정하여 그대를 가르치기를 바란다면 나는 재주가 부족하고 또 앞서 말한 것이 두려우니,【앞에 응한다.】감히 할 수 없음이 분명하다.

吾子前所欲見吾文을 旣悉以陳之하니 非以耀明于子요 聊欲以觀子氣色 誠好惡(오)何如也러니 今書來에 言者皆太過하니 吾子誠非佞譽誣諛之徒라 直見愛甚故로 然耳리라 始吾幼且少하여 爲文章에【自是以下, 歷言平生用工夫處.】以辭爲工이러니

··· 胤 아들 윤 薦 올릴 천 笏 홀 홀 憮 실심할 무 怫 발끈할 불 曳 끌 예 恢 넓을 회

及長에 乃知文者는 以明道라 [是][62]固不苟爲炳炳烺烺하여【烺烺, 火明貌.】務采色, 夸聲音하여 而以爲能也로라 凡吾所陳은 皆自謂近道어니와 而不知道之果近乎아 遠乎아 吾子好道而可吾文하니 或者其於道에 不遠矣리라【自此以下, 皆歷陳所得.】

그대가 전에 보고자하던 내 글을 이미 모두 진열하여 보여주었으니, 이는 그대에게 빛나게 밝히고자 해서가 아니요, 그런대로 한번 이를 통하여 그대의 기색이 참으로 좋아하는가 싫어하는가의 여하를 관찰하고자 해서였다. 이제 보내온 편지에 말한 것이 모두 너무 지나치니, 그대는 진실로 아첨하여 칭찬하고 거짓으로 아첨하는 무리가 아니니, 다만 나를 매우 사랑해주기 때문에 이렇게 말했을 것이다.

처음에 내가 어리고 또 젊어서는 문장을 지을 적에【이로부터 이하는 평생 공력을 쓴 곳을 차례로 말하였다.】 문사(文辭)를 잘하는 것을 훌륭하게 여겼었는데, 장성함에 미쳐서야 비로소 문(文)이라는 것은 도(道)를 밝히고자 하는 것임을 알았노라. 이는 진실로 구차히 병병낭랑(炳炳烺烺, 찬란한 문장)【낭랑(烺烺)은 불이 밝은 모양이다.】하게 하여 채색을 힘쓰고 성음(聲音, 운율)을 과시해서 이것으로써 능함을 삼으려 하지 않노라. 무릇 내가 보여준 것은 다 스스로 도에 가깝다고 여기고 있지만 도에 과연 가까운지 먼지는 모르겠다. 그대가 도를 좋아하는데 내 글을 인정하였으니, 아마도 도에서 멀지 않은가 보다.【이로부터 이하는 모두 자신이 얻은 바를 차례로 말하였다.】

故로 吾每爲文章에 未嘗敢以輕心掉之하니 懼其剽而不留也요 未嘗敢以怠心易之하니 懼其弛而不嚴也요 未嘗敢以昏氣出之하니 懼其昧沒而雜也요 未嘗敢以矜氣作之하니 懼其偃蹇而驕也라 抑之는 欲其奧요 揚之는 欲其明이요 疏之는 欲其通이요 廉之는 欲其節이요 激而發之는 欲其淸이요 固而存之는 欲其重이니 此吾所以羽翼夫道也로라【此心術中出, 故直說羽翼夫道.】

그러므로 나는 매양 문장을 지을 적에 일찍이 감히 가벼운 마음으로 쓰지 않았으니 이는 너무 빨라 멈추지 않을까 두려워해서요, 감히 태만한 마음으로 쉽게 짓지 않았으니 이는 너무 풀어져 엄격하지 않을까 두려워해서요, 감히 혼미한 기운으로 써내지 않았으니 이는 매몰되

---

62 〔是〕: 저본에는 없으나 《유종원집》과 《당송팔가문초》에 의거하여 보충하였다.

… 燿 빛날 요 聊 애오라지 료 佞 간사할 녕 誣 속일 무 諛 아첨할 유 烺 밝을 랑 夸 자랑할 과

어 잡박할까 두려워해서요, 감히 자랑하는 기운으로 짓지 않았으니 이는 그 언건(偃蹇, 제멋대로 함)하여 교만할까 두려워해서였다.

억제함은 심오해지기 위해서요, 드날림은 분명하게 밝히기 위해서요, 소통함은 통하게 하기 위해서요, 모나게 함은 절도가 있게 하기 위해서요, 격하여 발함은 깨끗하게 하기 위해서요, 견고히 하여 보존함은 후중하게 하기 위해서이니, 이는 내가 도를 우익(羽翼)하는 것이다.【이는 심술(마음) 가운데서 나왔으므로 곧바로 '도를 우익(羽翼)한다.'라고 말한 것이다.】

本之書하여 以求其質하고 本之詩하여 以求其恒하고 本之禮하여 以求其宜하고 本之春秋하여 以求其斷하고 本之易하여 以求其動하니 此吾所以取道之原也라 參之穀梁氏하여 以厲其氣하고【看他下許多本字, 又看他下面下許多參字, 只是五經用五介本字, 其餘只用參字, 不可移動.】參之孟, 荀하여 以暢其支(枝)하고 參之莊, 老하여 以肆其端하고 參之國語하여 以博其趣하고 參之離騷하여 以致其幽하고 參之太史公하여【司馬遷史記】以著其潔하니 此吾所以旁推交通而以爲文也로라

《서경(書經)》에 근본하여 본질을 찾고, 《시경(詩經)》에 근본하여 떳떳함을 구하고, 《예경(禮經)》에 근본하여 마땅함을 구하고, 《춘추(春秋)》에 근본하여 시비(是非)에 대한 결단을 구하고, 《주역(周易)》에 근본하여 변통함을 구하니, 이는 내가 도의 근원을 취하는 것이다.

곡량씨(穀梁氏, 《춘추곡량전》)를 참고하여 그(문장) 기운을 가다듬고,【저 허다한 '본(本)' 자를 보고 또 하면에 허다하게 '참(參)' 자를 놓은 것을 보아야 하니, 다만 오경(五經)은 다섯 개의 '본' 자를 사용하고, 그 나머지는 다만 '참' 자를 사용하여, 참으로 바꿀 수 없다.】《맹자(孟子)》와 《순자(荀子)》를 참고하여 가지를 창달하고, 《장자(莊子)》와 《노자(老子)》를 참고하여 단서를 크게 하고, 《국어(國語)》를 참고하여 지취(志趣)를 넓히고, 《이소(離騷)》를 참고하여 그윽함(깊음)을 넓히고, 태사공(太史公)【사마천의 《사기(史記)》】을 참고하여 결백함을 드러내었으니, 이는 내가 사방으로 미루고 이리저리 통하여 문장을 짓는 방법이다.

凡若此者는 果是邪아 非邪아 有取乎아 抑其無取乎아 吾子幸觀焉擇焉하여 有餘어든 以告焉하고 苟亟來以廣是道인댄 子不有得焉이면 則我得矣리니 又何以師云爾哉리오【不失了本旨師字.】取其實而去其名하여 無招越蜀吠怪【應前雪日.】而爲外庭所笑면【應前冠禮.】則幸矣니라【只一句, 收拾盡前兩段譬喩引證, 文字有照應開合, 妙絕.】

… 掉 흔들 도 剽 빠를 표 偃 누울 언 蹇 교만할 건 奧 깊을 오 廉 모날 렴 翼 도울 익 暢 통할 창 肆 펼 사 旁 넓을 방

무릇 이렇게 하는 것이 과연 옳은가? 그른가? 취할 점이 있는가? 취할 점이 없는가? 그대가 다행히 보고 선택해서 남음이 있거든 나에게 말하고, 만일 빨리 와서 이 도를 넓힌다면 자네가 얻음이 있지 않으면 내가 얻게 될 것이니, 또 어찌 스승이라고 말할 것이 있겠는가.【본지(本旨)의 '사(師)' 자를 잃지 않았다.】 그 실제는 취하고 그 이름은 버려 월 지방과 촉 지방의 개들이 괴이함에 짖음을 초래하지 말고【앞의 눈[雪]과 해에 응한다.】 외정(外庭)의 비웃는 바가 되지 않게 한다면【앞의 관례(冠禮)에 응한다.】 다행일 것이다.【다만 이 한 구가 앞의 두 단락의 비유와 인증함을 모두 수습해서 문자에 조응하고 개합함이 있으니, 매우 묘하다.】

포사자설捕蛇者說

유종원柳宗元

• 작품개요

이 작품은 유종원이 영주 사마(永州司馬)로 있던 시기에 지은 것이다. '설(說)'이란 어떤 도리나 주장을 천명하는 문체이다. 명(明)나라 양신(楊愼)의 《단연잡록(丹鉛雜錄)》에는 "시시비비를 바로잡아 드러내는 것"이라고 하고, 청(淸)나라 왕사신(王士愼)의 〈용사려설서(蓉槎蠡說序)〉에는 "풀이하고 서술하는 문장으로 의리를 풀이하고 자신의 의견을 서술하는 것"이라고 하였다.

"까다로운 정사는 범보다도 무섭다.〔苛政猛於虎也〕"는 공자(孔子)의 말씀을 인용하여 자기의 생각을 선명하게 부각하였다. 이 작품은 전체적으로 뱀을 잡는 땅꾼의 말을 통해 당시 가혹한 세금의 폐해를 여실히 밝히고 있는바, 서사(敍事)의 구조 속에서 자기의 견해를 밝힌 것이 특징이라고 하겠다.

篇題小註·· 迂齋曰 犯死捕蛇를 乃以爲幸하고 更(경)役復(복)賦를 反以爲不幸하니 此豈人之情也哉아 必有甚不得已者耳라 此文은 抑揚起伏하고 宛轉斡旋(알선)하여 含無限悲傷悽惋之態하니 若轉以上聞이면 所謂言之者無罪요 聞之者足以戒[63]니라

63 言之者無罪 聞之者足以戒 : 《시경》〈주남(周南) 관저(關雎)〉 모서(毛序)에 "윗사람은 풍(風)으로 아랫사람을 교화하고 아랫사람은 풍으로 윗사람을 풍자하되, 문장을 위주로 하면서 완곡하게 규간하므로 말하는 자는 죄가 없고 듣는 자는 충분히 경계할 수 있기 때문에 풍이라 한다.〔上以風化下 下以風刺上 主文而譎諫 言之者無罪 聞之者足以戒 故曰風〕"라고 보인다.

··· 捕 잡을 포 蛇 뱀 사 斡 돌 알 惋 한탄할 완

우재(迂齋)가 말하였다. "죽음을 무릅쓰고 뱀을 잡는 것을 다행이라 하고, 부역을 바꾸어 세금을 다시 내는 것을 도리어 불행이라 하였으니, 이 어찌 사람의 심정이겠는가. 이는 반드시 심히 부득이함이 있어서일 것이다. 이 글은 억양(抑揚)과 기복(起伏)이 있고 완곡히 돌려 무한한 비통과 애처로운 태도(모습)를 품고 있으니, 만약 전전하여 임금에게 알려진다면 이른바 '말하는 자는 죄가 없고 듣는 자는 충분히 경계한다.'는 것이다."

• 原文

永州之野에 産異蛇하니 黑質[而][64]白章이요 觸草木이면 盡死하고 以齧(설)人이면 無禦之者라 然이나 得而腊(석)之하여 以爲餌면 可以已大風, 攣踠(연원),【曲脚.】瘻癘[65]하고 去死肌, 殺三蟲[66]이라 其始에 太醫以王命聚之하여 歲賦其二호되 募有能捕之者면 當其租入하니 永之人이 爭犇(奔)走焉이라

영주(永州)의 들에 특이한 뱀이 생산되니, 검정 바탕에 흰 무늬가 있으며 초목(草木)에 닿으면 초목이 모두 죽고 사람을 물면 〈독을〉 막을 수 있는 것이 없었다. 그러나 이것을 잡아 말려서 포를 만들어 약으로 쓰면 대풍(大風)과 연원(攣踠)【'원(踠)'은 다리가 굽은 것이다.】과 누(瘻)·려(癘)를 그치게 하고 죽은 살을 제거하며 삼시충(三尸蟲)을 죽일 수가 있었다. 처음에 태의(太醫, 어의(御醫))가 황명으로 이것을 모아 1년에 두 마리를 바치게 하되 이것을 잡아오는 자가 있으면 조세 바치는 것을 충당(면제)하도록 모집하니, 영주 백성들이 다투어 분주하였다.

有蔣氏者專其利三世矣라 問之則曰 吾祖死於是하고 吾父死於是하고 今吾嗣爲之하여 十二年에 幾死者數(삭)矣라하고 言之에 貌若甚慼者어늘 余悲之하고 且曰 若이 毒之乎아 余將告于蒞事者하여 更(경)若役하고 復若賦하면 則何如오

---

64 〔而〕: 저본에는 없으나 《유종원집》과 《당송팔가문초》에 의거하여 보충하였다.

65 已大風攣踠瘻癘: '대풍(大風)'은 대풍창(大風瘡) 곧 문둥병이며 '연원(攣踠)'은 수족(手足)이 오그라들어 펴지 못하는 병이고 '루(瘻)'는 목의 종기이며 '려(癘)' 또한 종기이다.

66 三蟲: 사람의 몸에 기생하여 질병을 일으키는 세 가지 벌레인 삼시충(三尸蟲)인바, 도가(道家)에서는 몸 가운데의 신(神)으로 하나는 뇌(腦)에, 하나는 명당(明堂 이마)에, 하나는 복부(腹部)에 있다 하며, 《옥추경(玉樞經)》 주(註)에 청고(青姑)인 상시(上尸), 백고(白姑)인 중시(中尸), 혈고(血姑)인 하시(下尸)가 있다 하였다.

… 齧 깨물 설 腊 포 석 餌 약 이 攣 오그라질 련 踠 굽을 원 瘻 부스럼 루 癘 부스럼 래(려)
肌 살갗 기

장씨(蔣氏)라는 자가 3대에 걸쳐 그 이익을 독점하였다. 내가 물어보니, 그는 말하기를 "우리 할아버지도 이에 죽었고 우리 아버지도 이에 죽었고, 지금 내가 뒤를 이어 한 지 12년에 거의 죽을 뻔한 것이 여러 번이었다." 하고는 이를 말함에 매우 슬퍼하는 듯한 모습이었다. 내 그를 슬퍼하면서 또한 말하기를 "너는 이것을 고통스럽게 여기느냐? 내 장차 일을 담당한 자에게 말하여 너의 신역(身役, 뱀잡는 일)을 바꿔주고 조세에 대한 부세를 회복시켜 준다면 어떻겠는가?" 하였다.

蔣氏大慼하여 汪然出涕하고 曰 君將哀而生之乎인댄 則吾斯役之不幸이 未若復吾賦不幸之甚也라【許以更役復賦則大慼, 似非人情, 所以如此, 以有下面許多不好故也.】 嚮吾不爲斯役이런들 則久已病矣리라 自吾氏三世居是鄕으로 積於今六十歲矣라 而鄕隣之生이 日蹙하여 殫其地之出하고 竭其廬之入하여 號呼而轉徙하고 飢渴而頓踣(돈부)하며 觸風雨하고 犯寒暑하며 呼噓毒癘하여 往往而死者相藉也라 曩與吾祖居者 今其室이 十無一焉이요 與吾父居者 今其室이 十無二三焉이요 與吾居十二年者 今其室이 十無四五焉하니 非死則徙耳어늘 而吾以捕蛇獨存이로라

장씨는 매우 슬퍼하고 주르르 눈물을 흘리면서 다음과 같이 말하였다.

"군(君)께서 장차 나를 가엾게 여겨 살려주려고 하신다면, 내 이 신역(身役)의 불행함이 내 부세를 회복시키는 것처럼 불행이 심하지는 않습니다.【신역(身役)을 바꾸고 부세를 회복할 것을 허락하자 크게 슬퍼함은 인정이 아닌 듯하니, 이와 같은 이유는 하면에 허다한 좋지 못한 것이 있기 때문이다.】 지난번에 내가 이 신역을 하지 않았던들 이미 폐해를 입었을 것입니다. 우리 집안은 3대 동안 이 시골에 거주하여 지금까지 60년이 되었습니다. 그런데 시골 이웃 사람들의 생활이 날로 위축되어 땅의 소출을 다 바치고 집의 수입을 고갈시켜 울부짖으면서 이사를 다니고 굶주림과 목마름을 이기지 못하여 쓰러지며, 비바람을 맞고 추위와 더위를 범하며 독한 기운(나쁜 공기)을 호흡하여 왕왕 죽은 자가 서로 깔려 있습니다. 지난번에 우리 할아버지와 더불어 거주하던 자들은 지금 그 집이 열 가호 중에 한 가호밖에 없고, 우리 아버지와 더불어 거주하던 자들은 지금 그 집이 열 가호 중에 두세 가호밖에 없고, 나와 더불어 12년 동안 거주한 자들은 지금 그 집이 열 가호 중에 네댓 가호밖에 없으니, 이는 죽지 않았으면 이사 간 것입니다. 그런데 나는 뱀 잡는 것으로 홀로 몸을 보존하였습니다.

··· 若 너 약 莅 다스릴 리 汪 눈물흘릴 왕 嚮 지난번 향 蹙 줄어들 축 頓 넘어질 돈
踣 넘어질 부(복) 噓 내불 허 曩 지난번 낭

悍吏之來吾(隣)[鄕][67]하여 叫囂(규효)乎東西하고 隳突(휴돌)乎南北하여 譁然而駭者면 雖鷄狗라도 不得寧焉이어늘 吾恂恂而起하여 視其缶而吾蛇尙存이어든 則弛然而臥하고 謹食(사)之하여 時而獻焉하고 退而甘食其土之有하여 以盡吾齒하니 蓋一歲之犯死者二焉이요 其餘則熙熙而樂하니 豈若吾鄕隣之旦旦有是哉리오【緣此數節, 所以情願捕蛇.】今雖死乎此라도 比吾鄕隣之死하면 則已後矣니 又安敢毒耶아【百(來)[餘][68]字內四五轉, 每轉每緊.】

사나운 아전이 내 고을에 와서 동서로 고함치고 다니며 남북으로 휴돌(隳突, 설쳐댐)하여 사람들을 놀라게 하면 비록 닭과 개라도 편안할 수가 없습니다. 그런데 나는 순순(恂恂)하게(조심스럽게) 일어나 질장군을 보고 내 뱀이 아직 남아있으면 이연(弛然)히 눕고 삼가 먹여서 제때에 바치고, 물러와서는 그 땅에서 나오는 것을 달게 먹으면서 내 연치(年齒, 여생)를 다하니, 1년에 죽음을 무릅쓰는 것은 두 번이요, 그 나머지는 희희(熙熙, 만족)하여 즐겁습니다. 내 어찌 시골 이웃에 아침마다 이런 소동이 있는 것과 같겠습니까.【이 몇 절로 인하여 뱀 잡는 신역을 진정으로 원한 것임을 알 수 있다.】지금 비록 이 때문에 죽더라도 우리 시골 이웃의 죽은 자에 비하면 이미 늦게 죽는 것이니, 또 어찌 감히 해독(고통)으로 여기겠습니까."【백여 글자 안에 4, 5번 바꾸었는데, 바꿀 적마다 매번 긴요하다.】

余聞而愈悲하노라 孔子曰 苛政이 猛於虎也[69]라하시니【一篇主張, 從此一句中出, 爲先有此一句, 所以有一篇之意.】吾嘗疑乎是러니 今以蔣氏觀之하니 猶信이로라 嗚呼라 孰知賦斂之毒이 有甚是蛇者乎아【此轉尤佳, 只此一句便結了.】故로 爲之說하여 以俟夫觀人風[70]者得焉하노라

---

67 (隣)[鄕]: 저본에는 '린(隣)'으로 되어 있으나, 《유종원집》과 《당송팔가문초》에 의거하여 '향(鄕)'으로 바로잡았다.

68 (來)[餘]: 저본에는 '래(來)'로 되어 있으나, 전후 문맥에 의거하여 '여(餘)'로 바로잡았다.

69 孔子曰 苛政猛於虎也: 공자가 제자들과 태산(泰山)을 지나가다가 어떤 아낙네가 묘(墓) 옆에서 통곡하고 있는 것을 보고는 어찌 된 영문인지 물었다. 그러자 그 아낙네가 예전에 시아버지와 남편을 호랑이가 잡아먹었는데 이제는 아들까지 잡아먹었다고 하였으므로, 공자가 그렇다면 왜 이곳을 떠나지 않느냐고 물으시니, 여기는 가혹한 정사가 없어서 그렇다고 대답하였다. 그 말을 듣고 공자가 제자들에게 "너희들은 기억해 두어라. 가혹한 정사는 범보다도 사나운 것이니라.[小子識之 苛政猛於虎]"라고 하였다. 《禮記 檀弓下》

70 觀人風: 백성의 풍속을 관찰하는 관찰사 따위를 이른 것으로, 원래 관찰은 관풍찰속(觀風察俗)의 줄임말이다.

··· 囂 시끄러울 효 隳 무너질 휴 譁 시끄러울 화 恂 조심할 순

나는 그의 말을 듣고 더욱 슬퍼하였다. 공자(孔子)가 말씀하시기를 "까다로운 정사(政事)는 범보다 무섭다."라고 하셨는데,【한 편의 주된 뜻이 이 한 구 가운데로부터 나왔으니, 먼저 이 한 구가 있어서 한 편의 뜻이 있게 된 것이다.】 나는 일찍이 이 말을 의심했었다. 그런데 이제 장씨의 상황을 가지고 관찰해보니, 오히려 사실임을 믿게 되었다. 아! 누가 부렴(賦斂)의 해독이 이 뱀보다 심하다는 것을 알겠는가.【이 전환이 더욱 아름다우니, 다만 이 한 구로 곧 끝을 맺었다.】 그러므로 나는 이에 대한 설(說)을 지어서 백성의 풍속을 관찰하는 자가 알기를 기다리는 바이다.

••• 苛 까다로울 가 猛 사나울 맹 俟 기다릴 사

종수곽탁타전種樹郭槖駝傳

유종원柳宗元

• 작품개요

이 작품은 작자가 장안(長安)에 있을 적에 곽탁타(郭槖駝)의 나무 심는 경험을 통하여 백성을 다스리는 방법을 깨달은 내용이다. 유종원의 연보에 의하면, 이 작품은 작자가 젊었을 때 지었으나 구체적인 연월은 알 수 없다고 한다. '곽탁타'는 장안에서 유명한 정원사로 '탁타(槖駝)'는 '낙타(駱駝)'와 같다. 글의 전체적인 주제는, 나무를 심어 가꿀 적에 나무가 그 본성에 따라 살게 해야 하는 것과 같이 백성을 다스릴 적에 백성이 그 본성에 따라 살게 해야 한다는 것이다. 이는 민심과 습속에 순응하고 무위(無爲)로 다스림에 주안점을 두면서 백성과 함께 휴식하고 양생(養生)하여야 백성이 편안히 거처하고 생업을 즐겨 국가가 편안하다는 주장이다. 무위의 다스림을 주장한 노자(老子)는 일찍이 "큰 나라를 다스리는 것은 작은 생선을 삶는 것과 같다.[治大國 若烹小鮮]"라고 하였다. 작은 생선을 삶을 때에는 불을 세게 때지 않고 살살 익혀야 생선의 몸통이 온전하다. 이와 마찬가지로 나라를 다스릴 때에도 너무 급한 마음으로 개혁하기 위해 법령을 고치고 백성들을 지나치게 독재하면 도리어 역효과가 난다는 것이다.

이 글의 제목이 비록 '전(傳)'이지만 실록(實錄)의 성격을 지닌 기전체(紀傳體) 문장은 결코 아니며, 우언(寓言)의 성질을 띤 문학 작품으로 보는 것이 타당하다.

篇題小註‥ 迂齋曰 凡事有心則費力하고 求工則反拙하니 曲盡種植之妙라 末引歸時事하니 聞者可戒라 與捕蛇說로 同一機括이니라

우재가 말하였다. "모든 일이 마음(의식)을 두면 힘을 허비하고 공교롭기를(잘하기를) 구하면 도리어 졸렬해지니, 나무를 심는 묘함을 위곡(委曲)히 다하였다. 끝에는 이를 이끌어 세상의 일에 돌렸으니, 듣는 자가 경계할 만하다. 〈포사자설(捕蛇者說)〉과 같은 기괄(機括, 문장법)이라 하겠다."

• **原文**

郭橐駝는 不知始何名이요 病僂(루)하여 隆然伏行하여 有類橐駝者라 故로 鄕人號之曰駝라하니 駝聞之하고 曰 甚善하다 名我固當이로다하고 因捨其名하고 亦自謂橐駝云이러라 其鄕曰豐樂鄕이니 在長安西라 駝業種樹하니 凡長安豪家富人이 爲觀遊及賣果者 皆爭迎取養이라 視駝所種樹와 或移徙하면 無不活이요【先言種植之效.】且碩茂蚤(早)實以蕃이라 他植者雖窺伺傚慕나 莫能如也러라

곽탁타(郭橐駝)는 처음에 무슨 이름이었는지 알지 못하겠고 구루병(傴僂病, 곱사병)을 앓아 등이 높이 솟아나와 구부리고 다녀 탁타(낙타)와 유사하였다. 그러므로 고을 사람들이 탁타라고 호하니, 탁타는 이 말을 듣고 "매우 좋다. 나를 이름함이 진실로 마땅하다." 하고는 인하여 자기의 본명을 버리고 또한 스스로 탁타라고 말하였다.

그가 사는 고을은 풍락향(豐樂鄕)이니, 장안(長安)의 서쪽에 있었다. 탁타는 나무 심는 것을 직업으로 하여 모든 장안의 부호인(富豪人)들이 관유(觀遊, 관상)를 위해서 나무를 심거나 과실을 팔려는 자들이 모두 다투어 맞이하여 데려다가 나무를 길렀다. 그런데 탁타가 심은 것이나 옮겨 심은 것을 보면 살지 않는 것이 없었고,【나무를 심는 효험을 먼저 말하였다.】또 크고 무성하며 일찍 열매 맺고 번성하였다. 타인 중에 나무를 심는 자들이 비록 엿보고 사모하여 본받았으나 그와 같지 못하였다.

有問之하니 對曰 橐駝非能使木壽且孳也요 以能順木之天하여 以致其性焉爾라 凡植木之性이【言種植之法.】其本은 欲舒하고 其培는 欲平하고 其土는 欲故하고 其築은 欲密이요 旣然已어든 勿動勿慮하고 去不復顧하여【要緊全在此.】其蒔也若子하고 其置也若棄면【非眞棄之, 棄之, 所以子之也.】則其天者全而其性得矣라 故로 吾不害其長

··· 括 오늬 괄 橐 전대 탁 駝 낙타 타 僂 곱사등이 루 碩 클 석 窺 엿볼 규 伺 엿볼 사 傚 본받을 효 孳 번성할 자 蒔 모종할 시

而已요 非有能碩而茂之也며【卽勿助長之說.[71]】不抑耗其實而已요 非有能蚤而蕃之也라 他植者則不然하여 根拳而土易하며【與前反.】其培之也 若不過焉이면 則不及焉하고 苟有能反是者는 則又愛之太恩하고 憂之太勤하여 旦視而暮撫하고【竝與前反.】已去而復顧하며 甚者는 爪其膚하여 以驗其生枯하고【形容助長之病也.】搖其本하여 以觀其疏密하니 而木之性이 日以離矣라 雖曰愛之나 其實은 害之요 雖曰憂之나 其實은 讐之라 故로 不我若也니 吾又何能爲矣哉리오

어떤 사람이 그 이유를 묻자, 그는 다음과 같이 대답하였다.

"내가 나무로 하여금 오래 살고 또 번성하게 하는 방법이 있는 것이 아니요, 나는 나무의 천성을 순히 하여 그 본성을 다하게 할 뿐이다. 무릇 식목(植木)의 성질이【나무를 심는 방법을 말하였다.】그 뿌리는 펴지기를 바라고 북돋움은 고르기를 바라고, 흙은 옛것을 바라고 다짐은 치밀하기를 바란다. 이미 이대로 하였거든 〈나무를〉 움직이지 말고 〈나무가 죽을까〉 염려하지 말고 떠나가서 다시는 돌아보지 않아서,【요긴함이 완전히 여기에 있다.】심을 때에는 자식처럼 사랑하고 내버려둘 때에는 잊은 듯이 하여야 한다.【참으로 버린 것이 아니라, 버림은 바로 사랑한 것이다.】이렇게 하면 그 천성이 온전해져 본성이 얻어진다. 그러므로 나는 그 자람을 해치지 않을 뿐이요 능히 크고 무성하게 하는 방법이 있는 것이 아니며,【바로 조장(助長)하지 말라는 말이다.】그 열매 맺는 것을 억제하거나 손상하지 않을 뿐이요 일찍 열고 번성하게 하는 방법이 있는 것이 아니다.

타인 중에 나무를 심는 자들은 그렇지 않아서 뿌리는 굽히고 흙은 바꾸며,【앞과 반대이다.】북돋움은 지나치지 않으면 미치지 못한다. 그리고 이와 반대로 하는 자는 또 사랑하기를 너무 은혜롭게 하고 근심하기를 너무 부지런히 하여 아침마다 가서 보고 저녁마다 가서 어루만

---

71 勿助長之說 : 조장(助長)은 벼싹이 자라도록 억지로 도와주는 것이다. 이는 맹자(孟子)가 공손추(公孫丑)에게 호연지기(浩然之氣)에 대해 설명하면서 하신 말씀으로, "반드시 호연지기를 기름에 종사하되, 효과를 미리 기대하지 말아서 마음에 잊지도 말며 억지로 조장하지도 말아서, 송(宋)나라 사람과 같이 하지 말지어다. 송나라 사람 중에 벼싹이 자라지 못함을 안타깝게 여겨 뽑아놓은 자가 있었다. 그는 아무 것도 모르고 돌아와서 집안사람들에게 말하기를 '오늘 나는 매우 피곤하다. 내가 벼싹이 자라도록 도왔다.' 하므로 그 아들이 달려가서 보았더니, 벼싹은 말라 있었다. 천하에 벼싹이 자라도록 억지로 조장하지 않는 자가 적으니, 유익함이 없다 해서 호연지기를 기름을 버려두는 자는 비유하면 벼싹을 김매지 않는 자이고, 억지로 조장하는 자는 벼싹을 뽑아놓는 자이니, 이는 비단 유익함이 없을 뿐만 아니라, 도리어 해치는 것이다.〔必有事焉而勿正 心勿忘 勿助長也 無若宋人然 宋人有閔其苗之不長而揠之者 芒芒然歸 謂其人曰 今日病矣 予助苗長矣 其子趨而往視之 苗則槁矣 天下之不助苗長者寡矣 以爲無益而舍之者 不耘苗者也 助之長者 揠苗者也 非徒無益 而又害之〕"라고 하였다.《孟子 公孫丑上》

··· 耗 덜 모 爪 손톱 조 膚 살갗 부

지며【모두 앞과 반대이다.】이미 떠나갔다가 다시 돌아보고, 심한 자는 그 껍질을 손톱으로 긁어 나무가 살았는가 말라죽었는가를 시험하며【조장하는 병통을 형용하였다.】그 뿌리를 흔들어 심겨있는 것이 엉성한가 치밀한가를 관찰하니, 나무의 본성이 날로 멀어진다. 이는 비록 나무를 사랑한다고 하나 그 실제는 해치는 것이요, 비록 나무를 걱정한다고 하나 실제는 원수로 여기는 것이다. 그러므로 내가 심은 나무만 못한 것이다. 내 또 무엇을 할 수 있겠는가."

問者曰 以子之道로 移之官理可乎아 駝曰 我知種樹而已요 官理는 非吾業也라 然이나 吾居鄕에 見長人者 好煩其令하여 若甚憐焉이로되 而卒以禍라 旦暮에 吏來而呼曰 官命促爾耕하며 勖爾植하며 督爾穫하나니 蚤繰(繅)而緖하고 蚤織而縷하며 字而幼孩하고 遂而鷄豚하라하여 鳴鼓而聚之하고 擊木而召之하니 吾小人이 輟饔飧以勞吏者도 且不得暇어든 又何以蕃吾生而安吾性耶아 故로 病且怠하나니 若是則與吾業者로 其亦有類乎인저 問者(喜)[嘻][72]曰 不亦善夫아 吾問養樹하여 得養人術이로다 傳其事하여 以爲官戒也하노라【法揚子雲問鑄金, 得鑄人.[73]】

묻는 자가 말하기를 "그대의 방법을 관청의 다스림에 옮기는 것이 가하겠는가?" 하자, 탁타는 다음과 같이 대답하였다.

"나는 나무를 심을 줄만 알 뿐이요, 관청의 다스림은 나의 업(業, 직업)이 아니다. 그러나 내가 지방에 살 적에 보니, 백성들의 우두머리가 된 자들이 명령을 번거롭게 내리기를 좋아하여 백성을 심히 사랑하는 듯하나 끝내는 화를 끼치곤 하였다. 아침저녁으로 관리가 와서 고함치기를 '관청에서 명하여 너의 밭갈이를 재촉하고 너의 심는 것을 힘쓰게 하며 너의 수확을 재촉하니, 빨리 네 실을 켜고 빨리 네 실을 짜며 너의 어린이를 사랑하고 너의 개와 닭을 잘 키워라.' 하여, 북을 울려 백성을 모으고 목탁을 쳐 부른다. 우리 소인들은 아침밥과 저녁

---

72 (喜)[嘻]: 저본에는 '희(喜)'로 되어 있으나, 《유종원집》과 《당송팔가문초》에 의거하여 '희(嘻)'으로 바로잡았다.

73 法揚子雲問鑄金 得鑄人: 《법언》〈학행〉에 "혹자가 묻기를 '세상에서 말하기를 금을 주조한다고 하니, 금을 주조할 수 있습니까?' 하니, 내가 말하기를 '내가 듣건대 군자를 만난 자는 사람을 주조하는 것을 묻고 금을 주조하는 것은 묻지 않는다.' 하였다. 혹자가 말하기를 '사람을 주조할 수 있습니까?' 하니, 내가 말하기를 '공자가 안연(顔淵)을 주조하셨다.' 하였다. 혹자가 공경히 말하기를 '훌륭한 말씀입니다. 금을 주조하는 방법을 물어 사람을 주조하는 방법을 얻었습니다.' 했다.〔或問世言鑄金 金可鑄歟 曰 吾聞覿君子者 問鑄人 不問鑄金 或曰 人可鑄歟 曰 孔子鑄顔淵矣 或人踧爾曰 旨哉 問鑄金 得鑄人〕" 하였다.

憐 사랑할 련 促 재촉할 촉 勖 힘쓸 욱 繅 실켤 소 而 너 이 縷 실오라기 루
字 사랑할 자 孩 어릴 해 輟 그칠 철 饔 아침밥 옹 飧 저녁밥 손

밥을 먹던 것을 중지하고 관리들을 위로하기에도 겨를이 없으니, 또 어떻게 우리의 생업을 번창하게 하고 우리의 본성을 편안하게 할 수 있겠는가. 그러므로 병들고 또 태만해지는 것이니, 이와 같다면 나의 직업과 또한 유사함이 있을 것이다."

묻는 자가 탄식하며 "좋지 않는가? 나는 나무를 기르는 방법을 물어 백성을 기르는 방법을 배웠다." 하고는 그 일을 전하여(기록하여) 관원의 경계로 삼았다.【《법언(法言)》〈학행(學行)〉에 "양자운(揚子雲)이 금(金)을 주조(도야)하는 방법을 물어 사람을 기르는 방법을 얻었다." 하였다.】

우계시서愚溪詩序

유종원柳宗元

• 작품개요

이 작품은 작자가 영주 사마(永州司馬)로 있을 때인 원화(元和) 5년(810)경에 지은 것으로, 〈팔우시(八愚詩)〉를 지으면서 쓴 서문체(序文體)의 글이다. '우계시(愚溪詩)'가 곧 〈팔우시〉인바, 시는 실전(失傳)되고, 이 서문만 지금까지 전해오고 있다.

작자는 원화 5년에 염계(冉溪) 부근에 거처를 마련한 다음 염계를 '우계'라 명명하고 주변의 언덕이나 샘 등에도 '우(愚)' 자를 붙여서 명명하였다.

작품을 보면, 가장 먼저 염계를 우계라고 명명하게 된 이유와 '우(愚)' 자를 사용하게 된 원인을 설명하였다. 이후 '우(愚)'란 무엇인지에 대해 서술하고, 우자(愚者)의 즐거움과 〈팔우시〉를 짓게 된 까닭을 이야기함으로써 끝을 맺었다.

이 작품은 전체적으로 사물에 의탁해서 행문(行文)하였는바, 의론과 사건 서술 및 풍경 묘사가 조화를 이룬 수작이라고 하겠다.

篇題小註‥ 迂齋曰 只一箇愚字 旁引曲取하고 橫說竪說하여 更無窮已하여 宛轉紆餘하여 含意深遠이라 自不愚而入於愚하고 自愚而終於不愚하여 屢變而不可詰하니 此文字妙處라

우재가 말하였다. "다만 한 '우(愚)' 자를 널리 인용하고 곡진하게 취하였으며 횡으로 말하고 수(竪, 수직)로 말하여 다시 다함이 없어서 완곡히 돌리고 여유가 있어 함축한 뜻이 심원하다. 어리석지 않

••• 竪 세로 수 宛 굽을 완 紆 얽힐 우 詰 마칠 힐

음으로부터 어리석음에 들어가고, 어리석음으로부터 어리석지 않음으로 끝마쳐 여러 번 변하여 힐난할 수 없으니, 이는 문장의 묘한 부분이다."

○ 子厚自謫永州로 文章大進하니 凡今柳文膾炙人口者는 皆永, 柳諸作也라 永州遊山水諸記皆奇요 零陵[74]一山水, 一木石이 至今猶衣被柳文之聲光하니 如愚溪之境은 後來詩人文士足跡至焉者 未嘗不見(현)之歌詠焉이라 篇中用意變態는 迂齋之批에 盡之矣라

유자후는 영주(永州)에 좌천된 뒤로부터 문장이 크게 진전되었으니, 지금 유자후의 문장으로 사람들의 입에 회자(膾炙)되는 것은 모두 영주와 유주(柳州)에 있을 때에 지은 것들이다. 영주에서 산수(山水)를 유람하고 지은 여러 기문(記文)이 모두 기이하며, 영릉(零陵)의 한 산수와 한 목석(木石)은 지금까지도 유자후 문장의 성광(聲光)을 입고 있다. 우계(愚溪)와 같은 경치는 후래(後來)에 시인(詩人)과 문사(文士)로서 발자취가 이곳에 이른 자들이 일찍이 노래하고 읊조려 드러내지 않은 적이 없다. 편 가운데 뜻을 쓰고 태도를 변화시킨 것에 대해서는 우재의 평비에 다 말하였다.

• **原文**

灌水之陽에 有溪焉하니 東流入于瀟水[75]라【瀟湘之瀟.】或曰 冉氏嘗居也라 故로 姓是溪하여 爲冉溪라하고 或曰 可以染也일새 名之以其能이라 故로 謂之染溪라하니라【布置與盤谷序相似.】余以愚觸罪하여【先頓放了一愚字, 爲下張本.】謫瀟水上하니 愛是溪하여 入二三里에 得其尤絶者하여 家焉이라 古有愚公谷[76]이러니【引證.】今予家是溪而名莫能定하고 土之居者 猶齗(은)齗然하니【齗齗二字, 出前漢書.[77]】不可以不更(경)也라

---

74 零陵: 유종원은 일찍이 영주 사마(永州司馬)로 좌천되어 속현인 영릉현(零陵縣)을 유람하고 기문을 남겼는데, 대표적인 것이 〈영릉군 복유혈기(零陵郡復乳穴記)〉이다.

75 瀟水: 호남성(湖南省) 영원현(寧遠縣) 남쪽 구의산(九嶷山)에서 발원하여 영주시(永州市) 서북쪽 상수(湘水)로 흘러간다.

76 愚公谷: 우공(愚公)이 사는 골짝이다. 《설원(說苑)》에 "제 환공(齊桓公)이 사냥을 나갔다가 한 노인을 만나 골짝 이름을 물었더니, 그는 우공의 골짝이라며 어리석은 신(臣)이 살기 때문이라고 대답했다." 하였다.

77 齗齗二字 出前漢書: 《전한서》〈지리지(地理志)〉에 "수사(洙泗)의 물가에 가보니, 그 백성들이 물을 건널 적에 어린사람이 노인을 부축하고 짐을 대신 졌는데 풍속이 더욱 야박해지자 장로(長老)들이 스스로 편안해하지 못해서 어린사람들과 서로 사양하였다. 그러므로 노나라의 도(道)가 쇠하여 수사의 사이에서 분변하여 다퉜다.〔瀕洙泗之水 其民涉度 幼者扶老

••• 零 떨어질 령 瀟 물이름 소 冉 늘어질 염

故로 更之爲愚溪하니라

관수(灌水)의 북쪽에 시내가 있어 동쪽으로 흘러 소수(瀟水)로 들어간다.【'소(瀟)'는 소상(瀟湘)의 소(瀟)이다.】 혹자는 말하기를 "염씨(冉氏)가 일찍이 이곳에 거주하였으므로 이 시내의 이름을 그의 성(姓)을 따서 염계(冉溪)라 했다." 하고, 혹자는 "이 시냇물로 물들일 수가 있으므로 그의 능함으로 이름을 지었다. 그러므로 염계(染溪)라 했다." 하였다.【포치(배열)함이 한유의 〈송이원귀반곡서(送李愿歸盤谷序)〉와 서로 유사하다.】

나는 어리석음으로 죄를 지어【먼저 한 '우(愚)' 자를 놓아 아래의 장본으로 삼았다.】 소수가로 귀양 왔는데, 이 시내를 사랑하여 2, 3리를 들어가 더욱 절경인 곳을 얻어 거주하게 되었다. 옛날에 우공곡(愚公谷)이 있었는데,【인증한 것이다.】 지금 나는 이 시내에 집을 정하였으나 이름을 정하지 못하였고 토착(土着)하여 사는 자들은 〈시내의 명칭에 대하여〉 더더욱 논쟁이 많으니,【'은은(齗齗)' 두 글자는 《전한서(前漢書)》에 나온다.】 이름을 바꾸지 않을 수 없었다. 그러므로 이름을 바꾸어 우계(愚溪)라 하였다.

愚溪之上에 買小丘하여 爲愚丘하고 自愚丘로 東北行六十步에 得泉焉이라 又買居之하여 爲愚泉하니라 愚泉은 凡六穴이니 皆出山下平地하니 蓋上出也라 合流屈曲而南하여 爲愚溝하니 遂負土累石하여 塞其隘하여 爲愚池하고 愚池之東에 爲愚堂하고 其南에 爲愚亭하고 池之中에 爲愚島하여 嘉木異石이 錯置하니 皆山水之奇者어늘【見山水草木本未嘗愚.】 以余故로 咸以愚辱焉이라

우계의 위에 작은 언덕을 사서 우구(愚丘)라 이름하고, 우구로부터 동북쪽으로 60보를 가서 샘물을 얻었다. 또다시 이곳을 사두고는 우천(愚泉)이라 이름하였다. 우천은 샘구멍이 총 여섯 개인데, 모두 산 아래 평지에서 나오니, 이는 솟아 나오는 것이었다. 합류하여 구불구불 남쪽으로 흘러가 우구(愚溝)가 되었는데, 나는 마침내 흙을 져오고 돌을 쌓아 그 좁은 곳을 막아 우지(愚池)를 만들었으며, 우지의 동쪽에는 우당(愚堂)을 만들고 그 남쪽에는 우정(愚亭)을 만들었으며, 못 가운데는 우도(愚島)라 하였다. 여기에는 아름다운 나무와 기이한 돌이 섞여

而代其任 俗旣益薄 長老不自安 與幼少相讓 故曰魯道衰 洙泗之間 齗齗如也]" 하였는데, 안사고(顔師古)의 주에 "'은은(齗齗)'은 시비를 분변하는(다투는) 뜻이다.[齗齗 分辨之意也]" 하였다.《前漢書 卷28下 地理志》

••• 齗 말다툼할 은 溝 도랑 구 累 쌓일 루 隘 좁을 애 錯 섞일 착

놓여 있으니, 모두 산수(山水)의 기이한 것들인데,【산수와 초목이 본래 일찍이 어리석지 않았음을 나타낸 것이다.】나 때문에 모두 '우(愚)' 자로 이름을 얻어 욕을 당하였다.

夫水는 智者樂(요)也[78]어늘【智與愚反.】今是溪獨見辱於愚는 何哉오【疑辭.】蓋其流甚下하여 不可以灌漑요【略言愚之狀.】又峻急多坻(지)石하여【體自身說.】大舟不可入也며 幽邃淺狹하여 蛟龍不屑하여 不能興雲雨하여 無以利世하여【皆是體自身說.】而適類於余하니 然則雖辱而愚之라도 可也니라【斷辭.】甯武子邦無道則愚[79]는 智而爲愚者也요 顔子終日不違如愚[80]는 睿而爲愚者也니 皆不得爲眞愚라【回護佳, 存謙避前賢之意.】今余는 遭有道로되【回護.】而違於理하고 悖於事라 故로 凡爲愚者莫我若也니라【言己方是眞愚.】夫然則天下莫能爭是溪일새 余得專而名焉이로라

저 물은 지혜로운 자가 좋아하는 것인데,【'지(智)'는 '우(愚)'와 반대이다.】이제 이 시내가 홀로 '우' 자 이름에 욕을 당함은 어째서인가?【의심하는 말이다.】그 흐름이 매우 낮아서 관개(灌漑)에 이용할 수 없고,【어리석은 모습을 간략히 말하였다.】또 유속(流速)이 대단히 빠른데다 솟아 나온 돌이 많아【자신을 본체로 삼아 말한 것이다.】큰 배가 들어올 수 없으며, 그윽하고 깊고 좁고 얕아서 교룡(蛟龍)이 좋아하지 않아 운우(雲雨)를 일으킬 수 없어 세상을 이롭게 하지 못해서【모두 자신을 본체로 삼아 말한 것이다.】마침 나와 유사하니, 그렇다면 비록 욕을 보여 어리석다 하더라도 괜찮은 것이다.【단정한 말이다.】

영무자(甯武子)가 나라에 도(道)가 없을 때에 어리석었던 것은 지혜로우면서 어리석은 자요, 안자(顔子)가 종일토록 〈공자의 말씀을〉 어기지 않아 어리석은 사람과 같았던 것은 밝으면서

---

78 夫水智樂也 : 《논어》 〈옹야(雍也)〉의 '지자(智者)는 물을 좋아하고 인자(仁者)는 산을 좋아한다.〔知者樂水 仁者樂山〕'는 것을 인용한 것이다.

79 甯武子邦無道則愚 : 영무자는 춘추시대 위(衛)나라의 신하로 이름은 유(俞)이며 무자(武子)는 그의 시호이다. 《논어》 〈공야장(公冶長)〉에 "영무자는 나라에 도(道)가 있을 때에는 지혜로웠고 나라에 도가 없을 때에는 어리석었으니, 그 지혜는 따를 수 있으나 그 어리석음은 따를 수 없다.〔甯武子邦有道則知 邦無道則愚 其知可及也 其愚不可及也〕" 하였다. 당시 영유(甯俞)는 문공(文公)과 성공(成公) 때에 벼슬하였는바, 문공은 유도지군(有道之君)으로 알려져 있으나 그의 업적이 별로 없고, 성공은 무도(無道)하여 나라를 잃었는데, 이때 그는 어려움을 피하지 않고 주선하여 끝내 성공을 복위시켰으므로 말한 것이라 한다.

80 顔子終日不違如愚 : 《논어》 〈위정(爲政)〉에 "내가 안회(顔回)와 더불어 말함에 온종일 내 말을 어기지 않아 어리석은 사람인 듯하였는데, 물러간 뒤의 사생활을 살펴봄에 또한 충분히 발명(發明)하니, 안회는 어리석지 않구나!〔吾與回言 終日不違如愚 退而省其私 亦足以發 回也不愚〕"라고 한 공자의 말씀이 보인다.

灌 물댈 관 漑 물댈 개 坻 모래톱 지 邃 깊을 수 蛟 교룡 교 屑 달갑게여길 설 適 마침 적
甯 편안 녕 睿 슬기로울 예 悖 어그러질 패

어리석은 자이니, 모두 진짜 어리석음이 될 수 없다.【회호함이 아름답고, 겸손하여 전현(前賢)을 피하는 뜻이 있다.】이제 나는 도가 있는 때를 만나【회호하였다.】도리를 어기고 일에 어긋났다. 그러므로 무릇 어리석음이 되는 자는 나만한 사람이 없는 것이다.【자기야말로 진짜 어리석음을 말하였다.】그렇다면 천하에 나와 이 시내를 다툴 이가 없을 것이므로 내가 이 시내를 독차지하여 '우(愚)'로 이름한 것이다.

溪雖莫利於世나【愚.】而善鑑萬類하여 淸瑩秀澈하고【言雖愚而有不愚者存, 所以況己, 所以譏時.】鏘鳴金石하여 能使愚者로 喜笑眷慕하여 樂而不能去也하나니 余雖不合於俗이나【愚.】亦頗以文墨自慰하여 漱滌萬物하고 牢籠百態하여 而無所避之하니【子厚未甘伏介愚字, 此見胷中不能平處.】以愚辭로 歌愚溪하면 則茫然而不違하고 昏然而同歸하여 超鴻蒙하고 混希夷[81]하여【結妙, 所以散遣胷中滯慮.】寂寥而莫我知也라 於是에 作八愚詩하여 紀于溪石上하노라【八愚詩, 今集中無之.】

시내는 비록 세상에 이로움이 없으나【어리석음이다.】만 가지 종류(만물)를 잘 비추어 맑고 고요하며【비록 어리석으나 어리석지 않음이 있음을 말하였으니, 이는 자신을 비유하고 당시 사람들을 비판한 것이다.】쟁쟁히 금석(金石)처럼 울리며 흘러서 어리석은 자(나)로 하여금 기뻐하여 웃고 돌아보고 사모하게 하여 즐거워 떠나가지 못하게 한다. 내 비록 세속에 합하지 못하나【어리석음이다.】또한 자못 문묵(文墨)으로 스스로 위로하여 만물을 깨끗이 씻고 백 가지 태도를 모두 그 안에 기록하여 피하는 바가 없으니,【자후가 이 '우(愚)' 자에 달게 복종하지 않았으니, 이는 흉중에 화평하지 못한 곳을 볼 수 있다.】어리석은 말(문장)로 우계를 노래한다면 망연히 서로 어긋나지 않고 혼연히 함께 돌아가서 홍몽(鴻蒙)을 초월하고 희이(希夷)와 뒤섞여서【끝맺음이 묘하니, 이는 흉중에 막혔던 생각을 흩어 보낸 것이다.】적막하여 나 자신도 알지 못하게 될 것이다. 이에 팔우시(八愚詩)를 지어 시내의 돌 위에 새기는 바이다.【〈팔우시(八愚詩)〉는 지금 문집 가운데 없다.】

篇末小註‥ 說苑에 齊桓公이 出獵할새 入山谷中하여 見一老하고 問曰 是爲何谷고한대 曰爲愚公之谷이니 以臣名之라하니라

81 希夷: 색깔도 없고 소리도 없어서 보아도 보이지 않고 들어도 들리지 않는 것으로, 곧 도(道)를 가리킨다.

… 瑩 밝을 영 澈 맑을 철 鏘 울리는소리 장 眷 사랑할 권 漱 씻을 수 滌 씻을 척
牢 우리 뢰 籠 쌀 롱 茫 아득할 망 寥 쓸쓸할 료

《설원(說苑)》〈정리(政理)〉에 "제 환공(齊桓公)이 사냥을 나갔다가 산골짝에 들어가 한 노인을 보고 묻기를 '이 골짝은 무슨 골짜기인가?' 하니, 노인이 대답하였다. "우공곡(愚公谷)이니, 소인의 이름으로 이름한 것입니다.""

○ 孔子世家에 洙泗之間에 齗齗如也라하니 魚斤反이라 說文에 齒本〔肉〕[82]也라하니라

《사기(史記)》〈노세가(魯世家)〉에 "수수(洙水)와 사수(泗水) 사이에 은은(齗齗, 다투는 모습)했다." 하였는데 '은(齗)'은 '어(魚)'·'근(斤)'의 반절이니, 《설문(說文)》에 "잇몸이다." 하였다.

○ 莊子在宥篇에 雲將이 適遭鴻蒙이라한대 注에 鴻蒙은 自然元氣也라하니라

《장자(莊子)》〈재유(在宥)〉에 "운장(雲將)이 마침 홍몽(鴻蒙)을 만났다." 하였는데, 주에 "홍몽은 자연의 원기(元氣)이다." 하였다.

○ 老子贊玄篇에 視之不見을 名曰夷요 聽之不聞을 名曰希라한대 注에 無色曰夷요 無聲曰希라하니라

《노자》〈찬현(贊玄)〉에 "보아도 보이지 않는 것을 '이(夷)'라 하고, 들어도 들리지 않는 것을 '희(希)'라 한다." 하였는데, 주에 "색이 없는 것을 '이'라 하고, 소리가 없는 것을 '희'라 한다." 하였다.

---

82 齒本〔肉〕: 저본에는 없으나 《설문해자주(說文解字注)》에 의거하여 보충하였다.

동엽봉제변桐葉封弟辯

유종원柳宗元

• 작품개요

이 작품의 구체적인 창작 연대는 알 수 없으나, 작자가 영주 사마(永州司馬)로 있으면서 지은 것으로 추정된다. '변(辯)'이란 문체의 일종으로, 서사증(徐師曾)의 《문체명변(文體明辨)》〈서설(序說)〉에 의하면, '어떤 언행(言行)의 시비(是非)와 진위(眞僞)를 잡아 대의(大義)로써 판단하는 것〔蓋執其言行之是非眞僞而以大義斷之也〕'이라 하였다.

이 작품의 골간이 되는 '동엽봉제(桐葉封弟)'의 설화는 《여씨춘추(呂氏春秋)》〈중언(重言)〉에 "주(周)나라 성왕(成王)이 아우인 당숙 우(唐叔虞)와 놀 적에 오동잎 하나를 오려 제후를 봉할 때 주는 홀〔珪〕을 만들어 당숙 우에게 주면서 '내가 이것으로 너에게 나라를 봉해주마.'라고 하자, 당숙 우는 기분이 좋아 주공(周公)에게 가서 이 사실을 고하였다. 주공이 성왕에게 묻기를 '천자께서 우(虞)를 봉해준다고 했습니까?' 하자, 성왕이 '내가 한번 우(虞)에게 농담을 해본 겁니다.' 하였다. 그러자 주공이 말하기를 '신은 듣건대 천자는 농담이 없다고 했습니다. 천자의 말이 입 밖에 나오면 사관(史官)은 그것을 기록하고 악공(樂工)은 그것을 노래하고 사대부(士大夫)는 그것을 찬미합니다.' 하였다. 그리하여 마침내 당숙 우를 진(晉)에 봉하였다."라고 보이는바, 이와 같은 내용이 《사기》〈진세가(晉世家)〉에도 실려 있으나, 거기에는 '주공(周公)'이 '사일(史佚)'로 되어 있다.

이 설화에 대해 작자는 자신의 독창적인 의견을 내세워 오동잎으로 아우를 봉했다는 고사가 믿을 수 없음을 말하고, 제왕의 언행은 그 실제 효과를 살펴야 한다고 지적하였다. 만약 말이 옳지 않다면 바로 고치는 것이 도리임을 밝혀서 이른바 '천자는 희언(戲言, 농담)이 없다.'는 말을 반박하였다. 그러면서 존귀한 제왕이라도 결코 성인(聖人)이 아니므로 잘못된 언행이 없을 수 없으니, 보좌하는 신하는 군주의 잘못된 언행에 영합하여 그대로 넘어갈 것이 아니라, 마땅히 적극적으로 인도하고 수정하여 올바른 도리에 부합되게 하도록 해야 한다고 하였다.

글 전체는 200여 자에 불과하지만 논리가 주밀하고 반박이 예리하며, 문장의 짜임새가 엄밀하고 문세가 힘차 읽는 사람을 설복시키는 힘이 느껴진다.

篇題小註·· 字數不多나 曲折甚多하여 婉而切하고 辯而明하니 此柳子所長也라 後之爲文者爲之면 添數百字不啻矣리라 守原議亦然하니 與非國語[83]로 皆一樣手段이니라

글자 수가 많지 않으나 곡절이 매우 많아 완곡하면서도 간절하고 논변하여 밝혔으니, 이는 유자(柳子)의 장점이다. 후세에 문장을 짓는 자가 만일 이 글을 지었다면 수백 자를 더할 뿐만이 아닐 것이다. 〈진문공문수원의(晉文公問守原議)〉 또한 그러하니, 이는 《비국어(非國語, 국어를 비판함)》와 모두 똑같은 수단이다.

• **原文**

古之傳者有言호되 成王이 以桐葉으로 與小弱弟하고【唐叔名虞.】 戲曰 以封汝하리라 周公이 入賀하니 王曰 戲也로라 周公曰 天子는 不可戲라한대 乃封小弱弟於唐이라하니 吾意不然이라 王之弟當封邪인댄 周公이 宜以時言於王이요 不待其戲而賀以成之也며 不當封邪인댄 周公이 乃成其不中之戲하여 以地以(與)人으로 與小弱者爲之主니 其得爲聖乎아

옛 기록(《사기(史記)》〈진세가(晉世家)〉)에 말하기를 "성왕(成王)이 오동나무 잎을 가지고 소약(小弱, 어린)한 아우에게 주고【당숙(唐叔)은 이름이 우(虞)이다.】 희롱하기를 '이것으로 너를 봉(封)하겠다.' 하자, 주공(周公)이 들어가 축하하였다. 성왕이 농담이라고 말하자, 주공은 '천자는 농담을 해서는 안 됩니다.' 하니, 마침내 소약한 아우를 당(唐)나라에 봉했다." 하였다.

---

83 非國語 : 유종원은 좌씨(左氏)의 《국어(國語)》에 보이는 여러 모순을 지적하여 《비국어》 상하편을 지었다.

··· 婉 곡진할 완 添 더할 첨 啻 뿐 시 樣 모양 양 桐 오동나무 동 與 줄 여 弱 어릴 약

그러나 나는 이 말이 옳지 않다고 생각한다. 왕의 아우를 마땅히 봉하여야 한다면 주공이 마땅히 적당한 때에 왕에게 말씀하셨을 것이요, 농담하기를 기다려 축하해서 성사시키지는 않았을 것이며, 마땅히 봉하지 않아야 한다면 주공이 마침내 도리에 맞지 않는 농담을 성사시켜 땅과 인민(人民)을 소약한 자에게 주어 임금을 삼게 한 것이니, 그렇다면 성인(聖人)이 될 수 있겠는가.

且周公이 以王之言不可苟焉而已라하여 必從而成之邪인댄 設有不幸하여 王以桐葉戲婦寺(시)라도 亦將擧而從之乎아 凡王者之德은 在行之何若이니 設未得其當이면 雖十易(역)之라도 不爲病이라 要於其當에 不可使易也니 而況以其戲乎아 若戲而必行之면 是는 周公이 敎王遂過也니라

또한 주공이 왕의 말씀을 구차하게 해서는 안 된다 하여 반드시 따라 성사시켰다면 설령 불행히도 왕이 오동나무 잎을 부인과 내시(內侍)에게 주었더라도 또한 장차 들어서 따르겠는가. 무릇 왕자의 덕(德)은 행함이 어떠한가에 달려 있을 뿐이니, 설령 마땅함을 얻지 못했다면 비록 열 번을 바꾸더라도 나쁠 것이 없는 것이다. 요컨대 마땅한 것에 있어 바꾸게 하지 않을 뿐이니, 하물며 농담으로 한 것에 있어서랴. 만일 농담한 것을 기필코 행하게 했다면 이는 주공이 성왕으로 하여금 잘못을 이루게 한 것이다.

吾意周公輔成王에 宜以道從容優樂하여 要歸之大中而已요 必不逢其失而爲之辭하며 又不當束縛之, 馳驟之하여 使若牛馬然이니 急則敗矣라 且家人父子도 尙不能以此自克이어든 況號爲君臣者邪아 是直小丈夫缺缺者之事요 非周公所宜用이라 故로 不可信이니라 或曰 封唐叔은 史佚이 成之라하니라【事見史記晉世家.】

나는 생각건대, 주공이 성왕을 보필할 적에 마땅히 도(道)로써 종용(從容, 여유 있음)하고 즐겁게 하여 요컨대 대중(大中)에 돌아가게 할 뿐이요, 반드시 실수한 것을 만나 그 실수를 구실로 삼지는 않았을 것이며, 또 속박하고 내몰아서 소와 말처럼 하지는 않았을 것이니, 급하게 하면 실패하는 것이다. 또 가인(家人)의 부자(父子)간도 오히려 이것으로는 스스로 이겨낼 수가 없는데, 하물며 군신(君臣)이라고 이름한 자에 있어서랴. 이는 다만 소장부(小丈夫)로서 얕은 지혜를 쓰는 자들이 하는 일이니, 주공이 마땅히 썼을 바가 아니다. 그러므로 믿을 수 없

苟 구차할 구 寺 내시 시 易 바꿀 역 敎 하여금 교 遂 이룰 수 逢 맞을 봉 縛 묶을 박 驟 몰 취 直 다만 직 缺 모자랄 결

는 것이다. 혹자는 "당숙(唐叔)을 봉한 것은 태사(太史) 윤일(尹佚)이 이루었다."라고 말한다.【이 일은 《사기》 〈진세가(晉世家)〉에 보인다.】

진문공문수원의晉文公問守原議

유종원柳宗元

• 작품개요

이 작품 역시 작자가 영주 사마(永州司馬)로 있을 적에 지은 것으로 추정된다. '의(議)'란 어떤 사실에 대해 시비를 논하고 이치를 따지거나 자신의 의견을 진술하는 문체인바, 이 작품은 춘추시대 진(晉)나라 문공(文公)이 원(原) 땅을 맡아서 지킬 적임자, 즉 원(原)의 대부(大夫)를 정할 때 환관 발제(勃鞮)에게 물어 조최(趙衰)를 임명한 것에 대해 의론한 글이다.

《춘추좌씨전》 희공(僖公) 25년(B.C.635)을 살펴보면, 진나라 문공이 주(周)나라 왕실(王室)의 내란을 평정하여 양왕(襄王)에게 원(原)과 온(溫) 등 네 개의 읍을 하사받은 뒤, 원(原)을 지킬 적임자를 발제에게 묻자, 발제가 "전에 조최가 호손(壺飧)을 가지고 주군(主君)을 수행할 적에 아무리 배가 고파도 먹지 않았습니다.〔昔趙衰以壺飧從徑 餒而弗食〕"라고 대답하여 조최가 청렴하고 어질어 임금을 잊지 않았음을 주장하였기에 조최를 임명하였다는 기록이 보인다.

작자는 이 사실을 작품의 골간으로 삼아 진나라 문공이 조최와 같은 현명한 인물을 등용하였다 하더라도, 정책 결정상 조정의 의론을 거치지 않고 측근인 환관과 상의한 것은 비판 받아 마땅하다고 주장하였다.

예부터 군주들은 환관인 내시에 의해 국정이 농단되는 경우가 많았다. 《춘추좌씨전》을 참고해보면 발제라는 내시는 꽤 정직한 사람이었다. 그런데도 저자는 진 문공이 원 땅을 지킬 적임자를 그에게 물은 잘못을 신랄하게 비판하였다. 앞의 〈동엽봉제변〉과 함께 저자의 예리한 시각을 엿볼 수 있는 작품이다.

篇題小註‥ 事見左傳僖公二十(四)〔五〕[84]年이라

이 사실은《춘추좌씨전》희공(僖公) 25년에 보인다.

• **原文**

晉文公이 旣受原於王하고 難其守하여 問於寺(시)人勃鞮(발제)하여 以畀趙衰(최)하니라 余謂 守原은 政之大者也라 所以承天子, 樹霸功하여 致命諸侯하니 不宜謀及媟近하여 以忝王命이어늘 而晉君이 擇大任호되 不公議於朝하고 而私議於宮하며 不博謀於卿相하고 而獨謀於寺人하니 雖或衰之賢이 足以守하고 國之政이 不爲敗라도 而賊賢失政之端이 由是滋矣라 況當其時하여 不乏言議之臣乎아 狐偃이 爲謀臣하고 先軫이 將中軍이어늘 晉君이 疏而不咨하고 外而不求하고 乃卒定於內豎하니 其可以爲法乎아

진 문공(晉文公)이 이미 원(原) 땅을 주(周)나라 왕(천자)에게 받고는 지킬 사람을 신중히 선택하려 하여 시인(寺人, 환관)인 발제(勃鞮)에게 물어 조최(趙衰)에게 맡겨주었다.

나는 생각건대, 원 땅을 지키는 것은 정사 중에 큰 것이다. 천자를 받들고 패자(霸者)의 공(功)을 세워 제후들에게 명령을 전달하는 것이니, 이에 대한 모의(상의)가 설만하고 가까이 모시는 내시에게 미쳐 왕명을 욕되게 해서는 안 된다. 그런데 진(晉)나라 군주는 큰 임무를 선택하되 조정에서 공적(公的)으로 의론하지 않고 자기 궁중에서 사사로이 의론하였으며, 경상(卿相)들과 널리 상의하지 않고 홀로 시인과 상의하였으니, 비록 혹 조최의 현명함이 충분히 지켜낼 만하고 나라의 정사가 실패하지 않았다 하더라도 현자(賢者)를 해치고 정사를 잘못한 단서가 이로 말미암아 불어났다.

더구나 그 당시에 의론하는 신하들이 없지 않음에랴. 호언(狐偃)이 모신(謀臣)이 되고 선진(先軫)이 중군(中軍)을 거느리고 있었는데, 진나라 군주는 이들을 소원히 하여 묻지 않고 외면하여 구하지 않고는 마침내 내수(內豎, 환관)에게 결정하였으니, 이것을 법으로 삼을 수 있겠는가.

---

84 (四)〔五〕: 저본에는 '사(四)'로 되어 있으나,《춘추좌씨전》에 의거하여 '오(五)'로 바로잡았다.

… 鞮 신제 畀 줄 비 衰 줄일 최 媟 설만할 설 忝 욕될 첨 滋 불어날 자 乏 다할 핍
軫 별이름 진 豎 내시 수

且晉君이 將襲齊桓之業하여 以翼天子하니 乃大志也라 然而齊桓이 任管仲以興하고 進竪刁以敗[85]하니 則獲原啓疆은 適其始政이라 所以觀視諸侯也어늘 而乃背其所以興하고 迹其所以敗라 然而能伯(霸)諸侯者는 以土則大하고 以力則强하고 以義則天子之冊也일새니 誠畏之矣라 烏能得其心服哉리오 其後에 景監이【秦宦者.】得以相衛鞅[86]하고 弘, 石이【弘恭, 石顯漢宦者.】得以殺望之[87]하니 誤之者는 晉文公也라

또 진나라 군주는 장차 제 환공(齊桓公)의 패업을 이어서 천자를 도우려 하였으니, 큰 뜻인 것이다. 그런데 제 환공은 관중(管仲)을 임용하여 나라가 흥하였고 수조(竪刁)를 진용하여 패하였으니, 원 땅을 얻어 국경을 확장함은 마침 정사를 시작하는 초기로서 제후들에게 본보기를 보여야 할 것이었다. 그런데도 도리어 그 흥한 것을 저버리고 패한 것을 따랐다.

그러나 진 문공이 능히 제후들에게 패자가 되었던 것은 토지(영토)가 크고 국력이 강했으며 의(義)로는 천자가 책봉하였기 때문이다. 제후들이 참으로 두려워했던 것이니, 어찌 그 심복(心服)함을 얻었겠는가. 그 후 진(秦)나라의 경감(景監)이【경감은 진(秦)나라의 환자(宦者)이다.】위앙(衛鞅)에게 재상(宰相)을 시켰고, 한(漢)나라의 홍공(弘恭)과 석현(石顯)이【홍공과 석현은 한(漢)나라의 환자(宦者)이다.】소망지(蕭望之)를 죽일 수 있었으니, 이들을 그르친 것은 진 문공이다.

---

85 進竪刁以敗: 제 환공이 총애하는 소인으로, 음식을 관장하던 관리인 역아(易牙)와 환관인 수조(竪刁) 등이 있었는데, 관중이 죽기 전에 환공에게 이들을 멀리할 것을 청했으나 환공이 듣지 않았다. 관중이 죽자 다섯 공자(公子)가 모두 태자가 되려고 했는데, 그해 겨울에 환공이 죽자 다섯 공자가 서로 공격하기에 이르렀다. 이때 역아가 수조와 함께 궁중 총신들에 의지하여 여러 대부들을 죽이고 공자 무궤(無詭)를 임금으로 옹립하였다. 그 후 제나라는 후계자 싸움이 계속되어 큰 혼란에 빠지고 결국 패업을 진나라 문공에게 넘겨주었다.《史記 卷32 齊太公世家》

86 景監得以相衛鞅: 경감은 진 효공(秦孝公)의 환관이다. 위(衛)나라의 상앙(商鞅)은 진 효공이 국중(國中)에 명을 내려 어진 이를 구한다는 말을 듣고서 진나라에 들어가 경감을 통하여 효공을 뵙기를 구한 끝에 인정을 받아 재상으로 기용되어 법령을 고치고 부강책을 써서 치적이 있었다. 위앙은 위(衛)나라의 공족(公族)이었으므로 공손앙(公孫鞅), 또는 위앙이라 불렸으며 뒤에 진나라에서 상오(商於)의 땅에 봉해졌으므로 상군(商君), 또는 상앙이라고 불렸다. 그러나 상앙은 법가(法家)의 인물로서 변법(變法)으로 부국강병책을 단행하여 덕정(德政)을 중시하지 않아 유학자들은 대개 부정적으로 평가하였다.《상자(商子)》는 그의 저서이다.《史記 卷68 商君列傳》

87 弘石得以殺望之: 홍석(弘石)은 환관인 홍공(弘恭)과 석현(石顯)이다. 홍공은 패군(沛郡) 사람으로 법령(法令)과 고사(故事)에 밝았던 관계로 선제(宣帝) 때 중서령(中書令)에 발탁되었고, 석현은 제남(濟南) 사람으로 홍공의 뒤를 이어 중서령이 되었다. 홍공과 석현이 원제(元帝)의 총애를 믿고 직언을 하던 원제의 사부(師傅) 소망지(蕭望之)를 압박하여 자살하게 하였다. 원제는 소망지의 죽음을 몹시 애도하여 눈물을 흘리기까지 하였으나 이들을 처벌하지 못하여 환관이 전횡하는 화(禍)를 불러오고, 결국 국운이 기울어 전한(前漢)이 망하게 되었다.《前漢書 卷93 佞幸傳》《前漢書 卷78 蕭望之傳》

••• 襲 이을 습 竪 내시 수 刁 조두 조 疆 지경 강 烏 어찌 오 鞅 가슴걸이 앙

嗚呼라 得賢臣하여 以守大邑하니 則問雖失問이나 擧非失擧也로되 然猶羞當時, 陷後代가 若此하니 況於問與擧又兩失者면 其何以救之哉리오 余故로 著晉君之罪하여 以附春秋許世子止, 晉趙盾之義하노라【許世子止, 因不嘗藥, 春秋書'許世子止弒其君買', 趙盾因亡不越境, 反不討賊, 春秋書'晉趙盾弒其君夷皐.'[88]】

아! 어진 신하를 얻어 큰 고을을 지켰으니, 물음은 비록 잘못된 물음이었으나 천거는 잘못된 천거가 아니었다. 그런데도 오히려 당시를 부끄럽게 하고 후대를 잘못에 빠뜨림이 이와 같았으니, 하물며 물음과 천거가 또 모두 잘못되었다면 어떻게 구원할 수 있겠는가. 나는 이 때문에 진나라 군주의 죄를 드러내어《춘추(春秋)》의 허(許)나라 세자(世子) 지(止)와 진(晉)나라 조돈(趙盾)의 의(義)에 붙이는 바이다.【허(許)나라 세자 지(止)가 약을 맛보지 않았으므로《춘추(春秋)》소공(昭公) 19년에 "허나라 세자 지가 그 군주 매(買)를 시해했다."라고 썼고, 조돈(趙盾)이 도망하면서 국경을 넘어가지 않고 돌아와 역적을 토벌하지 않았으므로《춘추》선공(宣公) 2년에 "진(晉)나라 조돈이 그 군주 이고(夷皐)를 시해했다."라고 썼다.】

88 許世子止……春秋書晉趙盾弒其君夷皐 : 춘추필법(春秋筆法)을 들어 그 행위가 결과적으로 후세에 나쁜 영향을 끼쳤으므로 비판받아 마땅하다는 뜻이다. 허(許)나라 세자(世子) 지(止)는 부왕(父王)인 도공(悼公)의 병을 잘 간호하였으나 도공은 독한 약을 먹고 그만 별세하였다. 조돈(趙盾)은 진(晉)나라 대부(大夫)로 영공(靈公)의 무도(無道)함을 간하다가 미움을 받고 망명하던 중 국경을 넘기 직전 그의 일족(一族)인 조천(趙穿)이 영공을 시해하였으므로 망명을 중지하고 되돌아왔다. 그러나《춘추(春秋)》에는 소공(昭公) 19년과 선공(宣公) 2년에 허나라 세자 지와 진나라 조돈이 그 군주를 시해하였다고 각각 기록하였다. 이는 세자 지는 마땅히 약을 맛보아 독성을 확인한 뒤에 약을 올렸어야 하는데 이를 시행하지 않았고, 조돈은 망명하다가 국경을 넘지도 않았고 돌아와서는 역적인 조천을 토벌하지도 않았으므로 두 사람은 비록 직접 군주를 시해하지는 않았으나 군주를 시해한 것과 다름이 없다고 생각한 것이라 한다.《春秋左氏傳 昭公 19年, 宣公 2年》

••• 羞 부끄러울 수 盾 사람이름 돈

연주군복유혈기連州郡復乳穴記

유종원柳宗元

• 작품개요

이 작품은 〈영릉복유혈기(零陵復乳穴記)〉라고도 불리는바, 유종원이 영주(永州)에 있을 때, 연주자사(連州刺史) 최민(崔敏)을 위하여 지은 것이다. 연주 영릉현(零陵縣)에서 석종유(石鍾乳)라는 좋은 약이 생산되는데, 국가에서 그것을 받아 백성들에게 공물로 갈취하니, 석종유가 더이상 생산되지 않고 말았다. 그 후 5년이 지나서 최민이 영주 자사로 부임하여 선정을 베풀자 석종유가 다시 생산되었다. 서두에서 석종유에 얽힌 객관적인 상황을 서술한 뒤 제삼자의 입을 통해 자신의 정치론을 간결하게 피력하고 있다. 문장이 단정하면서도 뜻이 잘 표현되고 있으며, 논변을 재미있게 구성하였다.

篇題小註‥ 柳子厚時在永州하니 連州守는 乃崔君敏이라

유자후(柳子厚)는 이때 영주(永州)에 있었는바, 연주 태수(連州太守)는 바로 최군 민(崔君敏)이었다.

○ 此篇은 以祥字로 反覆議論하여 始以爲祥하고 繼以爲非祥하고 末復以爲祥하니 與獲麟解相似라 使他人爲之면 孟嘗還珠事[89]를 恐不能不用이어늘 此只就目前事說하여 能不用하니 亦

89 孟嘗還珠事: 맹상은 후한(後漢) 사람으로 자가 백주(伯周)이고, 인품이 고결(高潔)하였다. 일찍이 합포 태수(合浦太守)가 되었는데, 합포에는 진주가 생산되어 백성들이 중요한 생계수단으로 삼았으나 수령들이 탐욕을 부려 진주조개를 마구 채취하자 진주조개가 거의 생산되지 않고 점차 교지(交趾)라는 곳으로 옮겨갔다. 이 때문에 백성들의 생활이 몹시 곤궁

一高處라

이 편은 '상(祥)' 자를 가지고 반복하여 의론해서 처음에는 상서(祥瑞)라 하고, 뒤이어는 상서가 아니라 하고, 끝에는 다시 상서라 하였으니, 위의 〈획린해(獲麟解)〉와 서로 비슷하다. 만약 다른 사람이 이 글을 지었다면 진주가 다시 나타난 맹상(孟嘗)의 고사를 사용하지 않을 수 없었을 터인데, 이 편은 다만 눈앞의 일만을 말하여 고사를 쓰지 않았으니, 또한 문장의 한 높은 부분이다.

○ 眞西山이 亦選此篇하여 入文章正宗하니라

진서산(眞西山, 진덕수(眞德秀)) 또한 이 편을 뽑아 《문장정종(文章正宗)》에 넣었다.

• **原文**

石鍾乳는 餌之最良者也라 楚越之山에 多產焉호되 于連于韶者 獨名於世러니 連之人이 告盡焉者五載矣라 以貢則買諸他部러니 今刺史崔公이 至逾月에 穴人來하여 以乳復告라 邦人이 悅是祥也하여 雜然謠曰 甿(맹)之熙熙여 崔公之來로다 公化所徹에 土石蒙烈이로다 以爲不信인댄 起視乳穴하라

석종유(石鍾乳)는 약 중에 가장 좋은 것이다. 초(楚) 지방과 월(越) 지방의 산에서 많이 생산되는데, 연주(連州)와 소주(韶州)에서 나오는 것이 특히 세상에 이름났다. 연주 백성이 석종유가 바닥났다고 아뢴 지가 5년이었으므로 〈고을에서는〉 국가에 공물(貢物)을 바치게 되면 다른 부(部)에서 사왔는데, 이제 자사(刺史) 최공(崔公, 최민)이 부임한 지 한 달이 넘었을 무렵 석종유 굴을 지키는 사람이 와서 석종유가 다시 나온다고 아뢰었다. 고을 사람들은 이 상서로움을 기뻐하여 모두 다음과 같이 노래를 불렀다.

백성들이 화락함이여	甿之熙熙
최공이 부임해 오셨도다	崔公之來

하였는데, 맹상이 부임하여 선정(善政)을 펴자 진주가 다시 생산되었다 한다.

… 餌 약 이 載 해 재 逾 넘을 유 穴 구멍 혈 甿 백성 맹 徹 통할 철 蒙 입을 몽 烈 공 렬

공의 교화가 통하는 바에	公化所徹
흙과 돌도 공렬(功烈)을 입었도다	土石蒙烈
내 말을 거짓말이라고 여기거든	以爲不信
일어나 석종유 굴을 보라	起視乳穴

穴人이 笑之曰 是惡(오)知所謂祥邪아 嚮吾以刺史之貪戾嗜利하여 徒吾役而不吾貨也일새 吾是以病而紿焉이러니 今吾刺史令明而志潔하고 先賴而後力하여 欺誣屛息하고 信順休洽하니 吾以是誠告焉이로라 且夫乳穴이 必在深山窮林하여 冰雪之所儲요 豺虎之所廬라 由而入者 觸昏霧하고 扞龍蛇하여 束火以知其物하고 縻繩以志其返하여 其勤若是어늘 出又不得吾直(値)하니 吾用是라 安得不以盡告리오 今令人而乃誠하니 吾告故也니 何祥之爲리오

이에 굴을 지키는 사람이 비웃으며 다음과 같이 말하였다.

"이것이 이른바 상서임을 어찌 알겠는가. 지난번에 나는 자사가 탐욕스럽고 이익을 좋아하여 한갓 나에게 부역만 시키고 재화(품삯)를 주지 않았다. 나는 이 때문에 괴롭게 여겨 석종유가 바닥났다고 거짓말을 하였던 것인데, 이제 우리 자사께서는 명령이 분명하고 뜻이 결백하며 이로움(은혜)을 먼저 베풀고 뒤에 일을 시켜 속이는 자들이 숨을 죽이고 속이지 않고 거스르지 않음이 아름답게 무젖으니, 내 이 때문에 사실대로 아뢴 것이다. 또 석종유의 굴은 반드시 깊은 산, 궁벽한 숲 속에 있어서 빙설(冰雪)이 쌓여 있고 시랑과 범이 사는 곳이다. 굴을 경유하여 들어가는 자는 자욱한 안개를 무릅쓰고 용과 뱀을 막아내면서 횃불을 묶어 그 물건을 알아보고 노끈을 묶어서 돌아올 길을 표시한다. 그 노고가 이와 같은데도 나와서는 또 나의 품삯을 받지 못한다. 이러하니 내 어찌 바닥났다고 아뢰지 않겠는가. 지금 자사는 백성에게 명령하되 성실하게 하시니, 이것은 내가 석종유가 다시 나온다고 아뢴 연고이다. 그러니 어찌 상서로움이 되겠는가."

士聞之하고 曰 謠者之祥也는 乃其所謂怪者也요 笑者之非祥也는 乃其所謂眞祥者也라 君子之祥也는 以政이요 不以怪하나니 誠乎物而信乎道하여 人樂用命하여 熙熙然以效其有하니 斯其爲政也 而獨非祥也歟아

惡 어찌 오 嚮 지난번 향 戾 어그러질 려 紿 속일 태 屛 물리칠 병 儲 쌓을 저
豺 승냥이 시 扞 막을 한 縻 맬 미 志 표시할 지 直 값 치 安 어찌 안

선비가 이를 듣고 다음과 같이 말하였다.

"노래를 부르는 자들의 상서라는 것은 바로 이른바 괴이하다는 것이요, 비웃는 자의 상서가 아니라는 것은 바로 이른바 진짜 상서라는 것이다. 군자(君子)의 상서는 정사(政事)로써 하고 괴이함으로써 하지 않는다. 남에게 성실하고 도리에 신실(信實)하여 백성이 명령을 따르기 좋아해서 흔쾌히 간직하고 있는 것을 바치니, 이러한 정사가 홀로 상서가 아니겠는가."

송설존의서送薛存義序

유종원柳宗元

• 작품개요

이 작품은 증서체(贈序體)의 형식을 띤 일종의 논문(論文)이다. 작자 유종원은 이 작품에서 관리의 직책에 대해 정면으로 지적하며, 관리란 응당 백성을 위해 일해야 한다고 주장하였다. 아울러 작자는 당시 백성들에게 폐해를 끼치는 일반 관리들의 추악한 행위를 통렬하게 지적하는 한편 영릉(零陵)[90]에서 설존의가 이룬 훌륭한 치적을 칭찬하였다.

설존의는 유종원과 동향 출신으로, 하동(河東)[91] 사람이다. 그는 영주(永州) 영릉에서 2년 동안 현령의 직위를 대행하였는데, 때마침 관직을 옮기게 되었다. 이에 유종원이 서둘러 와서 그를 전송하면서 이 글을 지어 주어 나라와 백성을 근심하는 자신의 심사를 드러내었다.

전체 짧은 분량으로 지방관의 의무와 책임에 대하여 반복해 논변하였다. 특히 지방관은 백성이 세금을 내어 고용했다는 그의 논변은 모든 공직자들이 길이 반성해야 할 부분이다. 작품 전반에 걸쳐 구사하는 언어가 예리하고 간결하면서도 엄격하고 치밀하며, 관리의 본분에 대한 유종원의 사상이 잘 드러나 있다.

篇題小註‥ 東萊云 雖句少나 而極有反覆하니라

---

90 영릉(零陵): 현재 호남성(湖南省) 영릉현(零陵縣)으로, 당시 영주(永州) 에 속하였다.

91 하동(河東): 현재 산서성(山西省) 영제현(永濟縣)이다.

동래(東萊)가 말하였다. "비록 자구(字句)가 적으나 반복함이 지극하다."

• **原文**

河東薛存義將行할새 柳子載肉于俎하고 崇酒于觴하여 追而送之江之滸(호)하여 飮食(임사)之하고 且告曰 凡吏于土者를 若이 知其職乎아 蓋民之役이요 非以役民而已也라 凡民之食于土者 出其十一하여 傭乎吏하여 使司平於我也라 今受其直(値), 怠其事者 天下皆然이니 豈惟怠之리오 又從而盜之하나니라 向使傭一夫於家하여 受若直하고 怠若事하며 又盜若貨器하면 則必甚怒而黜罰之矣리라 以今天下多類此로되 而民莫敢肆其怒與黜罰은 何哉오 勢不同也일새라 勢不同而理同하니 如吾民何오 有達于理者면 得不恐而畏乎아

하동(河東)의 설존의(薛存義)가 장차 길을 떠나려 할 적에 나는 도마에 고기를 올려놓고 잔에 술을 가득히 붓고서 쫓아가 강가에서 전송하여 그에게 음식을 먹이고 또 다음과 같이 말하였다.

"무릇 이 지방에 관리(수령)가 된 자를 그대는 그 직분(직책)을 아는가. 관리는 백성의 사역이요, 백성을 사역시킬 뿐만은 아닌 것이다. 무릇 백성으로서 토지를 경작하여 먹는 자들은 그 10분의 1을 조세(租稅)로 내어서 관리를 고용하여 우리들을 공평히 다스리는 책임을 맡게 한 것이다. 이제 그 값을 받고 그 일을 태만히 하는 자가 있는데, 이것은 천하가 다 그러하다. 어찌 다만 태만히 할 뿐이겠는가. 또 따라서 도둑질을 한다.

지난번에 가령 한 인부(人夫)를 집에 고용하여 그대의 품삯을 받고 그대의 일을 태만히 하며 또 그대의 재화와 기물을 훔쳐간다면 그대는 반드시 심히 노하여 축출하고 벌을 줄 것이다. 지금 천하에는 이와 유사함이 많은데도 백성들이 감히 그 노여움과 축출과 벌을 베풀지 못하는 것은 어째서인가? 형세가 똑같지 않기 때문이다. 형세는 똑같지 않으나 이치는 똑같으니, 우리 백성들에게 어찌 하겠는가. 이치를 통달한 자가 있다면 두려워하지 않을 수 있겠는가.

存義假令零陵이【永州縣.】 二年矣라 蚤(早)作而夜思하고 勤力而勞心하여 訟者平하고 賦者均하며 老弱이 無懷詐暴憎하니 其爲不虛取直也的矣요 其知恐而畏也審

••• 薛 땅이름 설 俎 도마 조 觴 술잔 상 滸 물가 호 飮 마시게할 임 食 먹일 사 若 너 약
傭 고용할 용 黜 내칠 출 肆 부릴 사 的 분명할 적

矣라 吾賤且辱하여【柳時謫永.】不得與考績幽明[92]之說일새 於其往也에 故賞以酒肉而重之以辭하노라

설존의가 영릉(零陵)【영릉은 영주(永州)의 현(縣)이다.】의 가령(假令, 임시 현령)이 된 지가 2년이었다. 그는 아침부터 일하고 밤늦도록 생각하며 부지런히 힘쓰고 노심초사하여 쟁송(爭訟)하는 자들이 화평해지고 부역하는 자들이 균평(均平)해졌으며, 노약자들이 속이려는 마음을 품거나 크게 미워함이 없으니, 그는 헛되이 품삯(녹봉)을 취하지 않았음이 분명하며 두려워할 줄 알아 조심하였음이 분명하다.

나는 지금 신분이 천하고 또 욕되어【유종원이 이때 영주(永州)로 좌천되어 있었다.】공적(功績)을 상고하여 좌천시키거나 승진시키는 말에 참여할 수 없으므로 그가 떠나갈 적에 술과 고기로써 상(賞)을 주고 겸하여 말(글)을 주는 바이다."

---

92 考績幽明 : '고적(考績)'은 관리들의 업적을 평가하는 것이며, '유(幽)'는 고과(考課)가 나쁜 자를 좌천시키거나 파면시키는 것이고 '명(明)'은 훌륭한 업적이 있는 자를 표창하고 승진시키는 것이다. 《서경》〈우서(虞書) 순전(舜典)〉에 "3년마다 업적을 평가하고 세 번 평가하여 고과가 나쁜 자를 퇴출(退黜)시키고 고과가 좋은 자를 승진시켰다.〔三載考績 三考 黜陟幽明〕"라고 보인다.

양죽기養竹記

백거이白居易 낙천樂天

• 작가소개

백거이(白居易, 772~846)의 자는 낙천(樂天)이고 호는 향산거사(香山居士)이며 원래 태원(太原) 출신인데, 하규(下邽)로 이거하였다. 원화(元和) 연간에 진사에 급제하여 좌습유(左拾遺)가 되었고 강주 사마(江洲司馬)로 좌천되었다가 들어와 지제고(知制誥)를 맡았으며, 무종(武宗)의 회창(會昌) 연간에 형부 상서(刑部尙書)로 치사하였다. 그는 문장이 정밀하고 시가 평이하여 원진(元稹)과 명성을 함께하여 '원백(元白)'으로 일컬어졌으며, 유우석(劉禹錫)과도 병칭되어 '유백(劉白)'으로도 칭해졌다. 시호는 문(文)이며, 저서로 《백씨장경집(白氏長慶集)》이 있다.

• 작품개요

이 글은 백거이(白居易)의 초기 작품으로, 그의 나이 31세인 당나라 덕종(德宗) 정원(貞元) 19년(803)에 지어진 것이다. 백거이는 극도로 혼란한 시대에 영락(零落)하여 이리저리 떠도는 삶을 살았는데, 이러한 생활은 그에게 사회적 위기와 백성의 질고를 통감할 수 있도록 하였다. 그는 권력자가 어질고 유능한 사람을 골라 등용하여 천하를 다스리는 것을 꿈꾸고 언젠가는 자기 자신도 중용되어 큰 업적을 이룰 수 있을 것이라는 기대감을 가지고 있었기 때문에 이 작품을 지은 것이다.

첫 번째 단락에서는 대나무가 지닌 네 가지 미덕에 대해서 이야기하고, 두 번째 단락에서는 자기 자신과 대나무가 서로 잘 알고 함께 지내게 된 과정을 서술하고, 세 번째 단락에서는 전후로 다른 대나무의 처지를 빌려서 자기의 내심을 드러내었다. 글 전반에 걸쳐 사용된 자구(字句)가 간명하여 내용을 이해하기 쉽고, 문세가 자연스럽고 질박하여 간요하면서도 정갈하고, 의상(意象)이 참신하다. 아울러 인재 양성을 도외시하고 인재를 아낄 줄 모르는 현실 상황에 대해 매우 우려하고 있는 작자의 심정이 잘 드러나 있다.

• **原文**

竹似賢하니 何哉오 竹本固하니 固以樹德이라 君子見其本이면 則思善建不拔者하며【老子曰: "善建者不拔."】竹性直하니 直以立身이라 君子見其性이면 則思中立不倚者하며 竹心空하니 空以體道라 君子見其心이면 則思應用虛受者하며 竹節貞하니 貞以立志라 君子見其節이면 則思砥礪(지려)名行하여 夷險一致者하나니 夫如是故로 君子人이 多樹之하여 爲庭實焉하나니라

대나무는 현자(賢者)와 유사하니, 어째서인가? 대나무 뿌리는 견고하니 견고함으써 덕(德)을 심으므로 군자가 그 뿌리를 보면 잘 세워 뽑히지 않을 것을 생각하며,【노자(老子)《도덕경(道德經)》〈수관(修觀)〉에 "잘 세운 자는 뽑히지 않는다." 하였다.】대나무 성질은 곧으니 곧음으로써 몸을 세우므로 군자가 그 곧은 성질을 보면 중립하여 기울지 않을 것을 생각하며, 대나무 속은 텅 비었으니 텅 빔으로써 도(道)를 체행(體行)하므로 군자가 그 댓속을 보면 응용하여 겸허히 받아들일 것을 생각하며, 대나무 마디는 견정(堅貞)하니 견정함으로써 뜻을 세우므로 군자가 그 마디를 보면 이름과 행실을 갈고 닦아 평탄하거나 험하거나 일치하게 할 것을 생각한다. 이와 같기 때문에 군자들이 대나무를 많이 심어 뜰에 가득 채운다.

貞元十九年春에 居易以拔萃選及第하여 授校書郎이라 始於長安에 求假居處하여 得常樂里故關相國私第之東亭而處之러니 明日에 屨(구)及于亭之東南隅하여 見叢竹於斯하니 枝葉殄瘁하여 無聲無色이라 詢乎關氏之老하니 則曰 此相國之手植者라 自相國捐館으로 他人假居하니 繇(由)是로 筐篚者斬焉하고 篲箒(수추)者刈焉하여 刑餘之材가 長無尋焉이요 數無百焉이라 又有凡草木이 雜生其中하여 苯蓴薈蔚(분준회울)하여 有無竹之心焉이라하니라 居易惜其嘗經長者之手로되 而見賤俗人之目하여 翦棄若是나 本性猶存이라 乃刪翳薈(예회)하고 除糞壤하며 疏其間하고 封其下하여 不終日而畢하니 於是에 日出에 有淸陰하고 風來에 有淸聲하여 依依然, 欣欣然若有情於感遇也러라

倚 기울 의 砥 숫돌 지 礪 숫돌 려 夷 평평할 이 實 채울 실 萃 모을 췌 屨 신발 구 隅 모퉁이 우 殄 멸할 진 瘁 파리할 췌 詢 물을 순 筐 광주리 광 篚 광주리 비 篲 비 수 箒 비 추 苯 우거질 분 蓴 더부룩할 준 薈 우거질 회 翳 가릴 예

정원(貞元) 19년(803) 봄에 나(백거이)는 발췌과(拔萃科)로 급제(及第)하여 교서랑(校書郎)에 제수되었다. 처음 장안(長安)에서 임시로 거처할 곳을 구하여 상락리(常樂里)에 있는 옛 관상국(關相國, 관파(關播)) 사저(私邸)의 동쪽 정자를 얻어 거처하였는데, 다음날에 발걸음이 정자의 동남쪽 귀퉁이에 이르러 총죽(叢竹)이 이곳에 자라고 있는 것을 보니, 가지와 잎이 시들고 병들어 소리도 없고 색깔도 없었다. 관씨(關氏)의 노인에게 물어보니, 이것은 관상국께서 손수 심은 것이었다. 관상국이 관사(館舍)를 버림(별세함)으로부터 타인들이 빌려 거주하니, 이 때문에 광주리를 만드는 자들이 베어가고 빗자루를 만드는 자들이 베어가서 형벌을 받고 남은 재목(대나무)이 길이가 한 길(여덟 자)이 되는 것이 없고 숫자가 백 개도 못되며, 또 온갖 초목들이 그 가운데 섞여 자라서 무성하고 황폐하여 대나무를 무시하는 마음이 있었다.

나는 〈이 대나무가〉 일찍이 장자(長者)의 손을 거쳤으면서도 속인(俗人)들의 눈에 천대를 받아 베어지고 버려짐이 이와 같았으나 본성(本性)이 아직 그대로 남아 있음을 애석히 여겼다. 그리하여 마침내 가리고 우거진 것들을 베어버리고 흙덩이를 제거하였으며 그 사이를 소통시키고 그 아래를 봉축(封築)하였는데, 하루가 못 되어 작업이 끝났다. 이에 해가 나오면 시원한 그늘이 있고 바람이 불면 맑은 소리가 있어 의의(依依, 그리워함)하고 흔흔(欣欣)하여 마치 지우(知遇)함에 감격하는 정(情)이 있는 듯하였다.

嗟乎라 竹은 植物也니 於人에 何有哉리오마는 以其有似於賢이라하여 而人猶愛惜之하여 封植之하니 況其眞賢者乎아 然則竹之於草木에 猶賢之於衆庶라 嗚呼라 竹不能自異하여 惟人異之요 賢不能自異하여 惟用賢者異之라 故로 作養竹記하여 書于亭之壁하여 以貽其後之居斯者하고 亦欲以聞於今之用賢者云이라

아! 대나무는 식물이니, 인간에 무슨 상관이 있겠는가마는 현자(賢者)와 유사함이 있다 하여 사람들이 오히려 사랑하고 아까워하여 북돋아 주고 심으니, 하물며 참으로 현자에 있어서랴. 그렇다면 대나무가 초목에 있어서는 현자가 보통사람들에게 있어서와 같은 것이다.

아! 대나무는 스스로 자신을 특이하게 할 수가 없어서 오직 인간이 그를 특이하게 대하고, 현자는 스스로 자신을 특이하게 할 수가 없어서 오직 현자를 등용하는 자가 특이하게 대한다. 그러므로 나는 〈양죽기〉를 지어 정자의 벽에 써 붙여서 이후 이곳에 거처하는 자에게 주고, 또한 지금 현자를 등용하는 자에게 알리고자 하는 것이다.

篇末小註‥ 此作은 與濂溪愛蓮說[93]相似하니 一寄意於賢하고 一寄意於君子요 非徒在於竹與蓮而已也라 白居易는 字樂天이니 其人은 樂易(이)君子也라 文字明白平正하여 不尙奇異深奧하니 亦與其詩로 大體相類云이라

이 글은 염계(濂溪)의 〈애련설(愛蓮說)〉과 서로 비슷하니, 하나(〈양죽기〉)는 뜻을 현자에게 붙였고 하나(〈애련설〉)는 뜻을 군자에게 붙여, 단지 대나무와 연꽃에 있을 뿐만이 아니다. 백거이(白居易)는 자가 낙천(樂天)이니, 그는 인품이 화락한 군자이다. 문장이 명백하고 평정(平正)하여 기이함과 심오함을 숭상하지 않았으니, 또한 그 시(詩)와 대체로 유사하다.

93 濂溪愛蓮說 : 염계는 북송(北宋) 주돈이(周敦頤)의 호인데, 그는 연꽃을 매우 사랑하여 〈애련설(愛蓮說)〉을 지어서 연꽃을 군자에게 비겨 예찬하였다. 〈애련설〉은 아래 권10에 보인다.

아방궁부阿房宮賦

두목杜牧 목지牧之

• 작가소개

두목(杜牧, 803~852)은 자가 목지(牧之)이고 호는 번천(樊川)으로, 당나라 경조(京兆) 만년(萬年)[94] 사람이며 두우(杜佑)의 손자이다. 미남자로 유명하고 이상은(李商隱)과 함께 만당(晩唐)의 대가로 알려져 '이두(李杜)'로 불리며, 또 작품이 두보(杜甫)와 비슷하다 하여 '소두(小杜)'로도 불린다. 문종(文宗) 대화(大和) 2년(828)에 진사(進士)가 되어 황주(黃州)·지주(池州)·호주(湖州)의 자사를 역임하였다. 만년에야 조정에 들어갔는데 관직은 사훈원외랑(司勛員外郞)에 이르렀다. 당 말기〔晩唐〕의 대표적인 문인 중 한 사람으로 그의 시는 풍격이 청신(淸新)하고 준일(俊逸)하여 후대에 끼친 영향이 지대하다. 산문에도 뛰어났지만 시에 더 뛰어나 근체시(近體詩), 특히 칠언절구에 뛰어났다. 저서에 《번천집(樊川集)》이 있다.

• 작품개요

이 작품은 저자의 나이 23세인 경종(敬宗) 보력(寶曆) 원년(825)에 지은 것으로, 그의 명성을 알려지게 한 글이다. 저자는 〈상지기문장계(上知己文章啓)〉에서 "보력 연간에 궁궐을 크게 짓고 음악과 미녀를 즐겼습니다. 이에 〈아방궁부〉를 짓게 되었습니다."라고 하였다. 이 글은 진 시황(秦始皇)이 황음(荒淫)하고 사치하여 멸망을 자초한 사실(史實)을 당시 황제였던 경종이 궁궐을 크게 지은 일에 비유하였다.

---

94 경조(京兆) 만년(萬年): 현재의 섬서성(陝西省) 서안(西安)이다.

아방궁은 진 시황이 즉위한 35년(B.C.212)에 섬서(陝西) 장안(長安) 서북쪽의 상림원(上林苑)에 세운 궁전으로, '아방'이라는 산모퉁이에 위치하였기 때문에 이렇게 불린 것이다. 본래는 궁이 완성되면 다른 이름을 붙이려 하였으나, 그 전에 항우(項羽)가 쳐들어와서 불태워 버렸다. 이 글은 아방궁 건축의 웅장함과 화려함에 대해 묘사함으로써 극도로 사치하고 탐욕스러웠던 진 시황의 생활을 드러내었고, 이를 통하여 당시의 통치자들에게 진(秦)나라가 멸망하게 된 전철을 밟지 않도록 경고하고 있다.

전체적으로 변려구(駢儷句)와 일반 산문구(散文句)가 결합된 형태로, 정제(整齊)된 가운데 변화가 있으며, 화려한 언어의 구사가 생동감을 더하며 문장의 조리가 분명하고 확실한 작품이다. 특히 결구가 근엄하고 층차(層次)가 분명하다. 앞부분에서는 진 시황의 황음과 사치를 묘사하고, 뒷부분에서는 서정(抒情) 색채를 띤 의론으로 전환하였다.

篇題小註‥ 秦始皇이 以咸陽人多하고 先王宮庭小라하여 乃營作朝宮渭南上林苑中할새 先作前殿於阿房하니 阿는 山曲也요 房은 旁也니 乃舊地名이라 旣成에 未更(경)名而燬라 故로 天下只云阿房宮이라하니라

진 시황(秦始皇)은 도성인 함양(咸陽)에 거주하는 사람이 많고 선왕의 궁정(宮庭)이 작다 하여 마침내 조궁(朝宮)을 위수(渭水) 남쪽 상림원(上林苑) 안에 경영하여 지을 적에 먼저 앞 대궐을 아방(阿房)에 지으니, '아(阿)'는 산굽이이고 '방(房)'은 곁이라는 뜻이니, 바로 옛 지명이었다. 이미 완성된 다음 미처 이름을 고치기 전에 불탔으므로 천하에서는 다만 '아방궁(阿房宮)'이라 칭하였다.

○ 按前漢書賈山傳에 阿房宮顔注에 殿之四阿 皆爲房也라 房은 或作旁하니 說云 作此殿에 初未有名하고 以其去咸陽近이라하여 且號阿房이라하니라 房은 近也니 與房舍義不同이라

《전한서(前漢書)》의 〈가산전(賈山傳)〉에 아방궁에 대한 안사고(顔師古)의 주(注)에 말하였다. "대궐의 네 귀퉁이가 모두 방(房)이 됨을 말한 것이다. '방(房)'은 혹 '방(旁)'으로도 쓰니, 일설에는 '이 대궐을 지을 적에 애당초 명칭이 없었고 함양과의 거리가 가깝다 하여 우선 아방이라 이름했다.' 하였다." '방(房)'은 가깝다는 뜻으로 방사(房舍)라는 뜻과는 같지 않다.

房 곁 방 燬 불탈 훼

○ 陳止齋曰 杜牧之阿房賦는 非吳武陵이면 不重[95]이니라

진지재(陳止齋)가 말하였다. "두목(杜牧)의 〈아방궁부(阿房宮賦)〉는 오무릉(吳武陵)이 아니었으면 중함을 받지 못하였을 것이다."

○ 洪容齋曰 唐人作賦에 多以造語爲奇하니 杜牧阿房賦明星熒熒一節은 比興引喩如是其侈나 然楊敬之華山賦[96]在前하니 敍述尤壯이라 曰 見若咫尺이나 田千畝矣요 見若環堵나 城千雉矣요 見若杯水나 池百里矣요 見若蟻垤(의질)이나 臺九層矣라 醯(혜)鷄往來하니 周西東矣요 蠛蠓(멸몽)紛紛하니 秦速亡矣라 蜂窠聯聯하니 起阿房矣요 俄而復然하니 立建章矣라 小星奕奕하니 焚咸陽矣요 纍纍繭栗에 祖龍[97]藏矣라하니라 高彦休闕史云 敬之賦五千字가 唱在人口하니 賦之句如上數語는 杜司徒佑[98]와 李太尉德裕 常所誦이라하니라 牧之는 乃佑孫이니 則阿房賦는 實模倣楊作也니라

홍용재(洪容齋, 홍매(洪邁))가 말하였다.

"당나라 사람들은 부(賦)를 지을 적에 대부분 새로운 말을 지어내는 것을 기특하게 여겼으니, 두목지의 〈아방궁부〉에 '밝은 별이 빛난다[明星熒熒]'는 한 절(節)은 비(比)와 흥(興)으로 비유함이 이와 같이 화려하나 양경지(楊敬之)의 〈화산부(華山賦)〉가 이전에 있었는바, 서술함이 더욱 장대하다. 이 부(〈화산부〉)에 이르기를 '지척처럼 보이나 밭이 천묘(千畝)나 되고, 작은 담장처럼 보이나 성(城)

---

95 非吳武陵 不重: 오무릉(吳武陵)은 신주(信州) 사람이다. 원화(元和) 2년(807)에 진사에 급제하여 뒤에 태학박사(太學博士)가 되었는데, 예부 시랑(禮部侍郎) 최언(崔郾)이 진사(進士)들을 시험보일 적에 최언에게 말하기를 "군께서 천자를 위해 뛰어난 재주가 있는 사람을 구하고 계시니, 감히 유익한 것을 드립니다." 하고, 두목의 〈아방궁부〉를 바치고는 두목을 장원으로 뽑아줄 것을 청하였는데, 최언이 이미 사람을 뽑았다고 하여 결국 5등으로 급제하게 되었다.《新唐書 卷203 文藝列傳下 吳武陵》

96 楊敬之華山賦: 양경지(楊敬之)는 자(字)가 무효(茂孝)이고 원화(元和) 초년에 진사(進士)가 되어 호부낭중(戶部郎中), 대리경(大理卿), 공부 상서(工部尙書) 등을 역임하였다. 일찍이 〈화산부(華山賦)〉를 지어 한유(韓愈)에게 보였는데 칭찬을 받아 사림(士林)들이 많이 읽었고, 이덕유(李德裕)가 특히 높게 평가하였다.《新唐書 卷160 楊敬之列傳》

97 祖龍: '조'는 시(始)의 뜻이고, '룡'은 임금을 상징하는 말로, 시황(始皇)을 가리킨다.《사기》〈진시황본기(秦始皇本紀)〉에 "금년에 조룡이 죽을 것이다.[今年祖龍死]"라는 예언의 말에서 비롯되었다.

98 杜司徒佑: 두우(杜佑)는 자가 군경(君卿)으로 장안(長安) 사람이다. 당나라 덕종(德宗)·순종(順宗)·헌종(憲宗) 등 세 황제를 모시며 재상을 지냈다. 안녹산(安祿山)의 난이 있은 뒤라서 사회적·정치적으로 혼란하였으나 국가 재정을 잘 관리하여 부국안민(富國安民)에 전력하였다. 그러나 만년에 첩을 부인으로 삼았는데 당시 사람들이 흠으로 여겼다.《古今事文類聚 後集 卷16 人倫部 妾爲夫人》

··· 熒 빛날 형 蟻 개미 의 垤 개미둑 질 醯 육장 혜 蠛 하루살이 멸 蠓 하루살이 몽 窠 구멍 과 俄 갑자기 아 奕 빛날 혁 纍 연이어질 루 繭 고치 견

이 천치(千雉)나 되며, 잔의 물처럼 보이나 못이 백 리나 되고 개미집처럼 보이나 집이 구층(九層)이나 된다. 혜계(醯鷄, 초파리)가 왕래하는 듯하니 주(周)나라가 서쪽과 동쪽으로 나뉘어 졌고, 멸몽(蠛蠓, 하루살이)이 분분히 나는 듯하니 진(秦)나라는 속히도 망하였다. 벌집과 같은 기왓골이 이어지니 아방궁을 일으켰고 얼마 후 다시 이렇게 하여 건장궁(建章宮)을 건립하였다. 작은 별이 빛나고 빛나니 함양이 불타고, 옹기종기한 견율(繭栗, 무덤)에 조룡(祖龍, 진 시황)이 묻혔다.' 하였다. 고언휴(高彦休)의 《당궐사(唐闕史)》에 '양경지가 지은 5천 자의 부가 사람들의 입에 불리워지고 있으니, 부(賦)의 구(句) 가운데 위와 같은 몇 마디는 사도(司徒) 두우(杜佑)와 태위(太尉) 이덕유(李德裕)가 항상 외던 것들이다.' 하였다. 두목지는 바로 두우의 손자이니, 그렇다면 〈아방궁부〉는 실로 양경지의 〈화산부〉를 모방하여 지은 것이다."

• **原文**

六王畢하니 四海一[99]이요 蜀山兀하니 阿房出이라【起便作壯語.】覆(부)壓三百餘里하여 隔離天日이라 驪山이 北構而西折하여 直走咸陽하고 二川이 溶溶하여 流入宮墻이라 五步에 一樓요 十步에 一閣이라 廊腰縵廻하고 簷牙高啄하여 各抱地勢하여 鉤心鬪角하니 盤盤焉, 囷囷焉하여 蜂房水渦[100] 矗不知其幾千萬落이로다 長橋臥波하니 未(雩)[雲]何龍이며【龍星見(현)而雩, 非龍鳳之龍也, 牧元誤用, 後人因欲改雩爲雲.[101]】複道行空하니 不霽何虹가 高低冥迷하여 不知西東이라 歌臺暖響은 春光融融하고 舞殿冷袖는 風雨凄凄하여 一日之內와 一宮之間에 而氣候不齊라

육국(六國)의 왕이 모두 없어지니　六王畢

99　六王畢 四海一 : 육왕은 제(齊)·초(楚)·연(燕)·한(韓)·조(趙)·위(魏)의 여섯 나라의 왕으로, 여섯 나라가 모두 진(秦)나라에게 망하였음을 말한 것이고, 사해는 천하를 이르는바 천하가 통일되었음을 말한 것이다.

100　蜂房水渦 : 멀리서 천정(天井), 와구(瓦溝, 기왓골)를 바라봄에 마치 벌집 같고 웅덩이와 같음을 말한 것이다.

101　龍星見而雩……後人因欲改雩爲雲 : '미운하룡(未雲何龍)'은 원래 '미우하룡(未雩何龍)'으로 되어 있으며, 《춘추좌씨전(春秋左氏傳)》 환공(桓公) 5년의 '용현이우(龍見而雩)'를 원용(援用)한 것으로, 용은 용성(龍星) 곧 창룡칠수(蒼龍七宿)인 각(角)·항(亢)·저(氐)·심(心)·미(尾)·기(箕)를 이르고 우는 기우제(祈雨祭)로 음력 4월 용성이 나타나면 기우제를 지내는 것이라 한다. 저본 주에 "이는 저자인 두목이 '용현이우'를 잘못 원용한 것으로 후세 사람들은 우(雩)를 운(雲)으로 고치려 한다." 하였다. 실제로 후세의 제본(諸本)에는 '미운하룡'으로 쓰고 물결 위의 긴 다리를 용(龍)에 비유한 것으로 보는 견해가 많으므로 이를 따랐음을 밝혀둔다.

兀 우뚝할 올　溶 물흐를 용　墻 담 장　廊 행랑 랑　縵 두를 만　簷 처마 첨　啄 쪼을 탁
鉤 갈고리 구　囷 꼬불꼬불할 균　渦 웅덩이 와　矗 우뚝할 촉　霽 갤 제　虹 무지개 홍

사해(四海)가 통일되고 四海一
촉산(蜀山)의 나무가 모두 베어져 우뚝이 솟으니 蜀山兀
아방궁(阿房宮)이 나왔는데 阿房出

【기두(起頭)에 곧 웅장한 말을 하였다.】

삼백여 리를 뒤덮어 覆壓三百餘里
하늘의 해를 격리시켰다 隔離天日
여산(驪山)이 북쪽으로 얽히고 서쪽으로 꺾여 驪山北構而西折
곧바로 함양(咸陽)으로 달려오고 直走咸陽
두 강물(경수(涇水)와 위수(渭水))이 용용(溶溶)히 흘러 二川溶溶
궁장(宮墻)으로 들어온다 流入宮墻
오보(步)마다 한 누대가 있고 五步一樓
십보마다 한 고각(高閣)이 있다 十步一閣
긴 회랑은 에워 두르고 이리저리 굽어져 있고 廊腰縵廻
처마가 높이 솟아 새들이 부리로 쪼는 듯하여 簷牙高啄
각기 지형에 따라 各抱地勢
중심을 향해 굽어 있고 모서리는 싸우는 듯 맞서고 있으니 鉤心鬪角
건물들이 꺾어 돌고 서려있어 盤盤焉 囷囷焉
벌집과 같고 소용돌이와 같아 蜂房水渦
우뚝 솟아 오른 것이 몇 천만 개인지 알 지 못하겠다 矗不知其幾千萬落
긴 다리가 물결 위에 놓여 있으니 長橋臥波
구름도 없는데 무슨 용이며 未雲何龍

【'용성(龍星)이 나타나면 비가 내린다.'는 것은 '용봉(龍鳳)'의 용이 아닌데, 두목(杜牧)이 원래 잘못 사용하였으니, 후세에 사람들이 인하여 '우(雩)'를 '운(雲)'으로 고치고자 하였다.】

복도가 공중에 나 있으니 複道行空
날씨가 개지도 않는데 무슨 무지개인가 不霽何虹
높고 낮음이 아득하고 어두워 高低冥迷
서쪽과 동쪽을 분별할 수가 없다 不知西東
가대(歌臺, 노래 부르는 집)의 따뜻한 음악소리는 歌臺暖響
봄빛처럼 화락하고 春光融融

춤추는 집의 차가운 소매는 舞殿冷袖
비바람처럼 서늘하여 風雨淒淒
하루 안과 一日之內
한 궁궐 사이에도 一宮之間
기후가 똑같지 않다 而氣候不齊

妃嬪媵嬙(잉장)과 王子皇孫이 辭樓下殿하여 輦來于秦하여 朝歌夜絃하여 爲秦宮人이라 明星熒(형)熒은 開粧鏡也요 綠雲擾擾는 梳曉鬟(소효환)也요 渭流漲膩는 棄脂水也요 煙斜霧橫은 焚椒蘭也요 雷霆乍驚은 宮車過也니 轆轆遠聽하여 杳不知其所之也로다 一肌一容을 盡態極姸하여 縵立遠視而望幸焉이로되 有不得見者三十六年이라【始皇在位只三十六年.】

비빈(妃嬪)과 잉첩(媵妾)들과 妃嬪媵嬙
왕자(王子)와 황손(皇孫)들이 王子皇孫
자기 나라의 누(樓)와 전(殿)을 하직하고 내려와 辭樓下殿
연(輦)을 타고 진(秦)나라로 와서 輦來于秦
아침에 노래 부르고 저녁에 현악기를 타면서 朝歌夜絃
진나라의 궁인(宮人)이 되었다 爲秦宮人
밝은 별이 반짝임은 여인들이 화장하는 경대를 열어 놓음이요 明星熒熒 開粧鏡也
검은 구름이 뭉실뭉실함은 여인들이 새벽에 머리를 빗질함이요 綠雲擾擾 梳曉鬟也
위수에 기름이 떠있음은 여인들이 화장하는 기름물을 버렸기 때문이요
渭流漲膩 棄脂水也
내가 비껴있고 안개가 자욱함은 여인들이 산초(山椒)와 난초 향료를 태웠기 때문이요
斜霧橫 焚椒蘭也
우레인가 벼락인가 하고 별안간 놀람은 궁거(宮車)가 지나가기 때문이었으니
雷霆乍驚 宮車過也
수레소리가 덜커덩덜커덩 멀리 들림에 轆轆遠聽
아득하여 가는 바를 알 수 없다 杳不知其所之也
한 피부와 한 모양 一肌一容

媵 잉첩 잉 嬙 궁녀 장 輦 임금이타는수레 연 梳 빗질할 소 鬟 쪽 환 膩 기름 이
乍 별안간 사 轆 수레소리 록 杳 아득할 묘 縵 두를 만

자태를 극진히 하고 고움을 지극히 하여 盡態極姸
오랫동안 서서 멀리 바라보면서 황제가 행차(幸次)해 주기를 바랐으나 縵立遠視而望幸焉
황제의 얼굴을 바라보지도 못한 지가 36년이나 되는 자도 있었다 有不得見者 三十六年
【시황이 재위한 지가 다만 36년이었다.】

燕, 趙之收藏과 韓, 魏之經營과 齊, 楚之精英은 幾世幾年에 摽掠其人하여 倚疊如山이러니 一旦不能有하여【元作有不能, 晦菴云: "當作不能有."】輸來其間하니 鼎鐺玉石이요 金塊【元作瑰, 曾南豐云: "當作塊."】珠礫(력)하여 棄擲邐迆(기척리이)하니 秦人視之에 亦不甚惜이라

연(燕) · 조(趙)에서 수장(收藏)한 것과 燕趙之收藏
한(韓) · 위(魏)에서 경영한 것과 韓魏之經營
제(齊) · 초(楚)의 정영(精英, 진귀한 보배)은 齊楚之精英
몇 대와 몇 년 동안 幾世幾年
인민(人民)의 것을 약탈한 것으로 摽掠其人
쌓아놓기를 산처럼 하였었는데 倚疊如山
하루아침에 이것을 소유하지 못하고는 一旦不能有
【원래 '유불능(有不能)'으로 되어있는데, 회암(晦菴, 주자)은 "마땅히 '불능유(不能有)'가 되어야 한다." 하였다.】
이 사이로 실어오니 輸來其間
보배로운 솥을 냄비처럼 여기고 옥을 돌처럼 여기며 鼎鐺玉石
금을 흙덩이처럼 여기고 진주를 자갈처럼 여겨 金塊珠礫
【본래 '괴(瑰)'로 되어있는데, 증남풍(曾南豐, 증공(曾鞏))은 "마땅히 '괴(塊)'가 되어야 한다." 하였다.】
이리저리 땅에 버려져 있었는데 棄擲邐迆
진나라 사람들이 보고도 秦人視之
또한 심히 아까워하지 않았다 亦不甚惜

嗟乎라 一人之心은 千萬人之心也라 秦愛紛奢면 人亦念其家하나니【前述其侈, 此乃非之.】奈何取之盡錙銖하고 用之如泥沙하여 使負棟之柱 多於南畝之農夫하고 架

… 摽 노략질할 표 鐺 솥 쟁 礫 자갈 력 邐 연할 리 迆 연할 이 錙 저울눈 치 銖 저울눈 수

梁之椽이 多於機上之工女하며 釘頭磷磷이 多於在庾之粟粒하고 瓦縫參差(참치)가 多於周身之帛縷하며 直欄橫檻이 多於九土之城郭하고 管絃嘔啞가 多於市人之言語하여 使天下之人으로 不敢言而敢怒라 獨夫之心이 日益驕固러니 戍卒叫[102]에 函谷擧하고 楚人一炬에 可憐焦土[103]로다

아!	嗟乎
군주 한 사람의 마음은	一人之心
천만 사람의 마음이다	千萬人之心也
진나라의 군주가 화려하고 사치함을 좋아할진댄	秦愛紛奢
백성들 또한 그 집을 생각할 것인데	人亦念其家

【앞에서는 그 사치함을 말하고, 여기에서는 마침내 사치함을 비난하였다.】

어찌하여 취하기를 치수(錙銖, 작은 무게)까지 다하고	奈何取之盡錙銖
쓰기를 진흙과 모래처럼 여겨서	用之如泥沙
대들보를 지고 있는 기둥이 남쪽 이랑의 농부보다 많으며	使負棟之柱 多於南畝之農夫
들보를 메고 있는 서까래가 베틀 위의 공녀(工女)보다 많으며	架梁之椽 多於機上之工女
못머리가 즐비함이 창고에 있는 곡식알보다 많으며	釘頭磷磷 多於在庾之粟粒
기왓골의 어긋남이 몸을 두르고 있는 비단 올보다 많으며	瓦縫參差 多於周身之帛縷
세로나 가로로 댄 난간이 구토(九土, 구주(九州))의 성곽보다 많으며	直欄橫檻 多於九土之城郭
관악기와 현악기와 노래함이 시장 사람의 말소리보다 많게 하여	管絃嘔啞 多於市人之言語

102 戍卒叫: 진승(陳勝)과 오광(吳廣)을 가리킨 것으로, 진승은 진(秦)나라 양성(陽城) 사람으로 자(字)가 섭(涉)이며, 오광은 양하(陽夏) 사람으로 자가 숙(叔)이다. 진 이세(秦二世) 때에 진승과 오광이 수졸(戍卒)들을 거느리고 어양(漁陽)으로 수자리 살러 가다가 큰 비가 와서 길이 막혀 도착 시기를 놓쳤다. 진나라의 법은 시기를 놓치면 이유를 불문하고 목을 베게 되어 있었으므로 이들은 "지금은 도망가도 죽고 거사를 도모해도 죽을 것이니, 이러나저러나 죽을 바에야 거사하는 것이 낫다."라고 하고는 도위(都尉)를 죽이고 군대를 일으켜 진나라에 대항하니, 진나라의 학정(虐政)에 시달리던 백성들이 크게 동조하였다.《史記 卷48 陳涉世家》

103 楚人一炬 可憐焦土: 초(楚)나라 사람은 항우(項羽)를 가리킨 것으로, 항우는 이름이 적(籍)으로 초(楚)나라 장수 항연(項燕)의 손자이다. 진(秦)나라 말기에 숙부인 항량(項梁)과 함께 봉기하여 끝까지 항거한 양성(襄城)의 백성들을 도륙하고는 진나라의 도성 함양(咸陽)에 들어가 시황제의 무덤을 발굴하고 진왕(秦王) 자영(子嬰)을 죽였으며 아방궁에 불을 질렀다.《史記 卷7 項羽本紀》

椽 서까래 연 釘 못 정 磷 옥돌문채 린 庾 곳집 유 差 어긋날 치 縷 실오라기 루
欄 난간 란 檻 난간 함 嘔 노래할 구 啞 놀라는소리 아 函 함 함 炬 횃불 거

천하의 백성으로 하여금 감히 말하지 못하고 감히 노여워하지 못하게 하였다

使天下之人 不敢言而敢怒

그리하여 독부(獨夫, 폭군(暴君))의 마음이 날로 더욱 교만해지고 견고하더니

獨夫之心 日益驕固

수자리하러 가던 군사들이 고함침에 함곡관(函谷關)이 함락되고 戍卒叫 函谷擧

초(楚)나라 사람이 한번 횃불을 들어올림에 가련하게 초토가 되었다 楚人一炬 可憐焦土

嗚呼라 滅六國者는 六國也요 非秦也며 族秦者는 秦也요 非天下也라【孟子國必自伐之意.[104]】嗟夫라 使六國이 各愛其人이면 則足以拒秦이요 秦復愛六國之人이면 則遞二世하여 可至萬世而爲君이니 誰得而族滅也리오【卽賈生仁義不施之意.[105] 無此一段理致議論, 則文字太華麗而欠典實矣.】秦人이 不暇自哀而後人哀之하고 後人이 哀之而不鑑之하여 亦使後人而復哀後人也하나니라【末意規諷, 有感嘆悠長之味, 良可戒後來好土木之妖者云.】

아! 嗚呼

육국을 멸한 자는 육국 자신이었고 진나라가 아니었으며 滅六國者 六國也 非秦也

진나라의 삼족(三族)을 멸한 것은 진나라 자신이었고 천하가 아니었다

族秦者 秦也 非天下也

【《맹자》〈이루 상〉의 '나라가 반드시 스스로 공격한다.'는 뜻이다.】

아! 슬프다 嗟夫

가령 육국이 각기 그 인민을 사랑하였더라면 충분히 진나라에 항거할 수 있었고

使六國各愛其人 則足以拒秦

---

104 孟子國必自伐之意 : 《맹자》〈이루 상(離婁上)〉에 "사람은 반드시 스스로 자신을 업신여긴 뒤에 남이 그를 업신여기며, 집안은 반드시 스스로 자기 집안을 훼손한 뒤에 남이 그를 훼손하며, 나라는 반드시 스스로 자기 나라를 공격한 뒤에 남이 공격하는 것이다.〔夫人必自侮然後 人侮之 家必自毁而後 人毁之 國必自伐而後 人伐之〕"라고 보인다.

105 卽賈生仁義不施之意 : 가생(賈生)은 한(漢)나라 문제(文帝) 때의 학자이며 정치가인 가의(賈誼)를 가리킨 것으로, 그가 지은 〈과진론(過秦論)〉에 "진나라는 보잘 것 없는 옹주(雍州) 땅을 가지고 만승(萬乘)의 권세를 이룩하여 8주(州)를 점령하고 동렬(同列)들에게 조회 받은 지가 백여 년이나 되었다. 그런 뒤에 육합(六合)을 집으로 삼고 효산과 함곡관을 궁궐로 삼았는데, 한 필부(匹夫, 진승)가 난을 일으킴에 칠묘(七廟)가 무너지고 몸이 남의 손에 죽어서 천하의 웃음거리가 된 것은 어째서인가? 인의(仁義)를 베풀지 않고, 공격과 수비의 형세가 달랐기 때문이었다.〔秦以區區之地 致萬乘之權 招八州而朝同列 百有餘年矣 然後 以六合爲家 崤函爲宮 一夫作難 而七廟墮(隳) 身死人手 爲天下笑者 何也 仁誼(義)不施 而攻守之勢異也〕"라고 보인다.

진나라가 다시 육국의 인민을 사랑하였더라면 이세(二世)를 지나

秦復愛六國之人 則遞二世

만세에 이르도록 군주가 되었을 것이니　可至萬世而爲君

누가 삼족을 멸하겠는가　誰得而族滅也

【바로 가생(賈生)의 〈과진론(過秦論)〉에서 말한 '인의를 베풀지 않았다.'는 뜻이니, 이 한 단락의 이치와 의론이 없다면 문자가 너무 화려하여 전실(典實)함이 부족하게 된다.】

진나라 사람들은 스스로 슬퍼할 겨를이 없어 후세 사람들이 그를 슬퍼하고

秦人不暇自哀而後人哀之

후세 사람들은 그를 슬퍼하면서도 이것을 거울로 삼지 않아　後人哀之而不鑑之

또한 후세 사람들로 하여금 다시 후세 사람을 슬퍼하게 한다　亦使後人而復哀後人也

【끝의 뜻에 규간(規諫)하여 감탄하고 유장(悠長)한 맛이 있으니, 진실로 후세에 토목공사의 요망함을 좋아하는 자를 경계할 수 있다.】

조고전장문弔古戰場文

이화李華 하숙遐叔

• 작가소개

이화(李華, 약715~약766)는 자가 하숙(遐叔)으로, 당나라 조주(趙州) 찬황(贊皇)[106] 사람이다. 현종(玄宗) 개원(開元) 연간에 진사가 되고 천보(天寶) 연간에 감찰어사(監察御史)가 되었는데, 외압에 흔들리지 않고 간사한 자들을 탄핵하여 권신(權臣)의 미움을 받고 떠나갔다. 안사(安史)의 난에 협박을 받아 위직(僞職)을 받았고 반란이 평정된 뒤에 폄직되어 항주사호참군(杭州司戶參軍)이 되었다가 뒤에 사직하고 은거하였다. 관직은 이부 원외랑(吏部員外郞)에 이르렀다. 문장이 화려하였으며, 저서에 《이하숙집(李遐叔集)》이 있다.

• 작품개요

이 글은 안녹산(安祿山)과 사사명(史思明)의 난이 발발하기 3년 전인 당 현종(唐玄宗) 천보(天寶) 11년(752) 11월에 지어졌다. 당시 작자는 조정의 명을 받아 현재의 영하(寧夏) 영무(靈武) 일대의 군정(軍政)을 순안(巡按)하면서 변방의 황량한 사막과 풍설(風雪), 군졸들이 겪는 고통 등을 목격하게 되었다.

작중에는 옛 전장의 처량한 풍광을 묘사하고, 전쟁의 잔혹함과 이것이 백성에게 주는 고통을 보여주며, 인덕(仁德)으로 변방을 안정시킬 것을 간절히 바라고 있다. 문장은 전체적으로 변려체(騈儷體)의 형식을 취하여 대우(對偶)가 세련되고 정제되어 있으며, 자신의 감정을 경물(景物)에 기탁해

106 조주(趙州) 찬황(贊皇): 현재 하북성(河北省) 찬황현(贊皇縣)이다.

토로하고 음운에 있어 고저·기복과 휴지(休止)·곡절(曲折)이 조화를 이룬 훌륭한 작품이다.

이 글은 옛 전장에서 참혹한 전쟁을 회상하며 쓴 것으로, 전쟁은 곧 백성의 삶을 파괴하는 것임을 강조함으로써 위정자들이 반성하도록 하고 전사한 군졸들의 영혼을 위로하는 조문(弔文)인바, 《초사 구가(楚辭九歌)》 중 '국상(國殤)'의 계통에 속한다고 할 수 있다.

篇題小註·· 形容戰場悽慘之情이 溢於言意之表也라

싸움터의 처참한 정상을 형용함이 말뜻의 밖에 넘쳐흐른다.

• **原文**

浩浩乎平沙無垠하여 敻(형)不見人이라 河水縈帶하고 群山糾紛하니 黯兮慘悴하여 風悲日曛하고 蓬斷草枯하여 凜若霜晨하니 鳥飛不下하고 獸挺亡群이라 亭長[107]이 告余曰 此는 古戰場也라 嘗覆三軍하니 往往鬼哭하여 天陰則聞이니라 傷心哉라 秦歟아 漢歟아 將近代歟아

너르고 너른 평평한 모랫 벌이 끝없이 이어져	浩浩乎平沙無垠
아득히 멀어 사람이 보이지 않는다	敻不見人
하수(河水)는 띠처럼 둘러 있고	河水縈帶
여러 산들은 분분히 솟아 있다	群山糾紛
암담한 정경(情景)이 서글퍼	黯兮慘悴
바람은 슬피 울부짖고 햇빛은 흐리며	風悲日曛
쑥대는 꺾이고 풀은 말라서	蓬斷草枯

107 亭長: 진·한 시대 향촌에 10리마다 한 정(亭)을 설치하고 정장을 두어 치안을 담당하고 도적을 체포해 백성들의 일을 다스렸으며, 겸하여 나그네가 머무는 것을 관장하였는바, 성(城)에 설치한 도정(都亭), 성문에 설치한 문정(門亭)의 장(長)으로 정장이라 칭하였다. 당나라 때에는 상서성(尙書省)의 각부(各部)에 있는 도사(都事)와 주사(主事)의 아래에도 정장을 두어 상서성의 문을 여닫고 명령을 전달하는 사무를 맡았는바, 여기의 정장은 향촌에 있었던 하급관리를 가리킨 것으로 보인다.

••• 垠 땅끝 은 敻 멀 형 縈 두를 영 糾 얽힐 규 黯 어두울 암 悴 근심할 췌 曛 어스레할 훈 挺 달아날 정

으스스함이 서리가 내린 새벽과 같으니 凜若霜晨
새도 높이 날아 내려오지 않고 鳥飛不下
짐승도 달아나 무리를 잃는다 獸挺亡群
정장(亭長)이 나에게 말하기를 亭長告余曰
“여기는 옛날 싸움터인데 此古戰場也
일찍이 삼군(三軍)을 전멸시킨 곳입니다 嘗覆三軍
왕왕 귀신들이 흐느껴 울어서 往往鬼哭
날씨가 흐리면 들립니다.” 하였다 天陰則聞
아! 가슴 아프다 傷心哉
진대(秦代)인가 한대(漢代)인가 秦歟漢歟
아니면 근대(近代)인가 將近代歟

吾聞夫齊, 魏徭戍(요수)하고 荊, 韓召募하여 萬里奔走하고 連年暴露하여 沙草晨牧하고 河冰夜渡하니 地闊天長하여 不知歸路라 寄身鋒刃하니 腷臆(픽억)誰訴오 秦, 漢而還으로 多事四夷하니 中州耗斁(두)가 無世無之라 古稱戎夏 不抗王師러니 文教失宣하고 武臣用奇하니 奇兵은 有異於仁義하고 王道는 迂闊而莫爲라【孟子題辭.[108]】

내 들으니 제(齊) · 위(魏)에서는 군사들을 멀리 수자리 보내고 吾聞夫齊魏徭戍
형(荊, 초(楚)) · 한(韓)에서는 군사들을 불러 모집하여 荊韓召募
만 리 밖 전쟁터에 달려가고 萬里奔走
해마다 밖에서 노숙하여 連年暴露
사막의 풀을 새벽에 말에게 먹이고 沙草晨牧
황하의 얼음을 밤에 건너니 河冰夜渡
땅은 넓고 하늘은 길어서 地闊天長

108 孟子題辭: 조기(趙岐)의 〈맹자제사〉를 가리킨 것으로, 여기에 “맹자는 공자가 세상을 근심하여 천하를 두루 돌아다닌 것을 본받아 마침내 유학의 도로써 제후들에게 유세(遊說)하여 백성들을 구제하려고 생각하였다. 그러나 한 자를 굽혀 여덟 자를 펴고자 하지 않았기 때문에 당시의 제후들이 모두 그를 세상일에 우활하다고 생각하여 끝내 그의 말을 받아들이지 못했다.〔慕仲尼周流憂世 遂以儒道遊於諸侯 思濟斯民 然由不肯枉尺直尋 時君咸謂之迂闊於事 終莫能聽納其說〕”라고 보인다.

••• 徭 부역 요 腷 답답할 픽 臆 가슴 억 斁 패할 두 闊 넓을 활

돌아갈 길을 알지 못하였다	不知歸路
몸을 칼날에 맡기니	寄身鋒刃
답답한 속마음을 누구에게 하소연할까	腷臆誰訴
진(秦)·한(漢) 이후로는	秦漢而還
사이(四夷)에 종사(從事, 정벌)함이 많으니	多事四夷
중국의 소모와 무너짐이	中州耗斁
왕조마다 없는 적이 없었다	無世無之
옛날에는 오랑캐와 화하(華夏)에서	古稱戎夏
왕자(王者)의 군대에 항거하지 않는다고 말했었는데	不抗王師
문교(文敎)가 제대로 펴지지 못하고	文敎失宣
무신(武臣)들이 기병(奇兵)을 사용하였다	武臣用奇
기병(奇兵)은 인의(仁義)와 다르고	奇兵有異於仁義
왕도(王道)는 우활(迂闊)하다고 여겨 하지 않았다	王道迂闊而莫爲

【〈맹자제사(孟子題辭)〉에 보이는 내용이다.】

嗚呼噫嘻라 吾想夫北風振漠하고 胡兵伺便이어늘 主將驕敵하여 期門受戰이라 野竪旌旗하고 川回組練[109]하니 法重心駭하고 威尊命賤이라 利鏃穿骨하고 驚沙入面하니 主客相搏에 山川震眩하여 聲拆江河하고 勢崩雷電이라 至若窮陰凝閉에 凜冽海隅하니 積雪沒脛이요 堅冰在鬚라 鷙鳥休巢하고 征馬踟躕하니 繒纊無溫하여 墮指裂膚라 當此苦寒에 天假强胡하여 憑陵殺氣하여 以相翦屠라 徑截輜重하고 橫攻士卒하니 都尉新降하고 將軍復沒이라 屍塡巨港之岸하고 血滿長城之窟하여 無貴無賤히 同爲枯骨하니 可勝言哉아

아! 슬프다	嗚呼噫嘻
내 상상건대 북풍이 사막을 떨치고	吾想夫北風振漠
호병(胡兵)들이 기회를 엿보는데	胡兵伺便

109 組練: '조(組)'는 조갑(組甲)으로, 실이나 끈을 이용하여 가죽 또는 금속의 갑편(甲片)을 연결함을 이르며, '연(練)'은 연포(練袍)로 모두 전포(戰袍)를 가리킨다.

嘻 탄식할 희 竪 세울 수 鏃 화살촉 촉 拆 터질 탁 冽 찰 렬 脛 정강이 경 鷙 사나울 지
踟 머뭇거릴 지 躕 머뭇거릴 주 繒 비단 증 纊 솜 광 憑 달릴 빙 輜 짐수레 치
塡 메울 전

주장(主將)은 적을 업신여기고	主將驕敵
기문(期門, 군문(軍門))에서 적의 도전을 받아들였다	期門受戰
들에는 정기(旌旗)를 세워놓고	野豎旌旗
냇가에는 단단히 무장한 군사들을 둘러 세우니	川回組練
법이 엄중함에 군사들의 마음이 놀라고	法重心駭
장군의 위엄이 높음에 군사들의 목숨이 하찮다	威尊命賤
예리한 화살촉이 뼈를 뚫고	利鏃穿骨
날리는 모래가 얼굴로 들이치니	驚沙入面
주병(主兵)과 객병(客兵)이 서로 공격함에	主客相搏
산천이 진동하고 현란하여	山川震眩
소리는 강하(江河)가 터지는 듯하고	聲拆江河
세(勢)는 천둥과 번개가 무너지는 듯하였다	勢崩雷電
궁음(窮陰, 한겨울)에 응폐(凝閉)됨에	至若窮陰凝閉
바다 모퉁이에 날씨가 매우 차가우니	凜冽海隅
쌓인 눈에 정강이가 파묻히고	積雪沒脛
단단히 얼어붙은 고드름이 수염에 달려있다	堅冰在鬚
사나운 새들은 둥지에서 쉬고	鷙鳥休巢
길가는 말들도 머뭇거리니	征馬踟躕
비단과 솜도 따뜻하지 못하여	繒纊無溫
〈동상으로〉 손가락이 떨어지고 피부가 갈라진다	墮指裂膚
이 괴로운 추위를 당함에	當此苦寒
하늘이 강한 오랑캐에게 기회를 빌려주어	天假强胡
살기(殺氣)를 등등히 하여	憑陵殺氣
서로 무찔러 도륙을 한다	以相翦屠
지름길로 치중대(輜重隊)를 차단하며	徑截輜重
멋대로 사졸(士卒)들을 공격하여	橫攻士卒
도위(都尉)가 막 항복하고	都尉新降
장군이 다시 전몰(戰歿)하니	將軍復沒
시신이 큰 항구의 강안을 메우고	屍塡巨港之岸

피가 장성(長城)의 굴에 가득하여 血滿長城之窟
귀한 자와 천한 자를 막론하고 無貴無賤
똑같이 마른 해골이 되었다 同爲枯骨
아! 참혹함을 이루 다 말할 수 있겠는가 可勝言哉

鼓衰兮力盡이요 矢竭兮弦絕이라 白刃交兮寶刀折이요 兩軍蹙兮生死決이라 降矣哉아 終身夷狄이요 戰矣哉아 骨暴沙礫이로다 鳥無聲兮山寂寂이요 夜正長兮風淅(석)淅이라 魂魄結兮天沈沈이요 鬼神聚兮雲冪(멱)冪이라 日光寒兮草短이요 月色苦兮霜白하니 傷心慘目이 有如是耶아

북소리가 쇠진하니 힘이 고갈되고 鼓衰兮力盡
화살촉이 다하니 활시위도 끊기었다 矢竭兮弦絕
흰 칼날이 엇갈리고 보도(寶刀)가 부러지니 白刃交兮寶刀折
양군(兩軍)이 바짝 다가가 생사가 결판난다 兩軍蹙兮生死決
항복하자니 종신토록 이적(夷狄)이 될 것이요 降矣哉 終身夷狄
싸우자니 해골이 모래와 자갈 위에 드러나리로다 戰矣哉 骨暴沙礫
새들도 울지 않아 산이 적막하고 鳥無聲兮山寂寂
밤이 길어 바람만이 차갑게 불도다 夜正長兮風淅淅
혼백이 맺히니 하늘은 침침하고 魂魄結兮天沈沈
귀신이 모이니 구름도 캄캄하다 鬼神聚兮雲冪冪
햇빛이 차가워 풀도 자라지 못하고 日光寒兮草短
월색(月色)만 쓸쓸히 비춰 서리만 희게 내리니 月色苦兮霜白
마음에 서글프고 눈에 참담함이 傷心慘目
이와 같은 것이 또 있겠는가 有如是耶

吾聞之하니 牧用趙卒하여 大破林胡하고 開地千里하여 遁逃匈奴[110]러니 漢傾天下하

110 牧用趙卒……遁逃匈奴 : 이목(李牧)은 조(趙)나라 북변(北邊)의 명장이며, 임호(林胡)는 북방의 흉노족이다. 이목이 오랜 기간 대군(代郡)과 안문(雁門)에서 흉노를 방어하니, 10년 동안 흉노족이 조나라 변방을 침입하지 못하였다.《史記

••• 蹙 닥칠 축 礫 자갈 력 淅 눈비소리 석 冪 덮을 멱

여 財殫力痡(부)하니 任人而已라 其在多乎아 周逐獫狁(험윤)하여 北至太原하고 旣城朔方하여 全師而還[111]하여 飮至策勳하여【左隱公五年: "三年而治兵, 入而振旅, 歸而飮至, 以數軍實."[112]】和樂且閑하니 穆穆棣棣하여 君臣之間이러니 秦起長城하여 竟海爲關하여 荼毒生靈하여 萬里朱殷이라【左成公二年: "左輪朱殷." 注: "朱血色, 久則殷."】漢擊匈奴하여 雖得陰山이나 枕骸遍野하여 功不補患이라

내 들으니	吾聞之
이목(李牧)은 조(趙)나라 병졸을 이용하여	牧用趙卒
임호(林胡)를 대파하고	大破林胡
땅을 천 리나 개척하여	開地千里
흉노(匈奴)를 도망가게 하였는데	遁逃匈奴
한(漢)나라는 천하의 힘을 기울여	漢傾天下
재정이 고갈되고 힘이 다하였으니	財殫力痡
사람(장수)을 맡김에 달려 있을 뿐이다	任人而已
병력이 많음에 달려있겠는가	其在多乎
주(周)나라는 험윤(獫狁, 흉노)을 축출하여	周逐獫狁
북쪽으로 태원(太原)에 이르고는	北至太原
마침내 삭방(朔方)에 축성하고	旣城朔方
군대를 온전히 보전하여 돌아왔다	全師而還
종묘에 이르러 술을 마시고 공훈을 기록함에	飮至策勳

【《춘추좌씨전》 은공(隱公) 5년에 "3년마다 치병(治兵)하고, 치병을 마친 뒤에 국도로 들어와 진려(振旅)하고 종묘에 귀환(歸還)을 고한 다음 음지(飮至)하고서 군실(軍實)을 점검했다." 하였다.】

卷81 廉頗藺相如列傳》

111 周逐獫狁……全師而還: 험윤은 북적(北狄)인 흉노로, 성왕(成王)과 강왕(康王)이 별세한 뒤로 주(周)나라 왕실(王室)이 점점 쇠미해지자 험윤이 경읍(京邑) 가까이 쳐들어왔다. 선왕(宣王) 때 윤길보(尹吉甫)를 명하여 험윤을 정벌하게 하였는데, 윤길보가 이들을 쫓아 태원(太原)에 이르러 축출하고 공을 세우고 돌아와 잔치를 벌였다. 《시경》 〈소아(小雅) 유월(六月)〉에 "잠깐 험윤을 정벌하여 태원에 이르니 문무겸전(文武兼全)한 길보여 만방(萬邦)이 법으로 삼도다.〔薄伐玁狁 至于太原 文武吉甫 萬邦爲憲〕"라고 보인다.

112 入而振旅……以數軍實: '진려(振旅)'는 군대를 정돈하여 회군하는 것이고, '음지(飮至)'는 국도로 돌아온 다음 장병들에게 술을 마시게 하는 것이고, '군실(軍實)'은 군대의 군수물자 등을 이른다.

··· 痡 고달플 부 獫 오랑캐 험 狁 오랑캐 윤 棣 한가할 체 荼 씀바귀 도 殷 검붉을 은 遍 두루미칠 변

화락하고 또 한가로우니 和樂且閑
목목(穆穆, 공경함)하고 체체(棣棣, 위의(威儀)가 있음)하여 穆穆棣棣
군신(君臣)간에 즐거웠는데 君臣之間
진나라는 만리장성(萬里長城)을 일으켜 秦起長城
바다 끝까지 관문으로 만들어 竟海爲關
생령(生靈, 백성)들에게 도독(荼毒, 피해)을 입혀 荼毒生靈
만 리를 피로 물들였다 萬里朱殷

【《춘추좌씨전》 성공(成公) 2년에 "수레의 왼쪽 바퀴를 붉게 물들였다." 하였는데, 주(注)에 "'주(朱)'는 핏빛이니, 핏빛이 오래되면 검붉게 변한다." 하였다.】

한나라는 흉노를 공격하여 漢擊匈奴
비록 음산(陰山)을 얻었으나 雖得陰山
서로 베고 있는 해골들이 들에 가득하여 枕骸遍野
공(功)이 폐해를 보상하지 못하였다 功不補患

蒼蒼烝民이 誰無父母오 提携捧負하여 畏其不壽라 誰無兄弟오 如足如手하며 誰無夫婦오 如賓如友라 生也何恩이며 殺之何咎오 其存其沒을 家莫聞知라 人或有言이면 將信將疑하여 悁悁心目하여 寢寐見之라 布奠傾觴하여 哭望天涯하니 天地爲愁하고 草木凄悲라 弔祭不至하여 精魂無依하니 必有凶年하여 人其流離로다 嗚呼噫嘻라 時耶아 命耶아 從古如斯하니 爲之奈何오 守在四夷하니라【左傳全句.[113]】

수많은 백성들이 蒼蒼烝民
누가 부모가 없겠는가 誰無父母
어릴 적에 손을 잡아주고 껴안고 등에 업고는 提携捧負
혹시나 장수(長壽)하지 못할까 두려워한다 畏其不壽
누가 형제가 없겠는가 誰無兄弟

113 左傳全句 : 《춘추좌씨전》 노 소공(魯昭公) 23년에 "옛날에 천자는 수위(守衛)하는 일이 사방의 만이국(蠻夷國)에 있었는데 천자의 권위(權威)가 낮아지면서 수위하는 일이 제후국에 있었고, 제후는 수위하는 일이 사방의 이웃 나라에 있었는데 제후의 권위가 낮아지면서 수위하는 일이 사방의 국경에 있었다.〔古者 天子守在四夷 天子卑 守在諸侯 諸侯守在四鄰 諸侯卑 守在四竟〕"라고 보인다.

••• 烝 많을 증 捧 받들 봉 悁 근심할 연

서로 수족(手足)처럼 여기며	如足如手
누가 부부(夫婦)가 없겠는가	誰無夫婦
서로 손님과 같이 여기고 벗과 같이 여긴다	如賓如友
삶은 무슨 은혜가 있어서이며	生也何恩
죽음은 무슨 잘못이 있어서인가	殺之何咎
그 생존과 죽음을	其存其沒
집안사람들이 들어 알지 못한다	家莫聞知
그리하여 사람들이 혹 이에 대한 말을 하면	人或有言
반신반의해서	將信將疑
마음과 눈에 근심하고 번민하여	悁悁心目
꿈 속에서나 만나본다	寢寐見之
제물(祭物)을 진열하고 술잔을 기울여	布奠傾觴
통곡하며 하늘가를 바라보니	哭望天涯
천지도 슬퍼하는 듯	天地爲愁
초목도 슬퍼하는 듯	草木淒悲
위로하는 제사가 이르지 않아	弔祭不至
정혼(精魂)들이 의지할 곳이 없으니	精魂無依
반드시 흉년이 들어	必有凶年
인민들이 유리(流離)하리로다	人其流離
아! 슬프다	嗚呼噫嘻
시운(時運)인가 천명(天命)인가	時耶命耶
예부터 이와 같았으니	從古如斯
어찌한단 말인가	爲之奈何
나라를 지킴은 사이(四夷)를 잘 대처하는 데 있느니라	守在四夷

【《춘추좌씨전》 소공(昭公) 23년의 구를 완전히 사용하였다.】

농강천표瀧岡阡表

구양수歐陽脩

嗚呼라 惟我皇考崇公을 卜吉于瀧岡之六十年에 其子脩始克表於其阡하니 非敢緩也요 蓋有待也라 脩不幸生四歲而孤한대 太夫人이 守節自誓하여 居窮에 自力於衣食하여 以長以教하여 俾至于成人이라 太夫人이 告之曰 汝父爲吏에 廉而好施與하며 喜賓客하여 其俸祿雖薄이나 常不使有餘하시고 曰 毋以是爲我累라하시니 故其亡也에 無一瓦之覆, 一壠之植하여 以庇而爲生하니 吾何恃而能自守邪아 吾於汝父에 知其一二하여 以有待於汝也로라 自吾爲汝家婦로 不及事吾姑나 然知汝父之能養也로라 汝孤而幼하니 吾不能知汝之必有立이나 然知汝父之必將有後也로라 吾之始歸也에 汝父免於母喪이 方逾年이라 歲時祭祀에 則必涕泣하여 曰 祭而豐이 不如養之薄也라하고 間御酒食이면 則又涕泣曰 昔常不足이러니 而今有餘나 其何及也리오하시니라 吾始一二見之하여 以爲新免於喪하여 適然耳러니 旣而其後常然하여 至其終身에 未嘗不然이라 吾雖不及事姑나 而以此知汝父之能養也로라 汝父爲吏에 嘗夜燭治官書라가 屢廢而歎이어늘 吾問之한대 則曰 此死獄也라 我求其生이나 不得爾로라 吾曰 生可求乎아 曰 求其生而不得이면 則死者與我 皆無恨也니 矧求而有得邪아 以其有得이면 則知不求而死者有恨也라 夫常求其生이라도 猶失之死어늘 而世常求其死也라하고 回顧乳者抱汝而立于旁하시고 因指而歎曰 術者謂我歲行在戌에 將死라하니 使其言然이면 吾不及見兒之立也리라 後當以我語告之하라하시니라 其平居敎他子弟에 常用此語하니 吾耳熟焉이라 故能詳也로라 其施於外事는 吾不能知나 其居于家는 無所矜飾而所爲如此하시니 是眞發於中者邪인저 嗚呼라 其心厚於仁者邪인저 此吾知汝父之必將有後也니 汝其勉之하라 夫養不必豐이니 要於孝요 利雖不得溥於物이나 要其心之厚於仁이라 吾不能教汝하니 此汝父之志也라하여시늘 脩泣而志之하야 不敢忘이로라

오호라! 우리 황고(皇考) 숭공(崇公)을 농강(瀧岡)에 안장한 지 60년 만에 그 아들 수(脩)가 비로소 그 묘도에 묘표를 세우니, 그 이유는 감히 늦춘 것이 아니라, 때를 기다림이 있어서였다.

내〔脩〕가 불행하게도 태어난 지 4년에 부친을 여의었는데, 태부인(모친)께서는 수절할 것을 스스로 맹세하시고, 집안 살림이 곤궁하였으나 자력으로 의식(衣食)을 마련하여 나를 길러주시고 가르쳐주시어 성인(成人)이 되게 해주셨다. 태부인께서는 다음과 같이 말씀하셨다.

"너의 선친은 관직에 계실 때 청렴하고 베풀기를 좋아하셨으며 빈객을 접대하기를 좋아하셨다. 녹봉은 비록 적었으나 항상 남는 것이 없게 하시며, '이것(녹봉) 때문에 나에게 누를 끼치지 마시오.' 라고 하셨다. 그러므로 돌아가셨을 때 한 장의 기와로 지붕을 덮을 만한 집과 곡식을 심을 만한 한 뙈기의 땅조차 없었으니, 내가 무엇을 믿고 수절할 수 있었겠느냐? 내가 너의 선친에 대해 한두 가지를 알고 너에게 기대함이 있었기 때문이다.

내가 구양씨 가문의 며느리가 된 뒤로 미처 시어머니를 모시지는 못하였지만, 너의 선친이 시어머니를 잘 봉양하신 것을 알고 있다. 네가 어린 나이에 부친을 여의었으니, 네가 반드시 공명(功名)을 세울지는 알 수 없지만, 너의 선친이 반드시 훌륭한 후사(後嗣)를 두게 될 줄은 알았다. 내가 처음 시집왔을 때는 너의 선친이 모친상을 마친 지 막 한 해가 넘은 시점이었다. 세시(歲時)의 제사 때가 되면 너의 선친은 반드시 눈물을 흘리시면서 말씀하시기를 '〔돌아가신 뒤에〕 제사를 풍성하게 올리는 것은 〔살아계실 때〕 변변찮게 봉양하는 것만 못하다.' 라고 하시고, 간혹 술과 음식을 드실 때면 또 눈물을 흘리면서 말씀하시기를 '옛날에는 항상 부족했는데, 지금은 여유가 있지만 어떻게 모친에게 드릴 수 있겠소.' 라고 하셨다. 내가 처음에는 한두 번 이런 광경을 보고 갓 탈상한 뒤라서 당연한 일이라고 생각했다. 그런데 그 뒤에도 항상 이렇게 하시면서 돌아가실 때까지 그렇게 하지 않은 적이 없으셨다. 내가 비록 미처 시어머니를 모시지는 못했지만 이러한 일을 통해 너의 선친께서 모친을 잘 봉양하셨음을 알게 되었다.

그리고 너의 선친께서 관직 생활을 하실 적에 일찍이 밤에 촛불을 밝히고 문서를 처리하시다가 여러 차례 중지하고 탄식하셨다. 내가 그 연유를 물으니 말씀하시기를 '이것은 사형수의 옥안(獄案, 사건)이오. 내가 죄인의 목숨을 살려주려고 하는데 방법이 없소.' 라고 하셨다. 내가 '살려줄 방법을 찾을 수도 있습니까?' 라고 묻자, 말씀하시기를 '살려줄 방법을 찾다가 찾을 수 없는 경우에는 죽는 자와 내가 모두 여한이 없는데, 하물며 방법을 찾을 수 있는 경우이겠소? 살려줄 방법을 찾을 수 있다면 방법을 찾아보지 못하고 죽는 자는 유감이 있을 것임을 알 수 있소. 항상 살려줄 방법을 찾더라도 오히려 잘못하여 죽이는 경우가 있는데 세상에서는 항상 죄인을 죽일 방법만 찾는구려.' 라고 하셨다.

그리고는 젖을 먹이는 유모가 너를 끌어안고 옆에 서 있는 것을 돌아보시고 손가락으로 가리키며 탄식하시기를 '내가 술(戌)이 들어가는 해가 오면 장차 죽을 것이라고 술사(術士)가 말하였으니, 만일 그 말이 맞는다면 나는 이 아이가 성장하는 것을 미처 보지 못할 것이오. 뒷날 내 말을 이 아이에게 고해주어야 하오.'라고 하셨다. 평소 남의 자제를 가르치실 때에도 항상 이 말씀을 하셔서 내가 귀에 익숙하므로 상세하게 말할 수 있는 것이다.

바깥일을 어떻게 하셨는지는 내가 알 수 없지만 집에 계실 때에는 겉으로 꾸미는 것이 없이 이와 같이 행동하셨으니, 이는 참으로 마음에서 발현된 것이리라. 아아! 그 마음이 인후(仁厚)하셨던 것이 아니겠느냐. 이로 인해 내가 너의 선친이 반드시 훌륭한 후사를 두게 될 줄을 알았으니, 너는 힘쓰도록 하여라. 봉양은 굳이 풍족하게 하지 않아도 되니 효성스럽게 하는 것이 중요하고, 이익을 비록 백성들에게 널리 베풀지는 못하더라도 그 마음이 인후한 것이 중요하다. 나는 너를 제대로 가르칠 수 없으니, 이것은 너의 선친의 뜻이다."

내가 울면서 그 말씀을 가슴에 새겨 감히 잊지 못하였다.

先公이 少孤力學하여 咸平三年에 進士及第하여 爲道州判官、泗、綿二州推官하고 又爲泰州判官하니 享年五十有九라 葬沙溪之瀧岡하다 太夫人은 姓鄭氏요 考諱德儀니 世爲江南名族이라 太夫人은 恭儉仁愛而有禮라 初封福昌縣太君하고 進封樂安, 安康, 彭城三郡太君하다 自其家少微時로 治其家以儉約이러니 其後常不使過之하사 曰 吾兒不能苟合於世하니 儉薄은 所以居患難也라하시니라 其後에 脩貶夷陵에 太夫人言笑自若하사 曰 汝家故貧賤也라 吾處之有素矣니 汝能安之면 吾亦安矣라하시니라

선공(先公)은 어려서 부친을 여의고 학문에 힘써 함평(咸平) 3년(1000)에 진사에 급제하여 도주 판관(道州判官), 사주(泗州)와 면주(綿州)의 추관(推官)이 되었고 다시 태주 판관(泰州判官)이 되셨으니, 향년이 59세였다. 사계(沙溪)의 농강(瀧岡)에 장사지냈다. 태부인은 성이 정씨(鄭氏)이고 부친의 휘는 덕의(德儀)이니 대대로 강남의 명문가였다. 태부인께서는 공검(恭儉)하고 인애로우시며 예가 있으셨다. 처음 복창현 태군(福昌縣太君)에 봉해지시고 낙안(樂安) · 안강(安康) · 팽성(彭城) 세 군의 태군(太君)에 진봉(進封)되셨다.

태부인께서는 집이 한미할 때부터 검약으로 집안을 다스리셨는데, 그 뒤 항상 넘치지 않도록 하시면서 말씀하시기를 "우리 아이는 세상에 구차하게 영합할 수 없으니 검소함은 환난에 대처하는 방법이다." 하셨다. 그 후 내가 이릉(夷陵)으로 좌천되자 태부인께서 태연자약하여 말씀하시고 웃으

시면서 "너희 집안은 예로부터 빈천하였다. 나는 가난에 익숙하니, 네가 편안하다면 나 또한 편안하다." 하셨다.

自先公之亡二十年에 脩始得祿而養하고 又十有二年에 列官于朝하여 始得贈封其親하고 又十年에 脩爲龍圖閣直學士, 尙書吏部郎中、留守南京한대 太夫人以疾終于官舍하시니 享年七十有二라 又八年에 脩以非才로 入副樞密하여 遂參政事하고 又七年而罷하다 自登二府로 天子推恩하사 褒其三世하시니 蓋自嘉祐以來로 逢國大慶이면 必加寵錫이라 皇曾祖府君은 累贈金紫光祿大夫 太師 中書令하고 曾祖妣는 累封楚國太夫人이요 皇祖府君은 累贈金紫光祿大夫 太師 中書令 兼尙書令하고 祖妣는 累封吳國太夫人이요 皇考崇公은 累贈金紫光祿大夫 太師 中書令 兼尙書令하고 皇妣는 累封越國太夫人이라 今上初에 郊할새 皇考는 賜爵爲崇國公하고 太夫人은 進號魏國이라

선공(先公)께서 돌아가신 지 20년에 내가 처음으로 관직을 얻어 모친을 봉양하고, 또 12년이 지나서 조정의 반열에 서게 되어 비로소 부친께 증직과 봉작(封爵)이 내려졌다. 또 10년이 지나서 내가 용도각 직학사(龍圖閣直學士) 상서 이부랑중(尙書吏部郎中) 남경 유수(南京留守)가 되었는데, 태부인께서 병으로 관사에서 돌아가시니, 향년이 72세였다. 또 8년이 지나 내가 재주 없는 몸으로 추밀원 부사(樞密院副使)가 되어 마침내 참지정사(參知政事)가 되었고 또 7년이 지나 파직되었다. 중서성(中書省)과 추밀원(樞密院) 두 부의 직임에 오르고 나서 천자가 추은(推恩)하여 3대의 조상을 포증(褒贈, 표창하여 추증함)하셨는데, 이는 가우(嘉祐) 이래로 나라에 큰 경사가 있을 때 반드시 특별한 은총을 더해준 것이었다.

황증조부군(皇曾祖府君)은 여러 차례 증직되어 금자광록대부 태사 중서령(金紫光祿大夫太師中書令)이 되셨고, 증조비(曾祖妣)는 여러 차례 봉해져 초국태부인(楚國太夫人)이 되셨다. 황조부군(皇祖府君)은 여러차례 증직되어 금자광록대부(金紫光祿大夫) 태사 중서령(太師中書令) 겸상서령(兼尙書令)이 되셨고, 조비(祖妣)는 여러 차례 봉해져 오국태부인(吳國太夫人)이 되셨다. 황고 숭공(皇考崇公)은 여러 차례 증직되어 금자광록대부 태사 중서령 겸상서령(金紫光祿大夫太師中書令兼尙書令)이 되셨고, 황비(皇妣)는 여러 차례 봉해져 월국태부인(越國太夫人)이 되셨다. 지금 황제의 즉위 초에 교사(郊祀)를 지낼 때 황고(皇考)는 숭국공(崇國公)의 작위가 내려지고 태부인(太夫人)은 위국태부인(魏國太夫人)으로 진봉되셨다.

於是에 小子脩泣而言曰 嗚呼라 爲善無不報而遲速有時하니 此理之常也라 惟我祖考積善成德하시니 宜享其隆이라 雖不克有於其躬이나 而賜爵受封하여 顯榮褒大하여 實有三朝之錫命하니 是足以表見於後世而庇賴其子孫矣라 乃列其世譜하여 具列于碑하고 旣又載我皇考崇公之遺訓과 太夫人之所以敎而有待於脩者하여 竝揭于阡하여 俾知夫小子脩之德薄能鮮이 遭時竊位하여 而幸全大節하여 不辱其先者 其來有自하노라

이에 소자 수가 울면서 말한다.

"오호라! 선을 행함에 보답 받지 못함이 없으나 그 시기의 늦고 빠름이 있으니, 이는 당연한 이치이다. 우리 할아버지와 아버지께서는 선을 쌓고 덕을 이루셨으니, 융숭히 보답 받아야 마땅하다. 비록 〈살아생전에〉 직접 보답을 받지는 못하셨으나 〈돌아가신 뒤에〉 작위와 봉호를 받아 매우 영광스럽게 칭양(稱揚)되어 실로 세 조정으로부터 증직의 명을 받으셨으니, 이는 후세에 드러내어 그 자손들이 보호를 받고 은덕을 입기에 충분한 것이다. 이에 그 세보(世譜)를 열서(列書)하여 모두 비석에 새기고, 또 황고 숭공의 유훈과 태부인께서 가르치시어 나에게 기대했던 말씀을 비석에 새겨 아울러 묘도에 세워, 덕이 작고 재능이 부족한 소자가 좋은 시절을 만나 과분한 자리를 차지하고서 다행히 대절을 온전히 하여 선조를 욕되게 하지 않는 것이 유래가 있음을 알게 한다."

熙寧三年歲次庚戌四月辛酉朔十有五日乙亥에 男推誠保德崇仁翊戴功臣 觀文殿學士特進行兵部尚書 知青州軍州事 兼管內勸農使 充京東東路安撫使 上柱國 樂安郡開國公食邑四千三百户 食實封一千二百户脩는 表하노라

희령(熙寧) 3년(1070) 세차 경술년(歲次庚戌年) 신유삭(辛酉朔) 4월 15일 을해(乙亥)에 아들 추성보덕숭인익대공신(推誠保德崇仁翊戴功臣) 관문전 학사(觀文殿學士) 특진 행병부상서(特進行兵部尚書) 지청주군주사(知青州軍州事) 겸관내권농사(兼管內勸農使) 충경동동로안무사(充京東東路安撫使) 상주국 낙안군개국공(上柱國樂安郡開國公) 식읍 4,300호, 실제 봉해진 식읍 1,200호인 수(脩)는 묘표를 쓴다.

발문

성백효 선생이 이미 현토완역한 《고문진보후집》에 소주(小註)와 작자 소개, 작품 소개를 추가하고 주석과 자의(字義)를 대폭 보완하였으며 한자를 괄호안에 넣은 최신판 개정본이 출간을 맞게 되었다. 우리 동호인들이 서로 모여 동양 고전을 공부하기로 하고 선생을 모시고 《논어집주》를 강독하였으며 우리들의 모임을 과우회(寡尤會)라고 이름한 지가 20년이 지났다. 그 동안 선생의 사유(思惟)가 담긴 사서-삼경을 발간하자는 취지하에 사단법인 해동경사연구소를 설립하고 과우회 역시 구인회(求仁會)라는 이름으로 바꾸어 회원을 널리 모아 강독해 온 지도 벌써 15년의 세월이 흘렀다.

본인은 《주역전의(周易傳義)》의 강독을 끝으로 꽤 오랫동안 강독회에 참여하지 못하였다. 더구나 회사의 대표직을 맡다 보니, 잡무가 많아서 도저히 시간을 낼 수 없으므로 그저 꾸준히 강독하시는 여러분을 멀리서 동경하며 부러워할 뿐이었다. 《고문진보》는 예전에도 번역본을 통하여 몇 편 읽어본 적이 있다. 주옥같은 명문장에 매료되었던 기억이 생생하다. 특히 도연명(陶淵明)의 〈귀거래사(歸去來辭)〉가 요즘 자주 떠오른다. 사실 이 글을 읽던 당시에는 난세에 태어난 은자(隱者)의 심정을 이해(동정)하는 데 불과하였다. 그러나 나이가 들면서 세속의 일에 빠져 허우적거리는 자신을 바라볼 때면 삶의 영욕을 훌훌 털어버리고 〈귀거래사〉를 읊으며 시골로 돌아가는 도연명을 더욱 우러러보며 "실로 길을 잃었으나 멀리 가지 않았으니, 어제의 벼슬살이는 잘못이고 오늘의 떠나감은 옳다.[實迷途其未遠 覺今是而昨非]"라는 구절이 다시금 머리에 떠올리고는 한다. 그러나 너무 멀리 떠나가서 다시는 되돌아올 수 없는 자신을 돌이켜 봄에 서글픈 생각을 금할 길 없다.

더구나 우리의 전통문화가 단절되고 도덕이 땅에 떨어져 예의염치가 송두리째 사라진 작금의 세태를 보면서 우리 후손들에게 무엇을 보여 주어야 할지 자괴감을 금할 수 없다.

춘추시대 제(齊)나라의 명재상인 관중(管仲)은 그의 저서인 《관자(管子)》에서 "예(禮)·의(義)·염(廉)·치(恥) 이것을 사유(四維)라 하니, 사유가 제대로 펼쳐지지 못하면 나라가 마침내 멸망한다.〔禮義廉恥 是謂四維 四維不張 國乃滅亡〕"라고 강조하였다. 사유는 하늘과 땅을 붙들어 주는 네 개의 큰 동아줄이라는 뜻이다. 세계가 모두 황금만능주의에 빠져 있는데, 그 중에도 '예의동방'이라던 우리나라가 더욱 심한 것 같아 장래의 세태가 염려스럽다. 참으로 두려운 마음 억누를 길이 없다.

원로 한학자가 거의 모두 별세한 이때 성백효 선생이 더욱 건강하시어 고전의 명맥을 이어주시기 바라며 우리 모두 옛 명문장을 열심히 읽고 사람다운 사람이 되어 올바른 세상을 이끌어가는 역군이 되어야겠다. 하루빨리 세속의 짐을 벗어놓고 동학들과 함께 선생의 강의를 열심히 들을 것을 다짐한다.

2021년 1월

김 성 진(金成珍)

해동경사연구소 이사, 법무법인 태평양 대표

역자 | 성백효(成百曉)

충남(忠南) 예산(禮山)에서 태어나셨다. 가정에서 부친 월산공(月山公)으로부터 한문을 수학하셨고, 월곡(月谷) 황경연(黃璟淵), 서암(瑞巖) 김희진(金熙鎭) 선생으로부터 사사했다.

민족문화추진회 부설 국역연수원 연수부 수료, 고려대학교 교육대학원 한문교육과를 수료하였고, 현재 한국고전번역원 명예교수, 전통문화연구회 부회장을 역임하고 있으며, 사단법인 해동경사연구소 소장을 역임 중이다.

사서집주(四書集註), 『시경집전(詩經集傳)』, 『서경집전(書經集傳)』, 『주역전의(周易傳義)』, 『고문진보(古文眞寶)』, 『근사록집해(近思錄集解)』, 『심경부주(心經附註)』, 『통감절요(通鑑節要)』, 『당송팔대가문초(唐宋八大家文抄) 소식(蘇軾)』, 『고봉집(高峰集)』, 『독곡집(獨谷集)』, 『다산시문집(茶山詩文集)』, 『송자대전(宋子大全)』, 『약천집(藥泉集)』, 『양천세고(陽川世稿)』, 『우계집(牛溪集)』, 『여헌집(旅軒集)』, 『율곡전서(栗谷全書)』, 『잠암선생일고(潛庵先生逸稿)』, 『존재집(存齋集)』, 『퇴계전서(退溪全書)』, 『부안설 논어집주(附按說 論語集註)』, 『부안설 맹자집주(附按說 孟子集註)』, 『부 안설 대학·중용집주(附按說 大學·中庸集註)』, 『배우고 익히는 논어(전3권)』, 『최신판 논어집주(論語集註)』, 『최신판 맹자집주(孟子集註)』, 『최신판 대학·중용집주(大學·中庸集註)』, 『조선후기 한문비평(전2권)』 등을 번역하였다.

이영준(李泳俊)

고려대학교 한문학과 및 동 대학원 국어국문학과 박사과정을 수료하였다. 한국고전번역원 전문위원 및 해동경사연구소 연구원을 역임하고, 현재 성신여대 고전연구소 연구원으로 재직하고 있다. 번역서로 『증보역주 백헌선생집』, 『국역 정조실록(재번역)』, 『국역 손암집』, 『역주 사정전훈의 자치통감강목』 등이 있다.

박민희(朴民喜)

전주대학교 한문교육과를 졸업하고, 동대학원에서 사학으로 석사학위를 취득하였으며, 고려대학교 고전번역협동과정 박사과정을 수료하였다. 한국고전번역교육원 연수부와 전문과정을 마쳤다. 현재 한국고전번역원 승정원일기 외부역자로 활동 중이다.

고문진보후집 1

1판 1쇄 인쇄 | 2021년 2월 25일
1판 1쇄 발행 | 2021년 3월 10일

저자 | 진력(陳櫟)
역자 | 성백효, 이영준, 박민희

디자인 | 씨오디
지류 | 상산페이퍼
인쇄 | 다다프린팅

발행처 | 한국인문고전연구소 발행인 | 조옥임
출판등록번호 | 2012년 2월 1일(제 406-251002012000027호)
주소 | 경기 파주시 가람로 70 (402-402) 전화 | 02-323-3635 팩스 | 02-6442-3634
이메일 | books@huclassic.com

ISBN | 978-89-97970-70-4 04820
978-89-97970-69-8 (set)